JONATHAN EIG

MUHAMMAD ALI
UMA VIDA

TRADUÇÃO DE
MARIA LÚCIA DE OLIVEIRA

1ª EDIÇÃO

EDITORA RECORD
RIO DE JANEIRO • SÃO PAULO
2020

CIP-BRASIL. CATALOGAÇÃO NA PUBLICAÇÃO
SINDICATO NACIONAL DOS EDITORES DE LIVROS, RJ

E35m Eig, Jonathan
Muhammad Ali: uma vida / Jonathan Eig; tradução Maria Lúcia de Oliveira. – 1ª ed. – Rio de Janeiro: Record, 2020.

Tradução de: Ali: a life
Apêndice
Inclui índice
ISBN 978-85-01-11855-4

1. Ali, Muhammad, 1942-2016. 2. Boxeadores – Estados Unidos – Biografia. I. Oliveira, Maria Lúcia de. II. Título.

20-64273

CDD: 927.9683
CDU: 929:796.83

Meri Gleice Rodrigues de Souza – Bibliotecária CRB-7/6439

Copyright © Jonathan Eig, 2017

Título original em inglês: *Ali: a life*

Todos os direitos reservados. Proibida a reprodução, armazenamento ou transmissão de partes deste livro, através de quaisquer meios, sem prévia autorização por escrito.

Texto revisado segundo o novo Acordo Ortográfico da Língua Portuguesa.

Direitos exclusivos de publicação em língua portuguesa para o Brasil adquiridos pela
EDITORA RECORD LTDA.
Rua Argentina, 171 – 20921-380 – Rio de Janeiro, RJ – Tel.: (21) 2585-2000, que se reserva a propriedade literária desta tradução.

Impresso no Brasil

ISBN 978-85-01-11855-4

Seja um leitor preferencial Record.
Cadastre-se em www.record.com.br
e receba informações sobre nossos
lançamentos e nossas promoções.

Atendimento e venda direta ao leitor:
sac@record.com.br

EDITORA AFILIADA

Para Lola

SUMÁRIO

PREFÁCIO: Miami, 1964   11

PARTE I

1. Cassius Marcellus Clay   21
2. A criança mais barulhenta   25
3. A bicicleta   41
4. "Todos os dias eram um paraíso"   53
5. O profeta   71
6. "Sou apenas jovem, e não dou a mínima"   81
7. Herói da América   89
8. Sonhador   99
9. "Exuberância do século XX"   121
10. "É puro show business"   133
11. Flutue como uma borboleta, pique como uma abelha   153
12. O urso feio   171
13. "Então, o que há de errado com os muçulmanos?"   177
14. Tornando-se Muhammad Ali   199
15. Escolha   213
16. "Garota, quer se casar comigo?"   221
17. Assassinato   231
18. Golpe fantasma   241

19.	Amor verdadeiro	247
20.	Uma guerra santa	257
21.	Nenhuma desavença	267
22.	"Qual é o meu nome?"	279
23.	"Contra as fúrias"	289

PARTE II

24.	Banimento	299
25.	Fé	305
26.	Mártir	317
27.	Cantar, dançar e orar	333
28.	O maior livro de todos os tempos	343
29.	Fique do meu lado	349
30.	Retorno	355
31.	"O mundo está te olhando"	369
32.	Um lutador diferente	373
33.	A luta de 5 milhões de dólares	381
34.	Ali vs. Frazier	389
35.	Liberdade	399
36.	Enganação	415

PARTE III

37.	Uma luta de morte	435
38.	*Coração das Trevas*	447
39.	Céu do Lutador	457
40.	"Ali boma ye!"	469
41.	Batalha na Selva (*Rumble in the Jungle*)	483
42.	Voando alto	495
43.	Impulsos	509
44.	Ali-Frazier III	521
45.	Envelhecendo	529
46.	"Talvez eles não me deixem parar"	535

47. "Vocês se lembram de Muhammad Ali?" 549
48. Cambaleante 557
49. Príncipe herdeiro 565
50. Velho 573
51. Humpty Dumpty 583
52. O último hurra 601
53. Excesso de murros 613
54. "Ele é humano, como nós" 625
55. Uma tocha 639
56. O longo Cadillac preto 647

EPÍLOGO 663
AGRADECIMENTOS 665
NOTAS 669
APÊNDICE: Registro da carreira 735
ÍNDICE 745

PREFÁCIO

Miami, 1964

ROUND 1. O DESAFIANTE: CASSIUS CLAY

Um longo Cadillac preto desliza ao lado de palmeiras ondulantes e para em frente ao Surfside Community Center.[1] O sol da tarde rebrilha no para-choque cromado do carro. Cassius Clay desce. Veste uma jaqueta jeans feita sob medida e gira no ar uma bengala, no melhor estilo dândi.[2]

Dá uma olhada para ver se alguém o notou.

Ainda não.

Então grita: "Eu sou o maior acontecimento da história! Eu sou o rei!"[3]

Clay é alto e incrivelmente belo, com um sorriso irresistível. Ele é uma força magnética que rapidamente atrai as pessoas para a sua órbita. Carros buzinam. Outros param na avenida Collins. Mulheres se debruçam nas janelas do hotel e gritam seu nome. Homens de shorts e garotas de calças apertadas juntam-se para ver o arrogante boxeador do qual tanto ouvem falar.[4]

"Flutue como uma borboleta! Pique como uma abelha!", grita ele. "Agite, jovem, agite! Ahhhh!"[5]

À medida que a multidão cresce, o chefe de polícia chega para tentar tirar Clay da rua e levá-lo para um estacionamento onde possa causar menos perturbação. Um fotógrafo de jornal aponta a câmera, mas, em vez de sorrir,

Clay abre uma boca enorme, como um grito de pantomima. Desfecha um *jab* de esquerda que passa a poucos centímetros da câmera.

"Eu sou lindo e tão rápido como um relâmpago", diz, em seu doce sotaque de Kentucky. "Tenho só 22 anos e vou ganhar 1 milhão de dólares!"[6]

ROUND 2. O CAMPEÃO: SONNY LISTON

A mão esquerda de Sonny Liston é um aríete; sua direita, uma marreta. *Bum! Bum! Bum! Bum!* Ele esmurra o saco de areia com tamanha força que as paredes estremecem e as mãos dos comentaristas esportivos saltam no papel enquanto tomam notas, rabiscando sinônimos floreados para a palavra "assustador".

Liston é o boxeador mais inclemente em mais de uma geração, com punhos de quase 40 centímetros de circunferência e um peito saliente que se destaca como a dianteira de um tanque de guerra M4 Sherman. É destemido e perverso. Quão perverso? Certa vez, começou uma briga com um policial, bateu no sujeito até deixá-lo desmaiado, apossou-se de sua arma, carregou-o e jogou-o num beco. Depois, foi embora sorrindo, com o quepe do policial na cabeça.

Liston não apenas derrota seus adversários; ele os quebra, os envergonha, os assombra, os faz sonhar que estão se esquivando de seus golpes. Sonny Liston é a maldição da América. É a ameaça negra que surge nos estereótipos racistas brancos. E ele gosta que seja assim.

"Tem que haver caras bons e tem que haver bandidos",[7] diz ele, comparando o mundo a um filme de caubóis. "Espera-se que os bandidos percam. Mas eu inverto isso. Eu venço."

Quando descobre que o jovem com quem irá lutar em breve no campeonato mundial dos pesos-pesados está lá fora, na porta do centro comunitário onde treina, Liston sai e avança para conhecer o criador de caso. Afasta as mãos estendidas dos fãs e caminha até chegar a quase um golpe de distância de Cassius Clay.[8]

Liston para e sorri.

E diz a um repórter: "Clay é só uma criança que precisa de uma surra."[9]

PREFÁCIO

ROUND 3. O MINISTRO: MALCOLM X

Num quarto de hotel abarrotado, perto do aeroporto John F. Kennedy, em Nova York, Malcolm X, aos 38 anos, fala até tarde da noite, gravando sua história de vida para um repórter.[10] Malcolm é um homem alto e magro com um maxilar bem delineado, forte, e usa óculos com aros escuros e pesados. Mesmo sorrindo, tem uma expressão severa.

Malcolm caminha de um lado a outro enquanto dita, sentando-se apenas para rabiscar notas em guardanapos. Ele não pode esperar até uma idade avançada para produzir sua autobiografia. Acabou de ser suspenso da Nação do Islã por desobedecer o líder radical do grupo, Elijah Muhammad, e não sabe se poderá voltar algum dia. Poucos meses antes, Elijah Muhammad ordenara a seus ministros que não comentassem sobre o assassinato do presidente Kennedy, por respeito a uma nação enlutada, mas, ainda assim, Malcolm tinha se manifestado, alegando que o ocorrido era consequência natural da violência semeada pela América no Vietnã, no Congo e em Cuba. "Sendo eu um velho garoto da roça", dissera Malcolm, "galinhas que voltavam para pernoitar em casa nunca me deixavam triste; elas sempre me faziam feliz."[11] Havia aí uma alusão a outras questões, a outras forças que representavam uma barreira na relação entre Malcolm e seu líder. Malcolm ficara sabendo que Elijah Muhammad tivera vários filhos com jovens mulheres empregadas pela Nação do Islã. Malcolm comentara com outros membros da organização sobre o comportamento decepcionante do líder. Agora, Elijah Muhammad estava furioso, e chegavam rumores a Nova York de que ele queria ver Malcolm X morto.

Malcolm havia sobrevivido a tudo. Sobreviveu à pobreza, à prisão e a lutas de facas. Planeja sobreviver a isso também.

É aqui que começa a sua luta pela sobrevivência: num quarto de hotel, perto do aeroporto, trabalhando em sua autobiografia, porque palavras dão poder. E Malcolm não vai deixar Elijah Muhammad, o FBI de J. Edgar Hoover, os noticiários da mídia branca ou qualquer outra pessoa defini-lo com as palavras *deles*. Ele se definirá com as próprias palavras, o próprio novo lema, nos próprios termos. Uma grande revolução está se armando na América. A ordem racial predominante está sendo atacada com uma fúria que não se via desde a Guerra Civil. Mulheres e homens negros estão despertando e lutando por poder. A mudança está chegando, finalmente, e Malcolm está determinado a empurrá-la adiante — a forçá-la, se necessário —, independentemente do que Elijah Muhammad ou qualquer outra pessoa tenha a dizer.

São 2 da manhã quando Malcolm sai do hotel e dirige até sua casa, no Queens.[12] Um agente do FBI monitora cada movimento seu. Mais tarde, no mesmo dia, Malcolm, sua esposa e as três filhas embarcam num avião para as primeiras férias da família. Isso também é parte do plano. Ele quer que o mundo veja que não é um lunático que lança bombas, mas um pai, um marido, um ministro de Deus que acredita que a América pode e deve mudar. Ele planeja tirar fotos e escrever notas para uma reportagem de jornal que está chamando de "Malcolm X, o Homem de Família".

Quando o avião toca o solo em Miami, há um carro esperando para levar Malcolm e a família ao seu hotel só para negros, em Miami Beach. De acordo com um informante do FBI, o chofer é Cassius Clay.[13]

ROUND 4. O DESAFIANTE: CASSIUS CLAY

Clay grita como se estivesse possuído por demônios: "Você não tem nenhuma chance, de jeito nenhum você vai me derrotar, e você sabe disso!"[14]

É a manhã do dia da luta, hora em que os combatentes vão encontrar a imprensa, exibir corpos poderosos e subir na balança para verificar o peso. A sala recende a fumaça de cigarro, odor corporal e perfume barato. Os repórteres nunca tinham visto um atleta profissional se comportar de modo tão pouco profissional. Alguns dizem que Clay perdeu a cabeça, que o medo de Sonny Liston o deixou pirado.

Todos ali estão falando, mas Clay fala mais alto que todos.

"Sem chance! Sem chance!", grita, ignorando o pessoal do boxe que ameaça multá-lo se ele não se calar. Como Malcolm X, ninguém diz a Clay o que ele pode fazer. Ele vai vencer as adversidades e desafiar as expectativas de qualquer um que possa querer controlá-lo ou explorá-lo.

Clay aponta para Liston, dizendo que está pronto para lutar com o campeão agora, neste instante, sem luvas, sem um árbitro, sem público pagante, homem contra homem. Seu rosto não mostra sinais de que esteja brincando. Arranca o roupão branco, revelando o corpo longo, magro, os músculos bem definidos do estômago e do peito. Ele arremete contra Liston enquanto membros de seu *entourage* se esforçam para contê-lo.

Talvez Clay não seja louco. Talvez saiba, instintivamente, ou pela experiência de ter crescido com um pai abusador, violento, que a pior coisa que um homem ameaçado pode fazer é demonstrar medo.

"Eu sou o *MAIOR!*", grita Clay. "Eu sou o *CAMPEÃO!*"[15]

ROUND 5. O CAMPEÃO: SONNY LISTON

Liston alerta os adversários sobre o poder de seu soco e de seus efeitos a curto e longo prazos. Explicando os perigos a um repórter, ele encaixa o nó dos enormes dedos nos espaços entre os nós da outra mão enorme e demonstra: "Olha só, as diferentes partes do cérebro estão encaixadas em pequenos espaços como esses. Quando você recebe um golpe terrível — *pop!* —, o cérebro salta fora, e você fica nocauteado. Então o cérebro volta para o lugar [...] e você entra no ar de novo. Depois que isso acontece várias vezes, no entanto, ou até mesmo só uma vez, se o golpe for pra valer, o cérebro não volta pro lugar, e é aí que você começa a precisar da ajuda de outras pessoas pra cuidar de você."[16]

Cassius Clay pode se safar em um ou dois rounds, mas Liston promete que pegará o jovem adversário mais cedo ou mais tarde, e, quando fizer isso, vai atingir Clay com tanta força que o cérebro do garoto sairá do lugar.

ROUND 6. NO RINGUE

Uma fumaça cinzenta paira sob as brilhantes luzes brancas do ringue, ofuscando tudo em volta. Os repórteres atacam suas máquinas de escrever portáteis e sacodem as cinzas de cigarro das gravatas. Quase não se discute entre os homens da imprensa quem vencerá esta noite. A questão — a única, para a maioria — é se Cassius Clay deixa o ringue inconsciente ou morto.

MUHAMMAD ALI

Isso é mais que uma luta de boxe, e pelo menos uma pequena parcela das pessoas no Centro de Convenções de Miami Beach entende assim. Elas pressentem que há forças brutais, carregadas de emoções, concentrando-se logo abaixo da superfície plácida da vida norte-americana, e aquele Cassius Clay é um mensageiro da mudança por vir, um radical sob o disfarce de um atleta norte-americano tradicional. "Ele os engana", diz Malcolm X referindo-se a Clay antes da luta. "As pessoas se esquecem que, embora um palhaço nunca imite um homem sábio, o homem sábio pode imitar o palhaço."[17]

Malcolm olha para as luzes acima da primeira fila, onde está sentado com o cantor Sam Cooke e o boxeador Sugar Ray Robinson. Há rumores de que planeja trazer Cassius Clay para as fileiras dos Muçulmanos Negros.

Joe Louis, campeão aposentado dos pesos-pesados, também está sentado na primeira fila, inclinado sobre um microfone e descrevendo a ação para os fãs que se preparam para assistir à luta em preto e branco nas telas de cinema em todo o país. Louis, conhecido como "Brown Bomber" durante seus dias de boxe, foi o maior peso-pesado de sua geração, um negro que ganhou a admiração de muitos norte-americanos brancos por seu desempenho na Segunda Guerra Mundial, por derrotar o pugilista alemão Max Schmeling em 1938 e por demonstrar humildade, aceitando que nem mesmo um campeão negro deve se comportar como se fosse igual a um homem branco comum.

Clay entra no ringue e remove o roupão, revelando o calção de cetim branco com listras vermelhas. Dança com pernas longas, magras, e golpeia o ar para se soltar.

Liston faz Clay esperar, então avança lenta e silenciosamente pela arena e entra no ringue.

Os homens trocam um olhar rápido.

Soa o gongo.

"Foi a única vez que senti medo no ringue",[18] disse Clay anos mais tarde, depois de ganhar e perder o título de campeão por três vezes; depois de declarar sua lealdade para com a Nação do Islã e adotar o nome de Muhammad Ali; depois de se tornar um dos homens mais desprezados na América e, em seguida, como num passe de mágica, um dos mais amados; depois de se tornar tudo, de desertor até herói norte-americano; depois de se firmar como

PREFÁCIO

um dos maiores pugilistas pesos-pesados de todos os tempos — um lutador com uma combinação incomparável de velocidade, potência e resistência, com uma bizarra capacidade de absorver golpes e permanecer de pé; depois de ter se tornado o ser humano mais famoso do planeta, "o próprio espírito do século XX",[19] como foi chamado por um escritor; depois de a doença de Parkinson e uns 200 mil golpes[20] no corpo e na cabeça lhe roubarem justamente as coisas que o tornaram espetacular — a rapidez, a resistência, o charme, a arrogância, os jogos de palavras, a graça, a masculinidade como força da natureza, e aquele brilho juvenil nos olhos, que revelava seu desejo de ser amado, não importando quão absurdamente se comportasse.

A fama de Cassius Clay atravessará a era dos direitos civis, a Guerra Fria, a Guerra do Vietnã, os ataques terroristas de 11 de setembro de 2001 e avançará pelo século XXI afora. Ele viverá para ver a sua casa de infância em Louisville transformada em museu e, do outro lado da cidade, um museu ainda maior ser construído para honrar o seu legado. O arco de sua vida servirá de inspiração para milhões, levando à adoração de muitos e causando repulsa em outros.

Clay viverá grande parte da vida entre os espasmos de uma revolução social, que ele ajudará a impulsionar à medida que os norte-americanos negros, como ele, forcem os norte-americanos brancos a reescrever os termos da cidadania. Ele ganhará fama, pois palavras e imagens viajam mais rapidamente ao redor do globo, permitindo que os indivíduos sejam vistos e ouvidos como nunca antes. As pessoas irão cantar canções, escrever poemas, fazer filmes e peças sobre ele, contando a história de sua vida numa estranha mistura de verdade e ficção, não como um espelho real da alma complicada e carente que parecia se esconder à vista de todos. Seu apetite por afeição se provará insaciável, abrindo-o para relações com inúmeras garotas e mulheres, incluindo quatro esposas. Ele ganhará o tipo de dinheiro antes reservado aos barões do petróleo e magnatas do setor imobiliário, e sua extraordinária riqueza e sua natureza confiante o tornarão um alvo fácil para aproveitadores. Ele ganhará a vida lançando insultos cruéis contra os adversários antes de surrá-los brutalmente, embora venha a se tornar, para o mundo todo, um símbolo duradouro de tolerância, benevolência e pacifismo.

"Eu sou a América", declarará Clay com orgulho. "Eu sou a parte que vocês não reconhecem. Mas se acostumem comigo — negro, confiante, arrogante; meu nome, não o seu; minha religião, não a sua; meus objetivos, os meus próprios. Se acostumem comigo."

Seu dom extraordinário para o boxe vai cimentar a sua grandeza e tornar possíveis as muitas contradições de sua vida. No entanto, esta será a amarga ironia em uma vida cheia delas: seu grande dom também provocará a sua queda.

Nos primeiros segundos da luta, Liston dispara violentas esquerdas e direitas, contando com um dos nocautes rápidos a que estava acostumado. Clay se esquiva e escapa, e se curva para trás, como se tivesse vértebras de borracha. Liston avança pesadamente sobre Clay, forçando-o contra as cordas, onde grandes golpeadores geralmente destroem adversários cheios de manhas nos pés. Contudo, justamente quando os olhos de Liston se arregalam, antevendo o assassinato, Clay desliza para o lado e um gancho de esquerda de Liston passa assobiando, atingindo apenas o ar. Clay dança em círculo, rápido e leve como um beija-flor, e depois, de repente, desfecha um *jab* de esquerda no rosto de Liston. Acerta em cheio. Milhares de vozes gritam em uníssono. Liston manda outra direita poderosa, mas Clay mergulha e desliza para a esquerda, evitando inteiramente o golpe. Ele se apruma e dispara outro soco que acerta o alvo, e depois outro.

Falta menos de um minuto para terminar o round quando Clay lança uma direita que atinge solidamente a cabeça de Liston. Clay dança e então planta os pés muito brevemente, disparando uma avalanche de socos com rapidez de metralhadora, direita-esquerda-direita-esquerda-esquerda-direita. Todos os golpes atingem o adversário.

De repente, tudo muda.

A multidão está rugindo. Liston está curvado, buscando cobertura.

Clay está finalmente mostrando aquilo que o tornou conhecido desde o início: o que ele pode fazer é mais importante do que aquilo que diz.

E o que Clay pode fazer é lutar.

PARTE I

1

Cassius Marcellus Clay

Seu bisavô era um escravo. Seu avô foi condenado por assassinar um homem, numa desavença por conta de 25 centavos, atingindo-o com um tiro no coração.[1] Seu pai era um bêbado, um brigão de bar, um mulherengo que espancava a esposa;[2] certa vez, num ataque de fúria alcoólica, cortou o filho mais velho com uma faca.[3] Essas são as raízes de Muhammad Ali, que nasceu com o que ele chamava de nome de escravo — Cassius Marcellus Clay Jr. — e que viria a se tornar um dos homens mais famosos e influentes de seu tempo.

John Henry Clay, o bisavô de Muhammad Ali, era considerado propriedade privada tanto pelo seu dono como pelo governo dos Estados Unidos. Era alto, forte e bonito.[4] Sua pele era de um marrom claro. Tinha peito robusto, ombros largos, maçãs do rosto salientes e olhos calorosamente expressivos. Pertencia à família de Henry Clay, o senador de Kentucky, um dos políticos mais exaltados e controvertidos de sua época, um homem que chamava a escravidão de "desgraça nacional", uma abominação que corrompia as almas dos senhores e dos escravos, um "grande mal [...] a mancha mais escura no mapa do nosso país."[5]

O senador Clay manifestava-se abertamente contra a escravidão. Fundou a Sociedade Americana de Colonização com o objetivo de levar de volta para a África os escravos da América. Ao mesmo tempo, ele e a maioria dos membros de sua família em Kentucky continuavam a ser proprietários de grande número de homens, mulheres e crianças de ascendência africana.[6]

Quando o filho do senador Clay, Henry Jr., viajou para o México, em 1846, para lutar na Guerra Mexicano-Americana, levou com ele um jovem escravo chamado John. De acordo com membros da família de Muhammad Ali, o escravo era John Henry Clay, bisavô de Ali.[7] Descendentes de Muhammad Ali também sustentam que John Henry Clay era filho ilegítimo de Henry Clay ou de Henry Clay Jr. É possível olhar para fotos do Henry Clay pai, branco, e de John Henry Clay, negro, e ver uma semelhança, mas não houve nenhuma tentativa, até hoje, de provar tal conexão com testes genéticos. Raramente havia o cuidado de registrar casamentos, nascimentos e mortes entre os escravos. Mais raro ainda era que brancos reconhecessem os filhos que tinham com mulheres negras, muitas dessas crianças sendo o produto de estupros. Nomes não provavam nada. Os senhores tinham nome, não os escravos, que recebiam nomes como se fossem marca de gado. Os nomes dos escravos eram alterados por capricho dos donos ou quando leiloados num lote. Muitas vezes, quando um escravo era libertado ou escapava do cativeiro, ele celebrava o fato escolhendo um novo nome. Pois "é por meio de nosso nome que primeiro nos situamos no mundo",[8] escreveu Ralph Ellison.

Em 1º de janeiro de 1847, Henry Clay Jr. enviou, do México, uma carta para seu filho em Kentucky. Dizia, em parte: "John pede-me para lhe transmitir os cumprimentos de Natal. Ele ainda está comigo e revelou-se, de modo geral, um rapaz muito bom. Ele agradece a Deus por ainda estar vivo, pois vários de seus companheiros negros foram assassinados pelos mexicanos."[9] Logo depois de escrever a carta, quando comandava um ataque à frente de seu regimento, Henry Clay Jr. foi assassinado. John Henry Clay retornou ao Kentucky, ainda um escravo.

Não se sabe exatamente quando foi emancipado, mas o Censo dos Estados Unidos de 1870 mostra John Clay como um trabalhador, um homem casado pai de quatro filhos e dono de uma propriedade avaliada em 2.500 dólares. Com sua esposa, Sallie, ele chegaria a ter nove filhos, incluindo Herman Heaton Clay, o avô de Muhammad Ali, nascido em 1876, em Louisville.

CASSIUS MARCELLUS CLAY

Herman Heaton Clay abandonou a escola após a terceira série.[10] Tornou-se um homem bonito, alto e forte.[11] Em 1898, casou-se com uma mulher chamada Priscilla Nather. Tiveram um menino,[12] mas o casamento não durou. Em 4 de novembro de 1900, jogando dados em um beco em Louisville, Herman Clay arrebatou uma moeda de 25 centavos de um homem e se recusou a devolvê-la.[13] Mais tarde, no mesmo dia, numa aparente premonição, Herman disse ao seu irmão Cassius que qualquer um que o aborrecesse por causa do dinheiro "ia se machucar".[14] Os dois estavam de pé ao lado de um poste, na esquina das ruas 16 e Harney, quando avistaram Charles Dickey, amigo do homem que havia ficado sem a moeda. Dickey era um trabalhador braçal analfabeto de 25 anos.[15] Carregava uma bengala com um castão muito pesado enquanto se aproximava dos irmãos Clay. Herman Clay tinha uma arma. Cassius empunhava uma faca.

Dickey perguntou por que Cassius estava com a faca.

"Eu estava com esta faca antes de você aparecer aqui",[16] disse o irmão de Herman.

"Você deve ter tido a intenção de fazer alguma coisa com ela", respondeu Dickey.

De acordo com testemunhas, não trocaram mais palavras. Herman Clay virou-se, sacou seu 38 e disparou uma vez, atingindo Dickey no coração. "A morte foi instantânea",[17] relatou o *Louisville Courier-Journal*.

Herman fugiu da cena do crime, mas foi rapidamente capturado e condenado à prisão perpétua por assassinato. Logo após a condenação, ele e Priscilla se divorciaram.[18] Depois de seis anos na penitenciária do estado em Frankfort, Kentucky, Clay recebeu liberdade condicional.[19] Três anos mais tarde, em 30 de dezembro de 1909, casou-se com Edith Greathouse.[20] Tiveram doze filhos. O primeiro, Everett Clay, foi preso por matar a esposa com uma navalha, e morreu atrás das grades.[21] Seu segundo filho, Cassius Marcellus Clay, nascido em 11 de novembro de 1912, veio a ser o pai de Muhammad Ali.

A escravidão não era nenhuma abstração para a família Clay negra do século XX. Havia pessoas específicas ligadas a ela. Os detalhes são interessantes. Cassius Marcellus Clay Sênior herdou seu nome de duas pessoas, uma negra, outra branca. O Cassius Clay negro era seu tio, aquele que havia ficado ao lado do irmão Herman quando esse atirou e matou um homem. O Cassius Clay branco era primo do senador Henry Clay, nascido em 1810, que veio a ser advogado, soldado, editor, político e crítico da escravidão. "Para aqueles que respeitam as leis de Deus, eu tenho este argumento", disse ele em certa ocasião, apresentando uma cópia da Bíblia Sagrada encadernada em couro. "Para os que acreditam nas leis dos homens, tenho este argumento", e exibiu uma cópia da constituição do estado. "E para aqueles que não acreditam nem nas leis de Deus nem nas dos homens, tenho este argumento." E mostrou um facão e duas pistolas.[22] Em outra ocasião, Clay foi esfaqueado no peito durante um debate com um homem pró-escravidão que era candidato a uma secretaria estadual, mas sobreviveu ao ataque e apunhalou o rival pelas costas.

O Cassius Clay branco acreditava que a escravidão era um mal moral e propunha a libertação gradual de todos os escravos. Embora não tenha libertado todos os que pertenciam ao seu patrimônio, suas declarações explícitas fizeram dele um herói para muitos homens negros, tanto que um ex-escravo chamado John Henry Clay deu o nome Cassius a um de seus filhos; Herman Heaton Clay, nascido uma década após o fim da escravidão, faria o mesmo; e Cassius Marcellus Clay, nascido em 1912, passaria o nome adiante mais uma vez para seu filho, nascido em 1942. O nome perdurou enquanto os efeitos da escravidão e do racismo continuavam a ressoar em todo o país, permeando o longo período que incluiu a Reconstrução, o "separados mas iguais", o surgimento da Associação Nacional para o Avanço das Pessoas de Cor (National Association for the Advancement of Colored People, NAA-CP), Jack Johnson, a Grande Migração, Joe Louis, a luta de Marcus Garvey pela independência negra, a Segunda Guerra Mundial, Jackie Robinson e o nascimento do movimento dos direitos civis no século XX.

2

A criança mais barulhenta

O pai de Muhammad Ali só brigava quando estava bêbado.

Cassius Marcellus Clay Sr. era um homem bastante conhecido e não particularmente respeitado entre os vizinhos no setor inteiramente negro do West End de Louisville. Cash, como todos o chamavam, abandonou a escola após a oitava série. Conseguia viver modestamente como pintor de placas e letreiros.

Numa idade em que a maioria dos homens sossegava e começava uma família, Cash andava de sapatos brancos lustrados e calças apertadas, dançava até de madrugada em clubes de jazz enfumaçados e em inferninhos nos bairros de West End e Little Africa. Media 1,82 m, era musculoso e de pele escura, com um bigode fino como um lápis. As mulheres do West End o chamavam de "Dark Gable",[1] numa alusão ao bigode do ator Clark Gable. Cash Clay se gabava de sua boa aparência, de seu físico poderoso, do vibrato luxuriante de sua voz quando cantava[2] e da beleza das placas e dos anúncios que pintava para empresas locais, a maioria delas de proprietários negros. Em ruas diferentes, havia as placas das TRÊS LOJAS DE MÓVEIS KING KARL, na Market; a MÉDICO A. B. HARRIS, PARTOS E DOENÇAS FEMININAS, na

Dumesnil; e a BARBEARIA DO JOICE, na rua 13.[3] Ele também pintava cenas da Bíblia em paredes de igrejas. Por um trabalho para a igreja, ele talvez recebesse 25 dólares e mais um jantar com frango,[4] não exatamente o que se poderia chamar de uma vida fácil, mas havia algo a ser dito a favor de um homem negro no sul que podia abrir seu caminho no mundo com as próprias mãos e com o próprio talento, sem precisar da permissão ou aprovação de um homem branco. Cash tinha ouvido seu pai, Herman, pregar sobre os perigos e humilhações de trabalhar para o homem branco. Um homem negro estaria melhor por conta própria,[5] Herman sempre dissera isso.

Cash estava longe de ser famoso, e mais longe ainda de ser rico, mas as placas e os anúncios pintados lhe davam independência e um grau de reconhecimento público que ele adorava. As pessoas o contratavam não só pelo excelente trabalho, mas também por sua natureza gregária. "Quando Cassius estava trabalhando numa placa, tinha de parar umas cem vezes por dia para falar com os conhecidos que estavam só de passagem",[6] disse Mel Davis, que o contratara para pintar a placa de sua loja de penhores na Market Street. "Você não desejaria ninguém mais para pintar sua placa, mas certamente também não ia querer pagar Cassius por hora."

Cash insistia que não era a falta de talento ou de formação que o impedia de ganhar fama e fortuna como um artista sério; era a América de Jim Crow que o mantinha inferiorizado, dizia, referindo-se às leis de Jim Crow, que impunham a segregação racial no sul dos Estados Unidos.

Quando sóbrio, Cash era divertidíssimo, capaz de irromper numa risada ou de cantar algumas estrofes de Nat King Cole. Quando bebia — gim, em geral[7] —, falava alto, tornava-se intoleravelmente opinativo e frequentemente violento. "Ele não conseguiria ganhar nenhuma briga",[8] disse um de seus amigos. "Mas, depois de tomar várias doses, ele encarava qualquer um."

Cash não tinha nenhuma pressa de assentar a cabeça, e, como sua personalidade e renda eram ambas instáveis, as mulheres não estavam exatamente implorando que ele assumisse um compromisso com elas. Se dependesse dele, nunca teria sossegado — preferiria beber e perseguir mulheres por toda a sua vida —, mas acabou se casando. Um dia, estava voltando para casa depois do trabalho quando viu uma moça do outro lado da rua. "Você é uma garota linda!",[9] gritou, de acordo com a história que mais tarde contou aos filhos.

A CRIANÇA MAIS BARULHENTA

Odessa Lee Grady tinha a pele clara e formas arredondadas; era um tipo risonho e ainda cursava o ensino médio no Colégio Central de Louisville. Era neta de Tom Morehead, um negro de pele clara que lutara pela União na Guerra Civil, passando de soldado raso a sargento com um ano de serviço. Morehead era filho de um branco de Kentucky que se casara com uma escrava chamada Dinah. O outro avô de Odessa também pode ter sido um homem branco — um imigrante irlandês chamado Abe Grady —, mas as evidências que sustentam sua ascendência irlandesa são precárias.

Sendo apenas uma adolescente, Odessa provavelmente desconhecia a reputação de Cash Clay, o homem mais velho que a chamara do outro lado da rua. Ela era religiosa, e uma aluna dedicada, jamais o tipo de garota que andaria por casas noturnas.

Era muito admirada por sua dedicação aos estudos e pelo jeito alegre de ser. Havia crescido em Earlington, uma pequena cidade no oeste do Kentucky. Seu pai era mineiro. Quando ele abandonou a família, Odessa teve de se mudar para Louisville e viver com uma das tias. Para pagar suas roupas, ela trabalhava depois da escola como cozinheira em residências de famílias brancas. Ninguém se lembrava de ouvi-la se queixando de nada. Mesmo assim, para uma adolescente vivendo na cidade grande, longe da mãe e do pai, durante os piores tempos da Grande Depressão, um casamento precoce com um homem mais velho, bonito, confiante e com uma renda decente deve ter sido tentador. Depois que Odessa engravidou, o casamento provavelmente parecia algo obrigatório.

Cash e Odessa eram tipos opostos em muitos aspectos. Ele era tempestuoso; ela era gentil. Ele era alto e magro; ela, baixinha e gorda. Ele protestava contra as injustiças da discriminação racial; ela sorria e sofria em silêncio. Ele era metodista e raramente rezava; ela era batista e nunca perdeu um culto dominical na Igreja de Monte Sião. Ele bebia e ficava na rua até tarde; ela arrumava a casa e cozinhava. No entanto, apesar de todas as diferenças, tanto Cash como Odessa adoravam rir, e, quando Cash brincava com ela, contava suas histórias ou cantava uma canção, Odessa se soltava inteiramente, dando gostosas risadas, estridentes, que ajudaram a inspirar seu apelido: Bird.

É provável que tenham se conhecido em 1933 ou 34, pois Odessa disse que tinha 16 anos quando foram apresentados. O casamento só aconteceu em 25 de junho de 1941, em St. Louis,[10] quando Odessa já estava com cerca de três meses de gravidez. Em 17 de janeiro de 1942, ela deu à luz seu primeiro filho. O bebê de 3 kg nasceu no Hospital Municipal de Louisville,[11] bem depois da data prevista. Odessa disse que foi um trabalho de parto doloroso e prolongado, que só chegou ao fim quando um médico usou um fórceps para agarrar o menino pela cabeça grande e extraí-lo de seu ventre. O fórceps deixou uma pequena marca retangular na face do garoto, que permaneceria durante toda a vida.[12]

Cash queria que o filho se chamasse Rudolph, por causa de Rodolfo Valentino, o ator de Hollywood, mas Odessa insistiu que a criança tivesse o nome de seu sogro, "o nome de homem mais bonito que já ouvi",[13] disse ela, um nome enraizado na tortuosa história da nação e da família, e o bebê foi chamado de Cassius Marcellus Clay Jr. Na certidão de nascimento, o nome foi soletrado erradamente como "Cassuis", mas os pais ou não perceberam, ou não se importaram o bastante para fazer a correção.

Cash e Odessa viveram no número 1121W da Oak Street,[14] a um quarteirão da casa onde Odessa havia morado; alugaram um apartamento pelo qual provavelmente pagavam 6 ou 7 dólares por mês.[15] A certidão de nascimento do bebê indica que Cash Clay trabalhava para a Southern Bell Telephone and Telegraph, o que sugere que ele estaria suficientemente comprometido em começar uma família, garantindo um salário fixo pela primeira e última vez em sua vida.

Cassius Jr. era a criança mais barulhenta do hospital, sua mãe contou aos jornalistas anos mais tarde. "Ele chorava tanto que poderia disparar o choro de todos os outros bebês na ala", disse Odessa. "Estavam todos quietinhos, dormindo tranquilamente, até que Cassius começava a chorar e gritar, e imediatamente todos os outros começavam a berrar."[16]

Menos de dois anos depois do nascimento de Cassius Jr., Odessa e Cassius Sr. tiveram outro filho. Desta vez, a opinião de Cash prevaleceu, e o bebê foi chamado de Rudolph Arnett Clay. A família Clay comprou um chalé no número 3.302 da Grand Avenue, no West End de Louisville. Era uma casinha minúscula, não mais que 75 metros quadrados, com dois quartos e um banheiro. Em algum momento, Cash pintou a casa de rosa-shocking, a cor

A CRIANÇA MAIS BARULHENTA   29

favorita de Odessa. Também fez um tanque para criar peixinhos dourados, e uma horta no quintal. Mais tarde, construiu um puxadinho na parte de trás da casa, para que os meninos pudessem ter mais espaço para brincar. Cassius Jr. e o pequeno Rudy partilhavam um quarto que tinha cerca de 3,5 metros de largura por 6 de comprimento, e paredes recobertas com um papel branco com rosas vermelhas.[17] Os meninos dormiam lado a lado em camas de solteiro. A cama de Cassius ficava perto da janela com vista para a casa do vizinho,[18] a menos de 2 metros de distância.[19]

As acomodações das crianças eram modestas, e a maioria de suas roupas era comprada na Goodwill,[20] um brechó, inclusive os sapatos, que Cash reforçava com um forro de papelão. Mesmo assim, os garotos Clay nunca saíam para a escola abatidos ou com fome. A casa tinha um cheiro forte de tinta,[21] por causa do estoque de latas de tinta e pincéis de Cash, mas o aroma da comida bem-feita de Odessa muitas vezes superava o odor da tinta.[22] Odessa usava temperos picantes. Fazia um frango frito com vagem e batatas. Misturava repolho com cenouras e cebolas, e fritava no óleo até que o aroma enchesse a casa e flutuasse pelas janelas, e então os meninos podiam senti-lo do quintal. Assava bolos de chocolate e pudim de banana. A certa altura, a família teve uma galinha de estimação e, em algum momento, um cachorro preto com rabo branco chamado Rusty. Quando foram crescendo, Cassius e Rudy tiveram trens elétricos, patinetes motorizadas e bicicletas.

Algumas das ruas no West End tinham uma pavimentação precária, e algumas das casas eram meros barracos. Mas era um bairro muito melhor do que o vizinho Little Africa, onde casas velhas e ruas não pavimentadas existiram até passada a metade do século XX. A maioria dos vizinhos dos Clay, na década de 1940, era de assalariados estáveis: encanadores, professoras, motoristas, carregadores de bagagens, mecânicos e donos de lojas. "Claro, conhecíamos todos que viviam em cada casa no quarteirão",[23] recordou Georgia Powers, que cresceu na Grand Avenue com os Clay e veio a se tornar a primeira mulher e a primeira afro-americana eleita para o senado do estado do Kentucky. "Havia treze professores e três doutores — um era médico, um era dentista, e outro, Joseph Ray, era um banqueiro com um doutorado em alguma coisa. Ele passava em seu Cadillac preto, tocava a aba do chapéu e dizia 'Olá, senhora Georgia'. Isso mandava uma mensagem a todos nós na comunidade."

As crianças negras do West End eram avisadas de que não deveriam se aventurar nos bairros negros mais pobres, mais perigosos, como Little Africa e Smoketown, mas não precisavam ser avisadas sobre como evitar bairros brancos. O West End oferecia uma sensação de segurança. "Nossa infância não foi difícil", recordou Alice Kean Houston, que vivia duas casas abaixo dos Clay. "Havia comércio, bancos e cinemas. Só fomos descobrir que nosso mundo era diferente quando conhecemos o mundo lá fora."[24]

Odessa Clay recordou os anos iniciais de seu primeiro filho numa biografia escrita a caneta num caderno de folhas pautadas; tinha uma boa caligrafia, mas com muitos erros de ortografia, de colocação de iniciais maiúsculas e de pontuação. Ela compôs a biografia a pedido de um jornalista, em 1966. "A vida de Cassius Jr. era, para mim, muito diferente da de outras crianças, e ele é fora do comum ainda hoje", escreveu Odessa. "Quando bebê, nunca ficava sentado. Quando eu o levava para um passeio no carrinho, ele sempre se levantava e tentava ver tudo. Tentou falar muito cedo. Aprendeu a andar aos 10 meses, de tanto que se esforçou. Quando tinha 1 ano, adorava que alguém o balançasse para dormir. Se não houvesse ninguém, ele se sentava numa cadeira e ficava batendo a cabeça no encosto até dormir. Não queria ajuda de ninguém para se vestir ou se despir, sempre chorava. Desde muito pequeno, queria comer sozinho. Quando tinha 2 anos, sempre acordava às 5 da manhã e jogava tudo fora da Gaveta da Cômoda, deixando as coisas espalhadas no chão. Adorava brincar na água. Adorava falar muito e gostava de comer, gostava de subir nas coisas. Não brincava com seus brinquedos. Ele tirava todas as Panelas para Fora do Armário da cozinha, e ficava batendo. Ele batia em qualquer coisa, e tinha ritmo. Quando era uma Criança muito pequena, caminhava nas pontas dos pés, por isso ele tem Arcos bem Desenvolvidos, e é por isso que ele é tão rápido com os pés."[25]

Ainda bebê, Cassius gostava muito de comer, mas odiava que alguém o alimentasse. Insistia em comer sozinho, e, quanto maior a bagunça, melhor. Tinha um enorme apetite, e cresceu forte e sempre brincalhão. Nunca caminhava se pudesse correr e, segundo Odessa, era tão apressado que teve sarampo e coqueluche ao mesmo tempo. Sua primeira palavra — e a única, durante muitos meses — foi "Gee". Olhava para a mãe e dizia "Gee! Gee!". Olhava para o pai e dizia "Gee! Gee!". Apontava a comida e dizia "Gee!

Gee!". Quando precisava trocar de fralda, ele anunciava, declarando "Gee! Gee!". Naturalmente, Odessa e Cash começaram a chamar seu menininho de "Gee" ou, às vezes, "Gee-Gee". Odessa também o chamava de "Woody Baby",[26] uma versão de "Little Baby". Mas "Gee-Gee" foi o que realmente pegou, não só em casa, e não só durante toda a infância, mas por todo o West End, e por toda a sua vida.

Cassius era louco por aventura. Subia na máquina de lavar, entrava no tanque, perseguia a galinha pelo quintal. Quando tinha 1 ou 2 anos, acertou seu primeiro soco, atingindo acidentalmente sua mãe na boca e abalando um dente que teve de ser extraído mais tarde. Aos 2 anos, já não cabia na sua cama de bebê. Motoristas de ônibus insistiam que Odessa pagasse uma passagem para a criança, supondo que tivesse pelo menos 5 ou 6 anos quando, na realidade, tinha apenas 3 ou 4, e ainda podia viajar de graça. Odessa, alguém que jamais desafiou uma autoridade, pagava a passagem sem argumentar.

Ela sabia, desde o começo, que seus dois filhos eram crianças precoces, mas Cassius mais ainda, com seu pouco respeito pelas regras e nenhuma preocupação com punições. Sua rebeldia e arrogância vinham do pai, assim como sua simpatia e generosidade vinham da mãe. Quando Rudy se metia em apuros em casa, Cassius dizia aos pais que Rudy era *seu* bebê, e que ninguém ia bater em *seu* bebê. Então pegava o irmão pelo braço e o levava rapidamente para o quarto dos dois.

A paciência não era o seu forte. Cassius começou a frequentar a escola da Virginia Street só para negros, e todos os dias Odessa preparava um lanche para ele levar. Só que ele comia tudo no caminho,[27] mesmo depois de um farto café da manhã em casa. Algumas crianças teriam pensado que, se comessem antes da hora, ficariam com fome mais tarde, mas não Cassius. Ele presumia que iria improvisar uma solução, e normalmente persuadia os colegas a partilhar com ele o lanche que traziam de casa. Para resolver o problema, Odessa resolveu não preparar mais um almoço para ele levar, e lhe deu dinheiro para comprar alguma coisa para comer no refeitório da escola. Mas Cassius não aceitava ser contrariado. Usava o dinheiro da mãe para comprar uma comida empacotada no seu amigo Tuddie, e comia *tudo* a caminho da escola.

Aos 7 ou 8 anos, Cassius era o líder de um bando de garotos sempre em busca de ação. Odessa olhava pela porta de tela e via o filho mais velho de pé na varanda, como um político numa plataforma, dirigindo-se a seus jovens seguidores e explicando o que havia planejado para eles. Assim que ficou grande o suficiente para acompanhá-los, Rudy Clay tornou-se a sombra e o principal concorrente do irmão. "Éramos como gêmeos",[28] lembrou Rudy anos mais tarde. Para se divertir, Cassius se postava no estreito espaço de menos de 2 metros entre sua casa e a do vizinho, e deixava que Rudy lhe atirasse pedras. Rudy jogava com toda a força que conseguia, enquanto Cassius saltava, se esquivava e se lançava de um lado para outro. Eles jogavam bolas de gude e brincavam de esconde--esconde, e Cassius quase nunca deixava que o irmão mais novo ganhasse.[29] Quando brincavam de caubóis e índios, Cassius era sempre o caubói — sempre.

Os dois garotos eram provocados e atormentados pelos outros, não só porque eram barulhentos e chamavam atenção para si, mas também porque tinham cabeças excepcionalmente grandes. "Querido", recordou sua tia Mary Turner, "aquelas crianças tinham umas cabeças enormes, vou te contar! Quando estavam sentadas na beira da calçada jogando bola de gude ou algum outro jogo de rua, um ou dois garotos se esgueiravam por trás e *bum!*, batiam aquelas cabeças enormes uma na outra, e saíam correndo, com Rudy e Cassius em seus calcanhares. Eles achavam aquilo muito divertido. Porém, depois que cresceram um pouco, esse tipo de coisa parou. Cassius e Rudy podiam dar conta da maioria dos meninos do quarteirão porque eram muito grandes e muito rápidos. Mais tarde, seus corpos cresceram bastante, e as cabeças já não eram tão grandes."[30]

Em pouco tempo, eram Cassius e Rudy que viviam provocando e torturando os menores. Pegavam emprestadas as bicicletas das crianças e só devolviam horas depois. "Eles não estavam sendo maus", disse a tia, "apenas pensavam que eram os garotos mais fantásticos do pedaço. Cassius achava que ninguém tinha um irmão tão bom quanto Rudy, e Rudy pensava o mesmo sobre Cassius."

Amigos que cresceram com os irmãos Clay no West End lembraram que Cassius era um corredor rápido e um bom atleta, mas não especialmente talentoso. Não sabia nadar.[31] Concordaria em jogar softbol ou *touch football*, variação do futebol americano, mas não tinha nenhuma paixão por esses esportes.

"O Gee saía por aí e me metia em enrascadas o tempo todo", recordou seu colega e vizinho Owen Sitgraves. "A gente costumava se esconder no

A CRIANÇA MAIS BARULHENTA   33

beco atrás da loja de flores do Kinslow e rolar pneus velhos na frente dos carros que passavam na rua, forçando-os a parar. Uma vez, o pneu ficou preso debaixo de um carro. Nós corremos até a outra ponta do beco, demos a volta até a rua e ficamos olhando o que estava acontecendo. Uma senhora saiu do carro e nos disse: 'Rapazes, vou pagar 2 dólares a vocês para tirarem esse pneu daqui.' Então pegamos o macaco no porta-malas e tiramos o pneu para ela." Em outra ocasião, Owen e Cassius acharam num beco uma camisa velha que encheram de lixo e jogaram na janela aberta de um ônibus que passava. "Um cara vestindo um terno branco de panamá — ele devia estar indo a um encontro — saltou do ônibus e nos perseguiu desde a esquina da rua 34 com Virgínia até a Cotter Homes, mas éramos muito rápidos [...] Ainda me sinto mal com isso. Ele estava realmente muito limpo."[32]

Cassius adorava o divertimento e a crueldade das brincadeiras. Uma vez, cortou a ameixeira que seu pai cultivava.[33] Imitava tão bem o som de uma sirene que os motoristas paravam o carro no acostamento e esticavam o pescoço procurando a polícia.[34] Arrancou tomates da horta da família e os arremessou por cima do muro da casa de uma professora, salpicando os convidados na festa que acontecia no quintal. Amarrou um barbante na cortina do quarto dos pais, desenrolou o fio até o seu quarto e esperou que os pais estivessem deitados para dar um safanão na cortina. Cobria-se com um lençol e saltava de cantos escuros da casa para assustar a mãe. Não havia repreensão ou castigo que conseguisse contê-lo.

"Eu os punha para tirar uma soneca todos os dias", recordou Odessa, "até que, certa vez, ele disse: 'Sabe de uma coisa, Rudy? Já somos grandes demais pra tirar sonecas.' E nunca mais..."[35]

Quando a desobediência dos meninos ia longe demais, Odessa os mandava para o banheiro, onde Cash colocava Cassius e Rudy sobre seu joelho, um de cada vez, e lhes dava uma surra. Esses castigos não contribuíram em nada para tornar Cassius mais prudente. "Cassius Jr. era sempre o primeiro. Recebia suas palmadas e saía direto dali para aprontar outra coisa!"[36] Odessa fez uma pausa para rir quando contava essa história a Jack Olsen, que a entrevistava para uma série na *Sports Illustrated* em 1966. "Ele era uma criança muito fora do comum."

Quando amigos de Cassius descreviam o quanto se divertiam quando crianças, às vezes deixavam de mencionar as inúmeras formas como o preconceito e a discriminação racial pairavam sobre a vida deles. Em parte, isso pode ter acontecido porque os amigos e vizinhos de Cassius Clay viam a discriminação como fatos que simplesmente existiam, tão profundamente entranhada estava em suas atividades diárias. Também pode ter sido porque as pessoas negras em Louisville, no final dos anos 1940 e início dos anos 1950, acreditavam ter uma situação melhor do que a de outros norte-americanos negros, pois tinham a sorte de viver numa cidade que exibia "um racismo mais polido",[37] como disse Tom Owen, um historiador da cidade.

Embora a maioria dos habitantes do Kentucky simpatizasse com a Confederação, o estado não se separou da União durante a Guerra Civil. Não ocorreu nenhum tumulto racial e nenhum linchamento em Louisville entre 1865 e 1930. Ao contrário do que acontecia com a maioria dos negros do sul, os de Louisville haviam recebido o direito de votar no início de 1870 e nunca o perderam.[38] Líderes cívicos brancos da cidade expressavam a frequente e aparentemente genuína preocupação com as condições de vida de seus vizinhos negros, e ofereciam quantias generosas de seu próprio dinheiro para apoiar causas negras. Em troca, é claro, esses líderes cívicos brancos, assim como os proprietários de escravos dos quais alguns deles eram descendentes, esperavam que os negros fossem passivos e aceitassem seu status de segunda classe sem alarde ou fúria.

Alguns líderes da comunidade branca eram paternalistas, proclamando que, sem a devida orientação e apoio, os pretos* de Louisville retornariam às suas formas bárbaras africanas.

---

* Na cultura norte-americana, são feitas distinções carregadas de significados entre as palavras *niggers*, *negroes* e *blacks*, as duas últimas com significados sociais e políticos que vieram mudando ao longo do tempo — diferentemente de *niggers* [traduzida aqui como "crioulos"], que permanece sendo, desde sempre, um termo altamente depreciativo e ofensivo (exceto quando usado em tom de brincadeira aceita pelas partes). A cambiante distinção entre *negroes* [traduzido aqui como "pretos"] e *blacks* [traduzido como "negros"] está bem explicada nesta passagem do autor que se encontra no capítulo 9: "Falaram [...] sobre o significado da palavra 'pretos' (*negroes*), um termo que muitos negros (*blacks*), homens e mulheres, haviam preferido durante a maior parte do século XX, designação usada com orgulho para se referir a homens que haviam pilotado aviões de combate na Segunda Guerra Mundial, iniciado negócios, integrado ligas de beisebol e fundado universidades, mas que também parecia estar perdendo poder no início da década de 1960, depois de cumprida sua trajetória; era um nome que soava inadequado para homens como Captain Sam, que estavam se esforçando para definir a si mesmos em seus próprios termos." [*N. da T.*]

A CRIANÇA MAIS BARULHENTA   35

Muitos dos brancos locais consideravam que a segregação era intrínseca, natural e inevitável. Outros eram mais progressistas e genuínos em seu desejo de ajudar. Robert W. Bingham, proprietário do jornal *Louisville Courier*, servia em filiais locais da Liga Urbana e da Comissão de Cooperação Inter-racial. Líderes judeus, incluindo a família do juiz da Suprema Corte, Louis Brandeis, trabalhavam com organizações voluntárias que atendiam os bairros negros. Proeminentes advogados brancos locais lutavam contra a segregação residencial.

Jornalistas negros e brancos que visitaram a cidade nas décadas de 1940 e 1950 declararam, quase unanimemente, que pessoas negras em Louisville recebiam melhor tratamento do que as do "Sul Profundo" e de muitas cidades do norte. Eles geralmente não mencionavam, porque isso era tido como um dado normal, que os negros ainda careciam de igualdade de acesso a cuidados de saúde, escolas, emprego e habitação. Eles não apontavam, já que era o tratamento-padrão, que, embora os clientes negros fossem autorizados a comprar roupas nas grandes lojas de departamento da cidade, não podiam provar a roupa antes. Também não mencionavam, porque era tão óbvio, que muitas das pessoas brancas ricas que ajudavam as causas dos negros eram motivadas pelo desejo de impedir que a comunidade negra se erguesse em protesto.

Para o jovem Cassius Clay, teria sido impossível não notar que havia, em essência, duas Louisvilles: uma para negros e outra para brancos. Para os negros, as melhores escolas, as melhores lojas e os melhores hospitais estavam fora de alcance. O mesmo acontecia com a maioria dos clubes e bancos. Espectadores negros só tinham permissão para entrar em alguns poucos dos grandes cinemas do centro da cidade, e mesmo assim só podiam ocupar as cadeiras que ficavam no balcão.

Certa vez, quando foram ao centro da cidade, Cassius perguntou para a mãe: "Bird, onde as pessoas de cor trabalham? Bird, o que eles fizeram com as pessoas de cor?"[39]

A resposta era óbvia, embora não necessariamente fácil de explicar para uma criança. A economia de Louisville estava crescendo rapidamente nos anos após a Segunda Guerra Mundial, com milhares de novos empregos na indústria. Fábricas de tabaco, destilarias e fábricas de pneus ofereciam um emprego fixo, embora trabalhadores negros rotineiramente recebessem menos do que os brancos, e rotineiramente tivessem negadas as promoções. Em 1949, a renda média anual de trabalhadores negros em Louisville era de 1.251 dólares, enquanto a renda média dos trabalhadores brancos era quase o dobro, 2.202 dólares.[40] Os negros recebiam os trabalhos mais sujos e mais perigosos, não apenas os com salários inferiores. Muitas vezes, homens negros trabalhavam prestando serviços a homens brancos como garçons, carregadores e engraxates, atividades em que a docilidade era não apenas uma exigência, mas também necessária para a sobrevivência. Para as mulheres negras, as perspectivas eram ainda piores. Algumas poucas trabalhavam como secretárias, cabeleireiras ou professoras, mas 45% de todas as mulheres negras que trabalhavam em Louisville faziam a mesma coisa que Odessa Clay — caminhavam ou tomavam um ônibus até algum bairro rico onde passavam os dias cozinhando e limpando para famílias brancas, construindo suas identidades pelas frestas da monolítica supremacia branca. As sobras de comida que tinham permissão de levar para casa ajudavam a alimentar suas famílias, e o dinheiro que ganhavam não só pagava as contas domésticas, mas também comprava livros de orações para suas igrejas.

De acordo com as lembranças de sua mãe, Cassius rapidamente fez um julgamento implacável: o mundo era para pessoas brancas. Ele reconheceu isso muito tempo antes de poder entender, enquanto a observava chegar em casa exausta, depois de cuidar de famílias brancas, e ainda tendo de encontrar energia para cuidar da sua própria.

Às vezes, quando era criança e ainda estava aprendendo como a sociedade fazia distinções sobre raça, e o quanto essas distinções tinham importância, Cassius Jr. perguntava à mãe se ela era negra ou branca. Ela era, afinal, muito mais clara do que o marido. Mas Odessa não era suficientemente clara para passar por branca; nem tentava. O tom de pele e a influência genética de seus antepassados brancos pouco importavam em sua vida cotidiana. No que dizia respeito às leis e aos costumes do Kentucky e dos Estados Unidos da América, os Clay eram negros — ou "de cor", para usar o termo mais comumente aplicado na época —, e aquela designação racial determinava onde poderiam comer, onde poderiam comprar, onde poderiam trabalhar, para que escola poderiam enviar seus filhos, onde poderiam viver, como seriam tratados se infringissem a lei ou fossem acusados de fazê-lo, com quem se casariam, como seriam tratados se ficassem doentes e onde seriam enterrados quando morressem. Cassius sabia que tinha permissão para brincar em Chickasaw Park, Ballard Park e na Baxter Square, mas não no Iroquois Park, Shawnee Park, Cherokee Park, Triangle Park, Victory Park ou Boone Square.[41]

Havia sinais de desigualdade por toda parte. A taxa de homicídios de pessoas negras em Louisville foi de 56 por mil em meados da década de 1950, em comparação com 3 por mil entre os brancos. A taxa de morte por causas naturais foi 50% maior entre negros do que entre brancos. Se ainda assim esses sinais não eram registrados por um rapaz jovem, cheio de energia, crescendo no West End, havia outro mais gritante. Chamava-se Fontaine Ferry Park, o parque de diversões mais popular da cidade. Ficava a uma curta distância da casa dos Clay, na Grand Avenue, e só os brancos podiam frequentá-lo. Nos fins de semana de verão, milhares de moradores de Louisville chegavam ao parque de carro, barco ou bonde. Para as crianças negras que viviam em bairros próximos, era mais do que um tormento ter o parque fora de seu alcance — era torturante. Os vizinhos negros do Fontaine Ferry Park podiam ouvir o chacoalhar dos carros da montanha-russa e os gritos de medo dos aventureiros. Podiam sentir o cheiro do óleo quente das frituras, da massa de pão e da carne defumada. Todas as noites, podiam assistir ao desfile das famílias queimadas de sol que deixavam o parque em seus carros. Dificilmente poderiam ignorar a mensagem: a diversão deles importa; a de vocês, não.

"Ficávamos olhando pela cerca", contou Rudy Clay, "mas não podíamos entrar."[42]

Ainda menino, Cassius Clay Jr. ficava na cama chorando, perguntando por que as pessoas de cor tinham de sofrer daquele jeito.[43] Perguntava por que todos na sua igreja eram negros, mas em todos os retratos Jesus era branco, inclusive os pintados por seu pai.

O jovem Cassius Clay também aprendeu sobre discriminação com seu avô Herman Heaton Clay, o homem que tinha ido para a prisão por assassinato na virada do século. Herman vangloriava-se de que havia sido um jogador talentoso de beisebol na juventude[44] — tão talentoso que poderia ter jogado profissionalmente se os grandes times não proibissem jogadores negros na época. Herman Heaton Clay, Cash Clay e Cassius Clay Jr. compreenderam, todos eles, que teriam de viver com os efeitos da escravidão, que o país tinha sido construído com trabalho escravo, que os seus trabalhos e até mesmo suas identidades lhes haviam sido roubados e que a escravidão deixara como legado um sistema de castas que destinava norte-americanos negros e brancos a vidas drasticamente diferentes, pelo menos num futuro previsível.

Herman morreu em 1954, quando seu neto tinha 12 anos. No mesmo ano, a Suprema Corte votou o caso *Brown vs. Board of Education*, decidindo que a Constituição dos Estados Unidos proibia a segregação em escolas públicas. A reação no sul foi rápida, e brutalmente negativa. Alguns estados começaram a manobrar para negar recursos a escolas integradas. No Mississippi, políticos e líderes empresariais brancos organizaram o Conselho de Cidadãos Brancos para resistir à integração e defender a supremacia branca. Líderes da Ku Klux Klan instavam seus apoiadores a resistir à "mestiçagem" da raça branca que a integração traria. No verão depois do caso *Brown*, Emmett Till, então com 14 anos, viajou de sua casa em Chicago para passar um tempo com parentes em Money, uma cidadezinha do Mississippi que tinha 55 habitantes. Mais de quinhentas pessoas negras haviam sido linchadas no Mississippi desde que começara a contagem, em 1882. O governador havia declarado, fazia pouco tempo, que os negros não eram aptos a votar. A mãe de Till, ansiosa com a ida do filho para o sul no verão de 1955, avisou que era importante que ele se comportasse de acordo com o que os habitantes brancos esperavam de jovens negros. Ele deveria responder com "sim, senhor" e "não, senhor", e humilhar-se, se necessário, para evitar confrontos.

Mas, assim como Cassius Clay Jr., que era apenas seis meses mais novo, Emmett Till podia ser atrevido. Ele ignorou o aviso da mãe. Um dia, estava do lado de fora de uma mercearia em Money, mostrando a amigos uma foto de sua namorada branca de Chicago. Um deles o desafiou a ir até a loja e falar com a mulher branca que estava no caixa. Emmett aceitou o desafio. Ao sair da loja, ainda teria dito "tchau, garota". Alguns dias depois, o marido da moça do caixa e outro homem invadiram a casa do tio de Emmett e arrancaram o garoto da cama. Ele recebeu coronhadas, e lhe ordenaram que

A CRIANÇA MAIS BARULHENTA 39

implorasse perdão. Ele se recusou e levou uma bala na cabeça. Seus assassinos usaram arame farpado para amarrar uma peça pesada de um descaroçador de algodão em volta do pescoço do menino e em seguida jogaram o corpo no rio Tallahatchie. Um júri composto só de brancos precisou de apenas 67 minutos para absolver os acusados. "Se não tivéssemos parado para tomar um refrigerante", disse um jurado, "não teria levado tanto tempo."[45]

A mãe de Till insistiu em sepultá-lo em caixão aberto, para que o mundo visse o rosto mutilado de seu filho, e a revista *Jet* publicou fotos do funeral que ficaram gravadas com fogo na consciência de muitos norte-americanos negros. Till se tornou um mártir dos direitos civis, e inspiração para incontáveis ativistas. Logo após o julgamento dos assassinos de Till, Rosa Parks se recusou a ceder seu assento em um ônibus no Alabama, deflagrando ondas de protestos.

Cash Clay mostrou aos filhos fotos do rosto desfigurado de Emmett Till. A mensagem era clara: isto é o que fará o homem branco. Isto é o que pode acontecer a uma pessoa negra inocente, a uma criança inocente cujo único crime é a cor da pele. A América, de acordo com Cash Clay, não era justa e nunca seria. Sua carreira era prova disso. Ele tinha talento para ser um grande artista, não tinha? Mesmo assim, já com quase 40 anos, ainda pintava placas de lojas por um mísero pagamento, com quase nenhuma chance de abrir caminho e escapar daquela casinha de quatro cômodos, abarrotada, onde sua família vivia. Só o dinheiro daria ao homem negro uma chance de igualdade e respeito, dizia Cash aos garotos.

Cassius Clay Jr. absorveu as palavras do pai. Aos 13 anos, ele não falava em mudar o mundo ou melhorar a situação do seu povo. Não falava sobre conseguir uma boa educação e se esforçar para fazer algo significativo com sua vida. Ele falava, como fizera seu pai, sobre como ganhar dinheiro.

"Por que eu não posso ser rico?", perguntou ao pai uma vez.[46]

"Olhe aqui", disse o pai, tocando a mão amarronzada do filho. "É por isso que você não pode ser rico."

Mas todo filho um dia acaba acreditando que pode ser mais do que o pai, que não está obrigado a manter sua posição na linha dos antepassados, nem a ficar amarrado àquele desolador encadeamento formado num passado fora de seu controle, e Cassius Marcellus Clay Jr. não era exceção. Numa idade precoce, ele falava sobre ser dono de uma casa de 100 mil dólares numa colina, com carros de luxo na garagem, um motorista, um *chef* para preparar suas refeições. Prometeu comprar uma casa para os pais e outra para o irmão. Manteria 250 mil dólares no banco para emergências.

No verão de 1955, ano da morte de Emmett Till, ele teve uma ideia de como poderia ganhar aquele dinheiro.

3

A bicicleta

Num final de tarde de outubro em 1954, Cassius, então com 12 anos, pedalava sua bicicleta pelo centro de Louisville, com o irmão empoleirado no guidom e um amigo pedalando ao lado, quando uma chuva súbita os forçou a buscar abrigo. Entraram às pressas no Columbia Auditorium, no número 324 S da rua 4.[1]

O *Louisville Defender*, o jornal de negros da cidade, estava patrocinando uma Exposição de Utilidades Domésticas no auditório. Era um salão de maravilhas, cheio das mais recentes inovações. Os visitantes se registravam para ganhar prêmios, inclusive um fogão Magic Chef, um ferro a vapor Hoover e um toca-discos RCA Victor.[2] Na década de 1950, o crescimento da economia e o surgimento de novas tecnologias tornavam menos pesados os trabalhos domésticos de passar roupa e limpar a casa, e famílias negras se esforçavam para comprar os mesmos dispositivos maravilhosos cujo funcionamento viam famílias brancas demonstrando na televisão e nas revistas. Cassius não estava interessado nas mais recentes novidades de cozinha, mas a exposição ofereceu refúgio da tempestade, e os meninos estavam felizes devorando pipoca e balas de graça.[3]

Choveu a tarde toda, e ainda chovia por volta das 19 horas quando Cassius, Rudy e o amigo finalmente deixaram o auditório. Ao chegar lá fora, descobriram que suas bicicletas haviam desaparecido. Correram rua acima e rua abaixo, procurando os ladrões. Cassius começou a chorar, "com medo", disse ele, "do que meu pai faria".[4]

A bicicleta de Cassius havia sido um presente de Natal: uma Schwinn Cruiser Deluxe vermelha e branca, com para-lamas e aros de cromo, pneus de banda branca e um farol grande, vermelho, em forma de foguete. Custara 60 dólares, o equivalente a cerca de 500 dólares hoje. Os Clay não podiam comprar bicicletas novas para os dois filhos, então Cassius e Rudy deveriam partilhar aquela,[5] um acordo que Cassius fazia o que podia para ignorar. Para um garoto que morava numa das menores casas do quarteirão, que usava roupas de segunda mão, que recebia algumas das menores notas em sua classe e que até então não havia se estabelecido como uma das mais brilhantes estrelas esportivas na sua comunidade, a bicicleta era um raro e maravilhoso presente: era um símbolo de status, provavelmente o único que já tivera.

Alguém disse aos perturbados rapazes que deveriam relatar o roubo da bicicleta ao policial que estava no porão do auditório. Eles voaram para dentro do prédio e desceram as escadas aos tropeções. Lá encontraram Joe Elsby Martin, um patrulheiro de Louisville, branco, careca, narigudo, que também era treinador de boxe. Era seu dia de folga, e ele estava no porão treinando um grupo de pugilistas amadores, negros e brancos, em sua maioria adolescentes. Para o jovem Cassius, o ginásio abriu um mundo e atendeu a uma necessidade. O salão grande e baixo; o forte cheiro de suor; o golpe de luvas contra sacos, luvas contra corpos; um lugar onde os jovens podiam agir violentamente e sob a aprovação e os cuidados de um adulto, onde desaparecia a estrutura bem-ordenada e injusta do mundo exterior. Essas coisas hipnotizaram Cassius Clay. Tomado de intensas emoções, quase esqueceu a bicicleta, conforme relatou tempos depois.[6]

Cassius estava furioso — "soltando faíscas",[7] como o descreveu Joe Martin —, dizendo que queria encontrar a pessoa que roubou a bicicleta e lhe dar uma boa surra.

Martin ouviu calmamente. Era um homem pacato que passava a maior parte de seu tempo de trabalho esvaziando moedas de parquímetros.[8] Em

A BICICLETA

tom de brincadeira, seus colegas policiais o chamavam de "Sargento" porque, em 25 anos de serviço, nunca havia se incomodado em fazer exames para ser promovido. Ele se contentava em patrulhar sua área de dia e treinar jovens lutadores à noite. Martin também produzia um programa de televisão local para pugilistas amadores chamado *Tomorrow's Champions*, transmitido nas tardes de sábado na WAVE-TV de Louisville.

Martin olhou Cassius, um garoto de 40 quilos, e perguntou: "Você sabe lutar?"[9]

Não, disse Cassius. Havia brigado com o irmão e se envolvido em confusões ocasionais com garotos na rua, mas nunca tinha calçado um par de luvas de boxe.

"Bem", disse Martin, "por que não vem aqui e começa a treinar?"[10]

O destino é uma função de acaso e escolha. O acaso levara o jovem Cassius Clay à academia de boxe de Joe Martin, mas a escolha o faria voltar depois. Não foi apenas o esporte que cativou Cassius. Ele sempre tivera confiança na sua força e na sua boa aparência. Sempre fora louco por atenção. E já descobrira que a escola não lhe garantiria riqueza e fama. Mas e o boxe? O boxe sempre tinha sido um esporte atraente para pessoas que buscavam achar um caminho a partir de uma situação para a qual não havia saída.

Cassius nunca recuperou a bicicleta, nem conseguiu outra. Em vez disso, seus pais lhe compraram uma patinete motorizada,[11] e ele começou a andar por todos os lugares em alta velocidade, ziguezagueando no trânsito. Como não precisava pedalar, era melhor do que uma bicicleta. Anos mais tarde, quando foi contada a história de como o jovem boxeador teve seu início, a patinete virou um detalhe perdido. O caso da bicicleta ganhou mais destaque, mas a patinete também contava uma história. Mostrava que o jovem Cassius não foi punido por perder a bicicleta, nem foi obrigado a conseguir um emprego e ganhar dinheiro até que pudesse comprar outra. Em vez disso, seus pais o recompensaram com algo melhor, o que talvez sugerisse que a responsabilidade não era o valor mais fortemente enfatizado na família Clay.

Logo depois de perder a bicicleta, Cassius estava em casa vendo TV quando a cara de Joe Martin passou pela tela. Ele estava de pé no *corner* de um ringue ao lado de um de seus pugilistas amadores no *Tomorrow's Champions*. Era exatamente a deixa de que Cassius precisava para voltar ao ginásio.[12] Em sua segunda visita, subiu ao ringue "com algum boxeador mais velho", como recorda em sua autobiografia de 1975, e foi esmurrado de todos os jeitos. "Em um minuto, meu nariz começou a sangrar. Minha boca doía. Minha cabeça estava girando. Finalmente, alguém me arrancou do ringue."

Quando a cabeça clareou, Cassius começou a trabalhar com Martin, aprendendo como posicionar os pés, como girar o corpo na diagonal em relação ao adversário, onde manter as mãos para proteger a cabeça de danos, como se esquivar de um soco, como lançar o *jab* de esquerda e o cruzado de direita, o *uppercut*, o gancho. Cerca de um mês mais tarde, em 12 de novembro de 1954, ele pisou no ringue para sua primeira luta amadora, um combate de três rounds, 2 minutos por round, contra um rapaz branco mais ou menos da sua idade chamado Ronnie O'Keefe. A luta foi televisionada no *Tomorrow's Champions*. Cada garoto recebeu 3 dólares. Os pugilistas usavam luvas de 14 onças e nenhum protetor de cabeça. "Aqueles rapazes realmente foram com tudo", recordou Joe Martin.[13] Cassius venceu por uma decisão dividida.

Nada no desempenho do jovem lutador sugeria que um prodígio havia pisado no ringue. "Ele era apenas um lutador comum", disse Martin.[14] Logo depois, no entanto, ele começou a ver coisas de que gostava, coisas que um treinador não pode ensinar. Antes de tudo, Cassius era rápido, com mãos e pés rápidos e excelentes reflexos que o ajudavam a evitar socos. Nunca parecia se cansar. Quando um golpe na cabeça alterava seus sentidos, ele se recuperava rapidamente. Quando poderia ter fugido por causa da dor ou do pânico, ele reagia com mais determinação, fazendo com que a vontade se sobrepusesse ao impulso.

O boxe também desencadeou algo totalmente novo em Cassius: ambição. Seu pai o havia levado junto nos trabalhos de pintura, ensinando ao filho como misturar tintas, desenhar letras perfeitas e certificar-se de que cada palavra fosse espaçada com exatidão, mas o rapaz não tinha paciência para aquilo, nem havia herdado do pai sequer a modesta capacidade de desenhar uma paisagem ou um retrato. Cassius Jr. era bom nas bolas de gude ou em se esquivar em brigas de pedradas, mas, claro, não eram habilidades que o pudessem levar a muito longe.[15] A escola certamente nunca havia acendido nenhuma chama nele. Agora, pela primeira vez, encontrava alguma coisa

A BICICLETA

que queria fazer que não fosse apenas criar casos, algo para o qual estava disposto a trabalhar e fazer sacrifícios, algo que iria colocá-lo na TV para Deus sabe quantas pessoas verem.

A história da bicicleta perdida de Cassius Clay, contada mais tarde como uma indicação da determinação do boxeador e como exemplo das maravilhas de encontros acidentais, carrega também um significado mais amplo. Se Cassius Clay fosse um menino branco, o roubo da bicicleta e seu encontro com Joe Martin poderiam ter despertado nele o interesse tanto por uma carreira de policial como pelo boxe. Mas Cassius, que já desenvolvera uma aguda compreensão da acidentada topografia racial da América, sabia que a aplicação da lei não era uma opção promissora. Tal assunto — o que a América branca permitia ao povo negro e o que dele esperava — iria intrigá-lo durante toda a vida.

"Aos 12 anos, eu queria ser uma grande celebridade", disse ele anos mais tarde. "Eu queria ser famoso no mundo inteiro."[16] O entrevistador insistiu: *Por que* ele queria ser famoso? Depois de refletir, ele respondeu de uma perspectiva mais adulta: "Para que pudesse me rebelar e ser diferente de todo o resto, e mostrar a todos que viessem atrás de mim que você não tem que ser um Pai Tomás,* não precisa beijar o você-sabe-o-quê de alguém para conseguir o que quer [...] Eu queria ser livre. Eu queria falar o que quisesse [...] Ir aonde quero ir. Fazer o que quero fazer."

Para o jovem Cassius, o que importava era que o boxe era permitido, até mesmo encorajado, e lhe dava um status mais ou menos igual ao dos garotos brancos que treinavam com ele. Todos os dias, a caminho do ginásio, Cassius passava por uma concessionária Cadillac. O boxe não era a única maneira de ele adquirir um daqueles carros grandes e lindos na vitrine da loja, mas talvez lhe tenha parecido assim na época. O boxe sugeria um caminho para a prosperidade que não exigia leitura nem escrita. Vinha com a autorização de um homem branco, Joe Martin. E oferecia respeito, visibilidade, poder e dinheiro.

---

* Referência ao personagem Uncle Tom (Pai Tomás) do romance *A cabana do Pai Tomás*, da escritora americana Harriet Beecher Stowe. Embora o livro tenha sido visto como um dos deflagradores da causa abolicionista na época (foi publicado em 1852), a expressão "Pai Tomás" passou a ser usada para designar, de modo pejorativo, um afro-americano que se curva diante de brancos buscando agradá-los. [*N. da T.*]

O boxe transcendia a raça de formas extremamente incomuns na década de 1950, quando os norte-americanos negros tinham controle muito limitado sobre sua vida econômica e política. Mais do que na maior parte dos outros esportes, o boxe permitia que atletas negros competissem em igualdade com atletas brancos, exibissem abertamente sua força e mesmo superioridade, e ganhassem dinheiro em bases relativamente iguais. Como escreveu James Baldwin em *Da próxima vez, o fogo* (*The Fire Next Time*), muitos negros da geração de Clay acreditavam que conseguir uma educação e poupar dinheiro nunca seria o suficiente para lhes garantir respeito: "Era preciso carregar uma barra, uma alavanca, uma maneira de inspirar medo. Estava absolutamente claro que os policiais iriam espancá-lo e levá-lo como quisessem enquanto pudessem fazer isso impunemente, e que todo mundo — donas de casa, motoristas de táxi, ascensoristas, lavadores de pratos, garçons, advogados, juízes, médicos e donos de armazéns — jamais deixaria, graças a algum sentimento generoso, de usar você como válvula de escape para as frustrações e hostilidades que carregavam. Nem a razão civilizada nem o amor cristão levariam nenhuma dessas pessoas a tratar bem os negros, como presumivelmente esses queriam ser tratados; só o medo do seu poder de retaliação faria com que chegassem a tanto, ou parecessem fazê-lo, o que já era (e é) bom o bastante."[17] Uma barra. Uma alavanca. Um meio de inspirar medo. Para o jovem Cassius Clay, o boxe provou-se a coisa certa.

Ele adotou a corrida como exercício. Poderia ter corrido antes de ir para a escola, ou depois, mas não foi o que fez. Ele corria *no caminho para* a escola. Em sua autobiografia, anos mais tarde, descreveu sua rotina como "corrida com ônibus."[18] Mas tinha um modo peculiar de correr. Primeiro, esperava com as outras crianças do bairro a chegada do ônibus para a avenida Greenwood. Então, quando as outras entravam e o ônibus começava a se arrastar pela Greenwood, Cassius, vestindo as roupas e os sapatos da escola, começava a correr ao lado, o sol batendo nos seus olhos. Quando o ônibus parava num sinal ou para pegar passageiros, Cassius também parava.[19] Parava mais uma vez quando seus amigos desciam na rua 28, onde esperava com eles o ônibus da rua Chestnut. Quando o ônibus chegava, saía correndo de novo. Ele corria rapidamente sobre ruas desgastadas, cheias de buracos e rachaduras, passando por casas que pareciam mantidas de pé apenas por

A BICICLETA

uma camada superficial de pintura descascada, até que surgisse ao longe a promessa do centro de Louisville, com seus grandes bancos e concessionárias brilhantes, e cinemas iluminados com neon. Àquela altura, Cassius estava pegando fogo, a camisa colada nas costas. Mas as crianças no ônibus sabiam que ele corria para chamar atenção e também como exercício. Ele não estava correndo a toda velocidade e não estava realmente disputando com o ônibus, porque poderia ter ganhado a corrida com folga se não a interrompesse para entreter os amigos cada vez que o ônibus parava. "Às vezes, ele pulava e se pendurava na janela, viajando de graça por um ou dois quarteirões",[20] recordou-se Owen Sitgraves. Com os dedos agarrando a moldura da janela e as pernas balançando a poucos centímetros do chão, Cassius olhava os rostos dos amigos e sorria. "Você tinha que se preocupar com o motorista do ônibus olhando pela janela e descobrindo-o ali", disse Sitgraves, rindo.

Cassius parecia um potro, de pernas longas e joelhos voltados para dentro, com uma estrutura esguia. Mas estava determinado a ficar maior e mais forte. No café da manhã, ele entornava um litro de leite misturado com dois ovos crus. Refrigerantes, dizia, eram tão ruins quanto álcool ou cigarros para um atleta, e jurou nunca tocá-los. Talvez, na sua declaração de ascetismo, ele estivesse tentando provar sua superioridade com relação ao pai, que bebia quase todos os dias e tinha fama de preguiçoso.[21] Talvez ele reconhecesse que a disciplina oferecia uma fonte de poder de que carecia Cassius Sr. Ou, talvez, como recordou seu irmão Rudy, ele simplesmente gostasse de se olhar no espelho e apreciar seus músculos.[22]

"Era quase impossível desencorajá-lo", disse Joe Martin. "Ele era, sem dúvida, o garoto mais esforçado e trabalhador que já treinei."[23]

Cassius gostava da atenção que acompanhava sua dedicação ao boxe. De repente, ele tinha uma identidade. Tinha algo de que se gabar. Ele era um atleta. Era o garoto que corria com o ônibus, aquele que engolia água de alho porque dizia que iria ajudá-lo a manter a pressão sanguínea baixa, e não demorou para começar a dizer a estranhos (porque seus amigos já sabiam disso) que pretendia ser não apenas um boxeador profissional, mas campeão mundial dos pesos-pesados, uma declaração que deve ter soado tão ridícula quanto a de uma criança que dissesse ter a intenção de se tornar presidente dos Estados Unidos.

Ele começou a bater nas portas dos vizinhos antes de suas lutas nas noites de sexta-feira para atiçar o interesse e aumentar o público. Ninguém lhe disse para fazer isso, e era algo completamente inédito na época.

"Eu sou Cassius Clay", dizia, "e vou participar de uma luta na televisão. Espero que você me assista." Certa vez, buscando conquistar espectadores num bairro a caminho do centro da cidade, ele bateu numa porta e foi recebido por Joe Martin. Os dois riram juntos, mas Martin também reconheceu o fato como um sinal da dedicação do garoto.

"Podemos afirmar, sem nenhuma dúvida, que Cassius acreditava em si mesmo", disse Martin.[24]

• • •

Em 1954, o boxe era uma parte essencial da cultura norte-americana. Para os fãs de esportes, nenhum evento importava tanto como uma luta do campeonato de pesos-pesados, e nenhum atleta individual era tão respeitado quanto o primeiro boxeador da divisão dos pesos-pesados. Apenas os principais competidores de boxe eram chamados de "campeão" aonde quer que fossem, e pelo resto da vida. Um campeão de pesos-pesados era um ser divino, temível, uma figura de virilidade e coragem a quem o mundo todo olhava com admiração e respeito — a menos que fosse negro, caso em que o assunto tornava-se mais complicado.

Rocky Marciano era o campeão de pesos-pesados naquela fase da juventude de Cassius Clay. Tinha nariz achatado, pescoço de touro e ombros largos, com um rosto moldado tanto pela demolição pugilística quanto pelo DNA. Com pouco menos de 1,80 m e pesando 88 quilos, Marciano não era especialmente grande. Nem era especialmente rápido. Mas atacava os adversários, incansável, e os atingia com força, nocauteando quase nove de cada dez que enfrentou. Nascido Rocco Francis Marchegiano, era o tipo de pugilista para o qual os norte-americanos adoravam torcer: um filho de imigrantes italianos que construíra músculos cavando valas e transportando gelo, e que servira ao seu país durante dois anos de Exército na Segunda Guerra Mundial.

Antes de Marciano, homens negros haviam detido o título de pesos-pesados durante quinze anos. Ele ganhou o campeonato derrotando Jersey

A BICICLETA

Joe Walcott, que o tomara de Ezzard Charles. Charles, por sua vez, ficara com o título quando Joe Louis se aposentou, em 1949, e cimentara a posição derrotando Louis quando este retornou ao ringue, em 1950.

Joe Louis havia reinado como campeão dos pesos-pesados por doze anos, mais do que qualquer campeão na história do esporte, e naqueles doze anos ele se tornou o homem negro mais popular na história da América. Quando os fãs do boxe o descobriram, em 1934, ele tinha 24 anos, era um rapaz bonito, de pele clara, silencioso, e os promotores fizeram todo o possível para apresentá-lo como saudável e virtuoso, o tipo do preto polido que mostrava respeito adequado pelos brancos. Louis amava sua mãe e amava a Bíblia: era o que diziam os seus divulgadores, e era o que os jornalistas brancos escreviam. Para garantir que esse poderoso lutador mantivesse uma imagem não ameaçadora fora do ringue, seus empresários lhe impunham regras estritas: nunca deveria ser fotografado com uma mulher branca; nunca deveria entrar sozinho numa boate; nunca poderia tripudiar sobre um adversário caído; nunca levantaria os braços em vitória ou se gabar de seu talento em entrevistas. Ele não era Sambo, o sorridente e desajeitado bufão dos espetáculos de variedades, mas também não era um homem totalmente dono de sua vontade. Ele era o Bom Joe, o preto que sabia o seu lugar e apreciava as oportunidades que a América lhe havia concedido.

A economia nos Estados Unidos passava por uma profunda depressão. O fascismo agitava a Europa. A América precisava de um novo herói no boxe, e Louis tinha a força e o talento necessários. Seu único pecado "estava em sua pele", parafraseando a canção "Black and Blue", popularizada por Louis Armstrong, outro negro que ganhou a aprovação dos norte-americanos brancos, em parte, porque parecia não odiá-los. Acima de tudo, era isso que os brancos esperavam de Joe Louis. Eles o deixariam lutar, ser campeão, até mesmo socar alguns brancos de forma sanguinária e insensata, desde que se lembrasse que os brancos eram superiores e sempre seriam; desde que se lembrasse que sua posição como herói americano era provisória. Esperava-se que homens negros como Joe Louis e Louis Armstrong fossem representativos de seu povo, embora o papel colocasse um fardo impossível sobre eles. Que traços da negritude eles deveriam exibir? Só os que as pessoas brancas queriam? Como poderiam servir como símbolos e, ao mesmo tempo, manter sua individualidade e a liberdade de falar o que pensavam? Antes de Joe Louis, outro pugilista negro, Jack Johnson, havia falhado como embaixador negro perante o mundo branco. Quando começou a lutar e vencer, na década de 1890, nunca havia existido um campeão peso-pesado negro. A mera ideia era ofensiva para muitos brancos. "Qualquer lutador que entrar no mesmo ringue com um preto perde meu respeito",[25] disse John L. Sullivan, o último campeão de pesos-pesados da era do boxe sem luvas.

Com o surgimento de Jack Johnson e de outros lutadores negros, eles não apenas passaram a constituir uma ameaça para campeões brancos, mas também para atitudes raciais firmemente enraizadas. Charles A. Dana, editor do *New York Sun*, escreveu em 1895: "O homem negro está rapidamente abrindo caminho para ocupar as fileiras da frente do atletismo, especialmente no campo das lutas de socos. Estamos em meio a um avanço negro contra a supremacia branca."[26]

Jack Johnson era o pesadelo que fazia com que os supremacistas brancos acordassem suando frio. Ele era grande, negro e beligerante. Quando insultado, escarnecia de volta. Desafiava a ordem natural e era esperto o bastante para reconhecer o quanto isso perturbava as pessoas no poder. Ele previa os resultados de suas lutas. Zombava dos adversários. De alguma forma, apesar de tudo que a história norte-americana ensinara até então, Johnson concluiu que a cor de sua pele e sua ascendência não o obrigavam a reverenciar o senhor branco e a se encolher diante dele. Em 1908, após uma série de vitórias convincentes, Johnson ganhou o direito de desafiar o campeão, um branco teuto-canadense chamado Tommy Burns. Johnson insultou Burns antes de abatê-lo com um nocaute no décimo quarto round. Quase imediatamente, teve início uma busca por um pugilista branco que restaurasse a ordem natural. Mas era difícil derrotar Johnson. Em 1910, quando ele derrotou Jim Jeffries, chamado de Grande Esperança Branca, celebrações eclodiram em comunidades negras, seguidas por ataques de represália por gangues brancas.

Johnson manteve o título por quase sete anos. Quanto mais vitórias conseguia, mais ousadamente se comportava, como se ser campeão mundial dos pesos-pesados na verdade provasse sua superioridade. Ele usava joias caras e longos casacos de pele. Aparecia com frequência em apresentações de vaudevile. Enfrentava seus críticos com insolência. Relacionava-se ostensivamente com mulheres brancas, desde prostitutas a mulheres casadas bem de vida, e veio a se casar com três delas. Johnson tornou-se o mais célebre e mais desprezado negro de sua época. Foi perseguido fora do país e, quando voltou, o prenderam sob a falsa acusação de haver transportado uma mulher até outro estado para "fins imorais".

Jack Johnson mostrou que o ringue de boxe ocupava um lugar especial na sociedade norte-americana — um tipo de altar onde as regras e crenças normais nem sempre prevaleciam. Em 1910, num ringue de boxe durante uma luta regulamentada, um homem negro poderia socar o crânio de um homem branco e não ir para a cadeia nem ser linchado por isso. Num ringue de boxe, um homem poderia matar outro sem enfrentar uma acusação de assassinato. E foi naquele espaço que Jack Johnson nos deu um vislumbre do que seria o futuro da América.

Nos anos seguintes, os norte-americanos negros se tornariam mais abertamente militantes em sua oposição à segregação no sul e à discriminação no norte, e à aparentemente interminável cadeia de hipocrisias e insultos contidos no credo norte-americano de que todos os homens são criados iguais. No entanto, ainda levaria cerca de meio século até que outro pugilista negro desafiasse, com grande audácia, os códigos raciais da América. Quando finalmente chegou sua hora, aquele lutador também seria criticado por seu comportamento desrespeitoso e por sua falta de humildade. Aquele lutador também seria castigado por seu governo e enfrentaria uma avalanche de fúria da parte de seus compatriotas brancos.

"Eu aprendi a amar a imagem de Jack Johnson",[27] diria Cassius Clay. "Eu queria ser áspero, duro, arrogante, o crioulo de que os brancos não gostavam."

4

"Todos os dias eram um paraíso"

Numa noite quente de agosto, no verão de 1957, o policial Charles Kalbfleisch respondeu a um chamado para resolver um conflito doméstico no número 3.302 da Grand Avenue, no West End de Louisville. Quando chegou, encontrou Cassius Clay Jr. com sangue escorrendo pela perna. O garoto esguio de 15 anos disse que o pai o cortara com uma faca.[1] A mãe confirmou o relato.

Quando entrevistado anos mais tarde sobre a violência doméstica, Kalbfleisch não disse o que havia provocado o ataque. Não se lembrava se o corte foi na panturrilha ou na coxa, na perna esquerda ou na direita, só que era um ferimento pequeno que não exigiu pontos. Dado que os casos de violência doméstica quase nunca resultavam em condenações quando famílias negras estavam envolvidas, o oficial de polícia branco decidiu que prender Cassius Clay Sr. seria um desperdício de tempo. "Eles se matarão uns aos outros", disse Kalbfleisch, referindo-se a casais negros envolvidos em disputas domésticas, "e dois ou três meses depois, quando chegam diante do juiz, já esqueceram a história."[2]

Àquela altura, a polícia de Louisville já conhecia bem Cash Clay. Ao longo dos anos, havia respondido a várias reclamações de Odessa de que o marido batera nela, geralmente quando estava bêbado. Havia prendido Cash várias vezes por dirigir bêbado e por promover desordens depois de noites de farra no Dreamland ou no Clube 36. Ele nunca chegou a ficar preso, graças, em grande parte, ao trabalho de seu advogado, um homem branco chamado Henry Sadlo, que também era o comissário de boxe do estado.

Houve outros conflitos com a polícia que quase o levaram à detenção, e diversos sinais de comportamento perturbador que passaram em branco. Mas, acima de tudo, Cash Clay era um verdadeiro beberrão, e um predador. "Ele costumava sair com minha tia", disse Howard Breckenridge, que cresceu no bairro de Little Africa, em Louisville. "De fato, ele saía com duas das minhas tias."[3] Cash Clay gostava de dar tapas na mulher mais roliça que encontrava no bar, mas muitas vezes acabava se atracando com o homem maior e mais forte.

Depois de sofrer o corte na perna, o jovem Cassius ficou três dias sem aparecer na academia de boxe onde treinava.[4] O instrutor, Joe Martin, ficou preocupado. "Finalmente", relembrou Martin, "ele chegou com um grande curativo sobre o corte. Perguntei-lhe como havia se machucado, e ele disse que caíra sobre uma garrafa de leite." Isso não enganou Martin, um policial. Mais tarde, no mesmo ano, Clay disse a verdade a Martin: fora cortado pelo pai ao tentar apartar uma briga entre ele e Odessa. "Não demorou para eu descobrir que o garoto estava morrendo de medo do seu velho", disse Martin.

Anos depois, Cassius e Rudy diriam a entrevistadores que haviam sido crianças felizes em um lar feliz. Não rico, mas onde nunca havia fome; viviam sempre muito conscientes das explosões imprevisíveis do pai, mas não com medo dele. Diriam que os pais às vezes brigavam, e que o pai os levava para o banheiro e os "amarrava" quando faziam coisas erradas,[5] mas que não consideravam as surras nada fora do comum. Rudy também admitiu que o pai tivera pelo menos dois filhos fora do casamento,[6] e que Odessa tinha conhecimento disso. Rudy afirmou que o ato mais violento que testemunhara em casa foi Odessa golpeando o marido quando ficou sabendo de um dos casos dele; ele disse não se lembrar de o pai bater na mãe alguma vez.

"Todos os dias eram um paraíso", disse Rudy Clay, anos mais tarde. "Um paraíso!"[7]

"TODOS OS DIAS ERAM UM PARAÍSO" 55

O irmão Cassius, que falaria sobre quase tudo com repórteres durante toda a sua vida, nunca entrou em detalhes sobre seu relacionamento com o pai. Manteve-se longe do álcool porque o pai bebia? O boxe o atraiu porque se sentia ameaçado em casa? Ele nunca falou sobre essas coisas. "Só sei que eu tinha uma vida boa quando era criança",[8] e mais não disse.

O *Centralian*, o anuário do Colégio Central, não selecionou Cassius Clay como o melhor atleta da escola em 1959.[9] Essa honra foi para seu amigo Vic Bender, estrela do time de basquete. Isso não incomodou Clay. Embora fosse mais alto e mais rápido a pé do que a maioria dos colegas, mostrava pouco interesse em esportes de equipe, não tendo entrado em nenhuma das que eram populares na escola. Como explicou anos mais tarde, "o único outro esporte em que eu pensava era o futebol americano, mas não me agradava porque nele não havia nenhuma publicidade pessoal: é preciso usar muito equipamento, e as pessoas não podem ver você direito".[10] O boxe havia se tornado sua vida, sua religião, sua razão para se levantar de manhã. Nos intervalos entre as aulas, lutava com sua sombra nos corredores,[11] dando socos que paravam a poucos centímetros dos armários alinhados contra as paredes. Durante as aulas, rabiscava ringues e luvas de boxe e jaquetas como as dos jogadores de futebol do Colégio Central — com o detalhe de que as jaquetas que desenhava eram estampadas com as palavras "Campeão Nacional Golden Gloves"[12] ou "Campeão Mundial dos Pesos-Pesados". Ele oferecia autógrafos aos colegas e assinava "Cassius Clay, Campeão Mundial dos Pesos-Pesados".

Um dia, quando Cassius devaneava, a professora pediu que respondesse a uma pergunta que ele não tinha ouvido.

"Cassius, você está ouvindo o que está acontecendo na classe?"[13]

Ele mentiu e disse que sim.

"Então responda à pergunta", disse a professora.

Nada.

"Cassius, o que você vai fazer com sua vida?", perguntou a professora.

Cassius continuava sem resposta. Mas três meninos na classe levantaram a mão, e um deles disse: "Professora, Cassius pode lutar!"

Depois que a Suprema Corte decidiu o caso *Brown vs. Board of Education*, os governadores de alguns estados do sul declararam que evitariam ou subverteriam a integração das escolas públicas. A rebelião ficou mais forte diante do silêncio do presidente Dwight Eisenhower sobre o assunto. Com líderes brancos locais controlando o processo, a integração estagnou, tensões cresceram, protestos irromperam e a violência explodiu em muitas comunidades.

Mas Louisville não estava entre elas.

No outono de 1956, um ano antes de Cassius Clay entrar no Colégio Central, as escolas de Louisville foram integradas sem que houvesse protestos violentos. O superintendente ordenou que os 46 mil alunos das escolas públicas da cidade (27% dos quais eram negros[14]) deviam se matricular nas escolas mais próximas às suas casas, não importando se a escola previamente tivesse sido toda negra ou toda branca. Isso significava que a maioria das escolas permaneceria segregada, já que a maioria dos bairros era segregada. As regras também continham uma cláusula de escape: se os pais não quisessem que seus filhos frequentassem escolas onde estariam em minoria, estavam autorizados a solicitar uma transferência. Em outras palavras, ninguém seria forçado a estar numa escola frequentada predominantemente por pessoas de outra cor. Líderes negros se opuseram à opção de transferência, mas o superintendente se recusou a ceder, e nenhum protesto sério emergiu da comunidade negra. O processo de integração prosseguiu, embora de forma imperfeita, mas tão bem como seria de esperar.

Após o primeiro dia de aula, em setembro de 1956, dia em que 54 das 73 escolas da cidade foram integradas, o *New York Times* noticiou de Louisville: "Crianças brancas e pretas atravessaram juntas os corredores da escola. Solenemente recitaram o Juramento de Lealdade em uníssono. Alunos sentaram-se lado a lado na sala de aula. E correram juntos, alegremente, pelas escadas abaixo quando terminou o primeiro dia. As diferenças de cor pareciam esquecidas."[15]

Um ano mais tarde, no início do ano letivo de 1957, no Colégio Central de Little Rock, Arkansas, uma escola toda branca, membros da Guarda Nacional do estado desembainharam baionetas para afastar uma garota negra de 15 anos que tentava assistir às aulas, forçando-a a caminhar na

"TODOS OS DIAS ERAM UM PARAÍSO" 57

direção de uma multidão enfurecida de homens brancos que ameaçavam matá-la. Depois de um impasse de três semanas, tropas federais fortemente armadas chegaram para escoltar até suas salas de aula a garota e outros oito estudantes negros, conhecidos como Os Nove de Little Rock. A crise ganhou as manchetes internacionais. Ainda assim, em Louisville prevalecia a calma.

Os primeiros esforços de Louisville para promover a integração não foram perfeitos. Embora os pais brancos não parecessem se importar em mandar seus filhos para uma escola com crianças negras, não queriam que fossem educados por professores negros. Os líderes da comunidade negra pro-testaram, mas o superintendente se manteve firme: se as crianças brancas fossem ensinadas por pretos, provavelmente seriam prejudicadas. Um dos professores de história de Cassius Clay, um homem negro chamado Lyman Johnson, lançou uma campanha para pressionar o distrito escolar a alte-rar sua política e integrar o corpo docente das escolas. Após dois anos de protestos, o distrito concordou em escolher dez professores negros de "boa postura" que não fossem "demasiado agressivos sobre a questão racial" para começar a trabalhar em escolas predominantemente brancas.[16]

Mesmo em Louisville, líderes cívicos brancos reconheceram que já não poderiam contar com a submissão ou indiferença de mulheres e homens negros. As vítimas da escravatura e de Jim Crow estavam ficando mais confiantes, agora que tinham a lei do seu lado. Em 1955, a Associação Na-cional para o Avanço das Pessoas de Cor (NAACP) entrou com petições de dessegregação junto a 170 conselhos escolares em dezessete estados.[17] Em algumas comunidades, a resistência branca endureceu e as relações se romperam. Conselhos de cidadãos brancos abertamente racistas ganharam popularidade. Mulheres e homens negros usavam boicotes como arma para pressionar por direitos iguais. Ainda assim, as escolas onde Cassius Clay estudou permaneceram exclusivamente negras, e permaneceriam predo-minantemente negras durante as décadas seguintes.

Desde sua criação, em 1882, quando era conhecida como Colégio Cen-tral de Cor, a escola havia sido uma fonte de orgulho para a comunidade negra de Louisville. O prédio onde Cassius estudou era novo, construído e inaugurado em 1952 a um custo de quase 4 milhões de dólares.[18] A maciça estrutura de tijolos vermelhos — com 111 salas, uma piscina, uma estação de rádio e uma biblioteca de 12 mil livros — não pareceria fora de lugar no campus de uma faculdade. Além de Matemática, Ciências e Inglês, os alunos podiam ter aulas de Limpeza a Seco, Laminação de Metal, Rádio, Consertos Elétricos, Encanamento, Estofamento, Cosmetologia, Serviços de Salão de Chá, Preparação de Alimentos Comerciais e Gestão de Cafeteria.[19]

Nenhum desses assuntos interessava a Cassius Clay.

"Ele era burro como uma porta",[20] recordou-se, anos mais tarde, Marjorie Mimmes, uma de suas colegas. Ela estava um ano atrás de Cassius na escola e o namorou por algum tempo.

"Não era dos tipos mais brilhantes",[21] disse seu amigo Owen Sitgraves.

"Na escola, eu me sentava ao lado do garoto magro com óculos e copiava as respostas dele",[22] reconheceu Cassius anos mais tarde, explicando sua abordagem ao trabalho acadêmico.

Em janeiro de 1957, enquanto matriculado no Colégio DuValle, Cassius fez o Teste Padrão de Quociente de Inteligência da Califórnia e ficou abaixo da média, com 83 pontos. Em seu primeiro ano no Colégio Central, tirou 65 em Inglês, 65 em História Americana, 70 em Biologia e 70 em Artes.[23] Para passar de ano, o aluno deveria tirar pelo menos 70 em cada matéria, o que significava que ele estava reprovado em duas e mal conseguindo passar em outras duas. Em 31 de março de 1958, antes de completar o décimo ano, Clay saiu da escola. Seus registros acadêmicos não indicam um motivo, embora notas baixas e uma intensa agenda de boxe sejam fatores prováveis. Matriculou-se novamente no outono seguinte. As notas ruins poderiam ser explicadas, em parte, por sua agenda de boxe. Em 1957, Cassius participou de pelo menos doze combates amadores. Ainda que tivesse perdido três lutas naquele ano, estava ficando claro para todos que acompanhavam o esporte em Louisville que o menino tinha grande potencial como boxeador.

Apesar de sua ortografia e pontuação serem melhores que as de seus pais, Cassius era um leitor lento e escrevia com hesitação. A palavra escrita o frustrou durante grande parte de sua vida. Anos mais tarde, membros da família diriam que ele era disléxico — "muito disléxico",[24] de acordo com sua quarta esposa, Lonnie —, mas o diagnóstico era pouco conhecido e raramente aplicado na época em que ele era jovem. Mesmo a leitura de

"TODOS OS DIAS ERAM UM PARAÍSO"

um simples artigo na seção de esportes do jornal provava-se uma tarefa árdua, levando duas ou três vezes mais tempo do que deveria. Problemas de matemática o deixavam confuso, especialmente se contivessem números *e* palavras. A única coisa na escola de que Cassius parecia gostar era o público que ela lhe fornecia. Atenção era o que mais desejava, e isso ele conseguia com sua exuberância irreprimível e com o boxe.

O boxe, disse ele, "fazia eu me sentir como uma coisa diferente. As crianças costumavam tirar sarro comigo. 'Ele acha que vai ser lutador. Ele nunca vai ser nada.' Mas sempre gostei de atenção e publicidade [...] Atrair atenção, me exibir, era o que eu mais gostava. E, em pouco tempo, eu era o garoto mais popular da escola".[25]

Um dia, ele chegou ao Colégio Central usando batom e fingindo que era uma garota.[26] Noutra vez, fingiu bater a cabeça de um amigo contra um armário, repetidamente, até que as outras crianças no corredor perceberam que era um boneco e que ele não estava ferindo ninguém. Ele carregava seu dinheiro numa bolsinha de moedas,[27] as notas muito bem dobradas, numa época em que nenhum menino em seu juízo perfeito usaria nenhum tipo de bolsa. Cassius dizia que era "lindo", uma palavra que meninos raramente usavam para descrever a si mesmos. Quando não estava correndo ao lado do ônibus para a escola, Clay usava sua patinete motorizada. Se houvesse garotas para observá-lo quando chegava, acelerava como um louco, fazendo com que elas gritassem e cobrissem os olhos, antecipando quedas que nunca aconteciam. Era um comportamento imaturo, talvez, mas não inconsequente para Clay, que se preocupava em ganhar a estima dos colegas mais do que os elogios de professores.

"Não conheço ninguém que não gostasse de Cassius Clay",[28] disse o colega Vic Bender.

Os estratagemas de Ali para ganhar atenção podem ter sido uma forma de compensar suas deficiências com a palavra escrita. Além das brincadeiras que provocavam risadas, ele aprendeu a ouvir bem, a ler o estado de espírito das pessoas, fazer charme, resolver situações difíceis com humor e, quando tudo mais falhava, a lutar. Os cientistas não compreendem as razões, mas a dislexia pode ser uma vantagem para algumas pessoas. Estudos mostram que a aprendizagem da leitura reestrutura o cérebro. A leitura nos ensina a bloquear o mundo, e isso faz com que certos tipos de habilidades de processamento visual se percam. Talvez por isso alguns disléxicos apresentem excepcional talento visual, o que os ajuda a compreender formas e movimentos com mais rapidez e com mais matizes do que outras pessoas. Talvez fosse por isso que Cassius Clay tinha o dom de antecipar um soco e se afastar ou se desviar do golpe. Seu cérebro não focava bem palavras e frases que precisavam ser processadas em uma ordem exata, mas ele era extraordinariamente bom no contrário disso: estar alerta a tudo ao mesmo tempo e detectar coisas que pareciam estranhas ou fora de lugar. Uma sobrancelha levantada, uma mudança no ângulo do ombro de um lutador, uma contração de um músculo — essas eram todas pistas possíveis quando ele estava diante de outro pugilista, a mente disparada para ajudá-lo a manter uma distância segura. Disléxicos podem ser péssimos guarda-livros, mas excelentes guardas de segurança. Conseguem ler o humor de uma sala lotada, mesmo enquanto se esforçam para se concentrar no que está dizendo a pessoa à sua frente. Eles assimilam padrões e veem oportunidades que outros não conseguem detectar. Os cientistas acreditam que a dislexia é relativamente comum entre empresários e outros líderes — especialmente entre pessoas que mostram um talento especial para o pensamento criativo, para escapar do considerado normal pela maioria e para ver o quadro completo de uma situação.[29]

Em julho de 1958, quando tinha 16 anos, Cassius começou a alardear sua intenção de lutar contra o adversário mais difícil em todo o West End, talvez o jovem mais durão em toda a Louisville. Seu nome era Corky Baker. Embora Cassius já fosse um pugilista amador bem estabelecido, Baker era uma lenda — o jovem mais forte e maldoso da redondeza.[30] Era um nome para ser sussurrado, caso ele estivesse nas proximidades procurando briga. Corky Baker usava jaquetas de couro e rosnava, fazendo com que até marmanjos mudassem de calçada para sair do seu caminho. "Ele não era humano", recordou Howard Breckenridge, um vizinho de mais ou menos a mesma idade de Baker. "Eu o vi levantar um carro certa vez."[31]

Cassius Clay sabia boxear, mas Corky Baker sabia lutar e pesava quase 10 quilos mais que ele.[32]

"TODOS OS DIAS ERAM UM PARAÍSO" 61

"Você é louco se entrar no ringue com ele", disse seu amigo John Powell Jr. em 1958.[33]

"Eu vou arrebentar esse cara", respondeu Cassius.

A empolgação durante a preparação para a luta foi tremenda. O West End estava alvoroçado. "Aquilo criou tanto burburinho na cidadezinha quanto uma grande luta minha, anos mais tarde, contra Joe Frazier", disse Clay tempos depois, "e, em seus próprios termos, foi tão importante para mim quanto a outra."

Quando a luta começou, Baker se lançou como alguém disposto a matar, desferindo *swings* feito louco e abrindo caminho a golpes, cabeça abaixada. Cassius o atingia com largos *jabs* de esquerda e saltava para longe dos socos até Baker estar exausto, o nariz sangrando e um olho enegrecido. "Isso não é justo!",[34] gritou Baker no meio do segundo round, antes de sair cambaleando do ringue e do ginásio.

"Cara", disse John Powell a Cassius após a luta, "agora você é o sujeito mais sinistro que eu conheço."[35]

Entre novembro de 1954, quando teve sua primeira luta amadora, e o verão de 1960, dos 12 aos 18 anos, Cassius Clay lutaria 106 vezes como amador, de acordo com os registros mantidos por Joe Martin. Alguns pesquisadores têm contestado esses números. Anos mais tarde, em sua autobiografia, Clay afirmou ter lutado 167 vezes como amador.[36] A melhor estimativa compilada nos últimos anos encontrou um registro de 82 vitórias e 8 derrotas, com 25 nocautes,[37] embora seja provável que pelo menos alguns episódios tenham ficado faltando nessa contagem.

Independentemente do número exato, é evidente que Cassius Clay lutou com muita frequência — média de uma luta a cada três semanas — e ganhou muito mais do que perdeu. Também é claro que teria lutado com mais regularidade se não fosse uma pausa de quatro meses imposta por um médico que acreditava ter detectado um sopro no coração do boxeador.[38] Além das lutas organizadas, Cassius treinava pelo menos três ou quatro vezes por semana enquanto se preparava para competir.

Rudy também lutava boxe, e em muitas ocasiões os irmãos apareciam no mesmo *card*, embora nunca tenham lutado um contra o outro. "Para dizer a verdade", disse Vic Bender, o boxeador companheiro e amigo dos dois rapazes, "nós achávamos que Rudy tinha mais potencial [do que Cassius]. Ele era um pouco mais forte."[39] Cash e Odessa Clay assistiam a quase todas as lutas dos seus garotos. Há algo angustiante para um adulto que se vê diante de um boxeador ainda quase menino, magricela, cheio de braços e pernas, desajeitado, que, ao som de uma campainha estridente, transforma-se em um agressor de respiração pesada, olhos muito abertos, movido por hormônios que ele não sabia que tinha. Nas noites de luta, Cash ululava, gritava e socava o ar enquanto seus filhos lançavam esquerdas e direitas, e Odessa gemia e cobria os olhos. Após as lutas, os Clay iam para casa comer bolo de carne ou grandes tigelas de espaguete com chili caseiro feito por Odessa, e, em seguida, tigelas ainda maiores de sorvete de baunilha.[40]

Quanto mais lutava, mais Cassius começava a desenvolver um estilo próprio. Alguns lutadores gostam de avançar, aproximar-se para grandes socos, mas Cassius preferia andar à volta do adversário em sentido horário, dar um soco e afastar-se, puxar a cabeça para trás para evitar golpes em vez de se esquivar. Balançar e esquivar o tronco não funciona quando um adversário fica muito próximo. Mas Cassius aprendeu que, se pudesse manter certa distância e seguir circulando, se aproximando e se afastando, receberia menos golpes. Seu maior talento pode ter sido a noção de distância; tinha um dom especial para se posicionar poucos centímetros além do alcance de seus adversários e, em seguida, aproximar-se apenas o suficiente para dar socos potentes. Contava com um "radar interno", como disse anos depois. "Eu sei o quanto posso me afastar, quando é hora de me esquivar ou de prender o meu oponente num *clinch*, me atracando com ele. Aprendi que há uma ciência para exaurir o adversário. Aprendi a colocar minha cabeça ao seu alcance, forçando o adversário a lançar golpes e, em seguida, me inclinar para trás e para longe, mantendo os olhos bem abertos para poder ver tudo, então me desviar para a direita ou para a esquerda, atingi-lo novamente com um *jab*, então, mais uma vez, colocar minha cabeça ao seu alcance. É imensamente desgastante para um lutador dar socos no ar. Quando seus melhores golpes não acertam nada mais que o vazio, isso arrasa com ele."[41]

Havia perigos nessa abordagem. Lutadores aprendem a manter as mãos perto da cabeça para bloquear socos, mas Cassius baixava as luvas, induzindo

"TODOS OS DIAS ERAM UM PARAÍSO"   63

os adversários a golpear seu rosto e contando com seus reflexos para conseguir sair da frente a tempo. Ao manter certa distância, Cassius praticamente abandonou o uso de golpes corporais. Ele raramente se atracava num *clinch* para socar as costelas de um lutador. E raramente usava toda a força do próprio corpo para desferir um soco. Lutava como um jato bombardeiro, não como um tanque, contando com velocidade, agilidade e boa pontaria.

Embora fosse excepcionalmente rápido e provavelmente tenha recebido menos socos do que a maior parte dos lutadores mais jovens, Cassius Clay não era rápido o suficiente para evitar todos os golpes pesados lançados em sua direção. Em 4 de fevereiro de 1955, apenas três meses depois de sua primeira luta amadora e três semanas após seu décimo terceiro aniversário, Cassius foi derrotado por um jovem lutador chamado James Davis. No verão do mesmo ano, ele venceu John Hampton numa semana e perdeu para ele na seguinte. Em 30 de agosto de 1957, Cassius, então com 15 anos, venceu um lutador de Louisville, de 17, chamado Jimmy Ellis, que viria a se tornar, pouco depois, campeão dos pesos-pesados da Associação Mundial de Boxe. Lutando oito dias mais tarde, Clay sofreu um corte acima do olho e perdeu no primeiro round para um lutador chamado Terry Hodge. Um mês depois, lutou com Jimmy Ellis novamente, perdendo então por uma decisão dividida.

À medida que ele aperfeiçoava suas habilidades e desafiava pugilistas mais antigos, e que suas aparições na televisão lhe traziam alguma celebridade local, Cassius ia ficando mais confiante do que nunca, prevendo que ganharia o Golden Gloves, o campeonato nacional de boxe, depois viraria profissional e se tornaria o campeão mundial dos pesos-pesados. Alguns de seus colegas pugilistas se cansaram das bravatas de Clay, mas ele não se importava. No refeitório da escola, precisava de duas bandejas para transportar seu almoço, que incluía meia dúzia de garrafas de leite e oscilantes torres de sanduíches.[42] Se alguém o acusava de olho-grande, dizia que estava em treinamento.

"Comecei a lutar boxe porque pensei que era o jeito mais rápido de uma pessoa negra conseguir vencer neste país", disse ele certa vez. "Eu não era nada brilhante nem rápido na escola, não podia ser jogador de futebol americano nem de basquete porque para isso era preciso ir para a faculdade, ter notas boas e passar nos exames. Um boxeador pode simplesmente entrar numa academia, saltar de um lado pra outro, virar profissional, vencer uma luta, conseguir uma boa oportunidade, e pronto, está no ringue. Se for bom o suficiente, ganha mais dinheiro do que outros atletas conseguem ganhar durante toda a vida."[43]

Cassius continuou a frequentar as aulas no Colégio Central, e suas faltas aumentaram devido à sua agenda de torneios. Também se virava para ganhar dinheiro, trabalhando como cuidador de crianças para alguns vizinhos e fazendo trabalhos leves de zeladoria na biblioteca da Faculdade Nazareth, em Louisville, onde a freira que o supervisionava o encontrou certa vez dormindo profundamente entre as estantes, em vez de estar tirando a poeira dos livros.[44]

Joe Martin e sua esposa, Christine, levavam a equipe de jovens boxeadores para torneios em Chicago, Indianápolis e Toledo. "Naquela época, os rapazes negros não podiam entrar em restaurantes, então *nenhum* dos meninos ia comigo", disse Christine Martin a um repórter. "Eu entrava sozinha, comprava quantos hambúrgueres cada um pedisse e levava para o carro. Cassius era um sujeito muito fácil de lidar. Muito fácil de cuidar. Muito educado."[45]

Cassius não era meramente educado; de fato, era tímido quando estava em pequenos grupos, especialmente se houvesse garotas por perto. Porém, quando se tratava de boxe, ele tinha uma clara percepção do seu talento. Ele sentiu, desde o início, que a confiança podia ser uma arma; fazia-o parecer maior e mais forte do que era, e às vezes isso abalava os adversários. Num torneio em Louisville, quando tinha apenas 12 anos, entrou no vestiário do time visitante e começou a afrontar um lutador chamado George King, de 21 anos, casado e com um filho. "Eu sou mais alto do que você", disse Cassius.[46] "Acha que pode me vencer?" E deu dois socos rápidos no ar. "Acha que você conseguiria aparar esses golpes?"

Ele compunha poemas que mais tarde se tornariam sua marca registrada. Este foi para o *Louisville Courier-Journal*:

> *Esse cara não está com nada,*
> *Vai cair na primeira rodada.**

---

* *This guy must be done. / I'll stop him in one.* [N. da T.]

"TODOS OS DIAS ERAM UM PARAÍSO"   65

Em fevereiro de 1957, quando Cassius tinha 15 anos, o conceituado peso meio-pesado Willie Pastrano voou de Miami a Louisville para uma luta com John Holman no State Fairgrounds. Uma noite, quando Pastrano estava em seu quarto no hotel, Cassius ligou para ele do saguão. O treinador de Pastrano, Angelo Dundee, atendeu.

"Alô", disse Cassius a Dundee. "Meu nome é Cassius Marcellus Clay. Sou o campeão do Golden Gloves de Louisville... Vou ser campeão olímpico, e então vou ser campeão do mundo inteiro. Gostaria de conhecê-lo."[47]

Não havia nada na TV, então Dundee e Pastrano disseram a Cassius para subir. Cassius perguntou se seu irmão poderia ir também.

Os dois passaram 4 horas na companhia de Pastrano e Dundee, com Cassius a fazer perguntas sobre treinamento e técnicas de boxe. Mais tarde, Cassius perguntou se poderia treinar com Pastrano no ringue, e os forasteiros consentiram. Pastrano, que era de Nova Orleans, tinha mais de cinco anos de experiência como lutador profissional e viria a ganhar o campeonato mundial dos peso meio-pesado alguns anos depois. Mas ele lamentaria a decisão de entrar no ringue com o adolescente Cassius Clay.

"Ele me atingiu muitas vezes, e eu não gostava que um amador me fizesse parecer mal na fita", disse Pastrano. "Ele não parecia nada especial fora do ringue, mas, quando está lá, na sua frente, lança aqueles *jabs* longos, que saem de um jeito tão fácil e tão rápido...!"

Um ano depois, em 25 de fevereiro de 1958, Cassius Clay estava em Chicago para a maior luta da sua vida, no Torneio dos Campeões Golden Gloves. Mais de 250 dos melhores lutadores de vinte estados competiam numa série de embates que se estenderam por dez dias. As lutas foram realizadas na casa do time de hóquei Chicago Black Hawks, o Chicago Stadium, que, em algum momento, fora a maior arena coberta do mundo. Cassius já lutara diante de grandes multidões em Louisville. Suas lutas haviam sido televisionadas. Mas nunca testemunhara uma cena como aquela. Para um lutador, não há nenhuma ocasião tão dramática quanto uma luta importante numa grande arena, o ar denso com nuvens de fumaça de cigarros e charutos, os gritos, os gemidos, as vozes clamando por sangue sagrado.

66 MUHAMMAD ALI

Depois de vencer pela primeira vez uma luta no primeiro round, o Cassius de 16 anos enfrentou Francis Turley, um jovem fazendeiro de Roundup, Montana. Turley era baixo, 1,78 m, mas robusto.[48] Em sua luta de estreia no torneio, fizera sangrar o nariz do adversário no primeiro round com um golpe de esquerda antes de martelá-lo nas cordas e lançá-lo fora do ringue no terceiro round.[49] Turley e Cassius trocaram socos mais ou menos uniformemente no primeiro round, mas, no segundo, Turley notou que Cassius estava mantendo certa distância, colocando todo o peso na perna direita e avançando para dar o golpe.[50] Turley cronometrou os movimentos do adversário, reduziu a diferença rapidamente e soltou uma furiosa enxurrada de socos que deixaram a multidão rugindo e Cassius caído na lona.

Ainda assim, Cassius se levantou, superando o ruído da multidão e qualquer zumbido que pudesse ter em sua cabeça, e derrubou Turley com um direito, dando uma das primeiras demonstrações de sua capacidade de sacudir os danos e continuar a lutar. No último round, Cassius dançou, evitando Turley completamente, e os juízes lhe deram a vitória. Se vencesse mais uma luta, Cassius disputaria o campeonato dos pesos meio-pesados. Mas seu adversário na partida semifinal era outro sujeito forte: Kent Green, que, além de ser dois anos e meio mais velho, também pesava 4 quilos mais que ele.

Na noite anterior à luta contra Green, Cassius e outro lutador de Louisville saíram do St. Clair Hotel, pararam um táxi na avenida Michigan e pediram ao motorista que os levasse a um lugar onde pudessem arrumar prostitutas.[51] O motorista os levou para a rua 47, esquina com a avenida Calumet, na zona sul, onde os rapazes foram rapidamente abordados por duas mulheres, uma negra e uma branca, que disseram que custariam "7 e 2" — 7 dólares para o sexo, 2 para o quarto. Cassius escolheu a mulher negra, que, a seus olhos de adolescente, parecia ter cerca de 30 anos. As mulheres escoltaram os garotos até um prédio vizinho, subindo escadas rangentes de madeira e passando por paredes cobertas de grafite.

"Você quer uma viagem de volta ao mundo?", a prostituta perguntou a Cassius enquanto o levava para a cama.

"O que é uma viagem de volta ao mundo?"

"Bem, é um pouco de tudo."[52]

"TODOS OS DIAS ERAM UM PARAÍSO" 67

Como lembrou ele anos mais tarde: "Ela me agarrou com ambas as mãos, puxando-me para ela. 'É só empurrar', disse ela. O pânico desapareceu, e de repente eu me senti como um homem. Na posição de um homem. 'Para cima e para baixo', disse ela. Então eu segui, para cima e para baixo, para cima e para baixo, até que finalmente ela perguntou: 'Você não terminou? Anda logo! Ainda não?' Eu só continuei subindo e descendo. Ela disse algo como 'Aconteceu? Chegou lá?', mas eu não sabia do que ela estava falando. 'Não teve uma sensação de cócegas? Uma sensação?' Eu disse: 'Não.'

Não havia nada mais a dizer.

Ela me empurrou para longe, eu me levantei imediatamente e comecei a vestir as calças. Ela se levantou e acendeu as luzes.

Eu berrei: 'Espera! Espera!' E apaguei as luzes de novo.

'Qual o seu problema?', gritou ela.

'Ainda não vesti minhas roupas', expliquei. Eu não conseguia olhar para ela."

No dia seguinte, o torneio foi retomado no Chicago Stadium e Cassius usou seu soco mais eficaz — o *jab* — para impedir que Kent Green atacasse. Os golpes entravam, e entravam duramente, mas não foram suficientes. Green levava os socos e seguia em frente, mantendo-se bem próximo ao corpo de Cassius e transformando a luta em um combate engalfinhado que favorecia o homem maior, mais forte. No segundo round, Cassius abandonou os *jabs* completamente e tentou se igualar a Green com ganchos, *uppercuts* e *clinchs,* e mostrar a mesma força nos punhos, soco forte contra soco forte. Cassius logo se cansou, enquanto Green continuava acertando socos poderosos. Finalmente, o árbitro parou a luta e marcou um nocaute técnico para Green.

O garoto estava "apanhando feio", recordou Martin.[53]

No vestiário, depois da luta, Clay chorou.

No ano seguinte, voltou a Chicago para lutar no Golden Gloves intercidades. Aos 17 anos, era ainda delgado — todo cotovelos e joelhos, com um peito liso e abdômen bem definido —, mas estava agora com 1,83 m de altura e pesava mais de 77 quilos.

Cassius, integrando a equipe de Chicago, que incluía pugilistas de vinte estados, seguiu abrindo caminho até as finais da divisão de pesos meio-pesados, onde lutaria com o mais talentoso meio-pesado da equipe de Nova York, Tony Madigan, de 29 anos, que representara a Austrália nos Jogos Olímpicos de 1952 e 1956 antes de se mudar para Nova York. Apesar da idade avançada e da experiência, Madigan permanecia amador. A luta — em 25 de março de 1959 — seria realizada perante uma multidão de mais de 7 mil fãs e televisionada nacionalmente pela ABC. Madigan era o favorito.

Mesmo na divisão de pesos meio-pesados com menos de 80 quilos, os pugilistas tendiam a golpear com violência. Madigan certamente correspondia a essa descrição. Tinha uma direita forte e frequentemente lutava como um brigão de bar, abaixando a cabeça e acertando *swings* até que alguém caísse. E, em geral, não era ele. Vencera 94 de 99 lutas.

Desde o soar do gongo de abertura, no entanto, estava claro que aquela luta não seria como as outras para Madigan, nem era o tipo de luta que os fãs de boxe, reunidos em torno de TVs em preto e branco ou lotando arenas fumacentas, estavam acostumados a ver homens grandes lutar. Clay disparava *jabs* e saltava em volta do ringue, movendo-se tão rapidamente que os braços mais curtos de Madigan não podiam alcançá-lo. Quando Madigan tentou se aproximar e envolvê-lo, Clay desfechou uma esquerda sobre o topo de sua cabeça e saltou fora. Depois de três ou quatro golpes de esquerda, com Madigan ainda forçando uma aproximação, Cassius soltou um direito com força total, impedindo o avanço do lutador veterano. Logo Madigan estava com os olhos inchados e o rosto vermelho.

À medida que Madigan enfraquecia e desacelerava, piscando para superar a dor, Cassius começou a firmar os pés e a disparar direitos mais poderosos. Um ano antes, ele ainda não tinha o poder de impedir que Kent Green forçasse a aproximação, mas agora Cassius estava mais forte. A única esperança de Madigan era um nocaute; porém, toda vez que ele se preparava para dar um golpe decisivo, Cassius desaparecia de seu alcance. No final, Cassius alcançou uma vitória convincente.

Na década de 1950, a popularidade do boxe estava em acentuado declínio. À medida que a economia dos Estados Unidos aquecia, os jovens tinham

"TODOS OS DIAS ERAM UM PARAÍSO"

melhores opções de trabalho. Milhões de veteranos da Segunda Guerra Mundial foram matriculados em faculdades ou cursos profissionalizantes. Como a população estava se mudando para bairros mais promissores, nos subúrbios das cidades, os clubes de luta de bairro começaram a falir, e as lutas de boxe eram menos numerosas. Lutadores negros e latinos começaram a tomar o lugar dos pugilistas irlandeses, judeus e italianos. No conjunto, o número de pugilistas profissionais nos Estados Unidos teve uma queda de 50%.[54] Se não fosse a televisão, o declínio do esporte teria sido ainda mais forte. Em meados da década de 1950, o boxe podia ser visto na TV quase todas as noites da semana, e rivalizava com *I Love Lucy* em audiência.[55]

De todas as lutas transmitidas pela televisão em 25 de março de 1959, a de Cassius Clay foi a mais emocionante. Os fãs que esperavam ver o boxeador mais jovem e mais leve levar uma surra tiveram, em vez disso, um vislumbre do futuro do boxe. No dia seguinte, em centenas de jornais em todo o país, foi publicada esta matéria da Associated Press:

> Num acontecimento sem precedentes, Nova York ganhou, pela segunda vez, o título do Golden Gloves contra a equipe de Chicago na quarta-feira,[56] mas o destaque individual foi para Cassius Clay, um lutador da Windy City.
>
> Clay, um estudante do ensino médio de 17 anos de Louisville, Kentucky, provou estar bastante avançado para sua idade e ser o dono de um contragolpe afiado que encerrou uma luta no terceiro round.

O mundo estava começando a tomar conhecimento de sua existência, exatamente como ele sempre dissera.

5

O profeta

Antes das lutas, enquanto outros boxeadores geralmente estavam conservando energia, focando os pensamentos, recebendo conselhos de última hora dos treinadores, rezando ou vomitando, Cassius Clay estava de pé, lutando contra sua sombra nas paredes, contando piadas, se gabando e checando sua imagem no espelho,[1] como se o tempo ocioso fosse o único desafiante que ele temesse. Anos mais tarde, admitiria aos amigos que sentia medo antes de cada uma de suas lutas.[2] Mas escondia isso muito bem. Quando o gongo tocava, os medos desapareciam.

Em 1959, antes de sua luta com Tony Madigan televisada nacionalmente, Clay não conseguia ficar parado, desconcentrando os outros lutadores com sua energia nervosa. Ele estava em Chicago, a quase 500 quilômetros de casa. Queria *fazer* alguma coisa. Será que ninguém mais queria *fazer* alguma coisa? Continuou perguntando até conseguir a resposta que desejava.

"Treinamos juntos", disse Wilbert "Skeeter" McClure, um boxeador adolescente de Toledo, "e me lembro de Cassius atazanando todo mundo da equipe, dizendo: 'Cara, pense na quantidade de garotas bonitas pelas ruas, todas essas lindas garotas andando por aí; temos que conhecer algumas dessas meninas!"[3] Alguns dos rapazes tinham medo de explorar Chicago por conta própria. Outros queriam descansar para suas próximas lutas. Mas Clay persistiu: "Vamos lá, vamos colocar nossas jaquetas [do Golden Gloves] e ir a algum lugar para impressionar as garotas." Finalmente, as acompanhantes adultas dos pugilistas se renderam e organizaram um passeio ao Colégio Marshall, na zona oeste da cidade.

"Tínhamos garotas bonitas como anfitriãs para nos mostrar a cidade", disse McClure. "Depois, fomos a uma cafeteria para almoçar, e o lugar estava cheio de mais garotas bonitas. Havia garotas bonitas sentadas por toda parte. E o cara que agitou tudo aquilo simplesmente se sentou ali, de cabeça baixa, olhando o tempo todo para a comida na sua bandeja. Não disse uma palavra."

Alguns dos rapazes que conheceram Clay naqueles torneios de boxe o achavam irresistivelmente divertido; viam sua arrogância como uma representação, e não se incomodavam. Outros achavam repulsivo o seu egocentrismo. Nenhum se recordava de conversas sobre política, questões internacionais, raciais ou culturais. Ele queria lutar. Ele queria ser grande. Ele queria ser famoso e rico. Ele queria ter uma vida boa, e isso era tudo.

A partir de 1958, Clay fez três viagens a Chicago em três anos. Mais do que qualquer outra cidade, Chicago lhe forneceu um caminho não só para a vida adulta e na cidade grande, mas também para novas complexidades definidas pela cor da pele e por suas consequências. Chicago não era a Terra Prometida, nem para Clay nem para os recém-chegados do sul que foram para aquela cidade à beira do lago Michigan à espera de algo melhor do que o que ficara para trás. Os salários e as condições de vida para as famílias negras estavam longe de ser iguais aos das famílias brancas. Os negros ainda não eram aceitos em muitos empregos, sindicatos, clubes e bairros. No norte, como escreveu o sociólogo Gunnar Myrdal em 1944, "quase todo mundo é contra a discriminação em geral, mas, ao mesmo tempo, quase todo mundo pratica discriminação nos próprios assuntos pessoais".[4] Ainda assim, Chicago ofereceu a Clay sua primeira experiência sexual, e sua primeira exposição na mídia nacional. Chicago lhe mostrou que sua confiança no ringue de boxe era justificada, que ele realmente poderia competir com os melhores lutadores do país, e isso, por sua vez, o tornava mais confiante do

O PROFETA

que nunca. A cidade, embora ainda profundamente segregada, oferecia uma sensação de liberdade maior do que ele jamais tivera em Louisville. Não era só Clay longe dos pais; ele estava no norte, numa cidade onde muitos negros do sul haviam descoberto que poderiam expressar mais abertamente suas opiniões, que poderiam passear pelas calçadas sem ter que dar passagem aos brancos, que poderiam se sentar ao lado de uma mulher branca no balcão de uma lanchonete sem medo de uma reação violenta. Chicago era uma cidade onde um jovem como Cassius Clay poderia comportar-se maliciosamente com apenas moderado receio de represália.

Foi também em Chicago que ele descobriu um homem que mudaria sua vida talvez mais que qualquer outro.

Elijah Muhammad referia-se a si mesmo como o Profeta da Nação do Islã, um grupo religioso dedicado ao separatismo e ao empoderamento negro. A Nação do Islã tinha sua sede na zona sul de Chicago, onde vivia a maior parte dos residentes negros da cidade. Nas esquinas e nas mesquitas, seguidores de Elijah Muhammad pregavam uma mensagem de força negra que estava começando a encontrar ressonância entre jovens negros na década de 1950 à medida que crescia a indignação contra a segregação e contra os ataques violentos como o que matara Emmett Till. Se os europeus e norte-americanos brancos adoravam um Cristo branco e se os budistas na China adoravam um Buda que parecia chinês, perguntava Elijah Muhammad, por que os pretos não adoravam um deus preto? E se os nomes de europeus e chineses estavam enraizados em seus ancestrais e em suas culturas, por que os pretos na América, homens e mulheres, ainda eram chamados por nomes que lhes haviam sido atribuídos por proprietários de escravos, de forma muito parecida a como os fazendeiros marcavam seu gado? Essas eram condições impostas por homens brancos sem o consentimento das pessoas afetadas, condições que relegavam negros e negras a uma posição aparentemente imutável de inferioridade e que só mudariam quando os negros exigissem a mudança.

Para a Nação do Islã, não bastava que as cortes estivessem ordenando a integração de escolas, trens, ônibus e praias. A integração nunca seria suficiente enquanto os norte-americanos de ascendência africana fossem

74   MUHAMMAD ALI

tratados como cidadãos de segunda classe; enquanto, em comparação com seus vizinhos brancos, tivessem maior probabilidade de ser encarcerados, ficar desempregados, sofrer com subempregos ou de viver sem um teto ou com fome; maior probabilidade de morrer jovens; maior probabilidade de ser baleados pela polícia ou de ser linchados.

Na África, as pessoas negras estavam finalmente se libertando do colonialismo na década de 1950. Será que os norte-americanos negros seriam os últimos símbolos sobreviventes de inferioridade racial e submissão? Não, isso não aonteceria se acreditassem em Elijah Muhammad. Se as profecias de Muhammad se realizassem, uma nova nação de norte-americanos negros liberados seria estabelecida em pouco tempo, ocupando até um quinto do território que até então pertencia aos Estados Unidos. Para milhares de norte-americanos negros — especialmente aqueles que se sentiam mais marginalizados, incluindo prisioneiros e desempregados, que compunham o núcleo dos seguidores da Nação do Islã —, a mensagem de Elijah Muhammad provou-se atraente. Muhammad rejeitava o pacifismo de líderes dos direitos civis como o reverendo Martin Luther King Jr. e os esforços da NAACP para produzir mudanças graduais por meio do sistema judicial.

Antes de mudar de nome, Elijah Muhammad era Elijah Poole, filho de um lavrador, nascido em 1897 numa área rural da Geórgia.[5] Em 1923, Poole, como tantos outros, migrou para o norte, estabelecendo-se em uma região pobre no centro de Detroit, onde as condições econômicas não eram muito melhores do que aquelas que deixara na Geórgia. Poole bebia muito e recebia auxílio do governo para sobreviver, até que encontrou os ensinamentos de um pregador misterioso chamado W. D. Fard. Esse homem — um negro de pele clara que ia de porta em porta em Detroit vendendo roupas, segundo ele, semelhantes às usadas pelos negros do Oriente Médio — alegava ser de Meca, embora, na verdade, nunca tivesse estado lá. Referia-se a si mesmo por uma variedade de nomes exóticos, incluindo Farrad Mohammad, F. Mohammad Ali, professor Ford e sr. Wali Farrad. Independentemente de qual nome usasse, Fard encontrava clientes ansiosos para saber mais sobre os lugares nos quais alegava ter estado, sobre os lugares onde os negros tinham raízes; onde eram orgulhosos membros da maioria; onde rezavam para um deus chamado Alá, não Jesus; onde tinham orgulho da cor de sua pele e da história de sua linhagem.

O PROFETA 75

Fard começou a fazer reuniões em toda a comunidade, referindo-se a si mesmo como um profeta e oferecendo sugestões a seus ouvintes sobre como poderiam melhorar a saúde evitando certos alimentos.[6] Conforme sua popularidade crescia, Fard tornava-se cada vez mais crítico da Bíblia cristã e dos "demônios de olhos azuis" que compunham a raça branca. Prometia a seus seguidores uma saída da miséria: se retornassem à sua antiga herança islâmica e adotassem uma filosofia de limpeza, independência e trabalho duro, dizia, as pessoas negras conseguiriam se erguer, e formariam sua própria nação independente. Uma "Nave Mãe" pairando no espaço, controlada telepaticamente por pilotos negros, iria destruir a Terra, e só os crentes em sua mensagem sobreviveriam. Muito provavelmente, esse evento cataclísmico aconteceria em 1966, de acordo com Fard.

Essa filosofia, apesar de incomum, não era inteiramente nova.[7] Fazia muito tempo que Booker T. Washington e inúmeros outros líderes negros pregavam a importância da moralidade e do trabalho duro. Na década de 1920, Noble Drew Ali (nascido Timothy Drew, na Carolina do Norte) fundou o Templo Mourisco da Ciência da América, onde se ensinava que todas as pessoas não brancas tinham origem mourisca, ou muçulmana. E Marcus Garvey havia alimentado a imaginação de um sem-número de homens e mulheres pregando o orgulho dos pretos e exortando seu povo a deixar os Estados Unidos e retornar à África.

Fard chamou seu novo grupo religioso de Nação do Islã. Dentro de alguns anos, havia estabelecido em Detroit um Templo do Islã e uma Universidade do Islã. Construiu uma base de cerca de 8 mil seguidores.[8] Elijah Muhammad tornou-se um dos primeiros dirigentes do grupo. Em 1934, Fard fez dele o principal ministro do Islã e lhe deu poderes para dirigir a organização. Logo após a nomeação de Elijah, Fard desapareceu e nunca mais se ouviu falar dele. Elijah Muhammad prosseguiria, quase sem ajuda, a perpetuar os ensinamentos de Fard, divinizar seu mentor e expandir consideravelmente o alcance da Nação do Islã. De modo irônico, as ideias de Elijah Muhammad abrangiam vertentes genuinamente norte-americanas e fundamentalmente conservadoras, mesmo que não incluíssem naves espaciais. Ele incitava as pessoas negras a parar de esperar que a América branca as ajudasse. Para os negros, o único caminho a seguir, dizia Muhammad, era se separar dos

MUHAMMAD ALI

brancos — começar seus próprios negócios, comprar de empresas de proprietários negros e, finalmente, formar sua própria nação.

Por volta de 1955, a Nação do Islã já era uma organização com força suficiente para atrair a atenção do FBI, que a ela se referia como o Culto Muçulmano do Islã (Muslim Cult of Islam, MCI), chamando-o de "uma seita especialmente antiamericana e violenta".[9] Em um documento destinado a servir como guia para os agentes de campo, o FBI concluiu:

1. O MCI é uma organização preta fanática que se apresenta como motivada pelos princípios religiosos do Islã, mas que de fato se dedica à propagação do ódio contra a raça branca. Os serviços realizados em todos os templos não têm nenhuma semelhança com exercícios religiosos.

2. Organizacionalmente, o MCI é uma coleção de templos autônomos vinculados por uma frágil relação pessoal entre os chefes dos templos e a sede do culto em Chicago, Illinois.

3. Embora seja uma organização extremamente antiamericana, o MCI não é, no momento, suficientemente grande ou poderoso para infligir danos graves ao país; no entanto, seus membros são capazes de cometer atos individuais de violência.

4. Os objetivos e propósitos do MCI concentram-se na derrubada de nosso governo constitucional, na medida em que os membros do culto o consideram um instrumento da raça branca; portanto, é óbvio que esse grupo, enquanto mantiver as ideias que hoje o motivam, continuará a ser um problema investigativo para o FBI.

O crescimento da Nação do Islã não se devia unicamente ao trabalho de Elijah Muhammad. Era também um produto do crescente descontentamento entre os norte-americanos negros. "Sem as imperfeições da sociedade ocidental", escreveu Louis E. Lomax, um dos primeiros autores a documentar a história da Nação, "os Muçulmanos Negros não poderiam ter surgido".[10] E sem o racismo que sofreu enquanto crescia, sem a voz irada de seu pai reverberando pelo modesto lar da família, sem a imagem de Elijah Muhammad como uma alternativa sábia, poderosa e sóbria à figura paterna, e sem

O PROFETA

a morte chocante de Emmett Till, o jovem Cassius Clay poderia não ter sentido uma atração tão grande pela mensagem dos Muçulmanos Negros, como eram conhecidos.

Cassius Clay seria envolvido pelo fascínio de duas grandes influências em sua vida: a primeira foi o boxe, que, embora essencialmente violento, oferecia a promessa de fama, riquezas e glória. A segunda foi a filosofia de Elijah Muhammad e seus princípios: um homem negro deve se orgulhar de sua cor, os negros logo dominarão o mundo e usarão de violência, se necessário, para chegar ao poder, e não há nada que a América branca possa fazer a respeito.

Depois de sua viagem a Chicago para o torneio Golden Gloves, em 1959, Cassius voltou para casa com uma gravação. Alguns jornalistas têm dito que eram discursos gravados de Elijah Muhammad, mas o mais provável é que fosse a gravação de uma canção, "A White Man's Heaven Is a Black Man's Hell" ("O céu de um homem branco é o inferno de um homem negro"), escrita e interpretada pelo ministro Louis X, anteriormente conhecido como Louis Eugene Walcott, e, mais tarde, como ministro Louis Farrakhan. A gravação tinha mais de 10 minutos, divididos em dois lados de um disco de 45 rpm. Sobre uma batida de calipso ao fundo, o ministro Louis X fazia algo como um sermão, falando mais do que cantando:

> *Por que somos chamados de pretos?*
> *Por que estamos surdos, mudos e cegos?**[11]

A canção prosseguia com uma lista de perguntas: Por que estava todo mundo fazendo progresso, enquanto os negros eram deixados para trás? Por que os negros eram tratados tão mal? Por que foram despojados de seu nome, sua língua, sua religião?

"O céu de um homem branco..." serviu como uma apresentação da Nação do Islã para muitos norte-americanos negros. Podia ser ouvida nas jukeboxes de restaurantes e cafés de proprietários negros e comprada em lojas de discos

---

* *Why are we called Negroes? / Why are we deaf, dumb, and blind?* [N. da T.]

de proprietários negros. Durante séculos, o homem branco impusera sua religião sobre os africanos, muitas vezes em nome da libertação. Agora, a canção instava os filhos da escravidão a repensar sua relação com a igreja cristã e reformular sua identidade. As palavras da música eram um reflexo da filosofia de Elijah Muhammad, que ensinava a jovens como Louis X que eles possuíam características para além daquelas impostas pelos homens brancos que haviam escravizado seus antepassados; que eles tinham as próprias história e religião; que poderiam se libertar dos sistemas e rituais que, no início, os fizeram escravos e, em seguida, os transformaram em cidadãos de segunda classe.

Clay escutava a gravação repetidamente, como disse sua tia a um repórter, até que toda a família não aguentasse mais, e até que ele ficasse completamente "hipnotizado, com uma lavagem cerebral",[12] e com a vida para sempre alterada.

Depois de vencer Tony Madigan no Golden Gloves de pesos meio-pesados em março de 1959, Clay tornou-se uma espécie de pugilista amador em tempo integral. Em abril, ganhou o campeonato da União Atlética Amadora Nacional (National Amateur Athletic Union, AAU) com uma vitória unânime sobre Johnny Powell.

Em maio, sofreu a maior derrota de sua carreira de amador — uma decisão dividida a favor do lutador canhoto Amos Johnson —, que o manteve fora da final dos Jogos Pan-Americanos. Embora Clay tenha tomado uma surra de Johnson, Joe Martin continuava impressionado com a capacidade de seu jovem lutador de continuar de pé e manter a calma quando ferido.

"Cassius realmente sabia como lutar quando estava em apuros", disse Martin a um repórter. "Ele nunca entrava em pânico nem se esquecia do que eu havia ensinado. Quando era atingido, não ficava bravo nem comprava uma briga, como fazem alguns garotos. Ele levava um bom soco e seguia boxeando, usando os punhos para sair da situação [...]. Só uma vez eu o vi nocauteado, totalmente abatido, e isso foi no ginásio, quando estava treinando com um amador chamado Willy Moran. Moran era um bom batedor [...]. De qualquer forma, ele realmente acabou com o Cassius naquele dia. Cassius andava me dizendo que queria uma motoneta, e, quando recobrou

O PROFETA

a consciência, me perguntou: 'Sr. Martin, pra que lado ia a motoneta que me atingiu?' A motoneta estava em sua mente. Foi a única vez em que o vi inteiramente fora do ar. Estava com 16 anos, e aquilo não o perturbou. No dia seguinte, voltou aos treinos com Moran."[13]

Em 1959, embora todos soubessem que o crânio era um recipiente para alojar o cérebro, pouca atenção era dada aos danos sofridos por alguém que recebia golpes na cabeça; ao contrário, a capacidade de levar socos era considerada um totem da masculinidade e, para um jovem lutador como Clay, a indicação de um futuro brilhante.

Durante a primavera de 1959, ele estava boxeando quase o tempo todo, com uma média de três lutas por mês.[14] A maioria dos combates ocorria nos fins de semana. Mesmo assim, ele deve ter perdido muitos dias de aula. Os amigos já não viam Cassius correndo ao lado do ônibus a caminho do Colégio Central. Agora, os dois irmãos corriam apenas no Chickasaw Park e numa pista nas proximidades. Continuavam praticamente inseparáveis. Partilhavam o quarto, as refeições e o regime de treinamento. Rudy participava de torneios quase com a mesma frequência que Cassius. Embora se saísse bem, estava claro para os irmãos e para seus treinadores que Cassius era o lutador mais promissor. Era uma questão de talento, não de esforço ou força. Cassius tinha o dom, e o irmão não. "Minha mente não era tão rápida quanto a dele", disse Rudy. "O boxe é jogo de homem que pensa."[15]

Ser o irmão mais novo de Cassius Clay não era fácil. Dos dois, Cassius era o melhor atleta, e o mais popular, mais divertido, mais carismático. Rudy Clay parecia aceitar seu status do jeito que um homem sério aceita que seu parceiro de comédia receba as risadas. Ele sabia de suas limitações e gostava de ter trânsito livre no carnaval que era a vida de Clay. Rudy era o companheiro de maior confiança do irmão. Cassius nunca usou um relógio porque tinha Rudy ao lado para lhe dizer a hora.[16] E Cassius fez uma promessa ao irmão: o que quer que surgisse — dinheiro, mulheres, viagens, glória —, eles partilhariam cada pedacinho de tudo, para sempre, juntos.[17]

Em 1960, Cassius media 1,85 m e pesava aproximadamente 82 quilos. Em março, voltou a Chicago para lutar novamente no Golden Gloves. Dessa vez, ia competir como peso-pesado,[18] não meio-pesado, para evitar um possível confronto com Rudy, que também entrara na competição.

Após vencer em Chicago, Cassius foi a Nova York para lutar contra o campeão do leste, Gary Jawish, que pesava quase 20 quilos a mais. Clay começou a luta avaliando Jawish com os *jabs* costumeiros e, em seguida, começou a lançar ganchos rápidos. Lançava golpes tão rápidos e com tamanho impulso de avanço que Jawish perdeu a capacidade de revidar. Logo perdeu também a capacidade de se manter ereto e, no terceiro round, o árbitro decidiu que Jawish corria o risco de sofrer ferimentos graves, declarando Clay o vencedor por nocaute técnico.

Durante a primeira metade de 1960, a agenda de lutas de Clay poderia ter sido adequada para um faminto lutador profissional — o que ele ainda não era. Em abril, mais uma vez conquistou o título de meio-pesado da AAU e levou para casa um troféu como o boxeador de maior destaque do torneio. "OLHO NO CLAY no futuro", escreveu o promotor de boxe e jornalista Hank Kaplan após a competição. "Melhor perspectiva amadora do país. Não gosta de bater duro, mas é rápido, lança combinações rápidas."[19]

O campeonato da AAU assegurou a Clay uma chance de competir nas próximas preparatórias para as Olimpíadas. No entanto, em vez de descansar, ele retornou a Louisville, onde continuou a lutar — e a vencer.

"Vamos esquecer os Jogos Olímpicos", disse a Joe Martin. "Estou pronto para me tornar profissional."[20]

6

"Sou apenas jovem, e não dou a mínima"

Anos mais tarde, os historiadores diriam que 1959 marcou o fim de uma década de inocência norte-americana. Era uma época em que a imagem superava a substância, época lembrada por seus Cadillacs cor-de-rosa, cinemas drive-in, restaurantes drive-in, artistas e fãs de rock com cabelos alisados e brilhantes, jogos de beisebol durante o dia, excursões noturnas para roubar calcinhas em dormitórios femininos, tudo piscando em cores brilhantes como se fosse um tributo de Hollywood à juventude.

Para Clay, no último ano do ensino médio, os rumores de guerras distantes não significavam nada. Nem as ações de quatro calouros negros da Faculdade de Agricultura em Greensboro, na Carolina do Norte, que educadamente pediram café no balcão da lanchonete do Woolworth e permaneceram sentados em silencioso protesto quando lhes recusaram atendimento; suas ações desencadearam uma onda de protestos "passivos" em sete outros estados do sul. Logo depois, em abril de 1960, um grupo de jovens militantes negros formou o Comitê Não Violento de Coordenação Estudantil (Student Nonviolent Coordinating Committee, SNCC), conhecido como "snick". Eles foram adiante, participando de ações conhecidas como Viagens da Liberdade (*Freedom Rides*), que visavam a dessegregação nos ônibus, e de incontáveis outros protestos por direitos civis. A autodisciplina e a coragem desses jovens rebeldes podem ter feito vibrar uma corda em Cassius Clay. Mas, por enquanto, ele não estava envolvido com política. Ele era jovem. Era bonito. Era talentoso. Sua atenção estava focada em boxe, garotas, carros, dinheiro e espelhos.

Quando um repórter insinuou que ele era vaidoso, Clay pareceu magoado. "Não", disse, "sou apenas jovem, e não dou a mínima pra nada."[1]

Um dia, durante seu último ano no ensino médio, Cassius foi ao show de talentos da escola. Quando o show acabou, avistou uma ex-colega chamada Areatha Swint e parou para dizer olá. Aretha saíra da escola no ano anterior depois de engravidar e ter um menino. Deixara o bebê em casa com a mãe para poder assistir ao show de talentos e encontrar alguns dos velhos amigos do Colégio Central. Quando o show acabou, Clay se ofereceu para levá-la em casa. Alguns rapazes não estavam interessados em namorar uma jovem que já tinha um bebê,[2] mesmo sendo uma mulher bonita como Areatha. Os garotos ficaram ainda mais desconfiados quando souberam que o pai do filho de Areatha estava na cadeia. Clay não se importava; sempre tivera uma queda por ela, e não era do tipo que se preocupasse com pequenos detalhes. Após o show de talentos, Clay caminhou com Areatha até sua casa, no conjunto de apartamentos Beecher Terrace. Ela gostava da companhia do rapaz. Gostava de seu riso contagiante. Gostava do fato de que, apesar de toda a bravata, ele parecia nervoso e humilde. Areatha sabia que Clay era uma celebridade no Colégio Central. Todas as garotas sabiam de seu sucesso atlético, e todas admiravam sua aparência notável e os braços longos e musculosos que ele fazia de tudo para que fossem notados, exibindo-os em camisas brancas apertadas e de mangas curtas. Ele tinha uma pele bonita, olhos castanho-escuros e uma pequena falha entre os dois dentes superiores da frente, uma imperfeição que o tornava ainda mais desejável. "Ele parecia um frango atravessando uma granja do Colonel Sanders", recordou Areatha, que mais tarde mudou seu nome para Jamillah Muhammad. "Ele as atraía como um ímã." Contudo, era principalmente sua personalidade, mais que sua aparência, o que a atraía.

"SOU APENAS JOVEM, E NÃO DOU A MÍNIMA"

"A coisa que eu gostava nele", disse ela, "era que, não importava em que estado de humor você estivesse, estar perto dele durante uma hora podia fazer você esquecer tudo. Era sempre positivo, sempre engraçado. Tinha um senso de humor inacreditável."

Naquela noite, quando Clay e Areatha chegaram a Beecher Terrace, subiram juntos as escadas para o apartamento do segundo andar. Quando pararam à porta, Clay inclinou-se para um beijo, e ela fechou os olhos para ser beijada. Então houve uma série de baques e batidas, e nenhum beijo. Quando ela abriu os olhos, Clay estava deitado no chão, ao pé da escada, num emaranhado de braços e pernas.

Ele havia desmaiado.

Lá do pé da escada, ele olhou timidamente para Areatha. "Ninguém vai acreditar nisso", disse ele.

Durante a primavera e o verão de 1960, Clay e Areatha se encontraram, embora o relacionamento não pudesse se tornar sério porque ele estava muito ocupado com o boxe e ela muito ocupada cuidando de seu bebê. Clay adorava brincar com o garotinho, Alan. Amarrava um barbante em volta do pescoço de um cachorrinho de pelúcia, passava o barbante embaixo do tapete e fazia o bichinho andar ao redor da sala.

"Cada minuto que passei com ele foi muito divertido", disse ela. "Eis o tipo de homem que ele era."

Embora tivesse falado sobre se profissionalizar, Clay permaneceu lutando como amador, e em maio de 1960 viajou para São Francisco para buscar uma vaga na equipe olímpica de boxe da América. Oitenta jovens iriam competir. Dez deles — um de cada divisão de peso — iriam integrar a equipe e disputar os Jogos Olímpicos de Roma. Porém, antes de poder participar dos treinos, Clay teve de superar seu medo de voar.

Cassius Clay Sr. tinha medo de viagens aéreas, e seu filho desenvolveu a mesma fobia após um voo de Louisville para Chicago numa manhã de 1958 ou 1959.[3] Clay, em sua autobiografia de 1975, escreveu que a turbulência foi tão grave que "alguns dos assentos foram arrancados dos parafusos no chão". Joe Martin lembrou o mesmo: "A gente estava dando todo tipo de solavancos e as coisas estavam caindo no chão, sabe? O avião começou a cair, com os motores berrando e guinchando. Eu realmente pensei que era nossa última viagem [...]. Batemos no chão com tanta força que arrancou os parafusos onde estava meu assento, e fiquei com uma marca preta no estômago, do cinto de segurança. E Cassius, vou te dizer, rezava e gritava! Ah, cara, ele tava morrendo de medo."[4]

Então, cerca de um ano após aquele voo traumático, Clay disse a Martin que não participaria das eliminatórias olímpicas em São Francisco se voar fosse a única maneira de chegar lá. Se ganhasse em São Francisco, afinal de contas, isso só significaria outro voo para Roma, seguido por *mais um* voo para os Estados Unidos. Seria melhor que virasse profissional agora, argumentou, e agendasse lutas em cidades a que pudesse chegar de carro, ônibus ou trem. Seu objetivo, disse, era ser o mais jovem campeão peso-pesado da história do boxe. Clay tinha apenas 18 anos, o que significava que dispunha de três anos para quebrar o recorde de Floyd Patterson, que se tornara campeão com 21 anos e 10 meses.

Mas Joe Martin queria que Clay lutasse em São Francisco e ganhasse um lugar na equipe. Explicou ao seu protegido que nada lhe daria uma chance mais rápida de disputar uma vaga no campeonato de pesos-pesados do que uma medalha de ouro olímpica.

"Essa é uma decisão crucial para Clay", escreveu Dean Eagle, um colunista de esportes do jornal *Louisville Times*. "Se ele não voar agora, talvez tenha de embarcar em um monte de ônibus antes de conseguir chegar a algum lugar no boxe profissional."[5] Eagle salientou que equipes de beisebol, basquete e futebol americano haviam começado a voar recentemente, e que o preço do seguro de avião indicava baixo risco: um passageiro poderia comprar um seguro de 7.500 dólares por apenas 25 centavos, o que colocava as chances de morte por acidente de avião em uma a cada 30 mil viagens.

No final, Martin persuadiu Clay a voar. "Mas então ele foi a uma loja de suprimentos do Exército e comprou um paraquedas, e realmente o usou no avião", disse o filho de Martin, Joe Martin Jr.[6] Quando o voo para São Francisco atravessou uma turbulência sobre Indiana, Clay se inclinou sobre o assento da frente e orou.[7]

Ele passou com facilidade pelas primeiras rodadas das eliminatórias. Porém, na rodada final, enfrentou um adversário que, a caminho de São

"SOU APENAS JOVEM, E NÃO DOU A MÍNIMA" 85

Francisco, havia deixado um rastro de lutadores nocauteados. Allen "June-bug" Hudson, veterano do Exército, vindo de Long Island, Nova York, que geralmente lutava como peso-pesado, tinha um dos ganchos de esquerda mais sórdidos entre os já vistos no torneio, e uma personalidade da mesma natureza. Seu adversário anterior havia durado apenas 32 segundos.[8]

Hudson intimidava dentro e fora do ringue. Mas, se ele deixava Clay nervoso, Clay tinha um jeito engraçado de mostrar isso. Antes da luta, os dois jovens estavam jogando cartas. Algumas provocações gentis tornaram-se menos suaves, e logo Clay e Hudson estavam latindo um para o outro. Cadeiras rasparam o chão, peitos incharam e punhos foram levantados, de acordo com o testemunho de Tommy Gallagher, um lutador amador que viria a se tornar treinador. Segundo Gallagher, foi Clay que começou a confusão. "Ele era o cara mais irritante que já conheci", recorda-se Gallagher. "Detestável! Detestável! Veio dessa família de classe média. Não era nenhum negro de gueto, mas tinha aquele maldito jeito de ser detestável. Na verdade, acho que ele estava morrendo de medo e não tinha ideia de como agir."[9]

Julius "Julie" Menendez, principal treinador da equipe de boxe olímpico de 1960, interveio e apartou o conflito, mandando que os jovens colocassem as luvas e entrassem no ringue se quisessem lutar. Foi o que fizeram. No dia antes da luta oficial, Clay e Hudson lutaram perante um punhado de seus colegas e treinadores, uma luta em que só o orgulho estava em jogo.

"Odeio dizer isso", lembrou Gallagher, "mas ele [Clay] encheu Hudson de porrada."[10]

Na noite seguinte, quando começou a luta oficial no Cow Palace, com uma viagem a Roma no horizonte, Hudson e Clay latiam um para o outro de uma forma raramente vista no mundo polido do boxe amador.[11] Foi um mau prognóstico para Clay, que seguiria intimidando adversários ao longo de sua carreira, convencido de que sua fanfarronice e seus maus modos os enervavam. Também serviu como um bom lembrete de que o boxe — mesmo o boxe amador — era movido a raiva, era combate, que cada pugilista que já pisou num ringue estava buscando afirmar sua superioridade, explorar a fraqueza de um rival, deslocar um maxilar, fraturar um nariz, encher de sangue o olho do outro, sacudir um crânio, deixar alguém apagado.

Apesar da animosidade entre esses dois lutadores, Clay manteve a calma nos minutos iniciais da luta, golpeando e movendo-se como quem explora o terreno antes de lançar um ataque. Com sua dança ágil, tornava ineficazes os socos de Hudson. Clay, mão esquerda pulando para a frente e para trás, ficou fora do alcance do temível gancho de esquerda de Hudson. Clay o atingiu, mas Hudson parecia ileso, abrindo caminho entre os golpes e socando o corpo do jovem lutador. Após dois rounds, a luta estava empatada, mas Clay tinha mais pontos, o que significava que Hudson provavelmente precisaria de um nocaute no terceiro e último round para fazer parte da equipe olímpica.

O gongo tocou e os lutadores se encontraram no centro do ringue. Já não se xingavam. O ritmo acelerou. Hudson disparou dois *jabs* de esquerda. Clay se esquivou dos dois e atingiu Hudson com uma direita leve. Hudson lançou uma direita pesada no corpo de Clay. Clay lançou mais golpes. Hudson quase acertou Clay com um gancho de esquerda, mas o soco apenas arranhou o seu rosto. Os lutadores entraram num corpo a corpo travado. O árbitro os separou, e então aconteceu algo com que Hudson havia contado, mas que pegou Clay totalmente despreparado. Hudson abriu caminho depois de um golpe fraco de Clay e lançou mais um gancho de esquerda — que atingiu o queixo de Clay e fez girar sua cabeça e o pescoço. Clay provavelmente nunca chegou a ver o soco. Bateu de costas na lona. Foi um golpe rápido, estrondoso, seguido por um rugido da multidão. Mas Clay se pôs de pé novamente antes que o árbitro pudesse começar a contagem, falando com ele, acenando, limpando a névoa da cabeça, insistindo que estava ok, pronto para lutar, que não estava acabado.

O árbitro agarrou as luvas de Clay, olhou-o nos olhos, buscando sinais de danos, e autorizou a continuação da luta.

Hudson se aproximou de novo, tentando acabar de vez com o adversário mais jovem, e acertou dois golpes pesados. Mas agora Clay estava envolvido na dança, tentando marcar pontos. Estava no ataque, possivelmente irritado, adrenalina transbordando. Depois de se esquivar de um soco, inclinou-se para trás e lançou um enorme gancho de direita — do tipo que ele raramente usava, pois o deixava aberto a golpes de retaliação. Mas ali estava aquele que não apenas atingiu Hudson, mas o deixou tonto e o fez perder o equilíbrio momentaneamente. Enquanto Hudson tentava firmar os pés, Clay saltou

"SOU APENAS JOVEM, E NÃO DOU A MÍNIMA"

para a frente e mandou outro grande direto certeiro, pegando a mandíbula de Hudson. Com o golpe, Hudson girou 180 graus e caiu de cara nas cordas, num *corner* do ringue.

Conseguiu se colocar de pé novamente, mas não parou de oscilar. O árbitro terminou a luta. Clay, braços lançados para o alto acima da cabeça em um V, saltava ao redor do ringue em comemoração, enquanto Hudson desabava no seu *corner* e chorava.

Foi um combate tão selvagem como ninguém vira igual naquela semana em São Francisco. O jovem Cassius Clay havia emergido como um vencedor e, talvez, como o maior concorrente da América a uma medalha de ouro em Roma.

Quando terminaram as preparatórias, Clay pediu dinheiro emprestado a Joe Martin para uma passagem de trem.[12] Martin se recusou, dizendo que sua passagem de avião já estava paga. Clay então penhorou um relógio de ouro que ganhara como prêmio por vencer o torneio e voltou para casa de trem, sozinho.

Chegou a tempo de participar das cerimônias de formatura do Colégio Central. No entanto, nas semanas que antecederam o encerramento do curso, não estava claro se ele iria receber o diploma. Passara grande parte de seu último ano de escola em torneios de boxe por todo o país. Mesmo quando frequentava as aulas, seu desempenho acadêmico fora medíocre, como de costume.

Alguns membros do corpo docente do Colégio Central se queixaram de que Clay não merecia se formar. "Ele não era um bom aluno", disse Bettie Johnson, uma das conselheiras do colégio. "Frequentar a escola era algo que ele fazia porque era o que se esperava que fizesse."[13] Em seu último ano, Clay apresentou à professora de inglês um trabalho sobre Elijah Muhammad e a Nação do Islã. Qualquer trabalho feito por Clay deveria ter sido motivo de comemoração entre os professores, mas essa professora era "uma cristã muito obediente", recordou Johnson, "e a simples menção a separatismo, ou a negros sendo superassertivos, a assustou." Essa professora pretendia reprovar Clay, mas o respeitado e polido diretor da escola, Atwood Wilson, levantou-se numa reunião de professores e fez um discurso que iria ser lembrado no Colégio Central como "Reivindicação à fama". Wilson disse entender que alguns membros do corpo docente acreditassem que a concessão de um diploma a Clay enviaria a mensagem errada para jovens atletas, dando-lhes motivo para acreditar que o trabalho escolar não importava se pudessem correr rapidamente, jogar uma bola com precisão ou acertar um golpe potente na cabeça de outro homem. Por outro lado, disse Wilson, Cassius Clay poderia ser famoso um dia, ganhando mais dinheiro do que todos eles juntos. Se isso acontecesse, cada membro do corpo docente e da administração iria se vangloriar de tê-lo conhecido e ensinado. Eles teriam aí sua maior reivindicação à fama. Era assim que Wilson preferia ser lembrado, não como o homem que reprovou Cassius Clay.

Clay recebeu seu diploma. Dos 391 alunos que se formaram naquele ano, ele ficou no 376º lugar. Recebeu apenas um "certificado de comparecimento", o menor grau concedido pela escola, mas bom o bastante para fazer dele uma pessoa com o ensino médio completo.

7

Herói da América

Antes de partir para Roma, Cassius Clay e o resto da equipe de boxe olímpico passaram alguns dias em Nova York. Uma tarde, Dick Schaap, jornalista da revista *Newsweek*, apareceu no hotel do centro da cidade onde os pugilistas estavam hospedados e convidou Clay e três de seus companheiros para acompanhá-lo no jantar. Schaap, que conhecia todo mundo na cidade, sugeriu que fossem até o Harlem para encontrar Sugar Ray Robinson.

Clay ficou encantado. Ele idolatrava Robinson, e havia modelado seu boxe no estilo de Sugar Ray. Embora fosse maior que Robinson, Clay estava convencido de que poderia lutar com a mesma velocidade e o mesmo talento. Ele também admirava o carisma de Sugar Ray, o fato de ele viajar com um *entourage* gigantesco e comprar, a cada ano, Cadillacs novos de cores escandalosas. Havia apenas uns poucos homens negros na América que ostentavam sua riqueza e fama tão afrontosamente como Robinson. Clay estava decidido a entrar nesse grupo. Ele, Schaap e outros três pugilistas se espremeram em um táxi para a corrida até o restaurante de Sugar Ray, na esquina da Sétima Avenida com a rua 124. Quando chegaram, Robinson não estava, então Shaap deu uma volta pelo Harlem com os jovens. Na esquina da Sétima com a rua 125, um membro da Nação do Islã de Elijah Muhammad, vestindo terno e gravata, estava de pé em cima de um caixote de sabão exortando as pessoas negras a comprar de comerciantes negros, a se lembrar de quem eram e a ter orgulho disso.

"Ele não vai ter problemas?", perguntou Clay a Schaap.[1]

Ele notara um aspecto importante da atração exercida pelas mensagens da Nação do Islã. Fazia muito tempo que existiam oradores de esquina no Harlem. Muitos deles estiveram de pé sobre outros caixotes naquele mesmo lugar, e muitos haviam feito declarações semelhantes sobre a necessidade de uma nação negra separada e de uma economia negra separada. Mas, ao ouvirem os oradores de esquina da Nação do Islã, o que mais impressionava os recém-chegados como Clay era a reação comedida da polícia, conhecida por arrastar oradores do alto de seus caixotes e prendê-los por dizerem coisas muito menos virulentas que as ditas pela Nação do Islã.[2]

Os oradores da Nação do Islã falavam de poder. Eles ofereciam provas divinas e históricas de que os brancos eram demônios e estavam destinados à queda. O próprio Alá havia revelado isso ao seu profeta, o honorável Elijah Muhammad. A multidão observava atentamente, e com esperanças.

Para Schaap, a pergunta era um sinal da ingenuidade do jovem boxeador. Clay, disse ele, era tão "maleável... Eu poderia tê-lo convertido ao judaísmo".[3] Mas Schaap, sendo branco, não poderia ter entendido por que um jovem negro do sul ficaria empolgado ao ter uma confirmação divina de suas experiências, ao saber que havia uma razão para os negros terem sido maltratados por tanto tempo e que o sofrimento de seu povo acabaria em breve. Como escreveu James Baldwin, as mensagens de Elijah Muhammad tinham poder porque articulavam o sofrimento histórico do povo negro e ofereciam uma forma de acabar com ele, conferindo aos seguidores "um orgulho e uma serenidade que pairavam sobre eles como uma luz infalível".[4]

Mas Clay não tinha ido ao Harlem para ouvir as palavras do honorável Elijah Muhammad. Estava ali para encontrar um profeta de uma ordem diferente. Quando Sugar Ray Robinson finalmente apareceu em seu Lincoln Continental roxo, Schaap apresentou os jovens lutadores olímpicos para o homem considerado por muitos o maior e mais impressionante lutador peso-por-peso (*pound-for-pound*) de todos os tempos. Para Clay, não era hora de se gabar de nada. Postou-se humildemente diante de seu herói.[5]

Robinson autografou uma foto para um dos jovens pugilistas, murmurou algo vagamente para os outros e então se afastou. "Sua desdenhosa arrogância de sempre",[6] disse Schaap. Clay recebeu pouco mais que um aceno.

"Eu fiquei tão magoado!", lembrou-se anos mais tarde. "Se Sugar Ray soubesse o quanto eu o adorava e por quanto tempo eu o seguia, talvez não tivesse feito aquilo [...] Eu disse a mim mesmo então: 'Se eu conseguir ser grande e famoso, e as pessoas quiserem meu autógrafo com determinação suficiente para esperar o dia todo para me ver, tenho certeza de que vão ser tratadas de outro jeito.'"[7]

Dada a forma como se comportou, Clay parecia ter chegado a Roma com uma coroa na cabeça e um coro que o seguia cantando a todos os lugares em que ia. Ele entrou na Vila Olímpica como se tivesse sido nomeado o rei do lugar e todos os demais tivessem vindo para comemorar sua coroação e contemplar sua beleza e graça.

Ele se apresentou a um jornalista como Cassius Marcellus Clay VII,[8] talvez na esperança de que sua linhagem pudesse ser rastreada até um gladiador romano ou um rei. Com uma câmera pendurada no pescoço, Clay saltitava pela vila, "amigável e brincalhão como um cachorrinho", de acordo com o mesmo repórter, tirando fotos e depois entregando a câmera para que ele pudesse aparecer também nas fotos de grupo.

"Tirei 48 fotos hoje", disse ele antes de sair correndo para fotografar um grupo de estrangeiros. Usou gestos para se comunicar com os homens e retornou para a entrevista. Encurralou um grupo de russos e rapidamente os tinha todos sorrindo e se abraçando.

"Tenho que estudar a língua", disse. "Estou perdido aqui. Tudo que sei em italiano é *bambino*."

Ele lançava olhares sedutores para um monte de jovens bonitas — "gatinhas", como as chamava — e parecia particularmente encantado com a grande velocista norte-americana Wilma Rudolph. Conheceu o cantor e ator Bing Crosby, caminhou com ele de braços dados e, em seguida, viu-se posando para fotos com Floyd Patterson, campeão dos pesos-pesados do boxe e medalhista de ouro olímpico de 1952. Clay observou — e comentou com um repórter — que ele era um pouco mais alto que Patterson e tinha braços mais longos.[9]

"A gente se vê daqui a uns dois anos",[10] disse Clay, insinuando que então estaria pronto para lutar e vencer o campeão. Se Patterson respondeu a Clay, os repórteres não mencionaram. Mas é seguro dizer que aquela arrogância infantil desagradou a pelo menos uma parte do seu público. De certo modo, sua forma de dizer as coisas era o que causava danos ao próprio Clay. Quando outros grandes atletas se gabavam de si mesmos, geralmente usavam certa dose de malícia. Mas, quando dizia coisas desse tipo, o rosto do Clay raramente revelava humor. Ele quase nunca amaciava a expressão de suas emoções.

Clay nunca estivera fora dos Estados Unidos e nunca se vira cercado por tantas celebridades e atletas de classe mundial. Agora, à medida que saía para o mundo, usava suas novas experiências para se distanciar de suas origens e da sua criação. Uma noite, foi dançar com atletas de outros países. No outro dia, juntou-se a um grupo de jovens, homens e mulheres, que iam ver e ouvir o papa João XXIII na Praça de São Pedro. Por que não? Ninguém se importava que ele fosse negro, que mal pudesse ler, que fosse jovem, que não viesse de uma família rica, bem-educada. Ninguém o conhecia ainda. Ele iria escrever a própria história de vida a partir dali.

"Não seria maravilhoso se as pessoas pudessem ser assim tão amigáveis o tempo todo?", perguntou a um repórter de sua cidade natal.[11]

Para jornalistas, os Jogos Olímpicos ofereciam uma oportunidade especial, não serviam apenas para rechear suas contas de despesas. Era uma oportunidade de redatores do noticiário esportivo, que raramente iam além dos temas mais primários dos esportes competitivos, de escrever sobre algo mais grandioso. Os Jogos Olímpicos forneciam o melhor lugar do mundo para testemunhar a interação de nações, raças, religiões e ideologias. Em 1960, com as tensões da Guerra Fria cada vez mais exacerbadas, era impossível assistir a homens e mulheres competindo em Roma sem considerar o potencialmente apocalíptico embate global entre comunismo e capitalismo que se espalhava por todo o planeta.

As mulheres norte-americanas assumiram um papel de destaque nas Olimpíadas de 1960 — em parte porque estavam lutando por igualdade de

HERÓI DA AMÉRICA

direitos, mas também porque a equipe dos Estados Unidos achou que elas poderiam dar vantagem à América sobre os soviéticos quando chegasse a hora da contagem final de medalhas. Os Jogos Olímpicos de Roma anteciparam outras mudanças culturais. Aconteceram ali o primeiro escândalo de doping, a primeira transmissão de televisão comercial e o primeiro corredor pago para usar uma marca de sapatos de pista.

Quando o decatleta norte-americano Rafer Johnson liderou a delegação dos Estados Unidos no Desfile das Nações no Estádio Olímpico, marcou a primeira vez em que um atleta negro carregava a bandeira norte-americana numa competição olímpica. Ao selecionar Johnson, os norte-americanos pretenderam enviar a mensagem de que a América era uma terra de liberdade e oportunidade, embora também tenham oferecido aos críticos da América a ocasião para salientar que Johnson e outros negros ainda enfrentavam discriminação em seu próprio país. Os jornalistas europeus ficaram surpresos ao ver tantos atletas negros na delegação dos Estados Unidos — 12% dos homens e 25% das mulheres da equipe eram negros.[12] Na Vila Olímpica, os norte-americanos se misturavam nos saguões. Os dormitórios eram totalmente integrados, embora os atletas brancos que solicitavam colegas de quarto brancos em geral fossem atendidos.

Vinte e quatro anos antes, a máquina de propaganda de Hitler acusara os Estados Unidos de usarem "auxiliares negros" sub-humanos, como Jesse Owens, para competir com a chamada raça superior de Hitler. Agora, a comunhão de atletas brancos e negros na equipe dos Estados Unidos era algo de que os norte-americanos se gabavam.

A imprensa se encantava com Clay não só porque ele a entretinha, mas também porque parecia representar muitas das novidades vistas nos Jogos Olímpicos de 1960. Ele era arrogante e opinativo, algo incomum para um jovem atleta negro. Falava abertamente sobre sua ânsia de virar profissional e ficar rico, o que também era bastante inovador e estimulante. E não tinha medo de falar sobre política, mesmo que mal soubesse do que estava falando.

"Existe uma crise para os pretos nos Estados Unidos?", um repórter estrangeiro perguntou a Clay antes do início da competição.[13]

"Ah, eu acho que existem alguns problemas", disse ele. "Mas nada que não se possa consertar. E os Estados Unidos ainda são o maior país do mundo."

94 MUHAMMAD ALI

Quando um jornalista russo forçou uma pergunta direta, querendo saber se era verdade que os pretos não podiam comer nos mesmos restaurantes que os brancos nos Estados Unidos, Clay foi honesto. Disse que, sim, por vezes era difícil para uma pessoa negra conseguir uma refeição num restaurante na América, mas não era o único indicador da grandeza de uma nação. A vida nos Estados Unidos ainda era maravilhosa. Afinal de contas, disse ele, "eu não tenho que lutar com jacarés nem viver numa cabana de barro".

Durante toda a vida, Clay havia tentado que o notassem, buscado encontrar o pedestal mais alto para se colocar sobre ele e gritar tão alto quanto pudessse para dizer ao mundo que era diferente e especial, e que seria melhor que prestassem atenção nele. Se, aos 18 anos, estivesse nas Forças Armadas, matriculado numa universidade ou trabalhando numa fábrica, ninguém teria se importado com seus pontos de vista sobre a crise racial na América; sua arrogância talvez lhe rendesse uma repreensão — ou algo pior — de um sargento, um professor, um capataz de fábrica ou um policial branco enfurecido. Se não tivesse sido um atleta famoso, poderia ter sido obrigado a domesticar a insubmissão que trazia em si.

Para um homem jovem com pressa de se tornar um astro, ele estava no lugar certo e na hora certa. É claro que, para completar a jornada rumo ao estrelato, ainda precisava lutar e vencer, e os pugilistas enfileirados para enfrentá-lo não estavam dispostos a ser tão tolerantes como os repórteres.

Antes do início da competição, os jornalistas estavam chamando Clay de o melhor pugilista de uma equipe norte-americana medíocre. Dan Daniel, o lendário colunista de esportes do *New York World-Telegram*, previu que, muito provavelmente, nenhum dos nove atletas conseguiria sair das Olimpíadas como um lutador profissional. "Se houver entre nossos pugilistas em Roma um vencedor e uma potencial estrela que ganhará muito dinheiro", escreveu Daniel, "ele é Cassius Clay, de Louisville, com seus 80 quilos [...] Alguns dizem que Clay é um pugilista melhor do que era [Floyd] Patterson ao ganhar a medalha dos pesos-médios nos Jogos Olímpicos de 1952, em Helsinque. No entanto, Clay encontra-se na mais difícil das dez categorias que serão disputadas na Itália."[14]

Os três melhores lutadores amadores do mundo, de acordo com muitos repórteres, estavam todos na divisão de pesos meio-pesados de Clay: Tony

HERÓI DA AMÉRICA

Madigan, o australiano a quem Clay havia enfrentado um ano e meio antes em Nova York; o russo Gennadiy Shatkov, vencedor de uma medalha de ouro como peso-médio nos Jogos Olímpicos de Melbourne de 1956; e um lutador polonês canhoto chamado Zbiegniew Pietrzykowski ("O cara com quinze letras no nome", como Clay o chamava), que havia feito mais de 230 lutas, ganhado três campeonatos europeus e era considerado um forte favorito para levar a medalha de ouro.

Em sua primeira luta, Clay, vestindo uma regata branca com o número 272 nas costas,[15] saiu de seu *corner* lançando *jabs* e dançando no ringue, entrando e saindo tão rapidamente do alcance de seu adversário belga de 24 anos, Yvon Becot, que o sujeito parecia um homem tentando acertar anéis de fumaça. Becot deu um soco, errou, olhou para cima para ver aonde Clay tinha ido, deu outro soco e errou de novo. Quando levantou a cabeça, Clay o acertou com um golpe de esquerda. No final do primeiro round, um golpe duro sacudiu o belga. No segundo round, Clay saiu esmurrando pesado e derrubou Becot na lona com um gancho de esquerda tão rápido que poucos na plateia devem ter conseguido ver. Antes de terminar o segundo round, Becot estava excessivamente ferido para continuar. O árbitro parou a luta.

Na luta seguinte, Clay deixou dois olhos roxos no medalhista de ouro russo Shatkov e marcou uma vitória fácil. Com isso, iria para uma revanche com Tony Madigan. Depois da luta em Nova York, Madigan se queixara de que Clay era o tipo de lutador que ele temia. "Ele é muito alto e tem uma mão esquerda muito rápida. Fica se afastando o tempo todo", disse Madigan, "e eu não tenho flexibilidade para combater esses lutadores da forma como devem ser combatidos. Infelizmente, não posso variar meu estilo — como deveria ser capaz de fazer — para atender a essa contingência."[16]

Agora, em Roma, Madigan não tentou variar o seu estilo. Baixava os ombros, girava e deixava que Clay o atingisse com aqueles golpes longos e rápidos, e jogava pesados ganchos contra o corpo e a cabeça de Clay. A luta estava empatada, mas os juízes decidiram unanimemente a favor de Clay, despachando-o para enfrentar Pietrzykowski na disputa da medalha de ouro.

Clay deve ter pensado no canhoto Amos Johnson quando descobriu que enfrentaria o polonês nas finais. Um ano antes, em Wisconsin, nas preparatórias para o Pan-Americano, Clay recebera de Johnson a pior surra de sua vida. Desde então, vencera 42 lutas consecutivas. Agora, não só enfrentaria outro canhoto, mas um dos melhores do mundo.

"Os canhotos também incomodam os outros companheiros?",[17] perguntou Clay a Red Smith, um colunista desportivo, e Smith lhe garantiu que todos os lutadores acreditavam que canhotos deveriam ser afogados ao nascer.

Porém, se estava preocupado, Clay não demonstrou. Seus treinadores imploraram que ele passasse mais tempo no ginásio, mas estava muito ocupado dando autógrafos e tirando fotos.[18] Corria 2 ou 3 quilômetros quase todas as manhãs, mas, fora isso, via pouca necessidade de treinamento. Ou estava pronto, ou não estava.

O gongo tocou, e Clay começou o trabalho. Entrar num ringue de boxe é, voluntariamente, perder o controle. Você treina, você estuda, você se compromete totalmente, talvez se decida por uma estratégia, um plano de ataque, talvez reze, e então você pula as cordas e enfrenta um adversário que também treinou, estudou, comprometeu-se totalmente, possivelmente rezou, e que adotou uma estratégia destinada a arrasar com a sua, tornando-a ineficaz. A luta começa e tudo é pura irresolução. Tudo pode acontecer — vitória, derrota, até a morte. Os grandes lutadores desaparecem num vazio. Não pensam em nada. Eles se soltam no fluxo.

Clay avançou e enfrentou Pietrzykowski com sua velocidade normal e alta energia, mas não parecia ser o mesmo lutador que os espectadores na Itália haviam observado durante toda a semana. Ele nunca disse se havia decidido, antes da luta, que mudaria de estilo ou se chegara à decisão espontaneamente ao ver o estilo do adversário, mas era óbvio que o estava tratando de um modo diferente. Para começar, não dançava muito, como sempre fazia.[19] E, em vez de usar seu *jab* de esquerda para desgastar o inimigo, estava misturando *jabs* de esquerda com diretos.

No final do primeiro round, Pietrzykowski encaixou duas esquerdas pesadas, mas que não incomodaram. Clay havia desferido mais socos que o adversário, mas perdera a maior parte deles. Quando o gongo tocou para terminar o round, Clay não tinha como saber se vencera ou não.

No segundo round, Pietrzykowski baixou a cabeça e lutou de forma mais agressiva. Acertou duas potentes esquerdas que também não pareceram incomodar Clay. Novamente, no segundo round, Clay usou a mão direita mais do que o habitual. Quando Pietrzykowski se agachou para se defender, Clay atingiu seu tórax com ganchos de esquerda.

Indo para o terceiro round, a luta permaneceu equilibrada. Clay provavelmente levava vantagem, mas nenhum dos dois lutadores queria correr o risco de deixar que os juízes determinassem o vencedor. Clay entrou batendo mais rápido e mais forte. Aplicava socos no corpo de Pietrzykowski para preparar golpes na cabeça. Embaralhava os pés com velocidade relâmpago antes de desencadear uma enxurrada de ganchos. No minuto final, Clay socou e socou. Para cada golpe que Pietrzykowski acertava, Clay acertava três.[20] O sangue jorrava da boca e do nariz do polaco, manchando sua camisa branca. Clay continuava investindo como uma besta que sente o gosto de sangue, olhos fixados na cabeça do adversário, braços voando sem pausa, a expressão do rosto dizendo *este é meu*. Seguiu avançando e batendo até que o soar do gongo o fez parar.

Momentos depois, um pódio de três degraus foi levado ao centro do ringue e Clay subiu para o ponto mais alto ao centro.[21] Um representante olímpico estava diante dele oferecendo a medalha de ouro, a maior honra para um pugilista amador. Clay acenou modestamente para a multidão quando seu nome foi anunciado, disse algo ao representante olímpico e inclinou-se para que a medalha fosse passada em torno de seu pescoço.

Então, num raro momento de silêncio, ele se postou inteiramente ereto e sorriu suavemente.

8

Sonhador

Ah, ele era *algo* agora. O mais espirituoso, o mais bonito, o mais irreverente, o mais imprudente. Uma imagem de tudo que a vida prometia. A personificação da confiança. Um raio de sol com um impertinente *jab* de esquerda.

"Cara", disse ele, "vai ser o máximo ser grande!"[1]

Clay voou de Roma e parou em Nova York antes de retornar a Louisville, e dificilmente passava por um estranho sem olhar para ver se fora reconhecido, ou diante de uma vitrine sem parar para admirar o seu reflexo. Era alto e esguio, com pele cor de leite com chocolate e olhos ligeiramente mais escuros. A topografia do rosto era suave, sem traços duros ou ângulos inesperados, tudo numa proporção adorável — adorável demais, no mínimo, para um boxeador. Seu sorriso juvenil brilhava mais do que a medalha cintilante pendurada no pescoço.

"Olhe para mim! Eu sou belo!", dizia em voz alta, não para si mesmo, mas porque raramente ficava sem expressar um pensamento que passasse por sua mente. "E vou continuar bem, porque não existe nenhum lutador na Terra que seja rápido o suficiente para me atingir!"[2]

Ele usava sua medalha em todos os lugares, até mesmo para dormir; dormia de costas para que não lhe cortasse o peito.[3]

Seu treinador, Joe Martin, o recebeu no aeroporto de Idlewild, em Nova York, junto com William Reynolds, que, como vice-presidente da Reynolds Metal Co., era um dos cidadãos mais ricos e mais conhecidos de Louisville. Os homens levaram Clay para o Waldorf Towers Hotel e o abrigaram em uma suíte ao lado de uma ocupada, na época, pelo duque e pela duquesa de Windsor.[4] Reynolds deu a Clay um maço de dinheiro e lhe disse para comprar presentes para o pai e a mãe. O campeão escolheu um relógio de 250 dólares para sua mãe e dois relógios de 100 dólares para o pai e o irmão. Jantou no Waldorf, medalha olímpica ainda em volta do pescoço, e pediu dois filés de 7,95 dólares cada.[5]

Em todos os lugares a que ia em Nova York, as pessoas lhe perguntavam se pretendia tornar-se profissional. A resposta era uma espécie de sim. "Eu quero dinheiro, muito dinheiro", dizia ele. Acrescentava que poderia vir a se tornar um cantor pop, "como Elvis Presley", mas o boxe viria primeiro. E jurou que, no prazo de três anos, seria o campeão mundial dos pesos--pesados.[6] Tomado pela impaciência, entrou numa galeria da Times Square e pediu que imprimissem um jornal fictício com uma manchete que ele mesmo escreveu: "Cassius Confirma Luta com Patterson."[7]

"Quando eu chegar em casa, eles vão pensar que é real", disse.[8]

Mais uma vez, Dick Schaap serviu como guia turístico de Clay. No outono de 1960, as calçadas de Nova York estavam cheias de homens usando chapéus de feltro com abas largas e mulheres com vison. Fãs de jazz se espremiam no Village Vanguard para ouvir Miles Davis. Grandes outdoors anunciavam cerveja Rheingold e cigarros Kent. O boxeador se maravilhava com muitas coisas, inclusive a astronômica conta de 2,50 dólares por um sanduíche de rosbife e uma fatia de cheesecake no restaurante de Jack Dempsey.[9]

Clay disse a Schaap que sonhava ter uma casa de 100 mil dólares, uma bela esposa, dois Cadillacs — além de um Ford "só pra rodar por aí". Tinha outro sonho, real: "Eu sonho que estou correndo pela Broadway — que é a rua principal de Louisville — e, de repente, há um caminhão vindo na minha direção. Eu corro para escapar, e então levanto voo e saio voando. Passo direto por cima do caminhão, e todas as pessoas estão ao redor, aplaudindo

SONHADOR 101

e acenando para mim. Aceno de volta e continuo a voar. Eu sonho com isso o tempo todo."[10]

Em Nova York, ficava maravilhado toda vez que era reconhecido, não importando que estivesse fazendo tudo o que podia para chamar atenção sobre si mesmo, usando o casaco olímpico e a medalha de ouro.

"É mesmo? Você realmente sabe quem eu sou?", perguntava ele. "Isso é maravilhoso!"[11]

A cidade desfilava diante do jovem campeão como um carrinho de sobremesas carregado de delícias. Era a nova e empolgante década de 1960: o jovem John F. Kennedy era o candidato democrata a presidente; as garotas estavam deixando as saias subir algumas polegadas até os joelhos, com a perspectiva de mais por vir; a pílula anticoncepcional havia chegado ao mercado, e tudo e todos ofereciam a promessa de uma nova ordem mais sexy. Cassius Clay agia como se pretendesse conquistar tudo isso, como se as luzes da cidade brilhassem só para ele.

Às 2 da manhã, Schaap estava pronto para encerrar a aventura e ir para casa, mas Clay ainda não queria dispensar a plateia; convidou o repórter a voltar para sua suíte no Waldorf e ver seu álbum de recortes de Roma. Schaap aceitou o convite, mas disse que ele, Clay, teria de explicar à sra. Schaap por que o marido dela estava chegando em casa tão tarde.

"Você quer dizer que a sua esposa também sabe quem eu sou?", perguntou Clay, maravilhado.[12] Então, o jovem herói esticou-se na cama e foi dormir, e talvez sonhar que voava.

Billy Reynolds havia feito a viagem para dar as boas-vindas a Clay e lhe fazer uma oferta. Os homens já se conheciam. Naquele verão, Reynolds oferecera a Clay um trabalho de jardinagem em sua propriedade. Clay aparecia todos os dias e ficava na piscina com os filhos de Reynolds, sem mover um dedo para cuidar do jardim, mas ainda assim sendo pago por isso. Reynolds não se importava. Ele estava mais interessado em ajudar um atleta promissor e garantir a confiança de um boxeador com potencial para ganhar um bocado de dinheiro; havia outras pessoas que podiam aparar as cercas vivas.

Agora, Reynolds queria fazer um acordo para iniciar a carreira profissional de Clay. Joe Martin seria contratado como treinador, e um grupo de executivos brancos de Louisville ficaria responsável pelos interesses empresariais do lutador. Os tais empresários brancos de Louisville, junto com Martin, selecionariam os adversários de Clay, guiando-o em direção a uma chance no campeonato. Eles pagariam a Clay um salário básico e uma percentagem dos seus ganhos, e cobririam todas as despesas associadas ao seu treinamento e ao trabalho. Fariam uma reserva para pagar os impostos e garantir que Clay nunca tivesse problemas com o imposto de renda. Também criariam um fundo para que parte dos rendimentos fossem poupados para sua aposentadoria.

Reynolds não estava em Nova York para pressionar Clay a assinar o acordo imediatamente, mas queria mostrar ao jovem lutador que estava ansioso para ajudar. Como Clay já sabia, a maior parte dos lutadores profissionais era gerida por ratos de academia e mafiosos que deixavam os atletas jovens — e, muitas vezes, iletrados — vulneráveis a todo tipo de negócios sujos. Isso ajudava a explicar por que tantos lutadores terminavam suas carreiras com os bens dilapidados, falidos e atormentados por cobranças de impostos.

Reynolds e seus amigos eram tão ricos que nunca sonhariam em enganar Clay. Esta fala era um ponto central no discurso de todos: não precisavam do dinheiro dele. Em vez disso, disseram, viam seu papel como impulsionadores cívicos. Vinham do Kentucky, um local peculiar e generoso, onde fortunas eram feitas com garanhões que corriam na lama e com uísques fabricados com pasta de milho. Com Clay, esses homens viram a oportunidade de tirar um preto do West End e lhe dar uma chance de alcançar fama e fortuna — enquanto eles, possivelmente, também lucrariam algo. Claro, também poderiam estar interessados em sustentar Clay por uma das razões que levavam certas figuras do submundo e ex-atletas frustrados a ficar atrás de pugilistas — porque assistir a uma luta profissional é mais divertido quando você tem um assento na primeira fila e alguma participação na ação.

Reynolds pretendia esperar até que ele e Clay estivessem de volta a Louisville, e então fazer sua oferta ao boxeador e a seus pais. Por ora, o empresário queria apenas felicitar o campeão olímpico, tornar mais memorável sua volta aos Estados Unidos e, obviamente, impressionar Clay com sua riqueza. Para sua chegada a Louisville, Clay recitou um poema.

Fazer da América a maior é o que tenho em mente,
Então derrotei o russo e venci o polaco
E para os Estados Unidos ganhei a medalha de ouro.
Os italianos disseram: "Você é maior do que o Cassius de antigamente."[*13]

O refrão não era suficientemente bom para fazer antigos professores reconsiderarem as notas baixas de Clay, mas isso dificilmente importava para os trezentos fãs que estavam na pista do Aeroporto Standiford de Louisville para aplaudir sua chegada. Os pais de Clay e seu irmão estavam lá para saudá-lo, é claro, juntamente com o prefeito Bruce Hoblitzell, seis líderes de torcida e uma caravana de 25 carros fornecidos pela cidade, que transportou o medalhista de ouro até o Colégio Central para uma celebração.

Atwood Wilson, o diretor que tão generosamente concedera a Clay o diploma, foi ao microfone e disse: "Quando consideramos todos os esforços que estão sendo feitos para minar o prestígio da América, podemos estar gratos por termos tido um excelente embaixador como Cassius para enviar à Itália." O prefeito se referiu a ele como "uma honra para Louisville" e "uma inspiração para os jovens desta cidade". Clay se dirigiu aos estudantes. Ele brincou que, ao longo do caminho para ganhar a medalha de ouro, havia enfrentado e derrotado vários lutadores que faziam parte do Exército dos Estados Unidos, e que, se um estudante de ensino médio podia bater nos mais duros soldados da nação, "então as defesas do Tio Sam estão baixas, e é melhor que ele faça alguma coisa".[14] Seu discurso surpreendeu alguns velhos amigos. "Eu pensei: 'Será esse o mesmo Cassius Clay que conheço?'", perguntou seu colega Vic Bender. "Onde ele conseguiu toda essa confiança? Acho que veio das Olimpíadas, onde foi capaz de resistir a todos os estrangeiros. Antes disso, sempre fora meio tímido."

De volta à família, na Grand Avenue, Odessa Clay assou um peru para o jantar, Cassius Clay Sr. cantou "Deus salve a América" e um fluxo constante

---

* *To make America the greatest is my goal, / So I beat the Russian, and I beat the Pole / And for the USA won the Medal of Gold. / Italians said, "You're greater than the Cassius of old."* [N. da T.]

de vizinhos subia os degraus da frente da casa, recentemente pintados por Cash com listras vermelhas, brancas e azuis.

No outono de 1960, a realeza do boxe fazia fila com ofertas para cuidar da carreira de Clay.[15] Cus D'Amato, que administrava o campeão peso-pesado Floyd Patterson, manifestou interesse em cuidar do novo medalhista de ouro, como também o fizeram o campeão olímpico de 1956, Pete Rademacher, o ex-campeão peso-pesado Rocky Marciano e o campeão meio-pesado Archie Moore. Mas Billy Reynolds estava numa posição privilegiada, e rapidamente ofereceu a Clay um contrato de dez anos contendo termos muito mais generosos do que os geralmente apresentados a jovens lutadores. O acordo oferecia a Clay 50% de todo o dinheiro gerado por suas lutas. Os empresários cobririam todas as suas despesas de treinamento e viagens. Reynolds também disse que depositaria 25% dos ganhos de Clay em um fundo ao qual ele teria acesso quando alcançasse 35 anos de idade ou se aposentasse do boxe. Gordon Davidson, advogado de Reynolds, elaborou o contrato. "Fiz algumas pesquisas e descobri que, na maior parte dos casos, os contratos de boxe eram muito unilaterais, beneficiando os proprietários", disse Davidson.[16] Mas ele estava atendendo a uma recomendação de Reynolds, que dissera que o contrato deveria ser fortemente favorável a Clay.

Foi por isso que Davidson ficou surpreso quando Alberta Jones, a advogada que representava a família de Clay, ligou para dizer que seu cliente decidira rejeitar o acordo. Descobriu-se que Cassius Clay Sr. não queria Joe Martin como treinador do filho.[17] Cash disse que queria um treinador mais experiente, alguém que tivesse trabalhado com lutadores profissionais, embora o fato de Martin ser um policial branco também possa ter pesado na decisão.

Cash Clay estava desfrutando o sucesso do filho. Era agora uma celebridade local em seus próprios termos, com uma notável nova linha de diálogos disponíveis para sua busca por bebidas de graça e mulheres promíscuas. Seu comportamento, que sempre fora um tanto errático, tornou-se descaradamente bizarro. Passou a vagar pelo bairro com um sombrero, fingindo ser um mexicano, aparecendo sem ser convidado em churrascos no quintal dos outros e servindo-se de cerveja.

SONHADOR 105

Se não estivesse se sentindo mexicano naquele dia, insistiria em que era um xeique árabe, salientando que sua cor escura e o nariz grande e chato provavam isso.[18] Tirava dos bolsos canhotos de lutas de boxe e artigos de jornal e mostrava que o nome nos ingressos e nos jornais — Cassius Clay — era o seu. Se os chefes de orquestra deixassem, ele cantava nas boates, e cantava ainda mais alto enquanto voltava para casa bêbado, aos tropeções.

"Ah, meu Deus, ele estava tão orgulhoso que mal podia se aguentar", recorda-se uma das vizinhas dos Clay, Dora Jean Malaquias, que se chamava Dora Jean Phillips na época. "Você não podia fazer nada a não ser rir."[19]

Com seu senso de importância inflado, Cash Clay sentiu-se com o direito de orientar a carreira do filho, e isso significava que Joe Martin tinha que sair de cena. A rejeição magoou o oficial de polícia de Louisville. "O velho, ele não se preocupa com aquele garoto mais do que com o homem na lua", disse Martin.[20]

Uma vez removido Martin, Reynolds também saiu, por lealdade ao amigo. Quase imediatamente, porém, Gordon Davidson recebeu uma chamada de outro rico executivo de negócios de Louisville, William Faversham Jr., um homem grande, de voz rouca,[21] vice-presidente de uma das maiores destilarias de Louisville, a Brown-Forman. Faversham, ex-conselheiro de investimentos, ator, boxeador universitário e filho de um ator britânico idolatrado pelas mulheres, organizou um consórcio de onze homens entre os mais ricos do Kentucky para apoiar Cassius Clay. Ele perguntou a Davidson se usaria o contrato de Reynolds como base de um novo acordo, e foi exatamente o que Davidson fez. O contrato valeria por seis anos,[22] e Clay teria a opção de rompê-lo depois de três. O boxeador teria um bônus de 10 mil dólares na assinatura, uma renda garantida de 4.800 dólares nos dois primeiros anos e de 6 mil nos quatro anos restantes, além da promessa de que Clay receberia 50% do dinheiro gerado por suas atividades dentro e fora do ringue. Clay e o consórcio dividiriam ganhos brutos uniformemente, e o grupo cobriria todas as despesas de treinamento, incluindo viagens, moradia e alimentação. Quinze por cento do dinheiro de Clay iria para um fundo até que ele fizesse 35 anos ou se aposentasse do boxe. E, para reduzir os impostos devidos, Clay foi contratado como funcionário do consórcio; receberia um salário mensal e um bônus de fim de ano com base em seus ganhos. Clay e o pai teriam voz na escolha do próximo treinador.

Os onze membros do consórcio de Faversham estavam entre os executivos mais poderosos da cidade; eram homens que jogavam bilhar no clube Pendennis e mascavam folhas de hortelã na varanda em Churchill Downs. Sete eram milionários.[23] Todos eram brancos. Eles eram William Lee Lyons Brown, presidente da destilaria Brown-Forman, onde Faversham trabalhava, e um grande sedutor no estilo sulista ("Ah, sabia que a tia de Cassius Clay cozinha para a minha prima?", disse ele uma vez para a *Sports Illustrated*); James Ross Todd, o mais jovem membro do grupo, de 26 anos, descendente de uma tradicional família do Kentucky, que afirmou ter sido ele a se envolver com Cassius Clay, em vez de o próprio pai, "porque papai já tem coisas demais na cabeça"; Vernter DeGarmo Smith, ex-gerente de vendas da Brown-Forman e ex-executivo da comissão de hipismo estadual; Ross Worth Bingham, assistente editorial (sendo o editor o seu pai) do *Louisville Courier-Journal* e do *Louisville Times*; George Washington Norton IV, conhecido como "gambá" entre seus amigos, um parente distante de Martha Washington e secretário-tesoureiro da WAVE-TV, a afiliada local da NBC que transmitia o *Tomorrow's Champions*; Patrick Calhoun Jr, um criador de cavalos que admitiu que "o que eu sei sobre boxe é a metade de nada"; Elbert Gary Sutcliffe, neto do primeiro presidente da U.S. Steel, que gostava de se chamar de "agricultor aposentado"; J. D. Stetson Coleman, que tinha as mãos numa empresa de ônibus da Flórida, numa operação de petróleo em Oklahoma, numa empresa de doces de Illinois e numa empresa farmacêutica na Geórgia; William Sol Cutchins, presidente da empresa de tabaco Brown & Williamson, fabricante dos cigarros Viceroy e Raleigh; e Archibald McGhee Foster, vice-presidente sênior de uma agência de publicidade baseada em Nova York que cuidava da lucrativa conta da Brown & Williamson.

A maior parte dos membros do grupo defendia a versão oficial: eles estavam ali "para fazer algo legal para um garoto merecedor, bem-comportado, de Louisville",[24] como disse um deles, e para "melhorar a raça do boxe." Cada membro do Grupo de Patrocínio de Louisville investiu 2.800 dólares, dedutíveis. Embora esperassem um retorno, não estavam contando com isso. Na verdade, o tesoureiro do grupo alertou os membros de que, nos

SONHADOR   107

primeiros seis meses de 1961, ele esperava despesas de 9.015 dólares,[25] com pouca ou nenhuma renda. Cassius Clay era o beneficiário do maior contrato já celebrado com um boxeador sem nenhuma experiência profissional, mas, para os homens que o apoiavam, ele mal passava de uma diversão. Tal era o estado das relações raciais em 1960. Os homens de negócio brancos assumiam que Cassius Clay se consideraria afortunado por ter tais pessoas privilegiadas e altruístas orientando sua carreira, e, pelo menos àquela altura, eles estavam certos.

• • •

Os sonhos de Clay estavam se tornando realidade. Primeiro, a medalha de ouro, seguida por um cheque no valor de 10 mil dólares e logo depois um Cadillac cor-de-rosa, que custou 4.450 dólares — pagos com 1.000 dólares de entrada e parcelas de 120 dólares por mês.

Quando as pessoas viram Clay dirigindo seu carro novo, espalhou-se no West End o boato de que ele já havia gastado todo o seu bônus, o que o levou a mostrar a um repórter o extrato de sua conta no banco, revelando um saldo de 6.217,12 dólares.[26] "Posso ter apenas 18 anos", disse ele, "mas não sou tão bobo assim." Depois do carro, sua única grande despesa havia sido com os honorários de seu advogado, que haviam chegado a 2.500 dólares.[27]

Clay disse ao repórter que o Cadillac era um presente para os pais, mas ele o dirigia quase o tempo todo. Com o Caddy, como ele o chamava, cada dia era um desfile, cada viagem uma chance para um belo jovem campeão se recarregar com os olhares de adoração do público, cada encontro com um vizinho a oportunidade de se deleitar com suas realizações maravilhosas, passadas e futuras. Ninguém parecia se preocupar com o fato de Clay ainda não ter se dado o trabalho de tirar uma carteira de motorista.[28] Quando Wilma Rudolph visitou o Tennessee, os dois campeões olímpicos desfilaram lentamente pelas ruas, com Clay gritando pela janela do carro para anunciar sua presença real e Wilma se contorcendo no banco, envergonhada com a atenção que chamavam. "A única diferença entre mim e o Flautista de Hamelin", disse Clay uma vez, "é que ele não tinha um Cadillac."[29]

De acordo com alguns dos amigos de Clay, o jovem boxeador propôs casamento a Wilma durante aquela visita, mas foi rejeitado. Ele também propôs uma corrida, Clay vs. Rudolph, o pugilista medalha de ouro contra a velocista medalha de ouro correndo ao longo de um trecho da Grand Avenue. Homens, mulheres, meninos e meninas se enfileiraram ao longo da rua para assistir à disputa. Um grande grito de entusiasmo explodiu quando os dois atletas começaram a corrida, e um grito ainda maior quando Wilma disparou e ganhou por uma distância mais do que confortável.

Em 29 de outubro de 1960, Clay começou sua carreira profissional dando uma surra avassaladora em Tunney Hunsaker, um lutador de 31 anos, chefe de polícia em Fayetteville, Virgínia Ocidental, que perdera seis lutas seguidas antes de enfrentar Clay.[30] Quando tudo terminou, Hunsaker ficou impressionado. O garoto tinha potencial. "Para começar, ele mede 1,90m. Além disso, tem braços longos e é rápido com os pés [...] Seus recuos e contragolpes são muito parecidos com os de Willie Pastrano. Ele é um boxeador muito bom para alguém dessa idade; o melhor que conheci para quem está apenas começando."[31]

A única reclamação de Hunsaker eram as atitudes de Clay. "Talvez esteja sendo mimado", disse ele, referindo-se ao bônus de 10 mil dólares e ao Cadillac cor-de-rosa. Clay teria de sossegar e trabalhar duro se quisesse ser um campeão. "Eu poderia tê-lo premiado com uns bons socos no nariz", disse o chefe de polícia, "mas ele era muito difícil de apanhar."

Embora Clay não tenha tido nenhum problema com Hunsaker, os jornalistas esportivos não ficaram impressionados com a estreia, dizendo que, se ele pretendia competir com os melhores pesos-pesados do país, deveria ter sido capaz de nocautear um desajeitado como Hunsaker. A. J. Liebling, que escrevia sobre boxe no *New Yorker* com linguagem floreada e grande atenção aos detalhes, descreveu as lutas iniciais de Clay como "atrativas, mas não comprovativas",[32] acrescentando que o campeão olímpico tinha um "estilo saltitante, como uma pedra que quica sobre a água. Era bom de assistir, mas parecia fazer apenas esquivos contatos".

Na preparação para sua luta com Hunsaker, Clay havia corrido no Chickasaw Park e treinado com seu irmão Rudy. Também trabalhou com

SONHADOR

um treinador chamado Fred Stoner, que tinha a preferência de Cash Clay porque, além de ser negro, não era policial como Joe Martin. O regime de treinamento havia sido bom o bastante para derrotar o chefe de polícia de Fayetteville, mas os membros do Grupo de Patrocínio de Louisville ainda estavam à procura de um treinador de verdade, um que ensinaria a Clay o necessário para enfrentar legítimos adversários pesos-pesados e que soubesse escolher os melhores oponentes para ele. Um dos trabalhos mais importantes de um treinador é educar o lutador, expondo-o a diferentes desafios no ringue, construindo tanto o seu corpo físico quanto o seu corpo de experiência, lentamente, passo a passo, sem deixar que seu pupilo seja morto. Idealmente, o treinador escolhe adversários que seu lutador possa vencer, mesmo enquanto aprende as lições. Há um porém, é claro. Se o treinador superestima o grau de preparação de seu lutador ou subestima um adversário, a carreira de um jovem boxeador pode chegar a um súbito desfecho. E é exatamente isto o que acontece a quase todos os lutadores: apenas um pequeno punhado escapa do fim precoce. Se tiver sorte, ao longo de sua carreira um treinador pode encontrar um lutador cujos defeitos nunca são expostos, que corrige seus erros e faz progresso contínuo, acumulando uma vitória atrás da outra contra adversários cada vez mais difíceis enquanto caminha para um campeonato.

Archie Moore, ainda campeão peso meio-pesado aos 44 anos, dirigia um campo de treinamento perto de San Diego. Moore enviara a Clay um telegrama após sua vitória em Roma oferecendo seus serviços como treinador. Clay e Moore pareciam uma combinação adequada. Como Clay, Moore era um exibicionista. Natural do Mississippi, gostava de falar com um falso sotaque britânico. Também era um lutador inteligente, que dispunha de algo mais que a mera força, especialmente quando ficou mais velho, para derrotar adversários mais fortes. Se algum treinador era capaz de apreciar o estilo pouco ortodoxo e a personalidade incontrolada de Clay, esse seria Archie Moore.

O Grupo de Patrocínio de Louisville tinha outra razão para escolher Moore como treinador. Se Clay fixasse residência na Califórnia, seu contrato com o grupo continuaria a ser juridicamente válido. A Califórnia tinha uma lei que protegia atores infantis: menores poderiam assinar contratos e ter o

110 MUHAMMAD ALI

estado supervisionando os seus ganhos até que atingissem a maioridade. A lei destinava-se a impedir que pais gananciosos desbaratassem o dinheiro dos filhos.

Dias depois de vencer Hunsaker, Clay estava a caminho de Ramona, na Califórnia. Moore chamava seu campo de treinamento de Mina de Sal, e era um lugar ideal para um jovem boxeador que precisava de disciplina. A propriedade era enfeitada com grandes pedras nas quais estavam pintados os nomes de grandes lutadores do passado, incluindo Joe Louis, Jack Johnson e Ray Robinson. Os lutadores cortavam madeira, cozinhavam suas refeições e lavavam os próprios pratos. Corriam 6 quilômetros ou mais todos os dias e treinavam sob a vigilância de um dos maiores lutadores da época. Clay não tinha nenhum desejo de se submeter a tal disciplina, embora pudesse ter precisado dela. Ele tinha seu Cadillac, uma medalha de ouro e um salário mensal de 363 dólares (numa época em que um policial em início de carreira ganhava mais ou menos isso).[33]

"Archie", disse ele, "eu não vim aqui para ser lavador de pratos. Não vou lavar louça feito uma mulher."[34]

Depois de algumas semanas, Moore telefonou para Bill Faversham dizendo que o arranjo não estava funcionando. O Grupo de Patrocínio de Louisville pagava 200 dólares por semana para o treinamento de Clay,[35] mas Moore não podia receber esse dinheiro se o boxeador não cooperasse.

"Acho que o rapaz precisa de umas boas palmadas", disse Faversham.[36]

"Também acho", disse Moore, "mas quem vai dar?"

Ao escolher um novo treinador, Faversham voltou-se para um homem que poderia ter sido o oposto de Archie Moore. Angelo Dundee era de fala mansa. Tinha cabelos pretos, antebraços grossos e um rosto que poderia ter sido chamado de bonito se não fosse tão fortemente dominado por seu nariz. Tinha 39 anos, era italiano, pai de duas crianças, e, quando não estava trabalhando, gostava de pescar ou levar sua esposa para dançar. Durante uma briga, Dundee ficava calmamente no *corner* do seu boxeador, a mandíbula mastigando incansavelmente um rolo de fita adesiva, a expressão inteiramente impassível.[37]

Dundee era filho de imigrantes analfabetos da Calábria, o quinto de sete filhos.[38] O nome da família era, originalmente, Mirena, mas um dos irmãos mudou o próprio nome para Joe Dundee em homenagem a um campeão italiano de pesos-penas da década de 1920, Johnny Dundee, e os irmãos Angelo e Chris também assumiram o mesmo nome. Angelo Dundee havia inspecionado aviões durante a Segunda Guerra Mundial, e depois conseguiu um emprego numa fábrica de mísseis. Em 1948, foi trabalhar com seu irmão Chris, que administrava um plantel de quinze boxeadores em Nova York. Pouco depois, os irmãos se mudaram para Miami, onde operavam o Ginásio da Rua 5, um espaço infestado de ratos e cupins em cima de uma farmácia na esquina da avenida Washington e da rua 5 em Miami Beach.

O ginásio era um lixo. Não era velho, mas parecia. Tinha cheiro de madeira e couro. Cheirava a álcool canforado, linimento, fumaça de cigarro e charuto. Mas, principalmente, cheirava a suor, porque os pugilistas iam ao ginásio para treinar até o ponto da exaustão, sob a vigilância de treinadores grosseiros que olhavam um piso encharcado de suor no final do dia com a mesma satisfação com que um quitandeiro olha as prateleiras vazias.

Pouco importava se o Ginásio da Rua 5 tenha sido decorado e projetado por homens que não tinham a menor preocupação com estilo. Cadeiras quebradas, vindas de um antigo cinema, cercavam o ringue de boxe. Sacos de areia, cordas de saltar, correias de coquilhas, mesas de massagem, bolas pesadas para treinamento, luvas de treino, capacetes e cartazes amarelados de lutas, tudo isso, iluminado por um par de lâmpadas nuas, era a notável decoração do lugar. O chão estava lascado, com áreas em que as desgastadas pranchas de madeira compensada haviam desaparecido. A luz solar entrava de viés através de janelas encardidas. Numa das janelas, alguém havia pintado uma luva de boxe e a palavra "Ginásio" em letras amarelas empilhadas umas sobre as outras. Era o tipo de lugar que fazia um homem sentir-se como um combatente.

Enquanto Angelo Dundee trabalhava mais próximo dos lutadores, Chris Dundee era o homem que construíra e administrava o ginásio. Ele tinha uma mesa no canto, mas nunca a usava porque estava sempre agitado, sempre de pé, sempre mergulhando a mão no bolso das calças largas para tirar um maço de cartões de visitas e contas presas com um elástico, sempre fazendo amigos e conexões. O jornalista esportivo Edwin Pope, do *Miami Herald,* considerava Chris Dundee "a pessoa mais envolvente" que ele já conhecera nos esportes.[39]

Depois de iniciar sua carreira aos 10 anos, vendendo barrinhas de Baby Ruth (caramelo, amendoim e chocolate) nos trens que corriam entre Filadélfia e Nova York, Chris entrou no negócio da luta. Ele tinha um dom para a funcionalidade, para fazer as coisas acontecerem. E trabalhava bem com todos, sem distinção de raça, etnia ou tendências criminosas.

Num arquivo de escritório, mantinha um registro de todas as lutas em que já havia trabalhado e de cada pagamento feito, de 30 a 300 dólares.[40] Ele só usava as iniciais — nenhum nome — para indicar os comentaristas esportivos e os colunistas de fofocas cujas mãos haviam sido untadas em troca de boa publicidade. Os maiores retornos aos chefes da máfia, como Frankie Carbo e Blinky Palermo, presumivelmente não eram mantidos no arquivo. Tampouco Chris Dundee fazia registros de seus rotineiros atos de generosidade. Ele recebeu no Ginásio da Rua 5 homens sem nenhum meio visível de sustento e apoio — homens como Mumblin' Sam Sobel e Ben "Evil Eye" Finkel — e encontrou trabalho para eles. Com a ajuda do grande treinador cubano Luis Sarria, recrutou alguns dos melhores boxeadores de Cuba para o ginásio. Chris Dundee operava segundo a filosofia de que bêbados seriam bêbados, ladrões seriam ladrões, idiotas seriam idiotas, e que todos tinham o direito de ganhar a vida.

Clay chegou a Miami em 19 de dezembro de 1960,[41] a tempo de se preparar para sua segunda luta profissional — contra Herb Siler, que, como Clay, tinha apenas uma luta profissional em seu nome. Em seu primeiro dia em Miami, Clay insistiu para que Angelo Dundee o levasse ao ginásio para treinar um pouco. Ele usava sua medalha de ouro aonde quer que fosse e insistia que estranhos a experimentassem, até que o ouro começou a se desgastar de tanto ser manipulado.

Era a primeira vez que Clay estava vivendo por conta própria. Dundee alugou para o seu jovem lutador um quarto no Mary Elizabeth Hotel, no bairro de Overtown. O Mary Elizabeth e seu vizinho, o Sir John Hotel, eram pontos movimentados por artistas negros visitantes. Sammy Davis Jr., Redd Foxx, Nat King Cole, Ella Fitzgerald e Cab Calloway iam à cidade para se apresentar para multidões de brancos em hotéis chiques de Miami Beach, mas, como aqueles hotéis chiques recusavam hóspedes negros, após os shows as celebridades se retiravam para o Mary Elizabeth e o Sir John,

SONHADOR

onde frequentemente participavam de festas até altas horas, muito mais divertidas do que seus programas anteriores. Cafetões e prostitutas enchiam os saguões, mas Clay os evitava. Todas as manhãs, corria ao longo do Biscayne Boulevard, observando os tons de laranja e amarelo do raiar do dia. Corria até que seus músculos queimassem e o suor estampasse grandes manchas escuras sob os braços e no peito de seu moletom cinza.

"Treiná-lo era como fazer propulsão a jato", disse Angelo Dundee, o ex--inspetor de aviões. "Bastava tocá-lo e ele levantava voo."[42]

E levantar voo foi o que ele fez. Clay lutou quatro vezes em menos de dois meses após sua chegada a Miami. Em 27 de dezembro de 1960, derrotou Siler com um nocaute técnico no quarto round. Três semanas mais tarde, em seu aniversário de 19 anos (e três dias antes da posse do novo presidente, John F. Kennedy), Clay precisou de apenas três rounds para derrotar Tony Esperti, que logo depois se aposentou e foi trabalhar como capanga da máfia. Três semanas depois, Clay derrotou Jimmy Robinson, uma substituição de última hora para Willie Gulatt, que não conseguira se apresentar para a luta; e, duas semanas mais tarde, acabou com Donnie Fleeman — "um mero arroz com feijão",[43] como o *Louisville Times* o chamou —, que também abandonou a carreira no boxe após a derrota.

Naqueles combates iniciais, Clay lutou da mesma forma que fazia quando era amador: dançando, balançando e lançando a cabeça para trás, para evitar golpes. Os jornalistas esportivos torceram o nariz. Sua técnica era caótica, disseram, e, embora pudesse ser eficaz contra idiotas como Jimmy Robinson, nunca seria boa o bastante para vencer um lutador talentoso. Curiosamente, Dundee não fez nenhuma tentativa de mudar o estilo de Clay, apesar de sua longa experiência no boxe. Dundee tolerava até mesmo a fanfarronice do rapaz. Sem dúvida, ele tinha ouvido que Clay batera de frente com Archie Moore. Talvez o experiente treinador reconhecesse que Clay não responderia bem a sermões. Talvez soubesse que a melhor maneira de garantir seu emprego de 200 dólares por semana seria manter seu lutador feliz. Ou talvez reconhecesse que Ali era como um cantor talentoso que não conseguia ler música, cujos dons naturais poderiam ser danificados caso recebesse uma educação excessiva.

Dundee provou-se um psicólogo inteligente. Reconhecendo que Clay tinha um ego extraordinariamente saudável, o treinador seguiu alimentando-o. "Há apenas um jeito de lidar com um garoto como esse", disse. "Psicologia reversa. Se você quer ensinar alguma coisa a ele, tem de fingir que a ideia foi dele, não sua... Depois de um treino, eu vou até ele e digo: 'Ei, aquilo foi realmente um *uppercut* e tanto, hein? Um dos melhores que já vi.' Claro, não tinha nenhum *uppercut*, mas eu estava morrendo de vontade que ele exercitasse aquele golpe. No dia seguinte, lá estava ele, lançando *uppercuts*."[44]

Nada na experiência inicial de Clay como lutador profissional o dissuadiu de sua própria grandeza. Começou a usar camisetas brancas com seu nome impresso em letras cursivas vermelhas, talvez inspirado pelo logotipo da Coca-Cola. Os lutadores sempre usavam os próprios nomes nas costas de seus roupões, mas somente nas noites de luta, quando havia fãs e câmeras de TV focadas neles. Pode ter sido a primeira vez que um atleta norte-americano criou a própria marca de vestuário para uso diário. Ele já estava emergindo como um dos mais hábeis autopromotores de todos os esportes. Depois de vencer Donnie Fleeman, Clay foi convidado para ser *sparring*, durante três rounds, de Ingemar Johansson, um peso-pesado com uma direita punitiva e um cartel de 22 vitórias e apenas 1 derrota em toda a sua vida. Na época, Johansson preparava-se para uma terceira luta com o campeão peso-pesado Floyd Patterson. Johansson vencera Patterson em 1959 para ganhar o campeonato dos pesos-pesados, antes de perder uma revanche em 1960. Embora fosse apenas uma apresentação, Clay certamente estava empolgado com a ideia de entrar num ringue pela primeira vez com um peso-pesado considerado um dos melhores do boxe. Melhor ainda, ia fazer isso diante de cerca de mil espectadores pagantes. Para Johansson, pode ter sido apenas mais um treino, mas Clay levou a sério a oportunidade de atuar como *sparring*. Movia-se rapidamente pelo ringue para engajar Johansson, desferindo soco após soco e saltando fora de alcance. Johansson foi atrás, numa perseguição desajeitada. Depois de apenas duas rodadas, o promotor do sueco pôs fim ao show.

Quando lhe disseram que ele receberia 25 dólares pela sessão de *sparring*, Clay descaradamente disse que deveria ter uma participação na bilheteria.[45]

Semanas mais tarde, Johansson levou Patterson à lona no primeiro round da luta pelo título, mas Patterson retornou para vencer com um nocaute

SONHADOR

no sexto. A conclusão de Clay talvez fosse previsível: ele se gabou de que poderia ganhar de qualquer um dos dois.

No entanto, o boxe era uma hierarquia, e Clay teria que trabalhar duro para conseguir uma chance de disputar o campeonato. Seu primeiro adversário difícil foi LaMar Clark, um nocauteador de Utah que havia abatido 43 de seus primeiros 45 adversários, nocauteando 42 e livrando-se de 28 no primeiro round. A luta aconteceu em Louisville perante uma multidão de mais de 5 mil pessoas, incluindo muitos dos amigos e parentes de Clay.

Enquanto Clay treinava em Miami, um drama se desenrolava na família em Louisville. Seu pai vinha aprontando sem medir consequências — bebendo, se gabando e agredindo a esposa além do normal, de acordo com um amigo da família que deu uma entrevista a Jack Olsen para a *Sports Illustrated*. "O coroa se enfureceu com a velha logo depois das Olimpíadas", disse o amigo da família, "e Rudy quase o matou [...] Rudy disse que não ia mais aguentar aquilo."[46] Depois do incidente, ele se mudou da casa em que vivera desde a infância com os pais e o irmão. Em dado momento, o conflito ficou tão intenso que Odessa ameaçou se divorciar, e Cassius Jr. fez uma viagem de emergência a Louisville para exortar os pais a resolver suas diferenças.

Quase na mesma época, Clay se registrou para o serviço militar junto ao Sistema de Serviço Seletivo (Selective Service System), algo que a maior parte dos rapazes norte-americanos da época aceitava como uma formalidade. Num formulário assinado em 1º de março de 1961,[47] ele se descreveu assim: olhos castanho-escuros; pele marrom-clara; altura, 1,91 m; 88 quilos; "boxeador profissional", com renda de 300 dólares mensais; empregador: "Grupo de Patrocínio de Louisville"; experiência prévia de trabalho: "Vencedor do Campeonato Mundial de Pesos Meio-Pesados nos Jogos Olímpicos de Roma."

A luta contra Clark foi realizada em 19 de abril de 1961, no Freedom Hall em Louisville. No primeiro round, Clark quase envergonhou o herói local. Uma direita no queixo e uma esquerda no peito fizeram-no cambalear, mas o jovem boxeador se esquivou e manteve distância até se recuperar. No segundo round, quebrou o nariz de Clark e o deixou caído na lona.

Depois de Clark, Clay enfrentou e derrotou adversários cada vez mais difíceis, mas seu desempenho continuara a levantar dúvidas entre os especialistas.

"O mundo do ringue não tem certeza se Cassius é um menino prodígio ou apenas mais um falastrão que coloca a boca onde deveriam estar as luvas",[48] disse o *New York Times*.

Os cronistas tinham dificuldade de superar certos preconceitos: uma bailarina deveria ser ágil e leve sobre os pés, uma cantora de blues deveria gemer com tristeza na voz, e um boxeador peso-pesado deveria agir mais como King Kong do que como Fred Astaire.

A luta seguinte de Clay foi contra um havaiano grandalhão chamado Duke Sabedong. Quão grande era Sabedong? "Dois metros e trinta", brincou Angelo Dundee. "Um idiota grande, alto."[49]

Foi a primeira luta de Clay em Las Vegas.

"Não estou com medo de lutar; tenho medo é de voar",[50] disse ele.

Mais uma vez, Clay venceu, mas sua vitória de nada adiantou para convencer os céticos. A luta teve dez rounds e Clay nunca chegou perto de conseguir um nocaute. "Ele soca como um peso-médio",[51] disse Sabedong, conseguindo com isso acertar um de seus melhores golpes.

Antes da luta com Sabedong, Clay apareceu num programa de rádio local com Gorgeous George, o mais famoso lutador profissional de sua época, que usava longos cabelos louros e aparecia para as lutas com a cabeça cheia de rolinhos, esperando até momentos antes do início de cada luta para permitir que um de seus assessores retirasse os rolos e escovasse os cachos ondulados. Pintava as unhas e usava um roupão de lamê prateado. "A Orquídea Humana", como Gorgeous George se chamava, foi um dos artistas mais famosos de seu tempo. Em 1950, ganhou 100 mil dólares[52] — o mesmo que Joe DiMaggio recebeu para jogar como meio de campo para os Yankees. Gorgeous George passava mais tempo trabalhando as notícias do que lutando contra adversários no ringue, e sabia, talvez melhor do que qualquer artista na América, que enfurecer os fãs pode ser mais lucrativo do que encantá-los. As pessoas pagavam porque queriam ver George perder sua cabeça lindamente penteada. Anos mais tarde, Bob Dylan, James Brown e John Waters diriam que haviam encontrado inspiração em Gorgeous George.

Após sua aparição no rádio, Clay assistiu a uma luta de George numa arena com ingressos esgotados. "Eu vi 15 mil pessoas que foram ver este homem levar uma surra",[53] disse. "E foi a sua fala que as atraiu. Eu disse para mim mesmo: 'Isso é uma óóóótima ideia!'"

Clay já era um *showman* talentoso, mas redobrou seus esforços depois de conhecer o lutador perfumado. Enquanto se preparava para o adversário mais difícil que já enfrentara, Alonzo Johnson, Clay disse a quem quisesse ouvir que estava pronto para Floyd Patterson, e era o maior, e que logo seria o mais jovem campeão da história, um lutador como nenhum outro já visto na divisão de pesos-pesados, rápido demais para ser atingido, forte demais para ser ferido. Os repórteres não compraram a peça. Tampouco Alonzo Johnson, perdedor de seis das oito lutas anteriores, mas que havia sido um contendor altamente cotado. Johnson conseguiu ir até o fim com Clay. Às vezes, deixou mal o jovem lutador, até que perdeu por pontos. "Ele me mandou para a lona uma vez, mas eu não me feri",[54] disse Johnson anos mais tarde, reclinado numa cadeira no subsolo de sua casa onde cartazes de lutas e fotos antigas em preto e branco cobriam as paredes.

A vitória de Clay sobre Johnson foi tão desinteressante que a multidão o vaiou nos últimos rounds. Aquilo não era o tipo de vaias que Gorgeous George tinha em mente; eram vozes de clientes pagantes expressando sua insatisfação com a qualidade da luta a que estavam assistindo. A desaprovação era ainda mais preocupante porque a luta acontecia em Louisville.

Após a luta, Clay tirou umas férias de seis semanas em Louisville, entregou-se sem remorsos às comidas de sua mãe e ganhou quase 7 quilos.[55] Quando voltou a Miami, ficou num quarto sem ar-condicionado para começar a entrar em forma novamente. "Eu simplesmente fico sentado aqui como um animalzinho numa jaula à noite", disse ele. "Não posso sair pra rua e me misturar com o pessoal lá fora porque eles não estariam ali se estivessem a fim de alguma coisa boa. Não posso fazer nada a não ser ficar sentado [...] É algo a se pensar. Aqui estou eu, apenas 19 anos, rodeado por *showgirls*, uísque e maricas, e ninguém me olhando. Toda essa tentação, e eu tentando treinar para ser um lutador de boxe [...] Mas é preciso usar a cabeça para agir direito. É como eu disse a mim mesmo quando era pequeno: 'Cassius, você vai ganhar os Jogos Olímpicos algum dia e então vai comprar um Cadillac, e você vai ser o campeão do mundo.' Agora eu tenho a medalha de ouro e tenho o carro. Eu seria burro se cedesse à tentação agora, quando estou quase conseguindo pegar esse título mundial."[56]

Antes de sua próxima luta, com um boxeador argentino com excesso de peso chamado Alex Miteff, Clay não só garantiu que venceria, mas também previu o round em que a luta iria acabar. "Miteff deve cair no sexto", disse ele. Nos primeiros rounds, Clay socava violentamente a cabeça de Miteff. Miteff martelava o corpo de Clay. No quarto round, o rosto de Miteff estava inchado como um pãozinho, mas Clay perdia velocidade à medida que os golpes de corpo de Miteff o desgastavam. Então, parou de saltar. Firmou os pés e colocou mais peso atrás de seus golpes. No quinto round, disparou, como uma metralhadora, uma série de combinações na cabeça do oponente. Na sexta dessas combinações — um leve *jab* de esquerda e um direito colossal, compacto —, o grande argentino despencou na lona. Miteff levantou-se, mas estava instável demais para continuar.

Havia sido, sem dúvida, o melhor desempenho da carreira profissional de Clay — tão bom, na verdade, que, depois da luta, Dundee disse que ele venceria qualquer um se continuasse a lutar daquele jeito.[57]

Àquela altura em suas carreiras, a maioria dos lutadores começava a entender a quase impossibilidade de sua missão. Viviam na pobreza, lutando a cada três ou quatro semanas por pagamentos tão miseráveis que mal cobriam o aluguel de seus armários no ginásio, esforçando-se para conseguir alimento suficiente para substituir milhares de calorias queimadas diariamente em treinamento, sabendo que, a cada vez que pisavam no ringue, um único ferimento ou uma única derrota poderia acabar com suas carreiras e enviá-los de volta a uma linha de montagem ou a um emprego de caminhoneiro dos quais vinham fazendo de tudo para escapar, sacrificando tempo, dinheiro e neurônios. Mas Clay era o Menino de Ouro. Era um boxeador com um salário, algo quase inédito no esporte, o que significava que não tinha preocupações financeiras. Se o tratamento especial que recebia não fosse suficiente para fazê-lo sentir-se superior, seu sucesso no ringue certamente fazia. Ele previu um nocaute de Willie Besmanoff no sétimo round. Quando o alemão parecia pronto para cair no quinto, Clay recuou, fez círculos e distribuiu *jabs* durante todo o sexto para, em seguida, fazer cumprir sua previsão, acabando com o adversário na rodada seguinte. Mais uma vez, os repórteres se irritaram. Disseram que não era de bom-tom — além de ser perigoso — estender um round só para que se cumprisse uma "profecia". Mais uma vez, Clay não se importou com o que pensavam os críticos. Ele gostava de seu novo truque, gostava da atenção extra que recebia pelo comportamento cada vez mais audacioso, e estava convencido de que a publicidade iria ajudá-lo a obter uma chance mais rápida de virar campeão.

"Estou cansado de ser alimentado com essas enganações",[58] disse. "Não tenho como conseguir me aproximar do título nocauteando um bando de novatos ou gente que já era."

Clay certamente sabia que havia uma grande diferença entre sua encenação e a de Gorgeous George: ele era negro, o que significava que, toda vez que se gabava e dramatizava, estava fazendo o papel do preto petulante e arriscando uma reação altamente negativa dos comentaristas e dos fãs brancos.

Clay era um jovem que tinha pressa. Mas será que estava tentando provar algo maior? Estaria ele, de forma subversiva e sutil, usando o tipo de argumento que Elijah Muhammad poderia usar — de que um homem negro se daria melhor seguindo o próprio caminho em vez de tentar jogar de acordo com as regras do homem branco?

Clay nunca falou sobre isso.

9

"Exuberância do século XX"

Numa tarde de dezembro em 1961, Cassius Clay foi patinar com amigos no Broadway Roller Rink, um estabelecimento somente para negros na esquina da Broadway com a rua 9 em Louisville. Apesar de sua crescente fama, faltavam ainda algumas semanas para seu vigésimo aniversário, e ele ainda era um garoto brincalhão que desfrutava a companhia dos velhos amigos do West End e do Colégio Central.

Quando deixou a pista, por volta das 18 horas,[1] já estava escuro. Os postes de luz orientavam homens e mulheres de volta para casa depois de um dia de trabalho. Do outro lado da rua, Clay avistou uma multidão na calçada e decidiu dar uma olhada, na esperança de "encontrar uma garota bonita para dizer algo", como lembrou anos mais tarde, numa carta. Quando chegou do outro lado, viu o que acontecia: a multidão estava ouvindo um homem negro de terno escuro que pregava a sabedoria do honorável Elijah Muhammad, líder da Nação do Islã.

"Meu irmão", disse o homem de terno, virando-se para Clay, "você quer comprar o jornal *Muhammad Speaks* para ler sobre a própria espécie, ler a verdade da sua história, sua verdadeira religião, seu verdadeiro nome antes do que lhe foi dado pelo homem branco que o tinha como escravo?"[2]

Clay sabia algo sobre a Nação do Islã. Podia recitar as palavras da canção do ministro Louis X, "o céu de um homem branco é o inferno de um homem negro", e tinha ouvido um discurso semelhante numa esquina do Harlem antes da viagem a Roma. Mas o jornal era provavelmente uma novidade para ele; estava apenas no segundo número. Clay aceitou uma cópia, e o homem de terno escuro o convidou para participar de uma reunião às 8 horas daquela noite, na esquina da rua 27 com Chestnut.

"Ok, estarei lá", disse Clay.

Pegou o jornal e foi-se embora, sem intenção de assistir à reunião. Mais tarde, porém, enquanto folheava o *Muhammad Speaks*, uma tira de quadrinhos na parte superior da página 32 chamou sua atenção. Cerca de dez anos mais tarde, ele descreveu o impacto da tirinha numa carta escrita à mão. A carta, que sobrevive apenas em fragmentos, é reveladora de sua simplicidade e ingenuidade. Em vez de explorar algumas das razões mais profundas de a Nação do Islã o ter atraído, Clay explica, passo a passo, como a mensagem de Elijah Muhammad começou a apoderar-se dele. Com ortografia instável, e colocação de maiúsculas e de pontuação duvidosa, ele escreveu:

> "A tirinha era sobre os primeiros escravos que chegaram na América, e estava mostrando como Escravos Negros estavam caindo fora da Plantação para orar na Língua árabe virados para Leste, e o Mestre Branco dos escravos corria Atrás do escravo com um chicote e bate no pobrezinho nas costas com o Chicote e diz O que está fazendo rezando nessa Língua, você sabe o que eu disse pra você falar, e o escravo disse sim senhor sim senhor Mestre, vou rezar pra Jesus, senhor Jesus, e eu gostei daquela tirinha, ela fez alguma coisa comigo."[3]

Ele estava à beira da independência, movendo-se para além de Louisville e para longe de seus pais, explorando o que o mundo tinha a oferecer. Até 1961, Clay havia encontrado a Nação do Islã pelo menos três vezes, o que dá uma sólida indicação da velocidade com que a mensagem de Elijah Muhammad estava se espalhando em toda a América. Se você fosse um homem negro numa prisão norte-americana ou numa grande cidade norte-americana, a Nação do Islã estava se tornando praticamente inevitável. Com o advento

"EXUBERÂNCIA DO SÉCULO XX" 123

do jornal, Elijah Muhammad estava construindo um público mais amplo e mais próximo da cultura dominante, bem como uma nova fonte de renda.

Apesar de sua exposição anterior às mensagens, nada ainda levara Clay a considerar a ideia de se juntar à Nação do Islã. O boxe, não raça ou religião, era o que predominava em sua mente. Cash Clay encontrara um advogado negro para rever o primeiro contrato profissional do filho, e também forçara Clay a escolher um treinador negro, Fred Stoner. Mas essas escolhas provaram-se sem consequência. Cassius Clay, o pugilista, tinha interesse no caminho mais curto para a fama e a glória, não em gestos filosóficos ou políticos, e por isso confiou sua carreira ao todo branco Grupo de Patrocínio de Louisville, e escolheu um homem branco para treinador. Em suas dezenas de entrevistas a repórteres em 1960 e 1961, Clay nunca falou a respeito nem expressou solidariedade aos Viajantes da Liberdade, grupos de ativistas negros que andavam de ônibus pelo sul do país enfrentando prisão e ataques violentos para testar a recente decisão da Suprema Corte que dessegregara o transporte interestadual. Tampouco expressou apoio a estudantes engajados em *sit-ins* ("protestos sentados") em balcões de lanchonetes ou ao reverendo Martin Luther King Jr., que foi recebido a pedradas por uma multidão de homens brancos enquanto falava numa igreja em Montgomery, Alabama. Se Clay sabia desses eventos, não os considerou importantes, ou não sabia o que dizer sobre eles. Mas, à medida que se viu exposto repetidamente à Nação do Islã, a mensagem de Elijah Muhammad começou a moldar sua visão do que significava ser um homem negro nos Estados Unidos em 1961. Como disse Rudy Clay, "aquilo lhe deu confiança em ser negro".[4]

A primeira página da edição do *Muhammad Speaks* que Clay segurava naquele dia de dezembro incluía um artigo escrito por Elijah Muhammad, apresentado como "mensageiro de Alá."[5] O artigo começava: "Meus seguidores e eu estamos sendo acusados de ser não americanos. Na verdade, não sabemos o que é americano e o que é não americano, pois os Estados Unidos da América não nos instruíram sobre o que constitui um americano ou um não americano." A coluna de Muhammad referia-se ao relatório de uma subcomissão do senado da Califórnia que rotulava os "Muçulmanos Pretos" (*Negro Muslims*) de não patrióticos e acusava a Nação do Islã de usar suas escolas para ensinar o ódio racial. "Isso é falso", escreveu Muhammad, "pois só lhes ensinamos quem VOCÊS realmente são. Eles podem odiar ou amar vocês, é escolha deles." E prosseguia dizendo que os brancos estavam claramente usando suas escolas para ensinar as crianças brancas a odiar as pessoas negras, e que os brancos eram "os assassinos número um dos pretos".

Muitos dos artigos na segunda edição de *Muhammad Speaks* reforçavam a filosofia central da Nação do Islã: uma "guerra do Armagedom" estava se aproximando. Alá havia permitido que a América e outras nações cristãs escravizassem africanos — "mastigando ossos de homens durante trezentos anos", como disse Elijah Muhammad. O sofrimento fora um teste, disse ele, e negros e negras que estivessem prontos para assumir a responsabilidade e abraçar o Islã seriam recompensados quando o homem branco fosse vencido e o homem negro dominasse a Terra. Muhammad repreendia seus seguidores negros. "Vocês são o homem adormecido", escreveu em outra edição do jornal. "O homem branco está bem acordado. Ele não é um boneco, de forma alguma. Ele construiu um mundo. Seu conhecimento e sua sabedoria estão agora se estendendo pelo espaço sideral."[6]

Clay não era uma pessoa dada a reflexões. Não tivera uma vida de pobreza e sofrimento. Nem fora exposto, através de livros ou de professores, ao mundo das ideias. Mas o chamado de Elijah Muhammad para a disciplina e o autoaperfeiçoamento fizeram vibrar uma corda naquele jovem que tomava água de alho, corria ao lado de um ônibus para a escola e evitava noitadas abastecidas a álcool com amigos. A afirmação de Muhammad de que os chamados pretos eram o povo escolhido de Deus certamente ressoou em alguém que já se designava "O Maior". Os quadrinhos também encontraram eco; era fácil entender por que os africanos transportados à força através do oceano poderiam suspeitar da religião que lhes havia sido imposta pelos homens que os escravizaram e os rotularam como sub-humanos. Finalmente, embora ele próprio nunca tivesse sido vítima de ataques raciais violentos, Clay compreendeu que o homem branco tinha autoridade para lhe causar todo tipo de sofrimento. Ouvira isso de seu pai inúmeras vezes. O homem branco tinha o poder, e, enquanto isso se mantivesse, todas as pessoas negras viveriam com medo. A sobrevivência era o objetivo do homem negro — não conhecimento, não enriquecimento. A sobrevivência era o melhor que ele poderia esperar, porque em cada esquina e em cada contato com

"EXUBERÂNCIA DO SÉCULO XX"

a sociedade branca o homem negro enfrentava a possibilidade de ruína financeira, prisão e morte.

Aquela vulnerabilidade fortalecia alguns homens e mulheres, lembrando-lhes que estavam engajados numa luta eterna. Agora, à medida que se sentia mais confortável e confiante em seu papel como uma figura pública, Clay poderia estar se vendo tentado a se posicionar em solidariedade ao sofrimento dos norte-americanos negros, assumindo o fardo de seu pai. Se o poder é a moeda da existência humana, Cassius Clay estava se fortalecendo no sentido mais amplo possível, explorando sua capacidade de influenciar outros e moldar o mundo à sua volta.

A filosofia de Elijah Muhammad oferecia a um homem negro a possibilidade de dignidade e poder. Oferecia a ele um sentido de si, de identidade. E isso não requeria a aprovação do homem branco. "A mente é em si mesma um lugar", diz Lúcifer no *Paraíso perdido* de Milton, "e pode fazer do inferno um paraíso, e do paraíso um inferno."[7] O homem negro não tinha que permanecer no inferno só porque para lá fora relegado pelo homem branco, disse Muhammad. Ele tinha o poder de forjar a própria identidade, de transformar as condições que lhe foram impostas, e não precisava da permissão de ninguém, nenhuma ordem da Suprema Corte. Ele poderia fazê-lo através da força dos próprios pensamentos, por meio da própria vontade, das próprias ações. Cassius Clay não estava muito interessado na religião, mas a mensagem de Elijah Muhammad não era estritamente religiosa. O Islã era uma "fachada", disse Bennett Johnson, que trabalhou para a Nação do Islã e conheceu Clay na década de 1960, "uma estrutura".[8] Era uma história que Elijah Muhammad podia usar para ensinar a norte-americanos negros como eles poderiam se libertar.

Isso encontrava eco em Clay, disse Johnson, porque Clay era, acima de tudo, um lutador.

Na passagem de 1961 para 1962, Clay estava dividindo seu tempo entre Louisville e Miami. Certo dia em Miami, na esquina da segunda avenida com a rua 6, ele viu um homem negro num terno de fustão listradinho vendendo cópias do *Muhammad Speaks*.[9] Desta vez, antes de o vendedor de jornal poder fazer seu anúncio, Clay gritou do outro lado da rua: "Por que somos chamados de pretos? Por que estamos surdos, mudos e cegos?"[10] Ele estava citando a letra da música de Louis X, "O céu do homem branco é o inferno do homem negro".

O vendedor de jornal era um fã de boxe e reconheceu Clay. Apresentou-se como Captain Sam, embora seu nome real fosse Sam Saxon, e mais tarde o mudasse para Abdul Rahman. Saxon havia abandonado a escola no ensino médio, era usuário de drogas e jogava constantemente — "o terceiro melhor jogador de sinuca de Atlanta",[11] disse — antes que a Nação do Islã o endireitasse. Quando não estava vendendo cópias do *Muhammad Speaks*, Saxon trabalhava nas pistas de corrida de Miami — Hialeah, Gulfstream e Tropical Park —, onde fazia bicos nos banheiros masculinos entregando toalhas, engraxando sapatos e esperando receber gorjetas da clientela branca.

Clay estava ansioso para mostrar a Saxon seu álbum de recortes, então entraram no velho Ford de Sam e dirigiram até o hotel de Clay. Ao longo do caminho, Clay assumiu sua postura habitual, descrevendo como pretendia lutar primeiro com Ingemar Johansson e, em seguida, com Floyd Patterson para se tornar o mais jovem campeão da história do boxe. Saxon adorou a energia e a confiança do rapaz: "Eu pensei: Sim, este homem *vai* ser campeão. Ele acredita nisso!"

Dali surgiu, em pouco tempo, uma amizade, e Saxon decidiu que levaria Clay para a Nação do Islã. "Ele sabia algumas coisas sobre a Nação, mas ainda não estava dentro", disse Saxon. Falaram sobre a mensagem de Elijah Muhammad, sobre nomes de escravos e sobre o significado da palavra "pretos" (*negroes*), um termo que muitos negros (*blacks*), homens e mulheres, haviam preferido durante a maior parte do século XX, designação usada com orgulho para se referir a homens que haviam pilotado aviões de combate na Segunda Guerra Mundial, iniciado negócios, integrado ligas de beisebol e fundado universidades, mas que também parecia estar perdendo poder no início da década de 1960, depois de cumprida sua trajetória; era um nome que soava inadequado para homens como Captain Sam, que estavam se esforçando para definir a si mesmos nos próprios termos.

"Eu o puxei para a Nação para que se tornasse o que chamamos de um muçulmano registrado",[12] disse Saxon, recordando que a conversão não envolveu quedas de braço nem sutis estratagemas psicológicos. "Não é difícil

"EXUBERÂNCIA DO SÉCULO XX"

para um homem negro sair da religião cristã quando não há nada lá para os negros. Os cristãos brancos tinham nos escravizado e nos dado seus nomes, e Ali viu tudo isso. Não é difícil para qualquer homem negro ser convencido. A maioria das pessoas que não enxergam isso tem medo em seu coração. Ele era destemido. Eu era destemido... Não demorou para ele acreditar. Começou a vir às reuniões e a participar como todos os outros, pensando da maneira certa, comendo do jeito certo."

Em Louisville, Clay ainda não estava pronto para participar de uma reunião da Nação do Islã, mas, agora, talvez por causa da independência ganha pela pequena distância entre ele e sua cidade natal e os pais, ele passou a visitar o Templo Número 29, uma loja de frente desocupada que havia sido convertida em mesquita — e foi fisgado pelo que ouviu.

"O ministro começou a ensinar, e as coisas que ele disse realmente me abalaram", contou ele ao escritor Alex Haley anos mais tarde. "Coisas assim: que nós, 20 milhões de pessoas negras na América, não sabíamos nossas verdadeiras identidades, nem mesmo nossos nomes de família verdadeiros. E nós éramos os descendentes diretos de negros e negras roubados de um rico continente negro, trazidos aqui e despojados de todo o conhecimento de si mesmos e ensinados a odiar a si mesmos e à sua espécie. E foi assim que nós, chamados 'pretos', viemos a ser a única raça entre os homens que amava seus inimigos. Mas eu sou do tipo que pega rápido. Eu disse a mim mesmo: escute aqui, este homem está *dizendo* alguma coisa!"[13]

Seu vigésimo aniversário estava se aproximando, e Clay se preparava para sua primeira luta profissional no Madison Square Garden, o mais importante templo do boxe do país. Seu adversário, Sonny Banks, não era nenhum grande lutador, detentor de um cartel de 10 vitórias e 2 derrotas contra uma série de adversários medíocres. Mas, ainda assim, Clay viu aquilo como um momento importante, não só porque estaria lutando no Square Garden, mas porque teria a oportunidade de se promover em Nova York, centro das atenções da mídia no país. Sendo sua primeira viagem a Nova York desde que voltara de Roma, Clay estava no auge da sua impertinência e exuberância. Os repórteres se divertiam com ele e davam corda. O que não sabiam, é claro, é que havia uma coisa da qual Clay nunca havia falado: sua recente imersão na Nação do Islã.[14]

Em 6 de fevereiro de 1962, Clay foi o orador de destaque num almoço para a Associação Metropolitana de Repórteres de Boxe: "O boxe não é tão atraente como era no passado", disse. "Precisamos de mais gente para animá-lo, e acho que posso ajudar."[15] Ele previu que derrubaria Sonny Banks no quarto round.

Um vento frio açoitou Manhattan na noite da luta, e muitos fãs decidiram ficar em casa para assistir pela TV. A multidão no Madison Square Garden vaiou quando Clay foi apresentado, embora não fossem os potentes e guturais gritos de sangue com que saudava Gorgeous George.

Os espectadores que foram ali para ver se Banks daria um cala-boca de verdade no falastrão do Clay tiveram um momento de emoção no primeiro round, quando Banks saltou de um agachamento como se fosse uma mola e atingiu Clay com um gancho esquerdo curto. Clay caiu de bunda, mas praticamente se colocou de pé no mesmo movimento, passando menos de um segundo na lona. Ainda assim, era a primeira vez que era derrubado como profissional. Banks lançou mais ganchos de esquerda durante o round, esperando ter descoberto o ponto fraco do adversário, mas Clay se recompôs rapidamente e resistiu. Sam Langford — um dos sábios do boxe, dono de um soco poderoso — uma vez proferiu este conselho aos colegas lutadores: "O que quer que o outro homem queira fazer, não deixem."[16] Clay socava de volta e saltava para trás, e Banks não voltou a machucá-lo. No segundo round, Clay estava calmamente no controle, aparentemente esquecido do momento que passara com a bunda na lona, e no terceiro já estava usando Banks como saco de pancadas. Banks oscilou até que o árbitro parou a luta nos segundos iniciais do quarto round. Quando acabou, Harry Wiley, do *corner* de Banks, explicou: "As coisas simplesmente foram azedando todas de uma vez."

Não foi nenhum duelo de titãs.[17] Clay, afinal de contas, estava classificado apenas em nono lugar entre os contendores pesos-pesados, e Banks nem entrava na classificação. Mas, por sobreviver a uma queda na lona e ter retornado para vencer um adversário estúpido, Clay havia pelo menos ganhado pontos com os repórteres, que o consideravam "de constituição fraca", como disse A. J. Liebling. Alguns cronistas de boxe fizeram o que pode ter parecido uma observação óbvia — que, apesar toda a conversa se centrar na incrível velocidade de Clay e em seus reflexos excepcionais, ele era, na verdade, maior e mais forte do que a maioria dos seus adversários.

"EXUBERÂNCIA DO SÉCULO XX" 129

Clay continuou ganhando ao longo de 1962, principalmente de lutadores sólidos, mas nada espetaculares, como George Logan e Don Warner, homens que estavam no ringue basicamente para ganhar uma grana rápida, não para cumprir promessas de glória; homens que ficavam felizes em lutar com um falastrão porque a celebridade crescente do falastrão significava multidões pagantes maiores que as habituais. O único lutador que deu problemas a Clay foi um nova-iorquino de 24 anos chamado Billy "The Barber" (Barbeiro) Daniels, que, saltando e lançando *jabs*, forçou Clay a recuar. Ele havia entrado na luta com um cartel de 16-0, e acertou golpes grandes, pesados. Parecia estar no controle, até que sofreu dois cortes sobre o olho esquerdo que levaram o árbitro, preocupado com a integridade do lutador atingido, a parar a ação no sétimo round e atribuir a Clay o nocaute técnico.

Em julho, finalmente, Clay entrou no ringue contra um lutador top 10, o argentino Alejandro Lavorante, que havia nocauteado Zora Folley no ano anterior. Diante de 12 mil fãs na Arena de Esportes de Los Angeles, Clay partiu lançando *jabs* contra um adversário maior e mais forte, e precisou de apenas cerca de 2 minutos para abrir um corte abaixo do olho esquerdo de Lavorante. No segundo round, Clay disparou tantos socos que Lavorante mal tinha tempo de revidar. Um dos socos de Clay — um direto de direita — acertou em cheio o maxilar do argentino e fez balançar as pernas do homem grande. No quinto, outro direito achatou o lado esquerdo do rosto de Lavorante. Ele caiu pesadamente. Quando conseguiu se pôr de pé, cambaleante, Clay lançou um furioso gancho de esquerda e o derrubou mais uma vez. A queda de Lavorante foi tão repentina que sua cabeça bateu na corda superior e, de novo, na de baixo, onde repousou como se fosse um travesseiro. O árbitro, preocupado com a condição do boxeador caído, nem mesmo iniciou a contagem. Sacudiu as mãos no ar, declarando o combate encerrado, e fez sinal para que o treinador ou um médico cuidasse dele o quanto antes. (Dois meses mais tarde, Lavorante lutou novamente, ficou inconsciente outra vez e entrou num coma do qual nunca acordou.)

Quatro meses depois da surra em Lavorante, em 15 de novembro de 1962, Clay enfrentou Archie Moore, o homem que brevemente fora seu treinador. Moore estava a um mês de completar 46 anos (ou 49, segundo algumas

130 MUHAMMAD ALI

versões), um idoso no boxe, com um cartel profissional quase inacreditável de 185 vitórias, 22 derrotas e 10 empates, um cartel iniciado em 1935, quando Babe Ruth jogava beisebol e Franklin Delano Roosevelt criou a Lei de Segurança Social. Moore também contava com o cartel, único em todos os tempos, de 132 vitórias por nocaute.

Falando sobre Clay, Moore disse: "Tenho emoções contraditórias com relação a esse homem. Ele é como alguém que pode escrever muito bem, mas não sabe pontuar. Tem essa exuberância do século XX, mas há uma amargura dentro dele, em algum lugar [...] Ele certamente chega numa hora em que é necessária uma cara nova na cena do boxe, no horizonte do pugilismo. Mas, com sua ansiedade de ser essa figura, ele pode estar entrando com uma mão excessivamente pesada, menosprezando as pessoas. Ele quer se exibir, não importa de quem sejam os calos em que esteja pisando."[18]

Moore disse que ia derrubar Clay com um soco novo chamado "o fechador de lábios", uma referência ao apelido com que Clay fora recentemente agraciado pela imprensa: "O Lábio de Louisville", o incontrolável falastrão.

Clay respondeu imediatamente: "Moore deve cair no quarto." Ele se divertia enquanto antecipava a maior arrecadação e a maior audiência de sua carreira. Dificilmente deixava de descrever numa entrevista a maneira luxuosa em que em breve estaria vivendo — usando sapatos de crocodilo de 55 dólares, com 500 dólares no bolso, uma "gatinha" em cada braço, dirigindo um novíssimo Cadillac Fleetwood vermelho com telefone equipado e vivendo numa casa de 175 mil dólares. Clay falava dessas coisas romanticamente, como um pintor fala sobre capturar a luz perfeita ao pôr do sol. Quando lhe perguntaram, certa vez, se ele lutava por dinheiro ou glória, respondeu sem hesitar: "O dinheiro vem com a glória."[19] Quanto mais audaciosamente ele falava, mais impopular se tornava. Um dia, enquanto treinava na Academia Main Street, em Los Angeles, Clay recebeu uma vaia tão estrondosa que a polícia foi chamada para evitar um tumulto.[20] Jim Murray, o colunista do *Los Angeles Times*, queixou-se de que "o caso de amor de Cassius consigo mesmo tem proporções tão clássicas que, se Shakespeare estivesse vivo, escreveria uma peça sobre isso. É uma das grandes paixões da história, e o amor de Cassius por Clay é tão arrebatador que nenhuma garota poderia se meter entre eles. O casamento seria quase bigamia."[21]

"EXUBERÂNCIA DO SÉCULO XX"

Antes da luta, Angelo Dundee disse aos repórteres que Moore estava velho demais para fazer recuos no estilo de Clay, e só conseguiria atacar indo à frente. Predisse que os golpes de Clay impediriam que Moore chegasse muito perto, e então Moore ficaria impotente, praticamente imobilizado. Dundee estava certo. Moore se agachava. Clay circulava e o atingia com *jabs*. Moore parecia uma tartaruga, ocultando-se para se proteger, olhando em volta à procura do agressor antes de se esquivar novamente. Em poucos minutos, seu rosto estava inchado. Na metade do terceiro round, Moore parecia um homem desesperado para estar em algum lugar que não ali, qualquer outro lugar, chegando, em determinado momento, a se encolher ao antecipar um golpe. Por fim, no quarto round, Clay o derrubou. Moore levantou-se, caiu novamente, levantou-se mais uma vez e caiu pela última vez.

"Eu vou pegar Sonny Liston agora", disse Clay depois da luta, "e vou acabar com ele em oito rounds."[22]

Tratava-se do mesmo Sonny Liston que acabara de humilhar o campeão dos pesos-pesados, Floyd Patterson, nocauteando-o em apenas 126 segundos; o mesmo Sonny Liston que surrara Wayne Bethea com tamanha violência que, depois da luta, o staff de Bethea encontrou sete de seus dentes no protetor bucal e sangue escorrendo de sua orelha.

Naquela noite, aconteceu de Clay encontrar Liston num salão de baile no centro de Los Angeles.

"Você é o próximo!", exclama Clay.

O campeão não pareceu preocupado.

10

"É puro show business"

Agora, Cassius Clay era um oponente que podia legitimamente desafiar um campeão. Estava em quarto lugar no mundo entre os pesos-pesados, sua fama se espalhava rapidamente, seu caminho para o campeonato estava desimpedido. Tudo o que tinha a fazer era continuar falando e continuar ganhando.

Celebrou seu vigésimo primeiro aniversário com um almoço no Hotel Sherwyn, em Pittsburgh, juntamente com a mãe, o pai, o irmão e dezenas de repórteres locais da impressa, do rádio e da televisão. Ele estava em Pittsburgh para se preparar para sua próxima luta. Seria contra Charlie Powell, um gigante que não só lutava boxe, mas também havia jogado como lateral no Oakland Raiders e no Forty-Niners de São Francisco, ambos da National Football League, a liga de futebol americano. Powell era maior e mais experiente, mas Clay, é claro, expressou sua costumeira confiança descomunal perante a multidão que participava do almoço. Após derrotar Archie Moore, Clay inicialmente dissera que não lutaria de novo até Sonny Liston ou Floyd Patterson aceitar seu desafio e concordar em enfrentá-lo. Achava que não provaria nada se continuasse "nocauteando alguns vadios".[1]

Depois mudou de ideia e concordou em lutar com Powell porque, segundo ele, parecia um dinheiro fácil, e queria manter-se afiado enquanto aguardava sua chance no campeonato. Profetizou um nocaute logo no início da luta.

Clay disse que estava preocupado com as condições do tempo no dia da luta, pois poderiam afastar os fãs, e estava ciente de que parte da renda seria destinada a ajudar as famílias dos 37 mineiros mortos no mês anterior num desastre no condado de Greene. "Ouvi tudo sobre essa explosão da mina", disse. "Gostaria de atrair uma grande multidão por esse motivo. E essa é outra razão para que eu deixe a luta prosseguir até o quinto round. Não quero que ninguém perca o espetáculo, e por isso não vai ser um nocaute apressado."

Trouxeram bolo e sorvete. Clay apagou as velas.

"Eles vêm para ver Cassius cair", continuou ele, referindo-se a si mesmo na terceira pessoa, talvez um sinal de narcisismo ou meramente uma sugestão de que Clay se via como um produto a ser promovido. "Mas Cassius não vai cair, pois o boxe precisa dele." Ele estava certo. Ou, pelo menos, a imprensa tinha motivo para esperar que ele estivesse certo. O boxe havia se tornado um esporte sem graça desde a aposentadoria de Rocky Marciano, o perfeito norte-americano de peito cabeludo e socos poderosos. Os mafiosos controlavam a categoria, e um número excessivo de lutadores parecia capangas, não heróis. Liston teve o grande azar de ter sido capanga e ser negro, o que fez dele o mais impopular dos campeões de pesos-pesados desde Jack Johnson. Sua biografia, publicada em 1963, tinha um título sugestivo: *O campeão que ninguém queria.*

Clay tinha juventude, personalidade e um sorriso de milhões de dólares a seu favor. Era uma lufada de ar fresco num ambiente úmido, suado. Seu sucesso já dera origem a um impressionante alto-astral. Qualquer pessoa de alto-astral sempre corre o risco de ser inconsistente. Mas não havia contradições óbvias em Clay. Ele era o que parecia ser — viçoso e natural, sempre ansioso por mais, mais de tudo. Os cronistas de boxe teriam gostado mais dele se fosse branco, é claro, mas ele era, incomparavelmente, a figura mais interessante e divertida que havia abrilhantado o esporte nos últimos muitos anos. Alguns repórteres começaram a chamá-lo de "Cassius, Gaseous", em alusão ao seu jeito metido, cheio de si, e alguns o consideravam sem atrativos,

"É PURO SHOW BUSINESS" 135

mas quase todo mundo que cobria o esporte admitia que ele estava tornando o boxe mais interessante. Como disse o ex-campeão Jack Dempsey: "Não me interessa se esse garoto pode lutar pra valer. Eu estou com ele. As coisas ganharam vida novamente."[2]

Entre as celebridades que foram apreciar o desempenho de Clay em Pittsburgh estavam Len Dawson, quarterback do Dallas Texans; Pie Traynor, ex-jogador de beisebol; e o ator de TV Sebastian Cabot. Clay rabiscava e redigia bilhetes em guardanapos e passava-os para quem as quisesse.

Uma semana depois, na manhã da luta, Clay revisou sua previsão: sentia muito, mas realmente não achava que poderia deixar Charlie Powell durar cinco rounds. Acabaria com ele no terceiro, disse. "Tenho uma manchete para você: 'O Belo Bate a Besta.'"[3]

Powell tinha 30 anos e havia passado a maior parte de sua vida adulta entre atletas profissionais, onde os mais jovens geralmente mostravam respeito pelos mais velhos e onde homens menores, se fossem espertos, não criavam problemas. Na hora da pesagem, Powell, sem estar brincando, pôs o punho cerrado bem sob o nariz de Clay. Em seguida, Art, irmão de Powell, também jogador de futebol americano, escarneceu de Clay: "Luta comigo, rapaz! Briga comigo e eu mato você!"

Clay saiu da sala enfurecido.

A luta bateu um recorde em Pittsburgh, com um faturamento de cerca de 56 mil dólares e 11 mil ingressos vendidos.[4] A multidão torcia para Powell, rugindo loucamente no segundo round quando seu punho enluvado acertou em cheio as costelas de Clay. Powell prosseguiu batendo no corpo de Clay até empurrá-lo para as cordas e fazê-lo balançar com uma direita no queixo. Clay, ferido, teve de se agarrar a Powell para se recompor, mas rapidamente reassumiu o prumo e lançou um contra-ataque que "fez a cabeça do Charlie saltar para lá e para cá como uma *punching-ball*", segundo um cronista.

O gongo tocou e Powell olhou para Clay: "Vamos lá, seu maricas, garoto lindo. Isso é o mais duro que você consegue bater?"

Na abertura do terceiro round, Clay não necessariamente bateu mais forte, mas acertou mais vezes, martelando a cabeça de Powell com quarenta golpes sem resposta. Powell parecia um homem preso num pesadelo que o fazia girar, a boca aberta para gritar. O sangue jorrava do olho esquerdo e caía em sua boca. Finalmente, como resultado de um efeito cumulativo, mais do que de um soco único, Powell deslizou lentamente para a lona, olhos fechados, engatinhando, enquanto o árbitro contava até dez.

Mais tarde, Powell ofereceria esta avaliação: "Da primeira vez que ele me atingiu, eu pensei comigo mesmo: posso levar dois desses para acertar um dos meus. Mas, em pouco tempo, eu estava ficando cada vez mais tonto toda vez que ele me atingia, e aquilo doía. Clay lança socos tão facilmente que você não percebe o quanto eles te abalam, até ser tarde demais."[5]

No camarim depois da luta, Clay, cercado por repórteres, saiu do modo guerreiro e voltou para o *entertainer*.

"Sou tão lindo!", disse. "Agora eu vou me vestir. Tenho montes de garotas bonitas me esperando lá fora!"

Tivesse sido ele um lutador comum, com um cartel de 17 vitórias e nenhuma derrota em lutas com competidores apenas medianos, Clay não estaria na disputa para tentar o título. Sua falação ajudou, bem como suas previsões acuradas e a boa aparência. Ele produzia uma sensação de alegria e mistério, uma combinação irresistível para a mídia. Havia descoberto isso por conta própria, parece, e se tornou um vendedor convincente e sofisticado durante uma nova era do marketing, quando agências de publicidade na avenida Madison inventavam elegantes maneiras de criar e fortalecer marcas, impulsionar celebridades e gerar riqueza. O discurso de vendas já não era apenas um meio para um fim — era uma obra de arte, um produto em si mesmo e um reflexo da sociedade norte-americana orientada para o consumidor. Nenhum atleta na história dos Estados Unidos havia sido tão consciente do poder da marca como esse jovem boxeador, e Clay estava fazendo isso sem a ajuda de uma das agências da Madison ou mesmo de um promotor ou de um gerente de negócios em tempo integral. A imagem que ele inventou era romântica e emocionante: um jovem que acreditava que, se desse duro o bastante, poderia se tornar campeão mundial dos pesos-pesados, poderia ter tudo, a riqueza, a fama, as mulheres, os carros — tudo sem concessões, sem ficar ensanguentado, sem se machucar.

Certo dia, deitado na cama, Clay explicou sua estratégia de mídia a um repórter do *Miami News*. "Agora pegue esses repórteres da Associated

"É PURO SHOW BUSINESS" 137

Press", disse ele. "Eu sempre falo com eles. Não deixo que fujam. Alguns deles enviam matérias para 38 jornais. *Ebony* e *Jet* chegam; eu os recebo. Pretos querem saber sobre mim [...] Agora, pense a *Time*... essa revista vai para pessoas inteligentes. Pessoas que não vão muito a lutas. Elas leem sobre mim e querem ir a lutas. Elas falam sobre mim. E o seu jornal também. Cobre tudo de Miami e da Flórida. Muita gente lá... As redes vêm aqui, fico feliz em recebê-las. Milhões de pessoas assistindo. As únicas que tenho que dispensar são as rádios pequenas que me colocam no ar às 16h30 da tarde e ninguém está ouvindo."[6] Ele até começou o processo de construir sua própria mitologia: "Eu fui marcado", disse a um repórter. "Eu tinha uma cabeça grande e parecia Joe Louis no berço. As pessoas diziam isso. Um dia, eu dei meu primeiro soco e acertei minha mãe direto nos dentes; e ela acabou perdendo um deles."[7]

Em outra entrevista, um repórter perguntou o quanto de toda a sua bazófia era genuína, e não apenas autopropaganda, e o quanto ele acreditava em sua rotineira afirmação "Eu-sou-o-maior-e-eu-sou-lindo, não é".

Clay respondeu precisamente, e sem hesitação: "Setenta e cinco por cento."[8]

Deve ter sido um alívio para o público saber que havia limites para o amor-próprio de Clay. Seria possível que ele tivesse algum vestígio de humildade?

Antes de sair para cumprimentar as garotas bonitas em Pittsburgh, Clay sentou-se no camarim com William Faversham, o líder do Grupo de Patrocínio de Louisville.[9] Faversham lhe disse que sua próxima luta seria no Madison Square Garden, em março, contra Doug Jones, classificado em terceiro lugar entre os oponentes pesos-pesados.

"Quanto vamos conseguir?", perguntou Clay.

Faversham disse que provavelmente ficariam com 35 mil dólares garantidos, ou 25% do bruto da venda de ingressos, o que fosse a quantia maior. Clay perguntou quanto dos 35 mil seriam dele, e Faversham ficou surpreso. Clay sabia que o contrato estabelecia que ele receberia 50%. Então a ficha caiu: "Ele não conseguia dividir 35 mil por dois", disse Faversham numa entrevista, vários anos depois. "Isso acontecia o tempo todo", continuou.

"'Que mês é este? Quantos meses faltam para fevereiro?' Se você pega uma coluna num jornal, como a de Red Smith, eu e você podemos lê-la em 4, 5 minutos. Ele vai levar 20 minutos, meia hora. Na minha opinião, ele não tem nenhuma educação formal, independentemente do que diga o sistema escolar de Louisville."

Clay também tinha uma estranha relação com o dinheiro. Ele parava num posto e colocava 50 centavos de gasolina no tanque,[10] aparentemente convencido de que estava poupando dinheiro, e não se perturbava quando, algumas horas mais tarde, a agulha do medidor tocava novamente o E e ele tinha de abastecer outros 50 centavos.

Felizmente, os membros do Grupo de Patrocínio de Louisville não estavam contando com ele para participar de concursos de soletrar ou de testes de matemática. Eles haviam investido em um lutador de boxe, e até agora só tinham motivos para estar satisfeitos.

No final de 1962, a contabilidade do grupo ficou assim:[11]

Receita bruta: 88.855,76
Remuneração de Clay: 44.933,00
Despesas de negócio: 2.287,14
Despesas legais: 1.867,16
Remuneração do promotor: 950,00
Transporte: 970,60
Telefone: 1.319,83
Treinamento: 17.989,76
Despesas de dívidas incobráveis: 250,00

Isso deixava um lucro líquido de 18.287,77 dólares, ou 20,7% de renda, o que significava que cada membro do grupo de Louisville ganhara 1.828,78 dólares. Nesse ritmo, os membros do grupo provavelmente veriam seu investimento inicial reembolsado antes do final de 1963, de acordo com um memorando interno. Numa reunião privada, os investidores discutiram a renovação do contrato do boxeador e a compra de um seguro no caso de Clay ser ferido ou morto.[12] Todos no grupo concordaram que o investimento havia sido sábio, e ninguém tinha nada negativo a dizer sobre o pugilista.

"É PURO SHOW BUSINESS" 139

Ele colecionara algumas multas por excesso de velocidade, perdera sua carteira de motorista e ocasionalmente pedia adiantamentos de salário, mas os homens concordaram que tal comportamento era previsível em alguém com 21 anos.

Inicialmente, os membros do Grupo de Patrocínio de Louisville tinham expectativas modestas quando apoiaram Clay. Agora, reconheciam que, se ele vencesse Jones, poderia começar a ganhar quantias significativas de dinheiro, e já estavam discutindo a possibilidade de complementar a renda das lutas de Clay organizando aparições na TV e em filmes. Fazia menos de três anos que Clay terminara o ensino médio e ainda não havia disputado um campeonato, mas já era, sem dúvida, o jovem boxeador mais empolgante do país. Se houvesse alguma dúvida a respeito de sua crescente celebridade, foi apagada em 22 de março de 1963, quando a revista *Time*, com uma circulação de 10 milhões de exemplares, estampou o jovem lutador na capa. Boris Chaliapin pintou o retrato de Clay para a revista. Ele está com a cabeça meio inclinada e a boca entreaberta, como se estivesse falando; acima da cabeça, um par de luvas de boxe segura um livro de poesia. O artigo da revista, escrito por Nick Thimmesch, declarava: "Cassius Clay é Hércules lutando para realizar os doze trabalhos. Ele é Jasão perseguindo o velocino de ouro. Ele é Galaaz, Cyrano, D'Artagnan. Quando ele franze as sobrancelhas, homens fortes tremem; quando sorri, as mulheres desmaiam. Os mistérios do universo são pecinhas de seus brinquedos de montar. Ele chacoalha o trovão e dispara o relâmpago."[13]

No início da década de 1960, o jornalismo de revista estava atingindo patamares cada vez mais altos de criatividade. Os autores das matérias tomavam emprestada a caixa de ferramentas dos romancistas e mergulhavam nos temas que escolhiam usando diálogos dramáticos e descrições elaboradas para dar vida a seus personagens e às histórias. Mas a matéria da *Time* não era uma dessas. Ou Thimmesch não conseguiu penetrar abaixo da superfície da personalidade de Clay, ou então chegou lá e só encontrou coisas desinteressantes. No perfil, que se estendia por quatro páginas cheias de texto, Clay não tinha nada a dizer sobre raça, quase nada a dizer sobre mulheres, e pouco a dizer sobre o que o motivava para além da óbvia busca de fama e fortuna.

Clay recitava seus habituais poemas desajeitados, gabava-se de sua intenção de comprar um "Cadillac vermelho-tomate" com estofados de couro branco após sua luta com Jones e desfiou as habituais zombarias sobre a aparência de seus adversários. De Sonny Liston ele disse: "Aquele urso grande e feioso. Eu o odeio, porque ele é tão feio." De Jones: "Aquele homenzinho feio! Eu vou aniquilá-lo!"

Pouco depois, na revista *Esquire*,[14] Tom Wolfe saiu-se melhor, mas só porque pareceu concluir que a superficialidade de Clay *era* a história, que fora do ringue esse boxeador não passava de um ator representando um papel. Clay lhe disse exatamente isto: "Já não sinto que estou no boxe. É puro show business." Com isso em mente, Wolfe produziu uma série artística de vinhetas que mostravam a jovem celebridade em ação: Clay deslumbrado com a vista da janela do seu quarto no 42º andar do Americana Hotel em Nova York; Clay ensaiando novos poemas para uma sessão no estúdio da gravadora Columbia; Clay conduzindo um desfile de "gatinhas" até o Metropole Café; Clay na discoteca provocando um homem que havia pedido um autógrafo, mas não conseguia achar uma caneta; Clay prevendo uma vitória sobre Sonny Liston no oitavo round, mas acrescentando: "Se ele me acertar um direto, no quinto já não estará por perto"; Clay imitando o sotaque branco sulista; Clay ficando com ciúme ao ver um trio de músicos de rua atraindo a atenção que deveria ser sua; e Clay finalmente roubando os holofotes do trio quando entra em mais uma de suas rotineiras cantilenas sobre o urso grande e feio.

Anos mais tarde, Wolfe disse que sentia como se "nunca tivesse conseguido chegar até Clay".[15] Mas, provavelmente, isso era porque Clay não estava permitindo. No Metropole, quando um homem branco com um sotaque do sul pediu um autógrafo e referiu-se a Clay como "*boy*", uma designação ofensiva ("Aqui está, *boy*, coloque o seu nome bem aqui"[16]), Clay deixou passar. Ele certamente não estava se comportando como um homem já sob o feitiço de Elijah Muhammad.

Havia muitos assuntos que Clay poderia ter discutido se estivesse interessado, ou se os jornalistas tivessem perguntado. Em abril de 1962, um policial de Los Angeles atirou em um membro desarmado da Nação do Islã e o matou, mesmo depois de o homem levantar as mãos em obediência à ordem

"É PURO SHOW BUSINESS" 141

recebida. O assassinato provocou enormes ondas de protestos e ganhou as manchetes em todo o país para a Nação do Islã, cujos líderes levantaram vozes enfurecidas para mobilizar a população negra da cidade. Membros da direção da Nação do Islã (NDI) chamavam Martin Luther King Jr. de "traidor do povo preto" por ele insistir em uma abordagem não violenta na luta pela igualdade; para a NDI, um movimento baseado em protestos passivos e Viagens da Liberdade nunca seria suficiente. Era necessária ação real — talvez até ação violenta, eles insistiam.

O escritor James Baldwin não fez nenhuma ameaça, mas também advertiu que mulheres e homens negros teriam de lutar por justiça. "Os pretos deste país talvez nunca consigam chegar ao poder", escreveu Baldwin no *New Yorker*, "mas estão muito bem colocados para precipitar o caos, fazer cair a cortina e encerrar o sonho americano."[17]

Publicamente, Clay não fez nenhum comentário sobre nada disso. E os cronistas que gastavam tempo com ele, quase todos brancos, raramente o pressionavam. Para aqueles jornalistas, Clay parecia estar seguindo os passos de Sugar Ray Robinson. O jovem boxeador amava seus ótimos carros e suas roupas finas, e falava de um futuro repleto de carros ainda melhores e de roupas ainda mais finas. Sua maior mágoa com relação ao sistema norte-americano de governo parecia ser com o Departamento de Segurança de Louisville, que lhe havia tirado a carteira de motorista.[18] Fez uma rara declaração sobre raça quando um fotógrafo tentou tirar a foto dele com uma jovem branca. Clay se opôs, lembrando ao fotógrafo do problema que se abatera sobre Jack Johnson por se envolver com mulheres brancas.[19]

No período preparatório para a luta com Jones no Madison Square Garden, Clay teve que trabalhar horas extras para gerar publicidade. As gráficas estavam em greve, fechando temporariamente sete jornais de Nova York (e, ao final, ajudando a matar quatro deles).[20] Como o boxe não tinha datas fixas, dependia da cobertura jornalística mais do que a maioria dos esportes. Mas Clay não se importou. Dirigindo por Manhattan, parava seu carro ao acaso e saía para conversar com os fãs. Ele fez graça e brincou com Johnny Carson no *Tonight Show* da NBC, sem dúvida chocando os telespectadores que esperavam que pugilistas fossem bandidos grandalhões que falassem aos grunhidos e tivessem nariz torto, não um tipo hollywoodiano, estiloso e bonito feito Clay. Ele zanzava por Greenwich Village e recitava poemas — odes a si mesmo, claro — no Bitter End, um café beatnik onde cantores de música folk como Bob Dylan e Joan Baez geralmente ocupavam o palco.

"Quanto você mede?", perguntou a Jones num dia em que saíram juntos para promover a luta.[21]

"Por que você quer saber?", rebateu Jones.

"Pra eu poder saber antecipadamente quantos passos devo dar para trás quando você cair no quarto round", respondeu Clay.

Seu material estava melhorando graças à prática constante, e ele estava ficando mais confiante no pingue-pongue com entrevistadores.

"O Garden é pequeno demais para mim", queixou-se. "Onde estão os grandes lugares? Isso é o que eu preciso. Talvez o Coliseu de Los Angeles [...] Você sabe o que essa luta significa para mim? Um Cadillac Eldorado conversível vermelho-tomate com estofamento de couro branco, ar-condicionado e som Hi-Fi. É isso que o Grupo de Patrocínio de Louisville está me dando como presente de vitória. Consegue me imaginar perdendo para esse traste feio do Jones se tenho um carro tão fantástico me esperando?"[22]

Até então, aquela fala havia sido seu melhor momento na arte de vender. Em 38 anos de boxe no Madison Square Garden, a lotação nunca havia se esgotado com antecedência, e fazia seis anos que os ingressos não se esgotavam em nenhum tipo de evento... até a luta Clay vs. Jones, em 13 de março de 1963. O preço do ingresso mais caro era 12 dólares, mas os cambistas estavam vendendo por 100 dólares ou mais.[23] Quase 19 mil fãs lotaram a arena, muitos outros milhares não conseguiram entrar e 150 mil assistiram pela TV em 33 cidades.

"Não posso acreditar!",[24] disse Harry Markson, diretor de boxe do Madison Garden. Devido à greve dos jornais, levando em conta que a luta não era para o campeonato e que Jones, com um cartel de 21-3-1, não era nenhum Joe Louis, havia apenas uma explicação para aquele tipo de demanda. Clay a ofereceu em versos:

"É PURO SHOW BUSINESS" 143

As pessoas vêm de toda parte para me ver
para ver Cassius caído no chão.
Alguns perdem dinheiro, outros perdem a razão,
mas Cassius continua tão doce como o mel.[*][25]

Uma grande parte da atração do boxe sempre teve a ver com algo primitivo. Nesse caso, não havia dúvida sobre qual lutador a multidão queria ver sofrer. As pessoas estavam ali para ver Cassius Clay, um jovem negro arrogante, ter a boca fechada e o rosto bonito desfigurado.

Na manhã da luta, Clay não conseguia dormir. Às 16h30, escapuliu do hotel para admirar, extasiado, o seu nome nos cartazes na fachada do Madison Square Garden, então voltou para o quarto e dormiu até as 22h. Apareceu para a pesagem com uma fita crepe cobrindo a boca: uma piada que fez o próprio Jones sorrir.

Quando deu 21h47, hora de lutar, Clay subiu no ringue e girou os braços como moinhos de vento.[26] A multidão vaiou ruidosamente. Jones, um nativo do Harlem, entrou e foi saudado com entusiasmo. Estavam presentes os ex-campeões de boxe Gene Tunney, Jack Dempsey, Sugar Ray Robinson, Rocky Graziano, Barney Ross e Dick Tiger. Também estavam na plateia Jackie Robinson, Althea Gibson, Ralph Bunche, Malcolm X, Toots Shor e Lauren Bacall.

O gongo tocou, os homens se mediram com o olhar e deram uns *jabs* leves por um minuto ou pouco mais, e então Jones golpeou a cabeça de Clay com um gancho de direita que o despachou tropeçando para as cordas. A multidão gritou em coro, ansiosa para ver se ele cairia. Mas, de alguma forma, Clay tomou impulso, voltou à vertical, recuperou o equilíbrio e continuou a lutar. Disparava *jabs* para manter afastado o adversário menor, mais leve.

No segundo round, Clay era Clay novamente, aparentemente sem danos, misturando socos e ganchos, infligindo mais danos do que recebendo. A linguagem corporal de Clay já era familiar para os fãs de boxe. Ele ficava

---

* *People come to see me from all around / To see Cassius hit the ground. / Some get mad, some lose their money, / But Cassius is still as sweet as honey.* [N. da T.]

nas pontas dos pés, saltando como uma bola, saltando, saltando, se deslocando de um lado para outro, movendo os ombros largos, cinzelados, para a esquerda e a direita, sempre em movimento, tornando totalmente impossível prever quando dispararia um *jab* rápido. Seus olhos cresciam quando ele se movimentava para fora do alcance de um soco do adversário, suas bochechas inflavam e sopravam quando lançava um golpe. No quarto round, aquele em que Clay havia prometido terminar a luta, Jones tinha outras ideias, mandando grandes ganchos de esquerda que fizeram Clay girar sobre si mesmo. Vindas dos assentos ao lado do ringue, Clay ouvia as vaias: "Acaba com esse falastrão!"[27]

Parecia que Jones tinha uma chance. Pela primeira vez, seus maus hábitos no boxe tornavam Clay vulnerável. Mantendo as mãos abaixadas dos lados, não podia impedir que Jones lançasse ganchos na sua cabeça. E as tentativas de Clay de curvar o corpo para se afastar dos socos, em vez de se esquivar, o tiravam do equilíbrio e o deixavam vulnerável aos crescentes golpes de corpo de Jones. Ainda assim, Jones não conseguia terminar o trabalho. Toda vez que era atingido, Clay batia de volta, às vezes dois socos para um de Jones. No sexto round, os dois homens estavam em frangalhos.

No final do sétimo, Angelo Dundee estava convencido de que seu lutador perdia por pontos, embora essa sua certeza possa ter sido influenciada pela multidão, que gritava mais vigorosamente com os socos de Jones do que com os de Clay.

"Você pode dizer adeus àquele Cadillac vermelho-tomate!", gritou Dundee para Clay.

Talvez tenha sido isso o que fez a diferença. No oitavo round, Clay manteve as mãos elevadas e atacou; desferiu 21 socos, mais do que em qualquer outro round. No nono, fez ainda melhor, descarregando 22 socos, e no round final explodiu, disparando a esmagadora quantidade de 101 socos e acertando 42 deles. No mesmo round, Jones lançou apenas 51 socos e acertou 19.[28] Uma vez ameaçado, Clay havia se empenhado numa guerra total, usando tamanho, força e velocidade num ataque que deveria ter deixado a multidão atônita e extasiada. Mas isso não aconteceu.

Quando soou o gongo final, a plateia explodiu em aprovação, feliz por ter visto tão intenso combate e convencida de que Jones era o vencedor.

"É PURO SHOW BUSINESS" 145

Locutores de TV diziam que o resultado final poderia ser um empate. Clay foi para o seu *corner*, ignorando Jones e aguardando a decisão dos juízes. Mas, para os juízes e árbitros, a dificuldade ainda não havia terminado. Eles atribuíram a Clay a vitória numa decisão unânime. "Trapaça!", gritava a multidão, "trapaça! Trapaça! Trapaça!"

A paixão da multidão, no entanto, havia comprometido sua capacidade de julgamento. Clay dera mais socos que Jones, acertara mais golpes que Jones e acertara mais golpes fortes que Jones. Ele também havia dominado os dois últimos rounds. Foi uma luta dura, uma boa luta, e Clay havia conseguido uma vitória impressionante, apesar da hostilidade do público.

Enquanto os fãs enfurecidos arremessavam copos de cerveja, programas e amendoins, Clay levantou os braços, escancarou a boca e caminhou pelos quatro cantos do ringue, rugindo de volta para a multidão.[29]

Então pegou um amendoim e saiu mastigando.[30]

Um locutor de TV alcançou Clay, virou-o em direção à câmera e perguntou se ele consideraria dar a Jones uma revanche.

Clay disse que não.

"Eu estou atrás de Sonny Liston agora. Eu quero aquele grande urso mau."

Mais de cem repórteres lotaram o camarim de Clay, juntamente com velhos amigos de Louisville, Sugar Ray Robinson, o atleta olímpico Don Bragg, o astro do futebol americano Jim Brown.[31] A pele sob o olho esquerdo de Clay estava inchada, e ele estava estranhamente ranzinza. "Eu não sou nenhum Super-Homem", disse. "Se os fãs acham que eu posso fazer tudo o que digo que posso, então eles são mais loucos que eu."[32]

Charles "Sonny" Liston pode ter sido o homem mais impopular em toda a América. Agora, no entanto, à medida que se aproximava um embate entre ele e Clay, muitos fãs de esportes estavam reconsiderando o campeão, imaginando que talvez tivessem sido muito duros com ele, perguntando-se se estariam melhor com Liston do que com Clay. Os fãs negros, em particular, pareciam cautelosos com Clay, que surgiu como uma figura esquisita e não como o tipo de homem negro forte e orgulhoso em que se vissem bem representados.

Escrevendo no *Chicago Defender*, o jornal negro mais influente do país, o colunista Al Monroe tentou angariar apoio para Liston, dizendo que o preconceito de repórteres brancos contribuíra para a reputação do campeão como uma ameaça à sociedade.[33] Monroe ofereceu exemplos da sagacidade de Liston e de suas respostas inteligentes. Em outra coluna, Monroe escreveu que Liston deveria receber créditos por ter se regenerado e deixado para trás seu passado criminoso.[34]

"O que os fãs querem é um campeão em quem possam se espelhar", escreveu Monroe. "Será que Cassius Clay provará ser tal homem fora do ringue?" E continuou: "Ao zombar de Liston, a atitude de Clay foi extremamente imprópria para um campeão. Será que Clay manteria o título com dignidade, ou seria meramente um bobo da corte, e não uma cabeça coroada com a soberania que a posição exige?"

A linguagem empolada sugeria que o título de peso-pesado ainda era importante para os norte-americanos. E, para os norte-americanos negros, que viam poucos de seus iguais em posições de poder em 1963, talvez importasse ainda mais do que para os brancos. Por toda a América, ativistas negros estavam organizando campanhas de registro eleitoral, marchas e protestos passivos para melhorar as condições de vida e promover a igualdade. Esses ativistas lembravam às pessoas que a taxa de desemprego para negros era o dobro da taxa para brancos. A integração nas escolas ainda estava sendo impedida em muitos estados do sul. No outono de 1962, James Meredith precisou de uma força de 320 agentes federais para chegar até seu dormitório depois de se matricular como o primeiro estudante negro na Universidade do Mississippi. O presidente John Kennedy pediu calma, mas não adiantou muito, pois grupos armados atacaram as tropas federais no que o historiador C. Vann Woodward chamou de "um assalto insurrecional aos oficiais e soldados do governo dos Estados Unidos e o mais sério desafio à União desde a Guerra Civil".[35] Motins eclodiram em Birmingham, Alabama, onde a polícia usou cães de ataque e canhões de água para afastar os manifestantes. Martin Luther King Jr. e seus aliados fizeram planos para um grande comício em Washington chamado "A Marcha por Empregos e Liberdade". Outros líderes negros, incluindo ministros da Nação do Islã, estavam convocando para mais do que marchas. Diziam que a América branca nunca abriria mão do poder, a menos que a América negra a *obrigasse* a isso.

"É PURO SHOW BUSINESS"

Ativistas jovens falavam de Orgulho Negro. Não lhes bastava encontrar um lugar confinado na América branca; queriam que as pessoas se orgulhassem de sua pele, e, quanto mais escura, melhor. Cassius Clay decepcionava alguns desses jovens líderes radicais. Liston também havia sido uma decepção, mas os ativistas dos direitos civis nunca haviam esperado muito dele. Clay, por outro lado, era jovem, inteligente e falava sem rodeios. Líderes do movimento teriam ficado felizes se ele tivesse se posicionado, e estavam intrigados com o fato de ele parecer não ter interesse nos direitos civis, além de enfurecidos com seu hábito de falar de forma condescendente sobre outros boxeadores negros. Numa carta para o *Defender*, Cecil Brathwaite, presidente da Sociedade Africana de Jazz-Arte em Nova York, queixou-se de que Clay estava dando as costas ao movimento e alimentando estereótipos raciais ao chamar Liston de urso grande e feio. Brathwaite dirigiu-se a Clay com um poema em que dizia, em parte:

Sonny Liston é o padrão,
e isso você deve respeitar,
nós somos a vanguarda racial,
devemos proteger nossa imagem.

Por que tentar classificar o outro
perante o mundo, chamando-o de feio
proclamando-o um tosco
enquanto você se diz "lindo como uma garota"?

E você realmente disse à imprensa
"Jones é um homenzinho feio"?
Mas quando ele o testou,
você se virou e fugiu.

Jones também exibe o padrão,
um africano, com toda certeza.
Cada um, disse o bardo,
é igualmente puro.

E, na mãe África — minha e sua,
estavam vocês na mesma velha cabana?
"Não estou lutando contra jacarés
nem vivendo numa cabana de barro!"

Por que você iria com prazer virar as costas,
Isso para nós é um mistério...
Por um Cadillac Vermelho-Tomate
Com seu estofamento branco?

De agora em diante, pense antes de falar,
Você tem muito que aprender
Porque talvez nunca alcance o cume.
Então, a quem se voltará?[*][36]

• • •

Após a luta com Jones, Clay participou de uma festa de comemoração da vitória no porão da Small's Paradise, uma boate no Harlem.[37] O convidado de honra foi presenteado com um bolo de vitória pontilhado de morangos que murcharam no calor e na umidade da sala lotada. Clay também murchou, exausto pela luta e pela falta de sono. Despencou sobre a mesa e ficou se esforçando para manter os olhos abertos.

Depois de alguns minutos, disse aos anfitriões que estava se sentindo mal e desculpou-se por sair mais cedo.

---

[*] *Sonny Liston is the standard, / And that you should respect, / We are the racial vanguard, / Our image, we shall protect. / Why try to rate his comeliness / Before the whole wide world, / You proclaim him in homeliness / And you "pretty as a girl." / And did you really tell the press, / "Jones is an ugly little man?"/ But when he put you to the test, / You turned around and ran. / Jones also bears the standard, / An African for sure. / No one yet, has said the bard, / Is anything but pure. / And of Mother Africa—mine an' yours / Were you in the same old rut? / "I ain't fighting off no alligators / and living in a mud hut!" / Why you would gladly turn your back, / Is to us, a mystery... / For a Tomato Red Cadillac, / With its white upholstery? From now on, think before you speak, / You've got a lot to learn, / 'Cause you may never reach your peak, / Then, to whom shall you turn? [N. da T.]*

"É PURO SHOW BUSINESS" 149

No dia seguinte, ainda estava se arrastando. "Estou com um pouco de dor de cabeça",[38] disse, enquanto se preparava para deixar Nova York. Os nós dos dedos na mão direita estavam inchados, e as costelas também estavam feridas. "Vou ficar feliz de voltar para Louisville... Não gosto desta cidade grande. Louisville é minha casa... Posso relaxar em Louisville."

Fora do Plymouth Hotel, belas jovens pediram um autógrafo. Ele as atendeu e depois entrou em uma limusine cujo motorista era negro, junto com dois membros do Grupo de Patrocínio de Louisville, Sol Cutchins, presidente da Brown & Williamson Tobacco, e o advogado Gordon Davidson. Um repórter da revista *Time* juntou-se a eles. Enquanto a limusine atravessava o túnel a caminho do aeroporto de Newark, Davidson mostrou a Clay um contrato de mais de 2 centímetros de espessura da agência William Morris, que queria representar Clay como *entertainer*, ajudando-o a fazer negócios na TV e no cinema.

Clay parecia cético. "Quer dizer que é uma divisão meio a meio com a gente?", perguntou.[39]

"Não", disse Davidson. "Eles ficam com apenas 10%. Desses, você paga 5%, nós pagamos 5%."

Cutchins acrescentou: "Cassius, essa é uma boa organização."

Clay não estava satisfeito com 90%, ou então não entendeu. Ele disse que seu pai lhe ensinara que promessas eram inúteis — pagamento antecipado era a única coisa com que um homem podia contar. E então voltou ao assunto de Sonny Liston. "Eu quero algum dinheiro", disse. "Temos de ir atrás de dinheiro grande agora. Temos de ir atrás do grande. Não precisamos mais ficar ganhando tempo enquanto a coisa não acontece. Agora somos grandes. Vamos enfrentar Liston e ganhar dinheiro... Vamos enfrentar o grande macaco, aquele Liston grande e feio."

Ele fez uma pausa, como se a ficha sobre as aparições na TV e no cinema tivesse começado a cair — juntamente com sua lembrança do martelamento que havia levado na noite anterior —, e retomou a fala, suavemente.

"Talvez, se fizermos bastante apresentações pessoais, não teríamos de lutar tanto e levar tantos golpes. Devíamos fazer isso enquanto estamos quentes."

Aqui estava Clay, na privacidade de sua própria limusine, aos 21 anos de idade, num dos raríssimos momentos em que mencionou os riscos do boxe, os danos que seu esporte causava ao corpo e à mente, falando em parar enquanto ainda tinha saúde bastante para aproveitar a vida depois do esporte. Ele podia cantar! Ele podia contar piadas! Ele podia atuar na TV e no cinema! Mas logo seu foco se deslocou para a preocupação mais imediata com viagens de avião e, em especial, com o voo daquela tarde para Louisville.

"Quando foi a última queda de um avião?", perguntou, enquanto estavam sentados no saguão do aeroporto esperando o embarque. "Quando foi a última queda?" Falou tão alto que um dos seus companheiros de viagem teve de calá-lo, com medo de que assustasse os outros passageiros e fizesse com que todo o seu grupo fosse impedido de embarcar.

Depois de uma viagem sem incidentes, Clay desembarcou em Louisville, alugou um carro e dirigiu até a casa nova que comprara recentemente para os pais. Ficava no número 7307 da Verona Way, a cerca de 30 quilômetros da antiga casa da família na Grand Avenue, num bairro de subúrbio predominantemente negro conhecido como Montclair Villa. Havia pagado 10.956 dólares, concordando com parcelas mensais de 93,75 dólares.[40] Cash e Odessa Clay estavam de férias na Flórida, então Rudy e Cassius ficaram sozinhos na casa nova. Contrataram uma cozinheira — paga pelo Grupo de Patrocínio de Louisville — para mantê-los alimentados até a mãe voltar.[41]

No dia seguinte, com a energia e o bom humor restaurados, Clay visitou Cutchins em seu escritório para continuar a discussão sobre o contrato da William Morris. Clay concordou em assinar. "Com tudo isso aqui", disse ele, olhando em volta e apontando o escritório ricamente decorado de Cutchins, "você não pode ser um bandido. Eu sei que você é justo comigo."

Então Cutchins disse que tinha uma surpresa para Clay: o Cadillac vermelho-tomate seria um presente dos membros do Grupo de Patrocínio (ou de Cutchins pessoalmente, se o grupo não aprovasse a despesa), e Clay teria de pagar apenas o imposto sobre vendas na hora da compra. Cutchins perguntou a Clay se queria seu nome inscrito na lateral do carro em letras douradas. Clay disse que não, expressando a preocupação de que um dos seus inimigos ou rivais ciumentos visse o seu nome e arranhasse o carro. Sua carteira de motorista estava suspensa, mas esses pequenos detalhes não eram um incômodo. Logo depois, ele estava a caminho da concessionária Cadillac no centro de Louisville.

"É PURO SHOW BUSINESS" 151

"Cadillac conversível vermelho-tomate, aqui estou eu!",[42] gritou ele, jogando os braços para o ar ao abrir a porta de vidro. Mas, quando viu o carro que Cutchins havia encomendado, ficou profundamente desapontado.

"Mas isso não é Eldorado nenhum!", disse. "Não é um Eldorado de jeito nenhum! Não quero isso. Me prometeram um Eldorado. Ligue para Cutchins e diga que não quero isso."

Aquele Cadillac estava um ponto abaixo de um Eldorado, com um pouco menos de cromo e sem alguns enfeites do Eldorado. O gerente do *showroom* disse que conseguiria o Eldorado, mas levaria um mês. Clay, se acalmando, disse que esperaria.

Em seu Chevy alugado, dirigido por Nick Thimmesch, repórter da *Time*, Clay passou o resto do dia desfilando por Louisville, absorvendo as adulações dos passantes e queixando-se com Thimmesch de que a adulação não era *tão* intensa como deveria ter sido. "Ganhei tantas lutas amadoras, e agora estou ganhando tantas lutas profissionais, que as pessoas por aqui ficaram acostumadas com minhas vitórias", disse. "Isso já não faz muita diferença para elas."[43]

Naquela noite, exausto, ele vestiu um pijama de tecido térmico, esticou-se no chão da sala em frente à grande TV que havia comprado para os pais e ficou rodando o dial até encontrar o *Andy Williams Show*. Então começou a fazer um discurso que poderia ter sido uma reflexão ponderada, mas, mais provavelmente, tratava-se de uma representação teatral para Thimmesch, seu auxiliar: "Meus pais me alimentaram bem", disse. "Meu pai sempre me dizia que eu seria campeão do mundo. Ler as regras dos atletas me ajudou a aprender como viver uma vida limpa. Minha mãe sempre foi humilde e indefesa, e sempre esteve do meu lado. Ela me ensinou o bem. Ela é uma boa mulher. Tento tratar todos bem e tento viver bem, e, quando morrer, vou para o melhor lugar." Cassius continuou a descrever sua história de vida, até os atos heroicos de sua jornada olímpica, citando suas melhores respostas aos jornalistas russos sobre as glórias da América. "É o ciúme econômico que provoca guerras", disse. "Se o mundo fosse só esportes, não haveria armas nem guerras."

Em seguida, descreveu o que via no próprio futuro.

"Não há isso de amor para mim", disse. "Não enquanto eu estiver envolvido com esse campeonato. Mas, quando eu ganhar o campeonato, então vou colocar o meu velho jeans, um chapéu velho e deixar crescer a barba. Então vou descer a rua caminhando até encontrar uma gatinha que me ame apenas por quem eu sou. Então vou levá-la de volta para minha casa de 250 mil dólares, com vista para o meu empreendimento imobiliário de 1 milhão de dólares, e vou mostrar a ela o Cadillac, o pátio e a piscina interna, pra quando chover. E vou falar pra ela: 'Isso é tudo seu, querida, porque você me ama pelo que eu sou.'"

Então, dormiu.

Na manhã seguinte, Clay convocou seu irmão com um cacarejar. Era um sinal particular que usavam, e Rudy respondeu como se o seu senhor tivesse tocado o sino para chamar o criado. Recebendo ordens para fazer o café da manhã, Rudy obedientemente foi à mercearia comprar ovos, leite e pão de trigo integral. Enquanto o irmão não voltava, Cassius, inquieto, tirou a camisa e começou a conferir seu reflexo em todos os espelhos da casa, simulando golpes, lançando *jabs*, parando apenas para admirar seu perfil.

"Ummh, ummh", disse ele, um som de pura satisfação. "Ummh, ummh... Ah, se pelo menos estivéssemos num conversível vermelho-tomate hoje! Como o povo nos olharia!"

11

Flutue como uma borboleta, pique como uma abelha

Mais cedo ou mais tarde, quase todos os grandes lutadores atraem um *entourage*. De início, o atleta fica lisonjeado pela atenção das pessoas que querem estar perto dele. Ele acha que os puxa-sacos podem ser divertidos e até úteis para se ter por perto. Antes que perceba, estará viajando no meio de uma multidão de homens detentores de títulos vagos e de habilidades ainda mais vagas, homens que esperam hotéis de primeira classe, boa comida, belas mulheres e pagamento em dinheiro.

No auge de sua carreira, o *entourage* de Sugar Ray Robinson incluía um barbeiro, um instrutor de golfe, uma massagista, um professor de voz, um professor de arte dramática, um secretário e um anão que servia de mascote. Às vezes, Frank Sinatra também se juntava ao bando.

Cassius Clay sempre teve o irmão Rudy como sua torcida de um homem só, melhor amigo, *sparring*, informante das horas e moço de recados. Mas agora, à medida que se espalhava sua fama, Clay atraía mais seguidores, e raramente dispensava alguém. Sua vida era um circo itinerante, e, no que lhe dizia respeito, quanto mais, melhor. Captain Sam Saxon, o pregador muçulmano da esquina de Miami, tornou-se um dos primeiros a se juntar ao show de Clay. Saxon levou um cozinheiro para fazer a comida de acordo com as leis da Nação do Islã. Em Los Angeles, em 1962, antes da luta com George Logan, Clay fez amizade com um fotógrafo do *Los Angeles Sentinel* chamado Howard Bingham. Logo Clay o convidou para se juntar à sua equipe, porque a única coisa que o boxeador amava mais do que um espelho era uma câmera. Archie Robinson, um homem corpulento que usava uniforme de motorista, tornou-se secretário pessoal de Clay.[1] E havia Ferdie Pacheco, um médico que trabalhava numa clínica atendendo indigentes no bairro pobre de Overtown, em Miami, e vivia perto do Ginásio da Rua 5 até se tornar o médico não oficial dos lutadores de Chris e Angelo Dundee; era o "doutor gono",[2] como os homens de boxe o chamavam, porque grande parte do seu trabalho era cuidar das doenças sexualmente transmissíveis dos pugilistas. O que o médico ganhava? "Eu posso assistir às lutas de graça", disse Pacheco.[3]

Uma das novas pessoas mais importantes na vida de Clay em 1963 era Drew Brown Jr., também conhecido como Bundini Brown (ou *Bodini*, como Clay e outros pronunciavam), um poeta de gueto e xamã que fora enviado a Clay por Sugar Ray Robinson ou por um membro do *entourage* de Robinson.

Clay conheceu Bundini em Nova York antes da luta com Jones. Os homens pareciam incompatíveis em muitos aspectos. Clay ainda ficava nervoso com mulheres em volta, enquanto Bundini era um grande conquistador. Clay nunca bebia, enquanto Bundini às vezes bebia muito e também usava drogas recreativas. Clay era um produto da classe trabalhadora negra que raramente expressava opiniões sobre questões relativas à política e raça, enquanto Bundini crescera no Harlem e falava em voz alta, e com frequência, sobre as lutas e os conflitos do homem negro. Bundini — que se referia a Deus como "o baixinho" — usava uma estrela de Davi em volta do pescoço em homenagem à mulher judia branca com quem era casado. Ele falava de um Deus que abrangia todas as religiões e descrevia raça como um conceito humano equivocado, não algo celestial ou natural. "Olhos azuis e olhos marrons veem a grama verde"[4] era a expressão favorita de Bundini Brown.

Ele desafiava Clay como ninguém mais fazia, dizendo-lhe que Elijah Muhammad estava errado, que os brancos não eram demônios, que Deus não dava a mínima para a cor de uma pessoa. Ele às vezes censurava o lutador, às vezes o mimava, mas quase sempre o fazia sorrir. Como Don Quixote, Cassius Clay era um homem de desejos que muitas vezes tomava a paixão pela verdade, e agora, em Bundini Brown, havia encontrado seu Sancho Pança.

"Ele não era um personagem admirável; era um personagem engraçado",[5] disse Gordon Davidson, do Grupo de Patrocínio de Louisville, a respeito de Bundini. "E o rei gostava dele." Brown desempenhou outro papel, mais específico, no *entourage* de Clay: ajudou a aumentar e melhorar a produção poética do boxeador, que, até então, estivera confinada a curtas composições. Mas Brown era um leitor dedicado e considerava-se um escritor. Como suas raízes no gueto eram mais profundas que as de Clay, ele conseguia dar às rimas do pugilista um tom mais cintilante, mais jazzístico.

Em um artigo da *New Yorker* de 1962, A. J. Liebling havia escrito sobre "a borboleta Cassius" que boxeava com "mãos inquietas que picavam como abelhas".[6] Não se sabe se Bundini Brown leu as descrições de Liebling ou se chegou, por conta própria, à ideia de que o estilo de Clay se assemelhava a borboletas e abelhas, mas uma coisa é clara: foi Bundini quem inventou e transformou em marca registrada o refrão que se tornaria o slogan mais conhecido de Clay, um lema de oito palavras que apareceu pela primeira vez em jornais norte-americanos em fevereiro de 1964 e que Clay repetiria milhares de vezes até que as contribuições de Liebling e Brown ficassem totalmente esquecidas e aquilo passasse a pertencer somente ao lutador cujo estilo havia sido tão habilmente capturado: "Flutua como uma borboleta, pica como uma abelha!"

Enquanto Clay estava criando suas fileiras de seguidores, ele também se tornou um seguidor. O homem a quem passara a admirar e imitar era Malcolm X, ou Malcolm Little, como era conhecido antes de se juntar à Nação do Islã. Elijah Muhammad era o líder da NDI e sua força espiritual orientadora, mas Malcolm X era o impetuoso jovem príncipe do movimento. Vigoroso, severo e ardente de paixão, Malcolm era o homem que verdadeiramente deixava os brancos desconfortáveis. Malcolm era o homem que falava e agia como se realmente fosse livre. "Se ele odiava", como disse mais tarde o escritor Ta-Nehisi Coates, "ele odiava porque era próprio do humano que os escravizados odiassem o escravizador, assim como era natural que Prometeu odiasse pássaros."[7]

A história da vida de Malcolm servia como uma variação, em tom menor, do Sonho Americano. Nasceu em Omaha e cresceu principalmente em Michigan, perto de Lansing. Seu pai era um pregador batista itinerante com um intenso interesse pela Associação pela Melhoria Negra Universal fundada por Marcus Garvey. O ativismo de Earl Little provocou ameaças de morte da Legião Negra, uma organização de supremacistas brancos, e por duas vezes forçou a família a fugir de casa. Em 1929, a casa da família Little em Lansing foi inteiramente queimada, e, dois anos mais tarde, Earl Little foi encontrado morto perto de uma linha férrea. A polícia considerou os dois episódios acidentais. Quando a mãe de Malcolm foi internada devido a uma doença mental, os filhos foram separados. Malcolm entrou numa vida de crime e drogas, e passou cerca de sete anos na prisão, por roubo. Quando recebeu liberdade condicional, em 1952, havia se tornado um seguidor da Nação do Islã: abandonou o sobrenome de escravo e substituiu-o pela letra X, para representar o nome perdido da sua tribo africana. Provou-se ser um orador inflamado, atraindo muitos seguidores, ajudando a estabelecer novas mesquitas e rapidamente se tornando a segunda força mais poderosa na organização.

Clay encontrou Malcolm X pela primeira vez em junho de 1962, antes de uma passeata da Nação do Islã em Detroit. Malcolm estava comendo numa lanchonete perto da Mesquita Detroit quando Cassius e Rudy entraram. Como acontecia com a maioria das pessoas, Malcolm ficou imediatamente impressionado com o tamanho e a boa aparência dos irmãos. Anos mais tarde, ele descreveu o momento em sua autobiografia: "Cassius veio até mim e apertou minha mão.... Ele agia como se eu devesse saber quem ele era. Então eu me comportei como se soubesse. Até aquele momento, porém, eu nunca tinha ouvido falar dele. Vivíamos em mundos completamente diferentes. Na verdade, Elijah Muhammad instruía os muçulmanos a ser contra todas as formas de esportes."[8]

Mais tarde, naquele dia, Cassius e Rudy Clay compareceram ao sermão de Elijah Muhammad e "praticamente conduziram os aplausos", como descreveu Malcolm. Em suas viagens por todo o país, Malcolm ocasionalmente ouvia que os irmãos Clay tinham visitado mesquitas e restaurantes muçulmanos, e, se estivesse na mesma cidade, telefonaria para eles. Naquela época, Rudy era o discípulo mais apaixonado de Elijah Muhammad, de acordo com várias pessoas que conheciam os irmãos, mas era Cassius que deixava Malcolm intrigado. "Eu gostava dele", escreveu Malcolm. "Alguma qualidade contagiante fez com que ele fosse uma das raras pessoas a quem alguma vez convidei à minha casa." Cassius também se encantou com a esposa e as filhas de Malcolm. Tornou-se parte da família, um tio que brincava com as crianças e um irmão mais novo para Malcolm.[9]

Malcolm deve ter reconhecido que a afabilidade e a ingenuidade de Clay poderiam torná-lo vulnerável a vigaristas e ladrões, porque assumiu como responsabilidade sua ensinar a Clay que "o sucesso de uma figura pública depende do quanto esteja alerta e consciente da verdadeira natureza e dos verdadeiros motivos de todas as pessoas que giram em torno dela".[10]

Isso incluía mulheres.

"Eu o alertei sobre as 'gatinhas'", escreveu Malcolm. "Eu disse a Cassius que, em vez de 'gatinhas', elas eram, na verdade, lobos." Clay ignorou o conselho.

Malcolm, é claro, tinha suas razões para estar preocupado com os "verdadeiros motivos" de pessoas ao seu redor. Também tinha razões para se apegar a essa amizade florescente com Cassius Clay, um homem cuja personalidade ensolarada derretia preocupações. Em 1963, a vida de Malcolm estava em crise. Ele descobrira que seu grande mentor, o honorável Elijah Muhammad, era um adúltero que tinha feito sexo, talvez por mais de uma década, com algumas das jovens secretárias que trabalharam com ele nos escritórios da Nação do Islã em Chicago. Muhammad andara dizendo às jovens que, para ele, sua esposa estava morta, e que tinha o dever de espalhar sua semente sagrada entre virgens. Em algum momento, sete mulheres que haviam sido suas secretárias pessoais afirmaram ter dado à luz um total de treze crianças geradas pelo líder da Nação do Islã.[11] Tal como estipulado pelo código da organização, as mulheres foram punidas por ter filhos fora do casamento; foram forçadas ao isolamento e proibidas de participar de atividades em mesquitas locais. Elijah Muhammad, no entanto, não enfrentou nenhuma

158 MUHAMMAD ALI

dessas punições, embora, em 1963, seus casos fossem bem conhecidos dentro da hierarquia da organização e nos escritórios do FBI.

Aquele comportamento não causou danos à reputação de Muhammad entre seus discípulos, ao menos não de imediato. As mulheres sempre haviam sido tratadas como uma classe inferior na seita (mais ainda do que na sociedade como um todo), sujeitas ao controle dos homens, impedidas de controlar a natalidade e, claro, desencorajadas de confraternizar com homens brancos.

Os mais próximos de Elijah Muhammad tinham conhecimento, havia anos, de seus assuntos sexuais, mas nenhum ousara reclamar. A cultura dentro da sede da Nação do Islã em Chicago sempre dera poder ilimitado ao líder da organização. Os trabalhos com altos salários eram atribuídos aos familiares de Muhammad, e fundos da Nação do Islã sustentavam o estilo de vida confortável do Mensageiro. Essas condições ajudam a explicar por que Muhammad, como tantos outros homens em posições de poder, sentia-se à vontade entregando-se a comportamentos desencorajados entre os seguidores. Havia pouco risco de danos, a menos que as histórias de seu comportamento sexual se tornassem tão conhecidas a ponto de danificar a imagem da Nação do Islã e, consequentemente, sua capacidade de recrutamento e de captação de recursos.

Quando Malcolm X ouviu os primeiros rumores, rejeitou-os como mentiras. Mas, em 1962, como as histórias persistiram e membros da mesquita de Chicago desertaram, Malcolm concluiu que as alegações eram verdadeiras. "Senti como se algo na *natureza* tivesse falhado", escreveu ele, "como o sol, ou as estrelas."[12]

Teria Malcolm falado com Clay sobre suas crescentes preocupações com Elijah Muhammad? Ele não diz em sua autobiografia. Se Clay tivesse dúvidas sobre Muhammad ou a Nação do Islã, não demonstrou. Em agosto de 1962, ele e seu irmão participaram de um grande evento da Nação do Islã em St. Louis.[13] Um ano mais tarde, um repórter do *Chicago Sun-Times* deu com o Cadillac vermelho de Clay em um beco atrás da Universidade do Islã[14] — que era, de fato, uma escola para meninos e meninas até a décima segunda série, que ficava no número 5335-S da avenida Greenwood, em Chicago. Quando Clay saiu da escola, sentou no banco de trás do carro, e seu irmão ficou na direção. Outros dois carros cheios de muçulmanos juntaram-se à caravana de Clay, com o repórter do *Sun-Times* seguindo-os bem de perto. Na esquina da rua 54 com a avenida Lake Park, o carro do repórter emparelhou com o Caddy de Clay, com os veículos se movendo "a uma velocidade que poderia ter sido desaprovada pelo superintendente da Polícia, Orlando W. Wilson". Ali começou uma entrevista, com perguntas e respostas sendo gritadas pelas janelas abertas.

"O que você está fazendo em Chicago?"

"Eu estava apenas passando por aqui. Estou contente com isso. A sessão de que participei esta noite foi a melhor a que assisti em toda a minha vida."

"Você é um Muçulmano Negro?"

Clay pensou durante meio quarteirão.

"Não", disse, e então acrescentou. "Não sei." Fez outra pausa antes de continuar: "Eu sou a favor dos Muçulmanos Negros."

"Você acredita em tudo que eles defendem?"

"Ouça", disse Clay. "Eu examinei com muito cuidado todas as organizações que são a favor do homem negro. Essa é a maior que encontrei. Os Muçulmanos Negros são a coisa mais encantadora depois de Deus." Ele elevou a voz para superar uma onda de ruído de tráfego e ofereceu um poema: "A coisa mais encantadora pra te manter puro está ali — a melhor coisa do mundo que eu já vi."

O repórter perguntou se Clay planejava participar de uma das próximas manifestações pelos direitos civis no sul.

"Eu sou a favor da integração", disse ele, sorrindo. "Com toda certeza eu sou. Eu tenho dez gerentes brancos."

"Pretende ir lá, como fez Dick Gregory?"

Clay parou de sorrir.

"Sou a favor de tudo de bom que pode acontecer com o homem negro. Mas não vou até lá. Não quero ninguém atiçando cachorro contra mim."

Quando o carro de Clay se desviou para pegar a Chicago Skyway em direção a Indiana, a entrevista terminou.

Dois dias depois, numa matéria publicada pelo *Louisville Times*, Clay negou ter declarado lealdade à Nação do Islã. Ele disse que vinha lendo muito sobre o grupo e, de fato, participara de um banquete, mas insistiu:

"Eu realmente não sei muito sobre eles." E continuou: "Fiquei surpreso ao ver que há centenas de milhares de pretos que não querem se integrar. E os brancos parecem mais preocupados com esses do que com aqueles que, sim, querem se integrar."[15]

Finalmente, ele disse que se abstivera de se juntar à Nação do Islã ou a qualquer outro grupo de direitos civis porque não havia encontrado um que oferecesse "uma solução eterna" e porque não queria ser "transformado em político".

Como gostava de fazer no ringue, Clay se esquivou.

À medida que crescia a chance de Clay lutar com Liston, membros do Grupo de Louisville começaram a discutir formas de seu lutador poder ganhar dinheiro fora do ringue — não apenas para complementar a renda, mas também para prepará-lo caso viesse a perder ou ter sua carreira de boxe encurtada por algum ferimento. Os empresários acreditavam que Clay poderia prosperar como *entertainer*.[16] O show de variedades de Jack Benny já havia oferecido 7.500 dólares a ele por uma apresentação. Produtores do show de TV *Mr. Ed*, uma comédia sobre um cavalo falante, queriam Clay para filmar um episódio.[17] E Frank Sinatra indagara se o boxeador estaria disponível para atuar em um filme com um elenco que deveria incluir o próprio Sinatra, Dean Martin, Bette Davis e Jack Palance.[18]

Mas a equipe de gestão de Clay não sabia o que fazer com os rumores sobre suas conexões com Elijah Muhammad e Malcolm X, e estavam todos preocupados. Malcolm era "um filho da puta encantador",[19] disse Gordon B. Davidson, advogado do Grupo de Patrocínio de Louisville, mas a ligação de Malcolm com Clay representava um perigo. Se Clay realmente estivesse envolvido com os Muçulmanos Negros, era difícil imaginar que as ofertas de Jack Benny e *Mr. Ed* fossem mantidas. Clay ainda era jovem, ainda estava se tornando um homem, mas, agora, pela primeira vez, dois dos seus mais fortes impulsos entravam em conflito: a ânsia por fama e a incontinente necessidade de se rebelar. Ele não era uma pessoa de reflexões, mas certamente sabia que sua associação com a Nação do Islã complicaria seu relacionamento com os financiadores brancos, seu treinador branco e os repórteres brancos por cuja atenção ele tanto ansiava. Clay provavelmente

FLUTUE COMO UMA BORBOLETA...

entendeu que sua imagem seria alterada para sempre se ele se aliasse publicamente a Elijah Muhammad, atraindo um grau de animosidade que até Gorgeous George evitaria. Uma coisa era um homem usar rolos no cabelo e fingir ser homossexual, e outra, muito diferente, era defender a destruição de todas as pessoas brancas.

Em suas declarações públicas, Clay focava em Liston. Não falava sobre nenhum outro boxeador que não fosse Liston. Só derrotando o imbatível Liston, Clay acreditava, ele provaria seu talento e cumpriria o seu destino.

Mas Liston havia assinado o compromisso de lutar com Patterson novamente, e Clay precisava de dinheiro, e se manter em forma. Teria de enfrentar pelo menos mais um adversário antes de conseguir uma chance de disputar o título. Em meados de 1963, ele estava classificado em terceiro lugar entre os pesos-pesados, abaixo de Liston e Patterson. Doug Jones era o quarto, mas Clay estava determinado a evitar uma revanche com o perigoso Jones. Então aceitou um combate contra o quinto do ranking mundial, um inglês chamado Henry Cooper, de 29 anos, cujo cartel era de 27 vitórias, 8 derrotas e 1 empate. Cooper tinha a reputação de sangrar com muita facilidade, pois sua pele ao redor dos olhos era tão frágil como a de uma boneca de porcelana antiga. Jimmy Cannon escreveu que bastava um soluço para reabrir as cicatrizes no rosto de Cooper.[20] Mas Cooper também tinha um dos melhores ganchos de esquerda no boxe — o golpe era chamado de "Martelo de Henry" —, e isso significava que seu desafio seria acertar algumas daquelas boas marteladas antes que Clay soluçasse.

A luta foi marcada para 18 de junho de 1963, no Wembley Stadium de Londres. Se Clay se sentiu decepcionado por ter que esperar por Liston, consolou-se com a ideia de que uma luta na Inglaterra exporia todo um outro país ao seu charme assombroso.

Ele ainda não gostava de voar, mas tinha pouca escolha. Após a chegada a Londres, Clay não perdeu tempo para começar com as ofensas.

"Nunca houve nada parecido com isso",[21] escreveu Peter Wilson no *Daily Mirror*. "Ele veio, ele viu... e ele falou."

Clay começou referindo-se ao Palácio de Buckingham como um "apê maneiro",[22] e foi adiante insultando o maior pugilista do país: "Henry Cooper não é nada para mim", anunciou. "Se esse desgraçado durar mais de cinco rounds, eu não volto para os Estados Unidos por trinta dias, e ponto final! Não estou nem preocupado com esse bundudo. Cooper vai ser só um aquecimento até eu conseguir pegar aquele urso grande e feio, o Sonny Liston." Durante a pesagem para a luta, Clay comentou que a Inglaterra tinha uma rainha, mas deveria ter um rei. Então improvisou uma coroa de papelão, colocou-a na cabeça e declarou a solução: "Eu sou o rei!"

O rei pesava 94 quilos,[23] o peso mais elevado de sua carreira até então, e 10 quilos a mais que Cooper.

Quando entrou no ringue, pronto para lutar, Clay, uma vez mais, usou a coroa, bem como um roupão de cetim vermelho e branco que mandara fazer especialmente para a ocasião,[24] ao preço de 20 libras. O público de 35 mil pessoas o amaldiçoou e gritou insultos. Elizabeth Taylor e Richard Burton sentaram-se perto do ringue, ela com um casaco longo, vestido turquesa e luvas brancas; ele em um conservador terno e gravata.[25]

Cooper tinha a reputação de só pegar no tranco, com um estilo "enrijecido, como naquelas litografias antigas",[26] como disse a *Sports Illustrated*. Mas ele contrariou as expectativas e partiu agressivamente, lançando seu melhor soco — o gancho de esquerda — seguidamente. Em 30 segundos, ele conseguiu tirar sangue do nariz de Clay. Clay piscou as lágrimas e limpou o nariz com as costas da luva.

"Primeiro sangue para Cooper",[27] disse o locutor da televisão britânica Harry Carpenter.

Cooper lançou mais esquerdas e então passou um braço à volta da cabeça de Clay. Quando Clay se virou para o árbitro para reclamar, Cooper o atingiu novamente. O primeiro round foi para o britânico.

Cooper foi mais cauteloso no segundo round, usando *jabs* em vez de ganchos. Clay também usou os seus *jabs* e abriu um pequeno corte abaixo do olho esquerdo de Cooper. Ainda assim, Cooper estava ganhando, acertando um número muito maior de golpes poderosos do que Clay. A multidão foi ficando mais animada a cada segundo com a perspectiva de uma virada.

No terceiro round, Clay abriu outro corte, dessa vez sobre o olho esquerdo de Cooper. Os cortes mudam tudo numa luta. Servem como lembretes evidentes de que socos são mais do que pontos marcados nesse tipo de com-

FLUTUE COMO UMA BORBOLETA...

petição desportiva. Os cortes são sinais de dano e de perigo, e cortes acima do olho são especialmente perigosos porque o sangue que escorre atrapalha a visão de um lutador e o obriga a fazer coisas desesperadas, mergulhar de cabeça e dar socos selvagens para terminar a luta rapidamente.

"Isso é o que nós sempre tememos a respeito de Cooper",[28] disse Carpenter, o preocupado locutor da TV inglesa. "Não há como dizer por quanto tempo ele terá de seguir com aquele olho."

Clay ficava mais confiante à medida que Cooper começava a se parecer com um homem que tivesse mergulhado de cabeça numa piscina vazia. Mãos baixas, Clay perscrutou o rosto listrado de vermelho de Cooper, perseguindo sua presa. Começou provocando Cooper, escancarando a boca, convidando o adversário a dar um soco. Mas o próprio Clay não estava dando muitos socos — apenas onze haviam acertado durante todo o round[29] —, talvez porque tivesse previsto um nocaute no quinto round e ainda estivessem no terceiro. Agora ele sabia que a imprensa adorava falar sobre o seu talento para cumprir previsões.

"Corta logo essa maluquice!", gritou Bill Faversham, chefe do Grupo de Patrocínio de Louisville, sentado ao lado do ringue.

No quarto round, Cooper lançou *swings* e mais esquerdas. Sua única chance era um nocaute, e ele precisava de um rapidamente, antes de perder muito sangue. Faltando 5 segundos para terminar o round, Cooper desenrolou um perfeito gancho de esquerda — "martelo de Henry"! — que atingiu em cheio o queixo de Clay. Ele caiu pesadamente nas cordas, o olhar vazio, boca escancarada. Saltou rapidamente sobre os pés, mas estava atordoado. Parecia incerto sobre onde estava e o que estivera fazendo 5 segundos antes. O ruído da multidão obscureceu o som do gongo que sinalizava o final do round. Clay saiu tropeçando até o seu *corner*, sentou-se na banqueta e tentou se levantar antes que seu treinador, Angelo Dundee, o obrigasse a se sentar de novo.

Em quase qualquer outra esfera da vida, a visão de um homem espancado e sem sentidos teria inspirado preocupação com sua saúde, e um médico o examinaria imediatamente. Não no boxe. No *corner* de Clay, a questão que estava deixando todos em pânico era como mantê-lo na luta. Se o seu cara não recuperasse os sentidos em 60 segundos e voltasse para ganhar, eles estariam enrascados. Liston lutaria com outro dos principais adversários, possivelmente Henry Cooper. Clay talvez tivesse de esperar anos por uma oportunidade de disputar o título. Seu poder aquisitivo cairia. Empregos e fortunas poderiam ser perdidos.

"Você está ok?", perguntou Dundee a um Clay desabado sobre si mesmo. "Sim", disse Cassius, sem pestanejar, "mas Cooper está ficando cansado."[30]

Dundee, cético, enxugou a testa do lutador e partiu um vidrinho de sais sob seu nariz. Então veio um momento de inspiração para o treinador. Antes da luta, Dundee notara uma pequena abertura ao longo da costura de uma das luvas de Clay. Não pensou que seria um problema. Mas, agora, com seu lutador em estado de choque e à beira da derrota, Dundee agiu rapidamente. "Eu enfiei o dedo na abertura e forcei para que ficasse bem grande",[31] Dundee escreveu em seu livro *My View from the Corner*, em 2009. "Então gritei para o juiz vir examinar a luva." Enquanto Dundee fazia sua intervenção, Chickie Ferrara, outro dos homens do *corner* de Clay, partia mais ampolas de sais e jogava cubos de gelo na parte da frente do calção, uma técnica comumente utilizada para arrancar um lutador do estado de estupor. Nos anos vindouros, constaria da tradição do boxe que o truque da luva dera a Clay 3 minutos para se recuperar, em vez do habitual intervalo de um minuto entre os rounds. Filmagens da luta, no entanto, sugerem que o tempo extra de recuperação de Clay foi de não mais que 5 segundos. "Mesmo esses poucos segundos", escreveu Dundee, "foram vitais."

Os 5 segundos extras também beneficiaram o *corner* de Cooper, onde trabalhavam para estancar o fluxo de sangue do olho de seu lutador. Ainda assim, quando o árbitro sinalizou a retomada da luta, Clay surgiu como o mais energizado. Moveu-se em direção ao alvo como um tornado, selvagem, furioso, punindo tudo no seu raio de alcance. Batendo, batendo, Clay socava com tanta força, e tão rapidamente, que Cooper não conseguia se proteger nem responder. Ele tentou se agarrar a Clay, mas Clay era muito rápido, muito forte, e continuava socando. Em pouco tempo, o sangue jorrava do olho esquerdo de Cooper como água de um cano partido. Clay continuou com os *swings*. Depois de um minuto e um quarto, o árbitro parou a luta.

Rudy Clay saltou para o ringue após o sinal do árbitro, carregando a coroa do irmão. Mas Clay a recusou. Ele saía vitorioso, e ganhara no quinto round, como previsto. Mas fora humilhado.

No camarim, depois da luta, um homem pequeno e esbelto, num terno bem-talhado, abordou Clay. Era Jack Nilon, gerente de Sonny Liston.

"Queremos você de qualquer jeito em setembro, Cassius",[32] disse. "Viajei 5.600 quilômetros para conseguir o seu OK."

Os homens discutiram a possibilidade de Clay lutar com Liston em 30 de setembro no Municipal Stadium da Filadélfia, com 100 mil assentos, presumindo, é claro, que Liston derrubaria Floyd Patterson novamente em sua próxima luta.

Quando voltaram aos Estados Unidos, o verão explodiu. Em junho de 1963, Medgar Evers, o diretor de campo da NAACP no Mississippi, foi assassinado à porta de casa. No Alabama, tropas federais forçaram o governador George Wallace a admitir estudantes negros na Universidade do Alabama. No norte, mulheres e homens negros marcharam para protestar contra a brutalidade policial, os salários injustos e a segregação residencial. Quatro anos depois de fechar suas escolas para evitar a integração, funcionários do condado de Prince Edward, na Virgínia, finalmente cederam e concordaram em permitir que os estudantes negros retomassem sua educação.[33] Em 10 de agosto, Clay participou de uma passeata no Harlem em que Malcolm X explicou por que ele não tinha planos para se juntar à próxima Marcha Sobre Washington. Dezoito dias depois, Martin Luther King Jr. e uma multidão de mais de 200 mil pessoas reuniram-se em Washington no que viria a ser um dos momentos mais poderosos do movimento dos direitos civis. "Eu tenho um sonho", cantou King, "de que um dia, nas colinas vermelhas da Geórgia, os filhos de ex-escravos e os filhos de ex-proprietários de escravos poderão sentar-se juntos à mesa da fraternidade."

Esse não era o sonho de Elijah Muhammad. Nem era o sonho de Malcolm X, que chamou a marcha de King de "farsa",[34] uma invenção de homens negros com coração branco subsidiada por liberais brancos e orquestrada pelo presidente Kennedy. Dezoito dias após a grande Marcha Sobre Washington, supremacistas brancos usaram quinze bananas de dinamite para explodir uma igreja de negros em Birmingham, Alabama, matando quatro estudantes negras e ferindo outras vinte, um lembrete brutal de que nem todos os norte-americanos estavam prontos para um lugar à mesa da fraternidade, não por muito tempo ainda.

Em setembro, Cassius Clay participou de uma conferência em Oakland sobre "A Mente do Gueto", organizada por um grupo nacionalista negro chamado Associação Afro-americana. Mas, mesmo ali, ele preferiu fazer o papel de palhaço em vez de bancar o rebelde. "Eu não defendo nada", disse. "Não sou um político. Não falo contra nada. Sou um homem pacífico. Você sabe, os católicos, protestantes, KKKs e membros da NAACP vêm me ver lutar. Não discuto questões. Apenas luto."[35] Um jornalista perguntou especificamente sobre seu interesse na Nação do Islã, e ele respondeu: "Eu não me identifico com ninguém — ninguém, exceto Cassius Clay."

De Oakland, ele viajou para Filadélfia para assistir a uma palestra de Elijah Muhammad, ficando às vezes de pé para aplaudir quando o Mensageiro advertia que negros continuariam a morrer se não conseguissem se separar da sociedade branca.[36]

"A separação é absolutamente necessária",[37] disse Muhammad à plateia. As pessoas brancas, ele disse, "são nossos inimigos. O fim de seu tempo está à porta".

E continuou dizendo que homens e mulheres negros tinham sido enganados para adorar um Deus cristão, "um que não existe". Mas não era tarde demais para abraçar Alá, alertou Elijah, o homem que se considerava um mensageiro divino de Alá. "A velha história de Jesus morrer na cruz e subir para o céu é uma das piores falsidades em que vocês poderiam acreditar", continuou. "Estou aqui com a verdade. Estou pedindo separação completa. Para nós, os chamados pretos, não há nenhuma esperança de um bom futuro sob a bandeira da América."

Clay "usava um terno caro de angorá de seda e tinha uma expressão carrancuda", relatou o repórter do *Philadelphia Tribune*. Quando os repórteres se aproximaram, ele os deixou de lado, dizendo-lhes que falassem com Malcolm X. "Ele realmente tem algo importante a dizer", disse.[38]

Embora Clay continuasse a negar que houvesse se filiado à Nação do Islã, membros do Grupo de Patrocínio de Louisville estavam ficando cada vez mais preocupados. Aqueles empresários brancos e ricos temiam que a associação de Clay com um grupo radical que se opunha à integração e rotulava os brancos de demônios prejudicasse a carreira do rapaz e os investimentos do grupo.[39]

Estaria Clay mentindo sobre suas conexões com a Nação do Islã para evitar controvérsias? Estaria se dando mais tempo para pensar? Isso não está claro. Ele agia como um jovem que achava que poderia ter tudo o que quisesse, fazer tudo o que quisesse e dizer qualquer coisa que quisesse. Até então, os fatos de sua vida davam sustentação a essa hipótese. De que outra forma explicar um homem que participava de uma passeata da Nação do Islã num dia e fazia o papel de palhaço no outro, num programa apresentado pelo comediante branco Jerry Lewis? De que outra forma explicar a presença de Clay no *Jack Paar Show*, onde recitou poemas enquanto Liberace, usando um paletó bordado com pedras e lantejoulas, tocava piano ao lado de um candelabro cintilante? "Pra variar", brincou Liberace enquanto Clay se preparava para recitar um poema, "escolha um sobre você."[40]

Se Clay acreditava que o nacionalismo negro oferecia o único caminho para sua gente escapar da opressão, como explicar sua disposição de gravar um álbum de comédia no verão de 1963? O álbum foi idealizado pelo Grupo de Patrocínio de Louisville como parte dos planos de contingência no caso de Clay perder para Sonny Liston ou de os fundos para sua carreira de boxeador minguarem. Clay parecia ser um *entertainer* nato que tagarelava e brincava quase tão bem quanto lutava boxe. Um álbum de piadas e poemas enviaria aos produtores de cinema e televisão uma mensagem de que Clay tinha outro talento comercializável. Até então, a poesia do boxeador tinha sido sobre coisas juvenis:

> *Este cara é um aventureiro*
> *Ele vai tombar no primeiro.**

Mas, para o seu álbum, *Eu sou o maior!*, Clay melhorou a qualidade do material, empregando um humor mais sofisticado e rimas mais sutis, em-

---

* *This guy's a bum. / He'll fall in one.* [N. da T.]

bora ainda exibindo a arrogância que os fãs e críticos esperavam. O álbum foi gravado ao vivo diante de uma plateia na gravadora Columbia em Nova York, no dia 8 de agosto.[41] Clay recitou este refrão:

Clay chega para enfrentar Liston
e Liston começa a recuar,
mas se ele se afastar mais alguns centímetros
vai terminar sentado na primeira fila.
Clay faz um swing *com a esquerda,*
Clay faz um swing *com a direita,*
Veja como o jovem Cassius
Conduz a luta.
Liston continua se afastando
mas não há espaço suficiente.
É uma questão de tempo.
Então, Clay solta a bomba.
Agora Clay acerta uma direita
— que beleza de swing,
o soco joga Liston no ar
e para fora do ringue.
Liston continua subindo
e o árbitro faz uma careta,
pois não pode começar a contar
até que Sonny apareça.
Agora Liston some de vista.
A multidão está ficando frenética,
mas nossas estações de radar o localizaram.
Ele está em algum lugar sobre o Atlântico.
Quem teria pensado,
quando vinha para a luta,
que iria testemunhar o lançamento
de um satélite humano?
Sim, a multidão nem sonhava,

quando comprava o ingresso,
que veria
um eclipse total do Sonny!*[42]

Além de poemas, o álbum continha uma variedade de piadas banais, incluindo referências a Keats e Shelley ("esses profissionais inferiores da palavra"), piadas sobre gordos como Sonny Liston e uma paródia da famosa frase do presidente Kennedy: "Eu não pergunto o que o boxe pode fazer por mim, mas o que eu posso fazer pelo boxe."

O material de Clay melhorou por uma razão: não foi ele que escreveu a maior parte. O homem responsável era Gary Belkin, um veterano da indústria de comédias que apareceu como produtor no encarte do álbum, mas não recebeu nenhum crédito pelos textos. Embora Clay possa não ter escrito os versos, ele era mais do que inteligente para memorizar os poemas de Belkin. À medida que os recitava na TV e em coletivas de imprensa, sua popularidade crescia. Ele estava se tornando o primeiro herói de boxe feito--para-a-TV, durão, mas brincalhão; rebelde, mas não assustador.

"Cassius", disse o *New York Times*, "é um jovem encantador."[43]

Apenas um punhado de escritores — a maioria negros — sentia algo mais profundo que se agitava sob a personalidade brincalhona.

"Pois, quando Cassius Clay declara 'Eu sou o maior', ele não está pensando apenas no boxe", escreveu Alex Poinsett na revista *Ebony*. "Por trás dessas palavras, persistem o sarcasmo amargo de Dick Gregory, a provocação estridente de Miles Davis, o desprezo absoluto de Malcolm X. Ele sorri facilmente, mas, por trás disso tudo, está [...] uma fornalha de orgulho racial."[44]

---

* *Clay comes out to meet Liston / And Liston starts to retreat / But if he goes back an inch farther / He'll end up in a ringside seat. / Clay swings with his left / Clay swings with his right, / Look at young Cassius / Carry the fight. / Liston keeps backing / But there's not enough room. / It's a matter of time. / There, Clay lowers the boom. / Now Clay lands a right, / What a beautiful swing, / The punch raises Liston / Clear out of the ring. / Liston is still rising / And the ref wears a frown, / For he can't start counting, / Till Sonny comes down. / Now Liston disappears from view. / The crowd is getting frantic, / But our radar stations have picked him up. / He's somewhere over the Atlantic. / Who would have thought / When they came to the fight / That they'd witness the launching / Of a human satellite? / Yes, the crowd did not dream / When they put down their money / That they would see / A total eclipse of the Sonny! [N. da T.]*

12

O urso feio

O lha aquele urso grande e feio. Ele não consegue nem jogar dados."[1] Mais de meio século antes, uma discussão por causa de um jogo de dados levara a um assassinato e enviara seu avô para a prisão, mas Cassius Clay provavelmente não sabia disso.

"Olha o urso grande e feio", gritava ele.

Clay fora a Las Vegas para ver Sonny Liston lutar com Floyd Patterson, e agora descobria Liston do outro lado do salão num cassino e aproveitava a oportunidade para provocar o rival.

Liston jogou os dados. Perdeu 400 dólares. Ele encarou Clay, que cantarolava novamente: "O que está acontecendo com você? Não consegue nem jogar dados!"

Clay ainda não estava satisfeito.

"Vejam aquele urso grande e feio. Ele não consegue fazer nada certo."

Os outros jogadores na mesa estavam em silêncio, possivelmente com medo. Liston largou os dados e se dirigiu a Clay.

"Escuta aqui, sua bicha crioula. Se você não sair daqui em 10 segundos eu vou puxar essa sua língua comprida pra fora da sua boca e enfiar no seu rabo."[2]

Clay encenaria a história do confronto no cassino inúmeras vezes nas semanas seguintes, reproduzindo-a para amigos e jornalistas como se estivesse representando uma cena de seu faroeste favorito, descrevendo como a multidão no cassino ficou em silêncio e foi se afastando, e como as pessoas cochichavam: "É Cassius Clay, Cassius Clay..."[3]

A cada vez que ele contava a história, sua coragem crescia em proporção à ameaça de Liston. Na verdade, sua resposta não fora tão corajosa: ele fugiu dali tão rápido quanto podia.

Patterson versus Liston foi um clássico conflito entre o Bem e o Mal, com o Mal ganhando com um nocaute no primeiro round. Patterson estava com tanto medo de repetir seu primeiro desastre, que manteve as mãos baixas e partiu para o ataque. Foi o mesmo que atacar uma bola de demolição. Liston o derrubou três vezes no primeiro round e terminou a luta em 2 minutos e 10 segundos.

"Eu me sentia bem, até que fui atingido",[4] disse Patterson, o que equivale a dizer que o copo estava só meio cheio quando você o deixou cair no chão.

Quando tudo acabou, Clay subiu no ringue, escapuliu das mãos dos três membros da guarda do xerife de Nevada e postou-se diretamente em frente não de Liston, mas da câmera de TV mais próxima.

"A luta foi uma vergonha!", gritou. "Liston é um vagabundo! Eu sou o campeão!"

Ele sacudiu no ar um jornal falso — "Clay Tem Uma Boca Muito Grande Que Sonny Certamente Vai Fechar", dizia a manchete[5] — e fez um grande show ao rasgar o jornal em pedaços.

"Eu quero aquele urso grande e feio", dizia. "Eu quero aquele bundão grande e feio logo que eu puder botar as mãos nele."

Liston lançou as mãos para o ar, em terror simulado, feliz de entrar na dramatização de Clay dessa vez.

Jack Nilon queria que Liston lutasse contra Clay o mais cedo possível. Ninguém mais na divisão de pesos-pesados tinha o carisma de Clay. Clay era, como disse a *Sports Illustrated*, "amplamente aclamado como o salvador do boxe",[6] o que era uma forma velada de dizer que o esporte precisava ser salvo do monstro que atualmente detinha a coroa dos pesos-pesados.

O URSO FEIO 173

"Tudo que Clay faz é emocionante", escreveu um jornalista britânico. "Esse jovem incrivelmente bonito, um Harry Belafonte com músculos, jogou pela janela uma tradição de dois séculos e meio de boxe — sem nem mesmo se preocupar em abrir a janela antes."[7]

Mas, antes que Nilon pudesse fazer um acordo com Clay e com o Grupo de Patrocínio de Louisville, alguns problemas de negócios interferiram. Poucos dias depois da segunda luta Liston-Patterson, Nilon anunciou a criação da Inter-Continental Promotions, Inc., uma nova empresa para promover todas as lutas de Liston. Sonny seria o presidente, e Nilon e seus dois irmãos seriam os principais dirigentes. Dados os conhecidos rumores de que os irmãos Nilon tinham conexões com a máfia, os jornalistas saudaram a formação da nova empresa com ceticismo, supondo alguma coisa fraudulenta. Em 28 de julho, Estes Kefauver, presidente de uma comissão especial do Senado que investigava o crime organizado, anunciou que pretendia escrutinar a Inter-Continental Promotions. Três dias depois, as autoridades do boxe na Pensilvânia recusaram a licença de promotora à nova empresa, dizendo ser ilegal que Liston tivesse ações na empresa que promovia suas lutas.

Isso significava que não haveria nenhuma luta na Pensilvânia. Mas outros estados estavam ansiosos para ter o dinheiro e a publicidade que viriam com a realização de uma luta pelo campeonato. Após curto período de negociação,[8] o Grupo de Patrocínio de Louisville e os irmãos Nilon chegaram a um acordo: a luta seria realizada em 25 de fevereiro em Miami Beach.

Apesar de os membros do Grupo de Patrocínio de Louisville serem ainda novatos nos negócios de luta e não estarem acostumados a lidar com personagens desagradáveis como os irmãos Nilon, e embora estivessem desconfortáveis com alguns dos termos do acordo, eles garantiram um bom negócio para Clay: ele receberia 22,5% das vendas de ingressos e receitas de concessões, bem como 22,5% das lucrativas receitas dos circuitos fechados de TV. Os repórteres que cobriram o anúncio disseram que Clay provavelmente teria um ganho bruto de quase 1 milhão de dólares.

Huston Horn, escrevendo para a *Sports Illustrated*, disse que Clay fora sábio ao fechar o negócio rapidamente.[9] Horn questionou a habilidade do jovem lutador, dizendo que, se não fosse a fragilidade do tecido facial de

Henry Cooper, Clay poderia ter perdido sua última luta. Além do mais, disse o jornalista, as piadas de Clay já não tinham mais graça e sua personalidade começava a irritar. Seu caráter também tinha sido posto em questão. "Ele não ganhou nada, por exemplo [...] participando de reuniões dos Muçulmanos Negros — sobre quem ele não entende praticamente nada", escreveu Horn. "Igualmente imprópria foi sua recente crítica ao sofrimento de seu treinador, Angelo Dundee, a quem ele chama, infantilmente, de 'vadio'."

Os Nilon e o Grupo de Patrocínio de Louisville agendaram uma coletiva de imprensa em 5 de novembro para anunciar o acordo. Clay viajou para Denver num ônibus de segunda mão comprado havia pouco tempo. Chamou-o de Little Red, pelo seu exterior vermelho e branco. Cassius Clay Sr. pintara cartazes que ficavam pendurados do lado de fora do ônibus: "O MAIOR", "O LUTADOR MAIS COLORIDO DO MUNDO", e "SONNY LISTON VAI CAIR NO OITAVO".

Quando o ônibus se aproximava de Denver, Clay parou para telefonar aos repórteres, dizendo-lhes que fossem para a casa de Sonny Liston se quisessem uma boa história. À 1 da madrugada os repórteres já estavam reunidos quando o ônibus de Clay chegou à casa de Liston, localizada em um bairro predominantemente branco onde teriam sido postas 32 placas de "Vende-se" quando Liston se mudara para lá no início do ano. Clay tocou a buzina e piscou os faróis. Então mandou seu amigo Howard Bingham, que falava com uma gagueira persistente, bater à porta.

Liston atendeu usando um smoking dourado e brandindo uma bengala com castão de ouro.[10]

"O que você quer, seu negro filho da puta?", perguntou.

"Venha até aqui!", gritou Clay da calçada. "Vou arrebentar você agora! Venha até aqui e proteja a sua casa!"

Liston caminhou em direção a Clay enquanto os homens trocavam ameaças, mas logo havia sete carros de polícia cercando o ônibus de Clay, e um cão policial numa trela a centímetros dos joelhos dele.[11] Um policial disse a Clay "saia imediatamente, ou será levado". Ele então voltou para seu ônibus e se afastou.

Na tarde seguinte, num almoço para a imprensa, Clay empregou seu material costumeiro para encantar os repórteres e irritar Liston. Recitou um dos poemas que Gary Belkin escrevera para ele naquele verão, que se referia a Liston como "um satélite humano".

Liston apenas riu.

"Eu sou o campeão de lutar", disse, "e você é o campeão de falar."[12]

O "campeão de lutar" exibia um par de luvas de boxe de pele, dizendo que gostava de usá-las contra adversários mais fracos como Clay.

À medida que as piadas de Liston faziam sucesso e as de Clay não encontravam boa receptividade, ele foi ficando em silêncio e voltou-se para o prato de frango à sua frente.

"Você come como se estivesse indo para a cadeira elétrica!", disparou Liston. "A luta não é hoje!"[13]

Como a luta estava marcada para fevereiro, após o 22º aniversário de Clay, ele não teria chance de se tornar o mais jovem campeão da história. Mas essa não era sua maior preocupação conforme 1963 ia chegando ao fim; sua maior preocupação era uma ordem para comparecer perante uma junta do Exército em Louisville para um exame físico pré-alistamento.

Não havia nenhuma grande crise internacional naquele momento. Os Estados Unidos tinham 15 mil membros das Forças Armadas no Vietnã do Sul, mas o governo os designava como assessores militares, não como combatentes, e não havia razão para esperar uma escalada dos confrontos na Ásia. Clay estava em um hotel na zona sul de Chicago, dirigindo de Denver para Nova York, quando um repórter o achou e perguntou como se sentia a respeito de servir nas Forças Armadas.

"Não vou ficar preocupado com nada até receber a saudação oficial da junta de recrutamento",[14] disse ele, observando que a carta fora enviada para Louisville e uma cópia ainda não o havia alcançado durante suas viagens. Em seguida, acrescentou uma piadinha: "Parece que o Tio Sam quer deixar de receber o dinheiro dos impostos sobre 15 milhões de dólares, não é?" A implicação era que ele estaria ganhando, em breve, enormes somas de dinheiro, e grandes parcelas seriam levadas pelo governo federal através do imposto de renda.

Duas semanas mais tarde, o presidente John F. Kennedy foi assassinado enquanto desfilava numa carreata pelo centro de Dallas. Bob Nilon, irmão de Jack Nilon e alto executivo da Inter-Continental, disse que os planos para a luta continuariam, apesar da tragédia nacional e das preocupações de que Clay poderia ter de enfrentar a junta de alistamento. Clay pediria à junta um adiamento de quatro meses, disse Nilon, "para aproveitar ao máximo a maior oportunidade da sua vida — lutar pela coroa de campeão mundial dos pesos-pesados e pela riqueza que virá com isso".[15]

Sonny Liston também não estava preocupado com o alistamento militar de Clay. Clay, disse ele, não teria mais nenhuma utilidade ao Exército "depois que eu acabar com ele".

13

"Então, o que há de errado com os muçulmanos?"

Clay era algo novo: um homem negro, resoluto, que parecia acreditar que podia dizer e fazer tudo o que lhe desse na telha, sem medo de punição. Para alguns, ele era um "crioulo arrogante" que precisava ser colocado em seu devido lugar. Para outros, uma inspiração. Para quase todos, uma curiosidade impossível de ignorar.

"Aquela audácia! Aquela juventude!",[1] recorda-se Jesse Jackson, que estava na faculdade de Sociologia na época e logo assumiria um papel ativo no movimento dos direitos civis. "Flutue como uma borboleta! Pique como uma abelha! Ele também falava esses lixos!"

Em 1964, Ali já tinha três Cadillacs, um ônibus de turismo, uma casa nova em Louisville para seus pais e uma casa alugada em Miami. Também estava pensando em comprar uma casa em Long Island, Nova York, onde poderia passar mais tempo com Malcolm X. Ganhando ou perdendo, ele receberia um imenso pagamento depois de sua luta com Liston, e às vezes parecia que estava mais empolgado com o dinheiro do que com o campeonato.

"Eu venho lutando boxe desde os 12 anos", disse, "e estou ficando su-percansado de treinar e sempre ter alguém tentando me atingir na boca. Mas, provavelmente, nunca vou me cansar de dinheiro. Eu adoro dinheiro [...] A fama e o orgulho de fazer algo muito bem — como ser o campeão do mundo — são coisas bem legais para pensar de vez em quando, mas, sobre o dinheiro que estou ganhando, é agradável pensar o tempo todo. Suponho que é a única coisa que me faz ir adiante."[2]

Se parecia imaturo e egoísta, era isso mesmo. Clay estava se preparando para a maior luta da sua vida contra um homem tão perigoso que, para a revista *Sport*, sua ruína era "quase inevitável";[3] o cronista esclareceu que incluíra a palavra *quase* apenas porque a luta poderia ser cancelada inespe-radamente. Ainda assim, o jovem lutador não deixava transparecer sinais de estresse, e nenhuma preocupação óbvia além de como gastar a grande fortuna que iria acumular em pouco tempo.

"Tenho de entrar no Exército muito em breve, e depois eu não sei", disse. "Talvez compre um grande empreendimento imobiliário, me case, sossegue e pense em ser rico."[4]

Os homens que entendiam de boxe achavam que Clay em breve teria tempo de sobra para o serviço militar, especulação imobiliária, romance e considerações sobre uma nova carreira. Ele não estava preparado para Lis-ton, disseram. Precisava de mais experiência no ringue. Precisava de mais tempo. Essa era a opinião quase unânime entre os jornalistas e ex-pugilistas.

"Não vejo o garoto indo além de um ou dois rounds", disse Mike DeJohn, um boxeador que havia perdido para Liston em 1959 e treinara com Clay. "Talvez em um ano, dois anos... Liston é forte demais."[5]

A mera existência de Clay ofendia alguns homens que cobriam o boxe, inclusive Arthur Daley, colunista do *New York Times*, que escreveu: "É pro-vável que o falastrão de Louisville venha a ter muitas das suas vangloriosas ostentações enfiadas garganta abaixo por um punho de aço pertencente a Sonny Liston."[6] Jimmy Cannon, do *New York Journal-American*, era con-siderado o mais poderoso colunista esportivo da época, o que fazia dele a figura mais importante de todo o jornalismo esportivo num tempo em que os jornais dominavam, e ele também acreditava que Clay não tinha nenhum assunto a tratar com Liston no ringue. "Olha isso!", disse Cannon certa

"ENTÃO, O QUE HÁ DE ERRADO COM OS MUÇULMANOS?" 179

vez ao jovem jornalista George Plimpton, enquanto assistiam a um treino de Clay no Ginásio da Rua 5 em Miami.[7] Clay estava saltitando em torno do ringue, lançando golpes rápidos e deslizando na ponta dos pés, como se nunca lhe tivessem informado que pesos-pesados não deveriam dançar e dar soquinhos só para contar pontos. "Estou dizendo, isso é terrível. Ele não pode se safar assim. Não é possível."

"Talvez sua velocidade compense", disse Plimpton.

"Ele é o quinto Beatle", disse Cannon. "Mas isso não é certo. Os Beatles não costumam contar vantagem."

"É um bom nome", disse Plimpton. "O quinto Beatle".

"Não é exato", disse Cannon. "Esse sujeito é pura pretensão e gás [...] Não há honestidade."

Para cronistas como Cannon, Clay era uma criança, naturalmente brincalhona, e incapaz de compreender sua própria inferioridade, compensando-a com ilusões grandiosas; uma criança capaz de desprezar os mais velhos em um momento e amá-los no próximo. Era um tipo de constipação intelectual comum entre homens brancos mais idosos. Depois de resmungar suas reclamações com Plimpton, Cannon refinou sua declaração numa coluna: "Clay é parte do movimento dos Beatles. Ele se encaixa entre os cantores famosos que ninguém consegue ouvir [...] e entre os garotos com longos cabelos oleosos e as meninas com aparência de sujas, e os universitários que dançam nus nos bailes secretos de formatura realizados em apartamentos, e a revolta dos estudantes que recebem um cheque do pai no início de cada mês, e os pintores que copiam os rótulos de latas de sopa, e os surfistas vadios que se recusam a trabalhar, e todo o culto de jovens paparicados que fazem do tédio um estilo."[8]

Os Beatles reais estavam em Miami para participar do *Ed Sullivan Show* pela segunda vez. Uma semana antes, haviam aparecido no show em Nova York, cantando cinco canções diante de uma plateia, aos gritos, e de 73 milhões de telespectadores. Sonny Liston foi assistir à segunda apresentação do show, junto com Joe Louis e o estiloso publicitário Harold Conrad, que fora contratado para promover a luta Clay-Liston. Conrad alegou que era sua a ideia de levar os meninos de cabelos sujos ao Ginásio da Rua 5 para ver o que aconteceria quando eles se misturassem com Clay, o pugilista dos golpes ritmados. Conrad era uma lenda no ramo das relações públicas, um veterano de dezenas de lutas de pugilistas profissionais, inúmeros shows da Broadway e, segundo a lenda, a primeira escolha de Bugsy Siegel para vender aos norte-americanos o esplendor de Las Vegas. Ele era o tipo que falava muito sobre qualquer coisa, que adorava a ação e sobre quem Damon Runyon escrevia histórias; um remanescente da época em que as pessoas pensavam que nada impediria o mundo de seguir cada vez mais rápido, mais alto, mais barulhento e mais brilhante, e que não haveria limite a quanto dinheiro um homem inteligente podia ganhar nesta vida. Conrad imaginou que Clay e os Beatles tinham bastante em comum — eles eram jovens, eram novos, eram espertos — para justificar tê-los no mesmo espaço.

Quando os músicos chegaram, subindo os degraus de madeira desgastados que levavam ao ginásio, o pugilista não estava lá. Os Beatles não estavam acostumados a esperar por ninguém.

"Onde diabos está o Clay?", perguntou Ringo Starr.[9]

Finalmente, quando os jovens da Inglaterra se preparavam para ir embora, Clay apareceu.

"Olá, Beatles", disse ele, fazendo sua representação para a imprensa reunida no ginásio. "Devíamos fazer uma turnê juntos. Ficaríamos ricos."

Os Beatles também gostavam de dinheiro; isso eles tinham em comum.

"Você não é tão burro quanto parece", Clay provocou Lennon.

"Não, mas você é", devolveu Lennon.

Harry Benson, fotógrafo da revista *Life*, fez os Beatles entrarem no ringue, onde fingiram lutar quatro contra um. Depois, Benson organizou os Beatles em fila para Clay fingir um soco que os derrubasse como peças de dominó.

Os Beatles não estavam acostumados a ter alguém que não eles fazendo o papel de espertinho, e não gostaram da brincadeira. Mais tarde, Lennon queixou-se com o fotógrafo: "Você nos fez parecer um bando de macacos."[10]

Para alguns dos homens da imprensa, essa farsa ofereceu mais uma prova de que Clay era um impostor, com muito estilo e nenhuma substância. Mas aqueles homens estavam errados, e Harold Conrad estava certo. Ele e alguns dos repórteres mais jovens na sala podiam ver que estava acontecendo uma mudança na cultura norte-americana. Clay e os

"ENTÃO, O QUE HÁ DE ERRADO COM OS MUÇULMANOS?" 181

Beatles não apenas tinham talento; também representavam algo novo. Eles eram rebeldes-palhaços, um híbrido convincente com potencial para o perigo e o lucro.

Na noite de 14 de janeiro de 1964, Malcolm X, sua esposa e as três filhas voaram para Miami para umas férias em família. Cassius Clay estava pagando a viagem, e esperou no carro para cumprimentá-los no aeroporto de Miami.

Os dois homens tinham motivos para estar ansiosos. Clay enfrentaria a maior luta da sua vida dali a menos de seis semanas, e Malcolm acumulava preocupações ainda mais urgentes. Fazia pouco tempo, dera crédito aos rumores em torno de Elijah Muhammad e o acusara de engravidar as próprias secretárias. Muhammad, por sua vez, havia suspendido Malcolm indefinidamente da organização, supostamente porque Malcolm desafiara uma ordem de não comentar sobre o assassinato de John Kennedy.

Apesar das enormes tensões em sua vida, a viagem ainda podia ser vista como umas férias para Malcolm. Ele podia se sentar à beira da piscina no hotel. Pendurava uma câmera no pescoço e então saía para longas caminhadas.

Clay sabia da suspensão de Malcolm, mas não era de sua natureza tomar partido numa disputa. Ele gostava da companhia de Malcolm. Ambos tinham mais em comum do que poderia parecer de início. Adoravam ser o centro das atenções. Gostavam de se envolver em discussões com seus inimigos, manipular os meios de comunicação e alimentar temores com uma linguagem ultrajante. Ambos rejeitavam a autoridade. Clay também pode ter sentido que o tempo passado com Malcolm X fortalecia sua conexão com a Nação do Islã. Passar o tempo com Malcolm e aprender com ele estava apenas a um pequeno passo de passar o tempo com o Mensageiro e aprender com ele.

Malcolm também tinha algo a ganhar com o tempo passado com Clay. Se Clay, de alguma forma, vencesse Liston, poderia se tornar um bem valioso para a Nação do Islã, e Malcolm poderia ser visto como mais valioso por Elijah Muhammad, como resultado de sua aliança com o boxeador. Juntos, Clay e Malcolm trariam uma imagem de juventude e energia ao movimento, presumindo-se que Elijah Muhammad não visse nisso uma ameaça à sua autoridade. Havia rumores entre os jornalistas de que, se derrotasse Liston,

182   MUHAMMAD ALI

Clay viajaria com Malcolm no dia seguinte para Chicago, a tempo de participar de uma convenção da Nação do Islã. Lá, Clay receberia as boas-vindas de Elijah Muhammad e Malcolm X teria sua suspensão cancelada.[11]

Para Clay, Malcolm era como um irmão mais velho,[12] "o grande M",[13] como ele chamava seu novo mentor. Para Malcolm, Clay era um protegido promissor.

Malcolm disse a George Plimpton que não tinha interesse em esportes.[14] Em toda a história esportiva, para Malcolm, o negro nunca obtivera sucesso. Plimpton argumentou que Clay poderia ser a exceção. Mas Malcolm insistiu em que não estava interessado em Clay como um boxeador. "Estou interessado nele como um ser humano." Malcolm tocou na cabeça enquanto falava: "Muitas pessoas não sabem a qualidade da mente que ele tem. Ele as engana [...] É sensível, muito humilde, mas astuto — com tanta energia mental inexplorada quanto o poder físico que tem. Ele deveria ser um diplomata. Tem aquele instinto de ver uma situação complicada se configurando — minha própria presença em Miami, por exemplo — e encontrar a solução para contorná-la [...] Ele ganha força com o fato de ter pessoas por perto. Não consegue ficar sozinho. Quanto mais pessoas por perto, melhor."

Malcolm compreendeu que sua presença em Miami era uma situação complicada, como ele a chamava. Era realmente complicada porque os repórteres brancos agora viam claramente que Clay estava ligado à Nação do Islã. Complicada porque alguém — possivelmente o FBI — estava vazando informações para a imprensa sobre o crescente abismo entre Elijah Muhammad e Malcolm X. Complicada porque a presença de Malcolm colocava Clay entre os dois homens. Clay fez o melhor que pôde durante as férias de Malcolm em Miami para evitar comentar sobre suas conexões com os Muçulmanos Negros. Ele tinha medo de que, se os jornalistas o rotulassem como membro da Nação do Islã, isso causasse danos à venda de ingressos. Logo, porém, viu que era impossível evitar o assunto.

Em 19 de janeiro, a esposa e as filhas de Malcolm voaram para casa, em Nova York. Dois dias mais tarde, Malcolm e Clay também voaram para Nova York. Clay disse a Angelo Dundee que estava tirando uns dias de folga do treinamento, sem explicar a razão. Faltavam menos de cinco semanas para a luta.

"ENTÃO, O QUE HÁ DE ERRADO COM OS MUÇULMANOS?" 183

Em Nova York, Clay jantou com Malcolm antes de participar de um evento da Nação do Islã no grande salão do Rockland Palace. Clay fez um breve discurso, dizendo que ficava mais inspirado sempre que participava de um evento dos muçulmanos negros.

Quando o FBI soube, por um informante, que Clay havia participado, agentes vazaram a notícia para a imprensa branca. Dois dias depois, o *Herald-Tribune* publicou uma história de primeira página destacando a presença de Clay no tal evento. Embora Clay não tenha feito nenhum comentário para o *Herald-Tribune*, ele começou a falar abertamente para a imprensa branca sobre seu apoio aos Muçulmanos Negros. "Claro que conversei com os eles, e vou conversar novamente", disse Clay. "Eu gosto deles. Não vou ser morto tentando me impor a pessoas que não me querem. Gosto da minha vida. Integração é errado. As pessoas brancas não querem integração. Eu não acredito em forçá-las, e os Muçulmanos Negros também não acreditam nisso. Então, o que há de errado com eles?"[15]

Enquanto isso, Elijah Muhammad observava e esperava. O jornal da Nação do Islã, *Muhammad Speaks*, não mandou um repórter para cobrir a luta de Clay contra Liston nem fez nenhuma menção à amizade entre Clay e Malcolm X. O Mensageiro, como a maioria dos norte-americanos, deve ter pensado que Clay tinha pouca chance de ganhar. Se perdesse, não importaria se o boxeador e Malcolm X fossem amigos, e não importaria se Clay fosse um membro da Nação do Islã. Seria rapidamente esquecido, deixado de lado como um jornal da véspera.

Clay e Malcolm retornaram a Miami. Certo dia, quando tomavam o café da manhã, Malcolm mostrou a Clay fotos de Floyd Patterson e Sonny Liston acompanhados por padres católicos brancos que serviam de conselheiros espirituais para os pugilistas. Clay já estava familiarizado com a ideia da Nação do Islã de que o cristianismo havia sido imposto aos norte-americanos negros durante a escravidão. Agora, Malcolm incentivava Clay a dar o próximo salto lógico: sua luta contra Liston era uma luta que colocava o islamismo contra o cristianismo.

"Essa luta é a verdade", disse Malcolm. Numa conversa privada, sua voz era gentil, embora forte, calma e reconfortante. "São a Cruz e o Crescente

184 MUHAMMAD ALI

lutando num ringue por um prêmio — pela primeira vez. É uma cruzada moderna — um cristão e um muçulmano frente a frente, com a TV levando as imagens através da Telstar para o mundo todo ver o que acontece! Você acha que Alá fez tudo isso acontecer se não tivesse a intenção de que você deixasse o ringue como campeão, e somente como campeão?"[16]

A Clay, nunca faltava confiança, mas agora Malcolm lhe oferecia mais razões ainda para acreditar em si mesmo.

"Talvez eu possa ser derrotado", disse. "Eu duvido. Mas o homem vai ter que me derrubar, e então vou me levantar e ele vai ter que me derrubar de novo, e vou me levantar e ele vai ter que me derrubar, e eu ainda vou me levantar. Trabalhei muito duro e por muito tempo para ter essa chance. Vou ter que estar morto antes de perder, e não vou morrer facilmente."[17]

À medida que a luta se aproximava, todos os repórteres em Miami sabiam da associação de Clay com a Nação do Islã.

Agentes federais entrevistaram Angelo e Chris Dundee. Os Dundee lhes ofereceram uma lista dos muçulmanos com os quais Clay estivera. Numa entrevista anos depois, Angelo Dundee disse que, naquela época, não sabia nada sobre a Nação do Islã e pensava que a palavra *muslim* (muçulmano) queria dizer "um pedaço de pano" (*muslin*, cuja tradução é musselina). Ele também disse que achava que um homem tinha o direito de seguir qualquer religião de que gostasse. Ainda assim, os Dundee não estavam felizes com as novas companhias de seu lutador, e, quando agentes do FBI chegaram fazendo perguntas, os irmãos concordaram em ajudar. Disseram ao FBI que estavam preocupados porque os fãs brancos poderiam boicotar a luta com Liston se notícias sobre as crenças de Clay se espalhassem. Consta de um memorando do FBI datado de 13 de fevereiro de 1964, doze dias antes da luta, que "Os DUNDEE declararam que manteriam o escritório de Miami plenamente informado sobre quaisquer acontecimentos relativos ao tema".[18]

Em Miami, Clay vivia no número 4610 NW da 15th Court,[19] uma pequena casa branca num bairro todo negro. Havia persianas nas janelas da frente e uma varanda grande o suficiente para caber uma cadeira. A porta de tela estava sempre sendo aberta ou fechada, ninguém precisava bater, pois

"ENTÃO, O QUE HÁ DE ERRADO COM OS MUÇULMANOS?" 185

crianças, rapazes e garotas do bairro paravam para ver o que a celebridade local estava fazendo. À noite, Clay passava filmes num telão que instalava no quintal,[20] ignorando as mariposas que tremulavam no feixe de luz do projetor e o ruído do tráfego. Na maior parte do tempo, ninguém prestava muita atenção ao filme porque havia muito riso e ruído. Clay tinha o hábito de explicar a ação na tela para as crianças sentadas em torno dele. Apenas os filmes de terror — *Vampiros de Almas*, por exemplo — mantinham a turma quieta. Quando os filmes terminavam, o *entourage* de Clay permanecia, dormindo duas ou três pessoas num quarto. Na parede do quarto de Clay havia uma pequena pintura a óleo de um porto da Nova Inglaterra e artigos de jornal sobre a próxima luta colados com fita adesiva. Todas as manhãs, Bundini Brown acordava Clay às 5h ou 5h30 para que o pugilista pudesse calçar e amarrar um par de botas pesadas do Exército, tamanho 13EEE,[21] e correr 4 ou 5 quilômetros. Após a corrida, Clay comia um farto café da manhã e rumava para o Ginásio da Rua 5, onde batia nos sacos, treinava alguns rounds e entretinha a imprensa. Depois disso, ia para casa dormir um pouco.

Todos falavam sobre a incrível força do murro de Liston, e era verdade que o campeão era um dos golpeadores mais pesados que o esporte já tinha visto. Mas os cronistas que cobriam a luta estavam tão incomodados com o estilo incomum de Clay e tão abismados diante do poder de Liston que não conseguiram perceber algo que deveria ter sido óbvio: Clay estava crescendo. Quando começou sua carreira profissional contra Tunney Hunsaker, em 1960, pesava 87 quilos. Agora, estava mais forte do que nunca, com 95 quilos, e parecia ter adicionado a maior parte do peso no peito e nos ombros. Se Clay e Liston estivessem se encarando como estranhos num bar, a poucos centímetros um do outro e prontos para iniciar uma briga, Clay poderia ter sido o favorito. Era cerca de uma década mais jovem, 5 centímetros mais alto, apenas 3 quilos mais leve e muito, muito mais rápido. Também estava treinando com mais empenho. Enquanto Clay corria pelas ruas todas as manhãs e castigava o corpo em sessões brutais com *sparrings* bem fortes no Ginásio da Rua 5, Liston estava na moleza, e os irmãos Nilon o deixavam estar. Liston treinava no ar condicionado do Surfside Civic Auditorium, na zona norte de Miami Beach, pulando corda, esmurrando sacos pesados, recebendo os golpes de uma bola pesada própria para exercícios de condicionamento físico (*medicine ball*), arremessada no seu estômago, e correndo uns 2 ou 3 quilômetros fora quando tinha vontade, o que não acontecia com frequência. Treinava com *sparrings*, mas nenhum era tão grande ou tão rápido quanto ele. À noite, comia cachorro-quente, bebia cerveja, jogava cartas e transava com prostitutas. Ele estava treinando como um homem que acreditasse poder nocautear seu adversário com um mero olhar fixo e duro.

"Quando é que já houve na história um peso-pesado que pudesse bater tão forte quanto Sonny e ainda ser capaz de levar um soco pra valer como ele faz?",[22] perguntou o treinador de Liston, Willie Reddish. "Nunca! Jamais houve."

Clay, por outro lado, não estava apenas em sua melhor forma; ele era um estudante aplicado de seu esporte e havia assistido a incontáveis horas de lutas filmadas,[23] especialmente a de Jake LaMotta contra Sugar Ray Robinson, um grande e contundente golpeador contra um homem mais rápido, mais suave. Ele assistiu à mesma luta de Robinson-LaMotta "muitas e muitas vezes", disse.[24] Quando alguém perguntava como se sentia sobre ser visto como um azarão, Clay calmamente explicava por que os bookmakers estavam errados:

"Dez para um? Não faça esse homem parecer um monstro. Ele não era nada até golpear um Patterson amedrontado [...]. Sou um combatente natural. Vou pra cama lutando, como lutando e até sonho lutando. Será um embate desigual, e a luta mais fácil de toda a minha carreira [...] O que te faz pensar que eu vou ser açoitado? Ainda não está convencido? Acha que vou ficar ali como um idiota? Como que ele vai socar o meu corpo? Se ele cair sobre mim e quiser lutar, vou amarrá-lo e puxar e arrebentar com a mão esquerda. Floyd Patterson não se mexeu, mas eu vou me mexer. O segredo do meu sucesso é a velocidade... Eu sou o peso-pesado mais rápido que já existiu. Você acha que aquele urso de 104 quilos vai me pegar? Liston tem o mundo todo acreditando que ele vai me dar uma surra. Bem, não há mais nada para escrever sobre isso e nada mais a dizer. Estou pronto para lutar agora. E, quando eu me tornar campeão, realmente vou rugir muito. Vou ser tão requisitado em todo o mundo que vou precisar de quatro motoristas e dois helicópteros para me levar aqui e ali. Vou precisar de 25 policiais para me proteger. Meus autógrafos vão custar 100 dólares cada. Vou ganhar 20 mil dólares cada vez que me apresentar."[25]

"Então, lembre-se disso."

Os assentos em volta do ringue foram vendidos a 250 dólares (aproximadamente 1.900 em dólares de 2016),[26] o preço mais alto já visto no boxe e um sinal do grande otimismo de William B. MacDonald, o ex-motorista de ônibus que se tornara um milionário e investira 800 mil dólares para que a luta fosse em Miami. Clay era o maior autopromotor que o mundo pugilístico já vira. Ele era o jovem herói corajoso disposto a destruir o ogro que aterrorizava a zona rural. Até mesmo os Beatles estavam divulgando o evento. O que poderia dar errado?

Contudo, à medida que a luta se aproximava, ficou claro que *algo* dera errado. Os ingressos não estavam vendendo. O Centro de Convenções de Miami Beach comportava 15.744 pessoas, mas MacDonald achava que teria sorte se metade dos assentos estivessem ocupados. Os altos preços podem ter sido um fator. A imprensa também não estava ajudando. Quase todos os repórteres concordavam que Liston ia esmagar Clay, e, embora os espectadores geralmente adorem violência, 250 dólares era dinheiro demais para ver um homem atravessar um ringue com três passos e afundar o lado da cabeça de outro homem com um único soco.

Bill MacDonald acreditava que havia outra razão para o fraco interesse pela luta. Supunha-se que Cassius Clay fosse o jovem e valente azarão, o garoto de cara nova que poderia derrubar o valentão do Liston. Mas notícias na imprensa sobre a relação de Clay com Malcolm X e a Nação do Islã haviam mudado o enredo. Agora, era o Muçulmano Negro radical contra o valentão, e não estava nada claro para os fãs de lutas qual dos males era o menor. Ambiguidade não era coisa que os fãs mais desejassem.

Três dias antes da luta, MacDonald, desesperado, procurou Clay para dizer que tudo seria cancelado se ele não retirasse suas declarações de apoio à Nação do Islã. Dado que MacDonald provavelmente perderia centenas de milhares de dólares na luta, poderia estar procurando uma desculpa para cancelar. Mas a ameaça não funcionou com Clay.

"Eu não vou negar nada, porque é verdade", disse Clay, "e, se você quiser cancelar a luta, isso é assunto seu. Minha religião é mais importante para mim do que a luta."[27] Pode ter sido a primeira vez que Clay se referiu ao islamismo como sua religião.

Harold Conrad instou MacDonald a não cancelar a luta.

"E se Malcolm X sair da cidade imediatamente?", perguntou Conrad. "Isso o faria mudar de ideia?"

MacDonald disse que talvez sim, e Conrad logo procurou Malcolm para explicar a situação. Malcolm concordou em desaparecer por alguns dias, desde que pudesse voltar a tempo para o grande evento.

Fazia meses que Clay vinha desrespeitando Liston, tirando-o da cama, esperando por ele em cassinos, surpreendendo-o em aeroportos e sempre com o mesmo refrão: "Você é um pateta. Urso grande e feio! Eu vou acabar com você é agora!" Era tudo calculado, disse ele mais tarde. Lutadores enfurecidos não pensam com clareza. Não se atêm aos planos. Ficam frustrados, se descuidam. Clay sabia que, para Liston, a imagem era um ponto delicado, e que ele ansiava por respeito, e então trabalhou para lhe negar esse respeito. Ao dizer a Liston que ele era um urso feio, Clay estava comprimindo o nervo mais sensível de seu adversário, e talvez usando o racismo para fazê-lo, sugerindo que Liston nunca seria mais que um animal estúpido. Você pode amarrar um cinturão brilhante em um urso grande e feio e chamá-lo de campeão mundial dos pesos-pesados, mas ele seguirá sendo um urso grande e feio. Clay nunca cedeu. Ele disse isso tantas vezes, que todos — possivelmente ele próprio— se cansaram de ouvir. A campanha de guerra psicológica foi aumentando até o dia da luta, quando Clay apresentou seu maior e melhor show de todos.

Na manhã de 25 de fevereiro, um dia frio, úmido e ventoso, Clay chegou cedo para a pesagem antes da luta no Centro de Convenções. Vestia uma jaqueta de brim azul com as palavras "Caçador de urso" bordadas em vermelho sobre os ombros. Estava acompanhado de Sugar Ray Robinson, Bill Faversham, Angelo Dundee e Bundini Brown. Malcolm X permaneceu longe da vista. Em uníssono, Clay e Bundini gritaram: "Flutue como uma borboleta, pique como uma abelha." Os homens entraram em um camarim, onde Clay vestiu um roupão de veludo branco. Dundee e um membro da Comissão de Boxe de Miami Beach fizeram severas advertências, lembrando a Clay que deveria "agir direito",[28] contou Dundee, como se decoro fosse algo esperado.

"ENTÃO, O QUE HÁ DE ERRADO COM OS MUÇULMANOS?" 189

Clay não deu ouvidos. "Eu sou o campeão!", gritou. "Estou pronto para a luta." Ele e Bundini marcharam para a área da pesagem, apenas para descobrir que estava deserta. Haviam chegado cedo demais. Todo mundo saiu para fazer hora. Às 11h09, Clay e Bundini começaram a gritar novamente. Liston chegou 2 minutos mais tarde, e o show começou.

Agora, a área da sala de pesagem estava apinhada de repórteres, o ar espesso pela fumaça de cigarros e pelo cheiro de loção pós-barba. Não havia necessidade alguma de um espetáculo público para o registro do peso dos lutadores antes de um combate, mas, assim como a moeda jogada para o alto antes de um jogo de futebol ou o final da sétima entrada no beisebol, a pesagem era um ritual que ninguém questionava. Para os repórteres que teriam de entregar suas notícias antes da luta daquela noite, era uma chance de conseguir uma última entrevista e uma última cena para descrever a seus leitores. Mas a imprensa nunca tinha visto uma pesagem como aquela.

"Estou pronto para a luta agora!", gritou Clay. "Posso vencer você a qualquer momento, vacilão. Alguém vai morrer esta noite no ringue! Você tá com medo, vacilão! Você não é nenhum gigante. Eu vou te comer vivo!"

Clay saltou. Bundini o puxou de volta. Clay atirou-se novamente, e Sugar Ray Robinson tentou imprensá-lo contra uma parede.

"Oito rounds para provar que eu sou grande!", gritou Clay, mostrando oito dedos.

Liston deu um sorriso presunçoso e levantou dois dedos.

"Ei, otário!", gritou Clay enquanto subia na balança. "Você é um otário! Você foi enganado, vacilão! Você é feio demais! Eu vou arrasar com você. Você é um otário, otário, otário..."

Os repórteres na sala pensaram que Clay tivesse perdido a cabeça, que estava sofrendo um ataque de pânico porque, de fato, tinha medo de Liston.

O show selvagem de Clay não foi bem recebido. "De repente, quase todos na sala odiavam Cassius Clay", escreveu Murray Kempton. "Sonny Liston apenas olhava para ele. Liston costumava ser o bandido; agora, era o nosso policial; e era o negro grande que pagamos para manter os negros atrevidos na linha, e só estava esperando que seu chefe lhe dissesse que era hora de expulsar aquele garoto."

Clay continuou, mesmo depois de os oficiais do boxe anunciarem que seria multado em 2.500 dólares por seu comportamento. Ele manteve o show mesmo depois de um médico da comissão de boxe lhe pedir que se sentasse para que pudessem medir sua pulsação. Ele continuou mesmo depois de o médico dizer que o pulso e a pressão arterial estavam subindo perigosamente, e que a luta seria cancelada se sua condição não melhorasse.

Mais tarde, ele chamaria aquilo de "minha melhor encenação",[29] acrescentando que, se realmente decidisse, provavelmente poderia se tornar o principal astro de Hollywood. Enquanto vestia suas roupas "civis", Clay pediu aos que o acompanhavam que avaliassem seu desempenho. Como havia se saído? Ótimo, certo? Liston ficou chateado? Ele estava realmente chateado, certo? E respondeu à própria pergunta: "Acho que ele ficou abalado."[30]

A noite da luta finalmente chegou.

Dos 46 comentaristas de boxe que foram entrevistados, 43 indicaram Liston como ganhador, a maior parte prevendo um nocaute.[31] "A melhor aposta é que Clay não vai durar nem o hino nacional", brincou um deles.

O saguão do Centro de Convenções estava meio vazio. A multidão ficou afastada porque os ingressos estavam muito caros, Liston era muito difícil e talvez porque um grande número de fãs brancos de luta não conseguisse se decidir por nenhum dos lutadores. Mas, para piorar as coisas, uma estação de rádio local informara, erroneamente, que Clay fora visto no aeroporto comprando uma passagem para outro país, fugindo com medo. Se alguém estivesse pensando em comprar um ingresso para a luta no último momento, esse rumor não ajudou em nada.

A multidão na arena era esmagadoramente masculina, majoritariamente branca, inalando fumaça de charuto e cigarro. Malcolm X estava na cadeira número sete ao lado do ringue, acompanhado do cantor Sam Cooke e do astro de futebol americano Jim Brown. Outras celebridades no meio da multidão incluíam Norman Mailer, Truman Capote, Joe DiMaggio, Yogi Berra, Arthur Godfrey, Ed Sullivan, Joe E. Lewis,[32] George Jessel, Rocky Marciano e a ícone da moda, Gloria Guinness.[33] Odessa e Cassius Clay Sr. também estavam lá, é claro, assim como vários membros do Grupo de Patrocínio de Louisville. Em Kentucky, mais de 10 mil pessoas lotaram o Louisville

"ENTÃO, O QUE HÁ DE ERRADO COM OS MUÇULMANOS?" 191

Liberty Hall para assistir à transmissão no circuito fechado de televisão.[34] Por todo o país, cerca de 700 mil fãs pagaram para assistir à transmissão em salas de cinema, a maior audiência de circuito fechado já reunida para uma luta.[35] Os fãs pagaram um preço médio de 6,42 dólares por ingresso, produzindo uma receita total de 4,5 milhões. Em 1964, a título de comparação, os direitos televisivos para todos os vinte jogos da Major League de beisebol custaram 13,6 milhões.[36] Em outras palavras, a transmissão de uma única luta de boxe gerou cerca de um terço da receita de uma temporada inteira de beisebol, em parte porque transmissões em circuito fechado eram uma novidade, mas também porque, sem ajuda de ninguém, Clay havia atraído tamanha atenção. A luta foi transmitida para a Europa,[37] com um público estimado em 165 milhões de pessoas, graças a um acordo com a NASA, que permitiu que uma transmissão em vídeo fosse lançada por satélite de uma estação sua no Maine para uma estação receptora na Europa e, em seguida, transmitida para todo o continente. Assim, embora a arena em Miami estivesse meio vazia, a luta Clay vs. Liston seria vista e ouvida por um dos maiores públicos já reunidos para um único evento, sinal de uma nova era para a televisão e os esportes, e uma oportunidade sem precedentes para um jovem faminto por fama.

Antes da luta, quando a maioria dos observadores pensava que Clay estaria em seu camarim fazendo suas orações ou escrevendo seu testamento, em vez disso ele estava na arena, vestindo um terno preto justo,[38] camisa branca e gravata-borboleta preta, de pé e se esticando para ver seu irmão Rudy ganhar sua primeira luta profissional, uma decisão inexpressiva no quarto round contra alguém também inexpressivo chamado Chip Johnson. Irmãos se entendem. Eles veem traços de personalidade que outros não conseguem enxergar, graças, em parte, aos incontáveis milhares de horas que passam juntos enquanto crianças, antes que qualquer um deles seja sofisticado o suficiente para usar artifícios. Rudy sempre veria seu irmão mais velho como um herói, e, quanto mais famoso Cassius se tornava, mais convencido ficava Rudy de que sua adoração era justificada. Quando a luta de Rudy terminou, Cassius lhe disse: "Depois dessa noite, Rudy, você não vai ter mais que lutar."[39]

Então, por volta das 22 horas, era a vez do grande irmão. Em seu camarim, Clay se curvou na direção de Meca antes de caminhar até o ringue.

Chegou primeiro, como era habitual para o desafiante. Usava calção branco com uma faixa vermelha vertical de cada lado e um roupão branco curto. Liston entrou no ringue parecendo uma gigantesca meia empapada de suor, com o pescoço e os ombros envoltos em toalhas brancas, com um manto branco de veludo sobre as toalhas e um capuz branco na cabeça. Ele parecia solene, até mesmo entediado, enquanto mexia os pés e olhava fixamente para o chão. O árbitro, Barney Felix, instruiu os homens a se juntarem a ele no centro do ringue; Clay e Liston estavam tão próximos que poderiam sentir a respiração um do outro. Era a hora de Liston intimidar, como havia intimidado todos os seus outros adversários, mas Clay não lhe deu nenhuma atenção. Liston ficou virado para a frente, olhar parado, imóvel. Clay se manteve ereto, possivelmente se elevando um pouco na ponta dos pés. Quando Felix disse aos homens que apertassem as mãos, não o fizeram. Viraram-se e caminharam para seu *corner*.

O gongo tocou e Clay atravessou o ringue rapidamente. Agora, a multidão na arena e todo o mundo na TV podia ver, quase com um choque, que Clay não apenas era mais rápido, mas também maior que Liston. Liston jogou um *jab* de esquerda que se perdeu, outro *jab* de esquerda que se perdeu, e depois um grande direito para nocaute que também falhou. Clay girou para a esquerda, longe da esquerda de Liston. Mais uma esquerda de Liston... perdida. E outra... perdida. E assim prosseguiu. Liston deu os primeiros oito socos e errou todos eles. Então, finalmente, mandou uma direita forte, que atingiu Clay abaixo do coração. Um grito subiu da plateia ao som de couro na pele, e o corpo de Clay balançou para trás, mas ele se refez rapidamente e atingiu Liston com um bom *jab* dos seus. O que quer que tivesse acontecido, Clay sobrevivera à primeira carga de Liston e o acertara com um bom soco. Não cairia no primeiro golpe sólido, como muitos haviam previsto.

Liston atacou novamente. Um selvagem golpe de esquerda foi perdido. Perdeu mais três *jabs*. Clay acertou um *jab* na cara de Liston, um soco concebido para insultar, mais do que ferir. Os homens circulavam. Clay se esquivou para evitar um *jab*. Faltando um minuto para terminar o round, os pés de Clay ficaram mais lentos. Ele se concentrou por um instante, à procura de uma oportunidade de desferir um golpe forte em Liston. Liston também procurava uma oportunidade. Clay o atingiu primeiro; foi seu melhor *jab* naquele round, o melhor soco que um dos dois dera até então. Soou alto o suficiente para ser ouvido na TV. Clay fez um meio círculo em volta de Liston e lançou uma combinação esquerda-direita-esquerda, e depois outra combinação. Clay o atingiu repetidamente, com socos grandes e amplos. Cada soco de Clay encontrava uma parte da cabeça de Liston. O urso grande e feio, suplantado por um veloz agressor, se afastou e se esquivou para buscar cobertura, então oscilou descontroladamente e perdeu um gancho de esquerda.

Havia mais de dois anos que um adversário não durava mais de um round com Sonny Liston. Mas Clay já fizera melhor do que a maior parte da imprensa esperava. Liston disparou 45 socos no primeiro round e acertou apenas seis. Nenhum feriu Clay seriamente. O campeão sabia agora que não ganharia a luta com sua combinação habitual, uma cara feia e um único soco; ia ter que trabalhar. E ele não estava preparado para trabalhar. Clay brincava diante das câmeras entre os rounds, abrindo a boca para formar um grande "O" e olhando para os repórteres próximos do ringue, como para lhes lembrar que ninguém ia fazê-lo se calar. Liston sentou-se pacientemente e escutou Willie Reddish.

No segundo round, Clay diminuiu a velocidade. Ficou parado e permitiu que Liston acertasse sólidos golpes. Liston venceu o round, mas Clay não se feriu, e o simples fato de ele permanecer de pé após dois rounds surpreendeu os críticos, e pode ter surpreendido e consternado Liston.

Nos momentos iniciais do terceiro round, outra surpresa de Clay. Em vez de correr, ele partiu pesado contra Liston, alternando *jabs* e ganchos em rajadas selvagens. Com todo o mundo gritando, Liston revidou, mas Clay respondeu com novas rajadas e *jabs* exatos. Os golpes entraram — e eram potentes. Liston parecia confuso.

"Ele está sendo atingido com todos os socos que constam dos manuais!", gritou Steve Ellis, o locutor de TV.[40]

Desesperado, Liston desferiu seu maior golpe naquela noite. Clay desviou. O golpe foi tão torto que Liston quase foi parar nas cordas. Clay reiniciou os *jabs*, concentrando seus golpes no olho esquerdo de Liston, onde um grande vergão vermelho parecia se erguer, e então, aproximadamente na metade do round, começou a circular. Estava recuperando o fôlego e lançando *jabs* quando Liston desenrolou um gancho de esquerda que sacudiu a cabeça de

Clay de um lado a outro. Liston, ansioso para terminar a luta rapidamente, avançou para matar enquanto Clay andava para trás e lançava *jabs*. O round terminou e os lutadores retornaram para seu *corner*.

Os homens da imprensa ao lado do ringue começaram a especular, agitados. O que estava acontecendo? Como Clay se atreve a oferecer resistência? O garoto tinha recebido o melhor soco de Liston. A última coisa que alguém esperava, muito menos Liston, seria uma pancadaria, mas era como tudo estava se configurando. Ao longo de quatro rounds, Liston havia acertado 58 socos, incluindo pelo menos três que pareciam ter potência suficiente para derrubar um poste de telefone. Clay havia acertado 69. A grande maioria era de *jabs*, mas *jabs* que cortavam, que doíam e que até os espectadores nos assentos mais baratos podiam ouvir ressoar como fortes repiques num tarol ao atingir a pele. O sangue escorria do nariz de Liston e de seu olho esquerdo. Os repórteres, conversando entre si, concordaram que a luta estava quase empatada. Isso era muito chocante. Mais chocante ainda era que, se alguém ali tinha alguma vantagem, esse alguém era Clay, que claramente vencera o primeiro round, provara que podia aguentar o melhor soco de Liston, e estava em melhores condições à medida que avançava a batalha.

Então, tudo mudou. Clay sentou-se na banqueta, e Dundee começou a esfregar a testa do lutador.

"Há algo nos meus olhos!", disse Clay, piscando.

Dundee limpou os olhos do lutador.

"Não consigo ver. Tire as minhas luvas!"

Clay estava cego. Não estava claro o motivo. Ele queria desistir.

Enquanto isso, ao lado do ringue, Joe Louis estava contando aos espectadores: "Clay está surpreendendo o mundo inteiro."

Clay se levantou e colocou as mãos para o ar, como se em rendição.

Em sua versão, o próprio Dundee mandou o lutador de volta ao ringue, gritando: "Deixa de besteira! Não vamos desistir agora."

Bundini Brown, no entanto, disse que foi ele quem compeliu Clay a continuar a lutar, dizendo: "Você não pode desistir. Você já não está lutando por si mesmo, está lutando para Deus!"[41]

Ninguém no *corner* de Clay iria parar a luta. Ele teria de seguir se movimentando, correndo, até que a visão clareasse.

"Há algo errado com Clay", disse Louis aos espectadores. "Algo errado com os olhos de Clay."

O gongo tocou. Clay piscava os olhos seguidamente e tentava manter distância de Liston. Liston o atingiu; primeiro no corpo e, em seguida, na cabeça. Clay se agachava, nem ao menos tentando dar socos, apenas se defender. Socou debilmente na direção do rosto de Liston e então se agachou novamente. Liston lançou grandes ganchos de esquerda enquanto Clay se curvava sobre si mesmo tentando amortecer os golpes com os braços. Faltando menos de um minuto para o fim do round, a visão de Clay clareou o suficiente para provocar o adversário, estendendo a mão esquerda e esfregando-a no nariz de Liston. Liston estava dominando o round, mas não conseguia acertar aquele soco de que precisava. O esforço o havia minado a ponto de ele não se preocupar em afastar a luva de Clay que amassava seu nariz. Clay, por sua vez, lutara às cegas contra o chamado homem mais durão do planeta durante a maior parte do round. Billy Conn, ex-campeão meio-pesado, previra que Liston iria nocautear Clay com seu primeiro soco. Àquela altura, Clay havia levado 37 socos em um round e continuava vivo para contar a história. Ele não se deixava abater. Para Sonny Liston, isso pode ter doído mais do que qualquer soco com que Clay o atingira até então.

Mais tarde, surgiria todo tipo de especulação sobre o que havia cegado Clay. O filme da luta sugere que ele só começou a piscar ou reclamar dos olhos quando Angelo Dundee limpou seu rosto com uma toalha no final do quarto round. Alguns dos amigos muçulmanos de Clay o avisaram para não confiar em Dundee, dizendo que o treinador tinha laços com a máfia. Agora, eles se perguntavam se Dundee poderia ter cegado seu próprio lutador. Após a luta, Dundee afirmou ter verificado sua esponja e a toalha ao limpar os próprios olhos, e não sentiu nada de errado.[42] Teria o treinador de Liston posto alguma coisa nas luvas de Sonny, esperando que isso cegasse o adversário? Será que algum tipo de unguento usado no corte de Liston havia migrado, acidentalmente, para os olhos de Clay? Teria uma pomada usada no ombro dolorido de Liston de alguma forma afetado os olhos de Clay? Barney Felix, o árbitro, disse que verificara as luvas de Liston e não havia encontrado nenhum vestígio de qualquer substância estranha.[43] Mas ninguém jamais saberia a resposta, e, 3 minutos depois, ninguém se importaria.

O rosto de Liston exibia cortes e vergões quando ele se sentou no seu *corner*, esperando que o gongo sinalizasse o início do sexto round. Nos últimos três anos e meio, todas as suas lutas combinadas haviam durado menos de seis rounds. Liston era um demolidor; ele derrubava as coisas e seguia em frente. Não estava acostumado a um trabalho que demandasse sua atenção por muito tempo ou sua resistência, e agora Clay voltava com os olhos desimpedidos, tão rápido como sempre, tendo provado que poderia resistir aos melhores golpes de Liston. Clay disparou oito golpes para abrir o round, encontrando o rosto de Liston no final de cada um.

"Alvo fácil!", disse Steve Ellis aos espectadores. "FÁCIL!"

Clay mandou combinações que sacudiram a cabeça de Liston. Sonny devolveu um *jab*, mas nunca lançou um ataque sustentado. Clay estava machucando o campeão, e o campeão não podia fazer nada a respeito. Ele era velho demais, lento demais, e estava quase esgotado. Já havia se passado um minuto naquele round, e só então Liston acertou um golpe.

Clay poderia lutar assim a noite toda, misturando *jabs* e combinações, e valsando em círculos em torno do ringue, enquanto a fadiga e a frustração de Liston apenas cresceriam. Clay podia ver e sentir isso. Faltando um minuto para terminar o sexto round, ele atacou com uma velocidade ofuscante. Atingiu Liston na cabeça com dois ganchos de esquerda. Liston vacilou. Ele estava em perigo. O gongo tocou, e Liston caminhou solenemente para o seu *corner*.

Ao se sentar, seu staff pôs gelo sob seus olhos inchados e esfregou seu ombro esquerdo. O campeão estava um caco.

"Acho que Clay tem toda a confiança de que precisa", disse Joe Louis. "Acho que vai ganhar agora."[44]

O gongo tocou para começar o sétimo round.

Clay prontamente levantou-se da banqueta.

Liston não se mexeu.

"Você tem que lutar!", gritou um dos homens no seu *corner*. "Levanta, Sonny! Você vai ser um idiota pelo resto da vida se não se levantar!"[45]

Liston continuou imóvel.

De repente, Clay estava dançando, saltando e erguendo as mãos. Liston desistira. A luta acabou, e Clay era o novo campeão dos pesos-pesados.

"ENTÃO, O QUE HÁ DE ERRADO COM OS MUÇULMANOS?" 197

Em bares e cinemas em todo o país ecoou o grito: Liston havia atirado a toalha, jogado fora o título de campeão do mundo! Se não foi isso, como explicar? Liston disse, mais tarde, que havia machucado o ombro esquerdo no primeiro round da luta, quando disparou um soco arrebatador que no entanto se perdeu no ar. Após o sexto round, disse, a dormência ia do ombro até o antebraço. Mais tarde, conseguiu uma nota de seu médico para provar isso. Ainda assim, era difícil acreditar que um campeão pudesse desistir tão facilmente. Difícil acreditar que um homem que dera 171 socos com a mão esquerda, incluindo 21 no round final, viesse dizer depois que o desgraçado do ombro esquerdo havia tornado impossível continuar. Difícil acreditar que Liston teria desferido três vezes mais golpes com a esquerda do que com a direita na rodada final se o ombro esquerdo estivesse seriamente prejudicado. Difícil acreditar que um homem tão duro como Liston, um homem que certa vez sustentara oito rounds de uma luta com a mandíbula fraturada, não conseguisse lutar por causa de uma dormência. Difícil acreditar que um homem com a mão direita mais poderosa do boxe, e supostamente insensível a socos, não continuasse com uma mão só, considerando-se tudo que estava em jogo.

Mais tarde, correriam rumores de que os membros da equipe de Liston haviam apostado 300 mil dólares em Clay, sete para um. Também haveria notícias de que os irmãos Nilon pagaram 50 mil dólares ao Grupo de Patrocínio de Louisville pelos direitos da próxima luta de Clay depois de Liston — um acordo que só faria sentido se eles acreditassem que Clay ganharia.

Mas esses eram mistérios a ser desfeitos em outro momento, se é que alguma vez seriam. Enquanto isso, a arena explodia em pandemônio. Clay estava de pé, correndo ao redor do ringue, Bundini envolto em torno dele como um manto humano, o irmão Rudy logo atrás.

"Eu sou o rei do mundo!", gritava Clay. "Eu sou o rei! Rei do mundo! Engulam as suas palavras! Engulam! Engulam as suas palavras!"

O repórter da rádio ABC, Howard Cosell, foi o primeiro a se aproximar, empurrando um microfone na frente de Clay enquanto o lutador olhava sobre as cabeças de uma fileira de jornalistas.

"Eu sou o maior! Eu sou o maior! Eu sou o rei do mundo!", gritava Clay.[46]
Cosell perguntou a ele o que havia acontecido no quarto round.

"Ele tinha linimento nas mãos, nas luvas", disse Clay. "Não consegui ver nada durante todo aquele round. Deus Todo-Poderoso estava comigo! Deus Todo-Poderoso estava comigo!"

Ele passou para a frente de uma câmera de TV e continuou: "Eu sou o maior lutador que já existiu! Eu sou tão grande que nem tenho uma marca no meu rosto, e eu irritei Sonny Liston, e acabei de fazer 22 anos. Eu tenho que ser o maior! Mostrei ao mundo! Eu falo com Deus todos os dias! Se Deus está comigo, ninguém pode estar contra mim! Eu sacudi o mundo! Eu conheço Deus! Eu conheço o Deus verdadeiro!"[47]

Levantou os braços no ar.

"Eu sou o rei do mundo! Eu sou lindo! Sou um homem maaaauuu! Eu sacudi o mundo! Mudei tudo de lugar! Eu sacudi o mundo!"

14

Tornando-se Muhammad Ali

Não foi a mais selvagem festa da vitória na história do boxe, mas pode ter sido a mais estranha. Enquanto o Grupo de Patrocínio de Louisville apressava-se para organizar uma festa no Plaza Roney Hotel, Clay e Malcolm X escaparam furtivamente para uma sorveteria onde consumiram grandes taças de sorvete de baunilha.[1] Então se dirigiram até o hotel Hampton House, onde Sam Cooke, Jim Brown, Howard Bingham, Rudy Clay e alguns outros reuniram-se no quarto de Malcolm para uma noite de conversa sóbria que durou até o amanhecer.

Cooke, apelidado de "O Rei do Soul",[2] era o homem por trás das canções de sucesso "Chain Gang" e "You Send Me", e recentemente fundara uma gravadora para garantir o controle de seus negócios, alguém que, aos 33 anos, nunca havia se importado com a Nação do Islã, mas era grande admirador da mensagem de Malcolm. Brown, aos 28 anos, era um astro, um dos maiores atletas da América, zagueiro do Cleveland Browns. Embora não fosse membro da Nação do Islã, respeitava Malcolm X e Elijah Muhammad por incutirem orgulho nas pessoas negras.[3]

"Bem, Brown", disse Malcolm ao jogador de futebol naquela noite, "não acha que é hora de este jovem parar de discursar e levar as coisas a sério?"[4]

Brown concordou. Era hora de Clay levar as coisas a sério. Mas Brown também sentia a chegada de uma crise. Clay em breve seria forçado a escolher entre seus dois mentores espirituais, Elijah Muhammad e Malcolm X, e a escolha seria difícil e potencialmente perigosa.

Em algum momento, Clay se esticou na cama de Malcolm e tirou um cochilo. Mas não dormiu muito tempo. Pouco depois das 2 da manhã, voltou para casa, onde os vizinhos estavam esperando no gramado para felicitá-lo.

Na manhã seguinte, Clay fez o melhor que podia para se tornar um cara sério. Voltou ao salão de convenções de Miami Beach para uma coletiva de imprensa e respondeu a perguntas de forma clara e simples, sem rimas ou gritos. Disse aos repórteres que pretendia se aposentar logo que ganhasse dinheiro suficiente. O boxe era um meio para um fim. Ele não queria machucar ninguém e não queria ser machucado. Se tivesse havido alguma dúvida de que seu histrionismo antes da luta era parte de um esquema para desconcertar Sonny Liston, sua atitude serena após a luta provava isso.

"Acabei com a falação", disse ele. "Tudo o que tenho a fazer é ser um cavalheiro agradável e limpo."[5] Mas a imprensa não estava engolindo aquilo tão facilmente. Não era verdade que Clay era "portador de uma carteirinha dos Muçulmanos Negros?", perguntou um repórter.

Com isso, a atitude calma de Clay começou a desmoronar.

"'Portador de carteirinha?' O que significa isso?", perguntou ele. Membros da Nação do Islã não gostavam de ser chamados de Muçulmanos Negros, e "carteirinha" evocava lembranças do macarthismo. Ele continuou: "Creio em Alá e na paz. Não tento me mudar para bairros brancos. Não quero me casar com uma mulher branca. Fui batizado quando tinha 12 anos, mas não sabia o que estava fazendo. Não sou mais um cristão. Sei aonde estou indo e conheço a verdade, e não tenho de ser o que vocês querem que eu seja. Sou livre para ser o que eu quero."

De repente, isso já não era uma coletiva de imprensa sobre uma luta de boxe; era uma declaração de independência. Clay estava pondo de lado o papel que os atletas negros supostamente deveriam desempenhar na sociedade e inventando o próprio. Ele estava assumindo uma posição sobre raça, política e religião, recusando-se a ser possuído ou manipulado por quem quer que fosse.

Pessoas negras e brancas, disse ele, ficariam melhor se estivessem separadas. "Na selva", disse, "leões estão com leões e tigres com tigres, e pássaros vermelhos ficam com pássaros vermelhos, e pássaros azuis com pássaros azuis."[6]

Embora estivessem baseadas nas discussões da noite anterior com Malcolm X, Jim Brown e Sam Cooke, as observações de Clay eram as próprias. Ele não poderia ter falado mais claramente sobre como desprezava a integração ou como renunciara ao cristianismo a favor do Islã, mas seu soco mais forte foi este: "Não tenho que ser o que vocês querem que eu seja." Com isso, ele rejeitava a velha promessa de que as pessoas negras conseguiriam uma chance justa se jogassem de acordo com as regras, trabalhassem com afinco e mostrassem respeito apropriado ao *establishment* branco. Não era apenas Sonny Liston que não podia tocá-lo, sugeriu ele. Ninguém poderia. Ninguém poderia lhe dizer como se comportar ou como cultuar Deus. Ele não sabia exatamente em que acreditava ou o que queria ser — tinha apenas 22 anos, afinal —, mas vira o suficiente para entender a força libertadora da autodeterminação.

Os jornalistas ficaram inteiramente confusos. Do que falava esse garoto? Como podia uma pessoa negra opor-se à integração? O que era a Nação do Islã, exatamente? Uma religião? Um culto? Uma gangue que incitava o ódio? E como se supunha que eles escrevessem sobre tais assuntos sutis dentro dos limites das páginas de esportes?

No dia seguinte, Clay e Malcolm X continuaram a educar os brancos que trabalhavam na imprensa. Clay disse que estudara o Islã durante meses, e que sua decisão não havia sido fácil nem apressada.

"Um galo só canta quando vê a luz", disse. "Eu vi a luz e estou cantando."[7]

Explicou que não fazia parte de um grupo marginal, que existiam 750 milhões de muçulmanos ao redor do mundo. "Vocês os chamam de 'Muçulmanos Negros', eu não", disse. "O nome real é 'Islã'. Que significa paz. Ainda assim, as pessoas nos tacham como um grupo de ódio. Dizem que queremos tomar o país. Dizem que somos comunistas. Isso não é verdade. Os seguidores de Alá são as pessoas mais dóceis do mundo. Não carregam facas. Não transportam armas. Rezam cinco vezes por dia. As mulheres usam vestidos que vão até os pés e não cometem adultério. Os homens não se casam com mulheres brancas. Tudo o que querem é viver em paz com o mundo. Não odeiam ninguém. Não querem provocar nenhum tipo de problema."

Clay expressava uma visão controvertida ao afirmar que a integração nunca funcionaria, mas dificilmente estaria sendo cínico. Na América, os cidadãos negros ainda eram excluídos, oficial ou extraoficialmente, de inúmeros bairros, igrejas, sindicatos, clubes, escritórios, hospitais, hotéis, asilos e escolas. Em 1964, não havia governadores negros, nenhum senador negro em Washington, nenhum juiz negro na Suprema Corte. Dos 435 membros da Câmara dos Deputados, apenas 5 eram negros. Sem dúvida, era razoável que Clay, sem nunca ter frequentado uma escola integrada nem morado num bairro integrado, acreditasse que os princípios democráticos não se aplicavam às pessoas não brancas e, mais exatamente ainda, que as pessoas brancas tivessem a intenção de manter as coisas como sempre estiveram. A maior parte da história norte-americana lhe dizia isso.

"Recebo telefonemas todos os dias", disse ele. "Querem que eu carregue cartazes. Querem que eu faça piquetes. Me dizem que seria uma coisa maravilhosa se eu me casasse com uma mulher branca, pois isso seria bom para a irmandade entre as pessoas." Mas fazer isso seria um convite a ataques violentos, disse ele. E para quê? "Não quero ser explodido. Não quero ser jogado dentro de um esgoto. Só quero ser feliz com a minha própria raça. Eu sou um cara legal. Nunca fiz nada de errado. Nunca estive na cadeia [...] Gosto de pessoas brancas. Gosto do meu próprio povo. Eles podem viver juntos, sem ninguém interferir nem invadir o espaço do outro. Você não pode condenar um homem por querer a paz. Se fizer isso, é a própria paz que você está condenando."[8]

Em seu último refrão, ele se parecia, mais que nunca, com Malcolm X. E não era de admirar: os dois tinham sido quase inseparáveis durante semanas. Malcolm não só gostava da companhia de Clay como também, cada vez mais, passara a acreditar que o pugilista tinha a oportunidade de sacudir as relações entre negros e brancos e atrair outros negros e negras jovens para se juntar a uma insurreição popular mais agressiva do que a liderada por Martin Luther King Jr.

"A estrutura de poder obtivera sucesso em criar a imagem do preto norte-americano como alguém sem nenhuma confiança, sem nenhuma militância", disse Malcolm a um repórter logo após a vitória de Clay. "E fizeram isso fornecendo imagens de heróis que não eram verdadeiramente militantes ou confiantes. E agora vem o Cassius, o contraste exato de tudo que era representativo da imagem do preto. Ele disse que era o maior, todas as probabilidades estavam contra ele, perturbou os bookmakers, ganhou [...] Eles sabiam que, se as pessoas começassem a se identificar com Cassius e com o tipo de imagem que ele estava criando, teriam problemas com esses pretos, porque haveria pretos andando pelas ruas dizendo 'Eu sou o maior'."[9]

Malcolm entendera como as pessoas negras comuns, homens e mulheres, estavam respondendo ao jovem boxeador. Elas não se deixavam perturbar pelo fato de ele ter abraçado a Nação do Islã e de rejeitar a integração, mesmo aquelas que não compartilhavam sua religião ou suas ideias políticas. O pouco que a maior parte dos norte-americanos brancos sabia sobre a Nação do Islã vinha de um documentário de Mike Wallace, feito em 1959, chamado *The Hate That Hate Produced* (O ódio que o ódio produziu), que a fazia parecer igualmente bizarra e assustadora. Os norte-americanos negros, no entanto, sabiam que a Nação, apesar de todas as suas esquisitices, era uma poderosa organização de base dedicada ao autoempoderamento. Sabiam que Clay, independentemente de sua religião, orgulhava-se de si mesmo.

"Eu me lembro do dia em que me tornei consciente do Campeão", disse o escritor Walter Mosley. "Estava no carro com a minha mãe, que ia me deixar na escola; isso foi logo depois de ele ganhar de Sonny Liston o título de campeão. Quando paramos numa faixa de pedestres, um homem negro que passava em frente ao nosso carro de repente virou-se e, levantando os punhos para o ar, anunciou em voz alta: 'Eu sou o maior!' Fiquei assustado com a explosão violenta do passante, mas, mesmo assim, pude ouvir ali o orgulho e a dor, a explosão de um desejo ardente e o fragmento de esperança que transpassava aquele homem. A declaração de Cassius Clay havia se tornado a sua. O movimento do Orgulho Negro estava lançado, e um de seus pilares eram essas quatro palavras."[10]

No mesmo dia em que Clay deixou claras as suas ideias religiosas, 26 de fevereiro de 1964, Elijah Muhammad falou para milhares de muçulmanos na assembleia do Dia do Salvador, no Chicago Coliseum. Muhammad não se referiu aos problemas existentes em seu relacionamento com Malcolm

X, mas não deixou de usar a ocasião para acolher Cassius Clay na Nação do Islã, e ofereceu a Rudy, irmão de Cassius, um assento no estrado. Até aquele momento, Muhammad havia suspendido seu julgamento a respeito do boxeador, talvez porque pensasse que Clay perderia e talvez também porque o Mensageiro tinha uma visão obscura dos esportes profissionais.

Elijah Muhammad se opunha a "esporte e jogo",[11] disse John Ali, que serviu como secretário nacional na época de Muhammad e funcionava como principal gerente de negócios da Nação do Islã. Mas o Mensageiro superou seu viés nesse caso, de acordo com John Ali, porque pensou que poderia proteger Clay dos empresários brancos que dominavam o boxe e tratavam os pugilistas negros como escravos, deixando-os no abandono, sem um tostão e com o cérebro danificado quando já não podiam lutar.

Essa pode ter sido, de fato, a principal razão para Elijah Muhammad dar as boas-vindas a Cassius Clay, mas, sem dúvida, o Mensageiro viu benefícios adicionais. Clay tinha acabado de se tornar um dos homens negros mais famosos do planeta — possivelmente *o* mais famoso. Ele levava uma vida limpa, era jovem e bonito — um símbolo de força com um traço de rebeldia da largura de uma autoestrada. Até então, Malcolm X fora o representante mais visível da Nação do Islã, mas, na opinião de Muhammad, estava causando muitos problemas. Cassius Clay não tinha o talento de Malcolm para a liderança, mas atrairia mais atenção do que Malcolm jamais conseguira, e também causaria menos problemas.

· · ·

Após a luta com Liston, Clay dirigiu de Miami a Nova York e se instalou num quarto do Hotel Theresa, no Harlem.

Numa entrevista à *Jet*,[12] uma revista com leitores quase todos negros, ele anunciou que estava entrando numa nova fase da vida, uma em que iria se dedicar à observância religiosa e à busca da igualdade racial. "Minha boca fez de mim o maior, mas ninguém pode ser grande neste país se for negro", disse. Sua viagem de carro desde a Flórida provara isso: foi tratado como indesejável em restaurantes ao longo do caminho e forçado a se alimentar só com salame. Disse que estava pensando em se aposentar do ringue e de-

TORNANDO-SE MUHAMMAD ALI

dicar a vida a viajar e "buscar uma solução pacífica e viável para o problema racial". Havia outra possibilidade: "Também posso me candidatar a prefeito de Nova York, ou algo assim."

Sua transição de pugilista turbulento para um calmo líder espiritual ocorreu gradualmente. Num dia, foi a um cinema em Times Square para torcer por ele mesmo enquanto assistia a uma reprise da luta com Liston. Noutro, ele e Sam Cooke visitaram o edifício da gravadora Columbia para gravar uma nova canção, uma estridente versão de "The Gang's All Here", com Clay interrompendo a sessão para instruir o engenheiro de som: "Toque de novo. Acho que você ainda não acertou o volume da minha voz, está baixo. Lembre-se, eu sou o que canta mais alto."[13]

Em 2 de março, jornais negros anunciaram em todo o país,[14] depois de um relatório publicado inicialmente no *New York Courier*, que Malcolm X em breve poderia romper com a Nação do Islã e formar uma nova organização com o apoio de Clay. Citando uma "fonte interna" anônima, o repórter do *Courier* disse que Clay estava "solidamente no *corner* de Malcolm e emprestaria a influência de seu alto prestígio em todo o país a quaisquer esforços de seu amigo para estabelecer um culto próprio". A ambição de Malcolm, de acordo com as notícias na mídia, era "participar mais ativamente, com outros grupos pretos, de cada fase da atual revolução preta", enquanto Elijah Muhammad vinha insistindo, havia muito tempo, que sua organização evitasse o engajamento político. No mesmo dia, Clay disse a um repórter do jornal *Amsterdam News* que estava mudando seu nome para Cassius X. A imprensa tomou isso como mais um sinal de que Clay continuaria solidário com o irmão Malcolm. Elijah Muhammad tomou conhecimento e disse, de acordo com um informante do FBI, que Malcolm estava "amamentando" o jovem boxeador "como um bebê".[15]

Em 4 de março, Malcolm e Cassius visitaram a sede das Nações Unidas em Nova York, onde Clay disse a delegados africanos e asiáticos que estava ansioso para visitar seus países e, especialmente para ver Meca. Cassius e Malcolm falaram em fazer a viagem juntos. Talvez tenha sido Malcolm quem primeiro percebeu que o campeão dos pesos-pesados poderia se tornar uma importante figura política internacional, mas Clay não demorou a perceber o mesmo.

"Eu sou o campeão do mundo inteiro",[16] disse, "e quero conhecer as pessoas de quem eu sou o campeão."

Dois dias depois, em 6 de março, Elijah Muhammad anunciou numa rádio que Cassius Clay, o campeão dos pesos-pesados, era agora um seguidor da Nação do Islã e receberia a honra de um nome totalmente muçulmano.

"Esse nome, Clay, não tem nenhum significado divino",[17] disse Elijah Muhammad. "Muhammad Ali é o nome que darei a ele, enquanto ele acreditar em Alá e me seguir." As duas últimas palavras desse pronunciamento iriam se provar tão importantes quanto as duas primeiras.

Em um telefonema, Elijah Muhammad disse ao boxeador que seu novo nome carregava um significado especial. A maioria dos membros da Nação do Islã simplesmente substituía seus chamados nome de escravos pela letra X, como Malcolm Little fizera e como Cassius Clay tinha a intenção de fazer. Apenas em casos incomuns Elijah Muhammad atribuía nomes muçulmanos completos a seus seguidores, e, na maior parte dos casos, tais honras só eram conferidas depois de muitos anos de serviço leal. O novo nome de Cassius Clay também era especial por outro motivo, como explicou o Mensageiro: o fundador da Nação do Islã, W. D. Fard, havia adotado, por algum tempo, o nome de Muhammad Ali, entre outros. "Muhammad", explicou ele, significava digno de louvor, e "Ali" queria dizer sublime.

Cassius Marcellus Clay Jr. sempre adorara o seu nome. Disse que o fazia lembrar um gladiador romano, que era o nome mais lindo que já tinha ouvido, perfeito para o mais bonito e o maior campeão de todos os tempos. Mas agora Elijah Muhammad o instava a abandonar o nome, e o pugilista concordava sem hesitar.

Malcolm X recebeu a notícia quando ouviu a voz de Elijah Muhammad no rádio de seu carro, em Nova York. Para Malcolm, o motivo de Elijah Muhammad era óbvio: o Mensageiro estava doente e sob ataques por seu comportamento sexual. Se não lutasse, poderia perder a organização que havia construído. Malcolm X já representava uma ameaça, mas seria uma ameaça muito maior se contasse com o popular boxeador em suas fileiras. Era por isso que Elijah estava tentando comprar a lealdade de seu impressionável seguidor com uma denominação de honra que sugeria que Muhammad

Ali teria uma posição privilegiada dentro da Nação do Islã e uma relação especial com o líder. Foi uma jogada política. "Ele fez isso para impedir que Cassius viesse comigo",[18] disse Malcolm.

Malcolm não era o único irritado com o anúncio de Elijah Muhammad. Cassius Clay Sr. não conseguia entender por que seu filho abandonaria um nome fácil de memorizar e que também era cada vez mais valioso e trocá--lo por "Muhammad Ali", um nome que ninguém conseguia soletrar. "Eles estiveram martelando a cabeça dele e fazendo lavagem cerebral desde que ele tinha 18 anos",[19] disse Cash Clay. "Ele está tão confuso que nem sabe o que está fazendo." Os muçulmanos estavam arruinando seus dois meninos, Cash se queixou, observando que Rudy também havia se comprometido com essa nova fé. "Deveriam expulsar do país aqueles Muçulmanos Negros antes que destruam outros bons garotos."

Odessa Clay também estava com raiva. "Eles não gostam de mim porque eu sou clara",[20] disse ela, referindo-se à tonalidade de sua pele. Ela também reclamou que a Nação do Islã nunca teria atraído seu filho se o Grupo de Patrocínio de Louisville não o tivesse mandado para Miami. Odessa convenientemente se esqueceu do fato de que seu marido havia criado os filhos com histórias de linchamento e estupro, e com falas sobre a falsidade infinita do homem branco, preparando o terreno para a rebelião dos garotos.

Joe Louis juntou-se a Odessa para culpar a equipe branca de gestão do lutador, que não protegia seu pugilista: "Eles ficavam de um lado da cidade e ele do outro."[21] Lyman T. Johnson, presidente da seção da NAACP em Louisville e um dos ex-professores de História de Clay, disse que lamentava "a situação embaraçosa de Clay, que é ingênuo".[22] O *Defender*, o jornal negro de Louisville, expressou preocupação com a postura assumida pelo jovem, pois poderia prejudicar o movimento de integração. Martin Luther King, agora no auge de sua influência, também expressou decepção: "Quando ele se juntou aos Muçulmanos Negros e começou a se chamar de Cassius X", disse King, "tornou-se um defensor da segregação racial, e é contra isso que estamos lutando. Acho que Cassius deveria passar mais tempo provando suas habilidades no boxe e falando menos."[23]

O que o recém-designado Muhammad Ali e outros da Nação do Islã não compreendiam, disse Jesse Jackson, que trabalhava ao lado do dr. King, é

208 MUHAMMAD ALI

que os ativistas dos direitos civis não estavam meramente lutando pela integração; não estavam simplesmente lutando para que crianças negras e brancas se misturassem na sociedade. A verdadeira luta era para matar a segregação, destruir as leis e os costumes que forçavam os norte-americanos negros a aceitar escolas de segunda classe, empregos de segunda classe, bairros de segunda classe e vidas de segunda classe. "A ideia de que a integração era nosso objetivo veio dos brancos, de como as pessoas brancas definiram nossa luta",[24] disse Jackson. "Nós estávamos lutando por dessegregação, lutando pelo direito de usar instalações públicas, não só pelo direito de nos sentar ao lado de pessoas brancas. Nós estávamos marchando contra a humilhação de que nosso dinheiro não pode comprar um cachorro-quente, de que não podemos nos hospedar num Holiday Inn. Tinha a ver com o sentimento de dignidade do dólar. Nós não estávamos lutando apenas para ficar junto das pessoas brancas."

Ferdie Pacheco, o médico que trabalhou no *corner* atendendo muitos dos combatentes de Dundee, descreveu Muhammad Ali como uma criança crescida impulsionada fundamentalmente por um desejo de contrariar. "Ele anseia descobrir o que o público espera que ele faça, e depois faz outra coisa, mesmo que às vezes seja a coisa errada",[25] disse Pacheco. Angelo Dundee concordou: "Acho que ele está envolvido com esses muçulmanos só porque as pessoas não querem que ele esteja."[26]

Cronistas esportivos brancos — homens que valiam tanto quanto bitucas sujas, como os descreveu Norman Mailer — mostraram-se horrorizados e desdenhosos. Jimmy Cannon escreveu: "A organização criminosa por trás das lutas, desde seus podres primórdios, tem sido o distrito da luz vermelha dos esportes. Mas essa é a primeira vez em que foi transformada num instrumento de ódio em massa. Tem mutilado o corpo de inúmeros homens e arruinado sua mente, mas, agora, como um dos missionários de Elijah Muhammad, Clay está usando o boxe como uma arma da maldade num ataque contra o espírito. Eu tenho pena de Clay, e abomino o que ele representa. Nos anos de fome durante a Depressão, os comunistas usavam pessoas famosas do mesmo jeito que os Muçulmanos Negros estão explorando Clay. Essa é uma seita que deforma o belo propósito da religião."[27] O pugilista Max Schmeling havia sido um joguete para Hitler e os nazistas, mas, de acordo com Cannon, o que acontecia com Clay era pior.

Não era difícil ver por que um homem branco da geração de Cannon poderia pensar que o comportamento de Ali fosse pior do que o de Schmeling. Em 1964, os homens negros pareciam estar assumindo o controle de tudo, do basquete ao boxe e às ruas das cidades norte-americanas. Nunca existira um atleta tão abertamente político na América, e certamente não um negro. "O que a América branca exige de seus campeões negros", disse alguns anos mais tarde o pantera negra Elridge Cleaver, "é um corpo brilhante e poderoso e uma mente embotada, bestial — que seja um tigre no ringue e um gatinho fora do ringue."[28] Com um rugido poderoso, Muhammad Ali anunciou que a velha regra já não se aplicava.

Durante toda a sua carreira no boxe, Cassius Clay havia se esforçado muito para gerar polêmicas e irritar os fãs, principalmente com o objetivo de vender ingressos e espalhar sua fama. Agora, como Muhammad Ali, ele não precisava fazer nada. Com seu novo nome e sua expressa lealdade a um grupo religioso radical malcompreendido pela maioria dos norte-americanos, ele era, genuinamente, um alvo de desconfiança e um sujeito detestado — e mais discutido do que nunca.

Até então, o Grupo de Patrocínio de Louisville havia não só cuidado de suas finanças, mas também lhe concedido um endosso importante. Esses homens brancos com sotaque sulista e ternos de fustão o ajudaram a moderar sua imagem pública, como um benfeitor rico que se coloca por trás de um artista de cabelos compridos que fuma maconha. Eles enviaram uma mensagem aos fãs e aos potenciais parceiros de negócios afirmando que esse jovem podia ser confiável, não importavam as barbaridades que dissesse, e que tudo era em nome do esporte e do capitalismo. Agora, no entanto, a relação tornava-se complicada em aspectos que os empresários de Louisville nunca poderiam ter imaginado e mal sabiam como discutir. Jules Alberti, o chefe da maior agência de promoção de celebridades, questionou se o pugilista seria uma "boa etiqueta para o produto de alguém".[29]

Como se não bastassem esses desafios, os empresários de Louisville ainda enfrentavam questões éticas e legais decorrentes da luta com Liston. O embate fora arranjado? As provas permaneceram inconclusivas e, às vezes, contraditórias. O antes imbatível Liston certamente parecera velho e lento durante a luta. Porém, se Liston tivesse planejado perder, o que dizer da teoria da conspiração que circulava, sugerindo que ele de alguma forma cegara Cassius Clay antes do quinto round? E sobre o quinto round? O maior nocauteador de sua época não podia derrubar um homem cego? E sobre sua desistência de lutar? O homem mais durão do mundo perde seu título por causa de uma contratura no tendão do braço? Nada disso se encaixava na equação, e o cálculo ficou ainda mais confuso quando vazou para a imprensa a notícia de que a empresa de Liston, a Inter-Continental Promotions, assinara um acordo para promover a próxima luta de Clay e escolher seu próximo adversário. Isso deu à equipe de Liston um incentivo financeiro para ver Clay ganhar, e levantou suspeita suficiente para estimular uma investigação pela Subcomissão de Antitrustes e Monopólios da Comissão de Justiça do Senado.

Após a luta, um memorando circulou entre os membros do Grupo de Patrocínio de Louisville admitindo que os empresários de Louisville não tiveram nenhuma escolha quanto à cláusula de revanche. "Em todas as fases da negociação [...] os Nilons deixaram absolutamente claro que não poderia haver nenhuma luta sem garantir a Liston e à Inter-Continental uma revanche se Clay ganhasse o campeonato",[30] de acordo com o documento encontrado apenas recentemente nos arquivos pessoais de um dos membros do grupo. Dado que os Nilon e o Grupo de Patrocínio de Louisville sabiam que a Associação Mundial de Boxe não gostava de cláusulas de revanche, os dois lados concordaram em esconder da WBA o segundo contrato. Também concordaram que os Nilon manteriam em custódia uma parte do dinheiro da primeira luta para garantir que a cláusula de revanche fosse honrada. "Em outras palavras", continuava o memorando, "a questão da revanche era um item inegociável."

Quando o subcomitê do Senado se reuniu, um advogado da Inter-Continental admitiu que Liston e os Nilon detinham o direito de escolher o próximo adversário de Clay e de promover sua próxima luta, mas insistiu que não havia nada de suspeito nisso. O advogado, Garland Cherry, disse: "Só estávamos agindo como homens de negócios inteligentes. [...] Fizemos o acordo [...] apenas para o caso de Clay tornar-se campeão. É um contrato legítimo."[31]

TORNANDO-SE MUHAMMAD ALI

Quando a investigação foi concluída, a subcomissão não encontrou nenhuma evidência de armação. Alguma coisa cheirava mal, mas ninguém podia ter certeza do que era, e sempre havia a possibilidade de que não fosse nada além do habitual mau cheiro que girava em torno do boxe.

Contudo, isso ainda mantinha o Grupo de Patrocínio de Louisville sob pressão: de um lado, a Nação do Islã tentava garantir o controle sobre a carreira de Muhammad Ali; de outro, os irmãos Nilon mantinham o direito contratual de decidir onde e com quem Ali lutaria em seguida.

A cada dia surgiam mais notícias perturbadoras. Primeiro, o presidente da WBA pediu que Ali fosse destituído do título — não por suspeita de que a luta com Liston tivesse sido combinada, mas pela associação de Ali com a Nação do Islã, conduta que "configurava um péssimo exemplo para a juventude americana".[32] Em 26 de abril de 1964, outro representante da WBA alertou que uma revanche Clay-Liston "faria de idiotas milhões de norte-americanos seguidores do boxe".[33] Depois, veio à tona um relatório do Exército, que apontava o fracasso de Ali, por duas vezes, no exame psicotécnico do pré-alistamento, o que levou muitos repórteres e fãs do boxe a supor que o pugilista tivesse reprovado intencionalmente para evitar o serviço militar. Afinal, como poderia um homem tão inteligente ser considerado demasiado estúpido para carregar um rifle? Como poderia o melhor lutador profissional do mundo ser considerado inapto para lutar por seu país? O Exército declarou não haver evidência alguma de que o pugilista tivesse agido de má-fé na avaliação, e seus ex-professores no Colégio Central concordaram, dizendo aos repórteres que não estavam nem um pouco surpresos com os resultados. O teste em que Ali foi reprovado incluía perguntas como estas:[34]

Um homem trabalha das 6 da manhã até 3 da tarde, com 1 hora de almoço. Quantas horas ele trabalhou?
 a) 7 b) 8 c) 9 d) 10

Uma pessoa dividiu um número por 3,5 quando deveria ter multiplicado por 4,5. O resultado foi 3. Qual é a resposta correta?
 a) 5,25 b) 10,50 c) 15,75 d) 47,25

As pessoas que faziam o teste precisavam acertar trinta respostas num total de cem para passar, mas Ali não conseguiu. Ele disse que havia gasto 15 ou 20 minutos "coçando a cabeça" numa pergunta sobre maçãs, e então descobriu que não daria tempo de resolver um monte de outras.

"Eu apenas disse que sou o maior; eu nunca disse que era o mais inteligente",[35] disse ele a repórteres.

Um deles perguntou o que aconteceria se ele passasse no teste da próxima vez; pediria isenção do serviço militar como um objetor de consciência com base em suas crenças religiosas?

"Não como um objetor de consciência", disse ele. "Não gosto desse nome. Soa muito feio."[36]

15

Escolha

Muhammad Ali teria que decidir entre Elijah Muhammad e Malcolm X. Era uma escolha que mudaria o curso da vida do boxeador e de muitos outros.

Com sua vitória sobre Sonny Liston, Ali se tornara um dos homens negros mais visíveis do mundo. Em 1964, Malcolm X apareceu em cem artigos do *New York Times*. O nome de Elijah Muhammad apareceu em 31. Embora tenha lutado apenas uma vez durante o ano, Muhammad Ali apareceu em 203 artigos do *Times* (embora o jornal ainda o chamasse de Cassius Clay). Entre os norte-americanos negros, apenas Martin Luther King Jr., que ganhou o Prêmio Nobel da Paz naquele ano, receberia mais atenção do principal jornal do país, com 230 artigos citando seu nome. Além dos jornais, os noticiários de TV traziam relatos das linhas de frente da luta pelos direitos civis, com imagens em preto e branco de mangueiras de incêndio, gás lacrimogêneo e armas em riste, juntamente com breves trechos de comentários de segregacionistas e ativistas dos direitos civis. Mas essas matérias se resumiam a alguns minutos por noite, e eram editadas por homens brancos. Esse dado da edição é importante, pois dá a medida do poder de Muhammad Ali: ele desafiava os filtros da mídia branca melhor do que qualquer homem negro vivo — talvez até melhor do que o próprio dr. King.

Dick Gregory, comediante e ativista que passou algum tempo com Ali, King e Malcolm X em 1964, explicou desta forma: "Quando você via King, também via fragmentos de sons. A maioria das pessoas nunca ouviu toda a fala que começava com 'Eu tenho um sonho'. Elas ouviam passagens esparsas."[1] Ali era diferente, por ser um boxeador, disse Gregory, e o boxe o colocava em um universo que os homens brancos não podiam controlar. "Esse filho da puta continuaria na sua frente, entrando pelos seus olhos, durante quantos rounds durasse a luta. King nunca dispôs de tanto tempo assim. Você o vê bater num garoto branco e deixá-lo caído no chão, mas não pode fazer porra nenhuma a respeito. Então ele vai e fala, *louvando Alá!* Isso nunca tinha acontecido antes. Nunca, jamais tinha acontecido na história do planeta [...] Ali era tudo o que todos queriam que seus filhos fossem, exceto alguns brancos ignorantes que não contam." Gregory disse que os negros em todo o mundo, homens e mulheres, viram Ali fazendo essas coisas ultrajantes, coisas que negros nunca deveriam fazer, dizendo coisas que as pessoas negras nunca poderiam dizer, e tudo isso ao vivo na televisão — e saía impune. Isso as fazia perguntar: "Vamos lá, Ali, pra quem é que você está rezando?"

Na campanha para ganhar a lealdade de Ali, Malcolm X desfrutava maior intimidade, mas Elijah Muhammad tinha o poder. Malcolm dissera isso a Ali antes: "Ninguém deixa os Muçulmanos Negros facilmente." Ali sabia que escolher a Nação do Islã iria lhe custar sua amizade com Malcolm. Mas pode ter temido que escolher Malcolm lhe custasse a vida. No final, ele escolheu a figura do pai, não a do irmão. Na verdade, Cash Clay e Elijah Muhammad não eram totalmente diferentes. Ambos lamentavam a tirania dos homens brancos. Ambos apreciavam a companhia de mulheres que não eram suas esposas. Mas Cash Clay fora um homem violento, fisicamente ameaçou e agrediu a esposa e os filhos, ao passo que Elijah Muhammad era o oposto de Cash nesse aspecto, um homem que parecia nunca levantar a voz, que nunca foi visto bêbado, um homem cujo poder repousava numa confiança tranquila e numa calma deliberação. Desse modo, Elijah Muhammad representava mais do que uma figura paterna; era também um poderoso soco no rosto de Cassius Sr. Que melhor forma tem um filho de punir o pai do que substituí-lo — e ainda se desfazer do seu nome?

Em todo o país, seguidores da Nação do Islã estavam sendo forçados a escolher entre o Mensageiro e seu discípulo. Quando Malcolm anunciou que estava formando sua própria organização, a Mesquita Muçulmana, a Nação do Islã perdeu cerca de 20% de seus membros em questão de semanas, de acordo com a biografia de Elijah Muhammad escrita por Karl Evanzz.[2] Louis Farrakhan, então conhecido como Louis X, recorda-se de que foi um momento difícil para muitos na organização. "Eu, que era orientado pelo irmão Malcolm, e Ali, também orientado pelo irmão Malcolm, tivemos que tomar uma decisão", lembrou ele recentemente, sentado numa pérgula no gramado de sua casa no sul de Michigan. "Uma decisão muito dolorosa. Eu não apenas gostava do irmão Malcolm. Eu o adorava, e daria minha vida para proteger a dele por causa do grande valor que representava para o honorável Elijah Muhammad e a Nação do Islã. Tive que decidir entre cortar relações com o irmão Malcolm ou cortar relações com meu professor, o honorável Elijah Muhammad. E foi uma decisão fácil; eu tinha de ir com o homem que ensinou o irmão Malcolm, que me ensinou. Não vim para seguir o irmão Malcolm. Vim para seguir Elijah Muhammad [...] Por isso me mantive no caminho. E também Ali."[3]

Malcolm já estava em perigo. Porém, quando Muhammad Ali parou de atender suas ligações, tornou-se mais facilmente dispensável. Elijah Muhammad ordenou que Malcolm desocupasse a casa em que morava e devolvesse o carro;[4] ambos tinham sido pagos pela Nação do Islã. O Mensageiro previu em suas declarações públicas que Malcolm certamente retornaria implorando perdão. Em particular, no entanto, ele alertou que a única maneira de parar Malcolm seria "livrar-se dele da forma como Moisés e os outros fizeram com os maus entre eles",[5] de acordo com um relatório do FBI. O relatório, datado de 23 de março de 1964, continuava: "ELIJAH afirma que, com esses hipócritas, quando você os encontrar, corte-lhes a cabeça."

Embora soubesse dos rumores de que seria morto, Malcolm ficou ainda mais rebelde depois de separado da Nação do Islã. Ele posicionou sua nova organização como uma alternativa ao movimento não violento de Martin Luther King Jr. e exortou os ativistas negros a deixar de se preocupar com seu "prestígio pessoal e concentrar nossos esforços unidos para a resolução do interminável dano sendo causado diariamente ao nosso povo aqui na América".[6] Em 1964, grupos como o Comitê Não Violento de Coordenação Estudantil (SNCC) e o Congresso de Igualdade Racial estavam adotando posições mais militantes. Tumultos raciais logo iriam eclodir em várias cidades do nordeste. Em uma de suas primeiras declarações distribuídas à imprensa, a Mesquita Muçulmana declarou: "Com relação à não violência, é um crime ensinar um homem a não se defender quando ele é vítima constante de ataques brutais. É legal e legítimo portar uma arma de fogo ou um rifle [...] Quando nosso povo está sendo mordido por cães, deve ter o direito de matar esses cães."[7]

O Malcolm X reinventado manifestou apoio à dessegregação e ao registro de eleitores. Ele estudou os rituais muçulmanos e entendeu que a versão de Elijah Muhammad da teologia muçulmana e da prática estava longe de ser ortodoxa. Ele também começou a dizer aos repórteres, sem nenhum vestígio de dúvida, que a Nação do Islã estava tramando matá-lo.

Em abril, Malcolm viajou para o Egito usando seu novo nome muçulmano, El-Hajj Malik el-Shabazz. Do Cairo, Malcolm foi a Jedá, na Arábia Saudita. Logo depois começou o *hajj*, a peregrinação a Meca com frequência descrita como o evento mais importante na vida de um muçulmano. Depois de ver muçulmanos de todas as cores, Malcolm expressou arrependimento por declarações passadas nas quais condenava toda a raça branca. "Eu não sou racista e não subscrevo nenhum dos princípios do racismo", escreveu em uma carta para a *Egyptian Gazette*. E continuou: "Minha peregrinação religiosa a Meca tem me dado uma nova percepção da verdadeira fraternidade do Islã, que engloba todas as raças da humanidade."[8]

Malcolm também foi a Lagos e Ibadan, na Nigéria, e em seguida foi a Gana, dando palestras e reunindo-se com líderes religiosos e políticos em cada parada. No Hotel Ambassador, em Acra, antes de seguir para o aeroporto e tomar um voo para o Marrocos, Malcolm avistou Ali, que estava fazendo a própria visita de um mês à África. Haviam se passado quase três meses desde a luta de Ali com Sonny Liston. Ele treinara poucas vezes nesse meio-tempo, e isso era evidente por conta da barriga crescida e das bochechas arredondadas. Ainda não havia nenhuma data agendada para sua próxima luta, e, como resultado, o pugilista estava curtindo seu primeiro longo descanso em anos. Mesmo com alguns quilos a mais, Ali era imediatamente reconhecido em toda parte, e estava feliz em saber que relatos de seu mais recente triunfo no boxe e de sua conversão ao Islã haviam feito dele uma celebridade internacional. Milhares o saudaram no aeroporto de Gana, e muitos mais se alinharam ao longo das ruas para vê-lo acenar de seu conversível no caminho para o hotel.

"Irmão Muhammad!", gritou Malcolm ao ver seu amigo no saguão. "Irmão Muhammad!"

Malcolm usava uma túnica branca e carregava um bastão. Deixara a barba crescer. Ali cumprimentou seu ex-mentor friamente.

"Você deixou o honorável Elijah Muhammad", disse. "Isso foi um erro." Malcolm não respondeu.

Quando Malcolm já não podia ouvi-lo, Ali se virou para seu companheiro de viagem, Herbert Muhammad, filho de Elijah: "Cara, você deu uma olhada nele? Vestido com aquela túnica branca engraçada, usando uma barba e andando com aquela bengala parecida com o cajado de um profeta? Cara, ele já era! Completamente fora! Você não acha, Herbert, que isso só mostra que Elijah é o mais poderoso? Ninguém mais escuta esse Malcolm."[9]

Isso não era jeito de tratar um amigo, e era um sinal da complexidade e das contradições de Ali. Das profundezas do Ali gentil e leal, do Ali jovial, surgia o Ali cruel, o jovem egocêntrico e insolente que era tomado pela raiva quando se sentia ameaçado.

Aquele era o primeiro dia completo de Ali na África, e ele não via a hora de começar a turnê. Ali disse a um repórter do *New York Times* que estava ansioso para visitar a República Árabe Unida (o resultado de uma união política entre Egito e Síria), onde a lei permitiria que ele tivesse quatro esposas. Planejava levá-las para os Estados Unidos e colocá-las em uma casa nova, de 100 mil dólares. "Vai ser como um castelo, e vou ter uma sala do trono para minha coroa de peso-pesado. Uma das minhas esposas — Abigail — vai se sentar ao meu lado me oferecendo uvas. Outra — Susie — estará passando azeite de oliva em meus belos músculos. Cecília estará dando brilho aos meus sapatos. E então haverá Peaches. Não sei ainda o que ela vai fazer. Cantar ou tocar música, talvez".[10]

Com isso resolvido, ele retornou a outro tópico favorito: dinheiro.

"Ei, Herbert", disse ele, olhando o relógio. "Quando é que chega o homem que vai nos levar à caça de diamante?"

"Que homem?", perguntou Herbert Muhammad.

"Aquele que conhecemos ontem à noite, que nos contou sobre as minas de diamantes daqui. Ouvi dizer que tem um lago, um lugar tão cheio de diamantes que você só tem de entrar e ir pegando." Talvez ele tenha pensado que logo precisaria de quatro anéis de noivado. De qualquer modo, um ganense ouviu Ali e lhe disse que não havia nenhum lago assim.

"Bem", disse ele, "de qualquer modo, eu vou caçar diamantes onde quer que eles sejam caçados aqui."

Após o café da manhã, Ali foi procurar admiradores. Correu do refeitório para o terraço, onde gritou para garçons, camareiros, hóspedes do hotel e um grupo de meninos pequenos que brincavam por ali:

"Quem é o rei?", gritou.

"É você", responderam as vozes na multidão. "É você."

"Mais alto!", exigiu Ali. "Agora, quem é o maior?"

"Você!", veio de novo a resposta.

"Ok", disse, indo para seu conversível. "Vamos para a praia."

Ali encontrou-se com líderes políticos e foi manchete em todos os lugares, apesar de alguns de seus anfitriões ficarem chocados com seu parco conhecimento dos costumes islâmicos.[11] Em 18 de maio, conheceu Kwame Nkrumah, presidente de Gana, que o presenteou com um tecido *kente* (tradicionalmente usado pela realeza, e depois símbolo do pan-africanismo)[12] e uma cópia de seus livros, *Africa Must Unite* e *Consciencism*. Os livros eram mais do que presentes simbólicos; eles pretendiam mostrar que Nkrumah e Ali compartilhavam o desejo de lutar contra os poderes brancos que haviam subjugado os negros por tanto tempo, e que o movimento dos direitos civis na América tinha objetivos em comum com o movimento de libertação pós-colonial na África.

Em Acra, Ali e seu irmão fizeram uma demonstração de como Ali havia derrotado Sonny Liston. Em seguida, ele voou para Lagos, na Nigéria, mas ofendeu as pessoas do país mais populoso do continente ao reduzir o tempo de sua visita, cancelando um show de boxe e declarando que o Egito era mais importante.[13] No Cairo, assistiu a um filme sobre a batalha de 1956 com Israel, numa disputa pelo canal de Suez, e disse que, caso ocorresse outra agressão como aquela contra o Egito, "eu terei o prazer de lutar ao seu lado e sob a sua bandeira".[14]

Não muito tempo depois de seu encontro em Gana, Ali recebeu um telegrama de Malcolm. Embora rejeitado, ele não estava desistindo de seu protegido.

"Porque um bilhão do nosso povo na África, na Arábia e na Ásia o ama cegamente", escreveu Malcolm, "certamente você está consciente agora de suas tremendas responsabilidades para com todas essas pessoas. Nunca diga ou faça algo que permita a seus inimigos distorcer a bela imagem que você tem aqui, entre o nosso povo."[15]

Malcolm estava começando a ver como o movimento norte-americano dos direitos civis poderia tornar-se um movimento de liberdade negra, e se conectar com movimentos de liberdade ao redor do mundo.[16]

Tivesse ou não Ali a mesma percepção, sua viagem à África lhe forneceu um claro sinal. Até então, quando se vangloriava e clamava por atenção, havia feito isso com inocência juvenil, com um brilho nos olhos que mostrava estar apenas se divertindo ou só querendo se tornar mais rico e famoso. Ele era um garoto, apenas 22 anos, ainda com medo de garotas, incapaz de administrar um talão de cheques, contando com benfeitores para pagar seus impostos e tomar decisões de negócios por ele, não tendo certeza sobre como proceder em relação a qualquer coisa que não fosse lutar boxe e fazer barulho. Mas aqui estava ele agora, a quase 10 mil quilômetros de casa, visitando países dos quais mal ouvira falar antes da viagem, onde existiam muçulmanos com os mais variados tons de pele, onde líderes mundiais lhe davam presentes, onde pessoas em aldeias remotas se alinhavam ao longo de estradas poeirentas e cantavam o seu novo nome, e onde ele poderia emocionar as massas com um simples aceno de mão.

"Você devia ter visto como elas brotavam das colinas, as pessoas das aldeias da África, e todas me conheciam. Todo mundo me conhece no mundo inteiro."[17]

16

"Garota, quer se casar comigo?"

Muhammad Ali encontrou uma esposa na África, mas não foi Abigail, Susie, Cecilia, Peaches ou nenhum outro membro do seu harém de fantasia. Em vez disso, ela era uma garçonete de Chicago e modelo em tempo parcial. Seu nome era Sonji Roi. Em sua jornada africana, Herbert Muhammad carregava uma foto de Sonji na pasta e a mostrou a Ali, prometendo apresentá-los quando voltassem para os Estados Unidos.

Por que Herbert Muhammad teria na pasta a foto de uma garota de Chicago quando viajou para a África? A resposta é simples: Herbert tinha um estúdio de fotografia na zona sul de Chicago. Gostava de tirar fotos de mulheres seminuas e exibir seu trabalho. Na época, o FBI estava seguindo de perto Herbert Muhammad e outros da Nação do Islã como parte de um programa para prejudicar organizações que J. Edgar Hoover, o diretor do FBI, considerava subversivas. Os relatórios do FBI nem sempre eram acurados, pois refletiam os preconceitos de agentes quase todos brancos e ansiosos para agradar seus supervisores. Os memorandos do FBI diziam que Herbert seduzia as mulheres com presentes caros para se despirem diante de sua câmera, fazendo não somente retratos, mas também filmes pornográficos que mantinha no porão de sua casa e mostrava aos amigos.[1]

222 MUHAMMAD ALI

De acordo com o irmão de Muhammad Ali, Herbert não era o único que havia dormido com Sonji, mas também outros membros da Nação do Islã. Mostrar a foto era sua maneira de se gabar e promover os serviços da jovem. De acordo com o FBI e com um dos amigos mais próximos de Herbert, Sonji Roi pode ter sido uma prostituta.[2]

"Ela era uma coisinha mal-humorada", disse Lowell Riley, um fotógrafo que compartilhou o Star Studio com Herbert na rua 79.

Ali e Sonji tiveram seu primeiro encontro em 3 de julho de 1964. Ali estava hospedado no quarto 101 no Roberts Motel, na rua 63 da zona leste de Chicago, quando Herbert bateu à porta e entrou com Sonji. Ela usava uma peruca lisa, preta, jeans apertados e um suéter de mangas compridas com listras vermelhas. Como Sonji recordou anos mais tarde, Ali pulou da cama e disse: "Eu juro por Deus, Herbert, você sabe o que eu estava fazendo? Eu estava deitado na cama orando a Alá por uma esposa, e ela entra pela porta! Ela vem com o filho do Mensageiro; então, só pode ser ela!"[3] Ele se virou para Sonji, com quem ainda não havia trocado uma palavra, e perguntou: "Garota, quer se casar comigo?"

"Assim tão rápido?", respondeu ela prontamente.

"Rápido assim", disse ele.

Atravessaram a rua para tomar um sorvete, em seguida foram a um restaurante chinês para comer um chop suey e depois partiram para o apartamento de Sonji, na esquina da rua 71 com a Crieger, onde ela botou uma música e escorregou para fora de suas roupas.

Na manhã seguinte, Ali levou-a para o Roberts Motel, instalou-a no quarto 102 e lhe disse que nunca se separariam. Mais tarde, naquele dia, ele retirou a peruca que ela usava e lavou seu cabelo verdadeiro.

"A maneira como você tocou na minha cabeça", recordou ela, "nunca pensei que um boxeador pudesse ter um toque tão suave."[4]

Menos de uma semana depois, dirigiram até Louisville para encontrar Odessa e Cash.

"Eu ainda não podia acreditar", contou Sonji. "Tudo tão de repente... tão de repente."

Sonji era só no mundo, sem pais.[5] E sentiu que Ali também precisava de alguém. Ele era um homem que transbordava amor e luxúria, um homem

"GAROTA, QUER SE CASAR COMIGO?"

que não tinha medo de falar sobre seus sentimentos, de expressar o seu desejo de se casar e de contar aos amigos sobre seu apetite para o sexo. "Ele era jovem", disse a prima de Ali, Charlotte Waddell. "Ainda estava verde. Não havia sido exposto a nenhuma mulher avançada."[6] Mas, durante toda a vida, ele havia demonstrado uma necessidade mais forte do que o normal de ser desejado, admirado, amado — não era nenhuma surpresa seu forte desejo por sexo, por muito sexo, e que o casamento se seguiria.

Sonji Maria Roi tinha 27 anos e era linda — pequena, esbelta, olhos castanhos, com uma peruca elegante, longa e lisa. Usava salto alto e saia curta, apertada, de cores intensas, como se fosse figurante de alguma música da gravadora Motown, de Berry Gordy.

Quando Sonji tinha 2 anos, seu pai foi assassinado durante um jogo de cartas. Sua mãe ganhava a vida cantando e dançando em boates, e morreu quando a menina tinha 8 anos. Aos 14, Sonji teve um filho e saiu da escola. Logo depois, entrou em alguns concursos de beleza e foi trabalhar em boates, preparando bebidas.[7] Sua vida mudou quando conheceu Herbert Muhammad, um homem baixo e gordo que compensava a falta de educação formal com determinação e astúcia. Com o apoio de seu pai, Herbert era proprietário ou responsável por três empreendimentos na rua 79 — uma padaria muçulmana especializada em tortas de feijão, segundo uma receita de sua mãe; o Star Studio, onde retratos glamorosos decoravam a vitrine da loja; e o jornal da Nação do Islã, *Muhammad Speaks*. Depois de posar para fotos no estúdio de Herbert, Sonji foi contratada para vender assinaturas por telefone do *Muhammad Speaks*.

Mas um trabalho em tempo parcial no jornal não fazia de Sonji uma muçulmana. De acordo com as regras da Nação do Islã, as mulheres muçulmanas não deveriam usar maquiagem nem roupas reveladoras ou tomar bebidas alcoólicas. Sonji fazia tudo isso e muito mais. Herbert sabia que seu pai não aprovaria a escolha de Ali. O Mensageiro queria que seu seguidor mais famoso se casasse com uma mulher do rebanho.

"Queríamos fazer com que Ali *não* se casasse com ela", recordou Lowell Riley um dia, enquanto folheava um álbum contendo fotos de Sonji em trajes de banho. "Mas ela fez explodir toda a sexualidade dele, e Ali pensou que não havia mais ninguém que pudesse fazer o que ela estava fazendo."[8]

Rudy, irmão de Ali — também um membro recentemente registrado da Nação do Islã e que atendia então pelo nome de Rahaman Ali, ou Rock, como os amigos o chamavam —, tinha uma explicação mais romântica: era amor verdadeiro, disse.

Menos de seis semanas após seu primeiro encontro, em 14 de agosto de 1964, Sonji Roi e Muhammad Ali foram casados por um juiz de paz em Gary, Indiana. A noiva usou um vestido quadriculado preto e branco com uma echarpe laranja.[9] Um juiz de paz realizou a cerimônia porque a Nação do Islã não tinha nenhum ritual de casamento. O noivo assinou a certidão como "Muhammad Ali", embora ainda não tivesse mudado de nome legalmente. O nome lhe fora dado por Elijah Muhammad, disse, e "qualquer coisa que ele faz é legal".[10]

Quando lhe perguntaram sobre seus planos, Ali disse que ele e Sonji queriam que seus filhos nascessem "em outro lugar",[11] não nos EUA. Quando um repórter perguntou onde ficava o "outro lugar", Ali respondeu: "Em algum ponto perto da Arábia."

• • •

Muitos pais ficariam preocupados, para dizer o mínimo, ao ouvir que seu filho rico havia se casado com uma mulher que conhecera havia apenas seis semanas, especialmente se a mulher tivesse o currículo de Sonji Roi: órfã, mãe solteira, modelo em tempo parcial, dançarina, talvez prostituta. Mas Odessa e Cash Clay adoravam Sonji. No dia em que se conheceram, Sonji e Odessa foram juntas para a cozinha fritar frango.[12] Sonji se divertiu ao saber que Odessa ainda chamava seu filho crescido de "tinky baby" ou "woody baby", uma brincadeira com "bebezinho". Em breve, Sonji estava chamando Ali de seu "woody baby".[13]

Sonji era charmosa, franca, engraçada e, talvez melhor que tudo isso, da perspectiva do senhor e da senhora Clay, não fazia parte da Nação do Islã. Isso sugeria aos pais de Ali que o controle de Elijah Muhammad sobre seu filho poderia ter limites. Para os Clay, era até possível imaginar que o amor do filho por Sonji se provasse mais forte que seu amor por Elijah Muhammad, e que o casamento poderia abrir um caminho que conduzisse Cassius para longe da Nação do Islã.

"GAROTA, QUER SE CASAR COMIGO?" 225

Cash Clay continuava sua arenga contra a Nação sempre que tinha uma chance, o que explicava, em parte, porque Clay estava fazendo menos visitas aos pais em Louisville. "Ele vai ficar quebrado com todas aquelas sanguessugas",[14] disse Cash a um repórter, deixando de mencionar que ele também se comportava feito sanguessuga, tentando convencer o filho a investir em uma boate que ele possuía e operava, um lugar chamado Olympic Club, que durou apenas uns poucos meses porque Cash conseguiu desagradar e afastar um cliente após outro.

Mary Clay Turner, tia de Ali, disse que os Clay ainda esperavam que Muhammad Ali percebesse o erro que havia cometido e retornasse para sua família, recuperando seu antigo nome e libertando-se da Nação. "Porque você tem de ser quase totalmente analfabeto para comprar aquela coisa de muçulmano", disse ela numa entrevista a Jack Olsen, da *Sports Illustrated*. "Cassius é a coisa mais limpa naquela maldita organização. Todo o resto tem cicatrizes e manchas em seus nomes. Se não eram aproveitadores antes, bem, estão aproveitando agora! Se não eram ladrões, estão roubando agora! É isso, você sabe que não estou mentindo! Praticamente todos eles já estiveram na prisão. Cassius se deixa seduzir por toda aquela conversa de não beber e não fumar, mas ele não sabe que eles bebem por trás das portas e praguejam e chicoteiam suas mães e fazem de tudo. E eles te matariam tão rapidamente quanto me matariam, não se esqueça disso!"[15]

Ali tinha opções que iam além da Nação do Islã. Ele conheceu e fez amizade com outros ativistas. Em 4 de setembro de 1964, numa conversa grampeada por agentes do FBI, Ali e Martin Luther King Jr. falaram ao telefone. De acordo com a escuta, Ali assegurou King de que "ele está acompanhando MLK, e MLK é seu irmão, e ele está 100% com ele, mas não pode correr nenhum risco, e que MLK deve cuidar de si mesmo e 'tomar cuidado com os brancos'". Embora não esteja claro o que Ali quis dizer quando falou que não podia correr nenhum risco, sua preocupação em não enfurecer Elijah Muhammad era maior do que a sua preocupação em não enfurecer o *establishment* branco ou o FBI. Seu respeito pela autoridade do Mensageiro era avassalador. A certa altura, Ali disse a Jack Olsen: "Eu não posso mais dirigir. Ele não queria descobrir que eu me envolvi em algum problema, então disse 'Você pode simplesmente parar de dirigir', e tive de parar. Ele é poderoso assim. Qualquer coisa que ele diz, nós fazemos. Até mesmo o homem branco — o país inteiro tem medo dele."[16]

Elijah Muhammad nunca comentou publicamente a decisão de Ali de se casar com Sonji Roi. Ainda assim, o casamento colocou Ali numa encruzilhada. À medida que começava a própria família, ele tinha uma nova oportunidade de decidir como poderia ser seu futuro. Mas escolheu manter o mesmo curso, no que se referia à sua religião, dizendo a repórteres que sua esposa escrevera uma carta a John Ali, secretário nacional da Nação do Islã, declarando sua intenção de se registrar como muçulmana. "Essa foi a única razão pra eu casar com ela", disse, "porque Sonji concordou em fazer tudo que eu queria que fizesse [...] Eu lhe disse que, para ser minha esposa, seria preciso usar vestidos pelo menos 7 centímetros abaixo dos joelhos, tirar o batom, e parar de beber e de fumar."[17]

Essas eram preocupações menores para um homem tão profundamente apaixonado.

"Minha esposa e eu vamos estar juntos para sempre",[18] disse Ali à imprensa.

Não muito tempo depois do casamento, Ali e Sonny Liston chegaram a um acordo e marcaram uma revanche para 16 de novembro de 1964, no Boston Garden. O Grupo de Patrocínio de Louisville negociou o contrato com a Inter-Continental. Após quatro anos no ramo da luta, os empresários de Louisville tinham um entendimento mais amplo de onde haviam se metido, e não estavam inteiramente felizes com aquilo. Não só estavam sendo massacrados na imprensa por fazer um negócio por baixo dos panos com Liston e os irmãos Nilon para uma revanche, como também os irmãos Nilon ainda não haviam pagado centenas de milhares de dólares devidos a Ali pela primeira luta. Assim, mesmo enquanto os dois lados trabalhavam os detalhes de um novo contrato, o Grupo de Patrocínio de Louisville entrou com uma ação contra Liston e a Inter-Continental para forçar o pagamento do contrato anterior. Somente no boxe arranjos desse tipo poderiam passar como algo normal.

Ali prestava pouca atenção a questões de negócio. Onze dias depois do casamento, estava de volta a Miami para começar a treinar. Alguns relatos diziam que seu peso havia aumentado para 109 quilos, enquanto outros diziam 102. De qualquer forma, tinha trabalho a fazer. Ele usava um par de botas de pouco mais de 2 quilos[19] e carregava pesos de 700 gramas em cada mão quando corria.[20] Quase todos os dias, depois da corrida, ele assistia ao filme de sua primeira luta com Liston. Depois de vê-lo muitas vezes, identificou a chave para a vitória: reduzia-se à sua capacidade de se esquivar dos *jabs* de Liston. Quando Liston percebeu que seus *jabs* não estavam atingindo o alvo, o lutador maior, mais lento, tentou conduzir a luta com ganchos de esquerda, mas isso também não funcionou porque Ali era demasiado rápido para ser apanhado por aquele tipo de gancho. Isso deixara Liston sem opções. Incapaz de assumir a posição de agressor, ele foi ficando cada vez mais frustrado e cansado, enquanto Ali seguia batendo.

Se funcionou da primeira vez, funcionaria de novo, concluiu Ali. Liston era como um tubarão; impeça-o de se movimentar adiante e ele morre.

Uma semana antes da luta, Ali estava pesando 98 quilos — 3 quilos além do que pesava quando derrotara Liston em Miami para conquistar o título. Mesmo com os quilinhos a mais, ele estava em perfeita forma. Na verdade, parecia estar em melhor forma ainda. De acordo com a *Sports Illustrated*, havia crescido mais ou menos 1,5 cm e estava com 1,90 m de altura;[21] a circunferência do bíceps era de 43 cm e a das coxas, de 68 cm, uma melhoria de 5 cm em cada uma das medidas. Sua cintura estava inalterada: 86 cm.

"Eu sou tão belo que deveria ser esculpido em ouro", disse.

Liston também estava em forma para a revanche. Ele sabia que não levou a sério seu adversário na luta anterior. Pela primeira vez em anos, treinou como se estivesse indo para uma luta longa, subindo escadas, correndo 8 quilômetros por dia e treinando com um instrutor de artes marciais para melhorar velocidade e agilidade. Começou seus treinamentos em Denver e, em seguida, mais próximo da luta, mudou-se para White Cliffs, um clube de campo perto de Plymouth, Massachusetts. Parou com a cerveja e os jogos de baralho à noite. No fim de outubro, pesava 94 quilos — 4,5 quilos a menos do que pesava no primeiro combate com Ali. Nem todo mundo pensava que um Liston mais enxuto seria necessariamente um Liston mais hábil, no entanto. "Ele parecia estar encolhendo", escreveu Arthur Daley do *Times*, "e, em vez de aparentar 30 anos, conforme informado, parecia mais perto dos 40."[22]

Em 26 de outubro, Liston feriu gravemente um de seus *sparrings*, abrindo entre os olhos do homem um corte que exigiu oito pontos. O dano causado elevou o estado de espírito de Liston. Embora Ali estivesse invicto e tivesse acertado Liston de forma convincente em Miami, casas de apostas e cronistas de boxe novamente indicaram Liston como o favorito, dessa vez com chances de nove para cinco para os apostadores. Aparentemente, os especialistas acreditavam no que Liston, sua esposa e os treinadores continuavam a insistir: que um braço danificado havia incapacitado o lutador no primeiro round da luta anterior. Liston, raciocinavam todos, era muito forte e muito hábil para perder duas vezes. Sim, ele desistira do último combate, mas, dessa vez, ele lutaria para salvar sua carreira e a reputação. O próprio Ali reconheceu que Liston provavelmente faria uma luta melhor, prevendo que levaria nove rounds para ganhar. "Dou mais três rounds a ele dessa vez porque está em melhor forma", disse.[23]

Como campeão, Ali ampliara seu *entourage*. Ainda tinha o irmão, que estava lá para repetir tudo o que Ali dissesse e lhe dizer o quanto ele era engraçado, e ainda havia Bundini Brown, que contava piadas, escrevia poemas e aumentava o volume da TV quando Ali mandava.[24] Além disso, agora também tinha três cozinheiros muçulmanos, um assistente para o treinador, um motorista para seu novo Cadillac que custara 12 mil dólares,[25] e uma mascote. A mascote era Stepin Fetchit, um envelhecido comediante de vaudeville que que foi descrito para a imprensa como o "estrategista secreto" de Ali. Fetchit afirmava estar ensinando ao jovem boxeador como dar o golpe secreto de Jack Johnson, o "soco de âncora". Isso pode ter sido pura invencionice, mas soava bem para os cronistas e para Ali. O nome verdadeiro de Fetchit era Lincoln Theodore Monroe Andrew Perry, escolhido por seu pai para homenagear quatro presidentes. Fetchit foi o primeiro astro de cinema negro da América, mas havia alcançado a fama interpretando personagens preguiçosos, puxa-sacos, que encarnavam estereótipos raciais pejorativos. Era um companheiro improvável para Ali e seus orgulhosos camaradas muçulmanos.

Alguns disseram que a amizade de Ali com Fetchit era a prova da complexidade emocional do lutador, enquanto outros expressavam opiniões menos gentis.

"GAROTA, QUER SE CASAR COMIGO?" 229

"Para mim ele é apenas uma pessoa completamente confusa",[26] disse Ferdie Pacheco.

Ali e Fetchit eram dois grandes atores, e Fetchit parecia ter uma compreensão afiada das aptidões do pugilista para o exibicionismo. Antes da revanche com Liston, Fetchit disse: "As pessoas não entendem o campeão, mas um dia ele será um dos maiores heróis do país. Ele é como uma daquelas peças de teatro em que um homem é o vilão no primeiro ato e acaba por ser o herói no último [...] E é assim que ele quer que seja, porque é melhor para a bilheteria que as pessoas o entendam mal."[27]

No dia 8 de novembro, um domingo, Ali e seu irmão assistiram a uma cerimônia muçulmana conduzida por Louis X num templo em Boston.[28] Em 13 de novembro, três dias antes da luta, Ali estava relaxando no quarto 611 do Sherry Biltmore Hotel. Havia corrido 8 quilômetros naquela manhã, mas interrompera as sessões de treino no ringue para não correr o risco de se machucar. O Boston Garden antecipava uma lotação esgotada, e esperava-se que a venda de ingressos de circuito fechado superasse 3 milhões de dólares.[29] Nos dias que antecederam a luta, quando não estava correndo, pulando corda ou recebendo uma massagem de Luis Sarria, Ali passava a maior parte do tempo no quarto do hotel vendo filmes, ouvindo música, conversando com o irmão, Bundini, Captain Sam Saxon e outros. Os repórteres iam e vinham; também os membros da Nação do Islã, incluindo Louis X, Clarence X (anteriormente conhecido como Clarence Gill, um dos líderes da mesquita da Nação do Islã em Boston e guarda-costas de Ali em tempo parcial) e John Ali. No jantar daquela noite, Ali comeu um filé, espinafre, batata assada, torradas e uma salada com molho vinagrete[30] antes de ligar um projetor de 16 mm para ver *Alma no lodo*, o clássico filme de gângsteres de 1931 estrelado por Edward G. Robinson.

Quinze ou vinte minutos depois de terminar sua refeição, por volta de 18h30, Ali correu para o banheiro e vomitou. De repente, estava com uma dor terrível.

"Ah, tem alguma coisa muito errada", disse ele ao sair do banheiro. Alguém chamou uma ambulância. Saxon, Rudy e alguns outros o carregaram pelo corredor até um elevador de serviço, atravessaram uma lavanderia e chegaram à ambulância.

Os médicos no Hospital de Boston disseram que Ali tinha uma hérnia inguinal encarcerada, um inchaço do tamanho de um ovo no lado direito do intestino. Sua vida estava em risco e havia a necessidade de uma cirurgia imediata.

Sonji, hospedada na casa de Louis X, correu para o hospital.[31] O mesmo fez Angelo Dundee. William Faversham e Gordon Davidson, do Grupo de Patrocínio de Louisville, estavam no Boston Garden assistindo ao jogo dos Celtics com o Los Angeles Lakers quando um policial os achou e lhes disse que fossem para o hospital imediatamente.[32] Outro policial foi enviado à ópera para buscar um cirurgião que fez a operação ainda usando fraque e gravata branca.

Quando tudo acabou e a vida de Ali já não estava em perigo, os rumores e as teorias da conspiração começaram imediatamente: os treinadores de Liston tinham envenenado Ali. A Nação do Islã tinha envenenado Ali. Malcolm X tinha envenenado Ali. A máfia tinha envenenado Ali. Ali estava fingindo uma doença porque tinha medo de lutar.

Ao receber a notícia de que a luta fora cancelada, Liston tomou um porre. Havia treinado duro, trabalhado até chegar a uma forma perfeita, e agora teria de fazer tudo de novo. Mais um round a favor de Clay, seu algoz.

"Aquele maldito imbecil", disse. "Aquele maldito imbecil!"[33]

17

Assassinato

Numa noite, enquanto dormia, uma explosão abalou a casa de Malcom X. O ar frio entrou em golfadas por uma janela quebrada e as chamas se espalharam por todo o chão da sala. Malcolm correu através da fumaça com a esposa e as filhas, e saíram pela porta de trás. Eram 2h45 da manhã do Dia dos Namorados, 1965. Carros de bombeiros entraram no quarteirão com as sirenes berrando, vizinhos saíram para ver o que estava acontecendo. Malcolm ficou na rua de pijama, os dedos agarrados a uma pistola calibre .25.

Quando as chamas foram apagadas, a polícia encontrou vestígios de coquetéis molotov que haviam sido atirados pela janela da sala da modesta casa de tijolos no Queens. Malcolm estava furioso — mas não surpreso. Fazia semanas que ele vinha dizendo que Elijah Muhammad o queria morto. No *Muhammad Speaks*, Louis X escrevera: "A morte está acertada, e Malcolm não escapará [...] um homem como Malcolm é digno de morte."[1]

Muhammad Ali foi igualmente ameaçador, dizendo a um jornalista: "Malcolm X e qualquer outra pessoa que ataque ou fale em atacar Elijah Muhammad morrerá."[2]

Numa entrevista na TV com Irv Kupcinet, um jornalista de Chicago, Ali havia lançado insultos contra Malcolm. "Eu nem penso nele", disse. "Ele

232 MUHAMMAD ALI

não é nada, apenas um ex-drogado, um prisioneiro, um presidiário que não tinha nenhuma educação, não sabia ler nem escrever, que ouviu falar sobre o honorável Elijah Muhammad, que o tirou das ruas, o colocou em ordem e o educou o suficiente para sair e debater [...] Ele já não é Malcolm X [...] Ele é apenas Malcolm Little. Pequeno, um nada."[3]

Betty Shabazz, esposa de Malcolm, tentou conseguir ajuda de Ali. "Você percebe o que estão fazendo com o meu marido, não é?",[4] perguntou ela durante um encontro casual no Theresa Hotel. Ali levantou as mãos no ar. "Não fiz nada", disse. "Não estou fazendo nada com ele."

Mas a declaração de inocência de Ali soou falsa. A Nação do Islã fez de tudo; só faltou oferecer uma recompensa pelo assassinato de Malcolm X. Como o mais proeminente membro da organização, Ali poderia ter usado seu poder para sustar ataques extremos. Ele poderia ter feito alguma intervenção em nome de seu velho amigo. Escolheu não fazer. Na verdade, ajudou a atiçar a raiva. Em 18 de fevereiro, quatro dias depois das bombas lançadas em sua casa, Malcolm ligou para o FBI para lhes dizer, como se eles não tivessem notado, que alguém estava tentando matá-lo. Além das bombas, Malcolm fora perseguido por carros em Los Angeles e Chicago. Agora, os líderes da Nação do Islã estavam chegando a Nova York, levantando suspeitas de que outro ataque poderia ser lançado em breve. Louis X, de Boston, presidiu uma reunião na Mesquita Newark nº 25, enquanto o secretário nacional, John Ali, registrou-se no Americana Hotel, em Nova York, na sexta-feira, 19 de fevereiro. Dois dias mais tarde, membros do templo de Newark dirigiram até Nova York para participar de um comício de Malcolm X, no Audubon Ballroom, no Harlem. Quando Malcolm subiu ao palco, um dos homens de Newark jogou uma bomba de fumaça e saltou para prender um suposto ladrão. "Tira as mãos dos meus bolsos!",[5] gritou, para distrair o público, enquanto três homens armados rastejavam até o palco.

"Para! Para! Para! Para!", gritou Malcolm. De repente, uma saraivada de balas abriu buracos em seu peito. Mais tiros foram disparados. Malcolm caiu de costas, a parte de trás da cabeça se chocando com o chão. Ele morreu quase instantaneamente.

Algumas horas mais tarde, chamas irromperam no apartamento de Muhammad Ali, que ficava no número 7036 da avenida Cregier, na zona sul de Chicago. Ali e sua esposa estavam jantando fora quando John Ali ligou para o restaurante em que estavam, dando a notícia do incêndio. Como John Ali podia saber onde o casal jantava, a menos que tivesse sido seguido? Sonji ficou desconfiada, se perguntando se o fogo teve como objetivo alertar o marido para se manter na linha.[6]

"Foi um incêndio estranho. Muito estranho", disse Muhammad Ali anos mais tarde. "Acredito, até hoje, que foi iniciado de propósito."[7]

Dois dias depois, uma bomba quase destruiu inteiramente a mesquita da Nação do Islã, em Nova York. Logo depois, um dos ex-guarda-costas de Ali, Leon 4X Ameer, que havia deixado a Nação do Islã, morreu em um quarto de hotel em consequência de um trauma sofrido durante um espancamento. Antes de ser espancado, Ameer, anteriormente conhecido como Leon Lionel Phillips Jr., vinha falando com o FBI. Numa entrevista a um agente, Ameer contou que aquela hérnia de Ali surgira durante uma relação sexual com Sonji,[8] e que os empresários de Ali ficaram embaraçados por não ter conseguido "impedir todas as coabitações noturnas" entre Ali e sua esposa nos dias que antecederam a segunda luta com Liston. Ameer também disse aos agentes do FBI que o pugilista estava ficando cansado das inúmeras "doações" que a Nação do Islã esperava dele. De acordo com um memorando do FBI, Ameer disse a Ali que "ele era tolo de deixar que a NDI [Nação do Islã] o 'ordenhasse'".[9]

Nada disso levou Ali a questionar publicamente a liderança de Elijah Muhammad. "Malcolm X foi meu amigo", disse, "e um amigo de todos enquanto membro do Islã. Agora, não quero falar sobre ele. Todos nós ficamos chocados com a forma como ele foi morto. Elijah Muhammad negou que os muçulmanos tenham sido responsáveis. Nós não somos um povo violento."[10]

Anos mais tarde, entrevistado durante o almoço num restaurante em Chicago, John Ali disse que a Nação do Islã não teve nada a ver com o assassinato. "Nunca fui interrogado", disse ele. "Nunca fui acusado. As pessoas sabem que, se nós quiséssemos, poderíamos ter feito aquilo." Ele fez uma pausa. "Mas não fizemos."[11]

Sam Saxon concordou. "Eu queria matar Malcolm", disse ele numa entrevista anos depois, após mudar seu nome para Abdul Rahman. "Mas o honorável Elijah Muhammad nos disse para não incomodá-lo, então nós

234   MUHAMMAD ALI

não o incomodamos."[12] Saxon disse que o FBI preparou o assassinato para promover a discórdia dentro da Nação do Islã e eliminar um homem que podia ter vindo a se tornar um poderoso líder rebelde.

Décadas mais tarde, Ali diria que ter dado as costas a Malcolm era um dos maiores arrependimentos de sua vida. Ainda assim, na época, ele não mostrou nenhum remorso. Depois da hérnia, Ali desfrutou uma longa pausa no boxe. Quase todas as manhãs, Sonji preparava o desjejum enquanto ele zanzava pelo apartamento em Chicago. Saía para caminhadas, muitas vezes visitava Herbert Muhammad no escritório do *Muhammad Speaks*, e então voltava para ver televisão enquanto Sonji fazia o jantar. Quando saíam à noite para ir ao cinema ou a um restaurante, os fãs se aglomeravam em torno de Ali, mas Sonji não se importava. Ela ficava alguns passos atrás e deixava o marido desfrutar seus admiradores até que ele se lembrasse dela e fizesse uma apresentação, dizendo: "Esta é minha esposa, pessoal."[13]

Aqueles foram tempos mais simples, mais felizes, mas não foram perfeitos. Sonji era cética, "do tipo que não acredita em nada com base apenas na fé cega, nem mesmo num Deus",[14] como ela disse. Então, ela fazia perguntas sobre as crenças do marido. Por que as mulheres não podem usar vestidos curtos? Por que chamam as pessoas brancas de "demônios", sendo que você tem tantos amigos brancos? Por que não podiam ir a boates para ver artistas brancos? Uma década mais tarde, já divorciados, Sonji e Ali discutiram essas questões e outras diante do escritor Richard Durham. "Você nunca me respondia imediatamente", queixou-se Sonji. "Você pensava que o homem devia ser o único na casa que realmente sabia do que estava falando, então ia perguntar aos muçulmanos... Você não conseguia entender por que a insignificante Sonjizinha não seguia simplesmente a programação, como as outras, e não parava de fazer perguntas."

Ali respondeu: "Você não me dava o que eu esperava de uma mulher muçulmana."

Certa vez, Ali ficou furioso quando viu Sonji passando sombra nos olhos.

"Você pegou uma toalha molhada e começou a esfregar meu rosto, com força", recordou Sonji.

ASSASSINATO

"Eu fiz isso?", perguntou ele. "Desculpe. Se eu soubesse o que sei agora, nós ainda estaríamos casados. Você vê, eu era como um fanático religioso no início... Eu agia como se cada diferença fosse uma ameaça."[15]

No início de março, quando ainda estava se recuperando da cirurgia de hérnia, Ali viajou para Kingston, na Jamaica, para ver Sugar Ray Robinson lutar contra Jimmy Beecham no Estádio Nacional. Embora tivesse quase 44 anos, Robinson ainda estava ativo, tendo lutando quatorze vezes em 1965. Numa festa elegante, antes da luta, Ali se zangou com Sonji por causa do vestido de tricô laranja que ela havia escolhido para vestir. Diante dos convidados, ele parou na frente da esposa e puxou a parte inferior do vestido, tentando cobrir seus joelhos. No início, Sonji pensou que fosse brincadeira. Afinal, não havia muçulmanos ao redor, e não só o próprio Ali havia lhe comprado o vestido como a ajudara a vesti-lo naquela noite. Porém, ele continuou tentando esticar a barra do vestido. Sonji então viu que era sério, e ficou envergonhada. Foi para a varanda e chorou. Quando Ali chegou na varanda, viu um homem branco observando sua esposa naquele vestido curto, e sua ira transbordou.

"Fiquei atormentado com aquele vestido",[16] ele lhe disse, anos mais tarde, na frente de Durham.

"Mas você tinha comprado o maldito vestido!", disse ela. "Foi escolha sua! Então você me agarra na varanda e me arrasta pela sala, na frente dos convidados, na frente das estrelas de cinema, na frente do presidente do banco, da estrela de ópera, na frente de Ray Robinson e de todo mundo. E eu estou chorando e tentando me soltar, e você me empurra e grita, esquecendo que todos estão olhando. Você berra, e tudo mais! Você me jogou no banheiro, entrou e bateu a porta. Eu grito e choro, e você tenta esticar meu vestido. E, nessa tentativa de tornar o vestido mais comprido, agarrando e puxando, você o rasgou. Você o rasgou inteirinho. Então agora eu estou quase nua. Ainda tentando fugir, e você continua lutando comigo, puxando a minha roupa, me batendo. Sugar Ray está na porta do banheiro e começa a bater. 'Me deixa entrar, homem! Me deixa entrar...' Ele está gritando na porta, acho que ele pensou que você estava me matando."

Eles voltaram para Miami, e Sonji escreveu um bilhete de adeus, deixando-o sobre o travesseiro do marido.[17] Quando ele chegou da academia naquele dia, ela já não estava.

De algum modo, Ali a localizou em Chicago e eles conversaram "85 dólares por telefone", como disse Sonji, referindo-se ao custo da chamada de longa distância, até que ela concordou em lhe dar outra oportunidade. Ela voou de volta para a Flórida, e Ali retomou o treinamento para a luta com Liston. As discussões, no entanto, continuaram. O guarda-roupa de Sonji continuaria a ser um catalisador de ataques de raiva e de amargas hostilidades.

No dia 1º de abril de 1965, Ali e Sonji se separaram novamente, mas desta vez foi por motivos profissionais. Ali embarcou em seu ônibus pintado especialmente para ele, o Little Red, para a viagem de Miami a Chicopee Falls, Massachusetts, onde ele treinaria para a revanche com Liston, remarcada para 25 de maio. Ele convidara Bundini Brown, Howard Bingham, alguns poucos *sparrings*, seus cozinheiros e quatro jornalistas brancos para acompanhá-lo na viagem. Rahaman Ali seguiria no Cadillac vermelho-tomate do irmão.[18]

O ônibus estava estacionado diante da casa de Ali, com todos a bordo e prontos para partir, quando Sonji gritou da porta: "Ali, você levou minha roupa para a lavanderia?"[19]

"Levei tudo", disse o campeão de pesos-pesados à esposa.

"E meus sapatos para o conserto?"

"Feito."

"Então ponha o lixo pra fora."

Ali colocou um dedo sobre os lábios.

"Shh. Campeões não levam o lixo pra fora."

O tom de Sonji endureceu:[20] "Eu estou te dizendo, Ali..." Ele levou o lixo para fora e entrou no ônibus.

O ônibus era um Flexible 1955.[21] Tinha cheiro de cigarro, de torta de feijão-branco e frango frito, este último preparado por Sonji e embalado em grande quantidade na esperança de que Ali e seus companheiros de viagem não tivessem que parar e testar a tolerância racial entre proprietários de restaurante na Flórida e na Geórgia.[22] Ali dirigia com uma única mão no volante, sem se preocupar com o tráfego de Miami, enquanto olhava por cima do ombro para informar seus companheiros de viagem sobre como eram sortudos: "Pensem bem, o mundo inteiro gostaria de estar neste ônibus comigo, mas não está, e vocês estão. Vamos respirar ar fresco, olhar para as lindas árvores e comer aquele frango, e vocês podem me entrevistar enquanto estou dirigindo meu lindo ônibus à velocidade de cruzeiro de 140 quilômetros por hora."

Então fez uma pausa antes de perguntar se alguém tinha dinheiro para a gasolina.

Foi quando apontou para um repórter de óculos.

"Qual é o seu nome?"

"Pope", disse Edwin Pope, do *Miami Herald*.

"Pope, me empresta 100 dólares."

Pope e os outros no ônibus ainda não sabiam que nome usar para falar com Ali. Muhammad soava bobo. Clay, o pugilista insistia, não era o seu nome. Se ele estivesse de bom humor, responderia a Cassius, mas, por garantia, quase todos o chamavam simplesmente de "Campeão". Para os passageiros brancos, era difícil imaginar que o líder da sua brigada fosse o mesmo homem envolvido no mundo violento de Malcolm X e Elijah Muhammad. Ele era encantador, cheio de piadas, incluindo gracejos sobre a agitação racial no país.

"Próxima parada, Boston", disse. "Mas, primeiro, vamos parar em Selma e Bogalusa." Ele estava brincando sobre entrar no sul com um ônibus integrado e os problemas que poderiam surgir. "Não se preocupem; quando gritarmos para as garotas, serão meninas de cor, e ninguém vai ser enforcado."

Ele era a melhor fonte que alguns daqueles repórteres já haviam conhecido, pois cada enunciado seu e cada ação imploravam para ser registrados. Pope estava escrevendo suas histórias numa Smith Corona portátil enquanto o ônibus seguia saltando pela estrada.[23] Quando Ali não estava dirigindo, se espremia ao lado de Pope para ver o que ele estava escrevendo e fazer sugestões ou comentários adicionais. Quando o ônibus parava, o jornalista achava um telefone público, chamava seu editor e ditava uma coluna. Felizmente para Pope e seus leitores, o ônibus parava muitas vezes, pois Ali não

238 MUHAMMAD ALI

conseguia passar por uma cidade sem deixar que os cidadãos expressassem seu apreço pela visita.

Na hora do jantar, no primeiro dia da viagem, a equipe ainda não havia deixado a Flórida e o suprimento de frango frito de Sonji já estava esgotado. Em Yulee, logo ao sul da fronteira com a Geórgia, o ônibus diminuiu a velocidade e estacionou numa parada de caminhões. As grandes bombas de gasolina pareciam lápides de cemitério sob a iluminação dos postes, e reboques de caminhão enchiam o pátio calçado de pedras. Bundini Brown e alguns dos repórteres brancos saíram do ônibus e entraram numa lanchonete.

"Eles não te querem aí", Ali advertiu Bundini. "Nem tente."

Bundini, vestindo uma jaqueta jeans "Caçador de Urso", igual a uma de Ali, foi adiante mesmo assim. O campeão e alguns de seus *sparrings* ficaram perto das bombas de gasolina, observando-o. Bundini era um dos poucos homens do *entourage* a discutir questões raciais com Ali. Ele dissera a Ali que a Nação do Islã o estava levando na direção errada, que pessoas negras e brancas não eram diferentes, que era apenas uma questão de tempo até que parassem de lutar umas com as outras por causa de preconceito racial. Em determinado ponto, Elijah Muhammad oferecera a Bundini 50 mil dólares por ano para se tornar muçulmano,[24] e principalmente para que ele parasse de plantar ideias perigosas na mente de Ali. Bundini zombou da oferta, de acordo com o seu filho, dizendo: "Que tipo de religião você tem, se precisa pagar alguém para se tornar um membro?"

Ali iria demitir e recontratar Bundini muitas vezes ao longo dos anos, mas, na verdade, ele parecia gostar de treinar no ringue com o seu motivador de plantão. A maioria das pessoas no *entourage* só falava o que achava que o campeão queria ouvir, mas não Bundini; Bundini o desafiava.

"Ok, Jackie Robinson",* disse Ali. "Você é meu integrador. Se sair arremessado por aquela porta, vou saber que eles não nos querem."[25]

Bundini atravessou a porta de tela, passou por seis ou sete casais brancos e ocupou um lugar no balcão. Os repórteres se juntaram a ele.

---

* Jackie Robinson (1919-1974) foi o primeiro jogador negro a disputar a Major League Baseball, a liga de beisebol norte-americana, até então dominada por atletas brancos. [*N. da E.*]

"Peço desculpa", disse o gerente, saindo de trás do balcão. "Nós temos um lugar lá atrás. Instalações separadas."

Da cozinha, dois cozinheiros negros ficaram espiando pela porta. Bundini e os repórteres tentaram argumentar, mas o gerente — dirigindo-se aos repórteres, não a Bundini — disse que não havia nada que ele pudesse fazer.

A porta de tela se abriu e Ali entrou — não para salvar o dia, mas para humilhar Bundini.

"Seu idiota — qual é o problema com você? Seu *idiota* desgraçado."[26] As narinas de Ali se contraíram e sua voz se enfureceu até quase fora de controle, de acordo com George Plimpton, um dos jornalistas no balcão. "Dá o fora deste lugar, crioulo, você não é bem-vindo aqui", disse Ali. "Não vê que eles não te querem, crioulo?" Ali agarrou Bundini pelo casaco e o arrastou para fora. Bundini voou sobre a calçada "como se tivesse sido lançado por um estilingue", escreveu Plimpton. O campeão correu atrás dele, ainda gritando. "Estou feliz, Bundini! Estou feliz por você ter visto a coisa em primeira mão, Bundini, em primeira mão!"

Bundini olhava para os pés. "Me deixa em paz", disse. "Eu sou bom o suficiente para comer aqui! Sou um homem livre. Deus me fez assim."

Ele se afastou de Ali e foi se esconder no ônibus. Mas Ali foi atrás dele, chamando-o de Pai Tomás e dizendo-lhe para baixar a cabeça.

Bundini argumentou. Havia servido seu país nas Forças Armadas, disse. Ele devia poder comer em qualquer lugar que quisesse. Algum dia o gerente da parada de caminhão se arrependeria de suas ações. "Tomás! Tomás! Tomás!", gritava Ali.

"Me deixa em paz", disse Bundini de novo, numa voz que mal se ouvia. Então baixou mais ainda a cabeça e chorou.

Oitenta quilômetros adiante, em Brunswick, na Geórgia, o ônibus parou em outro restaurante de beira de estrada. Desta vez, sem explicação, Ali entrou marchando com sua tripulação, pediu uma mesa e sentou-se para comer. Ele era implacável, como um ditador ou chefe tribal que podia conduzir seus seguidores até grandes alturas e, no dia seguinte, ordenar que realizassem uma missão suicida, e seus motivos eram tão misteriosos quanto incontestáveis.

Pegou o bule de leite e derramou um pouco no copo de café.

"Bundini", gritou. "Eu vou integrar o café."

Bundini riu: "Um dia desses a gente vai descobrir qual de nós é louco. Acho que é você."[27]

18

Golpe fantasma

Em Fayetteville, na Carolina do Norte, Little Red pegou fogo e teve de ser aposentado.

"Meu ônibus vermelho, pobrezinho",[1] disse Ali em voz suave, oferecendo uma elegia à beira da estrada. "Você foi o único ônibus mais famoso do mundo. Ao menos, você foi o único de todos que alguma vez fez uma viagem como esta."

Ainda relutante em voar, Ali e seu grupo fizeram o resto da viagem num ônibus da Trailways, chegando 50 horas mais tarde a Chicopee Falls. Para alguns céticos na imprensa, a desastrosa viagem era um mau presságio. Ali realmente não derrubara Sonny Liston da última vez; Liston havia desistido. Achavam que o jovem boxeador tivera sorte, que esse Davi acertara uma pedrada de pura sorte e que seria sensato deixar Golias em paz. Os bookmakers em Las Vegas mais uma vez apontavam Liston como o favorito, tal como havia acontecido antes da hérnia de Ali.

No início de maio, faltando semanas para a luta, as autoridades do boxe em Massachusetts cancelaram o combate porque havia a preocupação de que os promotores de Liston tivessem ligações com a máfia. Um cínico poderia dizer que todos no boxe tinham ligações com a máfia, mas os promotores de luta não tinham nenhum interesse em um diálogo filosófico; eles precisavam encontrar outro local, o quanto antes. Inesperadamente, um promotor e proprietário de loja de penhores de Lewiston, Maine, ofereceu a St. Dominic Arena, com 5 mil assentos, para a luta, e foi fechado um acordo. Lewiston, uma cidade fabril com população de 41 mil pessoas, seria a menor cidade a sediar um campeonato de pesos-pesados em 42 anos.

Tudo que tinha a ver com a luta saiu errado. Embora a arena fosse pequena, metade dos ingressos não foi vendida. Os preços, que variavam de 25 a 100 dólares, eram demasiado elevados para a maioria dos habitantes de Lewiston. O registro oficial de 2.434 ingressos pagos foi o menor já registrado na história moderna de lutas para a disputa de um título entre pesos-pesados. Circulou um boato de que seguidores de Malcolm X tentariam matar Ali na noite da luta. Outro boato dizia que um esquadrão de ataque da Nação do Islã mataria Sonny Liston se ele não simulasse um nocaute. Os muçulmanos haviam ficado quase invisíveis no combate em Miami, mas compareceram em peso no Maine. Homens em ternos escuros e gravatas-borboleta cercavam Ali em todos os lugares, perscrutando as multidões e assustando os repórteres brancos que estavam acostumados a uma atmosfera mais jovial.

E então havia Liston, que, além de parecer ansioso, estava longe de sua melhor forma. Bebendo uísque e treinando sem muito entusiasmo,[2] o ex-campeão, supostamente com 32 anos, no mínimo, mas mais provavelmente com 34, parecia cansado e desgastado.

"Liston está acabado",[3] disse Ali.

"Você pode ver isso nos olhos dele", disse um dos *sparrings* de Liston. "Eles já não parecem tão assustadores."

Sua esposa, Geraldine, notou a mesma coisa: "Ele simplesmente não parecia ser o Sonny."[4] Antes de seu primeiro combate com Clay, Liston estava calmo e confiante. Desta vez, no dia da luta, estava nervoso — e atormentado por uma diarreia.

Ali, por outro lado, treinava como um homem que acreditava ter se tornado o Rei do Mundo, ou pelo menos o Rei do Mundo Negro, e que faria todo o possível para evitar decepcionar suas legiões. Ele alternava os treinos entre *sparrings* lentos e rápidos. Jimmy Ellis testava seus reflexos, e Joe "Shotgun" Shelton esmurrava a barriga de Ali enquanto ele ficava inclinado contra as

GOLPE FANTASMA

cordas, condicionando-se para rounds adicionais contra Liston como se dor não fosse coisa a se levar em consideração.

Na noite da luta, centenas de policiais de áreas vizinhas foram convocados. Vasculharam a arena em busca de bombas e revistaram os espectadores para evitar armas. A segurança foi tão severa que muitos dos pagantes ainda estavam do lado de fora quando a luta começou. O único consolo para esses pagantes foi não ter de ouvir Robert Goulet estraçalhar o hino nacional.

Ali deixou o hotel às 21 horas, usando jeans e um moletom.[5] Mort Sharnik, da *Sports Illustrated*, pediu ao campeão uma previsão. Ali respondeu calmamente, sem rimas: "Pode ser que, no começo, eu nem dê nenhum soco. Vou simplesmente ficar andando para trás e Liston vai me perseguir, e então, finalmente, *bam*! — eu o atinjo com a mão direita e pronto, tudo acabado!"[6]

Uma semana antes, ele dissera a um repórter que não gostava de entrar numa luta com um plano. "Angelo tem um plano de luta", disse, "e eu sigo um quando posso. Mas a pior coisa que eu poderia fazer seria ir lá com a minha mente toda preparada. Eu luto desde que era criança e faço tudo por instinto. Às vezes, eu me espanto comigo quando vejo um punho enorme vindo na direção da minha cabeça e ela se move sem eu pensar e o punho enorme passa de lado. Fico pensando como eu fiz aquilo."[7]

Esse era o plano.

A luta começou às 22h40. Sonji — que decidira adotar o sobrenome Clay, embora o marido o tivesse abandonado —, sentou-se com os sogros, Cash e Odessa. Não muito longe dos Clay, Frank Sinatra, Jackie Gleason e Elizabeth Taylor sentaram-se na primeira fila — a primeira e última vez que Lewiston viu tamanha constelação de astros. A multidão vaiou Ali quando ele chegou e saudou Liston, validando a máxima que diz que o inimigo do meu inimigo é meu amigo. Ali talvez fosse o homem mais amplamente detestado na América em 1965.

O árbitro, Jersey Joe Walcott, ele mesmo um campeão dos pesos-pesados, encontrou os lutadores no centro do ringue e lhes lembrou as regras. Antes do gongo, Ali curvou a cabeça e ofereceu uma prece na direção de Meca, enquanto Liston movimentava os pés pesadamente no *corner* oposto.

A luta começou. Ali, de calção branco, parecia maior e mais forte do que nunca, seu peito e seus ombros tão imponentes quanto os de Liston,

244   MUHAMMAD ALI

estômago magro, músculos destacados. Ele não ficou andando para trás, como dissera a Sharnik que faria. Em vez disso, se precipitou para o centro do ringue e disparou dois socos rápidos. Com essa mensagem enviada, fez o que todos esperavam dele, andando para trás e circulando enquanto Liston o perseguia e dava socos que basicamente não atingiam nenhum alvo. Cada vez que Liston tentava encurralar o adversário, Ali deslizava, geralmente para a esquerda, e dançava outro círculo em torno do ringue. Na maioria de suas lutas, Ali daria socos e mais socos enquanto se movia, mas, desta vez, ele nem se preocupou em fazer alguma coisa, contentando-se em dançar e deixar o adversário persegui-lo. Durante os primeiros 90 segundos da luta, Ali deu apenas dois golpes, e ambos falharam. Talvez estivesse medindo Liston, talvez mantendo distância para garantir sua própria segurança.

Quando lutou com Archie Moore, mais velho e mais lento, Ali dera 86 socos no primeiro round. Em sua primeira luta com Liston, haviam sido 47 no primeiro round. Agora, nos primeiros 2 minutos de sua revanche com Liston, Ali tentou não mais que oito socos, acertando três. Estava se configurando como o round mais inofensivo e inconsequente de sua carreira de boxe profissional, sem resultado algum, a não ser, aparentemente, testar a resistência de Liston. Voltas e voltas dava Ali, circulando Liston, se esquivando de socos.

Faltando um minuto, Liston forçou Ali em direção às cordas e continuou avançando, aplicando pressão. Ali ficou na ponta dos pés, movendo os ombros para a esquerda e a direita e a esquerda novamente, transferindo o peso de um lado para o outro, fazendo-se um alvo em movimento. Liston armou e lançou uma esquerda. Os olhos de Ali se arregalaram e sua boca se abriu. Ele puxou o queixo para trás e deixou que o golpe o atingisse suavemente abaixo do ombro direito.

Sonny engatilhou o braço direito para dar outro soco, mas foi muito lento. Ali disparou uma direita curta. Acertou Liston na têmpora. A cabeça de Liston despencou para a frente, como um homem que estivesse procurando a carteira no chão. O joelho direito se torceu, e o corpo se dobrou na cintura.

Ali prosseguiu com um gancho de esquerda, mas o soco não encontrou o alvo porque Liston estava caído de costas, mãos acima da cabeça, pernas abertas, como uma boneca de pano jogada fora. Liston estava caído, e havia

GOLPE FANTASMA

acontecido tão rapidamente que muitos espectadores perderam a cena. Ali ficou sobre o lutador caído e vociferava, enquanto os fotógrafos disparavam e rebobinavam suas câmeras freneticamente. Liston rolou para o lado direito, levantou-se apoiando o corpo sobre um joelho, então tombou novamente feito um bêbado que decidisse ficar caído e dormir por ali mesmo.

Ali saltava em torno do ringue em júbilo.

Após 18 segundos, Liston finalmente se levantou. A luta deveria ter sido encerrada, mas Walcott não conseguira abrir a contagem porque estava muito ocupado tentando controlar Ali, que não fora para um *corner* neutro conforme as normas exigiam. Quando Walcott percebeu seu erro, correu para o outro lado do ringue para conferenciar com Nat Fleischer, editor da revista *The Ring* e comissário não oficial de boxe, que declarou que Liston permanecera caído por 10 segundos. Enquanto Walcott estava afastado no *corner*, Ali e Liston começaram a lutar novamente. Ali lançou quatro ganchos — esquerda, direita, esquerda, direita — antes de Walcott retornar e separar os lutadores, sinalizando que estava tudo encerrado: Ali era o vencedor por nocaute.

Liston cambaleou de volta para o seu *corner*. Enquanto isso, Bundini era o primeiro a alcançar Ali, e o ergueu no ar. Depois veio Rahaman, que tirou o protetor bucal da boca do irmão.

"Ele se deitou",[8] disse Ali a Rahaman.

"Não, você atingiu ele", disse Rahaman.

"Eu acho que ele...."

"Não, cara, você atingiu ele!"

O soco havia sido tão rápido, e os resultados tão chocantes, que o próprio Ali parecia não ter certeza do que acontecera. Para muitos, certamente parecia que Liston não estava com nenhuma pressa de se levantar do tablado. Gritos de "trapaça" subiram imediatamente da multidão e duraram muito tempo após a luta. Geraldine Liston não podia acreditar que uma pancada tão oblíqua pudesse dobrar seu marido. Em toda a sua carreira, Sonny nunca havia sido nocauteado, e só fora derrubado uma única vez antes disso. Joe Louis também duvidou da autenticidade do nocaute, dizendo que o curto golpe de direita de Ali no crânio de Liston fora o mesmo que "jogar confete em um navio de guerra". E como aquele curto golpe de direita havia sido tão rápido, e ficado tão escondido pelo movimento do corpo de Liston, alguns observadores foram mais longe, insistindo que não houve soco algum, que Liston havia simplesmente simulado um nocaute. Chamaram de "golpe fantasma".

Houve um soco, que atingiu seu alvo. Replays em câmera lenta deixam pouca dúvida de que a mão direita de Ali atingiu o alvo com força suficiente para fazer com que a cabeça de Liston se movesse para baixo e para a direita.

"Foi uma direita perfeita",[9] disse Floyd Patterson, sentado perto do ringue.

George Chuvalo, também na primeira fila, tinha dúvidas: "Eu vi os olhos do Liston", disse. "Eram os olhos de um homem fingindo. Olhos atordoados reviram. Os olhos do Liston estavam correndo de um lado para o outro."[10]

"Não achei que ele pudesse golpear com tanta força",[11] disse Liston.

Depois de assistir a um replay na TV, Ali começou a se referir ao golpe como "meu soco de caratê", ou "o famoso soco de âncora", passado de Jack Johnson para Stepin Fetchit, e dele para Ali. Ele ouviu os gritos de trapaça e teve uma resposta para eles. "Sonny é muito embotado e muito lento para trapacear numa luta",[12] disse ele. "Eu bati nele solidamente, com todos os meus 93 quilos, e eles odeiam me dar crédito."

Se o soco foi real, a única questão era se Liston havia simulado a queda ou se, uma vez caído, decidiu ficar caído — porque a máfia mandara, porque a Nação do Islã o ameaçara, porque ele estava doente, ou porque sabia que não poderia ganhar e já não queria tentar. O FBI tinha suspeitas, mas não encontraram evidência que sugerisse trapaça.[13]

Ainda assim, a própria esposa de Liston tinha dúvidas.

"Acho que Sonny entregou aquela segunda luta",[14] disse Geraldine a um jornalista 35 anos mais tarde. "Não sei se ele foi pago; não vi o dinheiro, caso ele tenha sido pago para perder. Não sei, não sei o que se passou. Mas é o que realmente acho. Essa é a minha crença. E eu disse isso a ele."

Mas Sonny negou.

Geraldine disse ao marido que achava que ele havia entregado a luta. Mas Sonny negou.

"Ele disse que não, ele disse 'Você ganha e perde', sabe? Eu digo: 'Mas no primeiro round?'"

19

Amor verdadeiro

No dia após a luta, Ali deveria estar muito feliz. Tantas coisas na sua vida estavam exatamente como havia sonhado — e seus sonhos dificilmente haviam sido modestos. Ele acabara de vencer Sonny Liston novamente, diante da mãe, do pai, do irmão, de centenas de repórteres e de milhões de espectadores em todo o mundo. Ele era rico. Ele tinha fama. E, como nunca deixou de lembrar a todos, ele ainda tinha o rosto mais bonito já visto no mundo do boxe. Mas uma coisa não estava funcionando exatamente como esperado, e ele estava cada vez mais frustrado com isso.

Ali ainda amava Sonji. Ele ainda queria ter filhos com ela, embora não conseguisse entender como ela ainda não havia engravidado, levando em conta a qualidade e a quantidade da atividade sexual entre os dois. O problema era o comportamento dela na companhia dos amigos muçulmanos de Ali e, em particular, sua recusa em usar os vestidos compridos e os lenços de cabeça prescritos para mulheres membros da Nação do Islã. Ali havia explicado que as muçulmanas deveriam mostrar deferência por seus homens e tratá-los com respeito, mas Sonji, que era ousada e franca por natureza, recusava-se a se curvar diante de Ali ou de qualquer outro homem. Ela nunca deixava de dizer ao marido quando achava que ele estava sendo usado ou enganado por algum de seus amigos e por parasitas, incluindo membros da Nação do Islã. Ela questionava tudo, desde a honestidade de Elijah Muhammad até o próprio significado de religião.

"Como eu podia aguentar ver você agir como um tigre no ringue e, fora dele, de joelhos, tremendo diante de alguma superstição religiosa como se fosse um homem que acredita em fantasmas?",[1] perguntou ao marido. Ela queria um herói que pudesse levá-la para longe de tudo, de sua vida difícil e triste, e acabou com um homem que nem sequer era seu próprio mestre. "Eu pedi que você questionasse essas coisas", disse ela. "Apenas perguntar a si mesmo e, no silêncio da noite, responder. Nem mesmo sussurrar sua resposta em voz alta. Apenas para você. Para você, seu campeão mundial dos pesos-pesados de merda!"

Mas ele nunca questionou nada. Ou, pelo menos, não de uma forma que a satisfizesse, e a religião continuou a causar atrito entre eles, com Sonji fervendo toda vez que via o marido agachando-se para os líderes da Nação do Islã, e Ali explodindo de raiva sempre que Sonji mostrava desprezo ou desrespeito por sua fé. Ele havia feito grandes sacrifícios para se juntar à Nação do Islã, confundindo os fãs, afastando seus pais, perdendo contratos valiosos e abandonando pelo menos um dos seus melhores amigos, Malcolm X. Tendo feito sua escolha e se comprometido com Elijah Muhammad, ele esperava que a esposa fizesse o mesmo. Algumas das suas frustrações tinham a ver com religião, sem dúvida, mas outras estavam ligadas às ideias de masculinidade e casamento.

No Maine, antes da luta com Liston, estavam hospedados em um Holiday Inn em Auburn quando Sonji se debruçou na varanda e disse ao marido para entrar. "Estou indo",[2] disse Ali, que havia saído para falar com o jornalista Jerry Izenberg e com Sam Saxon, o muçulmano com quem fizera amizade em Miami. Ali começou a subir as escadas, mas Captain Sam bloqueou o caminho.

"Você é o homem", disse. "Você não vai quando a mulher diz para ir."

Ali ficou.

Na manhã seguinte à luta com Liston, o casal dirigiu de Lewiston a Chicopee de volta ao hotel onde Ali ficara hospedado durante os treinos. Em Chicopee, Ali recordou, "Ela colocou um vestido apertado, muito,

muito, muito curto, sem mangas, sem nada [...] e entrou no saguão com esse vestido, e entrou no restaurante com ele, e eu a puxei para o quarto e perguntei: 'Por que você entraria assim no saguão [...] me envergonhando com essas roupas de tipo sexual que mostram todas as partes, ou muitas partes do seu corpo?' E ela responde: 'Você ganhou sua luta. Já não preciso fingir [...] Nunca vou ser muçulmana.'"[3]

O casal discutiu. Mais uma vez, Sonji saiu com raiva, voltando para Chicago.

Os dois não se viram por duas semanas. Ao se reencontrarem em Chicago, em 11 de junho, Ali insistiu em levar a esposa a uma costureira para que pudesse encomendar vestidos "comuns e simples", compridos até o chão.[4] Um dia, ele tirou do armário um dos vestidos compridos que havia comprado para ela e o colocou em cima da cama, mas Sonji se recusou a usá-lo. Era a mesma velha discussão, aquela que havia levado Ali a bater nela na festa na Jamaica.

"Foi o ponto de ruptura para Ali",[5] disse Safiyya Mohammed-Rahmah, filha de Herbert Muhammad.

Captain Sam tentou intervir, falando com Sonji. Ele acreditava que os dois eram realmente apaixonados um pelo outro. Com mais algum tempo, disse ele, Sonji poderia se aproximar da Nação do Islã. Ele apelou para o seu lado pragmático: "Esse homem vai estar no topo durante dez anos",[6] disse a Sonji. "Você só precisa esticar seu vestido até cobrir os joelhos."

Herbert, o filho de Elijah Muhammad, havia aproximado o casal no início, e agora os separava. Um informante do FBI disse que Herbert tratava Ali "como um cafetão trata uma prostituta [...] tentando diminuí-lo o quanto podia para mantê-lo completamente sob seu controle".[7] De acordo com Rahaman, irmão de Muhammad Ali, Herbert tentara ir para a cama com Sonji, mesmo depois de ela estar casada com Ali.[8] Ele não foi o único membro da Nação do Islã a fazer propostas a Sonji, de acordo com Rahaman. Como Sonji recusou, Herbert começou a tentar se livrar dela, espalhando palavras venenosas e declarando-a inapta a ser muçulmana.

Rose Jennings, que trabalhou com Herbert Muhammad e Sonji no *Muhammad Speaks*, disse que não sabia se o sexo desempenhou um papel na frustração de Herbert com Sonji, mas afirmou ter certeza de que Herbert sentiu-se ameaçado pela nova esposa de Ali e orquestrou sua saída. "Herbert não podia controlá-la", disse Rose. "Ela começou a dizer a Ali o que realmente estava acontecendo. Passou a ter influência em seus negócios. Herbert não podia aguentar aquilo. Então disse a Ali que Sonji estava transando com um cara branco. Não era verdade, mas ele estava tentando separá-los."[9]

Deu certo. Em 23 de junho, Ali apresentou uma queixa perante o condado de Dade, na Flórida, pedindo que um juiz anulasse seu casamento. Buscando a anulação, em vez de um divórcio, ele esperava evitar o pagamento de pensão alimentícia. Mas Sonji disse aos repórteres que ainda esperava salvar seu casamento.

"Eu amo meu marido e quero estar com ele", disse. "É só essa religião. Eu tentei aceitá-la e expliquei isso a ele, mas simplesmente não entendi. É muito difícil mudar para o jeito que eles querem que eu seja."[10]

Uma semana depois, ela declarou aos jornalistas que estava viajando pelo país para encontrar seu marido, pois desejava falar com ele e tentar consertar o casamento. "Mas ele não fala comigo", disse ela. "Fico sabendo onde ele está e vou lá. Ele vai para outro lugar, e eu vou atrás."[11]

Numa audiência prévia, um juiz perguntou a Ali se ele havia amado Sonji algum dia. Ele respondeu: "Gostaria de dizer que a amava só se ela seguisse meu modo de vida e se adotasse meu nome e tudo mais que eu podia dar a ela, e fosse o que eu queria que ela fosse. É a única razão de todas para eu amá-la."[12]

O juiz, talvez sem se impressionar com essa resposta, decidiu que Ali não tinha nenhum motivo para anular o casamento. Ali e seus advogados fizeram um acordo com Sonji e ela concordou com o divórcio, recebendo 22.500 dólares para cobrir custas judiciais e 15 mil dólares anuais durante dez anos.

Quando tudo estava acabado, Sonji pronunciou seu veredicto: "Eles roubaram a mente do meu homem."[13]

Ali, por seu lado, disse que pretendia se casar novamente: "Não tenho ninguém em mente, mas vou dizer uma coisa: da próxima vez que me casar, vai ser com uma garota de 17 ou 18 anos — uma que eu possa educar de acordo com minha maneira de pensar."[14]

Não está claro se Ali realmente queria uma mulher que ele pudesse educar à sua maneira de pensar ou apenas uma que aderisse ao jeito da Nação do

AMOR VERDADEIRO

Islã. Qualquer que fosse o caso, seu primeiro casamento levantou questões desconfortáveis. Para muitos homens jovens, o casamento é um chamado para acordar, uma sacudida que os obriga a se tornar menos egoístas, a colocar as necessidades da esposa à frente das próprias e, logo depois, também as necessidades dos filhos. Mas esse não era o caso para Ali. Quando a Nação do Islã e Herbert Muhammad o forçaram, ele abandonou a esposa do mesmo modo como havia abandonado o amigo Malcolm X.

Muitos anos mais tarde, quando Rahaman Ali estava por volta dos 70, com a memória de curto prazo bastante comprometida, mas com a memória de longo prazo aguçada, quando já não vivia à sombra do irmão e estava na pobreza, num minúsculo apartamento em Louisville subsidiado pelo governo, alguém lhe perguntou qual havia sido a maior provação da vida de Ali. Foi uma das lutas? Uma doença? Um ferimento? A morte da mãe ou do pai? Rahaman respondeu sem hesitação: foi quando ele estava perdendo Sonji.

"Ele atravessou um inferno. Por não ser capaz de mantê-la, fazer amor com ela. Aquilo doeu demais nele. Ela foi a única que ele realmente amou. Seu verdadeiro amor, seu único amor."[15]

Herbert Muhammad não sabia quase nada sobre boxe. Tinha 36 anos, um corpo balofo, roliço, que, nas palavras de um escritor, dava testemunho de "longas e calculadas refeições".[16] Odessa Clay dizia que ele tinha uma aparência "gorda e suína".[17] Cash Clay era ainda mais duro, referindo-se a ele como "Aquele sujo. Aquele Muhammad sujo".[18]

Antes de sua associação com o campeão de pesos-pesados do boxe, Herbert Muhammad estivera nas manchetes uma vez, em 1962, quando uma mulher prestou queixa contra ele por haver quebrado seu maxilar em quatro lugares.[19] A ex-amante disse que havia terminado com ele quando soube que era casado e tinha filhos. Mas Herbert invadiu o apartamento em que ela morava, espancou-a e ameaçou matá-la se ela o deixasse. Logo depois, o FBI começou a vigiar Herbert. Relatórios de agentes do bureau nem sempre eram precisos, e muitas vezes eram tendenciosos contra minorias e outros que J. Edgar Hoover considerasse potenciais ameaças. Ainda assim, Herbert mantinha ocupados os agentes. Eles relataram que Herbert recebera propinas dos advogados de seu pai, bem como da editora que imprimia o

Muhammad Speaks, tirara fotos de garotas nuas, rodara filmes pornográficos e era pai de pelo menos um filho fora do casamento.[20] "Ele é louco por dinheiro", observou o FBI em um relatório, "e faz tudo por dinheiro, mesmo que seja contra os princípios da Nação do Islã."[21]

Herbert usava ternos largos, inconspícuos, com gravatas que raramente combinavam, e parecia, em tudo, um homem que desejava passar despercebido. Embora possa ter pecado de outras maneiras, não fumava nem bebia. Seguia os ensinamentos do pai, desde que não interferissem em seu apetite por sexo extraconjugal, lautas refeições e decoração cara para sua casa. "O lado de ser muçulmano que ele abraçou foi o de ter um monte de esposas",[22] disse Bob Arum, um promotor de boxe que trabalhou próximo de Herbert.

O honorável Elijah Muhammad não deixava que seus filhos ou netos frequentassem escolas seculares, então eram instruídos em casa, principalmente por sua esposa, Clara Muhammad. "Herbert Muhammad não sabia ler",[23] disse Rose Jennings, mas isso não o impediu de buscar uma educação ou de trabalhar como um dos principais editores de um jornal. Quando jovem, Herbert se matriculou em um curso de hipnotismo e em outro, por correspondência, de Dale Carnegie. E também estudou para ser técnico de televisão certificado.[24] Porém, a fotografia era o que ele mais amava, em parte porque isso convinha a um homem que não tinha confiança em sua aparência, que precisava se esforçar para ler qualquer coisa que não fossem números e preferia não ser objeto de atenção. Com uma câmera pendurada no pescoço, ele podia abordar garotas lindas na praia e pedir que posassem para ele, e então convidá-las a visitar seu estúdio para ver as fotos impressas, comprar cópias e talvez acompanhá-lo num jantar no Tiger Lounge.

Quando Ali informou ao Grupo de Patrocínio de Louisville que Herbert Muhammad estava entrando na equipe para ser seu novo gerente de negócios, ninguém sabia exatamente o que Herbert faria. Logo, porém, ele se tornou "aquele que decidia tudo", disse Arum, "porque tinha a conexão com o chefe".[25] O chefe, claro, era o honorável Elijah Muhammad, pai de Herbert. Mas Ali não abraçou o filho só porque admirava o pai. Ele e Herbert desenvolveram um vínculo estreito e complicado. Estava baseado, em parte, no gosto de ambos por criar casos e por dinheiro fácil, só que isso não era tudo. Ali adorava o riso fácil de Herbert, seu otimismo e seu calor. Herbert

AMOR VERDADEIRO 253

tornou-se o gerente de Ali e também um de seus amigos mais queridos e mais confiáveis.

Ainda assim, mesmo enquanto sua amizade com Herbert crescia e sua imersão na Nação do Islã se aprofundava, Ali permaneceu leal ao Grupo de Patrocínio de Louisville, e dele dependia, pois o contrato em vigor ainda duraria mais um ano. O grupo continuou a lidar com a maior parte de seus assuntos de negócios — inclusive pagando o aluguel de suas casas, cobrindo despesas médicas, fornecendo os salários de treinadores, cozinheiros, *sparrings* e choferes, e depositando num fundo o dinheiro para pagar os impostos. Além disso, Ali vinha pedindo adiantamentos sobre ganhos futuros[26] — até 5 mil dólares de cada vez; sua dívida havia chegado a 43 mil dólares antes da segunda luta com Liston. Ele distribuía dinheiro do jeito que corretores imobiliários distribuem cartões de visita. Saía de um hotel com 500 dólares no bolso para almoçar e desembolsava tudo antes que se sentasse para comer. Bastava ouvir o início de uma história de má sorte e ele já estendia a mão para pegar o rolo de dinheiro no bolso. Quando lhe ofereciam uma oportunidade de investir numa coisa segura — qualquer coisa segura —, ele raramente declinava. Não gastava muito com roupas,[27] mas instalou telefones e toca-discos em seus carros, e as contas de telefone às vezes se aproximavam dos 800 dólares por mês, pois tendia a deixar que repórteres e qualquer outra pessoa em seu quarto de hotel fizessem chamadas de longa distância e falassem o quanto quisessem. Ele pagava despesas médicas para membros de seu *entourage*. Comprou filmes e equipamentos fotográficos para Howard Bingham. E comia prodigiosamente. Contudo, as maiores despesas podem ter sido com seus veículos — os três carros registrados em seu nome, os dois em nome do pai e o ônibus em nome do irmão. Ali pagava o seguro de todos eles[28] — e os valores eram altíssimos por causa da idade e do péssimo histórico de infrações.

Ali era grato ao Grupo de Patrocínio de Louisville por pagar suas contas e acompanhar de perto sua renda. Ele disse a um promotor de boxe, depois da segunda luta com Liston, que tinha a intenção de renovar seu contrato com o grupo.[29] Gostava tanto dos homens do consórcio que, quando um deles disse que queria vender sua participação, Ali tomou aquilo como uma afronta pessoal.[30] Não suportava a ideia de alguém perder a confiança nele.

254 MUHAMMAD ALI

Em dezembro de 1964, Bill Faversham, o líder do grupo de Louisville e a coisa mais próxima de um promotor na vida de Ali, sofreu um grave ataque cardíaco. Quando soube da notícia, Ali entrou no carro imediatamente e dirigiu durante toda a noite, de Chicago a Louisville, para estar com Faversham no hospital.[31]

Apesar do afeto que nutria por Faversham e pelos outros do Grupo de Patrocínio de Louisville, surgiu uma tensão entre eles e Ali quando Herbert Muhammad se envolveu. Nos dias após a luta com Liston, Ali disse aos empresários de Louisville que estava ansioso para pagar suas dívidas e começar a lutar novamente, pelo menos três ou quatro vezes por ano, com um primeiro embate com Floyd Patterson ou George Chuvalo. Mas Herbert queria que os empresários de Louisville garantissem ao lutador 150 mil dólares líquidos em sua próxima luta. Ali recebera 160 mil dólares brutos (95 mil depois dos impostos) pela luta com Liston.[32] Não havia como ele pudesse receber 150 mil *após* a dedução dos impostos, dado que Patterson e Chuvalo eram adversários menos convincentes que Liston. Porém, quando os empresários lhe disseram isso, Ali respondeu que tinha a intenção de adiar o pagamento de sua dívida ao grupo — uma dívida que já chegara a 60 mil dólares em agosto de 1965 — até conseguir o que queria.

O advogado Arthur Grafton escreveu um memorando para o grupo de Louisville: "Quando nós destacamos que isso era contrário ao precedente estabelecido e que iria deixá-lo com praticamente nada a receber após a próxima luta, ele pareceu pensar que essa atitude era injusta e indicava uma falta de vontade nossa de lhe fazer um pequeno favor. Nisso, ele foi instigado e estimulado pela linguagem de Herbert Muhammid [sic]."[33] Grafton prosseguiu dizendo esperar que Ali — que agora devia dinheiro a Sonji, bem como aos seus apoiadores financeiros — caísse em si e percebesse que iria à falência em muito pouco tempo se não lutasse.

Havia certo grau de racismo, ou pelo menos de paternalismo, na forma como o Grupo de Patrocínio de Louisville tratava Ali. Na correspondência, havia referências a "nosso garoto" (*our boy*) e à "sua mente não sofisticada".[34] Mas também houve esforços bem-intencionados para ajudar. Numa carta, um membro do grupo elogiou o desejo de Ali de dar dinheiro para sua igreja — embora também tenha ressaltado que Herbert Muhammad informara

AMOR VERDADEIRO

aos executivos do grupo que a Nação do Islã não se qualificava como uma organização isenta de impostos.

Foi feita uma reunião para resolver as diferenças entre Ali e seus apoiadores de Louisville. Archibald Foster, vestindo um terno azul-escuro com botões de osso de baleia, feito sob medida, e uma camisa de listras finas, recebeu os participantes em seu escritório de Nova York. Worth Bingham, Bill Cutchins e Foster representaram o Grupo de Patrocínio de Louisville. Ali foi acompanhado por Herbert, Howard Bingham e Angelo Dundee. Quando começaram a falar sobre uma luta com Patterson ou Chuvalo, Ali ficou animado. Ele queria lutar de novo. Então perguntou sobre o dinheiro, dizendo que queria doar toda ou parte de sua renda da próxima luta para a Nação do Islã, para apoiar a construção de uma mesquita de 3,5 milhões de dólares em Chicago.[35] Alguns membros do grupo observaram que ele havia ganhado apenas 95 mil dólares de sua última luta, e que ainda devia 65 mil para seus financiadores, e Ali praguejou. "Não vejo por que eu deveria continuar lutando se não consigo fazer nenhum dinheiro", disse.

Os homens brancos na sala disseram a Ali que, se continuasse lutando e investindo seu dinheiro sabiamente, sua riqueza iria crescer, e em pouco tempo ele teria uma poupança mais do que suficiente para fazer generosas doações à Nação do Islã. Só que Ali estava impaciente. Por três ou quatro vezes, Herbert o tirou do escritório para conversar a sós, enquanto Howard Bingham permanecia na sala para monitorar os empresários de Louisville.

"Quanto mais conversávamos, mais violentos Cassius e Herbert se tornavam",[36] escreveu Worth Bingham. Depois de outra conferência fora do escritório, Ali voltou com uma proposta derradeira e ainda mais surreal: ele aceitaria lutar se os homens garantissem a ele 200 mil dólares após os impostos. A resposta foi que isso era impossível, e ele baixou a exigência para 150 mil. Ainda era impossível, disseram eles. Ele precisaria ganhar 500 mil para ficar com 150 mil após impostos. Ali também sugeriu que o Grupo de Patrocínio de Louisville pagasse 150 mil dólares para renovar seu contrato. Tal oferta foi recebida friamente, e ele perguntou se os homens considerariam perdoar a dívida de 65 mil dólares. Os empresários propuseram um acordo: se ele pagasse os 65 mil agora, eles lhe emprestariam outros 30 mil imediatamente.

Isso feriu os sentimentos de Ali. "Você estava certo", disse a Herbert. "Eu mal posso acreditar. Achei que acreditavam em mim mais do que isso."

Worth Bingham disse ter sido um erro deixar que Ali se endividasse tanto, porque ele "sempre estaria atrás da bola oito".

Aí foi a vez de Herbert ficar ofendido. "O que ele disse?", perguntou Herbert, aparentemente chateado com o uso do termo "bola oito", por vezes utilizado para se referir a negros de pele escura. "Ouviu o que ele disse? Por que alguém falaria assim? Você não devia dizer coisas assim, a menos que seja exatamente essa sua intenção."

Com isso, Ali e seu grupo se levantaram e saíram.

Mais tarde, no mesmo dia, Worth Bingham e os outros membros do Grupo de Louisville foram se encontrar com os Nilon, que ainda controlavam os direitos de promover a luta seguinte de Ali. Bingham ficou horrorizado ao saber que os Nilon vinham subornando jornalistas com minitelevisões Sony — e que todos os repórteres, exceto Red Smith, Arthur Daley e Shirley Povich, haviam aceitado os presentes. "Foi um dia de arrasar", escreveu Bingham numa carta a seus colegas do grupo, "cheio de revelações chocantes. Estamos profundamente envolvidos com personagens bastante indesejáveis que fazem de nós o que bem desejam, pelo menos por enquanto. Por tudo isso, surgiu a perguntada [sic], repetida por quase todos: 'O que homens como vocês estão fazendo neste negócio?' Uma boa pergunta, creio."[37]

20

Uma guerra santa

A multidão vaiou enquanto ele descia a rampa saltitando, vaiou mais alto quando ele entrou no ringue e mais alto ainda quando o locutor apresentou o campeão dos pesos-pesados como Muhammad Ali, não como Cassius Clay. Ali ignorou o ruído. Caminhou para o seu *corner*, elevou as mãos e recitou uma breve oração silenciosa antes de se virar para encontrar seu adversário, Floyd Patterson.

Era 22 de novembro de 1965, dois anos desde o dia do assassinato de John F. Kennedy e mais de cinco anos desde que Ali — então uma esperança olímpica chamada Cassius Clay — havia se encontrado com Patterson em Roma.

O corpo de Ali cintilava sob as luzes do Centro de Convenções de Las Vegas. A luta começou.

Àquela altura, ele estava acostumado a ser vaiado. Sabia que era bom para os negócios, mas também estava movido por um senso de retidão. O grupo de Elijah Muhammad, ele dissera nos dias que antecederam a luta, era a única religião que ensinava "verdade, fato e realidade".[1] E continuou: "Nela eu encontrei um dispositivo pelo qual os chamados negros poderiam se unir e fazer algo para si próprios, em vez de implorar e se impor a outras pessoas. Unidos, poderíamos realizar as coisas por nós mesmos, como fa-

258 MUHAMMAD ALI

zem outras nações [...]. Eu nunca me senti livre até ganhar o conhecimento de mim mesmo e da história do nosso povo. Isso me ensinou orgulho e me deu autodignidade [...]. Para resumir tudo, quero deixar claro que não sou uma autoridade em religião, nem mesmo 30% qualificado para explicar o complexo mundo da religião. Não sou líder nem pregador. Sou meramente o campeão mundial dos pesos-pesados que acredita em sua religião e que é malcompreendido." As observações soaram como se tivessem sido polidas pelo entrevistador, o publicista de boxe Hank Kaplan, e uma nota anexada à cópia original da entrevista dizia que o documento fora aprovado por Herbert Muhammad.[2]

Ainda assim, esses foram alguns dos comentários mais sucintos e profundos feitos por Ali sobre sua conversão, e o colocavam na mesma linha de pensamento de outros jovens negros que estavam se distanciando da corrente central do movimento pelos direitos civis e lutando pelo Black Power, em oposição ao objetivo mais pacifista da "igualdade de direitos". Mas Ali também era diferente dos outros. Sua fé numa religião não ocidental confundia muitos norte-americanos, e sua crença de que uma união global de não brancos iria, em algum momento, derrotar a minoria branca enfurecia muitas dessas mesmas pessoas. O que tornava Ali tão controvertido era o fato de ser um atleta, não um ativista político radical. Para os norte-americanos brancos, ele era mais difícil de ser ignorado devido à sua carreira no boxe e aos meios de comunicação que o seguiam. Em Ali vs. Patterson, Ali representava os radicais negros, enquanto Patterson representava os integradores, pelo menos num sentido amplo. Ali sentia uma real animosidade por Patterson, uma raiva que vinha sendo fermentada havia pelo menos um ano, desde que seu adversário dissera que era um dever moral reconquistar o título de campeão que se encontrava com os muçulmanos. "Vai ser a primeira vez que treino para desenvolver em mim um instinto assassino brutal", disse Ali a Alex Haley. "Nunca senti isso por ninguém. Para mim, lutar é só um esporte, um jogo. Mas Patterson, esse eu gostaria de deixar arrebentado no chão."[3] Ali chamava Patterson de "campeão do homem branco". Zombava do ex-campeão por comprar uma casa num bairro branco e ter de sair de lá quando descobriu que os vizinhos brancos não o queriam. Patterson, disse Ali, não passava de um "Pai Tomás Preto".[4]

Patterson não se retratou. Num artigo na *Sports Illustrated* em coautoria com Milton Gross, o ex-campeão escreveu: "Sou negro e tenho orgulho disso, mas também sou americano. Não sou tão estúpido a ponto de não saber que os negros não têm todos os direitos e privilégios que todos os americanos devem ter. Eu sei que, um dia, nós vamos conseguir. Deus fez todos nós, e tudo que ele fez é bom. Todas as pessoas — brancas, pretas e amarelas — são irmãos e irmãs. Isso vai ser reconhecido. Só vai levar tempo, mas nunca acontecerá se nós pensarmos como pensam os Muçulmanos Negros. [...] Clay é tão jovem e foi tão enganado por pessoas ruins, que ele não valoriza de quão longe viemos e quanto mal ele fez unindo-se aos Muçulmanos Negros. É o mesmo que ter se juntado à Ku Klux Klan."[5]

Patterson não parecia ser um Pai Tomás, não mais do que Martin Luther King. Ele soava como um homem que acreditava que a resistência não violenta era a abordagem mais prática e eficaz para as pessoas negras que buscavam justiça. Grupos radicais como a Nação do Islã fizeram um bocado de barulho, mas, na opinião de Patterson, não tinham conseguido nada, e provavelmente nunca conseguiriam. O erro de Patterson não estava em discutir política. Seu erro, se pode ser chamado assim, foi tentar fazer de uma luta de boxe algo mais do que uma troca de socos. Ele definiu seu combate com Ali como uma guerra santa. Patterson disse que Ali tinha o direito de acreditar em qualquer religião que quisesse. Mas, acrescentou, "eu também tenho direitos. Eu tenho o direito de dizer que os Muçulmanos Negros são uma ameaça aos Estados Unidos e uma ameaça à raça negra. Eu tenho o direito de dizer que os Muçulmanos Negros fedem. [...] Então, além de ganhar o título de campeão mundial dos pesos-pesados pela terceira vez, tenho outra responsabilidade. A influência dos Muçulmanos Negros deve ser removida do boxe".[6]

A resposta de Ali foi inequívoca: Patterson ia se machucar.

Comentaristas esportivos, é claro, adoram retratar os combates atléticos nos termos mais grandiosos. Quando Jesse Owens ganhou a medalha de ouro nas Olimpíadas de 1936, comentaristas descreveram o feito como uma vitória sobre as noções hitleristas de supremacia ariana. Mas, antes de mais nada, era uma simples corrida a pé. Do mesmo modo, Ali vs. Patterson seria um concurso de socos, antes de mais nada, e Ali, sendo maior, mais forte, mais jovem e mais rápido, levava todas as vantagens.

A luta começou, e ninguém na multidão compreendia o que Ali estava fazendo. Parecia dar socos sem nenhuma intenção de atingir Patterson. Esmurrava o ar acima da cabeça de Patterson e longe de seu corpo, afastando-se para evitar se aproximar demais e fazer contato. Quando Patterson avançou e tentou surrar o corpo de Ali, ele agarrou a cabeça de Patterson, abraçou-o e então o empurrou e começou a dar mais daqueles socos estranhos, falsos. Em determinado momento, Ali jogou as mãos para cima, como se fizesse um polichinelo, e depois dançou para longe, balançando, circulando e sacudindo os ombros. Em outro momento, desenhou círculos com a mão direita, como se estivesse preparando um soco tipo Popeye, apenas para baixar o punho e recuar novamente.

"Vamos lá, americano! Vem, americano branco!"[7] Ali provocava seu adversário.

Patterson deve ter se sentido como se estivesse lutando contra um fantasma. Ele não podia atingir Ali, e Ali não o estava atingindo. Pode ter sido a única vez na história dos pesos-pesados em que o campeão atual parecia não ter nenhum interesse em dar socos. Quando o gongo tocou para encerrar o round, Ali voltou ao seu *corner* e levantou as mãos, triunfante, enquanto a multidão mais uma vez o vaiava.

O que havia acontecido com sua intenção de deixar Patterson arrebentado no chão, de fazer o homem sofrer? Ou seria aquele estranho primeiro round parte do seu plano? Parece improvável que Ali sentisse necessidade de fatigar Patterson, como havia feito com Liston. Ele sempre disse que lutava por instinto, e, no primeiro round contra Patterson, parecia que estava com tanta energia e tanta raiva que se viu estendendo os limites das próprias forças criativas, como fazia Miles Davis: esperando e esperando para tocar a primeira nota de um solo de trompete até que o público não aguentasse mais, deixando o silêncio falar até que ressoasse com mais força do que poderia ressoar qualquer nota soprada. A atuação sem socos de Ali era pura eletricidade, possivelmente loucura, possivelmente genial.

No segundo round, foram trocados golpes reais. Os cinco primeiros *jabs* de Ali foram rápidos como a língua de uma serpente, cada um deles roçando a orelha esquerda de Patterson. Ali calibrou os golpes, que começaram a atingir o nariz, o queixo e a testa de seu oponente. Eles ferroavam, mas também tinham outra finalidade. A extensão do braço de Ali era 18 centímetros maior que a de Patterson, uma vantagem enorme para um homem que tentava acertar sem ser atingido. Ali sabia que não precisava machucar Patterson com o *jab*. O *jab* manteria Patterson a distância, sem equilíbrio e incapaz de atacar. Ali não sabia, mas ele tinha mais uma vantagem. No início da semana, Patterson machucara as costas. Não quis cancelar a luta, mas o ferimento claramente o incomodava. No segundo round, Ali lançou 65 socos e acertou quatorze; embora isso não fosse uma grande percentagem, Patterson tentou apenas dezenove socos e acertou quatro vezes. Era uma luta desigual, e assim continuaria, com Ali fazendo círculos e lançando *jabs*, parecendo contente em prosseguir a noite toda golpeando Patterson no rosto, chamando-o de Pai Tomás e atingindo-o no rosto novamente. Por fim, no décimo segundo round dos quinze agendados, Ali atacou com fúria genuína, o tipo de ataque que havia prometido lançar contra o adversário. Abandonou os *jabs* e disparou *uppercuts* e ganchos com toda a força do corpo, todos eles destinados à cara de Patterson.

"Fui tomado por um sentimento de felicidade", diria Patterson mais tarde ao escritor Gay Talese, referindo-se ao décimo segundo round. "Eu sabia que o fim estava próximo... Estava me sentindo grogue e feliz... Eu queria ser atingido por um realmente bom. Queria sair com um grande soco, cair daquele jeito."[8]

Mas não foi assim. O árbitro parou a luta.

Ali havia obliterado Patterson. É claro que a multidão o vaiou por isso. A imprensa branca também o criticou, acusando-o de torturar o adversário como um psicopata torturaria um animal indefeso, algo que soa como uma reclamação bizarra quando se considera que o objetivo do boxe é machucar, torturar e deixar um homem inconsciente. O que Ali tinha feito de errado? Acaso jabear um homem implacavelmente, durante doze assaltos, seria, de alguma forma, mais cruel do que abalar o seu crânio e provocar um curto-circuito em seu cérebro com um tremendo murro? Ali sabia que havia somente uma forma de agradar seus críticos: perdendo.

Após a luta, houve uma celebração no Sands Hotel. Sonji, aparentemente sem ter sido convidada, apareceu com um vestido vermelho justo. Conversou com Bundini e sentou-se no colo de Cassius Clay Sr.

Ali a observava do outro lado da sala, mas não se aproximou.

MUHAMMAD ALI

• • •

"Tenho a sensação de que nasci com um propósito", disse Ali antes da luta com Patterson. "Não sei para que estou aqui. Eu simplesmente me sinto anormal, um tipo diferente de homem. Não sei por que nasci. Apenas estou aqui. Um jovem agitando. Sempre tive essa sensação desde que era um garotinho. Talvez tenha nascido para cumprir profecias bíblicas. Sinto que posso ser parte de alguma coisa — algo divino. Tudo parece estranho para mim."[9]

De inúmeras maneiras, Ali se comportava como se fosse especial, diferente, um jovem agitando.

Ele gostava de ser pago em dinheiro depois de uma luta. Certa vez, na época do combate com Patterson, Arthur Grafton, um dos advogados do Grupo de Patrocínio de Louisville, acompanhou Ali ao banco. "Ele tinha a receber algo em torno de 27 mil dólares, acho que era isso",[10] disse Grafton ao escritor e jornalista Jack Olsen. "Isso era o que havia sobrado depois de ele pagar os advogados que cuidaram do divórcio, mil dólares para um *sparring*, outros 5 mil para algo mais e o que quer que ele nos devesse. Caminhamos até o banco e ele pediu 27 notas de mil dólares. O banco não tinha, e Cassius perguntou: 'Bem, quanto tempo você levaria para conseguir?', e o banco disse que cerca de 20 minutos, pois ia pedir ao Federal Reserve. Cassius disse que não, que era tempo demais, e os caixas começaram a separar os 27 mil em notas de valores menores. Finalmente, acabamos com um malote enorme, cheio de dinheiro, que tinha escrito na lateral, em grandes letras, 'First National Bank', e tivemos de carregar aquela coisa pelas ruas de Louisville até o hotel. Antes de sairmos, Cassius disse para a senhora do caixa: 'Você sabe que eu vou contar esse dinheiro no meu quarto no hotel, e você sabe que vai ser uma contagem honesta porque meu advogado vai estar me olhando.' No caminho de volta, ele brincava comigo — eu estava nervoso com aquela ideia toda —, e dizia: 'Acha que vou ser preso? Você acha, não é? Talvez a gente deva contratar um policial. Quanto custaria contratar um policial para nos acompanhar?' Chegamos ao hotel, ele derramou todo o dinheiro em cima da cama e começou a contar, e você acredita que faltavam mil dólares? Nós contamos cinco vezes, e então carregamos aquele saco enorme de volta para o banco. Eles já tinham percebido a falta e estavam nos esperando. Em seguida, Cassius, 27 mil dólares em dinheiro e todos os outros voaram para Chicago."

Ali gostava de correr os dedos por seu dinheiro e mostrar as pilhas aos amigos. Ele precisava vê-lo e senti-lo porque, em parte, uma parcela enorme de sua renda parecia desaparecer antes que pudesse gastá-la. Antes que conseguisse ver seu dinheiro, grandes fatias iam para o imposto de renda, para Sonji, para o Grupo de Patrocínio de Louisville, advogados, membros de seu *entourage* e várias concessionárias. Com frequência, pedia a membros do Grupo de Louisville cópias fotostáticas de seus recibos do imposto de renda. Não que quisesse provas de que estava tudo pago;[11] ele não podia acreditar no quanto o Tio Sam estava levando, e gostava de exibir os recibos aos amigos. Claro, manter todo aquele dinheiro vivo à mão às vezes agravava as perdas. Uma vez, em 1965, o motorista de sua limusine fugiu, para nunca mais voltar, com 3 mil dólares que Ali mantinha no porta-malas do Cadillac.[12] Mas ele já havia se acostumado com essas perdas.

À medida que se aproximava o final do contrato com o Grupo de Patrocínio de Louisville, o pugilista dizia aos seus apoiadores que tinha a intenção de renovar o acordo.[13] Mas os membros do grupo encontraram uma complicação, e não ficaram felizes com aquilo. Em janeiro de 1966, Muhammad Ali convocou a imprensa para anunciar um novo empreendimento chamado Main Bout, Inc., que administraria os direitos promocionais secundários de todas as suas lutas, incluindo as transmissões ao vivo e as gravações em câmara lenta. "Eu tenho um interesse vital na empresa", disse, "e em garantir que seja uma empresa em que os pretos não serão usados como fachada, mas como acionistas, funcionários e agentes de produção e promoção."[14]

Ali estava fazendo um bom dinheiro com suas lutas. A luta com Patterson, dois meses antes, arrecadara aproximadamente 3,5 milhões de dólares, e cerca de 750 mil foram para Ali e o Grupo de Patrocínio de Louisville. Ele era, de longe, a maior e a mais bem paga aposta de todos os esportes. Agora, ao anunciar a criação de sua própria empresa promocional, Ali estava afirmando uma autonomia sem precedentes para um atleta negro. Também canalizava para si a maior parcela da renda, que deixaria de fluir para o Grupo de Patrocínio de Louisville. Era um sinal de quanto o mundo havia mudado em seis anos. Ao voltar das Olimpíadas, o jovem boxeador se considerava satisfeito por ter um grupo de benfeitores brancos. Agora estava falando sobre independência negra e empoderamento econômico em termos que teriam sido inimagináveis em 1960.

Não era nenhuma surpresa que os membros do Grupo de Louisville ficassem abalados. Numa entrevista ao FBI, Arthur Grafton, advogado do grupo, disse que havia feito o melhor que podia para alertar Ali de que a Main Bout não estava lhe oferecendo um bom negócio. Ali respondeu que não entendia as preocupações do advogado. Os organizadores da Main Bout eram seus amigos, disse Ali, e Herbert Muhammad era filho de Elijah Muhammad, "que me dá força — se eu posso ajudar os muçulmanos, isso me dá forças —, e não me causa dano se eu não ganhar tanto dinheiro como poderia".[15] Grafton sabia que não poderia mudar a cabeça do lutador. Num memorando aos membros do Grupo de Louisville, ele escreveu que, obviamente, Ali estava sendo "completamente dominado pelos muçulmanos agora".[16] Em resposta, pelo menos um membro do grupo disse que queria cortar sua conexão com o pugilista.[17]

Os empresários não estavam sozinhos em sua irritação. "Os muçulmanos transformaram em uma cruzada a organização criminosa que controla as lutas", queixou-se o cronista esportivo Jimmy Cannon. "Seu grande troféu é Clay".[18] Doug Gilbert, escrevendo no *Chicago's American*, disse: "Se os muçulmanos possuem Clay e também possuem os direitos de transmissão televisiva de todas as suas lutas, eles controlam, com uma chave de braço, tudo que é lucrativo no boxe."

Mas também havia ironia nos medos racistas que cercavam o movimento de Ali em direção à independência. Para começar, a chamada cruzada muçulmana para controlar o negócio das lutas havia sido concebida por um judeu branco, Bob Arum, um advogado de Nova York. Arum apresentou a ideia a Herbert Muhammad, que o convidou para ir a Chicago e conseguir a aprovação de Elijah Muhammad.[19] Arum foi convocado para uma reunião na casa de Elijah,[20] onde um grande *entourage* de muçulmanos, todos de pé, escutava respeitosamente. Após 20 ou 30 minutos de discussão cordial sobre seus interesses comerciais compartilhados, Elijah, aparentemente sem motivo, começou um sermão sobre "demônios de olhos azuis" e os pecados cometidos contra o homem negro. Bob Arum teve a impressão de que Elijah estava dando um show para seu *entourage*, e tomou aquilo como um sinal da ardilosa inteligência do Profeta. Quando a reunião acabou, Elijah Muhammad deu a sua bênção, mas com uma condição:[21] ele queria que John Ali, o secretário nacional da Nação do Islã, fosse incluído na Main Bout porque tinha um conhecimento mais sofisticado de negócios do que Herbert.

Teria Elijah Muhammad aprovado o negócio porque era bom para a Nação do Islã? Não foi o que sentiu Arum. "Era uma forma de seu filho fazer alguma grana decente", ele se lembrou. Herbert Muhammad já estava recebendo cerca de um terço dos rendimento de Ali no boxe[22] — segundo alguns relatos, eram 40%. Agora, ele também receberia 45 mil dólares por ano de salário, além de uma percentagem das receitas da Main Bout. Estava ganhando tanto dinheiro que membros da própria família estavam com inveja, de acordo com um memorando do FBI.[23] E a família de Herbert não sabia que ele também vinha recebendo dinheiro por baixo da mesa, de acordo com o FBI, beneficiando parceiros em alguns dos lucros da Main Bout em troca de dinheiro adiantado.

Por que John Ali foi incluído no negócio da Main Bout? Arum afirmou ter descoberto, anos depois, de uma fonte da área de aplicação da lei, que John Ali pode ter sido uma das forças por trás do assassinato de Malcolm X, "e aquela foi sua recompensa [...] o dinheiro do boxe".[24] John Ali negou, dizendo que nem ele nem ninguém na Nação do Islã tinham alguma coisa a ver com o assassinato de Malcolm.[25]

O grupo formado por Arum incluía ele mesmo, outro homem branco chamado Mike Malitz, que controlava a maior parte dos negócios de TV de circuito fechado do país; Jim Brown, estrela do futebol americano; Herbert Muhammad e John Ali. Muhammad Ali não tinha nenhuma participação acionária na empresa, nem assento no conselho de administração. Numa entrevista anos depois, John disse que ele e Herbert haviam lucrado pessoalmente com a Main Bout. Muhammad Ali recebia uma percentagem das receitas de cada luta, e o Grupo de Patrocínio de Louisville foi recompensado até o momento em que expirou seu contrato com Ali. Mas nenhum dinheiro fluiu para a Nação do Islã, de acordo com John. "A NDI não dependia de caridade",[26] disse.

"Quanto mais penso sobre a situação", escreveu Archibald Foster, membro do Grupo de Patrocínio de Louisville, "mais eu quero me livrar dessa minha associação com o campeão. Todos os nossos propósitos de longo prazo foram frustrados. Esperávamos estar completamente livres de conexões com o submundo, mas parece que temos novas em Chicago. Certamente, não gostamos muito da filosofia antiamericana que acaba nos sendo atribuída por causa dessa associação. Por fim, as recompensas em dinheiro são tão pequenas que não acredito que qualquer um de nós esteja interessado nelas. O que eu gostaria de fazer era devolver a Cassius seu contrato."[27]

Em 16 de fevereiro de 1966, Arthur Grafton fez circular um memorando dizendo que eles passariam a garantir que todas as contas estivessem pagas e suas obrigações cumpridas para que pudessem "renunciar ao contrato com Clay"[28] quando chegasse a hora certa. Enquanto isso, disse Grafton, ele reservara 75 assentos ao lado do ringue para a luta de Ali contra Ernie Terrell, em Chicago, caso algum membro do grupo quisesse assistir. Parecia que essa seria, provavelmente, a última chance de desfrutar das regalias de sua associação com o campeão dos pesos-pesados do boxe.

Muitos membros do grupo disseram que pretendiam assistir à luta. Apesar de todas as complicações que haviam encontrado, apesar de todas as frustrações, a maioria dos homens ainda adorava Clay e desejava o bem para o jovem cuja carreira haviam ajudado a lançar.

21

Nenhuma desavença

Muhammad Ali esticou as longas pernas e afundou-se novamente na espreguiçadeira do jardim de sua casa em Miami enquanto cantava um refrão de Bob Dylan: "The Answer is Blowin' in the Wind" (A resposta está voando no vento).[1] Era 17 de fevereiro de 1966, e a pergunta na mente de Ali era esta: por que uma junta de alistamento em Louisville havia revertido uma decisão anterior e classificado seu status como 1-A, subitamente tornando-o apto para o serviço militar?

"Por que eu?", perguntou, falando sem parar com repórteres, vizinhos e amigos. "Não consigo entender. Como eles fizeram isso comigo — o campeão mundial dos pesos-pesados?"

Dois anos antes, quando ainda se chamava Cassius Clay, Ali fora reprovado no psicotécnico. Mas, desde então, com a escalada da guerra, o número de soldados norte-americanos mortos no Vietnã aumentara nove vezes, de cerca de duzentos para 1.900 nos anos 1964-65. Em 1966, o número de mortos triplicaria, chegando a mais de 6 mil.[2] Mais soldados norte-americanos estavam sendo convocados, e muitos daqueles que haviam pedido um adiamento enfrentavam agora uma reavaliação. À medida que aumentava o número de mortes, aprofundava-se também a divisão entre o

268   MUHAMMAD ALI

povo norte-americano. Muitos acreditavam que, se o Vietnã do Sul caísse nas mãos de um poder comunista, o resto do Sudeste Asiático o seguiria, enquanto outros argumentavam que os Estados Unidos não tinham razão para lutar em uma nação que até mesmo o novo presidente, Lyndon B. Johnson, chamara, numa conversa particular, de "um país esfarrapado, de quarta categoria".

Ali repetia sua queixa a um repórter de TV após outro. Todo mundo sabia, dizia ele, que a convocação era fraudada para proteger os brancos ricos, enquanto o pobre e o negro serviam em números desproporcionalmente elevados. À sua volta, membros da Nação do Islã alertavam Ali de que ele seria enviado para o front imediatamente, e que sargentos brancos iriam torturá-lo.[3]

"Como eles podem me reclassificar como 1-A?",[4] perguntava ele.

"Como podem fazer isto sem outro teste para ver se eu estou mais sábio ou pior do que da última vez?"

O repórter Bob Halloran, do *CBS Evening News*, apareceu com um cinegrafista. Halloran entrou na casa, desligou o telefone de Ali sem que ninguém notasse, para que não fossem interrompidos, e então começou a entrevista, querendo saber o que Ali pensava sobre a decisão da junta de alistamento.[5] Ele mostrou sua reação numa fala explosiva:

"Sim, senhor, aquilo foi uma grande surpresa para mim", disse. "Não fui eu quem falou que minha classificação era 1-Y da última vez. Foi o governo que me testou. Foi o governo que disse que não sou apto. Agora, para ser um 1-A, eu não me lembro de ser chamado em lugar algum para ser reclassificado como 1-A. Dois caras se juntaram e resolveram declarar que eu sou 1-A, sem saber se sou tão bom quanto era da última vez, ou melhor. Eles tinham trinta homens para escolher em Louisville, Kentucky [...] E vão escolher justamente o campeão dos pesos-pesados do mundo inteiro [...] Vocês têm um monte de caras no beisebol que eles poderiam ter chamado. E um monte de homens jovens no futebol americano que eles poderiam ter chamado. Vocês têm um monte de jovens que eles poderiam ter chamado [...] que haviam feito o teste e são 1-A. Eu não era 1-A da última vez que me checaram. De repente, parecem estar ansiosos para me colocar no Exército e me jogar na categoria 1-A, em vez de algum dos trinta ou quarenta homens que eles poderiam ter escolhido, e foi uma decisão tomada por dois homens. E outra coisa que eu não entendo, realmente não entendo, é por que eu, um homem que paga o salário de *pelo menos* 50 mil homens no Vietnã, um homem de quem o governo leva 6 milhões de dólares num ano em que lutei duas vezes, um homem que pode pagar, com o ganho de duas lutas, três aviões bombardeiros."[6]

Naquela noite, Ali e seus amigos se juntaram diante da TV para ver Walter Cronkite apresentar o jornal da noite da CBS.[7] Depois de um relato sobre distúrbios numa instituição penal para meninas em Indianápolis ("Fim dos tempos!", alguém na sala gritou para a TV), Cronkite introduziu a história que Ali estava esperando para ver.

"Em Louisville hoje... ", começou Cronkite.

"Shhh-shh", disse Ali.

Cronkite continuou: "... a junta de alistamento reclassificou Cassius Clay, campeão dos pesos-pesados, como 1-A, tornando-o imediatamente convocável para o serviço militar."

Ali surgiu na tela a seguir, recitando seus ardentes pronunciamentos, reclamando por ser classificado como 1-A. Então Cronkite apareceu novamente na TV em preto e branco para dizer que não se sabia quando Clay poderia ser chamado ou se a luta contra Ernie Terrell marcada para 29 de março seria cancelada.

"Foi uma boa, não foi?", perguntou Ali aos presentes.

A confirmação dos que estavam na sala, ao som de um comercial de margarina Chiffon, veio prontamente.

"Será que Lyndon Johnson ouviu o que eu disse?", Ali perguntou. "Ele estava vendo aquilo?" "Ele estava assistindo!", alguém gritou.

"Lyndon Johnson viu isso? Com duas das minhas lutas eu pago três aviões bombardeiros!"

Não se sabe se LBJ ouviu ou não os comentários de Ali, mas o fato é que milhões de outras pessoas ouviram. A guerra no Vietnã provocou um intenso debate, mas, em 1966, a maioria dos norte-americanos ainda apoiava os esforços para combater o comunismo no Sudeste Asiático. Quando telespectadores e leitores souberam que Ali não queria servir nas Forças Armadas, soou como mais uma prova do seu egoísmo e do desprezo pelo próprio país. Ali nunca disse que se opunha à guerra por razões políticas, filosóficas ou religiosas; tudo que ele disse foi que não queria ir, que a junta de alistamento deveria ser capaz de encontrar alguém para tomar seu lugar, e que ele não se importava se o país usasse seu dinheiro dos impostos para comprar jatos para bombardear o inimigo no Vietnã.

Dois dias depois, ele refinou seu argumento, dizendo a um repórter do *Chicago Daily News* numa entrevista por telefone: "Eu sou membro dos muçulmanos, e nós não vamos para guerras a menos que tenham sido declaradas pelo próprio Alá. Não tenho nenhuma desavença pessoal contra aqueles vietcongues." E acrescentou: "Tudo o que sei é que eles são considerados negros asiáticos, e eu não tenho nenhum litígio com pessoas negras. Nunca estive lá e não tenho nada contra eles."[8] Ele provavelmente ouvira que o Comitê Não Violento de Coordenação Estudantil havia tomado uma posição contra a guerra, alegando que era errado enviar norte-americanos negros para lutar pela democracia no Vietnã quando lhes era negada a liberdade em seu próprio país. Ali disse que tinha visto homens brancos queimando seus cartões de convocação militar na TV e ouvido que alguns congressistas se opunham à guerra no Vietnã. "Se eles são contra a guerra [...] por que nós, muçulmanos, devemos ser a favor?", perguntou.

Ali estava apresentando agora um argumento moral e religioso, provavelmente inspirado por seu professor, Elijah Muhammad, que havia cumprido quatro anos de prisão durante a Segunda Guerra Mundial por se recusar a lutar. Sam Saxon, que agora atendia pelo nome de Abdul Rahman, alegou ter sido ele a passar para Ali a fala memorável, "Não tenho nenhuma desavença pessoal contra aqueles vietcongues." Mais tarde, uma variação da citação seria amplamente atribuída a Ali: "Não tenho nenhuma desavença com os vietcongues." Ela seria acoplada a outra citação, que apareceria em camisetas e pôsteres com a imagem de Ali, tornando-se uma das frases mais poderosas já atribuídas a um atleta norte-americano: "Nenhum vietcongue jamais me chamou de crioulo." Há pouca dúvida de que Ali tenha proferido a primeira frase, ou algo bem semelhante. Mas a segunda ele só proferiu anos mais tarde, num estúdio de filmagem, e não há provas de que a tenha falado anteriormente. Como observou Stefan Fatsis num ensaio de 2016, manifestantes contra a guerra já haviam usado a frase "Nenhum vietcongue jamais me chamou de crioulo" antes de Ali se pronunciar sobre a guerra.[9]

NENHUMA DESAVENÇA 271

Ainda assim, em sua recusa de aceitar o vietcongue como seu inimigo, Ali mostrou como seus pontos de vista estavam se aglutinando e ganhando coerência. Seu inimigo não era para ser encontrado no Sudeste da Ásia, disse; seu inimigo era o racismo na América.

Quando reconheceu a amplitude que isso tomava, Ali começou a repetir a fala "Não tenho desavença com os vietcongues", ou a versão com a dupla negativa, "Não tenho nenhuma desavença com os vietcongues". Essa se tornaria a citação mais memorável de toda a sua vida de frasista. Era espirituosa. Era rebelde. Se foi ou não calculada, não importa, pois, essencialmente, era verdade. Sozinho, quase sem apoio de intelectuais ou líderes religiosos do país, ele assumira uma posição que era, ironicamente, muito norte- -americana. Como Henry David Thoreau, que se recusou a pagar impostos que ajudavam a financiar a escravidão e a guerra Mexicano-Americana, e como jovens negros e negras que se recusaram a sair dos balcões de lanchonetes reservados só para brancos no sul, Ali estava se posicionando e se pronunciando a favor da desobediência civil, da liberdade.

Em 28 de fevereiro de 1966, onze dias após ser notificado de seu novo status militar, Ali submeteu a papelada à Junta de Serviço Militar, afirmando ser um objetor de consciência. Ele reivindicou isenção do serviço de combate e não combate, com base em sua crença religiosa. Indicou Elijah Muhammad como a pessoa em quem mais confiava para orientação religiosa,[10] disse que acreditava no uso da força "somente em esportes e na defesa pessoal", e citou como prova de sua consistente convicção religiosa o fato de que havia se divorciado de sua esposa, "a quem eu amava, porque ela não estava de acordo com minha fé muçulmana".

Grande parte do formulário foi preenchido por um advogado de Nova York, Edward W. Jackson, que disse que Ali lhe pedira que registrasse suas respostas. Mas, na primeira página, onde era necessária uma assinatura, Ali escreveu:

Nome de Escravo Cassius M Clay Jr NOME CORRETO Muhammad Ali.[11]

• • •

MUHAMMAD ALI

Não surpreendentemente, a recusa de Ali em lutar pelo seu país inspirou mais ódio.

Jim Murray, do *Los Angeles Times*, chamou Ali, em tom depreciativo, de "o maior patriota norte-americano desde o traidor Benedict Arnold,[12] o candidato nº 1 à Medalha de Prudência do Congresso". Murray tinha uma sugestão para Ali, a quem ainda se referia como Cassius Clay: "Vá procurar uma mãe em Iowa — ou no Harlem, tanto faz. Ela com certeza vai entender. Diga a ela que você conseguiu essa chance de ganhar um monte de dinheiro. Diga que você tem dois Cadillacs, uma ex-mulher, uma religião inteira para sustentar [...] Sugira que ela envie o filho, em vez disso. Você não tem nenhuma desavença com os vietcongues, como disse. Bem, acho que você tem um argumento sólido aqui, Cash. Por que ir para a guerra por um princípio torpe? Olhe para a questão deste modo: meio milhão de homens morrem na Guerra Civil lutando contra a escravidão. Aposto que a metade deles nem sabia do que se tratava [...] Os idiotas deveriam ter queimado seus cartões de convocação. Ou contratado um advogado, como você está fazendo. Bem, há um lado bom nisso, Cash. Se eles não tivessem morrido para liberar seus amigos, pense em quantos advogados estariam sem trabalho. Meu Deus! O próprio Elijah Muhammad poderia estar quebrado. Você está sustentando todas as indústrias que produzem barretes." Outros jornalistas questionaram a inteligência de Ali, dizendo que ele não entendia as questões ou os princípios envolvidos. Alguns especularam que Ali estava se opondo à convocação simplesmente para atrair mais interesse por sua luta com Ernie Terrell. Vários outros afirmaram que Ali não era nada mais que um fantoche de Elijah Muhammad, e que ele atenderia à convocação se Elijah mandasse.

Em Chicago, onde Ali deveria lutar com Ernie Terrell, jornais locais defenderam o cancelamento da luta. Para os editores do *Chicago's American*, a questão era a série de desculpas pouco convincentes de Ali para recusar o recrutamento. O *Tribune* não queria ver o dinheiro da luta indo para a Nação do Islã através da Main Bout, Inc. Em pouco tempo, grupos de veteranos e políticos locais juntavam-se aos que pediam o cancelamento da luta. Logo depois, Ali ofereceu um hesitante pedido de desculpas. "Se eu soubesse que tudo que eu estava falando sobre política seria levado tão a sério [...] nunca teria aberto a boca",[13] disse ele à United Press International.

NENHUMA DESAVENÇA 273

A equipe de Ali solicitou uma audiência formal perante a Comissão Atlética de Illinois. Bob Arum, que voou de Miami com Ali, pensava que a luta poderia ser salva se Ali apresentasse suas visões políticas com muito tato. Contudo, antes da audiência, Ali visitou Elijah Muhammad,[14] que ficou furioso ao ouvir que o pugilista estava considerando outro pedido de desculpas. Aquilo encontrou eco em Ali, aparentemente. Quando se dirigiu à comissão, ele lamentou os danos financeiros que alguns sofreriam com o cancelamento da luta e os incômodos causados a políticos que se vissem numa posição desconfortável. Mas, quando um membro da Comissão perguntou se ele estava lamentando seus comentários antipatrióticos, Ali disse que não. "Não estou pedindo desculpas por qualquer coisa assim, porque não preciso fazer isso." Cerca de meia hora após a audiência, o procurador-geral de Illinois, William Clark, citando aspectos técnicos relativos a procedimentos de concessão de licenças, declarou o combate ilegal. Como disse Arum, "Foi então que eles nos expulsaram de Chicago."[15]

Estivesse Ali inspirado por religião, política ou devoção a Elijah Muhammad, muitos norte-americanos haviam subestimado seu compromisso com o que o movia. Sua decisão incitou a ira de pessoas brancas que esperavam que o campeão dos pesos-pesados se destacasse como um modelo para a juventude do país, e como um símbolo da força americana. Talvez menos óbvio tenha sido o efeito sobre a comunidade negra e, em especial, sobre jovens homens negros, para quem Ali estava emergindo como um ícone poderoso. Para muitos negros jovens e rebeldes, a religião de Ali não importava; o importante era que ele havia se levantado contra a autoridade branca e falado vigorosamente contra o racismo. Ele provou isso perante a Comissão Atlética em Illinois e no ringue, contra Patterson. Como escreveu Eldridge Cleaver em sua autobiografia de 1968, *Soul on Ice*: "Se a baía dos Porcos pode ser vista como um direto de direita no queixo psicológico da América branca, então o embate Ali/Patterson foi o perfeito gancho de esquerda no estômago."[16] Um sinal crescente do impacto de Ali: em 1965, o Comitê Não Violento de Coordenação Estudantil em Lowndes, no Alabama, escolheu o símbolo de uma pantera negra para seu logotipo e acrescentou um slogan inspirado pelo campeão, "NÓS Somos os Maiores". De repente, uma explosão de ego tornava-se um chamado às armas. Huey Newton, cofundador dos Panteras

Negras, disse que, embora não tivesse nenhum interesse em Deus ou Alá, os discursos de Malcolm X e Muhammad Ali foram cruciais no processo de sua politização.

Ali descreveu sua crescente influência cultural numa entrevista de 1970 no *Black Scholar*: "Eu estava determinado a ser aquele crioulo que o homem branco não consegue engolir. Vá em frente e junte-se a algo. Se não forem os muçulmanos, pelo menos se junte aos Panteras Negras. Junte-se a algo ruim."[17]

• • •

A luta com Terrell caiu por terra. Ali tinha de escolher um novo adversário, e rapidamente. Nos dois anos desde que se tornara campeão, só havia lutado duas vezes. Era hora de ganhar dinheiro com mais rapidez e frequência, o quanto antes, especialmente tendo em conta que o Exército dos Estados Unidos queria vê-lo de uniforme e sem trabalho. Mas, agora, a equipe de Ali precisava quase implorar para conseguir negociar uma luta. Após ser rejeitado por Illinois e avisado por várias outras localidades de que era indesejável, Ali e seus gerentes voltaram-se para o Canadá, anunciando uma luta contra George Chuvalo no Maple Leaf Gardens, em Toronto, no dia 29 de março.

Sendo forçado a deixar seu país, isso deu a Ali, mais uma vez, a forte sensação de sua própria importância. "Não fica bem, perante o mundo livre, a maneira como estou sendo tratado. [...] Tudo isso me torna maior. Sempre soube que estava destinado a alguma coisa. Algo está tomando forma, um destino. Para ser grande, você precisa sofrer, você tem de pagar o preço."[18]

Membros do Grupo de Patrocínio de Louisville tentaram persuadir Ali a negociar, de alguma forma, a questão do serviço militar. Eles pediram favores e receberam garantias de homens poderosos no governo de que, se Ali concordasse em servir, sua futura atribuição na caserna o manteria longe do combate. Muito provavelmente, ele iria realizar uma série de exibições de boxe para soldados, como Joe Louis havia feito durante a Segunda Guerra Mundial. Gordon Davidson, representando o grupo, voou para Nova York para tentar persuadir Ali. Ele acreditava que o campeão era um jovem de boa índole, mas muito impressionável. "Elijah Muhammad injetou um monte de veneno nele", disse Davidson. "Ali não acreditava em tudo aquilo."[19] O advogado esperava impressionar o lutador, mostrando o quanto ele perderia se recusasse o recrutamento. Encontrou Ali em uma suíte do Sheraton Hotel, em Manhattan, rodeado por cerca de uma dúzia de muçulmanos, todos eles com ternos pretos. "Eu tinha na minha mesa contratos que valiam mais de 1 milhão de dólares, de várias empresas, incluindo a Coca-Cola", disse Davidson. Falei com ele: 'Você sabe, todos eles irão *vruumm*, janela afora.'"

Mas Ali continuou inamovível.

"A conversa durou duas horas", relatou Davidson. "E, no final, ele disse: 'Quero lhe agradecer porque sei que você tinha meus melhores interesses em seu coração.' Ele era muito cortês e compreensivo."

Chuvalo era um daqueles lutadores, como Rocky Marciano, movido a orgulho e impulsos viscerais, um cara durão que não se importava em receber um soco em troca de cada um que desse. Para Arum, que estava promovendo a luta e usando seu cartão de crédito pessoal para cobrir as despesas,[20] não era um evento fácil de vender. O tamanho de Chuvalo e sua cara amassada fariam com que mesmo o tipo mais durão pensasse duas vezes antes de se envolver com ele numa briga de bar, mas o canadense não era considerado um adversário à altura de Ali. Na tentativa de aumentar o interesse pelo embate morno, sem atrativos, Ali o chamou de uma batalha internacional que colocava o campeão do Canadá contra o da América, e fez o possível para que isso soasse como se ele estivesse preocupado em perder. Como "um guerreiro no campo de batalha da liberdade",[21] disse Ali, ele andara muito ocupado nos últimos meses para treinar corretamente. Quando um dos *sparrings* de Ali, Jimmy Ellis, derrubou-o durante uma sessão de treinos,[22] os comentaristas esportivos concluíram que o campeão estava dizendo a verdade.

Chuvalo tinha 28 anos, com um cartel de 34 vitórias, 11 derrotas e 2 empates, mas era grande e forte, e nunca havia sido nocauteado. Na agitação produzida pela mídia antes da luta, ele prometeu que não cairia facilmente, como acontecera com Liston. "Diabos, meu filho poderia ter levado um soco melhor do que aquele", disse, referindo-se ao chamado golpe fantasma visto em Lewiston, no Maine. Um jornalista perguntou se Chuvalo queria dizer seu filho mais velho, que tinha 6 anos. "Não, não", corrigiu ele. "Estou falando do Jesse, o caçula. Ele tem 2 anos. Seria um insulto para o mais velho dizer que ele não aguentaria um soco mais forte do que o que derrubou Liston."[23]

O gongo tocou. Ali começou com os *jabs*. Chuvalo deixava. Cada vez que Ali interrompia os *jabs*, Chuvalo se atracava com ele num *clinch* e socava suas costelas. Em determinado momento do round de abertura, Chuvalo mandou quatorze golpes consecutivos no mesmo ponto do flanco esquerdo de Ali antes que ele conseguisse se afastar e bater de volta.

"Mais força! Mais força!",[24] dizia Ali.

No segundo round, Ali levantou as mãos e ficou parado, convidando Chuvalo a golpeá-lo no estômago novamente. Chuvalo agradeceu e obedeceu.

"É uma oportunidade única na vida para Chuvalo", disse o locutor do ringue.

Nos quatro primeiros rounds, Chuvalo ganhou na contagem de golpes, 120 contra 92 de Ali.[25] Isso já era bastante surpreendente. Mas ainda mais importante foi a vantagem de Chuvalo em socos fortes. Ali acertou apenas 30 socos fortes nas quatro primeiras rodadas; Chuvalo acertou 107.

Chuvalo expôs os pontos fracos que o lendário treinador Eddie Futch havia detectado em Ali. O campeão não tinha um grande poder de nocaute e nunca trabalhava o corpo do adversário, comentou Futch. E a defesa de Ali, disse ele, era "monolítica",[26] baseando-se quase inteiramente na sua habilidade de se afastar de socos em vez de se abaixar ou se desviar. Ali compensava isso, disse Futch, com "velocidade, bons reflexos e um coração grande". Coração grande, em linguagem de boxe, significava a capacidade de permanecer consciente enquanto se recebe golpes na cabeça. Ali e Chuvalo tinham coração de sobra.

Mais do que qualquer homem que Ali já enfrentara, Chuvalo forçou o campeão a lutar com tudo o que sabia, abandonar os truques e fazer pleno uso de seu talento, misturando golpes e ganchos, socando até que seus braços ficassem cansados e as mãos doloridas.

Em sua primeira luta contra Liston, Ali encaixara 95 socos. Na revanche, precisara de apenas 4 socos. Contra Patterson, tinha acertado 210 golpes em doze rounds. Agora, contra Chuvalo, Ali iria acertar 474 socos, recebendo

335 — incluindo mais de 300 de poder devastador. Foi a surra mais pesada sofrida por Ali até então. "Na minha cabeça", disse Chuvalo certa vez, "eu era, tipo, especial... Sempre disse a mim mesmo que não poderia ser ferido. Sentia, uma parte louca em mim sentia, que era indestrutível." Depois do quarto round, Ali pode ter começado a perceber que Chuvalo era realmente indestrutível, ou que, pelo menos, acreditava na sua própria indestrutibilidade. Depois da luta, Ali disse que a cabeça de Chuvalo foi "a coisa mais dura que já esmurrei na vida".[27]

Pausadamente, no próprio ritmo, Ali circulou o ringue. Lutou como um homem que espera uma longa noite e reconhece que os juízes — não um corte na cabeça, não um golpe de nocaute — provavelmente decidiriam o resultado. Chuvalo, mais do que qualquer outro lutador até aquele momento, revelara como Ali poderia ser vencido: planeje uma longa noite de trabalho, fique próximo, trabalhe o corpo do outro e continue batendo. Ele aplicou uma surra brutal em Ali, forçando-o a chegar a quinze rounds pela primeira vez. Mas os juízes, numa decisão unânime, declararam Ali o vencedor.

Chuvalo terminou a noite com o rosto todo inchado, mas com o espírito inabalado. Ele lembrou, anos mais tarde, que Ali teve de ir para o hospital após a luta porque estava "mijando sangue" de tantos golpes no rim que levara.

"E eu?", disse Chuvalo. "Eu estou indo dançar com minha esposa."[28]

22

"Qual é o meu nome?"

No momento em que Ali deveria ser o rei do boxe e campeão indiscutível do comércio esportivo, ele era tão impopular que não conseguia lutar nos Estados Unidos. Um após outro, os políticos provavam seu patriotismo proibindo Ali de lutar em suas jurisdições. Até Louisville o recusou.

A luta com Chuvalo, embora empolgante, não havia trazido nenhum ganho significativo. Apesar da lotação esgotada da arena, a venda de ingressos de circuito fechado foi escassa, em parte porque a divulgação da luta foi muito em cima da hora, e porque os fãs não esperavam muito de Chuvalo. Ali entendeu que sua carreira poderia ser interrompida a qualquer momento se o Exército o forçasse a se alistar. Por ora, ele estava falido. Tinha 50 mil dólares guardados num fundo fiduciário que o Grupo de Patrocínio de Louisville praticamente impusera a ele, e isso era tudo.

Então Ali fez o que sabia fazer melhor. Ele lutou. Durante os doze meses seguintes, ele iria defender o seu título de campeão dos pesos-pesados seis vezes. Desde o auge de Joe Louis, em 1941, nunca um campeão havia lutado com tanta frequência.

"Eu sou um lutador, e os anos de um lutador na ativa não são muitos", disse ele. "Então fico em ação, fico alerta, fico no centro. E como posso ir para o ringue e sair sem ser ferido, posso me dar o luxo de seguir adiante, fazendo duas vezes a quantidade de trabalho que outros campeões fizeram porque me desgasto menos." Ou, como Herbert Muhammad disse: "A Standard Oil não tenta vender uma pequena quantidade de óleo a cada ano."[1]

Naquelas seis lutas, embora seus adversários não fossem todos do mesmo alto nível, Ali esteve à altura de suas fanfarronices. Ninguém imaginava, é claro, que seria a última vez que veriam Ali no auge de sua carreira.

Em 21 de maio de 1966, diante de 46 mil pessoas no Arsenal Football Stadium, na Inglaterra, Ali lutou com Henry Cooper mais uma vez. Começando lentamente, valsava ao redor do ringue, dando socos insignificantes aqui e ali, como um homem incomodado por uma mosca na sala. Por fim, no quarto round, ele atacou, e dali em diante atingiu Cooper onde e quando queria. No sexto, um direito de Ali rompeu a pele acima do olho esquerdo de Cooper — um corte que exigiria dezesseis pontos —, e o árbitro encerrou o combate que nunca chegou a ser grande coisa.

Menos de três meses mais tarde, novamente na Inglaterra, Ali precisou de apenas três rounds para nocautear Brian London. Nessa luta, de qualquer forma, ele provou que realmente podia entrar no ringue e sair ileso. London acertou apenas 7 golpes.

Na luta seguinte, em Frankfurt, na Alemanha, contra Karl Mildenberger, Ali não teve a companhia de seu irmão, que se casara recentemente. Em vez disso, seus pais o acompanharam. Três horas depois da decolagem em Chicago, o campeão estava dormindo quando Odessa, a única mulher no grupo, despertou o filho com beijos na testa.

"Meu bebê está ok?",[2] murmurou ela.

"Sim, mamãe, estou bem", respondeu ele suavemente. "Aposto que você está nervosa, hein, mãe? — 35 mil pés de altura."

"Não, meu amor", disse ela. "Enquanto estiver com você, mamãe está bem."

Mildenberger era um lutador duro e experiente, com um cartel de 49 vitórias, 3 empates e 2 derrotas. Ele também era canhoto, do tipo que dera problemas a Ali desde seus primeiros dias como amador.

Sem a menor dúvida, Ali se esforçou. Ele não podia jabear tanto quanto gostava. Quando lançava ganchos, Mildenberger se esquivava com facilidade.

"QUAL É O MEU NOME?" 281

Apenas um quarto dos socos de Ali achava o alvo. Geralmente, ele conseguia uma taxa de mais de um em cada três.[3] A cada round, a multidão de mais de 50 mil no Waldstadion de Frankfurt aplaudia mais alto o azarão Mildenberger, 10 para 1. Era a primeira luta de um campeonato de pesos-pesados já realizada na Alemanha. Ainda assim, Mildenberger era mais um incômodo do que um perigo, como uma nação em desenvolvimento tentando fazer as mesmas ameaças de uma superpotência. No oitavo round, Ali pareceu decidir que aquilo já era o bastante, e assumiu o controle. Uma direita de Ali fez dobrar os joelhos do alemão. Enquanto Mildenberger oscilava, Ali o derrubou na lona. Mildenberger levantou-se, mas Ali o derrubou novamente no décimo. Àquela altura, o desafiante era uma massa ensanguentada. Finalmente, no décimo segundo round, outro direto de direita de Ali deixou Mildenberger atordoado e indefeso, e o árbitro parou a luta.

A luta com Mildenberger foi a última de Ali sob a gestão do Grupo de Patrocínio de Louisville. Em 22 de outubro, quando a relação de negócios terminou, os membros do grupo receberam um resumo de seus investimentos no pugilista. Mostrava uma renda total de 2,37 milhões de dólares, sendo que 1,36 milhão, ou cerca de 58%, foram para Ali.[4] Após despesas, o lucro líquido do grupo foi de cerca de 200 mil dólares, para ser dividido entre treze. Ali saldara sua dívida com o grupo, pagara os impostos, e tinha cerca de 75 mil dólares no fundo fiduciário.

Embora o pugilista não tivesse cuidado bem de seu dinheiro, e apesar de os membros do Grupo de Louisville não terem tido um grande retorno de seus investimentos, os empresários ficaram satisfeitos. Eles haviam ajudado a orientar a carreira do jovem boxeador, à medida que ele crescia até se tornar campeão, e o ajudaram a ganhar uma grande fortuna. De 1964 a 1966, Ali havia acumulado mais de 1,2 milhão de dólares. O jogador de beisebol mais bem pago durante esses mesmos anos foi Willie Mays, que tinha faturado apenas cerca de 100 mil dólares por ano. Mesmo ajustando pela inflação, Ali era, quase certamente, o atleta mais bem pago da história norte-americana até aquele momento, e por uma ampla margem. Infelizmente, havia torrado o dinheiro rapidamente. Ainda tinha o fundo fiduciário, mas suas economias não iam além disso. Em algum momento de 1966, sua conta bancária pessoal mostrava um saldo de 109 dólares.[5]

Gordon Davidson disse que a meta principal do Grupo de Patrocínio de Louisville havia sido ajudar Ali a se tornar um campeão. Eles não apenas administraram bem sua carreira e seu dinheiro; também tinham se mantido ao seu lado quando ele se juntou à Nação do Islã. Ali era grato por isso. Numa exibição de boxe em Louisville, perto do fim do contrato, ele pediu que os membros do grupo subissem ao ringue para que pudesse lhes agradecer publicamente.

Apesar dos pesares, disse Davidson, os membros do grupo lembrariam de seu tempo com Ali com enorme orgulho. Haviam ajudado a lançar uma das maiores carreiras na história do esporte nos Estados Unidos, e "também mostramos aos jovens que eles podem chegar ao topo no mundo das lutas sem vender suas almas".[6]

Antes da luta seguinte, aos 24 anos, Ali falou sobre aposentadoria. Suas costas doíam. As mãos estavam machucadas. Cleveland "Big Cat" Williams seria seu próximo adversário, ele disse, e provavelmente um dos últimos. Desta vez, Ali encontrou um local nos Estados Unidos disposto a deixá-lo lutar. O embate seria realizado no mais novo templo do esporte na América, o Astrodome de Houston, o primeiro estádio coberto do país, então chamado de "A Oitava Maravilha do Mundo". O dinheiro viria não só das vendas de ingressos, mas também, mais uma vez, da transmissão em circuito fechado de TV em quase cinquenta países. O jogo iria ao ar em TV aberta no México e no Canadá.[7] Ali disse que queria lutar com Williams, depois com Ernie Terrell e então se aposentar "com dinheiro no banco".[8]

Ali chamava Williams de seu "adversário mais perigoso", e houve um tempo em que isso poderia ter sido verdade, mas, dois anos antes, Williams havia sido baleado no estômago por uma bala magnum 0.357 mm disparada da arma de um policial, e foram necessárias quatro cirurgias para salvar sua vida. Ele não foi o mesmo desde então.

Mais de 35 mil espectadores encheram o Astrodome para o combate, que acabou por ser totalmente desequilibrado. No primeiro round, Ali marcou pontos quase à vontade, movendo-se rapidamente em torno do ringue, lançando *jabs*, ganchos e combinações de quatro socos. No segundo round, Ali encontrou um alvo ainda mais fácil naquele homem grande e pesadão.

"QUAL É O MEU NOME?"

Os punhos de Ali faziam círculos e fatiavam, desenhando linhas de inúmeras maneiras novas, cada linha terminando abruptamente no queixo de Williams. Um espectador que nunca tivesse assistido a uma luta de boxe poderia pensar que Ali estivesse se sentindo bem no ringue, como um artista no momento de profunda expressão, mas, para um atleta, infelizmente, não é assim que funciona. O boxe tortura os nervos. Requer atenção plena, empenho total. Ali disse isso muitas vezes: o boxe era o seu trabalho, não um meio de expressão. Se ele se desse algum tempo para pensar sobre como se sentia no meio de uma luta, se permitisse que sua concentração oscilasse por um momento que fosse, poderia se descobrir estirado na lona, olhando para as luzes, derrubado por um único soco. Ali apreciaria seu brilhantismo depois, ao assistir às filmagens de suas lutas, mas nunca no ringue. No ringue, ele era todo energia, improvisação e fúria; um guerreiro, não um artista.

Com uma combinação de esquerda-direita, Ali derrubou Williams. E de novo. Quando Williams se levantou pela segunda vez, o sangue escorria do nariz e da boca. Ali se movimentava implacavelmente e jogou-o ao chão mais uma vez. Desta vez, Williams foi salvo pelo gongo. Na maioria das lutas, o árbitro declara nocaute se um lutador cair três vezes em um round, mas, como se tratava de uma luta num campeonato, a regra fora suspensa.

Williams se levantou, oscilante, de sua banqueta para começar outra rodada. Ali torturou o rosto do adversário com mais socos. Mais sangue respingou no estrado. Williams caiu de novo. Pela última vez, o lutador ferido esforçou-se para ficar de pé, "corajosa e inutilmente",[9] como observou a *Sports Illustrated*, mas Ali continuou a encaixar um soco após o outro até que o árbitro encerrou o combate.

Cronistas de boxe e ex-pugilistas continuaram a criticar o estilo não ortodoxo do boxe de Ali e a questionar sua dureza. "O problema com Clay é que ele acha que sabe tudo", escreveu Joe Louis na revista *The Ring*. "Ele não ouve [...] Com espaço para se movimentar, Clay é um campeão, é realmente perigoso. Mas ele não sabe nada sobre lutar nas cordas, que é onde ele estaria se estivesse ali comigo."[10] Ainda assim, Ali estava vencendo, e vencendo de forma impressionante. Até grisalhos veteranos do boxe admitiram que o desempenho do campeão contra Williams fora extraordinário; raramente um lutador infligira tantos danos sofrendo tão poucos. Ninguém sabia se

284 MUHAMMAD ALI

Ali falara a sério sobre aposentadoria, mas, se realmente pretendia desistir do boxe, aquele seria um bom momento. Ele era um dos homens mais lindos do planeta, e dos mais lindamente pagos. Continuava, em grande medida, livre de ferimentos num esporte que aleijava e debilitava até os seus melhores praticantes. E tinha acabado de mostrar um desempenho brilhante diante de um dos maiores públicos que já haviam assistido a um evento esportivo. Se tivesse parado ali, poderia ter sido o suficiente para ficar na história como um dos maiores pugilistas de todos os tempos.

Mas, três meses depois, ele lutou novamente. Mais uma vez, foi no maravilhoso Astrodome, contra Ernie Terrell. Não houve animosidade fabricada entre Ali e Terrell antes da luta. Na verdade, Ali parecia gostar de Ernie, que crescera no Mississippi. Como Ali, Terrell acalentava ideias de ter uma carreira como cantor e havia gravado com um grupo que chamou de Ernie Terrell e os Pesos-Pesados. Os dois homens haviam lutado como pesos meio-pesados pelo Golden Gloves, e ambos viviam na zona sul de Chicago, embora Ali estivesse passando tanto tempo em Houston que já começara a chamar o Texas de sua casa.

Em 28 de dezembro de 1966, os dois pugilistas estavam em Nova York promovendo a luta. Terrell, um homem alto, magro, fala mansa, dizia aos repórteres que havia esperado anos para enfrentar Ali, a quem continuava se referindo como Cassius Clay. Terrell disse que haviam enfrentado e derrotado muitos dos mesmos homens, incluindo Cleveland Williams, George Chuvalo e Doug Jones. Embora muitas comissões estaduais de boxe continuassem a reconhecer Ali como o campeão dos pesos-pesados, e embora a maioria dos fãs de esportes fizesse o mesmo, a Associação Mundial de Boxe havia confiscado o título de Ali para registrar a insatisfação com suas visões políticas. Pelo menos de acordo com a WBA, o título pertencia a Terrell. Mas Terrell sabia que precisava derrotar Ali para consolidar uma reivindicação legítima ao título.

Os pugilistas estavam em uma pequena sala conversando com Howard Cosell, da WABC-TV, encarando um ao outro da forma como lutadores muitas vezes faziam quando queriam promover uma luta, inflando seus peitos e seus egos, quando Ali se queixou: "Por que você continua me chamando de 'Cassius Clay' quando Howard Cosell e todo mundo me chama de Muhammad Ali?" E continuou: "Meu nome é Muhammad Ali, e você irá anunciá-lo ali mesmo, no centro do ringue, após a luta, se não fizer isso agora... Você está agindo como um velho Pai Tomás, outro Floyd Patterson. Eu vou te castigar!"[11]

Ao ouvir "velho Pai Tomás", Terrell virou-se para Ali, inclinou-se e disse: "Não me chame de Pai Tomás."

"Isso é o que você é", disse Ali. "Fica longe de mim, Pai Tomás!"

Os homens empurraram um ao outro. Ali deu um tapa no rosto de Terrell.

"Continue filmando", disse Cosell ao cinegrafista.

Sem dúvida, Ali estava procurando irritar Terrell e promover a sua luta, mas também tinha uma queixa legítima e sincera. As pessoas mudavam seus nomes o tempo todo — às vezes para ocultar sua religião, às vezes para destacá-la. Poucas eram as que insistiam em se referir a Tony Curtis como Bernard Schwartz ou a Marilyn Monroe como Norma Jean Baker ou a Madre Teresa de Calcutá como Anjezë Gonxhe Bojaxhiu. Ainda assim, todos os grandes jornais norte-americanos continuavam a se referir a Muhammad Ali como Cassius Clay. Assim faziam Sonny Liston e Floyd Patterson, e também a maioria dos fãs que se aproximava dele para autógrafos. No artigo do *New York Times* que noticiou a desavença entre os dois pugilistas, a manchete se referia a Muhammad Ali, mas no corpo da notícia ele continuava a ser chamado de Cassius Clay. Cosell foi um dos poucos jornalistas a chamá-lo consistentemente de Ali em dezembro de 1966.

Terrell não era nenhum Pai Tomás, e não havia manifestado nenhuma objeção à fé de Ali. Nunca dissera, como Floyd Patterson fez, que a religião de Ali era inferior ao cristianismo. Na verdade, Terrell disse a outro repórter: "Não tenho nada contra ele ou sua religião."[12] E continuou dizendo que sabia que Ali estava apenas tentando irritá-lo, e talvez ele estivesse tentando irritar Ali em troca. "Ele quer que eu me preocupe com o que pensam sobre mim, quer confundir a questão", disse Terrell. "Mas é perigoso se distrair. Eu vou simplesmente me concentrar mais."

Antes da luta, Ali jurou punir Terrell por desrespeitar sua fé e seu novo nome. "Eu quero torturá-lo", disse. "Quero que ele passe pela mesma humilhação que fiz o Patterson passar e assim o punir. Um nocaute limpo é bom demais para ele."[13]

Ali realmente o castigou, mas não de imediato. Os lutadores trocaram socos uniformemente nos dois primeiros rounds, até que Ali começou a encaixar seus *jabs* com mais eficácia. Assim como havia acontecido após a luta com Patterson, os repórteres acusaram Ali de esticar o sofrimento de Terrell, de fazê-lo penar durante uma longa noite quando poderia ter acabado com tudo mais cedo. No entanto, há pouca evidência para sugerir que isso fosse verdade. No sétimo round, Ali fez Terrell girar com um soco, empurrou-o para as cordas e então desencadeou uma série furiosa de golpes, tirando os dois pés do chão para colocar todo o peso do corpo nos socos, claramente buscando o nocaute. As pernas de Terrell vacilavam e os dois olhos sangravam, mas o desafiante juntou todas as forças e revidou, martelando pesadamente a cabeça de Ali no minuto final do round. Isso aconteceu várias vezes. Cada vez que Ali assumia o controle da luta, Terrell contra-atacava, mesmo com o olho esquerdo inchado e fechado.

"Qual é o meu nome?", provocou Ali no oitavo round, com uma sibilante combinação esquerda-direita em seguida, que tornava a pergunta retórica. "Qual é o meu nome?", ele cuspiu novamente através do protetor bucal. Terrell fechou os olhos quando Ali disparou a combinação seguinte.

Quando o gongo tocou para terminar o round, Ali não foi para o seu *corner*. Em vez disso, aproximou-se de Terrell. Tinha os olhos bem abertos. Os tendões do pescoço se contraíram. Os braços caíram ao lado do corpo e ele se inclinou. Foi como um latido, já não parecia ser uma pergunta: "Qual é o meu nome!"

A luta continuou por mais sete rounds, mas não porque Ali quisesse; ele tentou e não conseguiu acabar com o combate. No décimo segundo round, Ali manteve os pés firmes no chão e disparou seus maiores golpes. Terrell recebeu todos e revidou. Ali deu 737 socos na luta, quase todos eles na cabeça de Terrell. Mas os *jabs* longos de Terrell mantiveram Ali afastado na maior parte do tempo, e Ali, parecendo exausto, não conseguia aterrar um soco suficientemente forte para despachar Terrell. Ele parou com os insultos.

Quando tudo acabou e os juízes declararam Ali o vencedor por unanimidade, o locutor Howard Cosell entrou no ringue e perguntou a Ali se ele poderia ter nocauteado Terrell se quisesse. "Não, não acredito que eu pudesse", respondeu Ali. "Depois do oitavo round, eu caí em cima dele, mas vi que estava ficando cansado."[14]

"QUAL É O MEU NOME?"

Isso não tinha importância para os homens brancos que cobriam a luta; àquela altura, eles buscavam toda e qualquer razão para criticar Ali. Disseram que lhe faltava dignidade. Chamaram a luta de "uma exposição nojenta de crueldade calculada", como se o boxe fosse qualquer outra coisa que não isso. Milton Gross disse que quase ansiava por um regresso aos dias em que a máfia controlava o esporte. Arthur Daley chamou Ali de "sórdido e maligno", e Jimmy Cannon, quem diria, chamou o tratamento de Ali a Terrell de "uma espécie de linchamento".[15]

Ali lutara maravilhosamente, alterando velocidade e direção como se fosse uma pipa, disparando *jabs*, enfiando ganchos nas costelas do adversário, afastando-se com um jogo de pernas para inspecionar os danos e então desferindo mais golpes, movendo-se para perto e para longe de Terrell sem nenhum ritmo constante, sem padrão. Ele era um revolucionário, um Charlie Parker, com um estilo inato e um virtuosismo que ninguém jamais iria reproduzir. Transformou violência em arte como nenhum outro peso-pesado antes ou depois dele.

Mas isso não quer dizer que a violência inerente ao boxe o deixara incólume. Mesmo numa vitória relativamente fácil, Ali levou cerca de 80 socos na cabeça e 60 no corpo, tudo isso vindo de um homem que media 1,98 m, pesava 96 quilos e nunca desistia. Se isso fazia de Ali um torturador ou um bandido, era um não muito competente.

23

"Contra as fúrias"

Em 1967, Muhammad tinha 25 anos, era o campeão mundial dos pesos-pesados, o atleta mais reconhecido no planeta, o mais proeminente muçulmano na América e o mais visível oponente à guerra no Vietnã. Continuava obcecado com carros, casas e dinheiro, e estava ansioso para encontrar uma nova esposa, mas a coisa sobre a qual ele mais falava era raça. Raça era o fio desencapado que o percorria por inteiro.

"Faz de conta que uma casa está pegando fogo", ele disse a Jack Olsen, um repórter branco da *Sports Illustrated*. "Você está dormindo ao lado de sua parceira." Ali fez o som de ronco. "Você abre um olho e vê que a casa está pegando fogo. Sua parceira continua dormindo." Ele acrescentou assovios aos sons de ronco. "E você vê essa lava quente e essa trava de madeira no teto que está prestes a cair sobre sua parceira, e você sai da cama. Você corre para fora da casa sem acordá-la! Quando você chega lá fora, você diz [juntou as mãos e olhou para o céu]: 'Ah, meu Deus, o que eu fiz de errado? Eu fui tão egoísta e ganancioso, preocupando-me só comigo, e deixei minha parceira lá dentro. Ah [torcendo as mãos], ela está provavelmente morta, a casa desabou.'"[1]

Fez uma pausa dramática.

"*E então ela sai ainda a tempo e olha na sua cara!* Naquele exato instante, você sente que ela deveria matá-lo. Você sabe o que *você* faria se alguém te deixasse numa casa em chamas... E ela diz: 'Cara, por que não me acordou? Por que me deixou ficar naquela casa? [Gritando] *A casa estava pegando fogo! Cara, você ia me deixar queimar...!*'

"Bem, é assim que são os americanos brancos. A casa está pegando fogo há 310 anos e os brancos deixaram os negros dormindo. O negro tem sido linchado, morto, estuprado, queimado, pendurado em correntes e arrastado por um carro por toda a cidade, álcool e aguarrás sendo derramados em suas feridas. É por isso que os negros estão tão cheios de medo hoje. Isso está sendo posto dentro deles desde quando eram bebês. Imagine! Vinte e dois milhões de negros na América, sofrendo, lutando nas guerras, têm recebido tratamento pior do que qualquer ser humano poderia imaginar, caminhando pelas ruas da América com fome, sem comida para comer, caminhando pelas ruas sem sapatos, existindo com ajuda, vivendo em casas de caridade para pobres, 22 milhões de pessoas que serviram fielmente à América, e que trabalharam, e que ainda amam seu inimigo, e continuam sendo persistentemente chutadas de um lado para o outro."

As palavras eram poderosas e prescientes. Mas, ao mesmo tempo, as ideias de Ali poderiam ser escorregadias, até incongruentes. Isso não o tornava incomum. O que fazia dele um tipo incomum era que muitas pessoas o estavam ouvindo. Os repórteres anotavam suas observações. Seguidores de Elijah Muhammad o ouviam várias vezes por mês em conferências nas mesquitas em todo o país. Informantes do FBI faziam notas e enviavam memorandos para o escritório central em Washington.

"Se a integração total fosse fazer todo mundo feliz, tanto os brancos como os negros, eu integraria totalmente", disse ele a um jornalista. "Se a separação total, cada um com seus iguais, fosse fazer todos felizes, eu faria isso. Qualquer coisa que fosse necessária para fazer as pessoas felizes, sem estar atirando e se escondendo no meio de arbustos, e explodindo umas às outras, e matando umas às outras, fazendo tumultos. Mas não acho que a integração total possa funcionar."[2]

Lutadores de boxe são rebeldes profissionais. Eles têm permissão para se envolver em violência quando outros não têm. Estão autorizados a não

"CONTRA AS FÚRIAS" 291

ser cavalheirescos. Ali simplesmente estendeu isso para fora do ringue. Ele queria que tudo que dissesse e tudo que fizesse fosse um protesto. Ele declarava, sempre que tinha uma chance, que não seria domado. Iria lutar, se posicionar, falar, fazer — imediatamente, e todas as vezes. Ele seria o campeão mundial rebelde dos pesos-pesados.

Ele estava vivendo uma vida de superficialidade, como a maioria de nós, fazendo uma carreira como *entertainer*, queimando seu dinheiro em mais carros do que possivelmente poderia dirigir, e, ainda assim, um espírito primordial de rebelião o guiava, e talvez o redimisse. Foi por isso que sua recusa em aceitar o recrutamento chamou tanta atenção e provocou tanta raiva, porque tudo que se referia à existência de Ali ofendia a maioria dos norte-americanos brancos: sua cor de pele, sua boca incontrolável, sua religião e, agora, sua falta de patriotismo. Pela primeira vez em quase quarenta anos, a revista *The Ring*, a bíblia dos jogos de luta, recusou-se a nomear um "Lutador do Ano", insistindo que Ali (ainda chamado de Cassius Clay pela publicação) "não seria exibido como um exemplo para os jovens dos Estados Unidos".[3]

A crítica nunca incomodou Ali, talvez porque ele tivesse pouca confiança na América e não esperasse que ela lhe fizesse justiça. O problema remontava à escravidão, disse: "Não fomos trazidos para cá para sermos cidadãos na América branca. A intenção era que trabalhássemos para eles — e gostássemos disso. Eles queriam que a gente se reproduzisse; quanto mais, melhor. O escravo negro grande era chamado de 'reprodutor'. 'Este escravo pode gerar quinze bebês por mês!' E, assim que o bebê nascia, era separado da mãe. E foi assim a produção do 'preto' de vocês. Ele era um escravo mental. E esse é o povo que ainda temos na América hoje."[4]

Dado tudo isso, perguntou, como pode o homem negro na América esperar ser tratado de forma justa algum dia? "Quando você coloca toda a sua confiança e todo o seu futuro em outras pessoas, então está se colocando em posição de ser enganado e se decepcionar. Mas a mim você não pode desapontar. Não dá para me frustrar se eu não estiver esperando nada de você."

Ali verbalizava clara e simplesmente o que tantos norte-americanos negros sentiam: que nunca conseguiriam um acordo justo, porque um acordo justo não era possível sob as condições impostas a eles já há tempos. Mesmo norte-americanos negros que pouco se importavam com o boxe e não sabiam nada da lei tinham a inequívoca sensação de que Ali fora vítima de preconceito. Porém, foi sua resposta, não sua vitimização, que fez dele um herói. Foi sua recusa a se submeter quando o governo e as autoridades do boxe ameaçaram puni-lo. "Com 1,88 m e 100 quilos, tão bonito quanto um homem poderia ser, Muhammad Ali era um herói negro numa paisagem americana que alimentava poucos heróis negros",[5] escreveu o jornalista Jill Nelson. "Articulado, engraçado, incrivelmente masculino, Ali não aceitava nenhuma merda de um homem branco e viveu para contar a história, o homem dos sonhos coletivos das mulheres negras."

A posição de Ali contra a guerra no Vietnã fez dele um símbolo de protesto contra uma guerra em que homens negros estavam morrendo a uma taxa extremamente desproporcional. Os negros representavam 22% de todas as mortes em batalha numa época em que a população negra na América era de apenas 10%. Por que a América estava gastando dinheiro e jogando fora tantas vidas em nome da liberdade numa terra distante e, ao mesmo tempo, resistia à causa da liberdade no próprio território? Por que, mais uma vez, os interesses dos norte-americanos negros pareciam divergir dos interesses do país como um todo? Ali levantava essas preocupantes perguntas à medida que a oposição à guerra rapidamente se espalhava.

Martin Luther King Jr. havia começado a falar contra o envolvimento da América no Vietnã,[6] apesar da preocupação de membros da Conferência da Liderança Cristã do Sul (Souther Christian Leadership Conference, SCLC) de que King iria apenas enfurecer o presidente Johnson e fazer retroceder o movimento dos direitos civis. King estava pensando em introduzir uma mudança dramática nos rumos da SCLC. Após sua fracassada campanha de 1966 contra a segregação residencial em Chicago, e após os terríveis motins em Detroit e Newark no verão de 1967, o líder dos direitos civis disse que a sociedade norte-americana só poderia ser salva com uma "cirurgia moral radical". Se algo não fosse feito rapidamente a fim de parar a guerra, combater a discriminação e acabar com a opressão dos pobres pelo governo, King temia uma guerra racial generalizada, que levaria a um Estado policial direitista e fascista na América. King pretendia liderar um movimento mais radical, e sua oposição à guerra no Vietnã seria um dos pilares.

"CONTRA AS FÚRIAS"

Andrew Young Jr., diretor-executivo da SCLC, disse que a postura de Ali pode ter tido um papel na decisão de King de se opor publicamente à guerra. "Foi mais ou menos na mesma época em que Muhammad se declarou um objetor de consciência que Martin começou a dizer 'Não posso segregar minha consciência'", recordou-se Young. "Não tenho nenhuma dúvida de que havia uma influência sutil que conectava os dois em termos de consciência e da guerra no Vietnã."[7]

Em um editorial, o *New York Times* disse que o pugilista "pode se tornar um novo símbolo e um ponto de convergência dos que se opunham ao recrutamento e à guerra no Vietnã. No Harlem, o maior gueto de negros do país, houve indícios [...] de que a recusa de Clay de ser convocado estava criando considerável impacto emocional, particularmente nos jovens".[8]

Tom Wicker, do *New York Times*, se perguntou o que aconteceria se milhares de norte-americanos seguissem o exemplo de Ali e se recusassem a lutar: "O fato é que ele está assumindo uma posição extrema de desobediência civil; está se recusando a obedecer à lei da maioria com base em suas crenças pessoais, com pleno conhecimento das consequências [...] O que aconteceria se todos os jovens em idade de recrutamento assumissem a mesma posição?"[9] Uma resposta a essa pergunta veio de L. Mendel Rivers, presidente da Comissão das Forças Armadas do Congresso Nacional. Para ele, se Ali, "aquele grande teólogo do poder dos Muçulmanos Negros",[10] ganhasse um adiamento, o poder do presidente de movimentar efetivos militares seria minado por uma inundação de objetores de consciência com suas falas ambíguas. O congressista Robert H. Michel, de Illinois, também condenou Ali, dizendo: "Enquanto milhares de nossos melhores jovens lutam e morrem nas selvas do Vietnã, esse espécime saudável está lucrando com uma série de lutas vergonhosas. Aparentemente, Cassius vai lutar com qualquer um, menos com os vietcongues."[11] Michel chegou a dizer que, embora Ali se considerasse "o maior, [...] tenho certeza de que a história vai olhar para ele como o mais insignificante de todos os homens que alguma vez detiveram o honroso título de campeão mundial dos pesos-pesados".[12]

Funcionários da junta de alistamento também estavam preocupados, dizendo que Ali vinha lhes dificultando o trabalho. Um deles, Allen J. Rhorer, presidente da junta de alistamento em Calcasieu, Louisiana, escreveu para

MUHAMMAD ALI

o procurador-geral Ramsey Clark afirmando que os membros da sua junta estavam "considerando seriamente submeter seu pedido de demissão",[13] a menos que "medidas rápidas e vigorosas" fossem tomadas contra Ali.

Ali afirmava ser um ministro muçulmano, e que dedicava 90% de seu tempo à pregação e 10% ao boxe. Mas nunca teve nenhum título formal na Nação do Islã. Na verdade, Elijah Muhammad declarou explicitamente que Ali não era um ministro, de acordo com um memorando do FBI datado de 17 de março de 1966 e tornado público meio século mais tarde. De acordo com o memorando, Elijah dissera a outro membro da Nação do Islã que Ali era bem-vindo para participar de um próximo evento da Nação, mas não deveria receber nenhum tratamento especial ou honrarias. "Ele pode vir", disse Elijah. "Cabe a ele decidir. Ninguém o está barrando. Mas não subirá ao palco para falar ao microfone. Ele não é ministro [...] E não vai falar, a não ser que eu lhe peça para dizer algo, e eu direi a ele o que falar."[14]

No entanto, Ali continuou a se chamar de ministro, e funcionários da Nação do Islã nunca o contradisseram publicamente. No memorando, o FBI especulou que Elijah Muhammad permitia que Ali se descrevesse como ministro "por causa de seu valor publicitário".[15] A Nação também ajudou Ali a encontrar um advogado, Hayden C. Covington, de Nova York, que defendera com sucesso membros das Testemunhas de Jeová contra acusações de evasão do recrutamento. Covington e a NDI conseguiram declarações assinadas de quase 4 mil pessoas[16] — a maioria membros da Nação do Islã — afirmando que Ali era ministro em tempo integral. O advogado também pediu a Angelo Dundee que assinasse uma declaração confirmando que o boxe era meramente uma "atividade ou vocação secundária" para Ali, e que a pregação era seu "principal trabalho ou vocação". Numa carta para Ali, Covington escreveu: "Eu disse ao honorável Elijah Muhammad que lutaremos contra eles até que o inferno congele e, no final, patinaremos sobre o gelo da vitória."[17]

O primeiro juiz que ouviu o caso de Ali sustentou sua reivindicação como um objetor de consciência. Mas a junta de apelação do Ministério da Justiça, talvez temendo o tipo de reação em cadeia antecipada por Tom Wicker no *New York Times*, rejeitou a recomendação do juiz, dizendo que as objeções de Ali ao serviço militar baseavam-se em questões de política e raça, não em uma objeção

"CONTRA AS FÚRIAS" 295

moral a toda e qualquer guerra. Ali teria que servir ou iria para a cadeia, decidiu a junta. Em março, ele recebeu uma ordem para se apresentar no mês seguinte ao serviço de alistamento em Houston.

Enquanto seus advogados se mexiam, Ali se preparava para o tipo de luta que ele sabia como ganhar. Em 22 de março de 1967, após um treinamento mínimo, ele enfrentou Zora Folley no Madison Square Garden. Folley tinha quase 36 anos, com um cartel de 74 vitórias, 7 derrotas e 4 empates, era pai de oito filhos, veterano da Guerra da Coreia e um dos homens mais bondosos e gentis no boxe. Nem o próprio Ali poderia encontrar uma razão para se aborrecer com Folley. Momentos antes da luta, alguém perguntou a Ali o que faria se perdesse. Ele respondeu sem hesitação: "Me aposentar. Hoje à noite."[18]

Quando a luta começou, Ali parecia desinteressado, como um homem tão aborrecido com seu convidado para jantar que nem se dava o trabalho de inventar alguma conversa. Ele atingiu Foller apenas duas vezes no primeiro round, três no segundo e seis no terceiro. Saltava em volta do ringue como se seu único objetivo fosse queimar calorias. Folley conseguiu alguns bons golpes, mas não o suficiente para incomodar Ali.

No quarto round, Ali teve um surto de animação e derrubou Folley com um soco arrasador. Mas Folley se levantou da lona antes que o árbitro contasse até dez e revidou com ótimos golpes. No quinto, Ali aplicou golpes constantes, dolorosos. No sexto, continuou com o mesmo. Mas o sétimo foi diferente. Ali já não parecia entediado. Ele avançou em Folley. Lançou grandes direitos e ganchos de esquerda; não usou *jabs*. Isso o deixou vulnerável, e Folley retaliou com seus melhores golpes da noite. Ali aceitou a punição como o preço de se fazer negócios e voltou à luta. Na metade do round, Ali girou o torso e armou um grande golpe de direita que atingiu Folley no lado esquerdo do rosto. Ali armou novamente, deu o mesmo soco, acertou no mesmo ponto e observou o veterano lutador cair de cara no chão, os braços estendidos de cada lado como um bêbado de calçada.

Quando o locutor da televisão encontrou Ali, o campeão tinha o irmão de um lado, Herbert Muhammad do outro e o pai atrás dele. Ali sorriu: "Em primeiro lugar, gostaria de dizer *As-Salaam-Alaikum* para nosso querido e amado líder e professor, o honorável Elijah Muhammad, e estou me sentindo muito bem nesta noite. Agradeço a ele por suas bênçãos e orações."

"Agora, vamos falar sobre a luta", disse o locutor.

Assim fizeram. Ali, como era costume, disse que nunca tinha sido ferido. Descreveu o nocaute e depois convidou o pai para falar para a câmera.

"Eu diria que ele é o maior de todos os tempos", disse um radiante Cash Clay, com seus cabelos alisados. "Não estou dizendo isso só porque ele é meu filho."

Depois de se erguer do estrado e recuperar os sentidos, Zora Folley, cujo julgamento era mais imparcial, chegou à mesma conclusão de Cash Clay. "Ali é esperto", disse. "O lutador mais astuto que já vi. Já teve 29 lutas e age como se já tivesse enfrentado uma centena. Poderia escrever um livro sobre boxe, e qualquer um que luta com ele deveria ser obrigado a lê-lo antes."[19] E continuou: "Não há maneira de você treinar para o que ele faz. Os movimentos, a velocidade, os socos e a forma como ele muda de estilo toda vez que você acha que o sacou [...] Esse cara tem um estilo todo próprio. Está muito à frente de qualquer lutador de hoje. Então, como poderiam aqueles lutadores dos velhos tempos, tipos como Dempsey, Tunney ou qualquer um deles, estar à altura? Louis não teria chance — ele era muito lento. Marciano não poderia pegá-lo, e nunca escaparia do *jab* de Ali."

Finalmente, Ali estava recebendo o respeito que dizia merecer desde que tinha 12 anos de idade. Além disso, havia poucos oponentes que poderiam vir a desafiá-lo. Falava-se de uma revanche com Chuvalo ou Patterson. E estava assomando no horizonte um jovem lutador chamado Joe Frazier, vencedor da medalha de ouro olímpica de 1964 e invicto em todas as suas primeiras 14 lutas. Mas, naquele momento, era difícil imaginar qualquer um que pudesse derrotar Ali.

Sua maior ameaça era a prisão.

"Saí das páginas de esportes", disse. "Passei para as primeiras páginas. Quero saber o que é certo, se vou parecer bem no futuro, na história. Estou sendo testado por Alá. Estou abrindo mão do meu título, da minha riqueza, talvez do meu futuro. Muitos grandes homens foram testados por sua crença religiosa. Se eu passar nesse teste, vou sair mais forte do que nunca [...] Tudo o que quero é justiça. Será que vou ter de esperar a história para conseguir isso?"[20]

PARTE II

24

Banimento

Martin Luther King Jr. chegou a Louisville em 28 de março de 1967, na mesma época em que Ali retornava à sua cidade natal depois de derrotar Zora Folley. De acordo com um memorando do FBI marcado como "secreto", Ali e King reuniram-se em particular no hotel de King por aproximadamente 30 minutos e passaram o tempo "principalmente em brincadeiras e 'bobagens'".[1]

Depois disso, foram se encontrar com os repórteres.

"Somos todos irmãos negros",[2] disse Ali, que era quase uma cabeça mais alto do que King. Ambos estavam de terno e gravata. "Usamos abordagens diferentes para lidar com nossos problemas de cada dia, mas o mesmo cão que o mordeu me mordeu também. Quando a gente sai, não perguntam se você é cristão, católico, batista ou muçulmano. Eles simplesmente começam a surrar cabeças pretas."

"Ah, sim, sim!", ecoou King. "Discutimos nossos problemas comuns e nossas preocupações comuns. Somos vítimas do mesmo sistema de opressão. Embora nossas crenças religiosas difiram, ainda somos irmãos."

O FBI pode ter acertado ao dizer que o encontro entre Ali e King consistiu basicamente em piadas. Os dois homens eram grandes cômicos. Ambos

300 MUHAMMAD ALI

sabiam como estabelecer conexões emocionais rapidamente, mesmo com seus críticos. Às vezes, ambos tinham uma energia maníaca. Mas, apesar das piadas, o encontro teve importância. Além de revelar a disposição de King de se posicionar publicamente como um adversário da guerra no Vietnã, também serviu como um lembrete da ideologia flexível de Ali e de seus impulsos aparentemente contraditórios de se rebelar e fazer amigos. Finalmente, a reunião refletia a forma como o movimento dos direitos civis e o movimento contra a guerra estavam colidindo.

No mesmo dia em que se encontrou com King, Ali, vestindo um terno azul-esverdeado iridescente, apareceu em um protesto contra a segregação residencial em Louisville. Suas observações não eram inteiramente a favor da integração, mas, ainda assim, ele falou e demonstrou apoio. Ele queria ser ouvido. Queria ficar do lado das pessoas negras. Queria que todos soubessem que ele lutava do lado da mudança.

"Se liguem em mim",[3] disse aos manifestantes, e começou a fazer variações de alguns dos discursos que ouvira nos comícios da Nação do Islã. "O solo mais rico é o solo preto. Quando quer uma xícara de café forte, você diz: 'Eu quero preto.' Quanto mais preta a amora, mais doce o suco." Prosseguiu dizendo que o negro não só era bonito, mas também era melhor sem o branco. Isso provocou gritos de "Não!" da plateia, pois, afinal, aquelas pessoas haviam se reunido com a finalidade de integrar a oferta de habitação em Louisville. Mas Ali continuou: "Vamos parar de causar preocupações nas pessoas brancas e de forçar nossa presença em seus bairros", disse. "Vamos começar a limpar e a fazer por nós mesmos. Eu sou o que chamam de muçulmano. Sou um seguidor de outro lutador da liberdade — o nome dele é Elijah Muhammad." Novamente, a multidão expressou algum desdém. Ali disse que os cristãos negros haviam sido enganados a vida toda. "Quando íamos à igreja, olhávamos na Bíblia [...] Nós vimos Jesus. Ele é branco. Vimos os anjos. Eles são brancos. Você vê imagens da última ceia. Todo mundo lá é branco. O presidente vive na Casa Branca." Por outro lado, ele disse, "o bolo chamado 'devil food' [bolo do diabo] é escuro. Gatos pretos dão azar." Ele continuou a insultar o público. "Eu percebo que isto aqui é uma cidade pequena e vocês não estão preparados para receber esses ensinamentos [...] Eu digo que as soluções

BANIMENTO   301

para nossos problemas estão em ficar juntos, nos limpando e respeitando as nossas mulheres. Então o mundo inteiro vai nos respeitar como uma nação."

Ele passou a falar sobre sua oposição à guerra, fazendo sua declaração mais claramente política sobre o assunto até aquela data: "Por que deveriam pedir a mim, outro chamado preto, para vestir um uniforme e ir para um lugar a 16 mil quilômetros de casa e soltar bombas e balas contra pessoas marrons no Vietnã, enquanto as pessoas chamadas pretas em Louisville são tratadas como cachorros e têm negados seus simples direitos humanos?"[4] E continuou a dizer que seus verdadeiros inimigos estavam nos Estados Unidos, e que não ajudaria os Estados Unidos a escravizar outros.

O público não o vaiou quando Ali terminou, mas também não o aplaudiu entusiasticamente. Claramente, nenhum dos presentes queria ouvir aquilo.

Quando Ali terminou, um repórter lhe perguntou como ele achava que o público havia se sentido a respeito de seu sermão.

"Ah, eles gostaram."[5]

Alguns dias mais tarde, o dr. King, falando na Riverside Church em Nova York, fez sua declaração mais poderosa até então sobre o Vietnã, chamando os Estados Unidos de "os maiores promotores de violência no mundo hoje"[6] e dizendo que ele se sentia compelido a falar como um "irmão para os pobres sofredores do Vietnã" e em nome dos "pobres na América que estão pagando o preço duplo de ver destruídas suas esperanças de uma moradia e de enfrentar a morte e a corrupção no Vietnã". O reverendo foi atacado de quase todos os lados por suas afirmações — marcado como antipatriota, simpatizante comunista e, nas palavras do diretor do FBI, J. Edgar Hoover, "um instrumento nas mãos de forças subversivas buscando minar nossa nação".[7]

Enquanto isso, as manifestações contra a guerra em todo o país se tornavam maiores e mais enfáticas.

Em 17 de abril, a Suprema Corte dos Estados Unidos rejeitou um pedido dos advogados de Ali de uma liminar que teria bloqueado o alistamento militar do pugilista. Os advogados haviam argumentado que o serviço de seleção militar do Kentucky discriminara Ali por causa da cor de sua pele.

302   MUHAMMAD ALI

Confrontado com a notícia decepcionante, Ali prometeu que apareceria em sua cerimônia de alistamento programada para 28 de abril, mas insistiu que não aceitaria ser alistado. Assegurou "defender minhas crenças religiosas mesmo que isso signifique ficar preso durante cinquenta anos ou ser posto diante de uma metralhadora".[8]

Em Chicago, Ali reuniu-se com Elijah Muhammad e Herbert Muhammad. Elijah disse aos repórteres que não havia oferecido nenhum conselho ao seu discípulo. Talvez significativamente, no entanto, ele acrescentou: "Não lhe dei nenhum conselho além dos que dei aos fiéis que me seguiram para a penitenciária em 1942."[9]

Era uma manhã fresca, cinzenta, em Houston, com uma cortina de névoa no ar. No dia marcado para seu alistamento militar, Muhammad Ali olhou-se no espelho de um café enquanto atacava com o garfo quatro ovos meio quentes no prato.[10] Talvez visse o reflexo de uma figura histórica olhando para ele. Essa foi a imagem captada por um repórter da *Sports Illustrated* sentado ao seu lado. Ao se opor ao alistamento, Ali se considerava um lutador cuja batalha transcendia o esporte. Ele era David Crockett agora. Ele era John Henry. Nat Turner. Ele era um líder de seu povo. Um verdadeiro crente. Ou, como ele poderia ter sido tentado a dizer, o maior cruzado de tooodos os teeempos!!!!

Se o governo dos Estados Unidos o prendesse ou lhe tirasse seu direito de lutar, "isso poderia me custar 10 milhões de dólares em ganhos", disse para o repórter e para o próprio reflexo. "Parece que estou falando sério sobre minha religião?"

Quando terminaram o café da manhã, Ali e seu grupo de amigos, advogados e jornalistas se espremeram em dois táxis para a corrida até a Junta de Recrutamento e Exames das Forças Armadas, no terceiro andar de um edifício público no número 701 da rua San Jacinto. Ao sair do táxi, as luzes das câmeras de TV se acenderam, iluminando o terno azul do pugilista. Ele fez uma pausa e sorriu antes de entrar no edifício, mas não deu declarações à imprensa.

Ali era um dos 26 jovens que seriam examinados na pré-apresentação agendada para as 8 horas na Junta nº 61 de Houston. Ele era o único com

BANIMENTO   303

um advogado. A maioria dos homens trazia mochilas ou malas, sabendo que, mais tarde, provavelmente seriam levados num ônibus para uma base militar. Mas Ali estava de mãos vazias.

"Vocês todos parecem muito abatidos", disse ele a alguns dos outros homens à espera do alistamento. Contou piadas. Falou sobre a luta com Floyd Patterson. Ele disse que, se ficassem em casa, os vietcongues não iriam pegá-los, mas algum matuto da Geórgia provavelmente iria. Assinou um autógrafo para um pré-recruta de Escondido, na Califórnia. Outro dos jovens aguardando a apresentação disse que desejava que Ali fosse com ele para o Vietnã porque o pugilista era uma companhia agradável e "deixaria mais leve a nossa viagem".[11]

Os advogados de Ali lhe disseram que planejavam levar o caso a um tribunal civil, mas só poderiam fazer isso depois de esgotados todos os recursos administrativos e depois de ele formalmente desobedecer a uma ordem para servir. Quando chegou o momento, Ali se recusou a dar um passo à frente e aceitar seu alistamento. Um tenente da Marinha o chamou para um escritório e avisou que ele estava cometendo um crime punível com cinco anos de prisão e 10 mil dólares de multa. Ali se recusou novamente e assinou um documento confirmando sua postura. Com isso, ele se tornou o mais proeminente norte-americano a fazer um apelo legal visando a sua isenção.

Quando tudo estava acabado, Ali, excepcionalmente, tinha pouco a dizer. Ele leu uma declaração previamente preparada, voltou para o quarto no Hotel America e ligou para sua mãe, que o vinha instando a aceitar o alistamento. No final do dia, a Associação Mundial de Boxe e a Comissão Atlética do Estado de Nova York haviam confiscado a licença de boxe de Ali e lhe retirado o título de campeão. Logo depois, revelando uma unidade de espírito, todas as outras comissões de boxe no país fizeram o mesmo. Não importava que, havia muito tempo, tolerassem a máfia e os apostadores profissionais em seu esporte. Não importava que Ali ainda não tivesse sido condenado por algum crime. Não importava que as regras do boxe não contivessem nenhuma exigência de que o campeão fosse cristão, norte-americano ou apoiador das guerras nacionais. Nada disso importava. Guiados pela raiva, por preconceito ou patriotismo, os governantes do boxe decidiram que Muhammad Ali era inadequado para usar a coroa do esporte, pois era um muçulmano que havia se recusado a lutar por seu país.

"A ação das autoridades desportivas efetivamente poderia acabar com a carreira de Clay",[12] comentou o jornal da sua cidade natal, o *Louisville Courier-Journal*.

"Mamãe, eu estou bem", disse Ali. "Fiz o que tinha de fazer. Claro que estou ansioso para voltar para casa e comer sua comida."[13]

25

Fé

Seu inimigo era a solidão. O inimigo sempre tinha sido a solidão, mas, agora, sem ninguém com quem lutar, sem nenhuma razão para treinar, com seus advogados negociando o seu caso com o governo e sem nenhuma multidão clamando por ele, Ali foi ficando entediado.

Em 18 de maio de 1967, ele foi parado pela polícia em Miami e preso por dirigir sem habilitação e não comparecer ao tribunal para responder por uma infração de trânsito anterior. Passou cerca de 10 minutos na cadeia até pagar a fiança.[1]

Pouco depois, estava de volta a Chicago, onde visitou o Restaurante Shabazz, na rua 71, que vendia sopa de feijão e torta de feijão feita de acordo com a receita especial de Clara Muhammad, esposa de Elijah Muhammad. Ali viu um rosto familiar atrás do balcão do restaurante — uma garota de 17 anos chamada Belinda Boyd, com quem havia se encontrado pelo menos uma vez antes, enquanto visitava a Universidade Muhammad do Islã e a quem também tinha visto trabalhando numa das padarias da Nação do Islã. Um lenço cobria sua cabeça e um vestido longo tampava todo o seu corpo. Herbert Muhammad havia sugerido que Ali visitasse Belinda no restaurante, insinuando que ela poderia ser uma boa esposa.[2]

306   MUHAMMAD ALI

Muhammad Ali era o belo príncipe da Nação do Islã. Todas as garotas da escola de Belinda o amavam. Mas ela o amava mais do que quase todas as outras. Seu amor era "exponencial",[3] lembrou Safiyya Mohammed-Rahmah, colega de Belinda e filha de Herbert Muhammad. Ela vinha proclamando aquele amor havia anos. "Ela simplesmente sabia que ia se casar com ele", disse Safiyya.

Ainda assim, os joelhos de Belinda não tremeram quando o príncipe entrou no restaurante.

"Você sabe quem eu sou?",[4] perguntou Ali.

Belinda não sorriu nem piscou os olhos. Ela era alta e esguia, mas não era nenhuma criança abandonada. Praticava caratê. Continuou impávida e confiante. Viu, pelo canto do olho, que Ali sorria enquanto abria caminho entre os clientes na fila para pedir um prato de sopa. Quando chegou ao balcão, Belinda dirigiu-se a ele bruscamente: "Você vai furar a fila?"

Ali congelou. Voltou e esperou a sua vez.

Belinda era filha de Raymond e Aminah Boyd, de Blue Island, Illinois, um subúrbio de classe operária na zona sul de Chicago. Tendo completado os estudos na escola de Elijah Muhammad para crianças muçulmanas, tinha dois empregos, na padaria e no restaurante.[5] Ela adorava o trabalho, adorava interagir com os clientes, adorava ganhar dinheiro e poupar para a faculdade. Era verdade que havia muito tempo que tinha uma queda por Ali, e também era verdade que tivera ciúmes quando soube que ele se casara com Sonji Roi. Sonji era a mulher mais bonita que Belinda já tinha visto — uma Elizabeth Taylor negra, e Ali era seu Richard Burton.

Se Sonji e Ali tivessem continuado casados, disse Belinda, ela teria ficado contente em trabalhar duro, ajudar os pais em casa e viver uma vida tranquila de observação religiosa, seguindo as notícias sobre seu príncipe nas páginas de *Muhammad Speaks* e na TV. "Eu não estava interessada em ter nenhum namorado", disse, anos mais tarde. "Não tinha nenhum interesse em me casar." Mas, depois do divórcio de Ali, e após completar 17 anos na primavera de 1967, os pensamentos de Belinda retornaram ao homem dos seus sonhos. Não eram tanto a fama ou a beleza que a atraíam, disse ela, mas, principalmente, seu potencial como um muçulmano. Durante semanas, Ali a visitou em seus trabalhos e ligou para ela. Certa vez, depois do expediente, quando ela estava na chuva esperando um ônibus, Ali se ofereceu para levá-la para casa em seu longo Eldorado prata.[6] Ela recusou, dizendo que não era adequado para uma mulher solteira estar sozinha com um homem num carro.[7] Ali, em seu Eldorado, seguiu o ônibus de Belinda até a rua 150, em Blue Island. Quando ela desceu do ônibus, Ali mais uma vez ofereceu uma carona. Ela disse que preferia caminhar. Então ele ligou o pisca-pisca do carro e foi dirigindo ao seu lado, a cabeça fora da janela, conversando com ela ao longo dos quase 5 km que ainda faltavam para sua casa.[8]

Mais tarde, quando Ali visitou a casa em Blue Island, onde Belinda morava com os pais, foi como se Sidney Poitier tivesse estacionado o carro na porta. Os vizinhos saíram de suas casas para vê-lo. Eis uma garota de 17 anos que nunca tinha viajado, uma garota com pouca educação além daquela oferecida pela Nação do Islã, que se viu de repente cortejada por um dos homens mais bonitos e famosos do mundo, um herói na vida real, um homem mais velho que já viajara pelo planeta inteiro, já fora casado, que conhecia pessoas importantes.

E ele era tão grande, e com tão boa aparência também. Ela se sentia tonta na presença dele, disse. Mas havia decidido não demonstrar isso. Tinha a sensação de que Ali, por baixo do tipo barulhento, era um garotinho inseguro que queria que lhe dissessem o que fazer. Ela percebeu que precisava se mostrar forte.

Belinda era virgem.

Enquanto estavam namorando, Ali nunca a pressionou sexualmente, mesmo quando começaram a discutir o casamento. Um dia, contudo, ao visitá-la em casa, Ali perguntou se podia ver suas pernas. "Quero ver o que eu estou levando",[9] disse. Havia humor, não ameaça, na maneira como ele pediu, mas Belinda não estava rindo.

"Você não vai ver é nada", disse. "Não vai tocar em nada. Não vai provar nada. Não vai cheirar nada."

Envolver-se com um homem como Ali, com seu poderoso ego e com uma libido proporcional, não era fácil, especialmente para uma garota tão jovem. Mas Belinda não era nenhuma molenga. Em sua opinião, Ali estava apenas começando a apreciar o poder e a beleza do Islã. Estava apenas começando a se comportar como um verdadeiro muçulmano. "Eu queria moldá-lo", disse ela, "para que ele fosse como meu pai."

308 MUHAMMAD ALI

Sua amiga Safiyya tinha uma perspectiva diferente, dizendo que Belinda também queria ser moldada. Belinda sabia tudo sobre Ali. Ela citava Ali. Imitava Ali. Embora não lutasse boxe, praticava caratê, que pode ter sido a maneira de tentar ser como o campeão, mais uma vez. "Ela o amava tanto", disse Safiyya, "que queria *ser* Ali."[10]

Eles se casaram em 18 de agosto de 1967, diante de um ministro batista, dr. Morris H. Tynes, numa cerimônia na casa de Ali, no número 8.500 da Jeffery Boulevard, zona sul de Chicago.[11] Os pais de Ali voaram para Chicago para a cerimônia,[12] mas chegaram tarde demais e só puderam estar presentes na recepção. Herbert Muhammad ficou do lado de Ali, como padrinho.[13] O casamento, estranhamente, foi cristão, como observou o *Chicago Defender*, porque "os muçulmanos não têm nenhuma cerimônia própria de casamento", embora Tynes tenha incluído referências ao Islã em sua fala.

O casal passou a lua de mel em Nova York.[14] A viagem foi um presente de casamento do ministro Louis X da Nação do Islã, que recentemente mudara seu nome para Louis Farrakhan.

Belinda estava radiante, mas também começava a entender que ela e seu novo marido não viveriam como a realeza. Isso lhe foi ocorrendo apenas gradualmente, disse: "Casei-me com um homem sem emprego."[15]

Enquanto Ali aguardava julgamento sob a acusação de evasão do recrutamento, as autoridades do boxe começaram a planejar um torneio de lutas televisionadas para decidir o próximo campeão dos pesos-pesados. Até os jornalistas esportivos brancos que haviam consistentemente caluniado Ali admitiram que nenhum dos candidatos — Oscar Bonavena, Jimmy Ellis, Leotis Martin, Karl Mildenberger, Floyd Patterson, Jerry Quarry, Thad Spencer e Ernie Terrell — era superior a ele, nem mesmo igual. O vencedor do torneio provavelmente lutaria contra Sonny Liston, a estrela em declínio, ou Joe Frazier, a estrela em ascensão.

O plantel medíocre deixou alguns executivos do boxe pensando se, de alguma forma, poderiam persuadir Ali a aceitar um papel simbólico no Exército dos Estados Unidos. Se concordasse em fazer apresentações de boxe para soldados, como Joe Louis havia feito durante a Segunda Guerra Mundial, Ali evitaria a prisão e poderia ser liberado para voltar ao boxe em

FÉ

um ou dois anos. Por outro lado, se continuasse a resistir ao recrutamento, talvez nunca mais voltasse a lutar.

O Grupo de Patrocínio de Louisville já havia tentado mudar a cabeça de Ali, mostrando quanto dinheiro ele perderia. Agora, na primavera de 1967, Bob Arum, o advogado que dirigia a Main Bout, planejava tentar de novo. Naquele ano, a Main Bout ainda era um projeto paralelo para Arum, que praticava advocacia em Nova York. Um dos sócios da empresa, Arthur Krim, era um poderoso advogado da área de entretenimento, e um dos principais assessores do presidente Lyndon Johnson. "Krim foi ver Lyndon Johnson",[16] disse Arum, "e foi quando o presidente propôs um acordo: "Ele [Ali] não precisa entrar, não tem que usar uniforme, só fazer apresentações em bases do Exército." Se Ali aceitasse o acordo, poderia ter sido autorizado a continuar a lutar profissionalmente, mesmo enquanto servia, disse Arum.

Ele pediu a Jim Brown, o astro do futebol americano, um de seus parceiros na Main Bout, que o ajudasse a vender o acordo ao seu amigo Ali. Brown organizou uma reunião de muitos dos principais atletas negros do país, incluindo Bill Russell, Lew Alcindor (mais tarde conhecido como Kareem Abdul-Jabbar), Curtis McClinton (do Kansas City Chiefs), Bobby Mitchell (Washigton Redskins), Sid Williams (Cleveland Browns), Jim Shorter (Redsking), Walter Beach (Browns), Willie Davis (Green Bay Packers), bem como Carl Stokes, um proeminente advogado negro de Cleveland, que viria a se tornar o primeiro prefeito negro de uma grande cidade norte-americana. A reunião foi realizada em Cleveland, nos escritórios da Negro Industrial Economic Union, de Brown. Anos mais tarde, a reunião seria descrita por Brown e jornalistas como uma prova da sinceridade de Ali, uma oportunidade para seus pares negros declararem seu apoio aos princípios que sustentavam a posição do pugilista. Após ouvir o discurso apaixonado de Ali e desafiá-lo com perguntas difíceis, aquele impressionante conjunto de homens concordou em falar com a mídia e dar seu apoio, ou assim diria a história anos mais tarde.

Na verdade, a reunião foi sobre dinheiro, e só depois sobre princípios.

Arum, Brown, Herbert Muhammad e os outros parceiros na Main Bout perderiam uma grande fonte de renda se Ali nunca mais lutasse. A Main Bout dependia das receitas de TV de circuito fechado para prosperar, e

MUHAMMAD ALI

parecia improvável que milhões de clientes fossem fazer filas na porta de cinemas para assistir a uma luta de Jerry Quarry contra Thad Spencer. Nem havia qualquer garantia de que outros lutadores iriam assinar contratos com a Main Bout. Ali estava comprometido com a empresa por causa de sua lealdade a Herbert Muhammad. Era ele o maior patrimônio, mas não teria utilidade se não estivesse lutando. Arum esperava que Brown e os outros atletas negros persuadissem Ali a fazer um acordo com os militares e continuar no boxe, e Arum estava preparado para premiar os atletas dando-lhes algumas vantagens nos negócios da Main Bout. Ele prometeu um tipo de plano de ação afirmativa — que atletas negros receberiam franquias de circuito fechado em alguns dos principais mercados do país. Se Ali pudesse ser convencido a voltar ao boxe, aqueles atletas — incluindo vários dos homens reunidos em Cleveland — estariam prontos para ganhar dinheiro com as lutas de Ali.

Este foi o principal objetivo, segundo Arum: "Convencer Ali a aceitar o acordo porque abria enormes oportunidades para atletas negros."[17] Em 1967, o salário médio de um jogador de futebol americano profissional era por volta de 25 mil dólares anuais. Jogadores de basquete profissional faziam uma média de cerca de 20 mil dólares por ano. Com o negócio de circuito fechado, alguns dos atletas dobrariam ou triplicariam seu rendimento anual, e continuariam a ganhar dinheiro com suas franquias muito tempo depois de terminadas suas carreiras atléticas.

"Mas eu não estava organizando as coisas para os atletas se mobilizarem em torno de Ali",[18] disse Arum sobre a reunião em Cleveland. "Quem diabos se importava naquele momento?"

Quando Brown se encontrou com Ali na noite anterior ao encontro, Ali deixou claro que não se deixaria persuadir.[19] Mesmo assim, ele teria de enfrentar um grupo nada fácil. Os homens que se encontrariam em Cleveland eram gente de vontade poderosa. Vários deles eram militares veteranos. Outros acreditavam que a ideologia de Elijah Muhammad era racista e, se seguida, conduziria a um apartheid na América. Eles chegaram decididos a fazer uma preleção para Ali, ou até mesmo mudar sua decisão.

"Minha primeira reação foi que era antipatriótico",[20] recordou Willie Davis, que jogava como ponta defensivo nos Packers. Davis disse que pretendia dizer a Ali que servir nas Forças Armadas era algo que ele devia a seu país.

Porém, quando Ali entrou na sala, tudo mudou. Geralmente, ele podia contar com seu tamanho e sua graciosidade física para causar uma boa impressão, usando sua presença do modo como usava seu *jab*, para preparar o grande golpe de direita — que, nesse caso, era sua personalidade gregária. Desta vez, quase todos na sala eram grandes, fortes e confiantes. Ainda assim, Ali conseguiu se destacar, dominando os homens com sua energia e com o fluxo constante de um discurso extremamente rápido. Nunca permanecia em seu lugar por muito tempo. Interrompia os outros com piadas e, quando chegou a sua vez de falar, ficou andando rapidamente e com um propósito, como um pregador trabalhando as alas de sua igreja, estabelecendo contato visual, chamando os homens pelos primeiros nomes, fazendo com que cada pessoa na sala sentisse que ele estava se dirigindo individualmente a ela. Quando os outros faziam perguntas difíceis, Ali nunca assumia a defensiva. Ele falou com paixão, confiança e bom humor, claramente apreciando o debate.

"Bem, eu sei o que preciso fazer", disse ao grupo. "Meu destino está nas mãos de Alá, e Alá cuidará de mim. Se eu sair desta sala hoje e for morto hoje, será um ato de Alá, e eu o aceitarei. Não estou preocupado. Nos primeiros ensinamentos que recebi, disseram que eu iria ser testado por Alá. Este pode ser o meu teste."[21] John Wooten confirmou que o objetivo da reunião eram os negócios, não a moralidade.[22] Mas, ao mesmo tempo, disse, os homens queriam ouvir Ali explicar por que ele estava recusando o alistamento.

Curtis McClinton, um atacante do Kansas City Chiefs, era membro da reserva ativa do Exército dos Estados Unidos na época. Ele disse a Ali que, embora respeitasse a religião do boxeador, também era importante lembrar sua nacionalidade.

McClinton contou que disse a Ali: "Ei, cara, tudo o que você teria de fazer seria conseguir um uniforme e ir boxear em todas as bases em todo o país [...] Sua presença nas bases dá essa motivação aos militares [...] que nós os reconhecemos e os respeitamos."[23] Ali pareceu pensar sobre isso, como se pudesse ver o valor que havia em seu serviço. "Era um conflito muito dinâmico dentro dele", disse McClinton, que comparou Ali a um jovem à beira da vida adulta, percebendo que estava diante de uma decisão que mudaria toda a sua vida, e que as opções não eram entre preto e branco. "Toda a questão de sua transição para o Islã, tudo aquilo tinha de ser misturado e assado como se fosse um bolo — ele conhecia todos os ingredientes. Mas o que ele era, de fato?" Se Ali riu muito durante a reunião, disse McClinton, isso provavelmente refletia sua incerteza. "Para quem conhecia Muhammad Ali", comentou, o riso "era realmente uma maneira de lidar com a situação e seguir em frente."

Bill Russell estava fascinado com a posição de Ali.[24] Teria sido fácil para o boxeador fazer um acordo, disse Russell. Ali poderia ter conservado sua fé, mas mantendo uma postura discreta em público. Poderia ter convencido a si mesmo e a outros de que não seria bom para a Nação do Islã nem para o movimento pelo Black Power se tivesse de passar um tempo na prisão. Russell disse que os homens reunidos em Cleveland estavam preparados para ajudar Ali se ele mudasse de ideia e buscasse um acordo. Todos estavam prontos para dizer que o haviam convencido a fazer um acordo com o governo para que pudesse continuar a lutar — no ringue e para o seu povo. Estavam dispostos a aceitar sua parcela da crítica que viria da comunidade negra se Ali fosse atacado por não saber exatamente o que pensava ou o que queria. Mas ficou claro, durante toda a reunião, disse Russell, que Ali não faria um acordo.

"Três, quatro, cinco horas — não sei quanto tempo ficamos naquela sala",[25] recordou Jim Brown. "Todo mundo teve a chance de lhe fazer todas as perguntas que quisesse. Ao final, todo mundo estava convencido de que sua postura era genuína, baseada em sua religião, e que nós o apoiaríamos."

Brown conduziu o grupo a uma coletiva de imprensa. Ali, Brown, Russell e Lew Alcindor sentaram-se a uma mesa longa, o resto dos homens de pé atrás deles.

"Não há nada novo a dizer",[26] anunciou Ali, talvez reconhecendo que os repórteres esperavam que ele fosse virar manchete ao recuar de sua posição contra a guerra.

"Ouvimos suas opiniões e sabemos que ele é totalmente sincero em suas crenças",[27] disse Brown à imprensa.

Em um artigo para a *Sports Illustrated* escrito logo após a reunião, Russell afirmou invejar Ali: "Ele tem uma coisa que eu nunca fui capaz de alcançar, uma coisa que pouquísimas pessoas que conheço possuem. Ele tem uma fé

FÉ 313

absoluta e sincera [...] Não estou preocupado com Muhammad Ali. Ele está mais bem equipado do que qualquer um que eu conheço para suportar os julgamentos que o aguardam. O que me preocupa é o resto de nós."[28]

Duas semanas depois, um júri só de brancos precisou de apenas 20 minutos para considerar Ali culpado de deserção.[29] O juiz Joe Ingraham proferiu a sentença máxima: cinco anos de prisão e 10 mil dólares de multa. Ali teve permissão para permanecer livre enquanto seus advogados apelavam da decisão, mas seu passaporte foi confiscado como condição da fiança. Sem dúvida, a punição severa pretendia enviar uma mensagem a outros que estivessem considerando evitar o alistamento, e havia um número cada vez maior desses. No dia da condenação, o Congresso votou esmagadoramente a favor da extensão do recrutamento por mais quatro anos. Outra votação, inspirada por manifestantes contra a guerra, fez da profanação da bandeira norte-americana um crime federal.

As autoridades do boxe já haviam despojado Ali de seu título. Agora, quando ele enfrentava uma punição mais grave, os jornalistas brancos o atacavam novamente, chamando-o de covarde e traidor, e se perguntando por que não era mais grato por tudo o que a América havia feito por ele, permitindo-lhe (como se tivesse precisado de permissão) se elevar a partir de circunstâncias modestas para se tornar um dos homens mais famosos de seu tempo, com a oportunidade de ser um herói para o seu povo e um exemplo para a juventude.

Os jornalistas negros eram, às vezes, mais imparciais. Enquanto alguns se queixavam de que o pugilista estava desapontando seu país, outros disseram que, claramente, ele estava sendo vítima de discriminação, que o governo o havia visado por sua raça e religião. "Clay deve servir seu tempo no Exército como qualquer outro saudável rapaz norte-americano",[30] escreveu James Hicks no *Louisville Defender*. "Mas que melhor veículo para colocar um negro arrogante de volta em seu lugar do que o Exército dos Estados Unidos?" Antes, Ali era visto como um grande atleta, um rebelde com um gosto peculiar pela religião; agora, pelo menos aos olhos de alguns, ele era um mártir, vítima de racismo, um homem que combatia o excesso de poder da América e que lutava por algo além de dinheiro ou cinturões de campeonato.

314 MUHAMMAD ALI

Três dias após a condenação, Ali subiu num latão de lixo e se dirigiu a manifestantes contra a guerra em Los Angeles. "Estou com vocês", disse. "Qualquer coisa projetada para a paz e para parar as mortes — eu estou 100% a favor. Não sou um líder. Não estou aqui para dar conselhos. Mas eu os encorajo para que se expressem e parem essa guerra."[31] Logo depois que Ali deixou o local, a polícia atacou os manifestantes. Naquela noite, quando viu na televisão o tumulto que se seguiu, jurou não participar de outras manifestações.

O número crescente de protestos contra a guerra enfureceu J. Edgar Hoover, o diretor do FBI. Hoover usou o programa de contrainteligência (Cointelpro) na tentativa de neutralizar o crescente movimento de ativistas negros que, como Ali e Martin Luther King, pareciam estar expandindo o escopo de seus protestos. Agentes do FBI vigiavam a casa de Ali em Chicago,[32] de acordo com sua prima Charlotte Waddell, que viveu algum tempo no subsolo da casa, e disse que agentes do FBI se aproximaram dela e pediram ajuda para obter informações sobre a Nação do Islã e Ali. Ela afirmou ter se recusado.

Hoover pode ter sido paranoico. Ele pode ter sido racista. Pode ter se comportado como um autoritário. Mas também pode ter tido razão para se preocupar: quando pessoas como Ali e King desafiavam os méritos da guerra no Vietnã, mais norte-americanos questionavam a necessidade da campanha militar, mais pessoas se perguntavam por que deveriam enviar seus filhos para lutar e morrer em um conflito que não compreendiam inteiramente. Quando Ali se recusou a lutar, disse Julian Bond, o ativista dos direitos civis, seu ato teve reverberações. "Você podia ouvir as pessoas falando sobre isso nas esquinas das ruas",[33] disse Bond ao escritor e jornalista esportivo Dave Zirin. "Estava na boca de todos. Pessoas que nunca haviam pensado sobre a guerra — negras e brancas — começaram a pensar por causa de Ali. A repercussão foi enorme." A postura de Ali não era a única razão para as pessoas encararem mais criticamente a guerra. Repórteres no Vietnã enviavam histórias para TVs e jornais sobre os horrores e a aparente futilidade do combate. Ao mesmo tempo, outros jovens continuavam sendo chamados ao serviço. As repercussões, ou as "marolas", na expressão de Julian Bond, viravam perguntas: por que a América estava disposta a sacrificar tantas vidas pelo Vietnã? Por que os norte-americanos negros estavam sofrendo números desproporcionais de baixas? Por que tantos jovens brancos ricos estavam evitando o serviço, registrando-se numa faculdade ou contratando advogados para explorar aspectos técnicos na legislação relativa ao recrutamento, enquanto os homens mais pobres eram forçados a se alistar? Conforme perguntava um folheto distribuído pelos Estudantes para uma Sociedade Democrática (Students for a Democratic Society, SDS): "Que tipo de América é essa cuja resposta à pobreza e à opressão no Vietnã é napalm e desmatamento das florestas e campos? Cuja resposta à pobreza e à opressão no Mississippi é o silêncio?"[34]

Em Newark, delegados na Primeira Conferência Nacional Sobre o Poder Negro votaram a recomendação de que os atletas negros boicotassem os Jogos Olímpicos e todas as lutas de boxe até que o status de Muhammad Ali como campeão fosse restaurado.[35] "Temos de boicotar o boxe, todas as lutas, todos os patrocinadores em todo o país", disse Dick Gregory. "Onde quer que estejam lutando. Somente isso poderá fazer com que eles devolvam [a Ali] o seu título." Os delegados, muitos em roupas típicas africanas, também votaram pelo boicote a publicações negras que aceitassem anúncios de alisadores de cabelo e cremes clareadores.

A *Freedomways*, uma revista destinada a leitores negros, foi uma das poucas publicações a reconhecer imediatamente o significado mais amplo da luta mais recente de Ali, escrevendo em um editorial: "O caso do sr. Ali levanta questões de grande importância para todo o país e, especialmente, para os 22 milhões de norte-americanos de ascendência africana. Isso vai muito além de qualquer consideração sobre a flagrante imoralidade da guerra frente ao povo vietnamita contra a qual Muhammad Ali está protestando, junto com milhões de outros norte-americanos. E também vai além de seu direito constitucionalmente garantido de praticar suas crenças religiosas como uma questão de consciência.

"Embora não estejamos reivindicando qualquer privilégio especial para os norte-americanos negros, estamos desafiando o direito moral desta nação, *com base em seus antecedentes*, de manter que qualquer homem negro deva vestir o uniforme militar, a qualquer momento, e ir a um país que fica a milhares de quilômetros dessas praias para arriscar sua vida por uma sociedade que, historicamente, tem sido sua opressora."[36]

MUHAMMAD ALI

Em um dos últimos poemas que escreveu antes de sua morte, Langston Hughes refletiu sobre a reação racista branca ao movimento dos direitos civis e às crescentes críticas à guerra no Vietnã entre os negros. Em *Backlash Blues*,[37] Hughes escreveu que a América deu aos negros casas de segunda classe e escolas de segunda classe. E perguntou:

> *Você acha que pessoas de cor*
> *são apenas tolos de segunda classe?**

---

* *Do you think that colored folks / Are just second-class fools?* [N. da T.]

26

Mártir

Ali estava quebrado. A pensão alimentícia estava atrasada e ele enfrentava acusações criminais pela falta dos pagamentos.[1] Estava brigando com os pais. O próprio advogado o havia processado, alegando que Ali lhe devia 284 mil dólares pelo trabalho de mantê-lo fora da prisão diante das acusação de evasão do recrutamento.[2] Ainda assim, ele não parecia dominado pelo estresse. Sem lutas para promover, sem programação de treinamento a seguir e nenhum séquito para acompanhá-lo, estava livre para dar atenção à sua nova esposa.

Belinda apoiava a decisão de Ali de se opor ao recrutamento, mesmo que isso significasse uma etapa na cadeia para ele e pobreza para os dois. Ainda estavam se conhecendo, adaptando-se a compartilhar o espaço numa mesma casa. Belinda havia sido treinada na Universidade Muhammad do Islã para ser uma dona de casa, e agora estava colocando em prática suas habilidades, cozinhando todas as noites para o marido, lavando e passando suas roupas. "Ela parecia uma menininha tonta",[3] disse Charlotte Waddell, a prima de Ali que morava no subsolo da casa dos recém-casados. "Estavam sempre brincando e rindo, vendo TV o tempo todo, comendo pipoca."

MUHAMMAD ALI

Muhammad e Belinda adoravam filmes de faroeste, e às vezes fingiam ser caubóis. "É melhor você sair da cidade, Belinda", dizia Ali, "e é melhor que seu cavalo seja rápido."[4] Belinda lançava ao marido um olhar duro, colocando as mãos nos quadris, onde sua pistola imaginária estaria no coldre, e respondia: "Não, porque estou sacando a minha arma agora!" Certa noite, Belinda estava dormindo no sofá quando ouviu a porta sendo aberta e uma voz masculina: "Ei, você, é melhor sair da cidade antes do amanhecer." A voz era familiar, mas não de Ali. Ela saltou do sofá e acendeu a luz para ver Hugh O'Brien, que fazia o papel de Wyatt Earp na TV, de pé em sua sala de visitas. Ali havia conhecido O'Brien e convencido o ator a ir até sua casa e fazer uma brincadeira com sua esposa.

"Acho que aquele foi o tempo em que ele era o melhor homem do mundo para mim",[5] disse Belinda anos depois. "Eu era feliz quando ele não estava fazendo dinheiro. Era mais feliz que nunca."

Ali tinha um extraordinário apetite para o sexo, e Belinda aprendeu a apreciá-lo. Ele era lindo, com um corpo que poderia ter sido esculpido por Michelangelo, e excepcionalmente bem equipado como amante. Tinha apenas uma falha na cama, embora isso não ficasse evidente para Belinda até anos mais tarde, quando ela esteve com outros homens: Ali era um amante egoísta, prestando pouca atenção ao prazer da mulher, disse ela. Ainda assim, a garota de 17 anos não estava reclamando, e, depois de apenas um mês do casamento, ficou grávida.

Em alguns aspectos, o casal Ali vivia como vivem muitos recém-casados: dinheiro curto, futuro incerto, grandes sonhos. Belinda se preocupava porque os sogros não eram loucos por ela — talvez porque fosse muçulmana, e talvez porque Odessa e Cash ainda gostassem de Sonji. Mas Belinda não precisou de muito tempo para estabelecer uma conexão com Odessa, que se dava com todo mundo. A mãe era a única pessoa que podia colocar Muhammad Ali no lugar dele sem que isso criasse problemas. "Ah, você é bonitinho, mas Rock é bonito",[6] diria ela, referindo-se ao outro filho, Rahaman. "Rock também é mais forte!" Aquilo enlouquecia Ali, mas tudo que Odessa dizia vinha açucarado. Cash era diferente. Não se parecia com nenhum homem que Belinda tivesse conhecido. Ela ficava chocada ao ouvir Cash se referir a si como um "comedor de putas".

MÁRTIR   319

Que tipo de homem se gaba de tais coisas? Cash lhe disse que gostava de mulheres com pernas grossas e peitos grandes — "feito potrancas", como ele as chamava. "Mas não vou deixar minha esposa por aquelas porcarias", disse, como se tal lealdade fosse impressionar a nora. "Minha esposa sabe o que estou fazendo."[7]

Odessa certamente sabia. Em maio, o estilo mulherengo de Cash proporcionara manchetes em Louisville. Ele estava com dois amigos no Chicken Shack quando uma mulher entrou no restaurante. "Estou encrencado agora", disse Clay aos amigos quando viu a mulher. Então ele saiu, de acordo com o *Louisville Courier-Journal*, e a mulher o esfaqueou no peito.[8]

Belinda e Muhammad Ali passaram a maior parte do primeiro ano de casamento na zona sul de Chicago, em sua casa de tijolos de 120 metros quadrados na esquina da rua 85 com a Jeffery Boulevard. Rahaman, ainda vivendo como a sombra do irmão mais velho, alugou um lugar a poucos quarteirões de distância. A casa de Belinda e Muhammad havia pertencido a Herbert Muhammad, ou sido alugada por ele,[9] mas Elijah Muhammad ordenou que Herbert a passasse ao casal. Tinha dois quartos e um banheiro, era toda forrada com carpete, com um sofá de veludo azul e uma TV em cores que se aninhava dentro de uma lareira de mármore em frente ao sofá.[10]

Certa manhã, um repórter da revista *Esquire* fez uma visita. Ali estava sem camisa, esticado no sofá e passando as mãos sobre a barriga flácida. Havia um programa de variedades na TV, privando o repórter da atenção total de Ali. O boxeador exibiu seu mais novo brinquedinho — um pequeno controle remoto que lhe permitia ajustar o som da TV sem ter que se levantar e atravessar a sala, perfeito para quando seu irmão ou Bundini Brown não estivesse por perto.

Os olhos de Ali passavam para a tela enquanto ele tentava convencer seu visitante de que era um homem ocupado, mesmo estando banido. "E esta noite", disse, "estão apresentando este grande musical e querem que eu diga algumas palavras sobre o que eu quiser falar. E recebi uma ligação desta faculdade em Hartford — esqueci o nome —, e eles me querem lá... Há sempre alguma coisa. Todos me querem."[11] Ficava-se com a impressão de que Ali, se formalmente convidado, apareceria, sem fazer perguntas, até para a abertura de um envelope.

Atrás da lareira havia uma parede espelhada, que Ali checava de vez em quando para ver se seu desempenho estava causando boa impressão. "Para mim, é impossível ficar sem falar e não ter nada para fazer. Quero dizer, eu não represento o boxe apenas. Estou assumindo uma posição a favor daquilo em que acredito, e estou 1.000% com a liberdade do povo negro. Naturalmente, aqueles que lutam pelo mesmo, mas em menor escala, eles vêm a mim." E então sussurrou, imitando a fala do homem negro comum: "'Você fala por mim também, irmão, você fala por mim também. Ganho meu dinheiro na droga, mas estou com você.'" E elevou a voz novamente: "Então, tenho centenas de lugares para ir e conversar, e, desde que eu esteja falando pela liberdade, sempre vou aceitar os convites."

Por volta de 12h30, vestiu uma camisa listrada e uma jaqueta de couro preto, e convidou o repórter a entrar no carro, dizendo que precisava ir ao centro da cidade buscar Belinda, que estava frequentando uma escola de secretariado no Loop para aprender a datilografar as cartas de Ali. Ele a levava à escola todas as manhãs e a buscava todas as tardes. Seu Eldorado estava parado diante da casa. Enquanto dirigia em direção ao norte pela Lake Shore Drive, cuidando para ficar abaixo do limite de velocidade de 70 km por hora, ele ajustou o pequeno toca-discos sob o painel e continuou falando sobre quão ocupado vivia, como raramente encontrava tempo para o estudo religioso. "Você vê, eu sou um ministro, e tenho de saber essas coisas por causa das perguntas que me fazem", disse.

Quando chegaram ao Loop, Belinda, agora grávida de três meses, se sentou no banco de trás do carro. Ali deixou-a em casa, pediu que fizesse filé e legumes para o jantar e partiu, dizendo: "Nós temos uma coisa importante a fazer." Então, foi procurar um lava-jato para seu já cintilante Eldorado. Quando viu que estava fechado, voltou para casa para mais televisão. O repórter, Leonard Shecter, às vezes tinha dificuldade de entender Ali. Por um lado, ele se queixava de que o Tio Sam estava tentando fazê-lo passar fome e humilhá-lo. Por outro, dizia que estava agradecido porque o governo decidira liberá-lo mediante fiança e permitir que viajasse pelo país, e que precisava ter cuidado para não dizer ou fazer qualquer coisa que pudesse levar os federais a mudar de ideia.

Belinda serviu o jantar aos dois homens. Ali colocou pimenta no ensopado de quiabo e repolho.

"Belinda, traz uma coca-cola diet", disse.

"Belinda, traz o filé."

"Belinda, traz um pouco de açúcar mascavo."

Declarou que a carne estava muito dura.

"Traz um pouco de frango."

"Está frio", disse Belinda.

"Traz assim mesmo."

Ele comeu rapidamente, deixou a mesa e foi para o quarto mudar de roupa, cantando "Ain't Too Proud to Beg" enquanto se vestia. Quando Belinda se juntou a ele no quarto, Schecter podia ouvir os arrulhos do casal. Ali surgiu vestindo um terno preto brilhante, camisa branca e gravata escura, dizendo que iria mostrar ao repórter o que fazia agora que não estava lutando boxe. Dirigiram na direção sul até o salão de beleza e barbearia LaTees, na avenida Drexel, e pararam na rua 79 para uma visita rápida aos repórteres e editores do *Muhammad Speaks*. Ali não prestava nenhuma atenção aos sinais de estacionamento proibido enquanto passava de um ponto a outro. Anos mais tarde, ele diria a amigos que, quando via o meio-fio pintado de amarelo ou vermelho, entendia que aquilo queria dizer que a cidade havia reservado um espaço de estacionamento para ele;[12] seus amigos nunca conseguiam saber se ele estava só brincando. No escritório do jornal, abriu uma gaveta do armário contendo milhares de fotos de sua carreira de boxe. Puxou algumas, relembrou os eventos durante algum tempo e as colocou de volta.

Em seguida, estavam novamente em movimento, indo para o restaurante Shabazz, na rua 71, para uma grande fatia de bolo de chocolate, que Ali comeu em cinco mordidas. Na saída, comprou um pedaço de torta de feijão e comeu em duas mordidas. Cada vez que iam para o carro, Ali procurava as chaves. Estavam sempre em um bolso diferente. Numa das vezes, trancou-as no carro.

Ele chegou a um teatro onde haviam lhe pedido que falasse algo, mas encontrou as portas trancadas, pois estava duas horas adiantado. Para passar o tempo, zanzou pela calçada, tentando atrair a atenção. "Estou a fim de brigar!", gritava para qualquer um ao alcance de sua voz. "Quem é o sujeito mais durão por aqui?"

Tudo aquilo entristeceu Schecter.

Ali parecia perdido. Estava acompanhado por um jornalista de uma revista nacional que gravava cada palavra e cada ação sua, mas isso não era suficiente para satisfazer o seu ego. Com duas horas para matar antes que sua próxima plateia estivesse reunida, ele era incapaz de aproveitar um momento sossegado de isolamento ou introspecção, incapaz de tentar conhecer o homem que o estava acompanhando pela cidade o dia inteiro. Antes de se esgotar o tempo juntos, o repórter perguntou como se sentia a respeito de ir para a cadeia. Ali conseguiu aproveitar a resposta para se vangloriar:

"Quem quer ir para a cadeia? Eu estou acostumado a correr livre por aí feito um passarinho. Na cadeia, você não tem esposa, não tem liberdade. Você não pode comer o que quiser [...] estar na prisão todos os dias, olhando para fora da cela, não vendo ninguém [...] Um homem tem de levar a sério suas crenças para fazer isso."

A *Esquire* decidiu colocar a história de Schecter na capa de abril, e o diretor de arte da revista, George Lois, foi designado para inventar algo. Ali foi a um estúdio em Nova York para ser fotografado, e Lois lhe mostrou uma reprodução de uma pintura de Sandro Botticelli, o *São Sebastião*, um mártir cristão amarrado a uma árvore e com o corpo perfurado por flechas. Lois pediu a Ali que posasse da mesma forma. Ali refletiu por um momento.

"Ei, George!", finalmente respondeu. "Esse cara é *cristão!*"[13] Lois, um grego ortodoxo não praticante, explicou que Sebastião havia sido executado por ter se convertido ao cristianismo, assim como Ali fora execrado por se converter ao islamismo, e lhe pediu permissão para falar com Elijah Muhammad e explicar a ele do que se tratava. Ali concordou, e Lois passou os 10 minutos seguintes ao telefone discutindo imagens e simbolismo religioso com o líder da Nação do Islã. Elijah Muhammad, que compreendia o poder da mídia melhor do que a maioria, deu sua bênção.[14]

As setas eram muito pesadas, e não havia como mantê-las fixadas no corpo, então a equipe da *Esquire* amarrou uma linha de pesca em cada uma e as pendurou numa barra bem acima da cabeça de Ali. Vestindo nada além de um calção de boxe branco Everlast, sapatos de boxe brancos e meias brancas, Ali tinha de se manter imóvel até que o fotógrafo Carl Fischer e seus assistentes pudessem alinhar as flechas com o sangue falso pintado no corpo do

MÁRTIR   323

pugilista — duas no peito, uma abaixo do coração, duas no estômago, uma
na coxa. Lois ficou impressionado com a paciência e o bom humor de Ali. A
certa altura, o lutador apontou para as setas e foi dando um nome a cada uma:
"Lyndon Johnson, general William Westmoreland, Robert McNamara..."[15]

A capa da *Esquire* pode ter sido a melhor publicidade que Ali jamais havia
recebido. A manchete dizia "A paixão de Muhammad Ali", mas o que causou
maior impacto foi a foto. A imagem do poderoso boxeador como um mártir,
as mãos amarradas atrás das costas, sangue escorrendo de seu torso, a cabeça
inclinada, rosto contraído num ricto de angústia, reuniu três das questões
mais excruciantes da cultura norte-americana: raça, religião e a guerra do
Vietnã. E fez as pessoas pensarem: talvez o pugilista barulhento significasse
mais do que imaginavam. Se Ali fosse um cristão como São Sebastião, teria
sido tratado de forma diferente? Teria sido admirado por abandonar seus
desejos pessoais e profissionais para seguir a palavra de Deus? Poderia ter
sido considerado um herói por transformar em ação seus ideais religiosos?

É claro que, quando Ali posou para George Lois, nenhum deles poderia
ter imaginado o que aconteceria no exato momento em que saía aquela capa,
e como as circunstâncias iriam ampliar o poder da imagem. Era 4 de abril
de 1968. Exatamente quando a revista estava aparecendo nas bancas e nas
caixas de correio, Martin Luther King Jr. estava em Memphis para discursar num comício para lixeiros em greve e promover sua campanha contra
a pobreza. Às 18h05, King estava na sacada do Lorraine Motel quando foi
atingido no peito pela bala de um rifle que o matou.

Ali disse a repórteres: "Dr. King era meu grande Irmão Negro, e vai ser
lembrado por milhares de anos."[16] Mais tarde, ele falaria de modo menos
gentil, chamando King de "o melhor amigo que a América branca já teve".[17]

Robert F. Kennedy, que anunciara recentemente seus planos de concorrer à
presidência, soube do assassinato momentos antes de iniciar um discurso em
Indianápolis. Ele abandonou as notas que havia preparado e pronunciou uma
elegia improvisada, dizendo: "Martin Luther King dedicou sua vida ao amor e
à justiça entre os seres humanos. Ele morreu pela causa que defendia. Neste dia
difícil, neste momento difícil para os Estados Unidos, talvez seja bom perguntar
que tipo de nação somos e em que direção queremos seguir. Aqueles de vocês
que são negros [...] vocês podem estar cheios de amargura e ódio, e de um

desejo de vingança. Podemos nos mover nessa direção como país, numa maior polarização — pessoas negras entre negros e pessoas brancas entre brancos, cheios de ódio uns pelos outros. Ou podemos fazer um esforço, como fez Martin Luther King, para entender, compreender e substituir essa violência, essa mancha de sangue que se espalhou por nossa terra, por um esforço de compreensão, compaixão e amor."[18]

Dois meses mais tarde, Robert Kennedy foi assassinado depois de fazer um discurso em Los Angeles.

Aquele ano ficaria como um dos mais tumultuosos da história norte-americana. Revoltas eclodiram na Convenção Nacional Democrata em Chicago. Daniel e Philip Berrigan lideraram um grupo de ativistas católicos que confiscaram centenas de cartões de recrutamento e os incendiaram com napalm caseiro, um ato que inspirou uma escalada de protestos contra a guerra em todo o país. Mulheres lutando por direitos iguais jogaram sutiãs, espanadores, frigideiras e cintas em latas de lixo num protesto contra o concurso de beleza Miss América, em Atlantic City. Richard M. Nixon ganhou a eleição presidencial, mas George Wallace, o governador segregacionista do Alabama, concorrendo como independente, recebeu quase 10 milhões de votos. Os atletas negros Tommie Smith e John Carlos levantaram os punhos numa saudação no estilo Black Power quando foi tocado o hino nacional norte-americano na cerimônia em que recebiam suas medalhas durante os Jogos Olímpicos na cidade do México — um gesto que teria sido impensável antes de Ali.

Foi nesse contexto que Ali, representado como São Sebastião, saudou os norte-americanos — como um homem que dividia, inspirava e sofria por suas crenças, um homem atingido por flechas inimigas. Se a religião de Ali surpreendia alguns negros como se fosse o jogo de um vigarista,[19] e se os brancos só podiam coçar a cabeça tentando entender por que Ali elogiava as opiniões segregacionistas de George Wallace, as nuances importavam cada vez menos com o passar de cada dia, de cada motim, de cada marcha de protesto. Havia caos, desordem e derramamento de sangue por todo lado. Ali não era o único que estava sangrando.

Em 6 de maio de 1968, a Quinta Corte de Apelação decidiu condenar Ali por evasão, declarando que o pugilista não tinha reivindicação legítima,

MÁRTIR 325

como ministro muçulmano ou objetor de consciência, para evitar o serviço militar. Nem fora vítima de discriminação, declarou o tribunal. Se ele não se juntasse ao Exército, iria para a cadeia.[20]

Ali permaneceu em liberdade enquanto seus advogados preparavam um recurso ao Supremo Tribunal dos Estados Unidos. A Nação do Islã já havia lhe emprestado 27 mil dólares para ajudar a cobrir algumas despesas legais e de subsistência.[21] Ele quitou a dívida, mas logo depois pediu emprestados outros 100 mil dólares. Mesmo com os empréstimos, ele se virava para manter as contas em dia. Para ganhar dinheiro, a partir do outono de 1967, ele começou a fazer palestras em universidades, ganhando entre 500 dólares e 3 mil dólares por apresentação.

As palestras lhe causavam ansiedade. Ali era inseguro quanto às suas habilidades de leitura e escrita, e não sabia que tipo de perguntas poderia enfrentar dos estudantes universitários. Ouvia gravações de sermões de Elijah Muhammad e leu o livro de Muhammad, *Message to the Blackman in America* (Mensagem ao homem negro na América), copiando lentamente falas e ideias em fichas que poderia levar no bolso do paletó. Era um trabalho árduo. Para Ali, era o começo de uma batalha para vencer a dislexia e as dificuldades de leitura que o haviam prejudicado desde a infância. Nos anos vindouros, encheria centenas, se não milhares, de blocos de papel amarelo com transcrições dos sermões de Elijah Muhammad e do Alcorão.[22] Também lia a Bíblia cristã, tentando identificar contradições no texto e anotando-as. Ele convidava jornalistas para sua casa ou para seus quartos de hotel, puxava os blocos e lia as anotações, às vezes durante horas.

Para organizar as palestras, ele contratou um agente, que publicou um anúncio na revista *Variety*.[23] Uma foto mostrava Ali em luvas de boxe com a seguinte chamada: "Muhammad Ali, campeão mundial dos pesos-pesados (Cassius Clay) — Disponível para Palestras — Turnê Nacional de Treinamento — Apresentações Pessoais — Teatros — Feiras Agrícolas — Arenas — Faculdades — Universidades — Apresentações avulsas."

Ao falar para estudantes universitários em 1967 e 1968, Ali normalmente usava observações breves. Jurava lealdade a Elijah Muhammad. Lembrava aos ouvintes que havia provado seu compromisso religioso ao se divorciar de sua primeira esposa e ao perder milhões de dólares em renda que deixara de ganhar. Gabava-se de que ainda era o verdadeiro campeão dos pesos-pesados e continuaria a ser até que alguém o derrotasse no ringue de boxe. Zombava de outros lutadores, e, para aqueles que olhavam seu rosto mais redondo do que o habitual e se perguntavam se estaria ficando fora de forma, ele demonstrava sua velocidade e agilidade com uma enxurrada de socos no ar e uma exibição de seu rápido jogo de pernas, sempre recebendo uma chuva de aplausos. É claro que ele também falava sobre sua oposição à guerra.

"ABAIXO TUDO": essa era a mensagem numa camiseta popular na época. Parecia que tudo estava sob ataque, tudo em aberto, que tudo era possível. Todos tinham algo a protestar. Alguns jovens, homens e mulheres, protestavam da forma mais ampla. Atacavam a conformidade. Simplesmente deixavam tudo para trás — escola, casamento, a vida. Usavam drogas. Deixavam crescer longos cabelos. Pegavam a estrada e moravam em seus carros, sem prestar contas, diziam, a ninguém além de si mesmos. Outros foram para o Mississippi e Alabama, territórios que se encontravam bem no centro da luta pelos direitos civis, para registrar eleitores e organizar protestos. Conforme a luta pelo Black Power se tornava mais radical e eclodiam tumultos em grandes cidades, no entanto, muitos ativistas brancos direcionaram suas energias para o movimento contra a guerra. Com o crescimento desse movimento, os manifestantes perceberam, cada vez mais, que suas vozes poderiam ser ouvidas; que, se fossem audazes o bastante, numerosos o bastante e determinados o bastante, poderiam simplesmente forçar o governo dos Estados Unidos a sair do Vietnã.

"Esperam que eu vá para o exterior para ajudar a libertar pessoas no Vietnã do Sul", disse Ali numa palestra, "e, ao mesmo tempo, meu povo aqui está sendo brutalizado; pros infernos, não! Eu gostaria de dizer a todos aqueles que acham que perdi muita coisa: eu ganhei tudo. Tenho paz de coração; tenho uma consciência limpa, livre. E estou orgulhoso."[24] Ele afirmou que enfrentaria um pelotão de fuzilamento antes de renunciar a Elijah Muhammad e ao Islã.

Adaptava suas observações em função da composição do público. Para uma multidão de negros na Universidade da Pensilvânia, disse que a integração nunca funcionaria: "Não há nenhum sentido em pretos querendo se integrar com brancos. Os brancos não querem nenhuma garota negra

MÁRTIR 327

andando por seu bairro, e nós não precisamos de garotas brancas andando pelo nosso."[25] Nenhum homem branco queria um filho com cabelos crespos e pele marrom-clara, disse, assim como nenhum homem negro queria uma criança com pele cor de creme.

Na Appalachian State University, na Carolina do Norte, ele mais uma vez expressou admiração pelo branco segregacionista George Wallace, e repetiu o refrão sobre como todos os animais e todos os povos do mundo preferiam estar entre seus iguais. "Chineses gostam de estar com chineses", disse, "porque todos comem com pauzinhos e gostam daquela musiquinha: pling, ting, tong, ting. Eles não curtem as músicas de Johnny Cash."[26] Na mesma palestra, ele disse: "O homem negro foi roubado de sua linguagem, os escravos foram procriados como animais [...] foram roubados de sua religião, foram roubados de seu Deus, foram roubados de sua cultura. Temos uma nação de pessoas chamadas de 'pretos' que estão sofrendo uma morte mental. E essa morte vem acontecendo há longos quinhentos anos."

Em Los Angeles, ele debochou do movimento Black Power como sendo nada além de um modismo, dizendo que o negro moderno radical "tem um corte de cabelo africano, roupas africanas e uma garota branca ao lado".[27] Cortes de cabelo importavam. Ativistas negros haviam feito do "Black is Beautiful" um grito de guerra, lutando contra preconceitos de longa data. Na década de 1960, ser negro e bonito significava, para muitos homens e mulheres jovens, deixar o cabelo crescer. O cabelo de Ali era um tipo de acordo, pois o usava mais longo do que a maioria dos membros da Nação do Islã, mas não tão longo quanto o de outros jovens radicais.

"Nós não somos pretos",[28] disse ele numa parada em Richmond, Virgínia. "Todas as pessoas deste planeta são designadas a partir do nome de seu país. As pessoas do México são chamadas de mexicanos. Pessoas da Rússia são chamadas de russos. Pessoas do Egito são chamadas de egípcios [...] Agora, que país é o das pessoas denominadas 'pretos'?" Isso sempre provocava uma grande gargalhada, embora muitos dos que riam ficassem coçando a cabeça, mais tarde, quando percebiam que aquilo não fazia muito sentido. Raça e nacionalidade eram duas coisas diferentes.

Em Springfield, Massachusetts, Ali comparou o norte-americano negro que participava de protestos violentos a um touro que se lança contra um trem. "Ele é um touro corajoso, muito corajoso", disse Ali, "mas os trilhos serão seu único mausoléu."[29]

Em Phoenix, ele disse que havia encerrado sua carreira no boxe, declarando que não pretendia fazer mais nada a não ser "lutar pelo meu povo".[30]

Às vezes, algum provocador o interrompia, chamando-o de desertor. Os críticos às vezes destacavam algumas falhas em sua lógica, apontando, por exemplo, que passarinhos vermelhos e passarinhos azuis pertencem a espécies diferentes, o que torna o acasalamento extremamente improvável. Mas a maior parte do público de Ali — universitários liberais brancos, muito provavelmente — ficava encantada com sua sinceridade e seu bom humor. Ali os desafiava a reconsiderar seus preconceitos, mas não fazia ameaças de violência, como os líderes dos Panteras Negras. Normalmente, encerrava suas observações incitando a multidão a gritar o seu nome, perguntando, repetidamente, até que a resposta ficasse tão alta quanto ele queria: "Queeeem é o maior? Queeeem é o campeão? Queeeem é o campeão? Queeeem é o maior de *tooodos os teeeempos?*"

Em 18 de junho de 1968, Belinda deu à luz sua primeira filha. Elijah Muhammad fez uma visita ainda no hospital e sugeriu o nome do bebê: Maryum.[31]

Ali amava Maryum, mas considerava que cabia a Belinda criar a criança, e ficava impaciente quando Maryum aprontava. "Alá", dizia, "fez os homens menosprezarem as mulheres, e as mulheres idolatrarem os homens; não importa se os dois estão de pé ou deitados. É apenas natural."[32] Ele disse a um repórter da revista *Ebony* que não tinha nenhuma ambição especial de carreira para a filha. "Tudo o que eu quero é que ela se torne uma pessoa correta e justa, uma boa mulher muçulmana, uma boa irmã, uma professora de crianças negras."

Enquanto Belinda ficava em casa com o bebê, em Chicago, Ali continuou a turnê pelos campi. Também concordou em se tornar parceiro de uma nova cadeia de restaurantes de fast-food baseada em Miami, chamada Champburger. Três homens brancos — um corretor, um contador e um advogado — fundaram a corporação e o levaram a bordo por sua capacidade de comercializar a marca e atrair investidores. Quando lhe perguntaram como se sentia a respeito de entrar num negócio com parceiros brancos, Ali disse: "Nós, muçulmanos, fazemos negócios com o homem branco todos os dias. Mas não dependemos dele, e não nos curvamos diante dele, como um Pai Tomás [...] Eles sabem que eu acredito que são demônios, e não nego quando me perguntam."[33]

A Champburger entrou na Bolsa de Valores de Nova York com ações valendo 5 dólares antes que o primeiro restaurante abrisse as portas. O objetivo era ter uma rápida expansão, com restaurantes localizados exclusivamente em bairros negros, e com franquias concedidas, predominantemente, a franqueados negros, embora o prospecto da bolsa advertisse que o crescimento poderia ser inibido se Ali fosse preso por evasão do recrutamento. Ali possuía 6% das ações. Em troca, deveria promover os restaurantes e permitir que sua imagem fosse usada em anúncios. Ele disse a um repórter que esperava que a empresa abrisse quinhentos restaurantes em seu primeiro ano de operações.[34] O primeiro Champburger estava programado para abrir em dezembro, na esquina da rua 62 com a avenida 17, na zona noroeste de Miami. A especialidade do restaurante seria o quarteirão com queijo "Champburger com Soul Sauce",[35] vendido a 49 centavos. O cardápio também ofereceria cachorro-quente, frango frito e peixe frito.

"Isso é algo para ajudar as pessoas negras a entrar num negócio e no sistema econômico",[36] disse Ali. "Todo mundo que trabalhar nesses lugares será negro."

Em 16 de dezembro, com a abertura do primeiro Champburger marcada para menos de duas semanas, Ali foi detido e levado à cadeia do condado de Dade por graves infrações de trânsito.

"Talvez isso vá ser bom para mim",[37] disse, referindo-se à sentença de prisão de dez dias. "Eu nunca sofri." Ele acrescentou que aquela pena de curto prazo poderia ser um bom treino se acabasse tendo de ficar preso durante cinco anos por evasão. Ali foi liberado em menos de dez dias para o Natal, e a tempo para a inauguração do Champburger.

Ele ganhou outro cheque — desta vez, de quase 10 mil dólares[38] — para filmar uma falsa luta com Rocky Marciano, o ex-campeão dos pesos-pesados. Um computador deveria determinar o vencedor, mas os produtores filmaram dois finais — um com Ali ganhando de Rocky por cortes, o outro com a vitória de Marciano por um pouco convincente nocaute contra um Ali

330 MUHAMMAD ALI

muito maior, muito mais rápido. Marciano perdera 18 quilos para entrar em forma para a produção, mas a coisa toda foi uma piada, e a visão de Ali em calções de boxe provou, mais uma vez, apenas uma coisa: que o campeão vinha comendo muitos Champburgers.

Ali não parecia sentir falta do boxe, pelo menos enquanto pudesse continuar a atrair multidões e captar a atenção dos repórteres. Um dia, dirigiu seu Cadillac cor-de-rosa de Nova York até a Universidade de Monmouth, perto do litoral de Nova Jersey, onde ia fazer uma palestra, levando um repórter do *New York Times* no banco do passageiro. Ali, observou o repórter, "não conversa, faz monólogos. Quando começa um assunto sobre o qual obviamente já falou várias vezes, é como se simplesmente ativasse uma fita na cabeça e as palavras jorrassem".[39] Quando se aproximava das passagens mais interessantes de seu solilóquio, ele esticava o braço e acendia a luz do teto do carro, sinalizando para o repórter que aquilo era coisa boa e que ele deveria tomar notas.

Certa vez, em Chicago, o jornalista esportivo Dick Schaap convidou Ali para acompanhá-lo num jantar. Tom Seaver, o arremessador do New York Mets, também estava com eles. Seaver havia terminado uma temporada espetacular em que ganhara 25 jogos, levando os Mets a um triunfo na World Series. A conversa era em tom alto, quase toda por conta de Ali. Lá pelas tantas, ele fez uma pausa em um de seus monólogos, virou-se para Seaver e disse: "Ei, você é um cara legal. Você é jornalista esportivo?"[40]

Assim eram as coisas com ele, dia após dia. Cada rua e cada calçada era um tapete vermelho desenrolado apenas para Ali. Por viajar principalmente pelas grandes cidades e fazer palestras principalmente em universidades onde os protestos contra a guerra eram comuns, Ali se isolava dos norte-americanos que o consideravam um tipo não patriótico. Ele provavelmente não lia as cartas críticas que apareciam nos jornais, e certamente não viu as centenas, se não os milhares, de cartas recebidas pela Casa Branca e pelo Departamento de Justiça escritas por norte-americanos comuns que não conseguiam entender por que um homem condenado por evasão não havia sido preso por seu crime. Uma dessas cartas, enviada ao Departamento de Justiça por um residente de Tampa, na Flórida, e por sua esposa resumia o sentimento de muitos. Dizia:

MÁRTIR

Prezados Senhores:

Respeitosamente perguntamos por que aquele "superpatriota" Cassius Clay, ou seja lá como ele se chame agora, ainda está andando por aí, solto, enquanto outros rapazes norte-americanos estão sendo mortos, mutilados e atingidos no Vietnã. Temos um filho no Vietnã, e outro prestes a ir para lá.

Será que nosso grande Departamento de Justiça está com medo do idiota do Clay e da população negra em geral? Pensamos que sim.[41]

Um especialista do Exército, Bill Barwick, negro, escreveu ao presidente Johnson do Vietnã, dizendo que "Cassius Clay, perdoe-me, Muhammad Ali"[42] era um tema de muita discussão entre as tropas. "São raras as pessoas que falam de qualquer outra coisa aqui", escreveu em uma carta datada de 24 de junho de 1967. "Se Cassius Clay pode se safar com algo parecido com isso, então meu irmão, o garoto da periferia, ou qualquer espertinho vão querer tentar a mesma coisa." Para Barwick, o caso de Ali provava que a lei funciona de forma diferente para aqueles que, como o pugilista, eram "mais poderosos e bem-sucedidos financeiramente do que as pessoas que agora estão servindo nas Forças Armadas".

Ali prosseguiu, apesar da controvérsia. Em Nova York, certo dia, ele saiu do saguão de um hotel e, em vez de avançar rapidamente para o carro, olhou ao redor, esperando que as pessoas o reconhecessem. Foi o que aconteceu. A maioria das celebridades preferia evitar caçadores de autógrafos e gente que lhes dava tapinhas nas costas. Não Ali. Durante toda a sua vida, sempre que as pessoas se ofereciam para ajudá-lo a escapar por uma porta dos fundos ou levá-lo por um elevador de serviço para evitar a atenção, ele recusava. Se um motorista de limusine tivesse de esperar por ele, recebia instruções para estacionar no trecho mais movimentado da rua mais congestionada que pudesse encontrar. Quando havia pessoas ao redor para admirá-lo, ele nunca estava com pressa.

"Sim, senhora", dizia ele, "é isso mesmo. Está olhando para Muhammad Ali, o campeão dos pesos-pesados do mundo *inteiro*."[43]

A multidão diante do hotel estava aumentando e se espalhando.

"Estão vendo minha nova limusine? Acabei de comprar na semana passada por 10 mil dólares — quero dizer, em dinheiro, gata. Eles acham que podem me colocar de joelhos levando embora meu título e não me deixando lutar [...] Merda! Faz dois anos que eu não trabalho, não estou puxando o saco de ninguém e aqui estou, comprando limusines — o presidente dos Estados Unidos não tem nada melhor. Olha só isso! Não é uma lindeza? Vocês podem falar pra todo mundo que Muhammad Ali ainda não está derrotado."

27

Cantar, dançar e orar

Num dia de março de 1969, Muhammad e Belinda Ali foram instados a comparecer à casa de Elijah Muhammad, na zona sul de Chicago. Embora ambos já tivessem estado na casa do Mensageiro, não era comum ser chamados com urgência. Estavam ansiosos.[1]

Como de costume, a casa muito bem decorada do Mensageiro estava lotada: homens taciturnos de terno, mulheres silenciosas de vestidos brancos. Sentaram-se em uma longa mesa de jantar; quase todas as cadeiras estavam ocupadas por altos funcionários da Nação do Islã.[2] Clara Muhammad e algumas das mulheres de branco serviam chá e pratinhos de comida. Normalmente, Belinda se iluminava na presença de Elijah, a quem chamava de "avô". Normalmente, Ali percorreria a sala dando tapas nas costas e apertando mãos. Mas não desta vez.

"Foi aterrorizante",[3] lembrou Belinda anos mais tarde.

Elijah Muhammad era pequeno e magro — minúsculo, em comparação com Ali —, com olhos grandes, cálidos e um sorriso que desarmava. Era um sorriso, James Baldwin escreveu, que "prometia remover de meus ombros o fardo da minha vida".[4] Mas Elijah Muhammad mostrou pouco de seu sorriso naquela reunião. Falando baixinho e com calma, explicou por que pedira a Ali e Belinda que viessem à sua casa. Alguns dias antes, disse, tinha visto Ali na TV com Howard Cosell, e ouviu Ali dizer ao jornalista que esperava lutar novamente em breve, porque precisava de dinheiro. Elijah Muhammad sempre seguira Ali de perto. Como a figura pública mais reconhecível em seu movimento, as palavras e ações do pugilista importavam. Elijah não havia se aborrecido quando Ali entrou nos negócios com outros homens para vender "Champburgers com Soul Sauce". Ele não havia ficado perturbado quando viu Ali trocando gentilezas com Martin Luther King. Nem quando Ali começou sua turnê por universidades basicamente brancas. Mas a visão de Ali na TV dizendo que queria lutar de novo porque precisava de dinheiro o deixara furioso.

Ali ouviu em silêncio a explicação do Mensageiro. A Nação do Islã sempre havia desaprovado a vida desportiva. Era uma vida mais que frívola. A vida desportiva corrompia a alma dos homens. Promovia ganância e violência. A vida desportiva afastava os homens da observância religiosa. Elijah Muhammad disse que estava desapontado ao ouvir que Ali desejava retornar àquela vida, e mais desapontado ainda ao ouvir que ele desejava fazer isso apenas pelo dinheiro.[5] O Mensageiro não lhe dissera que Alá o proveria? Havia ele perdido a fé?

A punição de Ali, disse Elijah Muhammad, seria o banimento da Nação do Islã por um ano. Nem Ali nem sua esposa teriam permissão para frequentar os serviços ou confraternizar com os sócios ativos. A questão não estava aberta para discussão, e Ali aceitou o veredito sem contra-argumentar. O Mensageiro com frequência usava a expulsão para disciplinar seus seguidores. Havia banido um de seus filhos, Wallace D. Muhammad, por questionar alguns dos ensinamentos da Nação e, no caso mais famoso, havia suspendido Malcolm X — suspensão da qual Malcolm nunca retornara.

Para Belinda, que havia crescido na Nação do Islã e cujos pais eram membros da organização, a pena era quase insuportável. "Foi como ir para a prisão", disse ela. Alguns dias mais tarde, quando Elijah Muhammad anunciou publicamente sua decisão, ele atingiu Ali no ponto que sabia que causaria mais sofrimento: retirou o nome do boxeador. "Nós o chamaremos de Cassius Clay",[6] declarou Elijah. "Tiramos dele o nome de Alá (Deus) até que se prove digno de recebê-lo novamente."

CANTAR, DANÇAR E ORAR

À primeira vista, a lógica de Elijah Muhammad parecia estranha. Ali já era um boxeador quando se juntou à Nação do Islã. Lutara nove vezes desde o anúncio de sua conversão religiosa. Havia se gabado muitas vezes de seu amor por dinheiro, e falado dos carros e das casas que compraria. Havia abandonado o Grupo de Patrocínio de Louisville para que o filho do Mensageiro pudesse gerir sua carreira de boxe e ajudá-lo a ganhar mais dinheiro. John Ali, o secretário nacional da Nação do Islã, e Herbert Muhammad estavam ganhando, pessoalmente, grandes quantias com a carreira de Ali. O *Muhammad Speaks* havia comemorado o sucesso de Ali no pugilismo com dezenas de artigos laudatórios. Então, o que significava a declaração virulenta de Elijah Muhammad, e por que estava acontecendo naquele momento?

Um dia, logo após o anúncio da suspensão de Ali, Louis Farrakhan visitou a casa de Elijah Muhammad. O Mensageiro pediu a John Ali que lesse seu pronunciamento em voz alta para que Farrakhan pudesse ouvir. "Aquele foi um dos momentos mais difíceis que eu vivi diante do meu professor",[7] lembrou Louis. "Não compreendi inteiramente. E, depois que John Ali leu o artigo, Elijah Muhammad olhou para mim como eu estou olhando para você agora e disse: 'Irmão, fiz isso por você.'"

Farrakhan não sabia o que aquilo significava, pelo menos não no início. Mas Elijah Muhammad sabia que Farrakhan, um músico talentoso, havia abandonado sua carreira como artista porque a Nação do Islã considerava que música e entretenimento eram coisas fúteis. Anos antes, Malcolm X havia entregado uma carta a Farrakhan dando-lhe trinta dias para "sair da música ou sair do templo".[8] Elijah Muhammad sabia que outros membros da Nação do Islã haviam desistido de cantar, atuar, dançar e desenvolver outras atividades profissionais e recreativas porque eram consideradas distrações. Elijah Muhammad compreendeu que outros membros da Nação se ressentiam com o fato de que Ali tinha permissão para lutar boxe. "Elijah era o tipo de líder", disse Farrakhan, "que mantinha um olho na Escritura e outro na pessoa com quem estava falando, buscando ver onde você se encaixava."

Em seu livro *Message to the Blackman in America*, Elijah Muhammad escreveu que o esporte e o jogo provocam "delinquência, assassinato, roubo e outras formas de crimes perversos e imorais".[9] E acrescentou: "Os chamados pretos, coitados, são as piores vítimas neste mundo do esporte e do jogo, porque estão tentando aprender os jogos da civilização do homem branco. Esportes e jogos (jogos de azar) tiram a lembrança de Alá (Deus) e a prática do bem, diz o Santo Alcorão."

Elijah Muhammad havia aberto uma exceção para Ali — talvez porque achasse que o pugilista impulsionaria o recrutamento e aumentaria a venda do seu jornal; talvez porque Ali tivesse doado dinheiro para a Nação do Islã; talvez porque Elijah temesse que Ali se aliasse a Malcolm X; talvez porque tivesse visto potencial naquele jovem. Não pode haver nenhuma dúvida de que a Nação do Islã lucrou com sua associação a Ali. Certa vez, o pugilista lutou com Cody Jones para levantar fundos para a Nação,[10] com ingressos que custavam entre 1,5 dólar e 10 dólares. Noutra ocasião, o *Muhammad Speaks* patrocinou um concurso entre seus leitores: quem vendesse mais assinaturas em um mês receberia uma viagem gratuita para assistir a uma das lutas de Ali. A partir de 1965, o jornal publicou uma coluna regular chamada "Do Campo do Campeão", detalhando a filosofia e as rotinas diárias de Ali.[11] Ao mesmo tempo, quando Ali se gabou de suas habilidades e deixou de dar crédito a Alá por sua vitória sobre George Chuvalo, o jornal o criticou, e ele se desculpou.

Se Elijah Muhammad estivesse dividido entre o Alcorão e suas contas a receber, a entrevista de Ali com Cosell empurrou o líder da seita para o lado do Alcorão, motivando-o a recuperar parte da autoridade moral que havia perdido. Ao mesmo tempo, Elijah pode ter desejado enviar uma mensagem para Herbert, que nunca havia sido tão religiosamente diligente como o pai gostaria, e era quem mais teria a ganhar financeiramente se Ali retornasse ao boxe. Se esporte e jogo estivessem corrompendo alguém, esse alguém seria Herbert.

"Eu Chamei Meu Empresário Herbert Muhammad hoje", escreveu Ali numa folha de papel amarelo pautado, "e ele me disse que Não Pode Mais ser Meu Promotor. Porque seu pai T.H.E.M. [O honorável Elijah Muhammad] e os muçulmanos em todo o País Não Poderiam Me Apoiar no Retorno ao Ringue."[12]

Aqui estava Ali, ainda com apenas 27 anos. Sua devoção à Nação do Islã o havia isolado de parte da insanidade da cultura norte-americana. Ele não

CANTAR, DANÇAR E ORAR

passou nem perto de Woodstock no verão de 1969, por exemplo. Mantivera distância dos Panteras Negras que, às vezes, pareciam estar engajados numa revolução armada contra o governo dos Estados Unidos. Contudo, de outras formas, a nova religião de Ali havia contribuído para moldar sua vida tanto quanto o boxe, ou mais. Ele desistira de sua primeira esposa por causa da religião. Havia mudado de nome, arriscado ser preso, sacrificado milhões de dólares e virado as costas para amigos e parentes. Chegara até a mandar embora seu amigo Bundini Brown,[13] ainda que temporariamente, porque havia aborrecido a liderança muçulmana. E agora o homem que havia inspirado suas ações, o homem a quem ele venerava como um profeta de Deus, o deixava de lado, dizendo que já não era bem-vindo como muçulmano porque se recusara a abandonar o boxe. Deve ter sido desconcertante.

Alguns anos antes, em 1964, a Nação do Islã havia guardado segredo sobre a associação com o pugilista, temendo a má publicidade que viria se Cassius Clay perdesse para Sonny Liston. Agora, a Nação estava se recusando a apoiar um discípulo num momento de necessidade. Mesmo que Ali mantivesse uma posição moral baseada nos ensinamentos de Elijah Muhammad, o próprio Elijah Muhammad o afastara. Talvez a Nação do Islã já não precisasse de Ali, agora que ele não estava ganhando dinheiro. Estações de rádio em todo o país transmitiam discursos de Elijah Muhammad e Louis Farrakhan, e as mensagens estavam se espalhando na corrente central da cultura norte-americana. O jornal *Muhammad Speaks* vangloriava-se de que sua circulação vinha crescendo rapidamente. O grupo The Temptations estava nas paradas de sucesso com a música "Mensagem de um Homem Negro", que, além de ter um título semelhante ao do livro de Elijah Muhammad, também incluía palavras que o Mensageiro teria endossado: "Sim, minha pele é negra", começava a música, "mas isso não é razão para me manter inferiorizado." Mas Ali, sem nenhum cinismo, elogiou a decisão do Mensageiro. Disse que o castigo era justo. Disse que havia percebido seu erro, e que faria tudo o que pudesse para expiar seu pecado e recuperar a confiança de seu professor. "Toda aquela coisa de viver brincando e lutando, correndo de lá pra cá, aparecendo na televisão, tudo isso acabou",[14] disse. "Agora, vou me concentrar em rezar, estudar pra valer e aprender a ser um ministro muçulmano melhor."

338 MUHAMMAD ALI

Embora suas palavras parecessem sinceras, suas ações nos meses seguintes se provariam inconsistentes. Em outubro de 1969, Ali anunciou que atuaria em um musical da Broadway, algo que certamente parecia contradizer os desejos de Elijah Muhammad. O musical, *Buck White*, era adaptação de uma peça escrita por um homem branco, Joseph Dolan Tuotti, com canções de Oscar Brown Jr., que era negro. A história acontecia no salão de reuniões de um grupo Black Power chamado B.A.D., as iniciais de Beautiful Alleluja Days (Belos Dias de Aleluia). Ali teria um salário semanal, além de uma percentagem da bilheteria bruta. O produtor da peça, Zev Bufman, cujas encenações anteriores haviam incluído *Mame* e *Plaza Suite*, disse que nunca pagara tanto a um ator. Seu nome — "Cassius Clay, ou Muhammad Ali" — apareceria acima do título da peça na marquise do George Abbott Theater.

Em *Buck White*, Ali usaria uma barba e uma peruca afro para desempenhar o papel de um ativista negro incontestavelmente não muçulmano, Buck White, cantando uma música no estilo Bob Dylan: "Sim, está tudo acabado agora, Poderoso Branquelo. Nós não aguentamos mais. Não queremos saber de mais nada."

Ali não via nenhum problema com a peça porque, como disse, "está cheia de pessoas negras que se juntam [...] unidas para se erguer e fazer as coisas por elas mesmas, limpar suas vidas, ter respeito por elas mesmas."[15] Ele se gabou de haver recusado um convite para fazer o papel do pugilista Jack Johnson em outra peça da Broadway, *A grande esperança branca*, porque não queria atuar em cenas românticas com mulheres brancas. Pelo menos na mente de Ali, a lógica fazia sentido. Ele não era um membro bem-visto na Nação do Islã, então não importava se Elijah Muhammad aprovasse ou não sua estreia teatral. E se fosse autorizado a voltar para a Nação e soubesse que Elijah se opunha ao seu trabalho na Broadway, havia uma opção no contrato que lhe permitiria abandonar a peça.

Quando o espetáculo entrou em cartaz, os críticos trataram Ali gentilmente, dizendo que havia cantado e atuado razoavelmente bem, e que sua grande energia e seu entusiasmo compensavam qualquer falta de refinamento. Mas, além do desempenho de Ali, a peça não foi bem recebida, e *Buck White* foi cancelada depois de apenas sete apresentações.[16]

CANTAR, DANÇAR E ORAR   339

O jornalista Robert Lipsyte testemunhou outra humilhação. Uma noite, acompanhou Ali até o hotel. Ele não conseguiu abrir a porta do quarto, e o gerente lhe explicou que a entrada havia sido bloqueada porque Ali devia 53,09 dólares.

"Quando você é o campeão", disse Ali, aparentemente surpreso, "eles nunca fazem você pagar imediatamente."[17]

Ele estava fora do boxe e fora da Nação do Islã. Era pai novamente. À medida que crescia a oposição à Guerra do Vietnã, ele se tornava uma figura ainda mais política do que antes, com a oportunidade de atingir novos públicos e discutir novas questões. Aquele poderia ter sido um momento de reflexão para Muhammad Ali, um tempo de reavaliação, caso ele tivesse inclinação para essas coisas. Mas, no mínimo, aquele período de incerteza na vida de Ali parecia inspirar comportamentos mais egoístas.

Apesar do aviso de Elijah Muhammad, ele continuou a perseguir oportunidades de lutar. No outono de 1969, Herbert Muhammad, Angelo Dundee e Howard Cosell trabalharam juntos em um plano para Ali lutar contra Jimmy Ellis num estúdio de televisão. A luta seria transmitida ao vivo, mas não haveria venda de ingressos. Cosell receberia 50 mil dólares para agenciar o negócio, de acordo com um memorando do FBI datado de 8 de dezembro de 1969.[18] Os homens acreditavam que, se a luta fosse realizada em particular, sem público pagante, não seria necessário ter a aprovação de uma agência estatal ou da comissão de boxe. Não ficou claro por que a ideia foi abandonada.

Ao mesmo tempo, Ali se cercava com uma crescente variedade de personagens questionáveis, incluindo membros da Mesquita 12 da Nação do Islã, localizada na Filadélfia, que o FBI rotulava de "a mesquita gângster",[19] cujos membros estavam envolvidos em "narcóticos, assassinatos por encomenda, assaltos a banco, fraudes com cartões de crédito e cheques, assaltos à mão armada, extorsão generalizada e atividades de agiotagem". E, aparentemente pela primeira vez, Ali começou a fazer sexo com outras mulheres. De acordo com um membro da Mesquita de Filadélfia, ele estava tendo um caso com a ex-mulher, Sonji.[20] Também manteve um longo caso com seu primeiro amor do Colégio Central, Areatha Swint, que mudara seu nome para Jamillah Muhammad. "Ele era um homem que fazia o que queria fazer", recordou ela.[21]

Mas Belinda tinha a impressão de não haver ninguém especial, que ele apenas dormia com uma variedade de prostitutas e tinha encontros de uma única noite. Ela o pegou beijando mulheres pelos cantos do George Abbott Theatre e nos corredores do Hotel Wellington, onde ela e Ali estavam vivendo enquanto ele ensaiava para a peça.

"Ele sabia que era errado",[22] disse Belinda, anos mais tarde. "Desde que estivesse se divertindo, ele não se importava. Eu estava lutando contra a hipocrisia, o chauvinismo [...] Enquanto estava crescendo, eu pensava que, se fosse boa e leal, meu marido seria bom e leal. Eu estava totalmente errada. Totalmente errada." Porém, por alguma razão, Belinda não se surpreendia com o comportamento do marido, nem ficou arrasada.

Talvez tenha sido sua experiência com a Nação do Islã, onde todo mundo sabia que Elijah Muhammad traíra a mulher, ou talvez tenha sido a sua exposição a Herbert Muhammad, que, havia muito tempo, tinha uma vida sexual ativa fora do casamento; talvez fosse por ver como seu marido ansiava por atenção e o modo como as mulheres caíam sobre ele.

"Sabia que aconteceriam coisas como essa", lembrou, anos mais tarde. "Estava preparada para aceitar que, desde que ele não as trouxesse para minha casa, não me interessa o que ele faz. Não sou mãe dele [...] Não vou lhe dizer o que fazer. Mas avisei: não é bom para você fazer isso. Você está tentando construir sua reputação, e eu estou tentando construir uma reputação para a nossa família em torno da pessoa que você é, para que fique bem aos olhos das outras pessoas."[23]

Ele não escutou.

"Eu não tinha controle sobre ele naquela época", disse.

Mesmo quando aconteceu mais de uma vez, ela nunca pensou em deixá-lo. Aonde poderia ter ido? O que teria feito? Ela era jovem, cuidava de uma criança, amava o marido. "Não, eu não queria, eu não ia deixá-lo", disse. "Tínhamos algo a fazer, e eu disse que o ajudaria. Sabia que ia passar por alguns testes como esse. Sabia que isso ia acontecer, por ele ser quem é; ele é fraco, e tentei fazê-lo forte. Tentei ficar do seu lado. Ele disse: 'Eu

CANTAR, DANÇAR E ORAR

simplesmente sou fraco. Simplesmente sou fraco, cara. Sou grato por você não estar pulando fora e me deixando.' Eu disse que não o deixaria. Eu disse 'nós temos filhos. Não vou deixar nenhuma mulher destruir meu casamento. Não vou deixar que isso aconteça'. E ele dizia 'Eu não amo essas pessoas, era só bam, bam, obrigado, senhora. Eu não sou apaixonado por ninguém'. Ele me dizia isso. E eu disse 'Enquanto você não estiver apaixonado por ninguém, tudo bem'. Mas ele tirou vantagem disso. Ele tirou vantagem. Ele simplesmente adorava sexo. Era um viciado em sexo [...] Com ele, era só bam, bam, e pronto."

Ali se desculpava quando era pego. E chorava. Ele proclamava seu amor por Belinda. A visão daquele homem enorme sentado na beira da cama, sacudindo os ombros, lágrimas escorrendo pelo rosto, nunca deixou de comovê-la. Mas então ele fazia de novo. Às vezes, Ali era tão insensível que pedia à esposa para organizar seus casos extraconjugais, alugar quartos de hotel para suas amantes e tomar cuidado para não perturbá-lo quando ele estivesse com uma das outras mulheres.[24] "E então ele me dizia: 'Eu vou usar isso contra você'",[25] ela se lembrou. Belinda achou que isso significava que, se ela pedisse o divórcio, ele contaria ao mundo que sua esposa era cúmplice nos seus casos, e que era praticamente sua cafetina. "Eu pensei 'Deixe que ele semeie sua semente. Deixe-o acabar com isso'. Você se cansa dessa merda depois de um tempo. Eu era uma menina. Não sabia o que fazer [...] E, assim, ele me obrigou a ajudá-lo. Ele falava: 'Você deve fazer tudo o que digo, você é minha esposa. Olha o Herbert, ele tem mulheres. Se você me ajudar, então estará fazendo algo que nenhuma esposa faria.'" Ali fez isso soar como um elogio, uma prova da fidelidade de Belinda, prova de seu amor. Só a melhor e a mais leal das esposas ajudaria o marido a fazer sexo tanto quanto quisesse e com todas as mulheres que desejasse.

"Ali tinha um lado sombrio, um lado mau",[26] disse Belinda. "Ele me manipulou para fazer aquilo. Aquilo se chamava manipulação. Eu não sabia o que manipulação significava [...] Pensei que meu marido me contava tudo, pensava que ele estava sendo verdadeiro e honesto. Eu não gostava, mas ele me enganou para fazer certas coisas."

Belinda tentou contar a seus pais, mas não acreditaram nela. Então viu que não valia a pena contar a mais ninguém. "Todo mundo sabia", disse. "Eles o observavam. Eles conheciam Ali, sabiam o que ele estava fazendo. Não precisei contar a ninguém, mas não havia como eu falar com as pessoas. Tive de segurar tudo aquilo [...] Tive de fazer muitas coisas sozinha. Tive de lidar com tudo aquilo sozinha."

No início de 1970, antes do seu vigésimo aniversário, Belinda descobriu que estava grávida novamente, desta vez de gêmeos.

28

O maior livro de todos os tempos

Na primavera de 1970, Ali começou a trabalhar em sua autobiografia, prometendo, claro, que "superaria tudo o que já havia sido escrito".[1]

A Random House pagou um adiantamento de mais de 200 mil dólares pelo livro de memórias, designando um dos seus mais talentosos editores, Toni Morrison, para monitorar o projeto. Richard Durham, um escritor com um interesse de longa data pelo marxismo e ex-editor do *Muhammad Speaks,* concordou em escrever o livro com base em uma série de entrevistas com Ali.

"O público não sabe muito sobre mim",[2] disse Ali na coletiva de imprensa em que anunciou a negociação do livro. À primeira vista, a observação pareceu engraçada, considerando que Ali era talvez o homem mais amplamente divulgado no planeta e vinha contando sua própria história praticamente sem parar desde que ganhara fama como atleta olímpico, uma década antes. Mas será que o público realmente conhecia bem Ali? Quão bem se conhecia Ali aos 28 anos? Quem era ele? O que esperava tornar-se? Essas questões já não pendiam sobre ele de forma vaga, como pendem as questões existenciais sobre a maioria dos homens e das mulheres. Agora, as perguntas exigiam respostas por escrito.

Ele era Muhammad Ali ou Cassius Marcellus Clay Jr.? Era difícil dizer. Nascera Clay e adotara o nome Ali, mas nunca mudara legalmente o nome durante os seis anos em que havia chamado a si mesmo de Muhammad Ali. A papelada tinha sido muito complicada.[3] Então, Elijah Muhammad lhe retirou o nome, dizendo que, no que dizia respeito à Nação do Islã, ele era Cassius Clay novamente. Ali, entretanto, continuou a se chamar de Ali.

Era o campeão mundial dos pesos-pesados? Ganhara o título ao derrotar Sonny Liston e defendê-lo com êxito, mas autoridades do boxe o haviam despojado de sua coroa, dizendo que um desertor muçulmano não tinha direito ao título. Ainda assim, o campeão continuava a se chamar de campeão.

Era um lutador de boxe? Um homem que protestava contra a guerra? Um líder do movimento Black Power? Um humilde seguidor de Elijah Muhammad? Quem era ele? O que queria? Como outros, ele queria dinheiro, atenção, sexo, aventura e poder. Queria ser especial, e queria ser visto como alguém especial por pessoas em todo o mundo, especialmente pelas pessoas negras. "Quem é o campeão?", perguntava ele ao público onde quer que estivesse. "Quem é o campeão?", e repetia a pergunta até que a resposta viesse na forma de um canto: "Ali! Ali! Ali!"

Viver constantemente faminto de atenção não era fácil. Isso o forçava a infindáveis contradições. Isso o transformou em um lutador que disse não se importar em lutar, um escritor que não escrevia, um ministro sem um ministério, um radical que queria ser um artista popular, um gastador extravagante que disse que dinheiro não significava nada para ele, um asceta dietético que se enchia de refrigerantes e vendia hambúrgueres gordurosos para seus fãs, um manifestante contra a guerra que evitava manifestações organizadas mesmo quando a decisão do presidente Nixon de invadir o Camboja provocou a maior greve estudantil na história do país, um marido religiosamente devoto e exigente que abertamente traía a esposa. Quando começou a década de 1970, o desejo de Ali de ser todas as coisas para todo mundo o lançaria numa aventura alucinante na medida em que procurava se definir, simultaneamente, em sua própria vida, aos olhos do público e nas páginas de sua biografia.

Felizmente, para Ali, a dinâmica política e social estava mudando, e forças além de seu próprio controle também o definiam. Quando venceu o

O MAIOR LIVRO DE TODOS OS TEMPOS 345

campeonato de pesos-pesados como Cassius Clay, ele era apenas um pugilista promissor com uma energia maníaca e um falatório incontrolável. Quando se juntou à Nação do Islã, tornou-se um proeminente membro da ala mais radical do movimento negro na América. Quando recusou o recrutamento e foi banido do boxe, sua posição na sociedade norte-americana mudou novamente. Milhares de outros jovens em idade de alistamento seguiram seu exemplo e evadiram-se do serviço militar, embora a maioria não corresse o risco de prisão. Alguns fugiram para o Canadá. Outros se matricularam em cursos de pós-graduação. Aqueles com influência buscaram favores. É claro que muitos jovens não dispunham do poder e do dinheiro necessários para evitar o alistamento. Ao contrário de Ali, não tinham uma equipe de advogados para entrar com recursos num tribunal. Esses jovens enfrentaram a escolha desagradável de fugir, ir para a cadeia ou aceitar o alistamento. Ali não era nenhum opositor comum. Ainda assim, o fato de milhões de norte--americanos estarem protestando contra a guerra fazia com que as ações do pugilista parecessem menos traiçoeiras e mais corajosas, especialmente entre jovens manifestantes brancos. Após as manifestações de atletas negros na Olimpíada de 1968 e de incontáveis outros protestos, a visão de um atleta negro que falava claramente já não chocava. Destacados líderes da vertente central dos movimentos negros, como Julian Bond e Ralph Abernathy, que haviam desprezado Ali, começaram a aplaudi-lo. Conforme outros ativistas negros tornavam-se mais radicais, a Nação do Islã parecia menos assustadora. Quando autoridades do boxe negaram a Ali o direito de lutar, e o governo confiscou seu passaporte, até alguns dos comentaristas brancos que haviam criticado o lutador questionaram se ele estava sendo tolhido injustamente por causa de sua cor e de suas crenças políticas e religiosas. Não era que Ali tivesse se voltado para o *mainstream*; foi o *mainstream* que se moveu em sua direção.

Anos depois, o escritor Stanley Crouch compararia Ali a um urso.[4] Quando era um muçulmano recém-convertido que chamava as pessoas brancas de demônios, disse Crouch, Ali era um verdadeiro urso, mortalmente perigoso e impossível de controlar. Contudo, conforme ganhava popularidade, começou a se comportar mais como um urso de circo, que mostra os dentes e as garras, mas não vai além das ameaças.

Na primavera de 1970, Belinda e Muhammad mudaram-se para Filadélfia, principalmente para que Ali pudesse explorar oportunidades de negócios e diversões em New York. Em agosto, Belinda deu à luz as gêmeas Jamillah e Rasheda.

Nos primeiros meses de 1970, a vida de Ali não tinha nenhuma estrutura. Já não se levantava cedo todas as manhãs para se exercitar. Seu calendário tinha poucos compromissos. Desde que Elijah Muhammad o expulsara da Nação do Islã, já não frequentava grandes eventos muçulmanos ou encontros de oração, embora continuasse a rezar em casa várias vezes ao dia. Alguns dos amigos de Ali se perguntavam se ele iria deixar a Nação do Islã, em vez de esperar que Elijah Muhammad lhe concedesse o perdão. A Nação estava ficando mais fraca. Huey Newton e o Partido dos Panteras Negras cativavam jovens negros mais do que Elijah Muhammad, que havia feito 73 anos em 1970 e começava a perder membros-chave do seu círculo íntimo. Eram frequentes as acusações de corrupção na organização. Karl Evanzz, em sua biografia de Elijah Muhammad, disse que expulsar Ali pode ter sido a melhor coisa que o Mensageiro já fizera pelo lutador. Ao mesmo tempo que a Nação do Islã começava a se autodestruir, Ali ia ganhando distância da organização, outro exemplo da grande sorte e do sincronismo que haviam marcado sua vida até então.

Jesse Jackson, ativista dos direitos civis, passou algum tempo com Ali, no início da década de 1970. Ele ficou impressionado com a natureza casual do relacionamento de Ali com a Nação do Islã. Jackson se lembrou de um dia em que foi visitar a mãe e levou Ali consigo. Ela havia assado um pão de fubá com pele de porco frita para dar crocância, e Ali atacou o pão vigorosamente. Entre as garfadas, Ali perguntou o que havia no pão, mas Jackson não se deixou enganar. "Ele sabia o que havia no pão! E você acha que ele parou de comer quando foi informado de que continha um ingrediente proibido aos muçulmanos? Comeu foi tudo",[5] disse Jackson, rindo.

Em muitas horas de conversa durante os anos de banimento, Jackson nunca ouviu Ali expressar ressentimento com relação à Nação do Islã. Mas também nunca o viu com um tapete de oração. Por que ele continuava leal a Elijah Muhammad, mesmo quando o poder do Mensageiro estava diminuindo?

O MAIOR LIVRO DE TODOS OS TEMPOS

Jackson tinha uma teoria: "Acho que sempre houve ansiedade quanto ao que havia acontecido com Malcolm."[6]

Ali não era um membro ativo da Nação do Islã. Não era um boxeador. Era um desertor condenado, mas até isso continuava sendo algo a se resolver, pois seus advogados seguiam trabalhando nos recursos. Era difícil, talvez impossível, dizer quando alguma coisa seria decidida. Ainda assim, mesmo em discussões particulares com os amigos, ele nunca manifestou dúvidas sobre sua decisão de recusar o alistamento.[7]

Joe Frazier era agora o campeão dos pesos-pesados. Embora menor do que Ali, com 1,80 m, Frazier tinha um soco de sacudir os miolos. Depois de vencer o *ex-sparring* de Ali, Jimmy Ellis, Frazier tinha um cartel de 25 vitórias e nenhuma derrota. Para provar que ainda era o melhor, Ali teria de vencer Frazier em algum momento. Falava-se de uma luta Ali-Frazier no México, depois no Canadá, mas Ali não conseguia um passaporte. "Estou oficialmente aposentado do boxe",[8] disse ele depois que a luta no Canadá foi rejeitada. "Estou ocupado com minha autobiografia, e eles querem transformá-la em filme. Ainda não tenho um título para a história, mas estou pensando: 'Se Eu Tivesse um Passaporte, Seria Bilionário.'"

E continuou: "Agora, sou um lutador pela liberdade.

29

Fique do meu lado

Em certo dia de agosto de 1970, Joe Frazier, em seu Cadillac dourado, pegou Muhammad Ali em casa. Frazier estava sentado de lado no assento do motorista, como se estivesse montando um cavalo, girando o volante com a mão esquerda e gesticulando para Ali com a direita. Usava uma camisa amarela, calça listrada de amarelo, botas marrons e um chapéu de caubói de feltro. Dirigiram da Filadélfia até Nova York, Ali no banco do passageiro e Richard Durham, seu ghostwriter, no banco de trás, gravador rodando.

A viagem fora ideia de Ali para conseguir material para o livro, cujo título seria *O Maior: Minha Própria História*.

Após 10 minutos de silêncio, Ali falou primeiro:

ALI: Quanto tempo isso leva?[1]

FRAZIER: Estaremos lá às 17h.

ALI: Espero que sim. Tenho um compromisso às 17h.

FRAZIER: Do que você está reclamando? Eu deveria estar lá às 15h. Fiquei fazendo hora esperando você.

ALI (*longa pausa*): Como está sua perna? A que você quebrou em Las Vegas?

350   MUHAMMAD ALI

FRAZIER: Vou ficar bem. Mais duas, três semanas a partir de agora, vou conseguir voltar ao ringue. Meu peso baixou que foi uma beleza, cara. Olha.

ALI: É, você parece bem.

FRAZIER: Acredite em mim, eu não estou gordo.

ALI: Mas você é feito eu; ganha peso fácil, não é?

FRAZIER: Fácil demais. Bem, isso vem de comer toda aquela comida boa que as esposas fazem.

ALI: Toda aquela comida boa.

FRAZIER: A gente fica em casa, e quando sai da cama [...] em casa a maior parte do tempo...

ALI: É, comendo alguma coisa antes de dormir e depois indo pra cama. O resultado é isso aí.

FRAZIER: É, a gente ganha gordura na mesma hora.

ALI: Então, tem que comer toranja sem açúcar, cara.

Avistaram um carro de polícia e ficaram se perguntando por que os policiais estavam olhando para eles. Falaram sobre as próximas lutas de Frazier.

ALI: Mas me diz a verdade agora, cara. Se você lutasse comigo, não ia ficar com medo?

FRAZIER: Não, cara. Juro por Deus.

ALI: Não ia mesmo ficar com medo?

FRAZIER: Não, de jeito nenhum!

ALI: Quer dizer, e o meu *jab* rápido de esquerda, o jeito que eu danço?

FRAZIER: Nãããããão! Eu vou ficar bem perto de você. Eles falam que você é rápido pra se afastar. Mas você vai descobrir como eu sou rápido pra me *chegar*.

Ali o pressiona. Ele acha que, certamente, Frazier ia admitir que estava assustado. "É impossível você se afastar do meu *jab*", disse Ali. "Impossível!"

FRAZIER: Olha só, aqueles caras lá deixam você fazer do jeito que quer. Deixam você saltar em volta do ringue e dançar e aquela coisa toda...

FIQUE DO MEU LADO

ALI: Você não ia poder me impedir de saltar em volta do ringue e dançar. O que você vai fazer?

FRAZIER: Eu ia cair matando em cima de você! Cada vez que você respirasse, ia respirar bem na minha cabeça.

ALI: Você vai ficar cansado depois de cinco, seis rounds de briga.

O carro parou num sinal vermelho, e Ali inclinou-se para fora da janela: "Ei, gatinhas, vocês duas aí na esquina! É melhor ter cuidado!" As meninas reconheceram Ali, mas não Frazier. Ponto para Ali nesse round.

O carro seguiu, e Frazier disse que estava ansioso para lutar. "Porque você não tem medo de mim, e eu não tenho medo de você."

Ali fez uma pausa, e então respondeu: "Mas eu realmente acredito que você tem medo de mim."

Agora, foi Frazier quem fez uma pausa, e aí repetiu: "Não, não tenho mesmo."

A discussão foi adiante, agradavelmente, até que Ali disse que Frazier não tinha nenhum *jab*. Quando ouviu isso, Frazier pisou no freio.

FRAZIER: Não tenho um *jab*?

ALI: Continua dirigindo! Cuidado! Não, você não tem nenhum *jab*.

FRAZIER: Cara, eu podia arrancar sua cabeça com um *jab*. Te atingir com um *jab* feito uma metralhadora.

ALI: Nada disso, cara. Você não tem nenhum trabalho de pernas. Você não dança.

FRAZIER: Escuta aqui! Alguns caras têm a impressão errada sobre o que está acontecendo lá. Quando eu chego perto de um sujeito pra um *jab*, eu não vou chegar com minha cabeça. Vou chegar com estas mãos. Elas estão na minha frente, está vendo? E se você lançar um *jab* pra me atingir, eu tenho minha mão aqui pra aparar o golpe. Então, o meu pode atingir você. É fácil assim.

ALI (*com desdém*): Eu lanço *jabs* meio depressa demais pra você bloquear.

FRAZIER (*balançando a cabeça*): Eu queria que a gente fizesse isso juntos.

ALI: Eu também queria que acontecesse, com certeza. Porque eu tenho algo pra você, Joe. E por que você sempre fala que vai sair fumegando?

FRAZIER: É isso que eu faço! Não tem ninguém capaz de fazer toda aquela fumaça. Eles diminuem o fogo um pouco, mas, quando o fogo acaba, ainda fica aquela fumaça.

ALI: Não, cara! Eu escrevi um poema sobre você. Era assim:

> *Joe vai chegar fumegando*
> *E eu não vou ficar brincando,*
> *Vou ficar bicando e espetando*
> *Jogando água no seu fogo*
> *Isso pode chocar e espantar você,*
> *Mas eu vou aposentar Joe Frazier!**

FRAZIER (*depois de uma pausa*): Sim. A fumaça ainda fumegando. Ainda está fumegando.

Eles riram. Lembraram coisas. Falaram sobre o homem que ambos admiravam: Muhammad Ali. Frazier admitiu que exigia mais de si quando corria e treinava porque sabia que um dia lutaria com Ali. E assim seguiram por muitos quilômetros pela New Jersey Turnpike, passando por plantações, pelos pútridos tanques de petróleo em Elizabeth, falando bobagens, comparando desempenhos passados, cada homem defendendo sua superioridade. Ali interrompia Frazier constantemente, mas Frazier aceitava de bom humor.

FRAZIER: Todos os camaradas que eu destruo, não tenho nenhum ressentimento. Depois de dar uma surra, vou comprar um sorvete. (*Ali tenta interromper*). Deixa eu falar! Já acabou? Deixa eu falar. Não tenho nenhum ressentimento com você, nem aqui nem em nenhum outro lugar. Só que, quando a gente chegar ao ringue, você está por sua conta.

ALI: Você também vai estar por sua conta.

FRAZIER: Esse é o único jeito que eu sei ser.

---

* *Joe's gonna come out smokin' / And I ain't gonna be jokin' / I'll be peckin' and pokin' / Pourin' water / on his smokin' / This might shock and amaze ya, / But I'll retire Joe Frazier!* [N. da T.]

FIQUE DO MEU LADO

Seguiu-se um longo monólogo de Ali, uma descrição, round por round, com efeitos sonoros, de como Ali vs. Frazier se desdobraria, com Ali dançando todo o primeiro round sem dar nenhum soco, em seguida usando apenas *jabs* de esquerda no segundo round, então acrescentando cruzados de direita e ganchos de esquerda no terceiro...

Frazier xingou e tentou interrompê-lo, mas Ali não deixou. Finalmente, Frazier conseguiu falar e previu que iria nocautear Ali no sexto round. Isso aborreceu Ali, pois previsões eram o *seu* jogo.

Depois de um pouco mais de brincadeiras, Ali, aparentemente a sério, disse que precisava de um emprego, e perguntou se Frazier consideraria contratá-lo como *sparring*.

ALI: Suponha que eu nunca mais tenha permissão para lutar. Mas que ainda queira manter meu corpo em forma e afiado. Agora, você precisa de um homem bom e rápido para se manter afiado, porque você passa por muitos *sparrings*. Não gostaria de ter um *sparring* do tipo que pode lutar com você quatro ou cinco bons rounds por dia até que você se canse? Quer dizer, pra não precisar ficar mudando de *sparrings* porque eles não conseguem te acompanhar?

FRAZIER: Isso é bom...

ALI: Quer dizer, você não gostaria de ter um bom *sparring*, que poderia sustentar a luta com você? E que você possa marcar, e ele não vai desistir de você? Preciso de um emprego.

FRAZIER: Você não precisa de nenhum maldito emprego.

ALI: Não diga a ninguém; fica entre nós, mas preciso. Quanto você paga?

FRAZIER: Quanto você quer?

ALI: Uns 200 por semana. Isso significa 800 no fim do mês.

FRAZIER: Porra! Você quer muito.

Ali disse que estava falando sério. Ele seria *sparring* de Frazier. Embora Frazier não dissesse sim ou não, ofereceu a chave de seu ginásio para Ali treinar lá sempre que quisesse. Frazier disse que queria Ali afiado, se e quando lutassem.

354   MUHAMMAD ALI

Enquanto se aproximavam de Nova York, soavam como dois bons amigos, matando o tempo e curtindo a companhia um do outro. Ali ofereceu conselhos financeiros a Frazier, dizendo que havia aprendido com os próprios erros. Compre uma casa, disse. Resista à tentação de comprar um monte de carros. Um bom Cadillac era o suficiente. Ele instou Frazier a desistir de sua motocicleta, dizendo que era perigoso. Falaram sobre quais lutadores eram um Pai Tomás, concordando que eram Jimmy Ellis, Floyd Patterson, George Foreman e Buster Mathis. Falaram sobre suas esposas grávidas. Compararam suas vozes como cantores, com Ali cantando sua canção da peça *Mighty Whitey* e os dois cantando "Stand by Me". Quando Frazier se gabou de ter ganhado 30 mil dólares cantando em Las Vegas, Ali finalmente admitiu que estava impressionado.

ALI: Uau!!! você não ganhou essa dinheirama, cara. Uau! você carrega toda essa grana na carteira?
FRAZIER: Sim, 400, 500. Precisa de algum?
ALI: Que tal 100? Pode ser que eu passe a noite aqui.
FRAZIER: Ok, tudo bem.

Frazier entregou uma nota de 100 dólares a Ali. Ali prometeu pagar na semana seguinte. Houve mais cantoria, e, quando chegaram a Nova York, Ali pediu a Frazier que abrisse o teto solar do Cadillac.

ALI: Uau, cacete! Olha aquela gata lá. EI! EU SOU MUHAMMAD ALI. JOE FRAZIER E MUHAMMAD ALI... VEM CÁ! Sempre amei Nova York. Esta é a nossa cidade, Joe; o mundo está aqui.

• • •

Frazier encostou o carro na rua 52, no lado oeste, para deixar Ali.

ALI: Não queremos ser vistos muito juntos, você sabe.
FRAZIER: É. Eles iam pensar que nós somos amigos. Ia ser ruim pra bilheteria.
ALI: Pois é. Ninguém vai pagar nada pra ver dois amigos.

Com isso, foi cada um para o seu lado.

30

Retorno

Quando Ali se mudou para a Filadélfia, em 1970, comprou a casa de um vigarista chamado Major Benjamin Coxson. "Major" era seu nome de batismo, mas Coxson o usava como um título de nobreza. "O Maje", como as pessoas o chamavam, era dono de lava-jatos e concessionárias de veículos, mas a maior parte de sua renda vinha de atividades flagrantemente ilegais. Coxson, que se vestia de forma extravagante, subornava funcionários municipais, financiava negócios de drogas e servia de intermediário entre bandidos italianos e negros na chamada Cidade do Amor Fraternal. Supostamente, também atuava como informante do FBI.

Ali conheceu Coxson em 1968, quando assistia a uma angariação de fundos na Filadélfia para uma organização de bairro chamada Coalizão Negra, que tinha Coxson e Jeremiah Shabazz entre os conselheiros. Em 1969, um jornal identificou Coxson como agente de Ali. Quando Ali decidiu deixar Chicago e se mudar para a Costa Leste, ele disse, talvez jocosamente: "O Major me fez mudar para a Filadélfia."[1] Àquela altura, Coxson quis vender sua casa para Ali. Tinha dois andares e ficava no bairro Overbrook, basicamente branco, e já estava decorada, com uma cama redonda no quarto de casal, uma televisão colorida em cada cômodo (incluindo os banheiros), 22 telefones e garagem atapetada de lado a lado. Ali concordou em pagar 92 mil dólares — mais do dobro do valor estimado.

Quando os jornais anunciaram que Ali havia se mudado para uma casa sofisticada num bairro de brancos da Filadélfia, os estudantes universitários que estavam numa de suas palestras o desafiaram, perguntando por que um homem negro que se opunha à integração não havia escolhido uma casa num bairro negro. Ali respondeu com uma pergunta: "Vocês querem que eu compre uma casa no gueto? Por que eu deveria viver num ninho de ratos e ter um rato me mordendo, jovem?"[2]

Major Coxson não era o único novo membro do *entourage* de Ali em 1970. Sem o séquito à sua volta e sem uma rotina diária, Ali estava mais receptivo — e vulnerável — a estranhos do que nunca. "Ali ia ao toalete e encontrava alguém, e a próxima coisa que você ficava sabendo era que o cara era seu melhor amigo",[3] disse Gene Kilroy, um branco que se tornou gerente de negócios de Ali — e um dos poucos que não parecia estar de olho no autoenriquecimento. Kilroy havia se encontrado com Ali pela primeira vez em Roma, nos Jogos Olímpicos. Mais tarde, ele trabalhou em Nova York para a Metro Goldwyn Mayer. Quando Ali estava fora do boxe, Kilroy ajudava a organizar sua agenda de palestras, certificava-se de que Ali enviasse dinheiro para seus pais quando recebia um pagamento, e contratou um escritório de contabilidade para garantir que os impostos do lutador fossem pagos. Era parte do charme de Ali ter permanecido tão desprotegido, ver todo mundo que encontrava como alguém que valia a pena conhecer, mesmo depois de dez anos vivendo intensamente como celebridade e ainda que muitos daqueles recém-chegados se aproveitassem dele.

Certo dia, em 1970, um professor branco de Filadélfia chamado Marc Satalof perguntou à sua esposa se ela queria dar uma volta e ver se conseguiam encontrar a nova casa de Ali.[4] Afinal, não havia um monte de celebridades na vizinhança. Encontrar Ali provou-se fácil. Todos em Overbrook sabiam qual era a sua casa. Quando Satalof bateu à porta, Belinda atendeu e convidou-os a entrar. Ali estava na sala vendo TV com amigos. Satalof se apresentou e perguntou se Ali poderia visitar sua escola de ensino médio, o Colégio Strawberry Mansion, numa área toda negra, infestada de gangues, na zona norte da Filadélfia. Ali aceitou sem hesitação. Ele apareceu no dia combinado e falou com vários grupos de alunos. Quando se queixou de que estava ficando cansado, Satalof pensou que ele estivesse educadamente sugerindo que encerrassem o programa, mas Ali disse que não, não queria parar; pretendia apenas tirar uma soneca para, em seguida, voltar à escola e falar com o restante dos alunos. Ali propôs que fossem até a casa de Satalof, que morava ali perto. Enquanto o pugilista tirava sua soneca, um dos vizinhos de Satalof bateu à porta, querendo saber se ele estava bem, porque não era comum ver seu carro diante da casa no meio de um dia de trabalho. Satalof pediu ao vizinho que não fizesse barulho porque Muhammad Ali estava dormindo no quarto ao lado. O vizinho riu. "Se você está traindo sua esposa", disse, "não se preocupe, não conto a ninguém." "Não, estou falando sério", disse Satalof, "é Muhammad Ali." Naquele momento, Ali, tendo ouvido a conversa, saiu do quarto dando socos no ar e fingindo estar louco. Depois de dar um autógrafo para o amigo de Satalof, voltou à escola e ficou outras 3 horas até que todos os alunos tivessem a oportunidade de ouvi-lo falar, e até que todos os pedidos de autógrafo tivessem sido atendidos.

Na mesma época, um fã chamado Reggie Barrett convidou Ali para fazer uma exibição de boxe para levantar fundos para uma equipe de boxe amador em Charleston, Carolina do Sul. Joe Frazier fora a primeira escolha de Barrett, mas o pedido foi rejeitado. Barrett ligou para Bob Arum, que disse para entrar em contato com Chauncey Eskridge, que lhe contou que Muhammad Ali poderia estar disposto a aparecer, se o estado da Carolina do Sul permitisse o evento. O próximo passo de Barrett foi entrar em contato com a ABC e ver se a rede de televisão transmitiria uma exibição de Ali da Carolina do Sul. Os executivos da ABC disseram sim, e Barrett assinou um contrato para alugar o County Hall, em Charleston, com 4 mil lugares.

Ali chegou dois dias antes da exibição agendada, que já estava com as vendas esgotadas. "Você é um irmão *mau* para fazer tudo isso em Charleston, Carolina do Sul",[5] disse o pugilista, colocando um braço ao redor do ombro de Barrett. "Você perdeu o juízo?"

O processo contra Ali ainda estava em andamento. Havia dois anos e meio que ele não era visto num ringue de boxe. Continuava profundamente impopular entre os norte-americanos brancos, particularmente no sul. A notícia de sua apresentação na Carolina do Sul se espalhou, e a pressão política para cancelar o evento cresceu. No dia em que ele chegou a Charleston, funcionários do condado retiraram a autorização para que o salão da prefeitura fosse alugado. Barrett buscou outro local, sem sucesso. Enquanto Ali se preparava para partir, Barrett se ofereceu para pagar o tempo perdido, mas Ali recusou o dinheiro. Deu seu telefone a Barrett e disse para ligar se alguma vez pudesse ser de alguma ajuda. Ali fazia essas ofertas o tempo todo. *Ligue para mim. Venha me visitar. Venha trabalhar para mim. Estou dando uma palestra numa faculdade na próxima semana; vamos nos encontrar lá. Venha ver a minha próxima luta.* Não é nenhuma surpresa que um bom número de pessoas aceitasse seus convites, porque era muito divertido estar com Ali; ele era famoso, parecia sincero quando fazia os convites, e ficava feliz em ver aquelas pessoas quase estranhas quando elas reapareciam, aparentemente por magia.

Barrett realmente ligou para Ali, e logo depois começou a trabalhar para conseguir outra luta para ele. Rapidamente se tornou um dos consultores de negócios do pugilista. Não substituiu Herbert Muhammad ou Gene Kilroy; ele os complementava, porque no *entourage* de Ali sempre havia espaço para mais um. Anos mais tarde, quando Barrett foi condenado sob a acusação de tráfico de cocaína, Ali se apresentou como testemunha de caráter. "Desde o início, eu tive a sensação de que ele era uma boa pessoa para ter como amigo", disse ele ao juiz em defesa de Barrett, um refrão que pode ter repetido ao falar sobre um sem-número de pessoas.

"Se eu fosse o Zorro, ele seria o meu Tonto."[6]

Ali tinha outros Tontos. Harold Conrad, o promotor que havia trabalhado para divulgar a primeira luta de Sonny Liston, entrou em contato com 22 estados em nome de Ali, checando para ver se algum governador ou presidente de comissão atlética poderia ser suficientemente corajoso para dar a Ali a chance de lutar. Kilroy também escreveu cartas e fez ligações. Na Califórnia, a comissão atlética parecia aberta à ideia, mas o governador Ronald Reagan negou. Em Nevada, as autoridades do boxe concordaram em deixar Ali lutar, mas os mafiosos que comandavam os grandes hotéis em Las Vegas fizeram o negócio abortar. Conrad arquitetou um plano para Ali lutar com Frazier em uma praça de touros em Tijuana, prometendo ao

RETORNO

Departamento de Justiça dos Estados Unidos que Ali passaria não mais de 6 horas fora do território norte-americano. Também não funcionou. Outros locais foram considerados: Detroit, Miami, até Boley, em Oklahoma, uma cidade toda negra, com uma população de 720 pessoas. Gene Kilroy e Ed Khayat, ex-jogador profissional de futebol americano, fizeram lobby junto a funcionários no Mississippi para que licenciassem a luta. Em determinado momento, o proeminente advogado Melvin Belli incentivou Ali a processar os estados que estavam lhe negando o direito de ganhar a vida,[7] mas Ali se recusou.

Quando Ali foi banido, Bob Arum começou uma nova empresa de boxe, que chamou de Sports Action. Agora que Ali estava fora do boxe, Arum não tinha razão para compartilhar os lucros de circuitos fechados de TV com Herbert Muhammad e John Ali. Com a Sports Action, isso não era preciso. Arum pediu a um dos seus novos parceiros de negócios, Bob Kassel, para descobrir uma maneira de organizar um combate Ali-Frazier. Kassel ligou para o sogro, que morava em Atlanta, e conseguiu um contato com um dos mais poderosos políticos negros da Geórgia, o senador Leroy Johnson, que, além de ser amado por seus eleitores negros, também tinha o respeito de muitos dos legisladores brancos da Geórgia por suas habilidades de intermediação.

Johnson pesquisou a legislação e descobriu que o estado da Geórgia não tinha uma comissão estadual de boxe nem regras que regessem o boxe. Isso significava que Atlanta poderia licenciar a luta se o prefeito e a câmara de vereadores aprovassem. Como Johnson ajudara a eleger o presidente da câmara e vários membros do conselho, estava confiante de que poderia ganhar seu apoio. Kassel e Arum ofereceram a Johnson todo o dinheiro da venda de ingressos;[8] a Sports Action ficaria com a renda mais lucrativa do circuito fechado de TV. Johnson vendeu a ideia aos líderes políticos locais como uma chance de Atlanta mostrar ao mundo que havia se tornado a mais socialmente sofisticada e a menos racialmente dividida de todas as grandes cidades norte-americanas, a cidade que estava "muito ocupada para odiar",[9] como disse um dos patrocinadores da luta. O prefeito de Atlanta, Sam Massell, concordou em aderir se a equipe de Ali doasse 50 mil dólares a um dos programas de combate ao crime da cidade.[10] Para garantir que não haveria nenhuma interferência do estado, Johnson se reuniu com Lester Maddox, governador da Geórgia, que alcançara notoriedade ao desafiadoramente se recusar a servir clientes negros em seu restaurante após a promulgação da Lei de Direitos Civis, em 1964. No entanto, como governador, Maddox surpreendera tanto apoiadores como opositores ao contratar e promover funcionários negros, além de adotar um sistema progressivo de pena no sistema penitenciário do estado. Johnson, sabendo que Maddox odiava programas de bem-estar para os pobres, disse ao governador que Ali não tinha como ganhar a vida sem o boxe, e que poderia acabar recorrendo ao seguro-desemprego se não pudesse lutar.[11]

"Adiante com a luta!",[12] declarou Maddox.

Para provar que ele poderia colocar Ali no ringue e promover um evento no Deep South, extremo sul dos Estados Unidos, sem provocar demonstrações violentas ou ataques da Ku Klux Klan, Johnson organizou uma exibição na Faculdade Morehouse, onde 3 mil pessoas lotaram um ginásio no dia 2 de setembro de 1970 para ver Ali disputar oito rounds com três adversários. "O teto não desabou", relatou a *Sports Illustrated*. "Ninguém jogou uma bomba. Não choveram fogo e enxofre, e ninguém foi transformado em estátua de sal. Não havia nem mesmo um piquete."[13]

A velha turma se reuniu para a luta de Ali. No seu *corner* estavam, novamente, Angelo Dundee e Bundini Brown, que havia sido perdoado mais uma vez depois de penhorar a um barbeiro do Harlem, por 500 dólares, o cinturão de campeão de Ali, cravejado de pedras preciosas. ("Não foi como se eu entregasse o cinturão a uma loja de penhores", disse Bundini em sua própria defesa. "Eu penhorei a um amigo."[14])

Um pouco de gordura estremeceu na cintura de Ali quando ele tirou o roupão e começou a saltar em volta do ringue. Ele se afastava, lançava *jabs* rápidos mostrando seu trabalho de pernas, que continuava bom, e parando de vez em quando para permitir que seus adversários o atingissem nos braços e no topo da cabeça, como se isso também fosse algo com que ele teria de se acostumar de novo. Quando tudo acabou, Ali sentou-se, nu, em seu camarim e falou aos repórteres, dizendo que ainda não estava pronto para Frazier, mas estaria em breve.[15]

RETORNO

Dundee concordou. "Estava tudo lá", disse o treinador. "Tudo. Ele ainda pode improvisar com o quadril, a mão e o ombro."[16]

Nem todo mundo estava convencido. O treinador Cus D'Amato, que se considerava um dos oráculos mais cáusticos do esporte, disse que a velocidade da mão de Ali parecia tão boa como sempre, mas sua defesa estava drasticamente diminuída. "Clay estava dizendo que deixou que os parceiros o pegassem",[17] disse D'Amato, "que deixou que o atingissem com aqueles golpes pesados na cabeça e no corpo. Bem, eu estou lhes dizendo, nenhum lutador jamais permite que alguém bata nele. Dói. Abala o cérebro. Clay simplesmente não podia escapar daqueles caras."

E aqueles caras eram *sparrings*, não adversários que tinham suas carreiras e vidas em jogo. Para D'Amato, era um sinal de problemas.

Frazier ainda não havia concordado em lutar com Ali. Sem dispor de nenhuma segunda escolha óbvia, o relações-públicas Harold Conrad sabia o que fazer: conseguir um homem branco para enfrentar Ali, o negro que lutava pela liberdade.

Decidiram-se por Jerry Quarry, um garoto irlandês de 25 anos, bonito, filho de um agricultor imigrante.[18] Em 1969, Quarry havia disputado soco por soco com Joe Frazier numa batalha furiosa, antes que um corte sobre o olho o forçasse a parar. Numa divisão dominada por lutadores negros, é claro que os comentaristas se referiam a Quarry como "A Grande Esperança Branca". Quarry pode não ter sido um dos melhores, mas certamente era bom, e representava uma escolha corajosa para Ali. Em sua primeira luta de volta, após um hiato de três anos e meio, poderia ter sido melhor para ele lutar com um bundão qualquer. Mas Ali estava confiante de que poderia dar conta de Quarry.

A luta foi marcada para 26 de outubro de 1970, com um contrato que dava a Ali 200 mil dólares garantidos ou uma parcela de 42,5% das receitas. Quarry receberia 150 mil dólares, ou 22,5% das receitas. Um mês depois de Atlanta conceder a Ali uma licença para lutar, um juiz de uma corte distrital em Nova York decidiu que a comissão atlética do estado violara os direitos de Ali ao impedir o exercício de sua profissão. O Fundo de Defesa Legal da Associação Nacional para o Avanço das

362 MUHAMMAD ALI

Pessoas de Cor (NAACP) havia entrado com a ação judicial em nome de Ali, observando que criminosos condenados haviam recebido licença para lutar em Nova York. O juiz Walter R. Mansfield concordou, chamando de "intencional, arbitrária e irracional"[19] a decisão da comissão de vetar Ali.

A prisão continuava sendo uma possibilidade, e Ali continuava a apelar da sua condenação por evasão. Mas, enquanto isso, teve permissão para lutar novamente, pelo menos em Atlanta e Nova York.

• • •

Ali entendeu o que estava em jogo. Entendeu que, se perdesse para Quarry, tudo mudaria. Entendeu que a jogada mais segura teria sido se aposentar. Ele teria saído no auge, invicto. Teria ganhado o respeito de Elijah Muhammad. Teria completado o martírio ao sacrificar sua carreira. Teria sido lembrado para sempre como um campeão. Manteria sua boa aparência, sua saúde, sua celebridade. Teria permanecido congelado no tempo, em certo sentido, como o príncipe do boxe e um dos desportistas mais brilhantes e mais influentes da América.

Mas ele não podia desistir. Ele precisava lutar. Precisava do dinheiro. Precisava de atenção.

Ali alugou um quarto num hotel em Miami Beach, deixando Belinda e as três filhas na Filadélfia, e começou a treinar novamente no Ginásio da Rua 5. Uma nova camada de tinta fora adicionada desde a última vez em que treinara ali, mas o lugar continuava tão lindamente fedido como sempre.

Ele se lançou ao trabalho fazendo o que sabia fazer melhor, começando por volta das 5h, todas as manhãs, com uma longa corrida, tentando derreter a flacidez, preparando o corpo para causar danos e resistir a danos. Colou uma foto sua num espelho do ginásio — uma foto tirada havia cinco anos, antes da segunda luta com Liston, quando estava tão rijo e musculoso como nunca. "Isso foi quando eu estava na minha melhor condição",[20] disse ele um dia. "Vejam como eu estava magro e em forma. Talvez nunca volte a ser assim novamente." Pediu que os repórteres dissessem como o viam. Estava bem? Disse que estava pronto para ser testado, que estava correndo de verdade, se sacrificando mais, e que tinha certeza de que não cometeria nenhum erro na preparação. "Mas a solidão está me enlouquecendo. Nos anos todos em que estive fora, nunca estive sozinho. Ah, eu me divertia demais, ia de carro até as faculdades, ficava em pousadas, me reunia com estudantes, os grupos do Black Power, os hippies brancos." Agora, estava mais ou menos sozinho, levantando-se às 5h da manhã, de volta à cama às 10h da noite, com fome o tempo todo, recusando os avanços das mulheres, e tudo porque "só pensava naquela curta caminhada até o ringue e em todas aquelas caras lá, me olhando e dizendo: 'Uau! é um milagre! Ele é tããão bonito!'"

Todo mundo estava contando com ele, disse. "Recebo cartas de irmãos negros me implorando para ter cuidado. [...] Ninguém precisa me dizer que isso é coisa séria. Eu não estou apenas lutando contra um único homem, estou lutando contra muitos homens, mostrando a um monte deles que aqui está um homem que não conseguiram derrotar, não conseguiram conquistar. [...] Se eu perder, vou ficar preso para o resto da vida. Se eu perder, não vou ser livre. Vou ter que ouvir tudo isso sobre como eu era um bundão, um gordo, que eu entrei para o movimento errado, que eles me enganaram. Por isso estou lutando pela minha liberdade."

"Ali! Ali! Ali! Ali! Ali! Ali! Ali! Ali!"

Isso era novidade. Ele nunca havia sido aplaudido assim. Não como Ali, não como Clay. Em quase todas as suas lutas anteriores, ele era o cara mau, o falastrão, o arrivista, o traidor, aquele que todos queriam ver saindo do ringue numa maca, de preferência deixando no chão um rastro de sangue. No entanto, aqui estava ele, ainda enfrentando a possibilidade de prisão por evasão, ainda um muçulmano, ainda um dos mais odiados homens negros na América, a poucos momentos de lutar com um homem branco no grande estado da Geórgia... e a multidão majoritariamente branca do seu lado! Parecia uma cena de um dos mais estranhos pesadelo de Lester Maddox, ou como ver Paul Robeson, o grande ator negro, desempenhar o papel de Rhett em *E o vento levou*... exceto que era real.

Fãs negros chegaram de todo o país, entre eles celebridades, estrelas dos esportes e líderes cívicos: Sidney Poitier, Diana Ross, Hank Aaron, Coretta Scott King, Mary Wilson, Julian Bond e Andrew Young. Curtis Mayfield tocou um violão acústico enquanto cantava o hino nacional, e o comediante Bill Cosby sentou-se na primeira fila, trabalhando como um dos analistas da televisão e fazendo comentários que não eram nem cômicos nem particularmente analíticos. O reverendo Jesse Jackson, com um penteado afro quase tão grande e amplo como o da estrela pop Diana Ross, juntou-se a Ali no camarim antes da luta e, por sugestão de Ali, conduziu uma prece ecumênica.[21] Bert Sugar, o historiador do boxe,[22] chamou o evento de a maior coleção de poder negro e dinheiro já organizada. Alguns dos mais proeminentes traficantes negros do país, cafetões e prostitutas de rua também estavam presentes graças, em parte, à obra de Richard "Pee Wee" Kirkland, o lendário jogador de basquete de rua de Nova York, que pouco depois seria condenado por tráfico de drogas, que disse haver comprado quinhentos ingressos para a luta "porque pensei que seria bom demais se muita gente do Harlem com quem eu cresci pudesse ver Ali das cadeiras perto do ringue".[23]

Os harlemitas subiam e desciam a rua Peachtree e entravam e saíam dos melhores hotéis da cidade com a efervescência de quem estivera esperando por aquele momento, esperando o dia em que negros e negras pudessem desfilar ostensivamente por uma cidade do sul vestidos como a realeza, cafetões e traficantes vestidos de forma ainda mais luxuriante do que as mulheres que os acompanhavam, todo mundo rindo, sem mostrar nenhuma deferência, assumindo a arrogância de Ali e tornando-a sua. Somente Ali poderia inspirar tal espetáculo. Ali era um fenômeno, um estado de espírito, uma atitude, um desafio para a democracia e o decoro. Ele era o Grande Equalizador. Ele era o punho na cara do homem branco.

Não importava se o próprio Ali parecesse ser guiado mais por humores extravagantes do que por uma filosofia concreta. Na verdade, isso pode ter ajudado. Agora, Ali era mais difícil de definir, pois Elijah Muhammad o havia suspendido da Nação do Islã. Naquele momento, disse o escritor Budd Schulberg, "Ali havia conseguido mesclar um conjunto de conflitos ideológicos em sua própria transcendental beleza negra. De alguma forma, ele havia se tornado Marcus Garvey, W. E. B. Du Bois e Paul Robeson, Adam Clayton Powell, Elijah Muhammad e Malcolm X, John Coltrane, Dizzy Gillespie, Bill Cosby, Jimmy Brown e Dick Gregory, todos em um só".[24]

RETORNO 365

Na noite da luta, havia limusines pintadas com desenhos psicodélicos.[25] Havia homens em smokings roxos com golas tão amplas como as asas de um Cessna. Havia camisas de seda desabotoadas até o umbigo. Havia sapatos masculinos com plataformas de 10 centímetros de altura. Havia casacos de vison que iam até os tornozelos, chapéus de vison e gravatas-borboleta de vison prateado.[26]

Fazendo o seu melhor para manter-se à altura do desfile de modas, Cash Clay usava um terno branco com paletó trespassado e um chapéu de abas largas com uma faixa vermelha.[27] Muitos dos homens ricamente vestidos na arena complementavam sua indumentária com armas de fogo escondidas,[28] algo de que o prefeito Sam Massell ficou sabendo somente após a luta, por meio de seu guarda-costas.

Se Ali estava ansioso, não demonstrou. Caminhou entre seus fãs com confiança, exibindo-se, dando murros no ar, girando, com o famoso sorriso que mostrava a separação entre os dentes da frente, aproveitando cada minuto, lembrando a todos que não havia ficado gordo nem arrogante; que ele era um homem do povo, e o Rei do Mundo, especialmente o Rei do Mundo Negro; que seu tempo longe do boxe não havia diminuído a força de seu ego. Ele estava deslumbrante e orgulhoso.

Passou a manhã da luta atendendo telefonemas e, em seguida, dirigiu até o Municipal Auditorium, que, como disse um escritor, "parecia ter sido construído para uma reunião bastante grande de pais e mestres, não mais que isso".[29] O camarim de Ali era pequeno, pouco maior do que o comprimento da mesa de massagem que ficava numa das extremidades. Na parede oposta havia uma penteadeira com espelhos ladeados por lâmpadas. Jesse Jackson, Angelo Dundee e Bundini Brown se acotovelaram no camarim. Em um *corner*, George Plimpton estava agachado, anotando qualquer coisa num bloco de notas, enquanto Ali discutia com Dundee sobre qual protetor genital deveria usar. Ali achava que o protetor do tamanho padrão o fazia parecer gordo.[30] Dundee insistia que Ali o usasse.

Ali admirava sua imagem no espelho do camarim. Estava forte e esbelto novamente, mais volumoso no peito e no estômago do que antes. Penteou o cabelo. Esmurrou sua sombra até que o peito e os ombros brilhassem de suor.[31] Então veio uma batida na porta, e uma voz: "Está na hora." Ali deu uma última olhada no espelho e saiu.

Era a primeira vez que Ali lutaria com um homem mais jovem. Dundee, Bundini e Jesse Jackson o acompanharam enquanto ele atravessava a arena e entrava no ringue. Jackson disse a repórteres, no meio de todo aquele barulho: "Se ele perder esta noite, significará, simbolicamente, que as forças do patriotismo cego estão certas, que a dissidência está errada; que protestar significa que você não ama o país. Esta luta é de 'ame-o ou deixe-o' contra 'ame-o e mude-o'. Eles tentaram coagi-lo. Eles se recusaram a aceitar seu testemunho sobre suas convicções religiosas. Roubaram seu direito de exercer sua profissão. Tentaram dobrar seu corpo e sua mente. Martin Luther King costumava dizer: 'A verdade esmagada sobre a terra brotará novamente.' Este é o ethos negro. E está acontecendo aqui, na Geórgia, o mais improvável dos lugares, e contra um homem branco."[32]

Nenhuma pressão, no entanto.

Para o Ali de antes, Quarry não teria sido nenhum problema. Ele era mais baixo e mais lento do que Ali (todos os pesos-pesados eram). Pesava menos do que Ali. Tinha braços mais curtos. Havia perdido não só para Joe Frazier, mas também para George Chuvalo, Jimmy Ellis e Eddie Machen. Ainda assim, Quarry bateu duro e levou uns bons socos, e afirmou ter treinado com mais empenho para esse combate do que para qualquer outro, sem dúvida ciente de que, se sofresse mais uma derrota, poderia ser rotulado com as palavras que nenhum pugilista queria ouvir: *journeyman*, aquele que tem algum talento e pega lutas difíceis ou perigosas pelo dinheiro.

Ali começou rápido, determinado, lançando *jabs* e combinações, suas luvas *vapt-vapt-vapt* na cara de Quarry. Ele não estava provocando nem brincando, como havia feito em algumas das lutas antes de ser banido. O jovem Ali havia jabeado e dançado, jabeado e dançado, mas o Ali de 28 anos jabeava e descarregava, jabeava e descarregava, usando sua rápida mão esquerda para montar uma combinação rápida de esquerda-direita-esquerda. Desde o primeiro minuto, uma coisa ficou clara: o *jab* de Ali era tão bom como sempre, mesmo que ele não o estivesse usando tanto como antes. Ele estava maior agora, com 97 quilos, o que fazia com que a visão daqueles

RETORNO

golpes abrasadores fosse ainda mais estonteante, como a flama fulgurante que sai da boca de um dragão.

Restava ver como as pernas iriam aguentar, o que pode explicar por que Ali trabalhara tão duro. No primeiro round, ele lançou 61 socos e aterrou 25, incluindo 16 *jabs* e 9 socos fortes. Quando terminou o primeiro round, parecia exausto, despencando em sua banqueta "como uma baleia encalhada",[33] disse o repórter Jerry Izenberg.

No segundo round, estava quase tão ativo quanto no primeiro, lançando 48 socos e acertando 20. Mas, no terceiro round, diminuiu o ritmo, "beirando a exaustão",[34] de acordo com Angelo Dundee, mas ainda batendo, dando 39 socos e acertando 12. Felizmente para Ali, dentre esses 12 socos um deles abriu um corte sobre o olho esquerdo de Quarry. Quando terminou o round, o árbitro parou a luta.

Bundini, Dundee, Jesse Jackson e o pintor LeRoy Neiman cercaram Ali no ringue, partilhando sua vitória. Ali não se vangloriou. Não agradeceu a Alá, nem a Elijah Muhammad. Em vez disso, elogiou Quarry, e disse: "Olá para as Supremes, os Temptations, Sidney Poitier, Bill Cosby, todos os meus amigos aqui na plateia, e também Gale Sayers em Chicago."[35]

Mais tarde, ele admitiu que havia ficado decepcionado com seu desempenho, surpreso por seu corpo já não funcionar como quatro anos antes.[36]

Ainda assim, havia vencido, e era bom estar de volta.

Após a luta, houve uma festa. Os convites impressos, distribuídos durante a luta para muitas das mais bem-vestidas pessoas negras, homens e mulheres, diziam que alguém chamado "Fireball" estava oferecendo uma festa no número 2.819 da Handy Drive, uma casa de campo no bairro de Collier Heights, onde moravam muitos negros proeminentes. A casa pertencia a um michê bastante conhecido das ruas de Atlanta chamado Gordon "Chicken Man" Williams. Os convidados eram, em sua maioria, traficantes, cafetões e mafiosos. À chegada, homens mascarados armados os receberam. Os convivas foram levados para o porão, despojados de suas roupas íntimas, forçados a colocar armas e objetos de valor em uma pilha e a se espalhar pelo chão. Quando já não havia espaço no porão, homens e mulheres foram obrigados a se deitar uns sobre os outros, empilhados como lenha. Às 3 da madrugada, havia pelo menos oitenta pessoas no porão, incluindo Cash Clay.[37] Dois dias depois, o *Atlanta Journal* noticiou que haviam sido roubados 200 mil dólares, embora apenas cinco vítimas tenham apresentado queixa à polícia. A maioria, como Clay, estava envergonhada demais para admitir que fora enganada. Seis meses após o assalto, dois dos supostos assaltantes foram mortos em frente a um salão de bilhar do Bronx.

"Se os ladrões soubessem de quem estavam roubando", disse um detetive de polícia de Atlanta depois dos assassinatos, "nunca teriam feito aquilo."[38]

31

"O mundo está te olhando"

Ali-Frazier era a luta que todos queriam ver em seguida. Ali-Frazier prometia a maior arrecadação da história do boxe. Ali-Frazier determinaria qual dos dois campeões pesos-pesados invictos merecia ser chamado de o verdadeiro campeão. Mas, em vez de Frazier, Oscar Bonavena enfrentou Ali, meros 42 dias após o combate com Quarry, no Madison Square Garden, em Nova York. Bonavena era um argentino de 28 anos, muitas vezes chamado de Ringo por causa de seu cabelo longo inspirado nos Beatles. Era um lutador duro, com um cartel de 46 vitórias, 6 derrotas e 1 empate. Embora tivesse perdido duas vezes para Joe Frazier, Bonavena tinha ido até o fim em ambas as lutas e machucado Frazier, derrubando-o duas vezes no segundo round de seu primeiro combate. Era um boxeador desajeitado, dando socos de todos os ângulos, aparentemente sem nenhum plano ou padrão. Para Ali, Bonavena representava outra escolha arriscada: se o argentino vencesse o velho campeão enferrujado, não haveria nenhum Ali-Frazier, nenhum encontro de dois campeões invictos, nenhum pagamento polpudo.

Nos três primeiros rounds contra Bonavena, Ali dançou pouco. Ficou no meio do ringue, às vezes na ponta dos pés, às vezes nos calcanhares, trocando socos, vendo Bonavena levantar os ombros para poder acertá-lo com mais força, batendo mais enquanto se afastava, fazendo Ali sofrer. Não se via mais o dançarino. Não se via mais o lutador que puxava a cabeça para trás para que os socos passassem por ele, assobiando. No quarto round, Ali tentou fazer algo ainda mais incomum: ficou de pé no meio do ringue, se curvou e cobriu a cabeça com os braços — intencionalmente tomando uma surra ou descansando, era impossível dizer. Finalmente, no quinto round, ele mostrou vestígios do velho trabalho de pernas, circundando o ringue e dando golpes, mas não durante todo o round, e então voltou a andar mais lentamente, trocando socos com Bonavena. À medida que o round se arrastava, Howard Cosell, transmitindo a luta, queixou-se do embotamento da ação e do desaparecimento da verve de Ali.

No final do oitavo round, Bonavena ferroou Ali com um golpe forte de esquerda. No nono, Bonavena lançou um selvagem gancho de esquerda que colidiu com a mandíbula de Ali. Ali cambaleou para trás, as pernas balançando, os olhos arregalados em estado de alarme. Chocou-se contra as cordas, se recuperou e agarrou Bonavena como um homem se afogando agarra um colete salva-vidas. Mais tarde, Ali diria que o soco o fez se sentir "todo anestesiado".[1] "Choque e vibrações eram tudo o que eu sentia, o que me dizia que eu estava vivo. Quer dizer, eu estava abalado. Até os dedos dos pés sentiam as vibrações. Boiiinnnng!" A única coisa que ele poderia fazer, disse, era dar uma parada até que "o torpor pudesse passar".[2]

Mais um soco e Bonavena poderia ter encerrado tudo.

Mas ele não fez isso.

A luta continuou, desajeitadamente.

A multidão vaiou Ali por ele não conseguir mostrar o tipo de desempenho esperado pelos fãs.

"O mundo está te olhando!", gritou Bundini.

Herbert Muhammad estava tão preocupado que saiu de sua cadeira e subiu para a beira do ringue para implorar a Ali que lutasse.

No décimo quinto e último round, com ambos os lutadores exaustos, Ali se esquivou de um esquerdo, mandou um esquerdo dos seus e derrubou Bonavena. Ele se levantou, e Ali o mandou de volta para a lona. Bonavena levantou-se novamente, e Ali o derrubou mais uma vez, vencendo por nocaute técnico.

"O MUNDO ESTÁ TE OLHANDO"

Acabada a luta, Ali tinha um corte na boca e um hematoma num olho. Estava dolorido. Mas, novamente, foi o vencedor. Cosell subiu ao ringue para uma entrevista. Segurava um telefone com um fio longo e o entregou a Ali, dizendo que Joe Frazier estava na linha.

"Como você tá, Joe?",[3] disse ao telefone. "Você não tá com medo de mim, né?"

Ali continuou: "Já que a gente não pode se acertar, vamos ter que resolver isso logo!"

Ele fez mais algumas observações antes que Cosell o interrompesse. Os telespectadores não podiam ouvir Frazier, somente Ali.

"O que o Joe disse?", perguntou Cosell

Ali olhou para Cosell e respondeu sem hesitar: "Não ouvi o que ele disse."

32

Um lutador diferente

"**E**le está muito mais lento..."[1] José Torres, o ex-campeão meio-pesado, ofereceu um diagnóstico, como faria um médico: como uma declaração de fato e um prognóstico de perigo.

Angelo Dundee também viu o mesmo. Por cerca de um minuto em cada round de 3 minutos,[2] disse, ele parecia o Ali de antigamente. Nos outros 2 minutos, ficava lento, mais fácil de ser acertado, vulnerável.

Anos mais tarde, uma análise estatística da carreira de Ali compilada pela CompuBox, Inc. confirmaria o que Torres e Dundee detectaram: a partir de 1970, Ali foi um lutador diferente. A CompuBox analisou lutas de Ali de 1960 a 1967 — as dezesseis lutas cujos filmes completos sobreviveram — e contou cada soco. Nesses combates, Ali estava na sua melhor forma, desferindo 2.245 socos[3] e sendo atingido pelos adversários apenas 1.414 vezes. Dito de outra forma, ele gerou 61,4% dos golpes trocados.

Ao longo do resto de sua carreira, no entanto, Ali recebeu golpes na mesma medida em que os desferiu, talvez até mais. Atingiu seus adversários 5.706 vezes, sendo atingido 5.596 vezes. Em outras palavras, o homem muitas vezes considerado como o maior peso-pesado de todos os tempos estava sendo atingido quase tanto como estava golpeando os adversários.

374 MUHAMMAD ALI

Nem mesmo a proporção 50-50 era tão boa como parecia, porque, dos socos de Ali, a esmagadora maioria era de *jabs*, enquanto seus adversários empregavam mais *uppercuts*, que tendem a causar maior dano.

A CompuBox avalia lutadores com base na percentagem de socos acertados, em comparação com a percentagem de socos recebidos dos adversários.[4] Em geral, os aficionados do boxe são cautelosos com as estatísticas, e é justo dizer que os números, por eles mesmos, nunca podem contar a história de uma luta ou medir a habilidade do lutador. Ainda assim, é a mais reveladora de todas as estatísticas de boxe. O peso meio--médio Floyd Mayweather Jr. tinha a melhor classificação entre todos os pugilistas modernos nessa categoria, tendo acertado 44% de todos os seus golpes, enquanto a percentagem de acertos de seus adversários foi de surpreendentemente baixos 18,8%. Isso deu a Mayweather uma taxa geral (mais/menos) de +25,2% (44 - 18,8). Joe Frazier, contemporâneo de Ali, um perfurador brutalmente eficiente, terminaria a carreira com a excelente classificação de +18,9%. A classificação de Ali, por outro lado, era negativa: -7% ao longo de toda a carreira. Mesmo quando a CompuBox adicionou outros fatores à análise estatística, incluindo socos totais desferidos, socos totais acertados, socos fortes acertados e *jabs* acertados, Ali não conseguiu se situar entre os maiores pesos-pesados da história.

Os números não revelam o estilo de um lutador nem seus pontos fortes e fracos, nem ajudam a descrever as idas e vindas num combate corpo a corpo. Ainda assim, essas estatísticas levantam questões sobre Ali. Teriam os juízes lhe atribuído rounds imerecidos porque ele tinha um estilo chamativo e nunca parecia ficar machucado pelos golpes dos adversários? Estaria ele vencendo rounds porque era o grande Muhammad Ali?

Ali exibia números fracos, em parte porque usava seu *jab* como arma defensiva, lançando-os para manter os adversários afastados, o que significava que ele não usava o *clinch* com a mesma frequência que outros lutadores. Ao mesmo tempo, começando com seu retorno ao boxe em 1970, ele passou a pagar um preço por sua compreensão relativamente fraca dos fundamentos do boxe. Nunca aprendeu a bloquear ou evitar corretamente os socos porque não tivera necessidade. Como resultado, à medida que foi ficando mais lento, ele recebia mais castigos, encolhendo-se contra as cordas e tentando amortecer ou desviar os golpes, em vez de se esquivar. Ali deixou que alguns dos homens mais fortes do mundo o socassem, socassem, socassem até que ficassem com os braços cada vez mais cansados e a respiração cada vez mais curta, e *só então* ele revidava. Essa estratégia viria a ser chamada de *rope-a-dope,* algo como "zonzo, tonto nas cordas", nome que sugeria que os adversários de Ali estavam caindo em uma armadilha inteligente.

Na última etapa de sua carreira, à medida que ele recorria cada vez mais ao *rope-a-dope,* Ali registrou uma taxa de —9,8%. Em suas últimas nove lutas, ele acabaria absorvendo 2.197 socos e acertando somente 1.349. Mais significativo ainda: Ali recebeu muito mais golpes fortes do que deu nas últimas nove lutas: 1.565 versus 833. Em suas duas lutas finais, os adversários aterraram 371 socos fortes, contra os 51 de Ali.

De acordo com todas essas medidas estatísticas, o homem que se chamava "O Maior" esteve abaixo da média durante grande parte de sua carreira.

Embora os números não fossem conhecidos até muitos anos mais tarde, Torres e Dundee não foram os únicos a notar mudanças drásticas depois do retorno de Ali. Ferdie Pacheco, que se designava "O Médico das Lutas", disse que, em 1970, Ali começou a reclamar de dor nas mãos. Foi então que Pacheco começou a entorpecer os punhos do pugilista antes das lutas, usando cortisona e um anestésico chamado xilazina, duas injeções em cada mão. "As mãos de Ali estavam tão danificadas que ele não conseguia bater num travesseiro",[5] disse Gene Kilroy. As drogas lhe deram a confiança de que precisava para dar um soco forte, mas havia riscos envolvidos: se ele não podia sentir a dor, estava expondo a mais danos a estrutura de suas mãos.

Era um risco que ele considerava valer a pena, dado que seu sustento estava em jogo. Mais tarde, Kilroy apresentou Ali a um cirurgião ortopédico que recomendou que ele mergulhasse as mãos em parafina derretida, o que ajudou a reduzir a dor. Mas nada poderia ser feito a respeito das pernas.

"Quando Ali voltou, suas pernas não eram mais como antes",[6] disse Pacheco ao escritor Thomas Hauser. "E, quando perdeu as pernas, ele perdeu também sua primeira linha de defesa. Foi aí que descobriu algo que foi, ao mesmo tempo, muito bom e muito ruim... Ele descobriu que podia levar um soco. Antes do afastamento, não deixava ninguém tocá-lo no ginásio. Os exercícios consistiam em correr enquanto repetia 'Esse cara não pode me bater'. Mas, depois, quando não podia mais correr daquele jeito, ele descobriu que poderia enganar o cansaço. Poderia correr um round, descansar outro e deixar-se ser esmurrado contra as cordas... E, quando começou a ficar preguiçoso no ginásio, o que aconteceu antes de suas maiores glórias, aquele foi o começo do fim."

Quando perguntaram a Pacheco, anos mais tarde, por que ajudara Ali a seguir lutando apesar da perda gradativa de suas habilidades, ele respondeu com raiva, levantando-se da cadeira enquanto falava: "Você está no *corner* para mantê-los lutando, não para dizer a eles que *não* lutem. Se você não lhes dissesse para lutar, era despedido imediatamente."[7]

Estatisticamente, a luta de Ali e Oscar Bonavena havia resultado num empate. Ali aterrou 191 socos, comparados com os 186 de Bonavena, enquanto Bonavena acertou mais socos fortes, 152 contra 97. No vestiário, após a luta, Ali mostrou-se modesto e reflexivo. Disse não haver treinado tanto como deveria ter feito. E especulava, em voz alta, se seus reflexos estariam mais lentos. Mas ele ainda era o campeão peso-pesado da autoconfiança, e sua arrogância retornou rapidamente. "Hoje eu fiz o que Frazier não foi capaz de fazer em 25 rounds",[8] disse. "As pessoas disseram que eu não aguentava levar um soco, e eu levei todos o que ele disparou, e ele bate duro [...] As pessoas disseram que eu tinha de golpear e abater um homem para detê-lo, e eu o tirei da jogada com um gancho de esquerda, ele que era um lutador que havia lutado o melhor que sabia e que nunca havia sido nocauteado em toda a sua vida."

Depois de Bonavena, Ali poderia ter sido sábio e agendado uma ou duas lutas contra concorrentes fáceis enquanto trabalhava para recuperar a forma, mas não era esse o seu plano. Em vez disso, ele pretendia lutar contra o homem que havia tomado posse de seu título de campeão, o homem que se tornaria seu maior rival. Ele explicou o plano em um verso:

> *Talvez isso vá te chocar e surpreender,*
> *mas eu vou aposentar o Joe Frazier.*[*][9]

---

[*] *Maybe this will shock and amaze ya / But I'm gonna retire Joe Frazier.* [N. da T.]

UM LUTADOR DIFERENTE

Certa vez, Ernest Hemingway disse que "se você luta com um pugilista que tenha um grande gancho de esquerda, mais cedo ou mais tarde ele o atingirá e o apagará. Ele preparará a esquerda sem que você veja, e o golpe virá como um tijolo. Até agora, a vida é a maior especialista em ganchos de esquerda, embora muitos digam que fosse Charley White, de Chicago".[10]

A vida é, realmente, uma grande especialista em ganchos de esquerda. Charley White também era. Mas pergunte a um fã do boxe do final do século XX e ele provavelmente lhe dirá que Smokin' Joe Frazier era o maior de todos.

Joseph Frazier nasceu em 12 de janeiro de 1944, em Beaufort, Carolina do Sul. Era filho de colonos e o penúltimo de dez irmãos,[11] uma posição que pode tê-lo inclinado a lutar. No mínimo, o endureceu. Aos 15 anos, Frazier largou a escola e se mudou para Nova York para ganhar dinheiro. Quando os trabalhos se provaram difíceis de encontrar, ele passou a roubar carros. Mudou-se para a Filadélfia e foi trabalhar em um matadouro onde fingia ser Joe Louis, socando grandes quartos de carne na câmara frigorífica como se fossem um saco pesado num ginásio. Em 1961, aos 17 anos, relativamente tarde, aprendeu a boxear com o treinador Yancey "Yank" Durham, um homem negro de pele clara, cabelos grisalhos e bigode cinzento que sabia, tanto quanto qualquer treinador do mundo, como tirar das ruas um garoto durão e fazer dele um pugilista profissional. A crença de Frazier em Durham era total. Quando viajavam, Durham fazia seus combatentes se hospedar em duplas nos quartos de hotel e manter abertas as portas do banheiro, para que ninguém pudesse se masturbar.[12] Segundo uma teoria sua, até a mais mínima atividade sexual minaria as energias vitais do lutador. Três anos depois de conhecer Durham, Frazier ganhou a medalha de ouro olímpica. Em 1968, foi campeão dos pesos-pesados.

Frazier surpreendia. Com 1,80 m, ele parecia muito pequeno para ser um campeão peso-pesado. Alguns diziam que era cego, ou quase cego, do olho esquerdo. Mas tinha um braço esquerdo torto, perfeito para um gancho, e usava o gancho de esquerda para fazer com que seus adversários cautelosos se movessem para o seu lado direito, onde podia vê-los melhor. Ele também tinha um bom queixo, uma concentração férrea e um estilo implacável que tornava impossível para os adversários montar um ataque prolongado ou uma defesa confiável. Frazier era um perfurador violento que balançava,

378 MUHAMMAD ALI

espancava e se lançava inexoravelmente contra as vísceras do adversário, agachando-se, batendo, martelando, até que estivesse pronto para descarregar o gancho mortal. "Frazier era o equivalente humano a uma máquina de guerra",[13] escreveu Norman Mailer.

Frazier ganhou o apelido de Smoke, ou Smokin' Joe (Fumacento), porque, como a fumaça, ele parecia estar em todos os lugares ao mesmo tempo, disforme, inamovível, rolando, sufocando. Ser atingido por Joe Frazier, disse um de seus *sparrings*, era como ser atropelado por um ônibus — exceto pelo fato de que um ônibus só atingia você uma vez.[14]

Frazier era perfeitamente adequado para servir como contraponto de Ali. Enquanto Ali dançava, Frazier se atirava. Enquanto Ali contava com o *jab*, o melhor soco de Frazier era o gancho de esquerda, um soco que causara problemas a Ali desde que entrara num ringue pela primeira vez. Enquanto Ali havia começado o boxe sonhando tornar-se o maior de todos os tempos, Frazier o fizera na esperança de perder peso.[15] Enquanto Ali era o "Adônis negro desfilando",[16] segundo a *Time*, Frazier era "desajeitado e introspectivo, dado a humores sombrios que ele chamava de 'leseiras'". Enquanto Ali fazia rimas e se gabava, Frazier falava nos mais simples termos e fazia pouco esforço para encantar o público. "Eu gosto disto: de lutar",[17] disse uma vez. "Há um homem tentando pegar o que você tem. Espera-se que você o destrua. Ele está tentando fazer o mesmo com você. Por que você deveria ter pena dele?"

No verão antes de seu retorno, Ali desafiara Frazier a lutar em seu ginásio e, mais tarde, em um parque público, usando roupas comuns, diante de uma multidão que se reuniria espontaneamente. Frazier se recusou a morder a isca. Depois de Frazier dizimar Jimmy Ellis, um dos *ex-sparrings* de Ali, Ali fez esta avaliação do homem que havia lhe tirado o título de campeão: "Frazier não tem nenhum ritmo. Ele apenas investe contra você, lançando golpes gerados dos joelhos para cima. Ele se agacha para desviar e continua investindo, tentando te jogar nas cordas e te agarrar como se ele fosse um robô velho. Não havia nada de boxe naquela luta com Ellis. Quando estava lutando, eu boxeava. Lembra-se? Pop, pop, pop, pop — dançava — pip, pip, pip, muito rápido — dançando e fingindo golpes — WHAARUP! — me afastando e circulando— pop, pop, rat-a-ta-rata-ta-ta, como uma máquina

UM LUTADOR DIFERENTE

de escrever — POW! Isso é que é luta de campeonato. Frazier não pode fazer coisas assim. Ele é um velho cavalo de tração [...] Mas, para lutar contra Ellis, ele era muito bom. Não tinha medo de nada que Ellis lançava, continuava avançando. E tinha um golpe de esquerda complicado, rápido, que me surpreendeu."[18]

Frazier gostava de Ali. Ele pensava que haviam estabelecido uma amizade verdadeira. Porém, certo dia, no outono de 1969, Frazier estava no ginásio com seu amigo Gipsy Joe Harris, e ouviu a voz de Ali no rádio. Ele estava dando uma entrevista à radio WHAT-AM, na Filadélfia, e chamando Frazier de covarde; um lutador sem classe, desajeitado; um Pai Tomás. Frazier ficou tão enfurecido que esmagou o rádio com o pé,[19] como Gypsy Joe Harris recordou numa entrevista ao jornalista Mark Kram. No rádio, Ali desafiou Frazier a encontrá-lo num ginásio próximo para lutar imediatamente, não por dinheiro, só para provar quem era o melhor. Frazier apareceu no ginásio, mas se recusou a lutar, mesmo depois de Ali o ofender mais uma vez. Após mais um incidente semelhante, Frazier ficou tão irritado que foi até a casa de Ali para exigir um pedido de desculpas.

Ali foi até a porta com alguns de seus amigos muçulmanos ao lado. Ele disse a Frazier que era tudo brincadeira, que estava apenas tentando promover a rivalidade entre eles. Frazier disse que não achava nada engraçado e que não havia gostado de ter sua masculinidade ou sua negritude questionadas. Ali não tinha o direito, disse ele. Ali nunca havia arado um campo ou trabalhado com sangue de boi até os tornozelos. Era Ali quem tinha um treinador branco em seu *corner*, que fora financiado por um bando de brancos ricos do Kentucky, com advogados brancos que o mantinham fora da cadeia, que fazia palhaçadas com Howard Cosell como se fossem parceiros num show de variedades. Quem era ele para chamar Frazier de Pai Tomás?

"Covarde? Pai Tomás?",[20] disse Frazier. "O único pra quem eu fui um Pai Tomás foi você!", disse, de acordo com Gypsy Joe, que estava ao lado de Frazier. "Aqueles muçulmanos inúteis jogando você contra mim. Isso vai parar aqui, e agora."

"Não fala da minha religião", disse Ali. "Não vou deixar você fazer isso. Vai pra casa e esfria a cabeça."

"Não vou esfriar a cabeça nunca agora", disse Frazier. "Que se foda sua religião. Nós estamos falando de mim. Quem *eu* sou." Joe mostrou uma das mãos. "*Isto* é preto. Você não pode apagar quem eu sou. Você se volta contra um amigo em nome de quê? Pra impressionar aqueles muçulmanos idiotas, para você ser o tal?"

"Conversa encerrada", disse Ali, virando-se e entrando em casa. Mas ele estava apenas começando.

33

A luta de 5 milhões de dólares

A revista *Time* colocou Ali e Frazier na capa. "Os lutadores de 5 milhões de dólares"[1] era a manchete. Cinco milhões de dólares por uma luta de boxe. Quem poderia compreender a enormidade disso?

Só na América poderiam acontecer tais maravilhas. Somente na América — onde homens davam tacadas em bolas de golfe na lua, onde miraculosos comprimidinhos permitiam que as mulheres fizessem sexo sem medo da gravidez, onde calculadoras eletrônicas eram pequenas o suficiente para caber na mão, times de beisebol jogavam em grama de plástico, carros novos saíam das linhas de montagem com rádio estéreo, teclas AM/FM e toca-fitas embutidos — só aqui poderiam bisnetos de escravos ganhar, cada um, 2,5 milhões dólares por uma noite de trabalho. Isso era mais do que Hank Aaron, o astro de beisebol, ganharia ao longo de sua carreira de 23 anos nas grandes ligas.

O dinheiro fez da luta algo maior do que uma luta, e obrigou jornalistas a saírem em busca de adjetivos grandiosos e de um contexto cultural adequado. Fez de Ali-Frazier uma declaração sobre o estado da nação. Vejam até onde a América havia chegado! Como poderia ser realmente racista uma nação que oferecia tal oportunidade a uma dupla de homens negros? Não importa que tal riqueza estivesse indo para homens negros que competiam no animalesco ritual do boxe. Não importa que os homens negros estivessem, de fato, sendo tremendamente mal pagos, enquanto os homens brancos que promoviam a luta se apossavam da maior parte do dinheiro.

Esqueça tudo isso.

Ali-Frazier tornou-se a Luta do Século porque era a primeira vez que dois campeões pesos-pesados invictos se encontravam no ringue e porque falava, de alguma forma, da força e da resiliência da América, e porque, não importa como fossem distribuídos, 5 milhões de dólares eram, sem dúvida, um bocado de dinheiro. Após uma década de guerra e tumultos, fazia bem ficar preocupado com algo tão vitalmente puro e simples como uma luta de boxe milionária.

Ali e Frazier disseram que poderiam se aposentar depois da luta, independentemente do resultado. Frazier, com uma calma impassível, previu que iria ganhar. Ali, em uma longa e desconexa coletiva de imprensa, disse que ia "se divertir muito",[2] que não haveria nenhuma necessidade de dançar ou mesmo de levantar as mãos em defesa contra o lento e previsível Frazier. O boxe, disse ele à horda de repórteres à sua volta, "parece assustador para vocês, que vivem sentados com a máquina de escrever, bebendo todas as noites e se deitando com suas namoradas; o boxe parece uma coisa rude para vocês. Mas é tão fácil quando você está em forma, e é jovem e bonito como eu! Não é difícil. É fácil. Boxe é fácil".

Se lutas fossem ganhas com retórica, em vez de socos, Ali já teria vencido por nocaute.

"É impossível para Frazier ser melhor do que eu no boxe, me rebaixar, me chicotear."

Ali pode ter tido mais a perder do que Frazier. Apesar de Herbert Muhammad estar de volta a seu *corner*, Ali continuava suspenso pela Nação do Islã. Continuava esperando o resultado do seu processo de evasão. Em janeiro, a Suprema Corte havia anunciado que ouviria o recurso do pugilista. Com a cadeia sendo ainda uma forte possibilidade, não havia como saber quando ou se Ali teria outra oportunidade de recuperar o título. Era possível que sua luta contra Frazier fosse a última.

A LUTA DE 5 MILHÕES DE DÓLARES 383

Ele treinava em Miami, dizendo que estava tentando perder mais ou menos 5 kg dos atuais 103,[3] mas, mesmo sem a esposa e as filhas por perto, ele se distraía com facilidade, sempre cercado de um circo itinerante que incluía Bundini Brown, Norman Mailer, o ator Burt Lancaster, Cassius Clay Sr., Major Coxson e o sempre presente irmão, Rahaman. Também havia repórteres de jornais e de TV, claro — um fluxo aparentemente interminável. Embora Ali já não fizesse palestras nas universidades nem trabalhasse como ministro muçulmano, ainda anotava homilias em cartões e blocos pautados e as recitava agora para jornalistas, como prova de que era mais que um mero pugilista.

"O prazer é a sombra da felicidade",[4] pregava.

"É isso aí, cara", respondia Rahaman.

"As pessoas são infelizes porque são vítimas da propaganda", dizia.

"Isso é barra, irmão, é barra", respondia Rahaman.

Angelo Dundee queria que Ali lutasse mais duas vezes, como "aquecimentos",[5] antes de encarar Frazier, mas a opinião de Herbert prevaleceu sobre a do treinador. Na negociação do acordo para a luta, Herbert disse ao empresário de Frazier, Yank Durham, que ele queria que Ali recebesse o mesmo pagamento de Frazier, embora Frazier fosse o campeão. Durham concordou. Inicialmente, os promotores da luta ofereceram a cada um dos pugilistas 1,25 milhão ou 35% do rendimento bruto, mas Durham e Herbert Muhammad optaram por 2,5 milhões líquidos para cada, ou cerca de 15 milhões em dólares de hoje. Foi, de longe, a maior soma já garantida a um pugilista por uma luta, e, ao definir um montante fixo, os homens não precisariam se preocupar em saber se os promotores estavam fornecendo informações honestas sobre a receita total. Mesmo assim, foi provavelmente um erro de cálculo. Se tivessem aceitado a primeira oferta — 1,25 milhão de dólares por lutador ou 35% do bruto —, cada lutador provavelmente teria recebido pelo menos 3,5 milhões.[6] Em vez de se tornar parceiros do empreendimento, Ali e Frazier foram artistas contratados para uma noite de trabalho.

Os ingressos para a luta, marcada para 8 de março de 1971 no Madison Square Garden, se esgotaram imediatamente. Os assentos em volta do ringue custavam 150 dólares cada, mas logo estavam sendo vendidos no mercado clandestino por 700 dólares ou mais. Ninguém do ramo podia se lembrar de tamanho alvoroço antes de uma luta. O promotor de talentos responsável pelo evento, Jerry Perenchio, de Hollywood, calculou que 300 milhões de pessoas em 26 países veriam a luta na TV.

Ao final do evento, Perenchio fez um comentário que alguns viram como absurdo na época: ele pretendia leiloar, pelo maior lance, os sapatos, os calções, os roupões e as luvas dos lutadores.

"Esta luta transcende o boxe — é um show business espetacular",[7] disse Perenchio. "Você tem de ousar e quebrar todas as regras nesta luta. É, potencialmente, o maior sucesso de bilheteria na história do mundo."

Ali, é claro, entrou no clima de espetáculo. Prometeu voltar à velha rotina de prever os resultados de suas lutas, só que com uma inovação: 5 minutos antes da luta, diante da TV, ao vivo, ele abriria um envelope selado e tiraria um papel contendo a sua previsão sobre quando Frazier cairia. Se ele ganhasse, seria um retorno que entraria para a história, um destino divino, pelo menos aos olhos do próprio Ali, e um dos maiores enredos que o mundo esportivo já vira: o mártir retorna... com uma vingança.

Mas coisas estranhas estavam acontecendo a Ali em sua jornada heroica. O homem que havia se alinhado com separatistas negros radicais, que se recusara a ir para a guerra por um país que ele chamou de racista, começava, súbita e inesperadamente, a transcender as categorias de raça e religião, e a atrair inúmeros fãs que antes o desprezavam. Pessoas jovens na América estavam buscando a própria voz cultural. Como as letras de Bob Dylan, Muhammad Ali não precisava fazer perfeito sentido. Tudo o que tinha a fazer era levantar-se contra o status quo.

Ele atenuou ligeiramente o tom vitriólico. Raramente se referia aos brancos como demônios. Continuava sendo um devoto de Elijah Muhammad, mas já não falava tanto sobre essa devoção. A mudança era sutil, e colocava Ali numa posição complicada. Ele havia insultado a América branca durante toda a sua carreira. Mas, agora, em seu retorno, o establishment branco esperava que ele fosse um esportista novamente, que estivesse grato e que desempenhasse os papéis que se esperava das figuras públicas. E, até certo ponto, Ali estava cumprindo tudo isso. Não é fácil para um rebelde permanecer um rebelde a vida toda. É exaustivo. O mundo muda, e o rebelde

Mesmo quando bebê, Cassius não se intimidava diante de uma câmera.

Rudy Clay, à esquerda, ajuda seu irmão Cassius a se preparar para os Jogos Olímpicos de 1960.

Pronto para agitar aos 12 anos e com 43 quilos.

Cassius Clay Sr. e Odessa reclamavam que a Nação do Islã havia feito lavagem cerebral em seu filho, mas permaneceram presentes na vida de Cassius.

Em 1961, o *entourage* do jovem pugilista incluía seu sempre presente irmão, sua mãe e um grupo pequeno, mas crescente, de seguidoras.

Após um início ruim, Clay derrubou Alex Mitell com uma direita para ganhar sua nona luta profissional, em 1961.

Pouco depois de se tornar profissional, Clay deixou o treinador Joe Martin para trabalhar com Angelo Dundee.

Em junho de 1962, Clay conheceu Malcolm X, que se tornaria um amigo próximo e um mentor espiritual, até o abrupto fim da amizade.

Apesar de favorito, Sonny Liston não estava preparado para a velocidade, a força e o jab implacável do desafiante Cassius Clay.

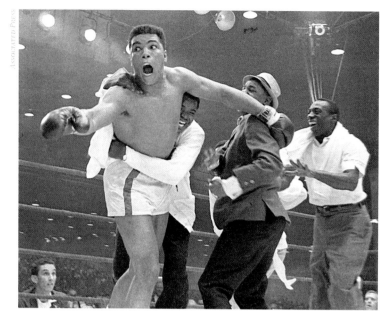

"Eu sacudi o mundo": Clay tornou-se campeão dos pesos-pesados aos 22 anos.

Depois de conquistar o título de campeão dos pesos-pesados, Ali anunciou sua lealdade à Nação do Islã, e Elijah Muhammad honrou o pugilista com um novo nome, Muhammad Ali. Rudy Clay (à esquerda) também se juntou à Nação e tornou-se Rahaman Ali.

Sonji Roi, primeira esposa de Ali, era dançarina, trabalhava em boates como garçonete e também era modelo. Eles acabaram divergindo radicalmente por conta da recusa de Sonji de seguir o código de vestimentas da Nação do Islã.

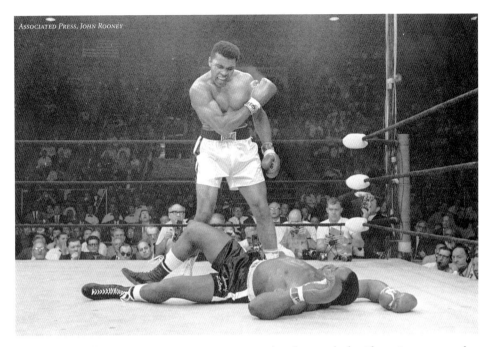

Na revanche, Ali nocauteou Liston no primeiro round, embora tenha havido muitos rumores de que Liston fingiu.

Don King, Ali, Herbert Muhammad e o trompetista de jazz Dizzy Gillespie.

Ali adorava uma multidão, e frequentemente encontrava uma na rua 79, em Chicago, perto do escritório do *Muhammad Speaks* e do popular Tiger Lounge.

Ali faz uma saudação durante um encontro da Nação do Islã, vestindo o uniforme do Fruto do Islã, uma seção paramilitar da organização somente para homens.

Howard Cosell (de chapéu) entrevista Ali em 1967, quando o lutador recusou se alistar no Exército, dizendo que era um objetor de consciência. Ali foi condenado por deserção e banido do boxe.

"Casei-me com um homem sem emprego": Belinda Ali, uma fiel seguidora da Nação do Islã, tinha 17 anos e dois empregos quando se tornou a segunda esposa de Ali.

A Luta do Século: Ali se levantou, mas perdeu no 15º round para Joe Frazier em uma das maiores e mais brutais lutas de pesos-pesados de todos os tempos.

Drew "Bundini" Brown, amigo de Ali e seu principal motivador, enfaixa as mãos do lutador no novo campo de treinamento em Deer Lake, Pensilvânia.

Ali adorava entreter multidões em sua casa de madeira em Deer Lake.

© PETER ANGELO SIMON

Stokely Carmichael observa enquanto Ali treina no saco de pancadas.

Gene Kilroy (no primeiro plano, à esquerda) ajusta a TV enquanto Ali e alguns amigos se reúnem na suíte do hotel onde o campeão estava hospedado para assistir a uma de suas lutas.

Para recuperar o título de campeão, Ali teria que ir ao Zaire e derrotar o aparentemente invencível George Foreman.

O promotor Don King levou a luta de pesos-pesados para a África, jactando-se de que os descendentes de escravos estavam retornando para conquistar o continente.

No Zaire, Ali conheceu Veronica Porche (à direita, ao lado de Foreman), uma das jovens contratadas para promover a luta, e se apaixonou por ela.

"Eu sei o que estou fazendo", gritou Ali enquanto deixava que um dos maiores perfuradores da história dos pesos-pesados disparasse golpes sobre ele numa técnica que mais tarde ele chamaria de *rope-a-dope*.

Depois da luta com Foreman, Ali passou a usar, cada vez mais, o estilo *rope-a-dope*, que o deixava em perigo diante de poderosos perfuradores como Earnie Shavers, mostrado nesta foto de 1977.

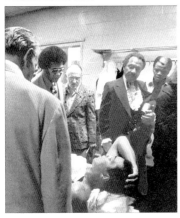 

"Pare, filho, antes que se machuque", diz Cassius Clay Sr. ao filho no vestiário depois da luta com Shavers.

Em 1978, Ali treinou pouco e sofreu uma chocante derrota para Leon Spinks. "Foi uma derrota justa e honesta", disse ele depois.

Após se divorciar de Belinda, Ali se casou com Veronica Porche. O casal é visto aqui, com a filha Hana, em um ônibus a caminho de Washington para um encontro com o presidente Jimmy Carter.

Ferdie Pacheco (à esquerda) renuncia ao cargo de médico de Ali, dizendo que era um risco para o lutador continuar, mas a maior parte da equipe técnica permanece.

Ali diante de um mural em homenagem a Che Guevara numa visita a Havana, em 1998.

Ali pausou a aposentadoria em 1981 e perdeu uma luta brutal e sem esperanças para Larry Holmes, seu ex-sparring.

Com mãos trêmulas e passos trôpegos, Ali acende a chama olímpica em 1996, em Atlanta, chocando a multidão e ajudando a refazer sua imagem como um homem lutando contra a doença.

Em 2005, o presidente George W. Bush presenteou Ali com a Medalha Presidencial da Liberdade, chamando-o de "lutador feroz e homem de paz".

A LUTA DE 5 MILHÕES DE DÓLARES   385

adapta-se ou perde a sintonia. O rebelde amadurece e seus valores mudam. Quando um rebelde dirige um Rolls-Royce, isso não garante que deixará de ser um rebelde, mas é um dado a ser levado em conta.

"Muhammad Ali tornou-se Lucky Lindy e o Brown Bomber, Bobby Kennedy e Joan Baez, tudo isso misturado num herói folclórico incontrolável que era saudado como nosso favorito defensor da verdade e opositor à autoridade",[8] escreveu Budd Schulberg. Mas isso era uma tarefa muito difícil para Ali, e fez de sua vida um emaranhado de contradições. Ele ainda queria ser visto como o campeão da América negra, mas estava se tornando uma celebridade-rebelde, um lançador de bombas. A revista *Time* citou Ali como um exemplo típico num artigo intitulado "O atleta como pavão", argumentando que atletas "respondem apenas a si mesmos nos dias de hoje". Eles se vestiam como estrelas de Hollywood. Sentiam-se tão confortáveis na TV como se estivessem na sala de pesagem. Organizavam boicotes e greves. Criticavam seus treinadores. "Não há nada mais inteiramente ultrapassado do que o velho ditado de vestiários de que não existe 'eu' [*I*, em inglês] na palavra 'T-E-A-M' [equipe] ou a crença de que o treinador se equipara a um rei",[9] queixou-se a revista.

À medida que crescia em popularidade, Ali encontrou uma forma infeliz de afirmar sua pretensão de ser um guerreiro de seu povo: fez isso atacando Joe Frazier com maldade, zombando de sua aparência e de sua inteligência, rotulando seu adversário de um covarde Pai Tomás. Suas declarações beiravam o absurdo. Em certo ponto, Ali disse que apenas xerifes do Alabama,[10] homens brancos ricos em ternos brancos, membros da Ku Klux Klan e, possivelmente, Richard Nixon torceriam para Frazier. Se qualquer homem negro realmente acreditasse que Frazier poderia ganhar, *aquele* homem negro também era um Tomás. Parecia não haver limite para as agressões que Ali lançava contra Frazier.

Ele explicou por que fazia isso. "Quando chegar ao ringue, Frazier vai se sentir um traidor, embora não seja",[11] disse Ali. "Quando perceber que essas mulheres e esses homens não estão ali para vê-lo, ele vai se sentir um pouco enfraquecido. Vai ter uma sensação estranha, um sentimento de raiva. O medo vai se lançar sobre ele. Ele vai perceber que Muhammad Ali é o verdadeiro campeão. E vai sentir que, para aquelas pessoas, ele é o azarão. E vai perder um pouco de seu orgulho. A pressão será imensa, ele vai sentir. Basta entrar no ringue sozinho, com milhares e milhões de olhos olhando para você naquela arena enorme, sob aquelas luzes quentes... Vai ser muito assustador quando ele for para o seu *corner*. Ele não tem nada. Mas, eu... eu tenho uma causa."

Ali não se importava se, com isso, estivesse ferindo os sentimentos de Frazier, ou se Marvis, o filho de Frazier, estivesse enfrentando provocações dos colegas na escola:[12] diziam que seu pai era um lacaio do homem branco, já que Ali o havia chamado de Pai Tomás.

A abordagem de Frazier, em contrapartida, parecia muito mais humana: ele disse que tinha a intenção de martelar o abdômen de Ali até que seus rins saltassem fora.[13]

Na noite de 5 de janeiro de 1971, por volta das 8h30, Geraldine Liston voltou para casa depois de uma viagem de uma semana e encontrou o marido morto, duro e inchado, sobre um banco estofado que ficava na beira da cama. Os pés estavam no chão, ao lado das meias e dos sapatos. Ele tinha um revólver .38 na penteadeira, um pouco de heroína na cozinha, um saquinho de maconha no bolso das calças jogadas sobre uma cadeira no quarto e uma semana de jornais empilhados na porta da frente da casa. O legista disse que Liston havia morrido de causas naturais. Mais tarde, alguns especulariam que uma overdose de drogas havia acabado com ele. Outros diriam que era coisa da máfia.

Liston tinha 40 anos, mais ou menos.

Quando Ali recebeu a notícia, expressou admiração pelo seu ex-adversário, dizendo: "Ele era um sujeito legal demais, e eu gostava muito dele."[14] Então, em honra aos velhos tempos, lançou mais um *jab* contra Liston, um *jab* sem sentido: "Mas, como qualquer lutador que envelhece, ele começava a mostrar sinais da idade."

Menos de duas semanas depois, Ali completou 29 anos. Comemorou com um bolo de aniversário gigantesco,[15] com duas luvas de boxe feitas de chocolate no topo. Quando mergulhou na sua segunda generosa fatia, ouviu uma advertência de Jack Kent Cooke, o grande investidor que estava por trás de sua próxima luta.

"Quer parar de comer isso?",[16] disse Cooke, com um horror simulado. Ali o ignorou, dizendo: "Não tenho que treinar duro para Frazier." A única

A LUTA DE 5 MILHÕES DE DÓLARES

chance de Frazier, continuou Ali, era achar um nocaute. Mas, acrescentou, "eu raramente sou nocauteado, nem mesmo atingido. Para me nocautear, ele terá de se aproximar de mim, e, quando fizer isso, vai ser atingido dez ou quinze vezes. Vai ser fácil ver que Frazier é um amador, comparado comigo".

A luta era dali a sete semanas. Ali disse que começaria a treinar em poucos dias. Enquanto isso, ofereceu um novo poema:

> *Frazier vai comer fogo*
> *desde a batida do gongo,*
> *então eu vou pular fora*
> *com Howard Cosell.*[17]

Ali estava se tornando mais sábio com a idade, ou assim afirmou em entrevistas. "Não gosto de lutar",[18] disse a um repórter. "Ninguém humano poderia ter prazer em bater em alguém." Depois de Frazier, disse ele, teria dinheiro suficiente para o resto de sua vida. E prometeu que se retiraria para um rancho em algum lugar no sudoeste com a esposa e as crianças.

Ali deu outra entrevista enquanto dirigia com um repórter em Los Angeles, dizendo que havia recebido instruções de Herbert Muhammad sobre como controlar suas emoções e moderar suas declarações públicas, "porque os resultados de um monte de minhas declarações selvagens no passado, de não pensar e misturar esporte com religião e religião com esporte, não foram algo muito sábio".[19]

Mas, no que se referia a Joe Frazier, Ali ainda achava impossível se conter. "Eu vou SURRAR Joe Frazier e SUPERÁ-LO e fazer com que pareça um AMADOR", disse. "Ele não tem nenhuma chance. Vai ser uma combinação desigual. E as pessoas vão dizer: '*Como* pudemos estar tão enganadas?'"

Don Newcombe, ex-arremessador dos Dodgers, estava no carro durante a entrevista. Depois de ouvir um pouco daquela bazófia de Ali, Newcombe perguntou se ele já havia tentado auto-hipnose "para fazer você acreditar em algo".

---

* *Frazier will catch hell / From the start of the bell, / Then I'll jump out / With Howard Cosell.* [N. da T.]

"Acho que é o que eu faço automaticamente, sem nem saber que estou fazendo",[20] respondeu Ali.

Era verdade. Ele era o tipo de gente que poderia argumentar só para se divertir, mas com absoluta convicção, que o cubo de gelo dele era mais frio do que o seu. Não seria toda aquela vanglória um tipo de auto-hipnose? Voltando ao assunto em questão, Ali insistiu que sua mente não estava usando truques quando se tratava de sua próxima luta: "Acredito sinceramente que posso acabar com o Joe Frazier."

O repórter virou-se para um membro do *entourage* de Ali: "É assim o tempo todo?"

"Sim", disse o outro. "E fica melhor a cada dia."

34

Ali vs. Frazier

Imagine 10 milhões de pessoas,[1] disse Ali. Imagine se houvesse um estádio com capacidade para 10 milhões de pessoas, tão grande que você poderia sobrevoar a multidão durante uma hora antes de poder aterrissar o avião do outro lado, quando acabasse. Esse seria seu público numa luta contra Joe Frazier. E aqueles que não conseguissem assistir, aqueles em vilas e cidadezinhas remotas em todos os continentes, estariam esperando ansiosamente para saber se ele havia vencido.

"É o maior evento na história do mundo", disse.

Finalmente, Ali estava conseguindo o tipo de atenção que sempre ambicionara. Mas o fato era que ele havia subestimado a magnitude de sua fama. Aproximadamente 300 milhões de pessoas em todo o globo, não 10 milhões, o veriam lutar contra Joe Frazier em 8 de março de 1971. Se não foi o maior evento na história, certamente foi um dos mais vistos.

Antes da grande luta, George Plimpton deu uma festa no restaurante Elaine's, onde Norman Mailer, Pete Hamill e Bruce Jay Friedman, entre outros, eram o centro das atenções. Os jornalistas e intelectuais falaram sobre os significados mais profundos do boxe. Falaram sobre Ali, sobre como, um tanto irracionalmente, ele havia se tornado um super-herói para muçulmanos, negros pobres, brancos liberais, hippies, desertores e praticamente qualquer um que acreditasse que as cartas estavam marcadas em favor do *establishment*. Na festa de Jack Kent Cooke, milionários se misturavam com estrelas de Hollywood, incluindo Elia Kazan, Lorne Green e Peter Falk. Frank Sinatra e seus amigos de Las Vegas faziam uma celebração própria, embriagados, é claro. O presidente Nixon tinha uma linha especial instalada na Casa Branca para que pudesse assistir à luta da qual todo mundo na América estava falando.[2]

No dia da luta, Ali, que temia o isolamento muito mais do que temia Joe Frazier, convidou um pequeno grupo de repórteres para o seu quarto no New Yorker Hotel. Ficaram vendo televisão. Mais tarde, no mesmo dia, Belinda deu uma passada no quarto, procurando o marido. Ele não estava lá, e ninguém parecia saber aonde havia ido. A princípio achou aquilo suspeito, depois ficou com raiva. Ao ligar para o quarto de um dos membros do *entourage* de Ali, uma mulher atendeu. Quando a mulher falou, Belinda ouviu uma voz de homem em segundo plano.[3]

"Quem está no telefone?", ela o ouviu dizer.

"É o meu marido?", gritou Belinda no telefone. "É Muhammad Ali?"

"Sim", disse a mulher.

"Ponha-o ao telefone. É ele que eu estou procurando."

Ali vai ao telefone. "O que você quer?", pergunta, como Belinda se lembrou anos mais tarde numa entrevista.

Ela vinha se queixando com Ali de que havia semanas que ele não treinava com empenho. Agora, a raiva dela transbordou. "Por que você está aí?", perguntou. "É disso que eu estou falando, Ali! Isso é *exatamente* o que eu estou falando! Eu vou subir aí e te encher de porrada!"

Ela desligou, foi para o quarto onde ele estava e tentou botar a porta abaixo, mas não conseguiu. Bateu até Ali abrir a porta. Ele estava nu. Belinda entrou e encontrou uma mulher escondida no chuveiro, também nua.

"Não é o que você pensa!", gritou a mulher.

"Sabe de uma coisa?", gritou Belinda. "Eu nem ao menos vejo o que estou vendo neste instante. Isso não é o que vejo. Vou ter que matar vocês dois aqui." Ela apanhou uma faca.

"Eu só estava na rua!", gritou a garota. "Ele me deu 40 dólares! Não era o que eu queria fazer!"

Naquele momento, Belinda não conseguia distinguir o que a deixava mais furiosa: a infidelidade do marido, a atitude despreocupada diante de uma luta que aconteceria dali a poucas horas, o fato de que Ali estava com uma prostituta no mesmo hotel em que a esposa e as crianças, ou o fato de que a prostituta era feia.

"E eu chorei",[4] disse ela. "E então eu disse 'Olha, Ali... nada disso aconteceu. Eu só estou sonhando, certo? Porque, se você tocar nesse assunto, eu vou te bater, eu vou te arrebentar. Vou arrancar sua cabeça com um *swing* se você voltar a tocar nesse assunto! Nunca mais!' E ele disse 'Certo. Tudo bem. Tudo bem. Tudo bem'. Então eu saí. Eu estava tão furiosa! Posso ter sido durona quando estava lá, mas, quando saí, chorei feito um bebê. Eu me sentei num dos bancos no saguão do hotel, perto da janela, e apenas chorei até que me botei inteira novamente, limpei o rosto e voltei para o quarto com os bebês. E então balancei minha cabeça. E disse: 'Senhor, tende piedade. No que foi que eu me meti?' Eu disse: 'Isso não vai durar. Isso não vai durar.'"

E também expressou um desejo: que Joe Frazier derrotasse seu marido.

A multidão era multicultural, antes que alguém usasse esse termo; uma explosão de orgulho, um desfile de modas funk, um desfile de viciados em drogas, ego e poder. Todo mundo estava lá, e os que não estavam mentiram e disseram que estiveram. Entre aqueles comprovadamente presentes e respirando o mesmo ar viciado do Madison Square Garden estavam Sinatra, Barbra Streisand, os astronautas da Apolo 14, Sammy Davis Jr., o coronel Harland Sanders (da famosa rede de fast-food KFC), Hugh Hefner, Barbi Benton (que era a namorada de Hefner e vestia uma blusa transparente sob um casaco de pele de macaco), Hubert Humphrey, Woody Allen, Diane Keaton, Miles Davis, Dustin Hoffman, Diana Ross (com um short de veludo preto), Ethel Kennedy, Ted Kennedy, o prefeito John Lindsay, Burt Bacharach, Sargent Shriver, William Saroyan e Marcello Mastroianni. Bing Crosby teve de se conformar com um assento no inteiramente lotado Radio City Music Hall, onde assistiria pela TV.[5]

À tardinha, Rahaman, irmão de Ali, tivera sua oitava luta como profissional. Rahaman nunca havia sido derrotado, mas também nunca lutara com um adversário significativo. No Garden, antes da maior luta da carreira do irmão, Rahaman sofreu sua primeira derrota, uma tremenda surra aplicada por um lutador inglês chamado Danny McAlinden.

Então, chegou a hora. *A Luta*. Uma coisa tão imensa que chegava a atordoar os sentidos dos que estavam no Madison Square Garden e viram os lutadores se dirigindo ao ringue. Ali chegou primeiro, vestindo um robe de veludo vermelho, calções vermelhos e sapatos brancos com franjas vermelhas. Frazier usava uma túnica de brocado verde com dourado e calções combinando. Os dois homens estavam em excelente forma física. Os produtores da televisão haviam planejado cada detalhe,[6] chegando a ajudar os homens a selecionar as cores de seus calções: Ali com uma cor mais escura, escolhida para contrastar com o tom mais claro de sua pele, e Frazier com calções mais claros, contrastando com sua pele mais escura. Ali dançava ao redor do ringue durante as apresentações, chegando mais perto de Frazier e chamando-o de "Pateta!". Frazier não mostrou nenhum interesse.

Enquanto o árbitro dava as instruções, Ali rosnava para Frazier, e Frazier rosnava de volta.

A abertura de uma luta, Mailer escreveu, "é equivalente ao primeiro beijo em um caso de amor".[7] Mas é mais como o primeiro míssil numa guerra. Em ambos os casos, os socos de abertura em Ali vs. Frazier perderam o alvo. Ali lançou uma avalanche de golpes. Frazier se abaixou, a cabeça se movendo tão rápido quanto seus punhos, e seguiu bufando, tentando abrir caminho entre os *jabs* de Ali. Ali se afastou e lançou mais *jabs*, mas a cabeça de Frazier estava sempre se movendo, e raramente onde Ali esperava encontrá-la. Ali picava como uma abelha... mas não flutuava como uma borboleta. Ele não flutuava de nenhum jeito. Era óbvio agora que não estava tentando cansar Frazier; estava tentando machucá-lo, desconectar as sinapses de Frazier — quanto mais cedo melhor. Ali estava com os pés achatados no chão, lançando golpes seguidos de ganchos faiscantes, tentando capitalizar sua grande vantagem em altura e alcance, buscando acabar com a luta rapidamente. Joe se manteve abaixado, algo em que havia trabalhado durante longas horas sob a vigilância de Eddie Futch. No ginásio, eles esticaram cordas de um lado a outro do ringue e Frazier havia praticado como evitá-las, balançando, golpeando, balançando, golpeando, centenas, milhares de vezes. Agora, ele balançava, golpeava e abria caminho aos murros, disparando socos enquanto se movia.

Ali venceu os dois primeiros rounds por pontos, acertando mais golpes do que Frazier. No começo do terceiro round, no entanto, Frazier sorriu, acenando para Ali e chamando-o para a luta. Ele disparou ganchos na cabeça e no corpo de Ali, ainda abrindo caminho. Cada vez que Frazier aterrava um golpe forte, Ali balançava a cabeça vigorosamente, sinalizando para a multidão que o soco não o havia incomodado. No final do round, Ali voltou ao seu *corner* e ficou de pé, recusando um assento, mostrando a Frazier que não estava cansado. Estava agindo feito uma criança num parquinho, mostrando a língua e provocando seu inimigo; mas o inimigo, neste caso, não parecia se importar.

Os fãs de boxe ficaram surpresos ao ver Ali lutar a luta de Frazier, num *clinch* firme e trocando socos em vez de dançar e jabear. Ali estava lutando como se acreditasse na própria campanha publicitária — como se acreditasse que era muito maior e mais forte agora, e que já não precisava depender da velocidade. Os olhos de Frazier estavam inchados. A boca cheia de sangue. Mas ele continuava avançando, continuava a rosnar. Nem o punitivo golpe de esquerda de Ali conseguia parar Frazier, que estava recebendo a parte que lhe cabia, mas, de vez em quando, conseguia deslizar por baixo de um dos *jabs* de Ali e lançar seu golpe mais poderoso, o gancho de esquerda.

Ali previra um nocaute no sexto round, mas, à altura do sexto, Frazier continuava forte, e Ali mostrava sinais de fadiga. Ele passou os braços em volta do pescoço de Frazier, inclinou-se contra as cordas e esfregou levemente as mãos para um lado e para outro na cara de Frazier, como um homem pintando uma cerca. No sétimo e oitavo rounds ele fez mais do mesmo, descansando e talvez tentando abalar a disposição de Frazier, fingindo que poderia continuar daquela forma a noite toda, que as cordas eram sua rede, um lugar agradável para relaxar por um tempo até que estivesse pronto para voltar ao trabalho. Durante toda a luta, Ali provocava Frazier, dizendo-lhe que não podia vencer.

"Você não sabe que eu sou Deus?",[8] gritou.

"Deus, você está no lugar errado hoje", atirou Frazier de volta. "Esteja em outro lugar, não aqui. Eu estou arrasando e vou te derrotar!"[9]

O nono round foi chocante, violento, com as luvas de Ali ricocheteando na cabeça de Frazier, dura feito pedra, Frazier contra-atacando com *uppercuts* que levantavam do chão o corpo de Ali. Os dois homens usaram seus socos mais fortes, e acertaram o alvo. O rosto de Frazier tinha calombos irregulares por toda parte, como se recentemente enfiado numa colmeia. A multidão estava de pé. Se a luta tivesse terminado, Ali provavelmente teria vencido por pontos. Se Ali pudesse ter continuado a lutar daquele jeito, teria nocauteado Frazier ou ganhado por decisão unânime. Mas ele não conseguia manter o pique. Seu tanque havia esvaziado.

No décimo primeiro round, em vez de atacar, Ali recuou. Não só ele se inclinou sobre as cordas novamente, mas acenou a Frazier para se aproximar e bater nele, o equivalente a um trailer acenando para um tornado.

"O que ele está fazendo?",[10] perguntou José Torres, um ex-campeão dos pesos meio-pesados. "Teve algum dano cerebral? A luta estava ganha nos últimos segundos do décimo round, e agora ele está estragando tudo!"

Frazier aceitou o convite de Ali para bater, tirando os pés do chão para lançar um gancho de esquerda de arrebentar o queixo, seguido por uma esquerda sinistra sobre o corpo. Eram socos que Ali teria evitado em outra ocasião, mas, desta vez, se sua mente estivesse lhe dizendo para se mover, seu corpo não estava respondendo. Os joelhos de Ali colapsaram, e ele tentou retomar o equilíbrio. Parecia que ia cair, ferido como nunca em sua carreira profissional. Contudo, de alguma forma, ele se recuperou e manteve os pés no chão. Tinha uma expressão para se referir a esse sentimento de semiconsciência. Chamou-o de "sala do meio-sonho",[11] que descreveu assim: "Um golpe pesado leva você até a porta da sala. Ela se abre, e você enxerga luzes de neon laranja e verde piscando. Você vê os morcegos soprando trompetes, jacarés tocando trombone e cobras gritando. Estranhas máscaras e roupas de atores estão penduradas na parede. Da primeira vez que o golpe te manda pra esse lugar, você entra em pânico e corre, mas, quando acorda, você diz: 'Bem, como era apenas um sonho, por que eu não vou com calma...? A única coisa a fazer é consertar o que está em sua mente e planejar fazer isso muito antes do meio-sonho chegar [...] O golpe faz sua mente vibrar como um diapasão. Você não pode deixar que o adversário prossiga. É preciso impedir que o diapasão continue vibrando".

Ali estava na sala do meio-sonho. Ao toque do gongo, seus homens no *corner* jogaram água na sua cara antes mesmo de ele chegar à banqueta, tentando tirá-lo daquilo. Bundini Brown apontou um dedo e gritou: "Você tem

Deus no seu *corner*, campeão!"[12] O árbitro, Arthur Mercante, aproximou-se para ver se o lutador precisava de um médico, e foi convencido a deixar a luta prosseguir.

Ali começou o décimo segundo round se movendo, como para testar as pernas. Frazier o martelou novamente. Ali revidou, mas estava claro que só tinha força suficiente para lançar golpes erráticos, não para um round inteiro. No décimo terceiro, Ali começou com força novamente, movendo-se com agilidade. Marcou pontos acertando golpes, mas nenhum deles causou danos. Após cerca de um minuto de luta como agressor, Ali retornou para as cordas; Frazier, vendo uma oportunidade, explodiu, acertando o alvo com extraordinários 46 socos. Com saliva ensanguentada pingando dos lábios inchados e o rosto como uma máscara de grotescos hematomas, Frazier arremeteu, dando socos com toda a força do corpo e acertando quase todos. Se a estratégia da corda tivesse funcionado para Ali, se lhe tivesse permitido recuperar energia enquanto seu adversário perdia vapor, ele poderia ter sido saudado, mais uma vez, por sua genialidade no pugilismo. Mas nada estava dando certo. Para Frazier, era como se ele fosse o capitão Ahab e tivesse descoberto Moby Dick, a grande baleia branca, deitada na praia e esperando para ser fatiada. Frazier socou, socou, socou, trabalhando sobre o corpo de Ali, trabalhando sobre a cabeça, atingindo-o como queria. Ele praticamente se plantou dentro do umbigo de Ali e ficou lá para que Ali não pudesse ver nada além do topo da cabeça do homem mais baixo. Frazier estava tão próximo que Ali não podia estender os braços para atacar de volta, mesmo se quisesse. Quanto mais Frazier encaixava socos, mais Ali assumia a posição estacionária de um saco de pancadas. Sua mandíbula começou a inchar como um balão marrom, e os homens do seu *corner* ficaram preocupados, achando que se partira.

Ali reuniu uma última reserva de força e lutou corajosamente no décimo quarto round. Mas os dois homens estavam exauridos. Era espantoso que qualquer um deles ainda pudesse estar de pé, mais espantoso ainda que continuassem esmurrando e sendo esmurrados. Ali, que gostava de se chamar de o boxeador mais científico da história do esporte, pode ter reconsiderado, pois aquela luta era tudo, menos científica. Era uma rixa sangrenta. Aquilo era o inferno.

Os homens tocaram as luvas para iniciar o décimo quinto e último assalto. As luzes brilhantes acima do ringue lançavam feias sombras sobre as faces inchadas. O ar fedia a suor e fumaça. Até a multidão estava exausta, mas as pessoas ficaram de pé e gritavam por mais.

Ali entrou dançando, como se para dizer ao mundo que ainda era forte, ainda era rápido, ainda não estava acabado. Abriu com uma esquerda que provocou um esguicho de sangue da boca de Frazier. Frazier martelou alguns golpes nas entranhas de Ali, deixando claro que ele também não estava acabado, e então agarrou Ali num *clinch*. Se desatracaram e andaram em círculos. Frazier avançou, como fizera durante toda a luta. Ali se afastou. Frazier recuou o braço esquerdo — recuou até o limite, como ele diria mais tarde, até os campos quentes de nabo da Carolina do Sul, até os dias de sua infância de pobreza e ódio — e soltou um gancho de esquerda. O suor espirrou da cabeça de Ali com o impacto causado pelo soco. A cabeça de Ali saltou. Seus olhos se fecharam, a boca se abriu, as pernas dobraram. Costas e cotovelos se chocaram contra o chão, a cabeça repicando no estrado, pernas se agitando no ar.

Incrivelmente, no entanto, Ali se levantou.

Ele se levantou no mesmo instante em que o corpo tocou a lona.

Ele se levantou e retomou a luta.

Mais tarde, Angelo Dundee diria que Ali estava inconsciente enquanto caía e recuperou a consciência quando seu traseiro atingiu o chão; era exatamente isso o que parecia. Quando Frazier atingiu Ali com o gancho de esquerda, o golpe sacudiu o cérebro de Ali, fazendo com que as células se esticassem e rasgassem, interrompendo temporariamente a comunicação e a função celular. Ganchos causam mais danos ao tecido cerebral do que os demais golpes, porque, quando um soco vem em linha reta em direção à face, o pescoço ajuda a absorver o impacto, mas, quando o soco vem de lado, a cabeça gira e sacode, o pescoço oferece menos ajuda para amortecer a força e o cérebro inteiro treme como gelatina. Isso explica por que Ali caiu. Mas não explica como ele se levantou, e como fez isso tão rapidamente — antes que o árbitro pudesse contar até quatro. Um sólido golpe na cabeça pode danificar os axônios do cérebro (os longos e finos ramos que transmitem sinais por todo o sistema nervoso), e a recuperação completa pode levar semanas, meses, ou nunca acontecer. Mas Ali se levantou e ficou de pé, e batalhou nos últimos 2 minutos e meio da luta, enquanto 20 mil pessoas gritavam no Madison Square Garden e 300 milhões gritavam em todo o mundo.

Era coragem o que os impelia? Era a neurologia? Era a arrogância substituindo a fisiologia? Os homens se digladiaram até que, finalmente, o gongo soou e o árbitro se colocou entre eles, sinalizando o fim de uma das lutas mais intensas e mais bem disputadas na história do boxe. Fãs invadiram o ringue quando Frazier foi anunciado vencedor por decisão unânime.

Jornalistas e escritores como Norman Mailer tentaram descrever a batalha entre esses dois homens como algo quase espiritual, algo muito além de um combate homem a homem. "Existem linguagens que não são as das palavras, linguagens de símbolo e linguagens da natureza",[13] escreveu Mailer. "Existem linguagens do corpo. E a luta por dinheiro, por um prêmio, é uma delas. Não há nenhuma possibilidade de compreendermos um pugilista profissional se não estivermos dispostos a reconhecer que ele fala com um comando do corpo que é tão imparcial, sutil e abrangente em sua inteligência quanto qualquer exercício da mente feito por engenheiros sociais como Herman Kahn ou Henry Kissinger." Após a luta, abstrações como essas deram lugar a duras verdades de dor e ferimentos. Ali se estendeu sobre uma longa mesa, imóvel, olhos fechados, nu, coberto apenas por uma toalha branca.[14] Angelo Dundee vagava ao redor da sala como se perdido ou abandonado. Odessa Clay sentou-se num banco ao lado da mesa, segurando seu filho. "Ele vai ficar bem", ela repetia, "ele vai ficar bem."

Belinda não estava à vista, mas Ali se sentou quando Diana Ross chegou ao camarim. Ela pegou um saco de gelo que estava com Bundini, pressionou-o contra a mandíbula de Ali e sussurrou algo no ouvido do lutador caído. Ali conseguiu piscar um olho.

Com a mandíbula do tamanho de uma pequena abóbora, ele foi levado ao Hospital Flower First Avenue para exames de raios X.[15] Os médicos disseram que o maxilar não estava quebrado, mas sugeriram que ele passasse a noite no hospital. Ali se recusou. Não queria que Frazier pensasse que ele estivesse gravemente ferido. Já estava falando sobre uma revanche, e, ao recusar cuidados médicos, lançava o primeiro ataque de sua batalha psicológica.

35

Liberdade

No Harlem, diziam que a luta havia sido arranjada. Na Casa Branca, o presidente Nixon se alegrou, aplaudindo a derrota "desse desertor imbecil".[1] Todos tinham uma opinião, mas nenhuma delas importava. Frazier havia vencido, e Ali teria de lutar para recuperar sua posição se pretendesse ser campeão novamente.

Após a luta, a *Sports Illustrated* enviou George Plimpton à nova casa de Ali em Cherry Hill, Nova Jersey, para ver como ele estava lidando com sua primeira derrota. Plimpton o encontrou na entrada da garagem entretendo vizinhos, brincando com cachorros, abraçando as crianças pequenas e dando autógrafos.[2] Convidou não só Plimpton, mas também os turistas que haviam se juntado na rua, para uma "visita guiada" por sua casa ainda não totalmente decorada.

Havia uma pintura a óleo de Elijah Muhammad encostada na parede de uma sala,[3] ao lado de um ramo de flores com um cartão da cantora Aretha Franklin. Em outra sala, Belinda estava sentada no chão vendo televisão, ignorando Ali e seus convidados.

Depois do passeio, Ali disse a Plimpton que estava pronto para falar — mas Plimpton teria que dividir a entrevista com dois outros jornalistas, garotos das proximidades que estavam produzindo um artigo para o jornal da sua escola, um deles segurando um gravador, o outro uma câmera Polaroid. Quando o rapaz com a Polaroid tirou uma foto, Ali queria ver se a foto havia feito sua mandíbula parecer inchada. O outro menino ligou o gravador e pediu a Ali que segurasse o microfone.

"Quando a reportagem vai sair?",[4] perguntou Ali. "Qual é o nome do jornal?"

"*A Sentinela*", disse o garoto. "É mimeografado." As fotos seriam pregadas no quadro de avisos da escola porque o mimeógrafo não reproduzia imagens.

Ali achou que estava bem. Começou a entrevista dizendo que ele e dez de seus amigos tinham ido a um cinema em Cherry Hill, na noite anterior, para assistir a uma recapitulação de 25 minutos da luta com Frazier. Ele se levantou do sofá e reencenou sua parte favorita, no décimo primeiro round, quando havia começado a andar para trás em volta do ringue, e Frazier o perseguia, exibindo-se, com as mãos para baixo, antes de largar o gancho de esquerda que sacudiu Ali, como ele raramente havia sido sacudido. "Aquela longa, longa caminhada de Frazier", disse ele. "Ah, meu Deus, estávamos rindo daquilo."[5]

Durante a luta, disse ele, aquele gancho de esquerda o surpreendera constantemente. Por que continuava a ser atingido? Pensara que os primeiros eram golpes de sorte, mas continuavam vindo, e vindo.

O jovem fotógrafo perguntou: "Como... quero dizer, o que estava errado?"

Ali levantou a mão até a altura de sua cabeça. "É assim que a gente deveria fazer", disse. "Eu estava com as mãos muito baixas."

"Não poderia ter posto mais altas?", perguntou o garoto.

"Parece simples, não é?", respondeu Ali.

O fotógrafo perguntou se Ali ainda estava remoendo sua derrota.

"Não tanto quanto imaginei",[6] disse Ali. "Para mim, agora, lutar é mais um negócio do que a glória de quem ganha. Afinal, quando acaba o louvor..." — e, de acordo com Plimpton, Ali mudou o tom para uma voz mais baixa, hipnótica, que reservava para a poesia e os sermões inspiradores — "... quando toda a fanfarra acaba, tudo o que importa é o que você tem a mostrar. Com todo aquele sangramento, o mundo ainda girava. Eu estava tão cansado! E perdi. Mas não derramei uma lágrima. Tenho que continuar a viver. Não sinto vergonha."

LIBERDADE   401

Naquele meio-tempo, Ali tinha outra briga com que se preocupar — a batalha
legal sobre sua condição de desertor —, e havia motivos de sobra para crer
que ele perderia aquela também.

Em 1969, a Suprema Corte decidira que não ia ouvir o caso de Ali. Ele escapara de ir para a prisão somente por uma confirmação do Departamento de
Justiça de que haviam grampeado algumas das conversas do boxeador, o que
levou a Suprema Corte a enviar o caso de volta para a corte inferior. Ali perdeu
novamente na corte inicial e, em janeiro de 1971, os juízes da Suprema Corte
pareciam não ter interesse em ouvir o seu caso. Isso significava que a condenação pela corte distrital seria confirmada, e Ali iria para a cadeia por cinco anos.

Mas ele conseguiu uma grande oportunidade. O juiz William Brennan,
da Suprema Corte, instou o tribunal a ouvir o caso de Ali e fez uma argumentação pouco comum. Ele não esperava que seus colegas mudassem de ideia.
Não esperava que Ali saísse vitorioso. Contudo, dada a fama do pugilista, e
dado o clamor contra a situação no Vietnã, a preocupação de Brennan era
que os norte-americanos interpretassem mal a decisão. Ele temia que Ali
pudesse parecer vítima de um processo político se não tivesse ao menos
uma chance de discutir o seu caso perante o tribunal.

Em 19 de abril de 1971, a Suprema Corte ouviu a argumentação oral
em *Cassius Marsellus Clay Jr. vs. Estados Unidos*. O caso se referia a Ali
por seu antigo nome porque ele ainda não havia apresentado a papelada
para mudá-lo oficialmente. E usava o nome do meio "Marsellus", em vez
de "Marcellus", porque Ali errara a grafia do próprio nome ao preencher os
formulários do seu alistamento, em 1961.[7]

Ali não compareceu à sustentação oral. Chauncey Eskridge o representou,
mas os argumentos de Eskridge, descritos mais tarde por um dos juízes como
"confusos",[8] foram recebidos friamente. Erwin Griswold, procurador-geral
dos Estados Unidos, argumentou em nome do governo e questionou a base
do status antiguerra de Ali. Quando Ali dissera não ter "nenhuma desavença"
com os vietcongues, de acordo com Griswold, ele não estava dizendo que
se opunha a todas as guerras; ele estava realmente dizendo que se opunha
a essa guerra em particular.

Se os vietcongues estivessem atacando muçulmanos, argumentou
Griswold, Ali teria lutado. Do mesmo modo, quando Ali disse que não

queria lutar por um país que o tratava como cidadão de segunda classe, ele não estava afirmando ser pacifista; ele estava realmente fazendo uma declaração política, que não queria lutar por esse governo em particular naquele momento.

Quatro dias depois, numa votação de 5 a 3 (com Thurgood Marshall abstendo-se), os juízes decidiram pela condenação de Ali. O juiz John M. Harlan foi designado para escrever a opinião da maioria. Normalmente, a elaboração do parecer é uma mera formalidade. Mas, desta vez, não era.

Harlan era um juiz conservador, para quem as questões sociais deviam ser decididas por legisladores, não por juízes. Seu avô havia sido um amigo próximo do Cassius Marcellus Clay original, o proprietário branco de escravos e abolicionista do Kentucky. No verão de 1971, Harlan estava com 72 anos e sofria dores terríveis, sem saber que estava morrendo de um câncer na coluna. Enquanto Harlan se preparava para escrever seu parecer, um de seus secretários, Thomas Krattenmaker, ofereceu-se para ajudar com a pesquisa. Os funcionários dos juízes da Suprema Corte tendiam a ser jovens, a estar entre os melhores alunos das faculdades de Direito no país e a ser contra a guerra do Vietnã. Krattenmaker era um homem branco de 26 anos que havia marchado em protestos contra a guerra enquanto estudava Direito na Universidade de Columbia. Antes de começar a trabalhar como funcionário da Suprema Corte, ele lera *A autobiografia de Malcolm X*.[9] O livro lhe dera uma percepção da paixão e sinceridade com que Malcolm e Muhammad Ali abordavam sua religião. Também havia ficado impressionado com a clareza com que Ali manifestara sua oposição à guerra. "Quando ele disse 'Eu não tenho nada contra os vietcongues'", recordou Krattenmaker numa entrevista, "ele falou com cada homem na América que ainda não se alistara. Não havia nenhuma ameaça à nossa nação, nenhuma ameaça à nossa cultura. Por que estávamos lutando lá?"

Krattenmaker compreendeu por que os juízes acreditavam que a oposição de Ali à guerra baseava-se em raça e política. A oposição de Ali *estava* baseada nesses fatores, em parte. Mas o jovem escrivão estava convencido de que a recusa do pugilista em lutar também era religiosa, e Ali estava no seu direito de ter mais de uma razão para se recusar a lutar, desde que fosse sincero quanto ao motivo que o tribunal considerava válido: a oposição a

LIBERDADE

todas as guerras, com base em sua religião. O teste para a condição de objetor de consciência requeria que um indivíduo sinceramente se opusesse à participação numa guerra, qualquer que fosse, com base em sua formação religiosa e suas crenças. Quacres e outros pacifistas passaram no teste, mas os católicos que viam a guerra do Vietnã como imoral não passaram. Pacifistas verdadeiros não escolhem suas guerras, conforme o tribunal havia decidido antes. Ali admitira que lutaria numa chamada Guerra Santa se Alá ordenasse. Isso significava que ele não podia legitimamente reivindicar ser um objetor de consciência?

Krattenmaker não pensava assim. Ele persuadiu o juiz Harlan a ler o livro de Elijah Muhammad, *Mensagem ao homem negro na América*. Naquele livro, a Guerra Santa muçulmana estava descrita como algo inteiramente hipotético e abstrato — tão improvável como o Armagedon de que falavam as Testemunhas de Jeová. Em outras palavras, e em termos práticos, os seguidores de Elijah Muhammad se opunham, sincera e religiosamente, a todas as guerras terrenas.

A visão do juiz Harlan estava falhando, mas ele concordou em examinar o livro e, depois de fazer isso, decidiu que Krattenmaker estava certo. No dia 9 de junho, em um memorando ao tribunal, Harlan afirmou que mudaria seu voto. Ele incluiu uma longa descrição dos ensinamentos da Nação do Islã e citou uma passagem de *Mensagem ao homem negro na América*:

"A ideia fortemente dominante no Islã é a realização da paz, e não da guerra; nossa recusa em nos armarmos é nossa prova de que queremos a paz. Sentimos que não tínhamos nenhum direito de tomar parte em uma guerra com não crentes do Islã que sempre nos negaram justiça e igualdade de direitos; e se íamos ser exemplos de paz e justiça (como Alá nos escolheu para ser), sentimos que não tínhamos o direito de nos unir aos assassinos de pessoas ou de ajudar a matar aqueles que não nos fizeram nenhum mal [...] Acreditamos que nós que nos declaramos muçulmanos observantes não devemos participar em quaisquer guerras que tirem a vida de seres humanos."[10]

O juiz William Douglas contestou, alegando que o Alcorão permitia que muçulmanos lutassem em um jihad contra os não crentes. Como podem as mesmas pessoas dispostas a lutar um jihad ser consideradas pacifistas?

404   MUHAMMAD ALI

Quando Harlan trocou de lado, o tribunal ficou empatado, quatro a quatro. Isso significava que a condenação do pugilista ainda seria mantida. Ali ainda iria para a cadeia. Mas o juiz Potter Stewart estava contrariado. Ele acreditava que Ali fora condenado por razões políticas, e agora pareceria que a Suprema Corte ia mandá-lo para a prisão porque alguns de seus colegas juízes tinham medo da repercussão política negativa que poderia se seguir caso decidissem que os apoiadores da Nação do Islã estavam isentos do serviço militar. Tal decisão — que não foi acompanhada de uma opinião escrita — teria sido um desastre de relações públicas para o Departamento de Defesa e poderia ter transformado dezenas de milhares de norte-americanos negros em recém-fabricados muçulmanos.

O juiz Stewart sugeriu um acordo, baseado em um tecnicismo jurídico, que permitiria ao tribunal reverter a condenação de Ali sem abrir qualquer precedente legal e sem decidir se Ali e os demais seguidores da Nação do Islã sinceramente se opunham a todas as guerras. A corte de apelação, que rejeitara a primeira reivindicação de Ali, não fornecera qualquer base para sua conclusão, observou Stewart. Será que Ali havia sido rejeitado porque não acreditavam que ele se opusesse a todas as guerras? Teriam decidido que as opiniões de Ali não se baseavam na religião? Ou teriam questionado a sinceridade de suas crenças religiosas? Sem saber por que Ali fora rejeitado, não havia nenhum modo de seguir adiante e dar a ele uma audiência justa. A única escolha era reverter a condenação.

Na opinião de Harlan, disse Krattenmaker, a decisão corrigia uma injustiça sem estabelecer nenhum precedente legal. Era uma decisão com a qual todos na corte poderiam conviver. A decisão foi unânime.

Eram 9h15 da manhã de 28 de junho de 1971 em Chicago quando Ali recebeu a notícia.[11] Ele havia saído para passear em seu Lincoln Continental Mark III verde e branco e parou numa pequena mercearia para comprar suco de laranja. Estava voltando para o carro com seu suco quando o lojista correu atrás dele.

"Acabei de ouvir no rádio",[12] disse o homem, exultante, "a Suprema Corte disse que você está livre, uma votação de 8-0." A notícia chegava cinquenta meses depois da recusa inicial de Ali de aceitar a conscrição. Nesse meio-tempo, havia gastado aproximadamente 250 mil dólares em honorários

LIBERDADE 405

advocatícios,[13] uma conta que teria sido maior se tivesse sido paga na íntegra, e se a NAACP e a União Americana de Liberdades Civis não tivessem doado seus serviços. O lojista abraçou Ali, que soltou um grito de euforia, entrou na loja e pagou suco de laranja para os clientes.

Quando alcançou o Lake TraveLodge na rua 50, onde estava hospedado com a esposa e as filhas, um bando de repórteres de jornal e TV já esperava por ele. Ali se fez de frio diante das câmeras. "Não vou comemorar",[14] disse. "Já fiz uma longa oração a Alá, essa é minha celebração." E continuou: "Todos os louvores são devidos a Alá, que veio na pessoa do mestre Faroud Muhammad, e agradeço a Alá por me dar o honorável Elijah Muhammad, e agradeço à Suprema Corte por reconhecer a sinceridade dos ensinamentos religiosos que eu aceitei."

Ali estava treinando para lutar no dia 26 de julho contra Jimmy Ellis, um *ex-sparring*, e seu amigo desde Louisville. Também estava explorando a possibilidade de uma luta com o astro de basquete Wilt Chamberlain, que teria sido um adversário interessante, dado que media 2,15 metros e pesava mais de 125 quilos. A luta nunca aconteceu, talvez em parte porque Ali, depois de posar para fotos de publicidade com Chamberlain e fingir lhe dar um soco, não tenha conseguido resistir e gritou "Ma-deei-ra!".[15]

Ele disse que pretendia se aposentar após outras três ou quatro lutas. Uma vez que vencesse Frazier e reconquistasse o campeonato, pararia, retornaria à Nação do Islã como ministro e passaria seus dias na companhia da esposa e filhas. Disse que ele e Belinda queriam ter outros sete filhos, e pelo menos cinco seriam meninos. "Não posso representar novamente os muçulmanos até que pare com os esportes",[16] disse. "Falei com o honorável Elijah Muhammad e ele me disse: 'Se o boxe está no seu sangue, tire-o."

O corpo de Ali lhe dizia que o boxe não era uma boa opção a longo prazo. Engordara pelo menos 4,5 quilos desde a luta com Frazier. Depois de tomar aquela surra no Madison Square Garden, achou que lhe faltava energia para treinar.[17] Antes de ser banido do boxe, disse, ele corria entre 8 e 9 quilômetros por dia, depois ia para o ginásio para sessões de *sparring*, pular corda e trabalhar no saco pesado. Agora, corria 3 quilômetros e precisava de uma soneca. Seria a idade? Seria o afastamento forçado durante três anos e meio? Seria algum dano cognitivo devido a muitos golpes na cabeça?

406   MUHAMMAD ALI

Era impossível dizer. Mas Ali não era o mesmo no ringue, nem fora dele, e sabia disso. "Eu costumava dançar a cada minuto, à esquerda, à direita, sempre me movimentando e, então, colava no adversário. Você já não vê nada disso. Tenho mais um ano, e é só. Eu poderia lutar por mais oito anos, mas estaria só me arrastando. Começaria a ficar cheio de manchas roxas. Começaria a ser derrubado com mais frequência."

Um repórter perguntou se ele entraria com um processo para receber uma indenização de quem havia tomado três anos e meio de sua carreira. "Não", disse. "Eles só fizeram o que achavam que estava certo na época. Eu fiz o que achava certo. Isso é tudo."[18]

Ali havia derrotado a América. Para Donald Reeves, um aluno negro que encontrara Ali brevemente quando o boxeador visitava a Universidade de Cornell, Ali era tudo: O Príncipe Negro, o Coelho Quincas (Br'er Rabbit), o Davi que Combateu Golias, um Homem Invisível que se recusou a não ser visto, um lutador agredido que mostrou aos negros o que fora necessário para permanecer invicto. Ali era especial para Reeves e outros porque não era líder de nenhuma organização — era simplesmente um homem que parecia estar no cerne de muitas das principais questões culturais de seu tempo. Para derrotar adversários, ele usava suas habilidades, em vez de força; recusara-se a jogar de acordo com as regras do *establishment*; desprezava o materialismo; abordava a vida com um sorriso maroto e grande senso de humor. Ali era um modelo fantástico para Reeves, que inspirou os estudantes da universidade a compor um ensaio que ele enviara ao *New York Times* para publicação. "Cada vez que Ali ganha", escreveu Reeves, "vejo como uma vitória para os negros. Para um homem negro existir, ele tem de ser o maior. Ele deve repetir isto seguidamente: Eu sou o maior, porque as pessoas brancas podem esquecer [...] Ali insiste em ser visto, ouvido, conhecido e conhecer a si mesmo. Ele transcendeu todas aquelas limitações que o sistema branco impôs ao homem negro — é claro que eles estão tentando mandá-lo para a prisão."[19]

Fora do ringue, Ali tinha mais poder do que nunca. Arriscara sua carreira, enfrentara o governo federal e vencera. Mas, quando um repórter perguntou como ele usaria sua enorme influência, a resposta de Ali foi vaga, na melhor

LIBERDADE

das hipóteses, ou sem sentido, na pior. "Eu não diria que me tornei um símbolo de poder",[20] disse. "Eu defendo [...] aquilo em que acredito. Alguns podem dizer que é antiamericano, alguns argumentam que é contra o país, e isso é ruim. O indivíduo deve considerar isso para o que quer que seja [...] que queira. No que se refere ao que eu penso sobre os direitos humanos do movimento negro, então estamos de volta à mesma resposta. Entende? Depende do indivíduo. Eu tento me manter à altura das minhas crenças de acordo com razões religiosas. Entretanto, espero que isso possa ajudar a incentivar as pessoas negras a fazer o que elas sentem que é o certo e ajudar o próprio povo na estrada para a liberdade e a igualdade. Mas é bom saber que o que quer que eu faça ajudará outra pessoa a fazer o bem também." E continuou: "Eu gostaria de dizer para o povo negro: estão certíssimos! Continuem forçando. Se vocês puderem simplesmente se manter respeitando uns aos outros e conseguir que os jovens sejam educados sobre aonde eles podem ir e fazer por si mesmos. Gostaria que todas as pessoas negras lessem o jornal *Muhammad Speaks*... Você não pode comprar a compreensão, a sabedoria e o conhecimento que estão naquele jornal — vão à mesquita do Islã de Muhammad. Isso é o que vejo, isso é o que eu acredito, e, se você me ama, então você gostará do meu professor."

Depois da decisão da Suprema Corte, Ali parou de ir às universidades para denunciar a guerra. Nem fez palestras nas mesquitas da Nação do Islã, onde continuava indesejável, de acordo com o decreto de Elijah Muhammad. Era notável, realmente, o quão pouco ele falava sobre raça e política na sequência da decisão do tribunal. Dava a impressão de um homem que, acima de tudo, estava feliz por voltar a ser um lutador de boxe. Faltando apenas quatro semanas para sua luta contra Ellis, ele tinha um monte de trabalho a fazer e um monte de peso a perder. Em 25 de junho, lutou numa apresentação de sete rounds em Dayton, incluindo vários rounds contra um jovem lutador chamado Eddie Brooks, de Milwaukee, que atingiu o ex-campeão com golpes agudos "no ponto certo",[21] de acordo com Rolly Schwartz, um árbitro de boxe olímpico que assistiu à luta. Quando terminou, Ali estava exausto, e era razoável acreditar que falava sério quando dizia que iria se aposentar em breve. "Mais um ano, e encerro",[22] disse. "Estou ficando velho demais para isso."

Ali queria que seus *sparrings* o atingissem. Ele acreditava que o sofrimento era uma parte importante de sua preparação para uma luta, que um homem poderia criar tolerância a golpes na cabeça e no corpo da mesma maneira que alguém pode criar tolerância a comidas picantes comendo pimenta-malagueta. O efeito de todos esses golpes em sessões de treino, ao longo de uma carreira, nunca seria quantificado, mas às vezes, mesmo a curto prazo, ficava claro que a estratégia de Ali saíra pela culatra. Em certo dia de julho, enquanto treinava, Brooks acertou Ali no queixo, e ele caiu de costas de modo tão repentino e incrível como caíra na luta contra Frazier. De acordo com alguns relatos na imprensa, Brooks o jogou ao chão outras duas vezes na mesma sessão de treino, o que sugere que Ali pode ter sofrido um desmaio temporário no primeiro nocaute. Em outra sessão, Joe Bugner, campeão europeu dos pesos-pesados, atingiu Ali repetidamente,[23] com rápidos golpes de esquerda, e Ali, se arrastando, parecia incapaz de ficar fora do caminho de Bugner, ou sem interesse em escapar. Evitar o *jab* de Bugner teria exigido o tipo de reflexos afiados e técnica de boxe que Ali já não possuía.

Uma semana antes da luta, Ali ainda estava reclamando do rolo de gordura em volta da cintura e falando sobre desistir do boxe. Disse que estava considerando a oferta de uma grande empresa da África do Sul para fazer uma série de palestras naquele país racialmente dividido, acrescentando que não tinha nenhum escrúpulo ético quanto a viajar pela África do Sul para uma corporação branca: "Não vou começar nada",[24] disse ele. "Vou falar para negros, brancos e grupos integrados, todos os tipos. Talvez eles gostem da maneira como nós [muçulmanos] falamos sobre separação."

Com relação a lutar contra Jimmy Ellis, a preocupação de Ali deveria ser não com sua má condição, mas com lutar sem Angelo Dundee no seu *corner*. Dundee treinara os dois pugilistas, mas sentia uma maior responsabilidade por Ellis porque também era seu empresário.

Ellis tinha um cartel de 30-6, com 14 nocautes, e batera Floyd Patterson, Jerry Quarry e Oscar Bonavena. Dundee pensava que Ellis tinha uma chance na luta seguinte,[25] desde que maltratasse o corpo de Ali e ficasse longe do seu *jab*.

Mas não funcionou como Dundee esperava. Ali estava com preguiça de atacar Ellis. Estava lento, com excesso de peso, mas era 14 quilos mais pesado

LIBERDADE

do que seu adversário, e muito mais forte. Ali usou seu *jab* massacrante para impedir que Ellis abrisse caminho e se aproximasse dele da forma como fizera Joe Frazier. Ali e Ellis eram amigos desde a infância. Treinaram juntos centenas de rounds e lutaram um com o outro como amadores. Ali se sentia confortável e confiante, esfregando o nariz, abaixando as mãos, dançando em volta e desafiando Ellis a tentar acertá-lo. Ainda assim, ele deixou que a luta prosseguisse quase até o final previsto. Nos primeiros momentos do décimo segundo e último round, Ali abriu o tipo de ataque veloz que os fãs estavam esperando ver. Só que o árbitro parou a luta.

Quando tudo terminou, Ali não pediu desculpas pelo desempenho medíocre. "Eu não ia me matar por isso",[26] disse. "Estou treinando para Frazier."

Se estava de fato treinando para Frazier, a forma como fez isso estava longe de ser a ideal. Ao longo de 27 meses, começando com a luta contra Ellis, Ali lutou surpreendentes treze vezes, ou aproximadamente uma vez a cada sessenta dias. Nesse mesmo período, Frazier fez apenas quatro lutas. Até mesmo o não aclamado Jerry Quarry lutou com menor frequência do que Ali durante o mesmo período.

Por que um homem lutaria treze vezes em 27 meses quando não precisava disso? Por que suportaria 139 rounds de punição desferida por alguns dos pesos-pesados mais durões do boxe, além de outros milhares de rounds de *sparring*? Por que absorveria cerca de 1.800 socos naquelas treze lutas? O que estava pensando? Seria sua agenda uma confirmação de que ele desdenhava os rigores do treinamento? De que se sentia compelido a se provar? De que a única maneira de se manter afiado era agendando uma sequência constante de lutas? De que precisava do dinheiro? De que precisava lutar com frequência para provar que merecia outra chance no campeonato? Ou seria algo ainda pior? Que o discernimento de Ali estava comprometido devido a danos cerebrais? Estaria a sua perda de apetite por um treinamento rigoroso conectada, de alguma forma, ao embotamento da mente causado pelo excesso de golpes na cabeça?

Ferdie Pacheco, o médico que trabalhava no *corner* de Ali na época, disse que percebera sinais de danos cerebrais duradouros após a luta com Frazier, em 1971.[27] Aconselhou Ali a parar depois daquela luta.

Por que Ali não o ouviu?

"Não há uma merda de cura para a ânsia de dinheiro rápido",[28] disse Pacheco. "Nenhuma."

Ninguém pode dizer com certeza quando a lesão cerebral começa a afetar uma pessoa, embora os cientistas tenham se tornado muito mais capazes, nos últimos anos, de reconhecer sinais de problemas, particularmente em atletas que sofrem repetidos golpes na cabeça. Quando uma pessoa se aproxima dos 30 anos, seu tecido cerebral torna-se progressivamente menos elástico, deixando-a mais suscetível a danos permanentes a cada ano que passa e a cada novo choque no crânio. Os pugilistas são especialmente suscetíveis. Afinal, o objetivo do boxe é sacudir o cérebro do adversário, jogá-lo no chão e tirá-lo da luta. Se fossem feitas tentativas para tornar o boxe seguro para os pugilistas, isso provavelmente significaria o fim do esporte. Os boxeadores recebem muito mais golpes na cabeça do que outros atletas, e são menos propensos a ter uma avaliação adequada após um golpe danoso. No futebol americano, se um jogador é removido do campo por uma concussão ou para teste de concussão, outro jogador toma seu lugar. O jogo continua. No boxe, se um lutador não pode continuar, a luta está terminada; o público vai para casa. No pugilismo, a capacidade de superar um trauma cerebral e continuar é considerada uma prova da coragem e da força de um lutador. Quando Ali se levantou imediatamente depois de ser derrubado pelo gancho de esquerda de Frazier, os cronistas e os fãs do boxe o admiraram por sua bravura, por suas vértebras de aço. Ninguém entrou em cena para oferecer um teste de concussão. A multidão aplaudiu. Os homens no seu *corner* o instigaram a prosseguir. Mesmo após a luta, ninguém o examinou para saber se ele havia sofrido uma concussão.

Os riscos do boxe, a longo prazo, têm sido estudados desde 1928, quando um médico norte-americano usou pela primeira vez o termo *punch-drunk* para descrever os lutadores que sofrem disfunções cognitivas, incluindo perda de memória, agressividade, confusão, depressão, fala arrastada e, afinal, demência. Hoje a expressão *punch-drunk*, comumente chamada de demência pugilística, é também conhecida como encefalopatia traumática crônica (CTE), uma doença degenerativa progressiva do cérebro causada por trauma repetitivo. Os cientistas agora entendem que mesmo pequenos

LIBERDADE

solavancos sofridos pelo cérebro, quando ocorrem repetidamente, podem causar danos permanentes. Os investigadores estudaram os efeitos de danos na cabeça em jogadores de futebol americano, e a National Football League (NFL) tomou medidas para tornar o jogo mais seguro. Contudo, os pugilistas absorvem muito mais golpes na cabeça do que os jogadores da NFL, e não usam capacetes para mitigar os danos. Um pugilista com uma agenda ocupada provavelmente recebe em suas lutas mais de mil golpes na cabeça por ano, e milhares mais em sessões de treino. Ao longo de uma carreira de dez anos, um boxeador provavelmente irá absorver dezenas de milhares de golpes na cabeça. Mas o boxe não tem uma política para determinar o momento em que um lutador atinge o limite de golpes recebidos. Comissões estaduais regem o esporte. Um pugilista que não consegue uma licença em um estado simplesmente tenta outro. Nenhum órgão nacional ou internacional define as regras e se responsabiliza pela divulgação dessas informações.

Teria Ali sofrido danos com todos esses golpes na cabeça? Com toda a probabilidade, sim. Mesmo quando entrou no que mais tarde seria descrito como a melhor fase de sua carreira, havia sinais de problemas, pistas que poderiam ter sido vistas como um aviso e eram perceptíveis cada vez que ele abria a boca, começando por volta de 1971.

O ato de falar não é tão simples como parece. Circuitos cerebrais da fala e da linguagem trabalham juntos para formar uma mensagem, traduzir essa mensagem em movimentos que utilizam mais de cem músculos, desde os pulmões até a garganta, e daí para a língua e os lábios, e então executar intrincados movimentos musculares para produzir ondas sonoras. É muito mais difícil do que desferir um soco ou se desviar de um. É por isso que a fala arrastada é, muitas vezes, um dos primeiros indicadores de dano neurológico moderado ou grave, ou de doença. É por isso que bêbados, vítimas de acidente vascular cerebral e vítimas de doenças neurológicas, como a doença de Parkinson ou doença de Lou Gehrig, com frequência falam devagar. Os sinais do cérebro para o corpo estão muito prejudicados e não conseguem desempenhar a tarefa suavemente. Em 1967, Ali falava a uma taxa de 4,07 sílabas por segundo, perto da média para adultos saudáveis. Em 1971, sua taxa de fala havia caído para 3,8 sílabas por segundo, e continuaria decaindo de forma constante, ano após ano, luta após luta, ao longo de sua carreira, de acordo com um estudo publicado em 2017 por cientistas da fala da Universidade do Estado do Arizona. Esse estudo analisou a fala de Ali avaliando dezenas de gravações de entrevistas na TV, bem como sua voz ao longo do tempo. Um adulto normal teria pouca ou nenhuma diminuição no ritmo de sua fala entre os 25 e 40 anos, mas Ali experimentou uma queda de mais de 26% no período. Sua capacidade de articular claramente as palavras também diminuiu significativamente.

O impetuoso pugilista estava sendo lentamente silenciado, e não pelo governo ou por seus críticos — ele estava fazendo isso a si mesmo.

Ali sempre dissera que não acabaria como tantos velhos lutadores haviam acabado — babando, incoerentes, com a memória enevoada, exibindo os efeitos de tantos socos para o resto da vida deles e vivendo como sombras numa caixa de troféus.

Mas aqueles lutadores não anteciparam que isso aconteceria, nem Ali.

Cento e quatorze dias após sua luta contra Ellis, Ali lutou com Buster Mathis. A venda de ingressos para a luta no Astrodome estava indo devagar, e Ali não conseguia pensar em algo desagradável que pudesse dizer sobre Mathis para atiçar o interesse pelo embate. Seu roteiro de sempre estava ficando velho. Todo mundo já conhecia seus poemas. As provocações que fazia a Howard Cosell davam a sensação de uma rotina estabelecida. Suas gabolices já não chocavam ninguém. Ele ainda sabia como entreter, mas já não irritava nem surpreendia.

Quando o publicitário Bob Goodman queixou-se a Ali de que eles precisavam de algo para atrair a atenção, o boxeador se iluminou. "Saquei!", disse a Goodman. "Você poderia mandar alguém me sequestrar! Me prender numa cabana na floresta. Eu fico lá treinando. Ninguém vai saber. Poucos dias antes da luta, você vai lá e me encontra!"[29] Goodman riu e disse que era uma boa ideia — exceto que as pessoas provavelmente não comprariam ingressos para uma luta se um dos combatentes estivesse desaparecido. Uma multidão de apenas 21 mil pessoas foi ver Ali derrotar Mathis por decisão unânime em doze rounds.

Apenas 39 dias mais tarde Ali lutou com Juergen Blin, vencendo por nocaute no sétimo round. Noventa e sete dias depois, lutou com Mac Foster

LIBERDADE 413

durante quinze rounds que deram em nada. Trinta dias depois, Ali lutou com George Chuvalo pela segunda vez e o derrotou novamente. Cinquenta e sete dias depois tirou Jerry Quarry da jogada no sétimo round, por conta de cortes no adversário que sangravam. Vinte e dois dias depois, castigou Alvin Blue Lewis antes de botá-lo para fora no décimo primeiro round. Passados sessenta e três dias, ele dançou ao redor de Floyd Patterson durante alguns rounds antes de acertar um soco que abriu um corte sobre o olho de Floyd e levou à interrupção da luta, a última de Patterson. Sessenta e dois dias mais tarde, Ali nocauteou Bob Foster no oitavo round (Foster disparou um monte de *jabs* afiados, e uma das melhores falas já proferidas sobre a dificuldade de combater Ali: "Ele nunca estava em um lugar ao mesmo tempo!"[30]).

Oitenta e cinco dias depois, em 1973, no Valentine's Day, Ali socou Joe Bugner sistematicamente, mas não conseguiu nocauteá-lo, vencendo em uma sangrenta decisão unânime.

Ali fazia tudo parecer fácil — nada remotamente parecido com a realidade. Aqueles golpes surdos, aquele suave trabalho de pernas, aquele poder surpreendente. Ele entregava tudo isso com confiança e graça: "Desculpe, rapaz", parecia dizer, "mas eu sou Ali."

Estava constantemente na estrada, tão feliz quanto poderia estar. Treinava de manhã e via TV à noite. E dispunha de um fluxo constante de mulheres. Brincava com Bundini. Pregava peças em Dundee[31] — o mesmo tipo de peças que costumava pregar quando criança, amarrando uma corda na persiana do quarto de hotel e puxando-a do lado de fora, escondendo-se no armário e saltando sobre Dundee com um lençol na cabeça. Entre seus amigos de boxe, ele podia ser criança de novo.

Depois da luta com Bugner, Ali acumulara um cartel de 40 vitórias e 1 derrota. Teriam sido necessárias todas essas lutas? Provavelmente, não. Mas o ajudaram a recuperar sua finura como pugilista, deixando claro que não estava pronto para desistir de sua carreira atlética.

Ele certamente tinha opções. A Warner Brothers lhe oferecera 250 mil dólares e mais um percentual da receita para atuar em *O céu pode esperar*, um remake do filme de 1941 chamado *Que espere o céu*, sobre um boxeador que é removido do seu corpo prematuramente por um anjo ansioso demais e retorna à vida no corpo de um milionário recentemente assassinado. Ali

414 MUHAMMAD ALI

recusou, e o diretor Warren Beatty assumiu o papel principal, mudando o perfil do personagem de um pugilista para um jogador de futebol americano. O filme, lançado em 1978, teve um resultado extraordinário nas bilheterias e ganhou comentários brilhantes. Se Ali tivesse ficado com o papel, e se seu desempenho tivesse sido bem recebido, não há dúvida de que sua carreira poderia ter mudado. Por ora, ele continuava um boxeador. Hollywood era uma possibilidade, mas o boxe era uma certeza, e o dinheiro era simplesmente bom demais para alguém resistir. Infelizmente, ele também pagou um preço. Mesmo naquelas dez lutas relativamente fáceis, Ali levou mais de 1.200 socos.

O problema, em parte, era que ele não tinha o poder necessário nos punhos para dar um fim rápido às lutas, mesmo contra concorrentes medianos. Bob Foster foi derrubado sete vezes em sua luta com Ali, mas, quando o embate acabou, ele ridicularizou o poder de seu adversário. Quando Joe Frazier o acertou, Foster disse: "Eu vi pássaros e todas as diferentes cores, sabe como? Dizem que eu me levantei, mas não me lembro."[32] Não era assim com Ali. Mesmo quando vencia com facilidade, ele raramente arrasava os adversários. "Ele não estava nocauteando os caras", disse Foster. "Porra, os caras estavam apenas cansados. Ficavam sem combustível e falhavam [...] Ele me derrubou umas seis, sete vezes, mas nunca me causou dano de verdade, sabe [...] Ali sabe que não me machucou!"

36

Enganação

Nunca é sobre dinheiro. É sempre sobre dinheiro."[1] Essa era uma das falas prediletas de Bob Arum, e a verdade que ela continha nunca desapontou o promotor. Os pugilistas diriam que amavam o boxe. Diriam que faziam aquilo pela emoção da competição, para acertar as contas, para provar suas habilidades, para ganhar um lugar no panteão dos grandes. Eles diriam que quando chegasse a hora de pendurar as luvas o fariam sem hesitação — somente para hesitar, vez após outra, incapazes de resistir ao dinheiro. Quando estava com a mandíbula inchada depois do confronto com Frazier, Ali anunciara que estava pronto para parar. Mais duas ou três lutas, culminando com a revanche contra Frazier, e ponto final. Ele estaria pronto para encerrar tudo e sair.

Mas continuou, lutando dez vezes em 24 meses, com Arum organizando a maior parte dos eventos. Ali ainda falava avidamente sobre outra chance com Frazier, mas já não parecia ter pressa, não quando poderia ganhar milhões espancando homens como Juergen Blin e Joe Bugner.

"Não deixe nada acontecer a Joe Frazier",[2] dizia Ali, enquanto liquidava uma lata de tomate após outra.

416 MUHAMMAD ALI

Ele admitiu que o dinheiro era importante. "Não é tarde demais para começar a poupar",[3] disse. "Recebo 100 mil dólares por uma luta, compro uma coisa que custa 8 mil, outra que custa 24 mil e lá se vão os 100 mil para o inferno. Eu gasto 10 mil dólares por mês para viver. Não consigo manter isso."

Seus bens incluíam dois Rolls-Royces, uma pequena coleção de Cadillacs, uma casa em Nova Jersey e uma casa para seus pais em Louisville. Gene Kilroy, o facilitador que quebrava todos os galhos de Ali e cuidava de muitas das suas operações de negócios no dia a dia, apresentou-o aos contadores da Peat Marwick International.[4] Disseram a Ali que ele poderia poupar uma fortuna em impostos se incluísse mais despesas de negócios em sua declaração. Tendo isso em mente, Ali comprou uma propriedade de 2,5 hectares em Deer Lake, Pensilvânia, a cerca de 40 quilômetros ao norte de Reading. Mandou limpar o terreno e começou a construir cabines de madeira. Seria o seu novo centro de treinamento, onde poderia ficar longe do tumulto e das prostitutas de Nova York e Miami, e onde poderia se preparar, no isolamento, para suas lutas seguintes. Ele planejava construir cabines suficientes para abrigar cerca de vinte pessoas, disse, para que os *sparrings*, a cozinheira, a esposa, as crianças, os amigos e membros de seu *entourage* sempre tivessem um lugar para dormir. Com Ali, isolamento era um conceito relativo.

O campo de treinamento também ajudaria a economizar dinheiro, porque já não teria de pagar quartos de hotel e tempo de ginásio. Também tinha outras ideias para cortar despesas. "Vou fazer minha esposa costurar as próprias roupas",[5] disse numa entrevista ao *New York Times*. "Ela não precisa, mas vou fazer com que ela faça suas roupas." Seu objetivo, disse, era colocar 75% de sua renda em uma poupança até ter 1 milhão de dólares guardados. Ele estimava que, até aquele ponto de sua carreira de boxe, havia ganhado aproximadamente 7 milhões de dólares brutos. Ele e Belinda tinham quatro filhos agora: Maryum, as gêmeas Jamillah e Rasheda, e um menino de 4 meses de idade que chamaram de Muhammad Jr. As crianças passavam a maior parte do tempo com os pais de Belinda, que ainda viviam no mesmo subúrbio de classe operária em Chicago.

ENGANAÇÃO

"Era tudo muito normal", disse Jamillah, recordando os anos passados principalmente com os avós, "e foi por isso que minha avó assumiu a responsabilidade, porque ela queria que tivéssemos uma infância normal."[6] Quando o pai os visitava, disse Jamillah, era como um feriado. As crianças vestiam as roupas mais bonitas. Vizinhos tocavam a campainha para ver Ali e pedir um autógrafo. Herbert Muhammad e outros também apareciam. Quando Ali ia embora, retomavam a vida normal.

Ali queria ver as crianças mais vezes. "Nunca estou em casa por muito tempo, e elas não me conhecem muito bem",[7] disse. Revelou a repórteres que ele e Belinda planejavam vender a casa em Nova Jersey e se mudar para Chicago em breve.

Ali gostava de brincar com os filhos, mas tinha pouco interesse no trabalho diário de ser um pai, pouco interesse em definir e aplicar regras. Certas responsabilidades, disse, pertenciam exclusivamente às mulheres. Neil Leifer, fotógrafo da *Sports Illustrated*, visitou Ali e perguntou se poderia tirar uma foto dele trocando a fralda do filho. Ali jogou Muhammad numa cama e passou uma fralda em torno da cintura do pequeno, mas não sabia o que fazer com os alfinetes de segurança. E era o seu quarto filho. "Belinda", disse ele, depois que as fotos tinham sido tiradas, "vem aqui e termina esse trabalho."[8]

Ali disse que seu papel como pai era garantir que seus filhos compreendessem a importância da educação e tivessem dinheiro suficiente para viver com conforto. "Não quero ninguém cochichando 'Olha aquela garçonete, é filha de Muhammad Ali'. É lamentável quando se pensa nisso [...] Mas não vai acontecer. Vou ser o primeiro lutador negro que você pode olhar e dizer: 'Este é um homem sábio, rico, com propriedades, campos de treinamento, empresas e 2 milhões de dólares no banco.'"[9]

Ali ainda estava esperando para lutar com Frazier, mas nenhuma data havia sido anunciada. Enquanto isso, continuou marcando lutas contra pugilistas de segunda categoria, nenhum deles entre os maiores adversários. Sua luta seguinte, disse, seria na África do Sul, onde lhe havia sido oferecido um tremendo pagamento. Os planos para essa luta nunca se concretizaram, mas o anúncio de Ali foi suficiente para irritar um repórter negro, que perguntou

418   MUHAMMAD ALI

por que ele apoiaria um governo que havia aprisionado Nelson Mandela e forçava as pessoas negras a viver sob o sistema brutal do apartheid.

Ali respondeu: "Porque meus irmãos negros de lá ainda não me viram."[10]

Herbert Muhammad e Bob Arum tomavam a maior parte das decisões de negócios de Ali, conversando com ele e Angelo Dundee para escolher adversários enquanto iam traçando o caminho de Ali em direção a uma revanche com Frazier. Mas, no verão de 1972, uma nova figura entrou na vida de Ali e fez uma jogada para suplantar Arum como promotor.

Don King era um vigarista de Cleveland, um homem grande (cerca de 1,90 m e quase 110 quilos), dado a afirmações grandiosas. "Eu transcendo os limites terrenos",[11] disse uma vez a um jornalista. "Nunca deixo de me surpreender; ainda não encontrei meus limites. Estou pronto para aceitar os limites do que posso fazer, mas, toda vez que eu me sinto assim, bum! — Deus me toca, e eu faço algo ainda mais fantástico." Não admira que ele e Ali se dessem tão bem. King se apresentava como se fosse o Al Capone negro, com um grande cabelo afro, montes de joias cintilantes e bolsos cheios de dinheiro. O jornalista Jack Newfield o chamou de "um Maquiavel de rua, um Einstein do gueto",[12] que "vestia-se como um cafetão, falava como um pregador evangélico de calçada e pensava como um grande mestre do xadrez". Mark Kram, da *Sports Illustrated,* o chamou de "um arranjo de 50 quilates de cintilante vulgaridade e energia bruta, um homem que quer engolir montanhas, andar sobre os oceanos e dormir nas nuvens".[13] Antes de sua incursão no boxe, King comandava uma operação de jogo ilegal. Para fazer com que funcionasse tão bem quanto possível, ele molhava a mão de policiais e políticos, e dedurava a concorrência. Na década de 1960, dizia-se que estava embolsando 15 mil dólares por dia,[14] a maior parte desse dinheiro vinha de homens e mulheres de Cleveland, negros e pobres, que esperavam a sorte grande apostando em seus fraudulentos jogos de números.

Num dia de abril de 1966, King entrou no Manhattan Tap Room, em Cleveland. Sam Garrett, um ex-funcionário das operações de King, sentou--se no bar. Garrett devia a King 600 dólares,[15] e King queria o dinheiro. Uma discussão se transformou em briga, e a briga se transformou numa surra, com Garrett caído na calçada e King chutando a cabeça do homem

ENGANAÇÃO

menor que ele, até que o sangue fluísse das orelhas de Garrett, e pegadas de King ficassem impressas no rosto da vítima. Garrett morreu mais tarde. Um júri considerou King culpado de homicídio em segundo grau, punível com prisão perpétua. Contudo, numa decisão que intrigou os promotores e levantou suspeitas de suborno, o juiz responsável pelo caso reduziu o crime a homicídio. King saiu da prisão após cumprir três anos e onze meses, e mais tarde foi perdoado. Alguns anos depois de sua libertação, Don King providenciou que Muhammad Ali fizesse campanha para o juiz e gravasse um comercial de rádio endossando sua reeleição.

Em 1971, em seu primeiro dia fora da prisão, King recebeu a visita de seu amigo Lloyd Price, o lendário cantor e compositor que ganhou fama com as canções "Lawdy Miss Clawdy", "Stagger Lee" e "Personality". Os homens falaram sobre o que King faria, agora que estava livre. Ele disse que estava interessado no negócio de boxe porque lhe daria uma via legítima para ganhar dinheiro,[16] e perguntou se Price poderia apresentá-lo a Ali. Price conhecia bem o lutador. Haviam se encontrado quando Ali era um adolescente zanzando por clubes de música no West End de Louisville, e eram amigos desde então.

Price começou arranjando um encontro para King conversar com Herbert Muhammad.[17] King disse a Herbert que queria levar Ali a Cleveland para uma exibição de boxe cujo objetivo era levantar fundos para um hospital à beira da falência que ficava em um bairro negro.

Mesmo ao telefone, Don King era uma força da natureza. Gritava com uma potência de estourar os tímpanos, usando risadas como pontos de exclamação. Vociferava e bufava tão ferozmente, e em tal medida, que, ao final, quase frequentemente conseguia o que queria. Quando não conseguia, caía de joelhos e chorava, batendo os punhos no chão como uma criança de 3 anos fazendo birra. Na prisão, pegara muitos livros emprestados da biblioteca e memorizara passagens de Shakespeare, que citava a torto e a direito. Mas suas expressões favoritas eram imprecações e xingamentos, e seu xingamento predileto era, inequivocamente, "seu filho da puta".* Ele disse certa vez: "Nós somos negros, e não temos nada. Não temos ternos

---

* *Motherfuck* e *motherfucking*, em inglês. [*N. do E.*]

420   MUHAMMAD ALI

caros, casas grandes ou férias de luxo. Somos pobres. Tudo o que temos é a palavra. Nossa única invenção, que nos pertence, é uma expressão. E essa expressão é *filho da puta*! Ninguém pode tirar isso de nós. Essa é a nossa palavra. Essa é uma palavra de negro. É nossa herança [...] Deveríamos estar no topo dos prédios gritando nossa palavra — *filho da puta!*"[18]

O que King queria de Herbert Muhammad era Ali. Ali, disse ele, *tinha* de ir a Cleveland. Ali *tinha* de salvar esse hospital negro. Ali *tinha* de ir a Cleveland, ou então as pessoas negras pobres morreriam, e médicos negros poderiam perder seus empregos de filhos da puta! Herbert Muhammad concordou. Ali foi a Cleveland para uma exibição de boxe de dez rounds em 28 de agosto de 1972. Mais tarde, a *Boxing Illustrated* relatou que King havia faturado 30 mil dólares com a ação beneficente,[19] e o hospital recebera 15 mil. A instituição fechou suas portas alguns anos mais tarde. Entretanto, do ponto de vista de King, o evento foi um enorme sucesso, pois lhe permitiu estabelecer uma relação de trabalho com Ali e Herbert Muhammad.

King sabia pouco sobre o negócio de boxe, mas era um vendedor nato. Poderia vender qualquer coisa — mesmo congeladores a esquimós,[20] como gostava de se gabar. Seria fácil vender Muhammad Ali. Qualquer um poderia vender Muhammad Ali, mas Don King ia vender Muhammad Ali como ninguém nunca o vendera antes. Seria glorioso. Estupendo. Emocionante. Faria de King um rei do ringue.

Quando Ali e King se encontraram pela primeira vez, King apareceu carregando uma bolsa masculina. Dentro, havia 225 mil dólares em dinheiro,[21] de acordo com Reggie Barrett, um amigo de Ali, que, conforme disse numa entrevista, anos mais tarde, havia testemunhado o encontro. Logo depois, Ali visitou a casa de King em Cleveland, onde havia ainda mais dinheiro à mão, grande parte jogada nas gavetas de uma cômoda.

"Eu tinha toneladas de dinheiro",[22] disse King, recordando a primeira visita de Ali à sua casa. "Então eu escancarei a gaveta."

Os olhos de Ali se arregalaram diante de tanto verde, e King lhe perguntou se conhecia as "máquinas de garras" geralmente encontradas em bares e fliperamas, aquelas que dão aos jogadores uma chance de soltar uma garra de metal sobre um monte de brinquedos e pegar um prêmio. King disse que Ali poderia enfiar a mão na gaveta uma vez — apenas uma vez, apenas uma

ENGANAÇÃO

mão, e com os dedos voltados para baixo, como uma garra — e pegar o máximo de dinheiro que conseguisse agarrar e tirar da gaveta. Seria tudo dele.

Ali enrolou a manga da camisa e abriu bem os dedos.

"Ele poderia ficar com tudo que pudesse agarrar", disse King com um sorriso. "Você sabe o que quero dizer? Você não podia enfiar a mão feito uma colher, você tinha que agarrar o dinheiro com a mão e tirá-lo da gaveta [...] Mas, conhecendo os elementos psicológicos do humanismo [...] ganância! Você sabe o que quero dizer? Você vai encher demais a mão, as notas vão cair, plop, plop, plop, plop, plop." King riu ao se lembrar. Se Ali tivesse tido calma, poderia ter olhado cuidadosamente a gaveta, visto onde estavam os grandes maços de notas de grande valor e ido direto com a mão em garra. Mas King havia presumido, corretamente, que o pugilista ficaria entusiasmado, correria e deixaria o dinheiro cair. Ali jogava o jogo toda vez que visitava King naqueles primeiros anos de seu relacionamento, e, toda vez que tentava, ele corria e se atrapalhava. "Certa vez, ele conseguiu 35 mil dólares, e, algumas outras vezes, 25 mil", disse King, rindo cada vez mais ao contar a história. "Você sabe o que quero dizer? Se ele tivesse parado, explorado, olhado onde estavam os pacotes de 10 mil dólares, poderia ter saído com muito mais. Mas a emoção de conseguir tudo aquilo... Isso era o mais emocionante. Ele acabaria tentando agarrar tanto que perderia tudo. Isso ensina uma lição. Seja paciente, seja objetivo, vá lá e consiga tudo. Tire o máximo que puder. Aquilo era algo emocionante."

King se empolgara tanto por ter detectado a vulnerabilidade de Ali. A ganância é uma espécie de medo, e medo é um tipo de fraqueza, e King era um mestre em explorar a fraqueza.

"Ali, ele queria tudo",[23] disse King. "Vocês vão encontrar cinco ou seis garotas, ou duas garotas, algo assim. Ok, você fica com uma, eu com outra. Não! Ali queria as duas. Ele tinha um apetite insaciável. Você não poderia tirar isso dele."

Ao acenar com dinheiro vivo, King fazia mais do que usar a ganância para tirar vantagem. Ele também enviava aos homens negros com quem fazia negócios a mensagem de que ele os entendia, entendia que o sucesso negro parecia diferente do sucesso branco na América da década de 1970, entendia que o homem negro ainda suspeitava de que, se ficasse muito rico

422 MUHAMMAD ALI

ou tivesse muito poder, o homem branco ia lhe tirar tudo. Mas dinheiro vivo! Dinheiro vivo era difícil de tirar! Dinheiro vivo era uma coisa que um homem poderia segurar nas mãos, contar, empilhar, esconder ou gastar, sem necessidade de permissão.

"O dinheiro vivo é rei, e King é dinheiro vivo",[24] disse ele. "É como sempre foi. Lidando com a natureza humana. E lidando com aqueles que são os oprimidos, os desfavorecidos, pessoas a quem muito foi negado, aqueles que não estão acostumados a ser capazes de lidar comigo, você tem aí uma oportunidade porque, tanto para branco como para negro, aquele verde está sempre lá, e se destaca. As pessoas que pensam que você vai fazer algum tipo de tramoia [...] você dá a elas um cheque, e elas precisam esperar até descontar [...] Se você der dinheiro vivo, é instantâneo, ninguém consegue sustar o pagamento. Sabe o que quero dizer? Alguém pode dar um cheque de 2 milhões, sabe o que quero dizer, e, antes de você chegar ao banco, eles sustam o pagamento. Se eles derem dinheiro, não conseguem isso de volta."

King se relacionava com pugilistas negros de uma forma que os promotores brancos não conseguiam. Lembrava aos lutadores que ele compartilhava suas dificuldades. Como eles, King havia sido enganado e maltratado por uma estrutura de poder branca projetada para subjugar os negros. Ainda assim, apesar do racismo, apesar da prisão, apesar de um sistema construído para derrubá-lo e impedir que avançasse, ele havia agarrado suas chances e aberto caminho para a riqueza e a fama, como sempre lhes recordava, não só com seus sermões do tipo "black-is-beautiful", mas também com sua exibição ostensiva de riqueza.

"Eles não conseguiriam outro negro para lutar por eles",[25] disse King, referindo-se aos lutadores que o contratavam como promotor. "Eles vinham a mim porque eu me tornaria esse salvador, porque eu seria capaz de compreender e tolerar as indiscrições e deslealdades, porque eu tinha em mim ecos da escravidão [...] Eu chego e lido com eles como um ser humano. O sucesso negro era inaceitável [...] Foi por isso que eles tiveram que derrubar Muhammad Ali, foi por isso que tiveram que me derrubar."

Mesmo com toda a sua inteligência, mesmo com todos os seus poderes de persuasão e todo o seu dinheiro vivo, ainda assim Don King ainda necessitava das bênçãos de Elijah Muhammad para fazer negócios com Ali, então

ENGANAÇÃO 423

marcou uma entrevista para ver o Mensageiro em Chicago. Ali permanecia formalmente dissociado da Nação do Islã, mas continuava a praticar o islamismo e a acreditar que Elijah Muhammad era um verdadeiro profeta de Alá. Durante o encontro, Elijah Muhammad tentou convencer Don King a juntar-se à Nação do Islã.[26] King, como ele se lembraria anos mais tarde numa entrevista, estava aberto à ideia. Expressou entusiasmo pelo tipo de islamismo pregado por Elijah Muhammad, e disse que teria considerado ingressar, se não fosse por um grande problema. "Eu me tornaria muçulmano", disse, "mas simplesmente não poderia desistir de comer carne de porco." Na verdade, disse King, ele tentou convencer Elijah Muhammad de que a Nação do Islã deveria suspender aquela proibição.

Embora Elijah rejeitasse a sugestão, King não se deixou desencorajar. Passou a falar sobre a importância de colocar homens negros em posições de poder em torno de Muhammad Ali. Por que continuar a deixar Bob Arum promover as lutas do campeão, perguntou King, quando um homem negro estava pronto para intervir e fazer melhor do que ele?

Essa era a abordagem certa. O Mensageiro lhe concedeu sua bênção.

Após a luta com Ali, Joe Frazier passou três semanas no hospital se recuperando de uma pressão perigosamente alta e de um rim machucado.[27] Depois disso, fez uma pausa de dez meses sem lutar, faturou uma vitória fácil sobre Terry Daniels e, em seguida, descansou quatro meses. Escolheu lutar só de vez em quando, em parte porque não queria se arriscar a perder o título, mas também por causa dos danos causados por Ali. Seus *sparrings* e os homens que atuavam no seu *corner* podiam ver que Frazier fora diminuído, que lhe faltava uma parte indescritível de si mesmo. Antes de enfrentar Ali, ambição e fúria haviam feito de Joe Frazier o lutador mais sórdido do mundo, não seu tamanho ou sua força. Agora, porém, parte daquela ambição e daquela fúria desaparecera — esmagada, destruída ou simplesmente dissipada com a satisfação que tivera com a vitória —, e não era claro se ou quando ele conseguiria recuperá-la.

Em 22 de janeiro de 1973, em Kingston, Jamaica, Frazier lutou contra George Foreman, vencedor da medalha de ouro na divisão dos pesos-pesados nos Jogos Olímpicos de 1968. Foreman era o primeiro participante de alto nível

424   MUHAMMAD ALI

com quem Frazier lutava desde Ali. Talvez fosse, também, o pior adversário que Frazier poderia ter selecionado. Foreman não tinha nenhum estilo. Não tinha variedade de socos. Não tinha velocidade. Ele não tinha nada — exceto força, uma tonelada de força. Foreman era um ex-delinquente juvenil de rua, ameaçador e solitário, com um soco que podia apagar um rinoceronte. Ele era Sonny Liston, sem a personalidade. Como profissional, havia lutado com 37 homens e vencido todos, 34 deles por nocaute. Joe Frazier gostava de trabalhar o corpo do adversário e ficar bem perto, uma perspectiva que animava Foreman. "Deixe que ele venha", disse, "e eu vou saber onde encontrá-lo."[28]

A imprensa gostava de apresentar Foreman como um sociopata, principalmente porque batia com tanta força. Na verdade, ele era um homem agradavelmente simples. Quando ganhou o ouro nos Jogos Olímpicos de 1968, tornou-se famoso por ter acenado uma pequena bandeira norte-americana no ringue depois da luta que lhe dera a medalha, gesto que alguns viram como uma refutação à militância negra. Foreman, que se autodesignava "O Aprendiz Lutador" — pelo tempo que havia passado no programa de combate à pobreza chamado Job Corps, que dava treinamento profissional para pessoas de baixa renda —, afirmou que não estava tentando ser político. "Eu só puxei a bandeira",[29] disse. "Pessoas viram e aplaudiram, então acenei para elas. Não via aquilo como protesto ou antiprotesto. Era só o que eu sentia no momento. Não estou interessado em política ou movimentos. Passo tanto tempo tentando ser um bom lutador que dificilmente poderia ser um intelectual." Quando lhe perguntaram como se sentia sobre ganhar 375 mil dólares para lutar contra Frazier, ele disse: "Aquilo foi bom mesmo. Mas o dinheiro é o de menos. Vai e vem. Orgulho, responsabilidade e os amigos, isso fica. Há mais em jogo em qualquer esporte que apenas dinheiro. Lutando apenas por dinheiro, você começa a viver sempre beijando a lona e ensanguentado. Não quero representar o esporte desse jeito."

George Foreman não foi atirado à lona, nem saiu ensanguentado da luta contra Frazier. Foi Frazier quem levou a surra. Foreman humilhou o campeão, derrubando-o seis vezes em pouco mais de 4 minutos e meio.

"Eu fui socado e socado e socado",[30] disse Frazier, uma resposta mais hábil do que a luta que disputara. Sua única realização, de fato, havia sido ter se levantado tantas vezes depois de derrubado.

ENGANAÇÃO

Don King assistiu à luta como convidado de Joe Frazier, mas, quando Foreman começou a desmontar Frazier no ringue, King conteve seu movimento em direção ao *corner* de Foreman.[31] Quando a luta acabou, lá estava ele, no ringue, abraçando o vencedor. Foreman deixou a arena numa limusine, com King já sentado ao seu lado. Ao longo dos anos, King contaria a história muitas vezes, usando-a como prova de suas habilidades empresariais, embora não de sua lealdade. "Eu cheguei com o campeão",[32] dizia ele, "e saí com o campeão!"

Enquanto King se vangloriava, Ali se lamentava. Era *ele* quem deveria ter vencido Frazier. *Ele* quem deveria ser o próximo campeão dos pesos-pesados. Agora, o seu caminho para a redenção havia se complicado. Precisaria vencer Frazier *e* Foreman para provar que era verdadeiramente o maior. Mesmo assim, conseguiu encontrar algo positivo para dizer: se Frazier podia ser tão facilmente derrotado, isso provava que a vitória de Frazier sobre ele, Ali, havia sido um acaso, possivelmente até mesmo um erro dos juízes. Derrotar Joe seria fácil na próxima vez. E Foreman tampouco estaria à sua altura.

"Eu continuo maior que o boxe",[33] disse Ali. "Sou o melhor."

Antes que pudesse provar a si mesmo contra Frazier ou Foreman, Ali tinha outra luta programada para 31 de março de 1973, na San Diego Sports Arena, com um homem que parecia representar pouca ameaça, um *ex-sparring* de Joe Frazier, cuja força era decente e sólida, mas cujas habilidades nada tinham de espetaculares. Seu nome era Ken Norton.

Bundini Brown comparava o boxe a sexo. "Você tem de ter a ereção, e então tem de mantê-la. Precisa ter cuidado para não perder a ereção e ser cauteloso para não gozar."[34]

Mas Ali não tinha nenhum tesão por lutar com Norton. Ele queria mesmo Joe Frazier. Ele queria George Foreman. Mas... Norton? A luta mais recente de Norton havia sido diante de uma multidão de setecentas pessoas e rendera apenas 300 dólares.[35] Norton não pertencia ao mesmo ringue que Ali. Foi o que disse Howard Cosell, foi o que bookmakers em Las Vegas disseram ao fazer de Ali um favorito 5-1,[36] e era nisso que Ali acreditava. Norton era uma rapidinha, um cheque fácil de ganhar. Os promotores tentaram fazer da luta uma batalha entre um desertor e um ex-fuzileiro naval, mas nem isso era suficiente para gerar interesse.

A América estava mais tolerante, havia amadurecido. A guerra no Vietnã perdera força, assim como os movimentos de protesto. Bobby Seale, um dos fundadores dos Panteras Negras, atenuou seu radicalismo e anunciou que concorreria à prefeitura de Oakland. Richard Nixon ganhara a reeleição com uma maioria esmagadora. Até mesmo Elijah Muhammad havia parado de chamar os brancos de "demônios de olhos azuis" e começado a destacar a importância do autoaperfeiçoamento dentro da comunidade negra. Grupos radicais continuavam a protestar. Durante um período de dezoito meses, entre 1971 e 1972, o FBI registrou mais de 2.500 ataques a bomba nos Estados Unidos,[37] uma média de quase cinco por dia. Mas os atentados raramente tiravam vidas, e o mero número fazia com que já não despertassem interesse. Como disse o escritor e jornalista Bryan Burrough, "as bombas basicamente funcionavam como comunicados de imprensa que explodiam".[38]

Ali, enquanto isso, tinha pouco a dizer sobre raça e política, exceto salientar que não havia votado na eleição presidencial — e que, de fato, nunca havia votado em nenhuma eleição, fosse local ou nacional. Norton, por seu lado, recusava-se a criticar Ali por sua postura contra a guerra, dizendo que respeitava o homem que defendia suas crenças.

O período que antecedeu Norton vs. Ali foi tão dramático quanto um bingo de igreja. Dado o pouco interesse, os promotores decidiram exibir a luta ao vivo na ABC, em vez de em circuito fechado, marcando a primeira vez em seis anos que uma luta de Ali seria exibida ao vivo numa rede de TV.

Na semana da luta, Ali torceu um tornozelo ao tentar revolucionar o jogo de golfe.[39] Ele não jogava golfe, mas argumentara que o jogo seria mais divertido e a bola iria muito mais longe se as pessoas dessem a tacada enquanto estivessem correndo, em vez de se postarem diante do *tee* (área em que se deve dar a tacada) balançando o traseiro. Ao oferecer uma demonstração de sua técnica, torceu violentamente o tornozelo. Parou de correr pelo resto da semana, e o tornozelo ainda estava dolorido no dia da luta. Ali achou que não seria um problema. Imaginou que poderia vencer Norton com uma perna só.

• • •

ENGANAÇÃO 427

Na noite antes da luta, Ali participou de uma festa. Duas horas antes do combate, ele estava na cama com duas prostitutas.[40] Retirara o espelho do armário e o apoiara ao lado da cama para poderem se ver.[41] Ali estava usando o quarto de Reggie Barrett no LeBaron Hotel, na esperança de escapar à atenção de Belinda. Passada uma hora, Barrett bateu na porta, dizendo a Ali que a luta começaria logo. "Ah, merda!", disse Ali. "Tenho que tomar um banho."

Norton era alto e largo, todo músculos e ossos, com ombros que se propagavam do pescoço grosso como ramos de sequoia. Ele estava na melhor forma da sua vida, a confiança explodindo pelos poros, um espécime extraordinário. Talvez não fosse mais bonito do que Ali, mas certamente estava em melhor forma. "Naquela noite, eu poderia ter derrotado Godzilla",[42] disse. "Estava tão seguro de mim! E, na boa forma em que eu estava, poderia ter lutado cinquenta rounds facilmente."

Norton tinha outra vantagem: o experiente treinador Eddie Futch estava no seu *corner*. Embora a maioria dos peritos em boxe não considerasse Norton um concorrente do mesmo nível que Ali, Futch acreditava que Ali tinha falhas fundamentais no seu estilo de boxe e que o estilo de Norton iria expor tais falhas. Treinadores vão lhe buzinar nos ouvidos, até fazê-los sangrar, que o boxe não é apenas um confronto de homens; também é um confronto de estilos, como o embate Foreman vs. Frazier havia recentemente relembrado às pessoas. Futch sabia que Ali não estava tão rápido quanto costumava ser. Sabia que Ali dependia quase exclusivamente do *jab*, e não se preocupava em triturar os adversários com golpes no corpo. Sabia que Ali não mantinha as mãos no alto depois que dava um soco. Sabia também que ele recuava para evitar golpes, em vez de se esquivar ou bloqueá-los.[43] Futch disse a Norton para responder a cada *jab* de Ali com outro *jab*. Quando Norton lançasse um *jab*, predisse o treinador, Ali iria recuar. Quando Ali recuasse, continuou Futch, Norton o jogaria sobre as cordas com seus *jabs*, batendo-lhe nas costelas até que os rins doessem, e então, finalmente, quando Ali se cansasse, ele arrancaria sua cabeça.

Na noite da luta, Ali parecia um homem inteiramente à vontade enquanto atravessava a arena a caminho do ringue. Bundini Brown e Angelo

Dundee o acompanhavam, assim como Don King, vestido como um cafetão astronauta, com um smoking prateado brilhante e uma gravata-borboleta combinando. Ali passou devagar e suavemente entre as cordas, o corpo envolvido em um roupão cravejado de pedras com um forro de cetim roxo, presente de Elvis Presley. O roupão trazia nas costas as palavras "ESCOLHA DO POVO" bordadas com strass. Quando o tirou, uma camada de flacidez se agitou no peito e na barriga. Ele estava pesando 100 quilos.

Ao soar do gongo, Norton seguiu as instruções. Lançava *jabs* e se adiantava enquanto Ali se deslocava em sentido inverso, tal como previra Futch. Norton acertou aproximadamente dois golpes para cada um de Ali nos primeiros rounds. No terceiro, Ali mostrou vestígios de sua antiga personalidade. Dançou em torno do ringue, em vez de pedalar para trás; mantinha distância, lançava *jabs* e deslizava para fora de alcance, aumentando as esperanças dos fãs que estavam ali para ver o lutador deslumbrante que derrotara Sonny Liston e sobrepujara Cleveland Williams. Mas foram apenas vestígios. No quarto round, Ali não só parou de se movimentar, como também parou de jabear, parecendo já fatigado.

Ao lado do ringue, Howard Cosell, transmitindo a luta para a ABC, reclamou do desempenho desigual de Ali. "Seria ele hoje apenas uma lembrança do lutador que era?",[44] perguntou. Os telespectadores em todo o país estavam se perguntando o mesmo. Teria Ali perdido as características que lhe davam vantagens? Será que isso era o melhor que podia fazer? Ou estaria meramente deixando rolar, supondo que poderia ligar o interruptor, ativar o modo Grandeza e terminar com Norton a qualquer momento que quisesse? Não satisfeito em fazer a pergunta retoricamente, Cosell virou-se para o *corner* de Ali e a gritou para Angelo Dundee durante a transmissão.

Cosell falava com um sotaque do Brooklyn, com vogais que ficavam presas no fundo do nariz e consoantes que explodiam de sua boca com força e velocidade inesperadas. Era uma voz que lembrava aos ouvintes o som de um trompete. Como Ali, Cosell era o maior admirador de si mesmo, e, como Ali, poderia dar nos nervos das pessoas. Incluindo os de Angelo Dundee — *e naquele instante!*

"Angie! O que há de errado com seu lutador?"[45]

ENGANAÇÃO

Dundee gritou de volta, dizendo que Ali estava bem. Espere para ver, disse o treinador, Norton se cansará a qualquer momento, e Ali assumirá o comando.

Mas Norton não se cansou, e Ali não assumiu o comando. No sexto round, Ali feriu a segunda junta da mão direita.[46] No início do oitavo round, estava mal, quase não usava a mão direita, e quase não dançava. E, ainda mais incomum, não estava tagarelando. Ele não estava zombando de Norton. Foi então que Cosell notou que Ali parecia estar movendo a boca de uma maneira estranha, como se algo estivesse errado com sua mandíbula. Cosell voltou ao *corner* de Ali, desta vez abordando o médico Ferdie Pacheco, ao vivo, no ar: havia algo de errado com a boca de Ali?

"Não", disse Pacheco, alto o suficiente para que o público da TV pudesse ouvir. "Acho que ele afrouxou um dente, mas não há fratura, não quebrou nada, não é nada, você sabe [...] Não há nenhuma coisa muito errada com ele agora, está lutando bastante bem, Howard."[47]

Cosell não havia perguntado se algo estava quebrado. Em sua mentira nervosa, Pacheco revelou a verdade: Norton havia quebrado o maxilar de Ali, talvez já no primeiro round.

Norton continuou jabeando, forçando Ali para as cordas. Em certo momento, Ali agarrou Norton pelo pescoço e tentou segurá-lo; ele deu um abraço de urso em Ali, içou-o do chão e rapidamente o deixou livre de novo, num gesto que parecia dizer: *Eu sou mais forte que você! Sou mais novo que você! Eu estou ganhando!*

No décimo primeiro round, Norton fez Ali balançar. Cadeiras rasparam o chão. O público se levantou, bateu os pés, aplaudiu, gritou. No décimo segundo e último round, Norton bateu em Ali sem medo evidente de represália. O sangue jorrava da boca de Ali.

Quando o gongo tocou para encerrar a luta, Ali foi para o seu *corner*. Esfregou o queixo torto solenemente, como se fosse um problema de matemática que ele não conseguisse resolver. Penteou o cabelo, como sempre fazia depois de uma luta, porque, mesmo depois de um combate — e mesmo depois de um combate no qual havia se saído mal —, queria ficar bonito para as câmeras.

430   MUHAMMAD ALI

O locutor do ringue declarou Norton o vencedor. Ali felicitou o adversário e partiu em silêncio.

Depois da luta, Ali foi levado para o Clairemont General Hospital, onde se submeteu a uma cirurgia no maxilar. Belinda também foi para o hospital, mas não para visitar o marido. Ela viajou numa ambulância da polícia porque ficara histérica após a luta. Estava tão enfurecida — com o desempenho do marido no ringue, com as prostitutas, com coisas enterradas bem lá no fundo, nas dobras íntimas do casamento, que ela se recusou a discutir mesmo décadas mais tarde[48] — que, quando oficiais da polícia de San Diego se aproximaram e tentaram acalmá-la, ela os atacou.

"Eu botei três tiras no hospital",[49] ela se recordou com orgulho. "Bundini disse que eu é que deveria ter ido para o ringue!"

No caos após a luta, um repórter perguntou a Dundee se ele achava que aquela derrota marcaria o fim da carreira de Ali.

"Acho que você é um idiota",[50] disse Dundee.

Não foi uma pergunta estúpida. Ali estava com 31 anos, e longevidade não era a regra nem uma bênção para pugilistas. Rocky Marciano se aposentara aos 32; Joe Louis, pelo menos inicialmente, aos 34. Ali estava lutando desde os 12 anos com um estilo que dependia de velocidade. Ainda tinha velocidade suficiente para se manter competitivo entre os melhores pesos-pesados do mundo, mas não era uma velocidade suficiente para evitar que fosse atingido e ferido. Agora, perdera duas vezes em doze tentativas. O mais sério era que alguns dos homens em seu *corner* acreditavam que ele nunca havia se recuperado totalmente do dano sofrido em seu confronto de quinze rounds com Frazier em 1971.[51]

Além disso, havia a questão da mandíbula. Pacheco disse que uma mandíbula quebrada era coisa tão séria para um boxeador quanto uma mão quebrada para um pianista.[52] A analogia não estava exatamente correta. Um pianista precisa de suas mãos para realizar um trabalho de precisão; um lutador de boxe precisa de sua mandíbula para fazer o trabalho pesado de absorver golpes potentes, como um carro precisa de um para-choque. Ainda assim, Pacheco estava certo quanto à gravidade do ferimento. Ali ficara com a mandíbula gravemente inchada na luta contra Frazier, e agora havia sido fraturada no mesmo ponto. Não era absurdo pensar que aquele ferimento poderia obrigar um lutador a considerar a aposentadoria.

Talvez, como escreveu Lee Winfrey, colunista de um jornal, Ali estivesse perdendo sua relevância, bem como suas habilidades de pugilista. Estavam na Era de Nixon, não na Era de Aquário, disse ele. O lutador tagarela havia sido divertido quando chegou, um sopro de vitalidade num esporte maçante e violento. Realmente sacudira o mundo. Havia feito o público pensar, sentir raiva, reimaginar o que um jovem atleta negro poderia dizer e fazer. Mas isso foi antes. Agora, na opinião de Winfrey, Ali era um boxeador que já não estava em seu auge, era uma relíquia da década de 1960. "Ele não é diferente de Chubby Checker", escreveu o colunista. "As pessoas já não querem mais dançar a sua música."[53]

PARTE III

37

Uma luta de morte

Ali estacionou seu Rolls-Royce cinza a poucos metros da entrada do Roosevelt Hotel em Nova York e disse a um dos amigos que mantivesse um olho no carro para não ser multado.[1] Saiu do veículo e entrou no hotel onde ele e Ken Norton participariam de uma coletiva de imprensa para anunciar sua intenção de lutar novamente em 10 de setembro no Forum, em Inglewood, Califórnia. Mas, em vez de ir direto para a sala onde os repórteres e fotógrafos haviam se reunido para a coletiva, Ali se instalou numa cadeira num canto do saguão e esperou que os repórteres fossem até ele. E assim fizeram, é claro.

Para Ali, foi uma tentativa de mostrar humildade. Foi uma atuação tão boa, na verdade, que um repórter disse que Ali deveria ter recebido o Oscar que Marlon Brando recusara recentemente por seu papel em *O poderoso chefão*.

"A melhor coisa que já aconteceu comigo",[2] disse o novo Ali, supostamente despretensioso, referindo-se à surra que recebera de Norton.

Ele ainda tinha alguns fios na boca, consequência da cirurgia no maxilar quebrado. Os médicos disseram que ficaria bem, mas Ali disse que perder para Norton e sofrer um ferimento grave o haviam forçado a reavaliar sua vida, reduzir o ritmo, tirar o telefone do gancho e passar mais tempo com os filhos.

"Eu precisava daquilo",[3] falou, esfregando o queixo e olhando para Norton. "Muito obrigado."

Vestindo uma camisa de mangas curtas, jurou que seria menos arrogante dali por diante. Trabalharia com mais empenho na preparação para a próxima luta. Se perdesse novamente para Norton, disse, ninguém se importaria se ele lutasse com Frazier ou Foreman. Norton seria o próximo na fila para disputar uma chance no campeonato, e Ali seria uma coisa secundária.

"Perder aquela luta foi exatamente o que eu precisava", disse. "Me fez ser humilde. Estou indo para o meio do mato, vou treinar no meu campo em Deer Lake, na Pensilvânia, e então vou chegar a Los Angeles poucos dias antes da luta e alugar uma casa; chega de hotéis, chega de tudo aquilo. Acabou, chega de tantas mulheres."[4]

Se alguma coisa boa resultou da sua mandíbula quebrada, foi isto: Ali ficou quatro meses e meio sem levar um soco na cabeça. Até meados de agosto, exercitou-se e se colocou em forma sem treinar no ringue. Só então, três semanas antes da luta, deixara que seus *sparrings* o atingissem com *swings*. Depois, compartilhou a boa notícia com os repórteres: a mandíbula estava bem. Outra coisa encorajadora, disse, era que havia emagrecido e estava com 96 quilos, 10 a menos do que pesava antes da última luta.

Quanto mais envelhecia, mais difícil se tornava manter o foco como campeão. Em Deer Lake, Ali acordava todas as manhãs às 4h30 e tocava um sino de igreja de 360 quilos que havia comprado de um antiquário local, enviando um sinal para todos no campo de que já estava acordado e trabalhando duro. Ele havia enchido o lugar com antiguidades. Queria que o campo tivesse um aspecto rústico. Quando Belinda o visitava, sentavam-se numa velha carruagem de madeira e buscavam nos céus a nave mãe de que Elijah Muhammad falava em seus sermões.[5]

Ali contratou um homem para transportar enormes seixos rolados para a propriedade, e seu pai pintou os nomes dos maiores ex-lutadores sobre as pedras, os dois primeiros indo para Joe Louis e Rocky Marciano.

UMA LUTA DE MORTE

Não havia nada nem remotamente sofisticado no lugar. Havia cadeiras de metal dobráveis, cadeiras de balanço de madeira, mesas de madeira e assoalhos de madeira simples. As paredes do ginásio eram decoradas com fotos e capas de revistas que mostravam Ali. Havia montes de espelhos, também. Quando Ali não estava treinando, a grande sala de jantar da casa principal era o centro da atividade, o lugar onde todos se reuniam em torno de mesas compridas para comer, conversar e contar piadas. A cozinha tinha dois fogões, uma pia dupla, duas geladeiras, uma mesa de trabalho e duas máquinas de café. Na parede em frente à porta, o pai de Ali pintou uma grande placa que dizia:

Regras da Minha COZINHA

1. FAVOR NÃO ENTRAR exceto por permissão espressa da cozinhera.
2. A COZINHERA designará esponjas e polidores de panelas descascadores raspadores e A COZINHERA é a suprema AUTORIDADE EM TODOS OS MOMENTOS.
3. NÃO SERÁ TOLORADA NENHUMA OBSERVAÇÃO sobre torradas queimadas sopas aguadas ou excesso de alho no ensopado.
4. Os ingredientes que entram em ensopados e sopas não são da conta de NINGUÉM.
5. Se você PRECISAR enfiar o dedo em alguma coisa, enfia na lata de lixo.
6. NÃO CRITIQUE O CAFÉ, você mesmo poderá ser velho e fraco um dia.
7. QUALQUER UM que trouxer convidados para jantar sem AVISO PRÉVIO receberá golpes na cabeça com um objeto pontudo.
8. POR FAVOR ESPERE Roma não foi queimada em um dia e é preciso algum tempo para fazer o ASSADO.
9. SE VOCÊ PRECISAR beliscar alguma coisa nesta COZINHA BEILISQUE a COZINHERA!
10. Esta é minha cozinha, se você não acreditar COMEÇE ALGO.

O complexo não tinha portão. A maioria das portas não tinha trancas. Os visitantes iam e vinham quando queriam. Ali era totalmente acessível.

438 MUHAMMAD ALI

"O campo de treinamento era como uma porta giratória de celebridades e artistas, pessoas que queriam ser pugilistas, pessoas que queriam ser alguém",[6] recordou Bob Goodman, o promotor de boxe. Era assim que Ali gostava que fosse. Quando fazia novos amigos, ele os convidava a trabalhar no campo. Quando chegava uma cara nova, os frequentadores regulares perguntavam: "O que *ele* faz?" Ali não se importava. Ele presumia que seus novos empregados se fariam úteis ou ficariam entediados e iriam embora.

"Todo cara que troca um aperto de mãos com Muhammad é visto como seu empresário, seu agente... são os que podem fazer tudo por você",[7] comentou um exasperado Angelo Dundee.

Em algum momento, Ali calculou que, nas seis semanas anteriores a uma luta típica, ele pagava aos membros de seu *entourage* cerca 200 mil dólares,[8] incluindo 50 mil para Dundee, 5 mil para Rahaman, 10 mil para Gene Kilroy e assim por diante. Kilroy era um dos poucos com uma função clara. Ele organizava a movimentação. Quando o telefone tocava, Kilroy respondia e decidia se os que estavam chamando eram dignos do tempo de Ali. Quando Marlon Brando ou Ted Kennedy quiseram conhecer o campeão, Kilroy fez acontecer. Quando Ali viu um noticiário na TV dizendo que a casa de um casal idoso de judeus ia ser fechada porque eles não podiam pagar o aluguel, Kilroy deu os telefonemas, providenciou uma visita tranquila de Ali e cuidou de entregar aos velhinhos o dinheiro de que precisavam. Pat Patterson, um ex-policial de Chicago, cuidava da segurança. Walter "Blood" Youngblood, que mais tarde mudou seu nome para Wali Muhammad, também fornecia segurança. Lloyd Wells, um ex-jornalista, arranjava as visitas de mulheres ao campo para o prazer de Ali e de qualquer um que buscasse sexo casual.[9] C. B. Atkins servia como motorista e conselheiro. Lana Shabazz cozinhava, servindo pernas de carneiro, churrascos e tortas de feijão, e enormes bolas de sorvete de sobremesa. Bundini comia, bebia, animava e entretinha. Howard Bingham e Lowell Riley tiravam fotos. Ralph Thornton estacionava os carros e varria o chão. Booker Johnson ajudava na cozinha. Luis Sarria, o massagista, também fazia papel de guru corporal de Ali, pondo-o a fazer horas de abdominais e agachamentos.

Belinda e as crianças visitavam Deer Lake, mas, em geral, não ficavam muito tempo. Os pais de Ali apareciam com frequência. Rahaman era um

UMA LUTA DE MORTE

esteio; também era o melhor *sparring* de Ali. Angelo Dundee só aparecia quando as lutas estavam se aproximando e o treinamento ficava sério.

Os conflitos eram inevitáveis, e brigas de socos não eram incomuns. A única coisa que unia aquele grupo heterogêneo era Ali, cuja felicidade era contagiante. "Essas pessoas são como uma cidadezinha para Ali", disse Herbert Muhammad certa vez. "Ele é o xerife, o juiz, o prefeito e o tesoureiro."[10] Quando se sentia entediado, Ali poderia sugerir uma visita a um hospital infantil ou um passeio por um saguão de hotel lotado, onde ele sabia que seria reconhecido. Às vezes, abria um catálogo telefônico e chamava algum número de forma aleatória para ver como estranhos reagiriam ao receber uma chamada de Muhammad Ali. Quando a mãe de Kilroy sofreu um ataque cardíaco, Ali ligou para o hospital, falou com as enfermeiras e disse que queria que a sra. Kilroy recebesse os melhores cuidados possíveis. "Eles a trataram como se fosse a rainha de Sabá",[11] lembrou Kilroy. Quando a sra. Kilroy se recuperou, Ali visitou o hospital no condado de Bucks, Pensilvânia, para agradecer àqueles que haviam cuidado dela.

"Todos nós adorávamos Ali",[12] disse Lowell Riley, o fotógrafo que fora contratado por Herbert para tirar fotos para o *Muhammad Speaks*. "Não tínhamos nenhuma reclamação, nenhum ressentimento. Acho que todos nós só queríamos estar com Ali porque ele era quem era... Nem sabíamos o quanto íamos receber como pagamento. Após a luta, Herbert e Ali se sentavam e a gente recebia um cheque. Não tínhamos nenhum contrato." No verão de 1973, Ali perdeu um dos personagens mais coloridos de seu círculo: Major Coxson e sua esposa foram assassinados, no estilo execução, em sua casa de Nova Jersey. Circularam rumores de que a máfia negra da Filadélfia era a responsável. Mesmo sem Coxson, o campo era um carnaval, com repórteres vindo e indo tão rapidamente que Ali nunca se preocupava em aprender o nome de cada um. Alguns dos homens que se apresentavam como gerentes ou agentes tinham seus truques para ganhar um dinheiro extra. Um deles disse aos repórteres que entrevistas com Ali custavam 50 dólares[13] — e embolsava o dinheiro, claro. Uma vez, um membro do *entourage* apresentou a Ali um homem negro que usava um boné dos Dodgers e andava numa cadeira de rodas. O homem, cujas pernas haviam sido amputadas, identificou-se como Roy Campanella, ex-jogador dos Dodgers, e disse que precisava de dinheiro desesperadamente. Todos no campo, incluindo Ali, sabiam que o homem não era realmente Campanella.

No entanto, Ali puxou um maço de dinheiro e o entregou ao homem.

Mais tarde, Angelo perguntou a ele por que dar dinheiro a um cara que estava obviamente representando.

Ali respondeu: "Ang, nós temos pernas."[14]

Apesar das distrações em Deer Lake, Ali trabalhou duro para se preparar para Norton. Dundee declarou que seu lutador estava na melhor forma de sua vida.[15]

Ali, já sem fingir humildade, concordou: "Eu sou um alívio para o mundo."

E continuou: "Norton não tem nenhuma chance, porque eu vou dançar a noite toda! Ah, cara, eu vou estar sem nenhuma gordura, nenhuma mesmo! Estou no meu peso de dançarino. Venham, venham todos para o Baile de Muhammad Ali."[16]

"Você é o cara, patrão!",[17] gritou Bundini enquanto Ali cruzava o ringue para enfrentar Norton no primeiro round.

Norton avançou, mão direita à altura do queixo, mão esquerda abanando à frente. Ali assumiu a mesma postura, mas com as mãos visivelmente mais baixas que as de Norton. O pé esquerdo de cada um estava a centímetros de distância do pé do outro quando voaram os primeiros socos, um esquerdo curto de Norton seguido por um direito curto de Ali.

Ao redor do ringue havia gritos e respirações profundas.

Ali dançou, como prometido, e isso foi o suficiente para incitar a multidão no começo. Esse era o Ali que pagaram para ver, mesmo que nenhum grande soco ainda tivesse entrado e o sangue ainda não estivesse escorrendo.

Norton agia como se os golpes de Ali não o machucassem, como se estivesse recebendo os golpes com prazer, desde que tivesse a oportunidade de retaliar. Foi o que fez.

No quinto round, Ali começou a diminuir o ritmo pouco a pouco. Ainda estava na ponta dos pés, ainda se movimentava, mas Norton avançava com

UMA LUTA DE MORTE

mais facilidade. No final do round, Norton prendeu Ali num *clinch* e lá ficou, acertando socos profundos, um após outro, nas vísceras de Ali.

"Estou com você na minha mão!", gritou Norton no final do round.

No sexto, os dois homens acertaram golpes duros, e a pele sob o olho direito de Norton começou a inchar. A confiança de Norton oscilou. No sétimo, ele socou Ali em volta do ringue com golpes estrondosos. Continuou seu ataque no oitavo round e encaixou um *uppercut* que fez os olhos de Ali arregalarem de dor ou de choque. No nono, trocaram seus melhores socos, fogo de canhão a curta distância. Os locutores de TV gritaram de emoção. A multidão gritou pedindo mais.

Indo para o décimo segundo e último round, era difícil dizer qual dos dois tinha a vantagem. Estavam ambos exaustos, ambos feridos. Exceto por um nocaute, a decisão estaria nas mãos dos juízes de mesa.

Ali saiu dançando novamente, sem dúvida tentando mostrar aos juízes que ainda estava bem, ainda forte, mesmo que não estivesse. Lançou os primeiros bons socos do round e continuou. Caiu sobre Kenny Norton, enchendo-o de murros e tornando impossível para Norton pensar ou reagir. O décimo segundo round foi um teste de vontades, e Ali o ganhou. Quando soou o gongo, ele estava tão carregado de adrenalina — ou talvez tão irritado por não ter conseguido assumir o comando da luta antes —, que marchou para o *corner* e deu um soco errante em Bundini Brown. Então se debruçou sobre os tensores das cordas do ringue e calmamente esperou que os juízes determinassem seu destino.

O anúncio veio rapidamente: Ali tinha vencido por decisão dividida.

Ele não se vangloriou. Não saltou em torno do ringue nem se declarou "o Maior". Deu um sorriso morno e fez uma confissão voluntária.

"Estou mais cansado do que o habitual...", disse, no centro do ringue. Fez uma pausa e acrescentou: "... por causa da minha idade." Ele estava a quatro meses de completar 32 anos.

Quatro meses e meio depois de vencer Norton, Ali teve seu segundo racha com Joe Frazier. Sem nenhum campeonato à vista, e com um Frazier que havia apanhado de George Foreman, a luta carecia do mesmo tom dramático do primeiro encontro entre os dois. Mesmo assim, o vencedor daquele

442 MUHAMMAD ALI

combate teria uma chance de enfrentar Foreman e reconquistar a coroa. Também não havia nenhuma dúvida de que Frazier acendia uma fagulha em Ali e fazia aflorar nele alguns de seus traços mais sórdidos.

Ali sempre havia insultado os adversários. Curiosamente, em geral ele assediava mais os adversários negros do que os brancos. Com adversários brancos, tendia a fazer piadas. Às vezes, até os elogiava pela inteligência e tenacidade. Talvez com os adversários brancos ele não sentisse que fosse preciso fazer tanto esforço para vender ingressos. Mas, com os adversários negros, ele mostrava uma raiva real. Ele tentou desumanizar muitos dos homens negros com quem lutou, exatamente como supremacistas brancos haviam tentado fazer por muito tempo. Marcara Sonny Liston como um urso grande e feio, Floyd Patterson como um coelho e Ernie Terrell como um Pai Tomás. Alguns disseram que ele fazia isso por insegurança — porque vinha de uma família relativamente estável e de um bairro relativamente confortável, ao contrário de alguns de seus adversários, que haviam crescido em circunstâncias mais humildes. Tal comportamento era especialmente perverso quando se considera a dedicação de longa data de Ali à elevação de sua raça. Agora, em antecipação ao segundo embate com Frazier, Ali estava em sua pior versão. Seus ataques eram mais sórdidos, mais pessoais e mais desdenhosos, sugerindo que, pela primeira vez, ele pode ter se sentido verdadeiramente ameaçado.

Ali se convencera de que realmente ganhara a primeira luta com Frazier, e que os juízes haviam errado na decisão. No período que antecedeu a revanche, ele trabalhou para convencer do mesmo a imprensa e os fãs de boxe. Também ressuscitou suas velhas reclamações sobre Frazier, chamando Joe de ignorante demais e feio demais para ser campeão. Numa entrevista atrás da outra, Ali se referia a Frazier como estúpido e indigno do respeito dos fãs negros. Enquanto outros adversários conseguiam rir das condenações de Ali ou deixá-las de lado, Frazier não podia. Ele estava ferido, e mostrava isso. Frazier entrou na defensiva, citando suas credenciais como homem do povo e lembrando aos repórteres que sempre havia sido bom para Ali, sempre havia gostado de Ali e até tentara ajudá-lo durante seu banimento do boxe.

Ali parecia não fazer nenhuma distinção entre um rival e um inimigo, e ninguém lhe dizia para se calar. Ninguém lhe disse que estava se compor-

UMA LUTA DE MORTE 443

tando de forma imatura. Em 24 de janeiro de 1974, a quatro dias da luta, Ali e Frazier se encontraram em um estúdio de TV em Nova York, onde haviam combinado com Howard Cosell que assistiriam a um replay de sua primeira luta e fariam comentários a respeito. Prometeram não falar de suas respectivas idas ao hospital. Ali ainda estava ressentido pelos danos que Frazier causara à sua mandíbula, e Frazier ainda estava com raiva por Ali ter se gabado de que sua internação após a luta havia sido mais breve que a de Frazier.

Durante um longo tempo do programa, os dois se fizeram de gentis. Mas, quando o replay da luta se aproximava do fim e a câmera focalizou a mandíbula cada vez mais inchada de Ali, Frazier não conseguiu resistir a um golpe sujo: "Foi por isso que ele foi para o hospital."[18]

Ali olhou para Frazier. "Eu fui para o hospital por 10 minutos", disse. "Você ficou um mês, agora fique quieto."

Frazier disse: "Eu estava descansando."

"Eu nem ia falar sobre o hospital... isso mostra como você é burro", revidou Ali. "Veem como o homem é ignorante?"

Frazier deu um salto da cadeira, removeu o fone de ouvido e olhou Ali do alto.

"Como você concluiu que eu sou ignorante, moleque?", perguntou.

Um olhar malicioso iluminou o rosto de Ali.

"Sente-se, Joe", disse ele. "Sente-se, Joe."

O irmão de Ali entrou no estúdio, pronto para lutar com Frazier.

"Você também quer entrar nessa?", perguntou Frazier a Rahaman.

Ali se levantou e passou um braço em volta do pescoço de Frazier. Frazier se abaixou, tentando escapar. "Sente-se logo, Joe", disse Ali. Frazier abaixou-se e enfiou o ombro nas tripas de Ali, e então os dois homens rolaram no chão enquanto membros de seus respectivos *entourages* corriam para apartá-los. Nenhum golpe de verdade foi dado, e ninguém se feriu.

Frazier se levantou e saiu. Ali endireitou o terno e voltou ao seu lugar ao lado de Cosell.

Mais tarde, Ali e Frazier foram multados em 5 mil dólares cada um pela conduta, considerada humilhante para o boxe.

444   MUHAMMAD ALI

Quatro dias após o bate-boca transmitido pela televisão, a verdadeira luta teve lugar no Madison Square Garden. No boxe, como no cinema, as sequências tendem a decepcionar. Em Ali-Frazier II, ambos estavam um pouco mais velhos e um pouco mais lentos, mas seu segundo confronto esteve longe de ser uma decepção.

Ali não fez palhaçadas desta vez. Ele dançou. Ele embaralhou os pés. Ele jogou *jabs* e avalanches de golpes e subjugou Frazier no primeiro round. Dominou novamente no segundo e deixou Frazier em apuros, mas Frazier conseguiu uma folga: faltando ainda 10 segundos de luta, o árbitro Tony Perez pensou, equivocadamente, que o round havia terminado e interrompeu um forte golpe final de Ali.

À medida que transcorria a luta, Ali evitou os *clinchs*. Manteve-se longe das cordas. Movia-se lateralmente, saltando, usando todo o ringue, sem depender demais dos *jabs*, misturando muitos ganchos e combinações. Quando Frazier avançou e tentou encaixar socos em seu abdômen, Ali jogou o braço esquerdo em volta do pescoço de Frazier e o direito em torno do braço esquerdo. Outro árbitro poderia ter alertado Ali para parar de agarrar o adversário, deduzindo pontos, caso ele não obedecesse, mas Perez basicamente deixou que Ali saísse impune.

Embora a luta não tivesse a velocidade e o terror do primeiro encontro, foi mais do que suficientemente violenta. Centenas de poderosos socos encontraram seu alvo. Depois de cinco rounds, Ali reduziu um pouco a velocidade, e o olho direito de Frazier inchou. Frazier lançou fortes ganchos de esquerda, especialmente no sétimo e oitavo rounds, mas, a cada vez, Ali respondia com um *clinch*, frustrando os ataques. No início do nono round, Frazier entrou sorrindo, dizendo a Ali para ir pegá-lo, e Ali respondeu. Mesmo quando seu nariz começou a sangrar e o rosto ficou inchado, Ali desfrutou o seu melhor round da noite, marcando pontos com combinações rápidas enquanto a multidão gritava seu nome.

Ao longo dos três rounds finais, os lutadores mantiveram um ritmo furioso, trocando socos fortes, um após outro, sem economizar nada. O ruído da multidão no Madison Square Garden crescia junto com a violência da batalha. Estava empatada. Os homens haviam acertado quase o mesmo número de socos. Os de Frazier provavelmente bateram com mais força, mas

UMA LUTA DE MORTE

Ali movia-se com mais elegância e parecia estar mais empenhado. Frazier não era rápido o suficiente nem tão forte para manter Ali nas cordas, como fizera três anos antes.

O nariz de Ali sangrava e seus olhos incharam. O rosto de Frazier parecia uma velha lata de lixo de alumínio, apenas mantendo vagamente sua forma original. No décimo segundo round, Ali fez o seu jogo de pernas e lançou combinações rápidas, mas Frazier respondeu com vários golpes na cabeça de Ali. "Você tem que acabar com esse cara, ele não pode ganhar!",[19] gritou Dundee enquanto Ali perseguia Frazier ao redor do ringue e o relógio corria. Dundee poderia estar incitando seu lutador, ou pode ter realmente acreditado que a pontuação favorecia Frazier.

Ao soar do último gongo da luta, Ali foi para o seu *corner*. Uma estranha mistura de homens se reuniu à sua volta: Ali balançando de um pé para outro,[20] Bundini franzindo a testa, Kilroy patrulhando o perímetro, Rahaman e Angelo Dundee parecendo tão indefesos e ansiosos como pais no saguão de uma maternidade. O ringue ficou cheio de repórteres, fotógrafos e fãs que fingiam pertencer àquele círculo.

Todos esperaram.

Red Smith, do *New York Times*,[21] sempre duro com Ali, acreditava ser Frazier o vencedor, pois os socos agressivos e surdos de Joe haviam causado mais danos do que os *jabs* rápidos de Ali. Pode ter sido verdade. Também pode ter sido verdade, como Smith sugeriu, que Ali ganhasse rounds porque ele era Muhammad Ali, a maior estrela no firmamento do boxe. Isso não significa necessariamente que os juízes se inclinassem a seu favor porque gostavam dele ou queriam vê-lo ganhar para o benefício financeiro de todos os envolvidos no esporte. A tendenciosidade pode ter vindo de algo mais simples e mais sutil: Ali simplesmente chamava mais atenção do que outros lutadores. Lutava com tanto estilo que era difícil tirar os olhos dele.

Fossem os juízes tendenciosos ou não, eles chegaram a uma decisão unânime: Ali era o vencedor.

Mais tarde, no camarim, Ali tomava um picolé por entre os lábios inchados. Deu crédito a Frazier, dizendo: "Ele me levantou do chão duas vezes." Mas sobrevivera, acrescentou, "porque sou hábil o suficiente para ficar longe de problemas".[22]

Ali derrotou Frazier porque treinara duro, lutara habilmente, escapara sem punição depois de ter agarrado Frazier e exibira uma capacidade impressionante de permanecer de pé enquanto era bombardeado com socos que teriam levado ao chão quase qualquer outro ser humano.

Mais tarde, alguém perguntou a Ali como se sentia ao ser esmurrado por Frazier: "Pegue um galho sólido de uma árvore com sua mão e bata-o contra o chão; você vai sentir um *boinnnng* em sua mão", disse ele. "Bem, quando você é atingido, o corpo todo é sacudido e vibra do mesmo jeito, e você precisa de pelo menos 10 ou 20 segundos para fazer aquilo desaparecer. Se for atingido novamente antes disso, recebe outro *boinnnnng*... Você fica dormente e sem saber onde está. Não há dor, apenas aquela sensação de vibração. Mas eu sei, automaticamente, o que fazer quando isso acontece comigo, tipo um sistema de aspersão que é ativado quando começa um incêndio. Quando fico atordoado, não sei exatamente onde estou ou o que está acontecendo, mas sempre digo a mim mesmo que preciso dançar, correr, agarrar meu adversário ou manter minha cabeça bem baixa. Repito isso a mim mesmo quando estou consciente, e, quando sou atingido, automaticamente faço a mesma coisa."[23]

Nos meses após a luta, repórteres e fãs de boxe discutiram calorosamente se os juízes haviam tomado a decisão certa, mas eram apenas os habituais paroxismos que se seguem a combates esportivos em que o vencedor ganha por uma margem muito pequena. Ali vencera a contenda, e dois fatos estavam além de qualquer discussão: primeiro, que Ali e Frazier eram grandes guerreiros, apesar de suas habilidades reduzidas, e, segundo, que já havia um clamor para que os homens lutassem mais uma vez.

38

Coração das Trevas

Era o Dia dos Namorados de 1974, e George Foreman estava andando em círculos ao redor do estacionamento de um hotel em Dublin, na Califórnia, a 56 quilômetros a leste de São Francisco.[1] Don King o acompanhava passo por passo.

Foreman era campeão mundial dos pesos-pesados, mas não estava feliz. Seu casamento havia desmoronado.[2] Ele não confiava nos que cuidavam de seus negócios.[3] Via com suspeita as celebridades e os especialistas em esquemas financeiros que agiam como se fossem os seus novos melhores amigos. Sentia falta da mãe também. Para Ali, o campeonato de pesos-pesados havia sido um passeio no tapete mágico, cheio de emoções e coisas inesperadas, e viagens a destinos exóticos. Para Foreman, era a causa da tristeza. Havia criado nele um "terrível vazio". Ele disse que estava ficando "mais sórdido a cada dia".[4]

O Grande George estava se preparando para lutar contra Ken Norton, e os planejadores financeiros já o estavam pressionando para pensar num acordo para encarar Ali, dizendo que seria o maior e melhor pagamento na história de todos os esportes. Foreman não sabia em quem confiar. Agora era a vez de Don King cortejar o campeão. Enquanto Foreman dava voltas no estacionamento, King o acompanhava, falando sem parar e agitando folhas de papel branco.[5]

De um dos quartos do hotel, Hank Schwartz, parceiro de negócios de King, olhava pela janela, vendo os dois homens dando voltas. Era exatamente por isso que Schwartz havia contratado King para trabalhar para sua empresa de transmissão de circuito fechado, a Video Techniques: ele precisava de alguém que pudesse se relacionar com os lutadores e em quem eles confiassem. Mas agora ele se perguntava: o que King estava fazendo? Por que estava demorando tanto? O que eram aqueles papéis em sua mão?

Mais tarde, King recordou sua conversa com Foreman.

"George, eu sei que as pessoas têm ferrado você. Mas eu digo isto: vou te dar uma chance de ganhar 5 milhões de dólares. Não perca essa chance."[6]

Foreman não acreditou. Não acreditava que Ali lutaria com ele.

"Pois eu consigo que lute", disse King. "Ele me deu sua palavra."

De fato, King já havia se encontrado com Ali e Herbert Muhammad, exortando Ali a rejeitar um acordo de Bob Arum que o teria obrigado a lutar uma revanche com Jerry Quarry. King argumentou que Arum não conseguia entender a negritude de Ali, não avaliava o quanto significava para as pessoas não-brancas em todo o mundo que Ali reconquistasse o campeonato que o governo branco racista da América havia roubado. "Isso não é apenas mais uma luta",[7] dissera King a Ali. "Liberdade. Justiça. Isso é o que você vai ganhar para o seu povo quando conseguir o título de volta." Então ele passou para os detalhes do negócio, dizendo que concordaria em pagar a Ali e a Foreman 5 milhões de dólares para cada um — uma soma quase absurda, o dobro do que Ali e Frazier haviam recebido pela luta recorde de 1971. Para provar que estava falando sério, King disse que daria a Ali um adiantamento de 100 mil dólares na assinatura do contrato em 15 de fevereiro,[8] outros 100 mil em 25 de fevereiro, uma carta de crédito de 2,3 milhões em 15 de março e uma carta de crédito com a quantia restante, 2,5 milhões, noventa dias antes da luta. Se King não honrasse qualquer dos prazos de pagamento, Ali poderia ficar com o dinheiro que já tivesse recebido e abandonar a luta. Se King não conseguisse chegar a um acordo semelhante com Foreman, o acordo seria anulado e Ali manteria os 100 mil dólares já recebidos.

CORAÇÃO DAS TREVAS 449

Foi por isso que King se viu diante do hotel de Foreman, suplicando que ele aceitasse a proposta. King estava falando a verdade quando disse que Ali havia concordado com a luta. King não sabia como arranjaria o dinheiro para pagar os lutadores — ele e Schwartz não tinham sequer o suficiente para fazer o primeiro pagamento de 100 mil dólares para cada lutador. Mas isso era uma preocupação para mais tarde.

"Essa é a minha oferta",[9] disse King a Foreman. Ele parou de andar, e Foreman também. King apontou para a pele de seu braço. "E eu sou negro. Aqui está uma oportunidade, uma grande oportunidade, para mostrar a todos os negros que homens negros, juntos, podem alcançar o sucesso que ninguém jamais acreditou que podíamos."

King sacudiu os papéis diante de Foreman. Finalmente, depois de 2 horas circulando pelo estacionamento, Foreman assinou.[10]

Mais tarde, no mesmo dia, King encontrou Schwartz no bar do hotel e lhe mostrou os papéis. As páginas estavam totalmente em branco, exceto pelas assinaturas de Foreman. Uma estava assinada à altura de um terço, uma assinada na metade e outra, na parte inferior. King disse a Foreman que iria preencher as páginas em branco com todos os dados e mostrá-las ao advogado de Foreman. Eles decidiriam qual das assinaturas de Foreman seria usada com base no comprimento do texto do contrato.[11]

No final, King prometeu que Foreman acabaria ficando com 200 mil dólares a mais do que Ali. Dissera o oposto a Ali: que ele receberia 200 mil dólares a mais do que Foreman.[12]

Apesar da peroração de Don King, Ali vs. Foreman não proporcionaria liberdade e justiça para os norte-americanos negros. Mas ainda podia ser chamado de um grande negócio. Depois de três anos e meio fora do boxe, Ali havia conseguido batalhar por seu retorno, derrotar os dois únicos lutadores profissionais que já o haviam derrotado e ganhar a chance de disputar o título de campeão mundial dos pesos-pesados, a mais alta honraria individual em todos os esportes, o título que ele havia tirado de Sonny Liston e que o governo dos Estados Unidos havia tirado dele, o título com que sonhara desde que era Cassius Clay Jr., o garotinho magrela que treinava com um policial branco no porão do Columbia Auditorium na segregada cidade de Louisville, Kentucky.

Ali estava com 32 anos. Durante anos, havia se autointitulado "O Maior de Todos os Tempos", alongando as duas últimas sílabas para efeitos dramáticos e adicionando alguns "ss" ao final, como se para sugerir que uma eternidade não era suficiente. "O Maior de Toooodos os Teeeeempossss!" Agora, ele teria outra chance de provar isso.

Haviam se passado 22 anos desde a primeira vez em que calçara um par de luvas de boxe sob o olhar de Joe Martin, e dez anos desde que derrotara Liston e anunciara sua entrada na Nação do Islã. No espaço de uma década, ele havia transitado de herói a vilão, e de volta a herói. Lutara contra a lei, contra o racismo, contra figuras de autoridade brancas que haviam dito que um atleta negro deveria cuidar da sua vida e manter a boca fechada. Ele sempre estivera lutando contra algo, mesmo que, para o observador casual, parecesse estar apenas improvisando à medida que avançava, tratando seus pontos de vista políticos e religiosos com a mesma imprevisibilidade de um pássaro que pousa sobre um fio de telefone. Tinha um jeito simples de ser e um entusiasmo que fazia as pessoas quererem acreditar nele, não importava o que dissesse. O artista Andy Warhol, que entendia, mais do que quase todo mundo, de imagens e ícones populares, teve isto a dizer depois de encontrar Ali no início da década de 1970: "Ele simplesmente diz a mesma singeleza repetidas vezes, e então aquilo fica reboando nos ouvidos das pessoas. Mas ele pode dizer as coisas que pode porque é tão bonito."[13]

Por volta de 1973, os líderes norte-americanos e vietnamitas haviam concordado em terminar com a guerra. Em grande parte, a luta pelos direitos civis havia passado das ruas para os tribunais e para os legislativos estaduais e federal. Vez após vez, tema após tema, Ali parecia um vencedor, um homem que estivera no lado certo de cada questão social importante.

Mesmo em sua relação com a Nação do Islã, os instintos e a boa sorte de Ali haviam trabalhado a seu favor. Quando anunciou seu compromisso com o grupo religioso, aquilo havia lhe custado popularidade e endosso, forçando-o a fazer uma escolha dolorosa entre seu amigo Malcolm X e seu mentor Elijah Muhammad, e transformando-o em um pária aos olhos da vertente principal do movimento pelos direitos civis. Mas, ao mesmo tempo, a Nação lhe dera disciplina e foco, códigos segundo os quais viver, e concedido um senso de propósito e de comunidade. "Não fosse pela Nação do Islã", disse

CORAÇÃO DAS TREVAS

Gene Kilroy, "ele poderia ter passado a vida limpando estações de ônibus em Louisville."[14] Até mesmo a suspensão de Ali da Nação do Islã resultara em vantagens. A NDI estava perdendo influência na cultura norte-americana e começava a se desfazer no início dos anos 1970. Uma investigação feita pelo *New York Times* descobriu que a organização estava ficando sem dinheiro e que alguns membros tinham se voltado para práticas de extorsão e roubo.[15] Para realimentar os cofres da organização, Muhammad Ali fora despachado para a Líbia,[16] onde se encontrou com o presidente Muammar al-Gaddafi e com Idi Amin, ditador de Uganda, para pedir empréstimos e doações. Em Uganda, Idi Amin quis lutar com Ali e lhe ofereceu 500 mil dólares em dinheiro pelo privilégio. Ali hesitou, e Amin lhe apontou uma arma: "E agora, o que você diz, Muhammad Ali?"[17] Ali respondeu que era hora de sair de Uganda. Qaddafi foi mais amigável, ofereceu 3 milhões de dólares. Mas a Nação do Islã ainda tinha problemas. Elijah Muhammad estava sofrendo de senilidade, de acordo com o *Times*, e perdera o controle da organização. Trabalhando em seu lugar, John Ali, secretário nacional da NDI, estava buscando mais fundos com líderes do Oriente Médio e prometendo que a Nação do Islã relaxaria suas estritas doutrinas antibrancos e se aproximaria do Islã tradicional. À medida que Ali abria caminho em direção a uma chance no campeonato de pesos-pesados, sua popularidade subia; não era coincidência que ele também parasse de falar sobre naves espaciais que chegariam para acabar com a raça branca, parasse de exigir que a América branca entregasse vastas quantidades de terras para criar uma nação negra independente, parasse de se referir a pessoas brancas como demônios de olhos azuis, parasse de louvar segregacionistas como George Wallace e parasse de aparecer usando gravata-borboleta e barrete em eventos muçulmanos. Não fosse pelo tapete de oração no porta-malas do carro e pelos ocasionais gritos de "crioulo desertor", ele não era tão diferente de muitos outros heróis desportistas. Na década de 1970, não era incomum entrar no quarto de um pré-adolescente branco de classe média e ver cartazes nas paredes representando Ali, Mark Spitz, Walt Frazier, Pete Rose ou Franco Harris.

Nem todo mundo amava a nova edição de Muhammad Ali, versão 1970. "Quando Ali voltou do banimento", disse Jim Brown, "ele se tornou o queridinho da América, o que foi bom para o país, porque reuniu negros e brancos.

452   MUHAMMAD ALI

Mas o Ali que a América acabou amando não era o Ali que eu mais amava. Já não sentia a mesma coisa por ele, porque o guerreiro que eu amava já não estava presente. De certa forma, ele se tornou parte do *establishment*."[18] Brown também ficava perturbado por Ali chamar Joe Frazier e outros lutadores negros de Pai Tomás a fim de difamá-los, descrevendo sua atitude como "um golpe pouco abaixo da cintura".[19]

Brown estava certo. Ali havia se movido em direção ao *mainstream* norte--americano, que por sua vez se movera em direção a Ali. A prova veio em 1974, duas noites depois de Ali e Frazier terem lutado no Madison Square Garden, quando Bob Dylan se apresentou na mesma arena. Ali havia sido denunciado na década de 1960 como antipatriota, e Dylan era tido como um cantor folk hippie. Cada um deles mantivera seu respectivo espaço, mas, ainda assim, alguns se sentiam tristes em vê-los agora, aparentemente se agarrando a uma década à qual nenhum deles verdadeiramente pertencia. A década de 1960 havia acabado, e, a despeito do ruído e dos fortes argumentos que os manifestantes fizeram durante aquele período extraordinário, permanecia a percepção de que fora perdida a oportunidade de forjar uma mudança fundamental, de que o governo norte-americano era tão sem resposta e autocrático como sempre, de que a América permanecia dividida, como sempre, por desigualdades de raça e classe. A grande rebelião ficara devendo. Os hippies estavam mudando, assumindo empregos e indo viver nos subúrbios de classe média. Resgatavam das gavetas suas velhas camisetas sujas e seus jeans pata de elefante para assistir a shows de Dylan, mas, na manhã seguinte, vestiriam novamente ternos e gravatas e iriam para seus escritórios no centro da cidade. Suas estridentes músicas e posturas não haviam completado o trabalho.

Em sua luta com Foreman, Ali teria mais uma chance de se manter relevante. Ele iria se encontrar no centro de um dos maiores eventos de entretenimento que o mundo já vira, algo que teria um papel talvez mais importante do que qualquer outra coisa para definir o seu legado, não só como lutador, mas como um heroico homem negro.

Agora que Foreman e Ali haviam assinado contratos, ou pedaços de papel em branco que se tornariam contratos em algum momento, Don King e Hank

CORAÇÃO DAS TREVAS

Schwartz precisavam comparecer rapidamente com 10 milhões de dólares e um local para a luta. Dois ou três dias depois de obter as assinaturas de Foreman, Schwartz voou para Londres a fim de encontrar um potencial investidor, enquanto King recorria a Jerry Perenchio, o homem que organizara a primeira luta Ali-Frazier. Ambos falharam. Eles tinham apenas alguns dias para fazer o pagamento inicial — 100 mil dólares para cada lutador — e apenas alguns meses para encontrar os 10 milhões restantes.

Explorando todas as possibilidades, Schwartz identificou um investidor britânico disposto a entrar com os 200 mil dólares. Isso lhe deu um pouco de tempo. King e Schwartz também receberam 500 mil de uma figura do crime organizado da cidade natal de King, Cleveland, de acordo com um memorando do FBI.[20] Mas ainda precisavam de mais. Então, um dia, Schwartz recebeu um telefonema de um norte-americano que trabalhava como consultor financeiro na Alemanha e na Bélgica.[21] Um dos clientes do sujeito era Joseph Mobutu, o déspota assassino que governava o Zaire e que tinha bilhões ilícitos em bancos suíços após anos borrando as linhas entre o Tesouro do Zaire e suas contas pessoais. Mobutu foi uma vez chamado de "cofre de banco ambulante com chapéu de pele de leopardo",[22] um homem que havia saqueado a riqueza de seu país e causado a falência da moralidade nacional. O consultor financeiro de Mobutu disse que seu cliente cobriria todas as despesas da luta, com 10 milhões de dólares adiantados, se Schwartz concordasse em promover o evento no Zaire.

Antártida? Sibéria? Um barco no meio do oceano Índico? Havia algum lugar na Terra que fosse menos provável que o Zaire para sediar um grande evento esportivo?

O Zaire era um dos lugares mais pobres, mais corruptos, mais politicamente instáveis, mais inacessíveis e mais incompreensíveis do mundo; servira de inspiração para o livro *Coração das trevas*, de Joseph Conrad, um lugar onde, já bem avançado o século XX, a maioria das pessoas ainda vivia como caçadores-coletores em aldeias rurais sem eletricidade nem água corrente, e se comunicando não por telefone, televisão ou rádio, mas por uma rede de rios no meio da selva; um lugar onde as pessoas que se opunham ao líder da nação, ou o decepcionavam, eram rotineiramente executadas.

A tudo isso e a muito mais, disse Schwartz, "eu não dava a mínima".[23]

454   MUHAMMAD ALI

Schwartz, veterano da Segunda Guerra Mundial, nascido no Brooklyn numa família judia, não dava a mínima por estar lidando com um consultor financeiro que representava um ditador homicida. Schwartz e Don King não se importavam que o maior estádio do Zaire tivesse apenas 35 mil assentos e não dispusesse de estacionamento.[24] Eles não se importavam que a luta tivesse de começar às 4 da madrugada em Kinshasa para alcançar os telespectadores nos Estados Unidos às 10 da noite, ou que o combate pudesse ir por água abaixo se as chuvas sazonais do Zaire chegassem um pouco mais cedo do que o habitual. Eles não se importavam que quase todas as peças do equipamento eletrônico de transmissão tivessem que voar dos Estados Unidos ou da Europa. Eles não se importavam que Kinshasa, uma cidade de 1,5 milhão de habitantes, tivesse apenas cerca de quinhentos quartos de hotel decentes. Eles não se importavam que repórteres ou fãs só pudessem viajar para o Zaire, como Norman Mailer escreveu, depois de "vacinados contra cólera, varíola, febre tifoide, tétano, hepatite [...] para não falar de injeções para febre amarela e comprimidos para malária". Também não se importavam que uma luta do campeonato de pesos-pesados no Zaire fortalecesse a posição de Mobutu no poder e causasse mais sofrimento aos 22 milhões de zairenses que já viviam oprimidos por enormes sofrimentos.

Muhammad Ali tampouco se importava. Se estava preocupado com as condições políticas no Zaire ou sobre as consequências morais de fazer negócios naquele país, ele não disse. Ele era Ali; os padrões normais de conduta não se aplicavam. Sua raça, sua religião, seu desafio a seu próprio governo e sua recusa de lutar na guerra do Vietnã fizeram dele um dos mais visíveis símbolos de rebelião em todo o mundo. Assim sendo, lutar na África fazia sentido, e isso era o suficiente para superar todas as outras preocupações. Don King chamou a luta de "um simbólico acontecimento negro", e essa vaga glorificação encontrou eco em Ali. Também ecoaram os 5 milhões de dólares, é claro. Mas Ali, o *showman* e mago das relações públicas, reconheceu imediatamente a poderosa imagem de dois homens norte-americanos negros lutando pelo título de campeão mundial dos pesos-pesados no coração da África, o continente no qual seus antepassados haviam sido vendidos como escravos, um lugar onde os negros africanos ainda lutavam para se livrar do

CORAÇÃO DAS TREVAS 455

jugo do colonialismo. O vencedor dessa luta seria o maior guerreiro negro do mundo, o homem que se atrevera a enfrentar seus demônios, o homem que conquistara a supremacia branca, o verdadeiro campeão das pessoas de pele escura que eram oprimidas e marginalizadas em todo o mundo.

O acordo foi feito. Ali lutaria com Foreman no dia 25 de setembro de 1974 em Kinshasa, no Zaire.

Ali tinha motivos para estar pelo menos vagamente ciente da história contemporânea do Zaire. Em 1963, após o assassinato de Kennedy, Malcolm X havia enfurecido Elijah Muhammad criticando Kennedy e sugerindo que o presidente merecera morrer. O comentário de Malcolm sobre "galinhas que voltavam para pernoitar em casa" recebera a maior parte da atenção na época, mas, no resto de suas observações, Malcolm listara os crimes dos quais Kennedy e sua administração eram responsáveis, onde constava, entre outros, o assassinato de Patrice Lumumba, o primeiro primeiro-ministro negro do Zaire (então conhecido como República do Congo).

Os problemas do Zaire, é claro, começaram muito antes de Kennedy. Por mais de um século, a nação centro-africana esteve no cerne de alguns dos escândalos mais obscuros, das fraudes mais sujas e dos negócios escusos mais mortais que o mundo já vira. O país, aproximadamente do tamanho da Europa Ocidental, tinha riquezas incríveis. Tinha ouro. Tinha diamantes. Tinha cobalto e cobre, estanho e tântalo. No século XIX, o rei Leopoldo II da Bélgica construiu sua fortuna pessoal e fortaleceu a economia da Bélgica extraindo vastos recursos do Congo. Leopold, sem nunca ter visitado o lugar, tratava o Congo como se fosse sua colônia pessoal. Ele usou trabalho forçado para extrair minerais da nação, e, quando o trabalho não podia ser forçado, era punido. Costas foram retalhadas com chicotes, mãos cortadas com facões, corpos perfurados com baionetas e despejados em rios. Em *Coração das trevas*, Conrad baseou-se em figuras daquela época para criar o sr. Kurtz, que exibia em postes as cabeças decepadas dos africanos que ele havia disciplinado enquanto trabalhavam para extrair marfim, borracha e outras riquezas do Congo. Em 1908, o Congo tornou-se uma colônia formal da Bélgica. Ganhou sua independência em 1960, como República do Congo, e, em seguida, tornou-se a República Democrática do Congo.

MUHAMMAD ALI

Em 1965, aos 35 anos, Joseph-Désiré Mobutu assumiu a presidência, com o apoio dos Estados Unidos. Em 1971, mudou o nome do país para Zaire, e então mudou o próprio nome para Mobutu Sese Seko Kuku Ngbendu Wa Za Banga, que significava "o todo-poderoso guerreiro que, por sua resistência e inflexível vontade de ganhar, irá, de conquista a conquista, deixar um rastro de fogo em sua passagem". Para mostrar sua humildade, Mobutu baniu todos os títulos como "excelência" e "presidente". Foi nesse mesmo espírito de modéstia e igualitarismo que Mobutu proibiu gravatas no Zaire, um movimento que lhe garantiria pontos com um bom número de comentaristas esportivos em 1974.

Mobutu entendia o poder do dinheiro. O dinheiro lhe permitiu comprar caças para os militares do país, o que lhe deu o poder de que precisava para assegurar sua posição no cargo; e lhe dava a capacidade de fazer mais dinheiro; e permitiu enviar os filhos para uma escola na Bélgica; e comprar casas extravagantes em Bruxelas e Paris. O dinheiro forçaria o grande Muhammad Ali a voar para o Zaire, e com Muhammad Ali haveria câmeras. Muhammad Ali não resolveria todos os problemas do Zaire. Ele não iria catapultar o país para o século XX e acabar com centenas de anos de sofrimento. Mas sua presença aumentaria a reputação de Mobutu, e mostraria ao mundo que pelo menos algum grau de ordem fora produzido no que, durante muito tempo, havia sido uma das nações mais caóticas e perigosas na Terra.

39

Céu do Lutador

Ali jurou que sua luta com George Foreman, ganhando ou perdendo, seria a última.

"Mais uma, e terei terminado",[1] disse.

A menos que perdesse. Nesse caso, poderia lutar mais uma vez. Ou mais algumas vezes... até que se conseguisse outra tentativa com Foreman.

Mas ele não estava planejando perder. Mais uma luta, uma vitória, e ele se aposentaria como campeão.

Em março de 1974, Ali fez uma turnê pelo Oriente Médio, organizada por Herbert Muhammad, para solicitar fundos de líderes árabes para reerguer a Nação do Islã. Ele retornou a tempo de viajar para Caracas, Venezuela, onde viu George Foreman nocautear Ken Norton em menos de dois rounds. Com isso, Foreman levara um total de 11 minutos e 35 segundos para vencer suas três últimas lutas de campeonato. Ele escolhera dois bons lutadores, Frazier e Norton, e os transformara em gatinhos. Não que Foreman tivesse lutado melhor que os adversários. Ele meramente os achatara do jeito que uma bola de demolição achata uma casa velha, com golpes maciços que fazem da resistência uma futilidade. Depois de dizimar Norton, Foreman deu uma

458   MUHAMMAD ALI

volta no ringue, bufando e pisando duro. Olhando de um assento ao lado do ringue, Ali começou seu trabalho, provocando o campeão e promovendo sua luta no Zaire. "Se você se comportar assim", gritou, "meus amigos africanos vão botar você no caldeirão."[2]

Quando a citação apareceu no *New York Times*, provocou um telefonema de um assessor de Mobutu Sese Seko. O assessor disse que seu chefe queria lembrar a Ali que o Zaire estava patrocinando a luta Ali-Foreman para se apresentar ao mundo como uma nação moderna e sofisticada. Seria bom, ele disse, se Ali não falasse sobre cozinhar George Foreman ou qualquer outra pessoa em caldeirões. Mobutu não recorria a tais métodos primitivos de punição.

Os promotores de Ali prometeram que não aconteceria novamente.[3]

Em julho, Foreman convocou uma coletiva de imprensa para anunciar que passaria a treinar em Pleasanton, Califórnia, para a luta contra Ali.[4] O taciturno campeão anunciou que aquela coletiva seria a última até o momento da luta. Ele tinha trabalho a fazer, e não precisava de repórteres no caminho. Foreman era um sujeito monossilábico. Quando lhe pediram para prever como se sairia contra "o envelhecido Ali", como um dos repórteres se referiu ao desafiador, Foreman se recusou a morder a isca. Ele vencera todas as quarenta lutas profissionais que fizera, incluindo 37 por nocaute. Não via necessidade de se autopromover. "Vou tentar pegá-lo em cada round", respondeu.

E qual seria sua estratégia? Foreman disse: "Eu só vou tentar vencê-lo."[5]

Alguém lhe disse que Ali planejava se aposentar após a luta, e seu comentário foi: "Acho que ele deveria. Já foi esmurrado demais."

Ali começou a treinar em julho, como Foreman, mas com grande estardalhaço. Organizou um piquenique e convidou os repórteres ao seu campo de treinamento em Deer Lake, Pensilvânia, e disse que eram bem--vindos sempre que quisessem aparecer. Estava sempre feliz em falar. Ao explicar por que estava tão confiante na vitória, Ali fez uma imitação de Foreman, lento e pesado no ringue e golpeando em câmera lenta antes de cair de costas quando atingido. Referindo-se ao Zaire, Ali disse: "Vai ser uma batalha na selva."[6] (*Rumble in the Jungle*, como a luta ficou conhecida na história do boxe).

CÉU DO LUTADOR

459

À medida que a Batalha na Selva se aproximava, os homens de negócio em volta de Ali foram descobrindo riquezas que poderiam ser extraídas da África. John Ali, o secretário nacional da Nação do Islã, viajou ao Gabão e prometeu ao presidente Omar Bongo que, por determinado preço, Ali poderia fazer uma escala no Gabão para um show de boxe a caminho do Zaire. Algo deu errado, no entanto, e John Ali acabou numa prisão gabonesa.[7] Muhammad Ali e Herbert Muhammad buscaram favores para soltá-lo.

Don King tinha um plano mais sofisticado para fazer dinheiro. Ele e Hank Schwartz abriram uma empresa chamada Festival in Zaire, Inc. para funcionar como uma agência de viagens:[8] levariam à África os fãs da América e da Europa, fornecendo a até 7 mil espectadores as passagens aéreas, acomodações em hotel de luxo e ingressos para o grande evento. Para King, problemas logísticos seriam resolvidos numa data posterior. Ou não. O que importava era que ele tinha uma oportunidade única nas mãos — um dos maiores eventos esportivos internacionais que o mundo já vira — e só havia uma forma de norte-americanos e europeus assistirem ao vivo: por meio da Festival in Zaire, Inc., com preços a partir de 2.100 dólares[9] — o equivalente a cerca de 10 mil dólares hoje. O governo do Zaire havia requisitado cada quarto de hotel e cada dormitório disponível em Kinshasa e os colocado à disposição de Don King e Hank Schwartz. Se todos os quartos e dormitórios se esgotassem, alguns convidados seriam alojados em navios ancorados a centenas de quilômetros de distância e, em seguida, transportados a Kinshasa a tempo para a luta. Esse era o plano, pelo menos até o momento.

Ao justificar o preço elevado e as opções de hospedagem fora do comum, Schwartz disse ao *New York Times* que "esse evento é como nenhum outro, e regras não se aplicam".[10]

Ele sem dúvida estava certo quanto a isso. Mas algumas regras se aplicavam, incluindo esta: não é fácil persuadir milhares de norte-americanos fãs de esportes a comprar uma viagem que custa milhares de dólares, requer vacinas contra várias doenças, necessita de cerca de 50 horas e 16 mil quilômetros de viagem[11] e termina, possivelmente, com hospedagem em um navio ao largo da costa da África, a centenas de quilômetros do evento esportivo que aqueles fãs estavam pagando para ver. Era pedir demais, especialmente para uma luta que poderia acabar em um minuto, ou menos, se os recentes desempenhos de George Foreman fossem bons precedentes.

Para começar sua campanha de marketing, King contratou nos Estados Unidos quatro jovens negras para servir como suas embaixadoras. Elas usariam biquíni e luvas de boxe, e apareceriam em eventos promocionais. Suas fotos estariam em pôsteres e panfletos. Se os potenciais clientes quisessem obter mais informações sobre os pacotes de viagem, uma ou duas das garotas poderiam ser enviadas para fazer uma apresentação de slides com fotos de Kinshasa, seus edifícios modernos e as melhores lojas e restaurantes. Para selecionar as "embaixadoras", King fez um anúncio numa estação de rádio de música soul em Los Angeles, convidando mulheres a participar de uma selação no Century Plaza Hotel. Mais de 250 candidatas apareceram, a maioria delas usando biquíni.[12] "Como nós escolhemos as mulheres?",[13] perguntou Bill Caplan, gerente de relações públicas de Foreman, que atuou como um dos juízes. Ele fez uma pausa, como se a questão realmente não precisasse de resposta. "Aparência! Elas não precisavam nos dizer que queriam a paz mundial e o fim da fome na América. Tudo o que importava era a aparência!"

Enquanto King e Schwartz trabalhavam para vender a luta aos norte-americanos, Mobutu preparava o Zaire para o que se esperava que fosse o maior espetáculo da história do país. Operários começaram a reconstrução do estádio de futebol de Kinshasa, quadruplicando sua capacidade para 120 mil assentos e adicionando um estacionamento de quase um quilômetro de largura. Mobutu encomendou uma frota de ônibus para que milhares de zairenses pudessem se deslocar de todos os pontos do país para ver Ali vs. Foreman.[14] O governo anunciou que a luta aconteceria no final de um festival de três dias com artistas negros norte-americanos, entre eles James Brown e B. B. King.

Ali não deu nenhuma atenção aos assuntos de negócios, como de costume. Nunca manifestou interesse em ver a contabilidade ou entender as finanças envolvidas nessa ou em qualquer uma de suas lutas. Entregava essas coisas a Herbert Muhammad. "O ministro das Relações Exteriores do Zaire disse que Herbert o fazia lembrar um potentado africano",[15] contou Rose Jennings, contratada por Herbert para servir como ligação especial

CÉU DO LUTADOR 461

entre a imprensa norte-americana e o governo de Mobutu. Ela disse que ficara espantada com a negligência de Ali. "Algumas das coisas que eu vi revirariam seu estômago", disse, "mas Ali estava alheio a tudo."

Ali fez sua parte para persuadir turistas a comprar sua aventura africana. Conversava com repórteres diariamente em Deer Lake, permitindo que se juntassem a ele todas as manhãs enquanto corria 5 ou 6 quilômetros ao longo da Pleasant Run Road. Ele passou a chamar seu campo de "Céu do Lutador" porque dispunha de tudo de que precisava e, talvez, porque o lugar dava a sensação de um *ashram*, um local sagrado que tinha Ali como líder, profeta, guru.

Os *sparrings* agora incluíam um promissor jovem lutador da Pensilvânia chamado Larry Holmes. Fãs chegavam todos os dias a Deer Lake para simplesmente olhar Ali pulando corda ou socando um saco de pancadas. Havia drogas e prostitutas disponíveis para aqueles que optassem por se dar tais prazeres. O lugar oferecia um belo panorama das mudanças em curso na cultura norte-americana na década de 1970, que o jornalista Tom Wolfe rotulou de "Década do Eu". Como escreveu o historiador Thomas Borstelmann, "Uma nova ênfase no autoaperfeiçoamento, na autoexpressão, autossatisfação e autoindulgência passou a ocupar o centro da cultura norte-americana em detrimento dos valores mais orientados para a comunidade".[16] Era como se todo o anseio esperançoso da contracultura dos anos 1960 tivesse sido levado de roldão pelo cinismo, deixando como resíduos um monte de sexo fácil e drogas.

Ali se encaixava muito bem naqueles novos tempos em que um número cada vez maior de norte-americanos estava vivendo o momento, e vivendo para si. Fazia anos que autoexpressão, autossatisfação e autoindulgência eram especialidades suas. Mesmo com os cronistas de boxe prevendo, quase por unanimidade, que Ali perderia, e talvez perdesse feio, seu comportamento público nunca mudou, sua confiança nunca esmoreceu.

Ele explicou a razão numa entrevista a Dave Kindred, um repórter de Louisville. "Primeiro round — bing! — Caio em cima dele — bum, bum! — Eu sacudo ele — eu o venço — Ele era um garoto quando derrotei Sonny Liston há dez anos — Estão dizendo: 'Quanto tempo durará Ali com George

462   MUHAMMAD ALI

Foreman?' E eu digo: 'Quanto tempo *ele* vai durar' — Veja, dizem que não consigo bater — E quando é que alguém me parou? — Isso não está certo, isso nem mesmo soa certo. É uma criança. Nenhuma habilidade, nenhuma velocidade — Isso é querer me diminuir, diminuir minha grandeza — Ele não está lutando com Joe Frazier, ele está lutando com Muhammad Ali — Eu sou, na verdade, o maior lutador de todos os tempos."[17]

Durante a mesma entrevista, Kindred perguntou se Ali tinha algum arrependimento. Se ele tivesse sua vida para viver de novo, faria da mesma forma?

Em geral, Ali não era introspectivo, mas fez uma pausa momentânea para pensar sobre a pergunta antes de responder: "Eu não teria dito aquela coisa sobre os vietcongues. Eu teria lidado com a convocação de outro jeito. Não havia nenhuma razão para eu deixar tantas pessoas enfurecidas."[18] E continuou, dizendo que tinha orgulho de sua decisão de não se alistar. Seu único arrependimento era "a coisa dos vietcongues".

Era um comentário intrigante, para dizer o mínimo. A declaração de Ali de não ter nenhuma desavença com os vietcongues tivera imensa influência. De forma nítida e poderosa, vinculara o movimento dos direitos civis ao movimento contra a guerra. Compelira incontáveis norte-americanos, negros e brancos, jovens e velhos, a se perguntar se *eles* tinham alguma coisa contra os vietcongues, e o quê. Aquela declaração fizera de Ali um campeão para milhões de pessoas para as quais o boxe não tinha nenhuma importância. Ainda assim, Ali viria a repetir essa expressão de arrependimento várias vezes ao longo dos anos, sem deixar nenhuma dúvida de que genuinamente questionava a sabedoria de seu comentário, de que se sentia realmente arrependido por perturbar tantas pessoas. Era um comentário revelador. Por um lado, sugeria que Ali não reconhecera que sua oposição à guerra fizera dele uma figura influente para sua geração, ou então não se importava com isso. Mas o comentário também oferecia uma pista para alguns dos seus mais profundos sentimentos: ele adorava ser amado, mais do que de ser admirado.

Menos de um ano depois, em outra entrevista, Ali avançou um passo, sugerindo que ele não era necessariamente um objetor de consciência. "Eu sinto", disse à revista *Playboy*, "que, se a América fosse atacada e alguma força

CÉU DO LUTADOR

externa estivesse rondando pelas ruas e atirando, naturalmente eu lutaria. Estou do lado da América, não eles, porque estou lutando por mim, por meus filhos e meu povo [...] Então, sim, eu lutaria se a América fosse atacada."[19]

Se Ali deixava transparecer sinais de confusão ou de mudanças em seus valores, ainda assim ele estava feliz naquele momento — feliz de ser novamente um boxeador, e não um cruzado contra a guerra ou um palestrante em faculdades, e feliz de ver que o mundo o observava fazer as coisas que ele sabia fazer bem. Seu peso havia baixado para 99 quilos,[20] quase alcançando a meta. Quando se olhava no espelho, gostava do que via, mais até do que antes. Disse estar confiante de que venceria, que Foreman não era tão duro como todos acreditavam, e que ele seria, mais uma vez, o campeão mundial dos pesos-pesados, o que realmente sempre quisera.

Enquanto Ali ajeitava sua plumagem, outros se preocupavam com sua segurança.

"Ali já era",[21] disse Jerry Quarry, seu adversário recente. "Ele chegou ao fim da estrada."

"Pode ser que tenha chegado a hora de dizermos adeus a Muhammad Ali",[22] comentou Howard Cosell com os telespectadores, "porque, muito sinceramente, não acho que ele possa vencer George Foreman."

Ali pareceu não se aborrecer com isso. Ele adorava Cosell, e Cosell adorava Ali. Cosell demonstrava respeito a Ali quando a maioria dos jornalistas ridicularizava o lutador. Ao longo do tempo, eles desenvolveram uma boa atuação conjunta que ajudava a aumentar a fama de cada um. Ali respondeu ao jornalista com uma das suas conhecidas piadas sobre a peruca de Cosell: "Cosell, você é uma farsa, e essa coisa que você traz na cabeça veio do rabo de um pônei!"[23] Quando outro repórter previu uma vitória de Foreman por nocaute no primeiro round, Ali o puxou de lado e tentou educá-lo. "Vou te dizer uma coisa, e quero que jamais esqueça... Homens negros assustam homens brancos mais do que homens negros assustam homens negros."

Até a esposa de Ali tinha dúvidas sobre as chances do marido. Belinda não acreditava que Foreman fosse imbatível, mas se preocupava porque Ali estava falando demais e treinando de menos, e ela não conseguia entender isso. Perder na África seria uma tragédia, disse ela a Ali. Não só ele acabaria com suas chances no campeonato, mas detonaria a chance de ser

464 MUHAMMAD ALI

um herói para as pessoas negras em todo o mundo. Às vezes, ela gritava com ele, mas a gritaria só funcionava por um tempo, como se ela estivesse explodindo um balão com uma picada de agulha: Ali trabalharia duro por alguns dias, talvez até mesmo por uma ou duas semanas, e então se daria folga novamente.

Um dia, Belinda foi ao Hersheypark, o enorme parque de diversões em Hershey, Pensilvânia, e encontrou uma loja que vendia camisetas personalizadas. Ela decidiu comprar uma. Na frente, pediu que imprimissem, em letras maiúsculas, "EU O AMO PORQUE ELE É O MAIOR". Na parte de trás, mandou imprimir o nome "GEORGE FOREMAN".[24]

Quando Ali viu Belinda vestindo a camiseta em Deer Lake, exigiu que a tirasse. "Não vou tirar nada até você começar a treinar a sério", disse ela. "Você não pode parar assim só porque trabalhou duas semanas."

Ali ficou irritado, dizendo que Belinda o estava envergonhando.

"É você que *me* envergonha por não tentar!", respondeu ela, relatando a história anos depois. Ela usou a camiseta por vários dias seguidos até sentir que Ali havia retomado seus antigos hábitos de trabalho duro.

Mas a tensão permaneceu. Numa noite de agosto, Belinda sugeriu que fossem assistir ao novo filme de Mel Brooks, *Banzé no oeste*. Ela sabia que Ali adorava filmes de caubói, e tinha ouvido que o de Brooks trazia um monte de humor racial, então pensou que ele iria gostar. Levaram com eles a filha mais velha, Maryum, que todos chamavam de May May, de 6 anos na época. Rahaman, C. B. Atkins e um dos primos de Belinda se juntaram ao grupo. Todos se amontoaram no Oldsmobile preto e branco de Rahaman e foram para um cinema nas proximidades, em Pottsville. *Banzé no oeste* era, em grande medida, um filme da época. As brincadeiras simples de antes estavam dando lugar à ironia na década de 1970, assim como o espírito de rebeldia estava dando lugar à raiva e ao desânimo diante do fracasso militar do país no Sudeste Asiático e das revelações de corrupção na Casa Branca. Paixões sinceras que haviam sido abraçadas na década de 1960 pareciam ingênuas na década de 1970. Em *Banzé no oeste*, um xerife negro manhoso e um pistoleiro branco alcoólatra chegam para salvar cidadãos brancos racistas de uma cidade no deserto. No final, quando os heróis cavalgam em direção ao pôr do sol, a câmera permanece

CÉU DO LUTADOR

até que os caubóis desmontem, entreguem seus cavalos para os assistentes e entrem numa limusine que estava à espera, sem dúvida indo para suas casas de astros de cinema em Hollywood.

Belinda adorou o filme.[25] Ela ria sem parar, mas Ali assistiu em silêncio. Quando saíram do cinema, estava chovendo. Belinda se ofereceu para dirigir até Deer Lake. No caminho, ela percebeu que o marido estava com raiva. Ironia não era um jogo que Ali soubesse jogar — ele era, afinal de contas, um daqueles símbolos sérios da década de 1960 — e, como resultado, havia perdido a fina ironia de *Banzé no oeste*, ou não conseguira desfrutá-la. "Ele disse que não era engraçado, era racista, era isso, era aquilo", lembrou Belinda. O que, por sua vez, irritou Belinda. Onde estava o seu senso de humor? Por que ele simplesmente não podia desfrutar do filme em vez de reclamar e começar uma discussão?

Ali mudou de assunto e começou a se gabar do que faria com George Foreman. Mesmo naquele espaço mínimo do Oldsmobile, rodeado apenas por familiares e amigos, ele se sentia compelido a se vangloriar, a se elevar e a rebaixar Foreman. Isso fez Belinda ficar ainda mais furiosa — sobre a reação boba do marido ao filme, sobre seu treino meia-boca, sobre tudo. Ela apenas murmurou alto o suficiente para Ali ouvir: "Sim, você está só tentando se convencer de que vai ganhar. Você não vai ganhar... não da forma como está treinando."

Ali levantou o punho como se fosse bater nela e lançou um murro em sua direção.

Belinda se abaixou.

"Cara, você está tentando me bater?", disse ela, ainda segurando o volante e olhando para a estrada. "Você *não* está tentando me bater!"

Ali ergueu o punho novamente. "Eu estava dirigindo um carro na chuva", recordou ela, "então, levantei a mão e o acertei. Dei um tapa na cara dele com as costas da minha mão, porque ele estava tentando me bater de novo, e isso o fez parar." Um anel que ela usava pode ter atingido Ali acima do olho. "Então apareceu um pequeno corte sobre seu olho, e ele começou a sangrar um pouco porque eu bati com mais força do que pensava. E ele disse: 'Cara, ela me bateu!' Então ele olhou no espelho, viu o sangue e começou a praguejar. 'Sua puta! Vadia! Cara, nós vamos te matar! Para o carro! Para o carro!'"

Belinda gritou com Ali: "Não ponha as mãos em mim! Não levante suas mãos para mim outra vez!"

Na manhã seguinte, Ali se desculpou e comprou flores para ela. Ela o abraçou e o beijou, e disse que aceitava o pedido de desculpas. Mas lembrou a Ali que ele tinha apenas cerca de um mês para se preparar para a luta. Ele precisava levar a sério. Ela disse que levaria as crianças para Chicago e as deixaria com os avós, e, quando voltasse, pretendia fazer uma limpeza no campo — livrar-se dos "vagabundos, dos crioulos que ficavam lá fumando erva... de todas as malditas namoradas dele". Ela disse a Ali: "Se você quer as namoradas, tem que descer até o motel." Estava se referindo ao Deer Lake Motel, na Rota 61, onde os cartões de visitas diziam "Hospedagem Discreta"[26] abaixo do nome do estabelecimento, e onde todos os quartos cheiravam a inseticida. "Você não vai mais trazer essas mulheres para o campo", disse ela.

Ali concordou.

• • •

Ele continuou a prometer que se aposentaria depois de lutar com Foreman e derrotá-lo. Mesmo com Herbert Muhammad e o imposto de renda abocanhando grandes fatias, 5 milhões de dólares garantiriam uma boa rampa de lançamento quando Ali deixasse o boxe e quisesse explorar novas opções de carreira. "Estou saindo do jogo como entrei, isso é interessante",[27] disse ele numa coletiva de imprensa em Nova York, "derrotando um monstro grande e ruim que nocauteia todo mundo e ninguém pode acabar com ele. É aí que o pequeno Cassius Clay de Louisville, Kentucky, entrou em cena e parou Sonny Liston, o homem que aniquilou Floyd Patterson duas vezes. Ele ia me matar! Ele bate mais forte do que George. Seu alcance era maior do que o de George. Ele era um boxeador melhor do que o George, e estou melhor agora do que quando você viu aquele garoto de 22 anos, subdesenvolvido, fugindo de Sonny Liston. Eu sou experiente agora... Eu sou *mau*! Eu fiz uma coisa nova para essa luta. Eu me atraquei com um jacaré... Eu lutei com uma baleia, algemei um relâmpago, joguei um trovão na cadeia! Isso é ser mau! Só na semana passada, eu assassinei uma rocha, feri uma pedra, hospitalizei um tijolo! Eu sou tão malvado que adoeço os remédios!"

CÉU DO LUTADOR

Ele olhou para a esquerda, onde Don King estava sentado, sorrindo. Era difícil dizer qual dos dois tinha mais a perder.

"Vai ser o maior espetáculo na história do mundo", declarou King.

"Algumas pessoas poderiam dizer que foi o Êxodo original", rebateu um dos repórteres.

"Algumas pessoas", disse King, "não têm imaginação."[28]

Antes de decolar para o Zaire, Ali apareceu para uma exibição de boxe no Salt Palace, em Salt Lake City. O comediante Bob Hope contou piadas. Joe Louis e Sugar Ray Robinson acenaram para a multidão. Ali, Frazier e Foreman lutaram alguns rounds contra *sparrings* da própria escolha.

Os organizadores divulgaram o evento como uma angariação de fundos para as vítimas de uma seca devastadora na África, mas três em cada quatro lugares não foram vendidos, e pouco dinheiro foi levantado. Ali compôs um poema novo para a ocasião, fazendo referência à recente renúncia do presidente Richard Nixon, que se afastara da presidência para evitar os procedimentos de impeachment relacionados ao seu envolvimento no escândalo Watergate. Ali admitiu que não havia prestado atenção aos detalhes de Watergate,[29] mas sabia o suficiente para escrever: "Se você acha que o mundo ficou chocado quando Nixon renunciou/ Espere até eu chutar o rabo do Foreman."[30]

Toda a viagem para Salt Lake City poderia ter caído no esquecimento não fosse por um detalhe. Na chegada ao aeroporto em Utah, Gene Kilroy, o amigo de Ali, avistou alguém que mais tarde ele descreveria como "a mulher mais bonita" que já tinha visto. No dia seguinte, Kilroy a viu novamente e a mostrou a Ali. O boxeador concordou que a mulher era verdadeiramente de tirar o fôlego — alta, magra, com uma pele cor de caramelo e cascatas de cabelo castanho emoldurando os traços delicados de seu rosto. Chamava-se Veronica Porche (pronunciado *porsh*), e era uma das quatro mulheres selecionadas por Don King e seus juízes para ajudar a promover a luta no Zaire.

Como não era de surpreender, pouquíssimos norte-americanos estavam se inscrevendo para os pacotes de viagens para o Zaire. Num último esforço para promover as vendas, King pagou a Veronica e às outras jovens para irem a Salt Lake City, esperando que pudessem persuadir mais alguns fãs de boxe a ir junto com Ali e Foreman para a África.

Veronica tinha 18 anos. Seu pai trabalhava na construção civil, e sua mãe era enfermeira. Fazia um ano que terminara o ensino médio; ainda morava em casa com os pais, trabalhava numa loja de departamentos e frequentava a Univesity of Southern California na esperança de se tornar médica. Ela sabia pouco sobre boxe. Durante uma aula de Química na escola, ouvira um colega chamar Muhammad Ali de falastrão, e era mais ou menos tudo o que ela sabia sobre o famoso boxeador. Veronica era o produto de uma família de classe média estável. Sempre sabia quando os pais chegariam do trabalho e sempre sabia a que horas o jantar estaria na mesa.[31] Frequentara escolas católicas e considerava-se tímida e bem-comportada. Estava completamente desacostumada ao mundo dos esportes e das celebridades, e não tinha nenhum interesse em conhecer Ali. Presumia que, se o visse, provavelmente não gostaria dele.

Na verdade, embora tivesse notado Ali em Salt Lake City, e ele tivesse reparado nela, eles não foram formalmente apresentados. Nunca se falaram. Ali a olhou, sussurrou uma aprovação para Kilroy e foi embora.[32]

"Aquilo foi tudo",[33] disse Veronica sobre o primeiro encontro.

Mas não foi.

40

"Ali boma ye!"

Na semana seguinte, estavam a caminho do Zaire. Iam Ali, sua esposa, seus pais, seu irmão, seu treinador, seu empresário, três de seus *sparrings*, seus dois treinadores assistentes, seus dois fotógrafos, seus dois supervisores do campo de treinamento, seu cozinheiro, seu massagista, seu biógrafo e treze outros amigos e parentes,[1] todos voando de Nova York para Boston, de lá para Paris, e então para Kinshasa, no Zaire — e todos eles, com a possível exceção de Ali, contemplando o que poderia ser a última viagem juntos.

Em Paris, embarcaram em um dos Boings 747 privados de Mobutu para a etapa final da viagem. Ali estava apostando toda a sua carreira nessa luta, mas não mostrava nenhum sinal de estresse. A visão dos dois pilotos negros na cabine e de uma equipe toda negra de comissárias o emocionou. A África tinha pilotos negros! Um presidente negro com seu próprio 747! Que outras maravilhas continha o continente africano?

"Isso é estranho para o americano preto",[2] disse. "Nós nunca sonhamos com isso." Mas Ali havia, de fato, sonhado com aquilo ou, pelo menos, falado a respeito. Elijah Muhammad também. Malcolm X também. A Nação do Islã vinha pregando, havia anos, que os norte-americanos negros precisavam do próprio país para que, também eles, pudessem fazer suas próprias leis, gerir as próprias escolas, ser donos de seus próprios negócios e, presumivelmente, voar em seus próprios 747. Fazia dez anos que Ali vinha dizendo que lutava para chamar a atenção para as dificuldades e as batalhas de seu povo, e para ajudar a espalhar a palavra de Elijah Muhammad, o Mensageiro de Alá, que havia previsto que, um dia, o homem negro se livraria das algemas de seus opressores brancos e encontraria a verdadeira liberdade. Agora, aqui estava ele, um homem negro com um empresário negro e um promotor negro viajando a uma nação negra para lutar com outro homem negro em um evento visto pelo mundo inteiro. Quem teria ousado sonhar uma coisa dessas na primeira vez em que Ali havia declarado sua lealdade à Nação do Islã? E se algo tão improvável quanto isso poderia acontecer, por que era tão difícil acreditar que as profecias de Elijah Muhammad se realizassem? E, no mínimo, como alguém poderia perguntar, por que era tão difícil imaginar que Ali fosse capaz de outro milagre no ringue? Por que era tão difícil imaginar que ele poderia vencer George Foreman?

Para Ali, Foreman era Sonny Liston, tudo de novo. Foreman era o cara mau, e Ali era o mocinho. Por que o mocinho deveria temer o cara mau? O mocinho sempre ganhava.

Durante o voo, Ali ensaiou seus ataques verbais, chamando Foreman de robô, de múmia, de valentão lerdo. Ele vinha dizendo, havia meses, que Foreman cederia sob pressão. Ele iria distrair e desconcertar Foreman, o mesmo que fizera com Liston. Mesmo que ninguém acreditasse nele, Ali marcou pontos a favor de sua consistência. Vinha se vangloriando de que 2 bilhões de pessoas assistiriam a essa luta — o equivalente, disse, a "100 mil caras novas todas as noites durante 170 *anos*! Imagine isso!".[3] Sua matemática estava furada, mas o argumento era bom. Não é fácil ter um bom desempenho diante de uma multidão colossal. Isso dá nos nervos de um homem, disse ele: "Então, você tem o maior lutador do mundo, ou um dos melhores do mundo, esmurrando seu rosto, seu corpo, usando luvas duras, e tudo em jogo — seu futuro, sua vida, os investimentos da sua família —, tudo está em jogo. Isso te preocupa. E a pressão, a emoção, o drama."[4]

Ali vinha tentando apresentar Foreman como o homem que lutava para o *establishment*, oferecendo como prova o fato de que Foreman havia acenado com uma bandeira americana quando ganhou a medalha de ouro nos Jogos Olímpicos de 1968. Às vezes, era difícil saber se ele estava dizendo essas coisas para irritar Foreman, para captar a atenção da imprensa ou para convencer-se de que Foreman era, verdadeiramente, um homem moralmente inferior. "Se ele ganhar, estamos escravizados por mais trezentos anos",[5] disse Ali ao jornalista inglês David Frost numa entrevista na TV quando ainda estava em Deer Lake. "Se eu ganhar, estamos livres."

Em junho, num jantar de cronistas de boxe no Waldorf-Astoria Hotel, em Nova York, por exemplo, Ali começou com suas habituais provocações, dizendo a Foreman que "o Zaire é meu país",[6] que milhares de africanos estariam espetando alfinetes em seus bonecos de vodu representando George Foreman. Segundos depois, o racismo relativamente benigno de Ali tornou-se mais venenoso. "Eu vou chutar seu rabo cristão, seu branco, seu acenador de bandeira (palavrão excluído)!"[7] Mais tarde, Ali colocou um braço ao redor do ombro de Foreman, que o empurrou. Ali tentou pegar o cinturão de campeão de Foreman. Foreman rasgou a jaqueta de Ali. Ali arremessou copos em Foreman e contra uma parede acortinada.

Quando Foreman foi embora, Ali ainda não havia terminado. Gritou como se quisesse continuar a contenda: "Em que hotel aquele crioulo está?"

O comportamento era tão repulsivo que levou Dave Anderson, do *Times*, a expressar este desejo: "Se Ali considera o Zaire o seu país, talvez possa ficar por lá."[8]

Mais tarde, Ali se desculpou, dizendo que não deveria ter contestado a religião de outro homem.[9] Dez minutos depois do pedido de desculpas, no entanto, fez a mesma coisa de novo, dizendo: "Eu estou lutando para representar Elijah Muhammad. Esse Foreman, ele representa o cristianismo, a América, a bandeira. Eu não posso deixá-lo ganhar. Ele representa a opressão do povo negro; ele representa costeletas de porco."

Até então, Foreman havia admirado Ali. Até mesmo considerara a ideia de entrar para a Nação do Islã.[10] Mas, após o encontro em Nova York, perdeu o interesse. "Acho que, se uma religião não pode fazer de você uma pessoa melhor", disse, "ela não tem nenhum propósito, e se a face que Ali mostra for a verdadeira face do Islã, eu não quero vê-la em meu espelho."[11]

472   MUHAMMAD ALI

Com suas táticas psicológicas, Ali pode ter conseguido inflamar o público e talvez até mesmo atiçar preconceitos nos árbitros, mas ele também estava minando o que afirmava ser um de seus principais objetivos: a elevação das pessoas negras. Ao depreciar Joe Frazier, chamando-o de Pai Tomás, ou ao diminuir George Foreman, chamando-o de branco cristão acenador de bandeira filho da puta (ou qualquer palavrão que o *New York Times* tenha excluído da citação), Ali estava redefinindo raça como um estado de espírito. Ele também estava diminuindo homens negros fortes, honrados, trabalhadores, com quem deveria ter se apresentado ombro a ombro como símbolos de orgulho, homens dignos da admiração de norte-americanos negros e brancos. As palavras de Ali não só ferroaram Foreman e Frazier, como também influenciaram milhões de seus fãs. O diretor de cinema Spike Lee, que tinha 17 anos em 1974 e vivia no Brooklyn, chamou Ali de "nosso cintilante príncipe negro; para as pessoas negras, ele era como Deus".[12] Lee acrescentou: "Tenho de admitir, como muitos jovens afro-americanos, que fui enganado por Ali, e compramos sua imagem de que Joe não era um homem negro."

No voo para o Zaire, alguém assinalou a Ali que alguns dos seus ataques a Foreman poderiam não funcionar tão bem na África como funcionaram nos Estados Unidos. A maioria dos zairenses era cristã (sem nenhuma aversão especial a costeletas de porco), e poucos entenderiam a expressão *Pai Tomás*.

Ali pensou um pouco a respeito e então perguntou: "De quem essas pessoas têm ódio?"[13]

"Dos belgas", disse Gene Kilroy.

Isso era tudo que Ali precisava saber.

Multidões enormes saudaram Ali e Belinda, ambos vestidos de azul, quando desceram do avião em Kinshasa. Um homem com o torso nu, usando um cocar enfeitado com contas e carregando um pequeno escudo de madeira numa mão e uma lança na outra, conduziu Ali pelo aeroporto.

Imediatamente, Ali começou a trabalhar o público. A África não desempenhava um papel central na história da Nação do Islã. A Nação do Islã falava sobre norte-americanos negros retornarem às suas raízes asiáticas, não às suas raízes africanas. Mas Ali sempre teve um instinto brilhante

"ALI BOMA YE!"

para dar forma à própria biografia. Havia muito tempo que ele descartara seu nome norte-americano e desafiara o direito do governo dos Estados Unidos de lhe dizer o que fazer. "Eu sou o rei do mundo!", ele havia gritado depois de vencer Sonny Liston em 1964. Ele não dissera rei da América. *Rei do Mundo!* A maioria dos homens e mulheres inventa suas identidades quando atingem a idade adulta. Na história da invenção de Ali — moldada por sua infância num ambiente marcado pelas leis de Jim Crow, pelo pai indisciplinado, pela visão religiosa de Elijah Muhammad e pelo grandioso apetite de Ali por atenção —, ele era o Rei Afro-americano, e fora ao Zaire para agradar ao seu povo e retomar a coroa que obviamente lhe pertencia. A maioria dos homens e mulheres não sabe que está fazendo história até de fato fazer, mas Ali trabalhava a partir da simples e liberadora presunção de que estava sempre fazendo história.

Ele perguntou a um repórter quantas pessoas viviam no Zaire.[14] O repórter lhe disse que eram 22 milhões. Ali então perguntou quantos dos 22 milhões estavam torcendo para ele e quantos para Foreman. O repórter disse que não sabia. Mas Ali não queria correr nenhum risco; começou a trabalhar a partir do momento em que botou o pé na África, fazendo campanha para obter o apoio dos zairenses.

"Eu sou o maior!", gritou. E acrescentou: "George Foreman é um belga!"[15]

Primeiro, Ali havia rotulado Foreman de branco. Agora, ele o chamava de colonialista opressor de congoleses. A certa altura, foi ainda mais longe, chamando Foreman de "o opressor de todas as nações negras".[16]

Seria até risível, só que ninguém riu. Foreman, sem querer, havia tornado as coisas ainda piores ao levar seu pastor-alemão para o Zaire. Os zairenses não gostavam de cães e, particularmente, não gostavam dos pastores-alemães, uma raça que os colonos belgas usaram para controlar os congoleses.[17]

A multidão logo começou a cantar em lingala: *"Ali boma ye! Ali boma ye!"*[18]

Tradução: Ali, mata ele!

Quando Ali soube o que estavam dizendo, passou a liderar os aplausos aonde quer que fosse, agitando os braços como o maestro de uma banda: "Ali boma ye! Ali boma ye!"

Ali e seu *entourage* ficaram em um dos complexos presidenciais de Mobutu em N'Sele, a cerca de 40 quilômetros de Kinshasa, nas margens do rio Congo. O complexo incluía uma casa elegantemente mobiliada ao lado do rio, uma piscina, uma mercearia e um restaurante. Foreman foi levado para um acampamento militar. Infeliz com a acomodação e a comida, logo se mudou para a suíte presidencial do Inter-Continental Hotel em Kinshasa.

Enquanto Ali fazia o papel de líder de torcida em todos os lugares aonde ia, Foreman não se preocupava com demonstrações desnecessárias de carisma. Seu comportamento sugeria que não tinha interesse nos joguinhos de Ali. Viajara muitos quilômetros para derrubar Ali, e só queria cumprir a tarefa e voltar para casa.

"Ele não parecia tanto um homem, mas um leão de pé, tão ereto como um homem",[19] escreveu Norman Mailer sobre Foreman.

Quando Mailer estendeu a mão e se apresentou, o campeão apenas acenou com a cabeça. "Desculpe-me se não aperto sua mão", disse Foreman, "mas você pode ver que eu estou mantendo minhas mãos nos bolsos."[20] Mailer achou difícil argumentar com essa lógica. Toda vez que Foreman se recusava a apertar a mão de alguém, a dar uma entrevista ou a sorrir para uma foto, ele dava a impressão de um cúmulo-nimbo segurando uma grande tempestade, armazenando cada gota de energia até a hora de fazê-la despencar sobre a terra.

A visão de Foreman esmurrando o saco de areia em N'Sele provocou medo no grupo de Ali. O empresário de Foreman, Dick Sadler, abraçava o saco, tentando mantê-lo firme, mas os golpes de Foreman eram tão poderosos que levantavam Sadler no ar. Quando Foreman terminou, o saco tinha um amassado do tamanho da cabeça de um homem. Os comentaristas se preocuparam. O que seria dos órgãos internos de Ali quando recebessem esse tipo de espancamento? O que aconteceria com sua cabeça? Até os confidentes mais próximos de Ali se afligiram. Eles sabiam que Ali era um lutador inteligente, cheio de recursos. Sabiam que ele sempre se safara. Mas inteligência e desenvoltura só levam um lutador até certo ponto. O boxe significa dois corpos humanos em combate, "um mimetismo estilizado de uma luta de morte",[21] como escreveu Joyce Carol Oates, e Foreman parecia ser, em quase tudo, a força mais destrutiva dos dois. O talento de Ali para levar socos oferecia pouco consolo.

"ALI BOMA YE!" 475

Anos mais tarde, Ali admitiria que também estava preocupado.[22] Quão duramente Foreman batia? Será que conseguiria aguentar os golpes? Mas, pelo menos publicamente, não mostrou sinais de preocupação. Agia como se o título de campeão dos pesos-pesados já fosse dele, sempre tivesse sido dele. Agia como se o Zaire também fosse dele. Fazia longas caminhadas, maravilhando-se cada vez que conhecia um médico negro, um advogado negro ou um político negro, maravilhando-se ao ser reconhecido até mesmo por pessoas que não tinham televisão. Parecia tão animado em Kinshasa como estivera em 1960 nos Jogos Olímpicos de Roma — talvez mais, porque no Zaire ele tinha a sensação de que se tratava de seu povo e de que aquela gente estava esperando algo dele.

"Você realmente podia ver e sentir como ele ganhava força com o amor exuberante de seu povo",[23] disse Stokely Carmichael, o chefe do Comitê Não Violento de Coordenação Estudantil que também estava no Zaire, financiado por Ali. "Era inacreditável. Aonde quer que fôssemos. Quer dizer, mesmo quando ele corria — não importava que hora fosse —, era como se a juventude de toda a cidade corresse com ele. Ao redor dele, atrás dele, havia uma alegre procissão de jovens negros esfarrapados, olhos brilhando com orgulho e emoção."

Don King e Hank Schwartz esperavam encontrar 7 mil clientes europeus e norte-americanos dispostos a pagar milhares de dólares para viajar até o Zaire. No final, encontraram 35.[24] Não 35 mil, apenas 35. Trinta e cinco pessoas. Trinta e cinco turistas de alto preço interessados em boxe.

Os promotores norte-americanos haviam prometido que o governo do Zaire receberia uma parte do dinheiro de patrocínios — coisas como cicletes Foreman-Ali, barras de chocolate Foreman-Ali, camisetas Foreman--Ali, programas Foreman-Ali, cartões-postais Foreman-Ali. Nada disso se materializou. Além disso, o Zaire deveria receber todo o dinheiro da venda de ingressos para o evento ao vivo em Kinshasa, mas apenas os zairenses estavam comprando ingressos, e estavam pagando preços tão baixos que suas contribuições não dariam nem para começar a compensar os custos do governo para montar a luta. O líder do país anunciara o combate como um "presente do presidente Mobutu ao povo do Zaire".[25] Cartazes verde-

-pálidos com letras amarelas em francês e inglês foram colocados por todo o país com mensagens que diziam:

> Uma luta entre dois negros na nação negra, organizada por negros e vista por todo o mundo; isso é uma vitória do mobutismo.

> O Zaire, que tem sido sangrado por pilhagem e exploração sistemáticas, deve tornar-se uma fortaleza contra o imperialismo e uma ponta de lança para a libertação do continente africano.

> A luta Foreman-Ali não é uma guerra entre dois inimigos, mas um esporte entre dois irmãos.

Dado o grande componente de relações públicas do evento, e dada a forma como Mobuto vinha pilhando bilhões de dólares do próprio país, é improvável que ele estivesse preocupado com os aspectos financeiros da luta.

Com muitos quartos de hotel e passagens de avião por vender,[26] para não mencionar milhares de porções de quiche lorraine e frango à Kiev armazenados em freezers zairenses à espera dos visitantes norte-americanos, Don King decidiu convidar algumas pessoas para se juntar à sua expedição africana gratuitamente, incluindo as quatro belas mulheres de Los Angeles contratadas para ajudar a promover os pacotes de viagens. Inicialmente, Veronica Porche recusou o convite, dizendo que não queria perder as aulas na universidade. Mas mudou de ideia e concordou em ir, principalmente porque nunca havia viajado para fora dos Estados Unidos e não sabia quando ou se teria essa chance novamente.[27] Certo dia, já em Kinshasa, ela foi abordada por C. B. Atkins, um membro do *entourage* de Ali, que perguntou se queria visitar o campo de treinamento de Ali. Ela disse que sim e perguntou se Trina, uma das outras jovens selecionadas por Don King, poderia ir junto.

Trina, que era quatro ou cinco anos mais velha que Veronica, usava uma camiseta branca sem mangas e sem sutiã. Veronica vestia-se de forma mais conservadora, com uma blusa rosa de mangas compridas e calça rosa combinando. Quando encontraram Ali, ele ignorou Veronica e flertou com Trina. Mas, na volta, quando as jovens entraram no ônibus para Kinshasa,

"ALI BOMA YE!" 477

Ali se ofereceu para ir com elas e se sentou ao lado de Veronica. Os dois conversaram sem parar durante os 40 minutos da viagem, falando principalmente sobre a infância e as famílias deles.[28]

Quando chegaram a Kinshasa, Ali disse adeus. Não houve beijos nem convites para estender a noite.[29] Mas Veronica tinha a sensação de que Ali gostava dela, e ficou surpresa com o quanto havia gostado dele. Era uma maravilha, realmente, que alguém tão famoso e tão gloriosamente bonito pudesse parecer tão simples e tão charmoso — "como um rapaz do interior", disse ela.

Em pouco tempo, ela estava vendo Ali todos os dias. Eles cronometravam seus encontros para evitar Belinda. "Ele simplesmente encheu Veronica de atenção", lembrou Rose Jennings. "Ele não a deixava só."[30]

Quando repórteres começaram a notar a nova companhia de Ali e perguntaram sobre ela, ele riu e desconversou. "Minha babá",[31] disse. Ele não se importava, tampouco Veronica. Ela era jovem. Eles estavam na África. O homem mais bonito que ela já tinha visto revelou-se doce e gentil, e definitivamente, definitivamente atraído por ela. Era arrasadoramente romântico.

"Eu me lembro do momento em que me apaixonei por ele, o momento exato",[32] disse ela, anos mais tarde. Eles estavam na vila de Ali, em N'Sele. Ele usava uma camisa preta de mangas curtas e calça comprida. "Ele tinha aquelas anotações que havia feito para palestras, escritas em cartões, e eram realmente bonitas, sobre amizade, amor. Ele estava dando sua palestra sobre amor e... eu me apaixonei. Senti que havia uma sensação palpável... certa energia que senti que me bateu em determinado ponto da palestra. E eu soube."

Mais tarde, ela descobriu que as palavras não eram de Ali. Eram passagens que ele havia copiado de livros religiosos. Mas isso não importava. Ela estava apaixonada pela primeira vez na vida.

Em 16 de setembro, nove dias antes da luta agendada, George Foreman sofreu um corte acima do olho direito durante um treino. O corte era grave o suficiente para que o combate tivesse de ser adiado — por quanto tempo, ninguém sabia. Os relatórios iniciais disseram que seria uma semana, pelo menos. Logo, havia indicações de que seria um mês ou mais.

Para todos os envolvidos, era um desastre. Mobutu temia que Ali, Foreman e os repórteres fazendo a cobertura fugissem do Zaire e nunca mais voltassem. Para evitar que isso acontecesse, ele ordenou que os lutadores e seus empresários entregassem os passaportes.

Ali ficou abatido, descrevendo o adiamento como "a pior coisa que poderia ter acontecido".[33] Primeiro, ele sugeriu que a luta deveria continuar conforme previsto, acrescentando que, se o corte sobre o olho do Foreman abrisse durante a luta, ele concordaria com uma revanche em seis meses. Depois, sugeriu que Joe Frazier fosse levado para Kinshasa para lutar no lugar de Foreman.

Foreman recusou-se a levar pontos, dizendo não confiar nos médicos locais. Com uma bandagem de borboleta sobre o olho, ele tinha que evitar *sparrings*, mas continuou a treinar. Ali também continuou. E convenceu Veronica a tirar férias da faculdade e ficar com ele no Zaire.[34] Belinda — aparentemente ainda desconhecendo a nova relação do marido — retornara aos Estados Unidos.

Em 22 de setembro, começou no Zaire um festival de música de três dias, com apresentações de James Brown, B. B. King, Miriam Makeba, Celia Cruz, os Spinners e Bill Withers. A música era elétrica, graças, em boa parte, à maconha do Zaire — que os norte-americanos chamavam de *binji*[35] —, que era da pesada e vendida aos punhados a preços de terceiro mundo. Certa noite, Ali pediu a Veronica para se juntar a ele no estádio para o concerto. Ela não quis, mas esperou em N'Sele até Ali retornar; naquela noite, trocaram seu primeiro beijo. Logo ela estaria passando a maior parte de seus dias e noites com Ali em N'Sele.

Quando Belinda retornou à África, ela e Ali tiveram um desentendimento violento — mas não porque Belinda pegou Ali com Veronica. A briga começou quando Ali acusou Belinda de dormir com outro homem.[36]

"Ali entra no quarto", disse Belinda, "entra e me bate na cara assim, *Bam!* — e meu rosto incha... Meu rosto todo incha. E fico com um olho roxo... Ele bateu pra valer."[37]

Belinda se lançou sobre ele, arranhando o rosto de Ali e deixando um corte no lado esquerdo que ia desde a linha do cabelo até a têmpora — e que seria visível em fotos tiradas nos dias que se seguiram. Mais tarde, ele chorou e se desculpou.

"Eu poderia fazer com que fosse preso", disse ela, acrescentando que decidiu esconder o ferimento porque não queria atrapalhar a luta com Foreman. Usou óculos escuros e saiu de circulação até que o inchaço desaparecesse.

Veronica disse que não sabia se Ali havia batido em Belinda, mas confirmou que Belinda estava escondendo dois olhos roxos sob óculos escuros no dia após o incidente.[38] Kilroy disse não acreditar que Ali tivesse agredido a esposa. Nas semanas que antecederam a luta, Belinda podia ser vista usando um bóton de George Foreman.[39] Ali e Veronica continuaram seu romance, ela cada vez mais apaixonada. Presumia que Ali perderia para Foreman, como todo mundo previa, mas não se importava. Embora se conhecessem havia apenas algumas semanas, quando Ali propôs casamento, Veronica respondeu sim sem hesitação.[40] Tinha a impressão, disse ela, de que o casamento de Ali com Belinda estava acabado, e só faltava oficializar. Isso foi o que Ali lhe disse. Um ministro zairense foi convocado para N'Sele e realizou uma cerimônia de casamento na villa de Ali. "Não sei dizer se aquilo foi legal", admitiu ela anos mais tarde. "Sei que foi loucura, mas nos casamos."

Ali prometeu que um casamento norte-americano adequado aconteceria assim que ele se divorciasse de Belinda.

Mais de seiscentos repórteres haviam chegado ao Zaire, e, com a possível exceção de Hunter S. Thompson, da *Rolling Stone*, que passava grande parte do tempo comprando presas de elefante, fumando maconha e se embebedando, a maioria dos jornalistas sentia-se miseravelmente mal. Os telefones nos quartos dos hotéis eram meros ornamentos. O governo forneceu apenas um punhado de máquinas de telex para os repórteres transmitirem suas histórias, e, quando receberam impressoras modernas, depois de muito esperar, não havia soquetes para conectá-las. Aonde quer que fossem, esperava-se deles um *matabiche*,[41] nome local para gorjeta ou suborno. As roupas tinham de ser regularmente lavadas e passadas para matar os *michango*, um parasita que perfurava a pele, instalava-se nas bolsas macias sob os olhos e só era removível com cirurgia. Pior de tudo, talvez: os garçons zairenses eram ineptos. "Eles não sabiam o que era um Hi-Fi", recordou-se Rose Jennings. "Você tinha que dizer vodka e suco de laranja. Se pedia chá gelado (*iced tea*), eles traziam sorvete (*ice cream*)." Quando Rose

480 MUHAMMAD ALI

reclamou de um barman particularmente incompetente, um compatriota sentado ao seu lado disse: "Rose, você não entende. Há um mês, esse cara não sabia nem como dar a descarga."

O norte-americano em estado mais deplorável de todos pode ter sido George Foreman. Quando pediu a Dick Sadler para arranjar um voo para a Bélgica ou a França, de modo que tivesse um médico qualificado para examinar seu ferimento, Mobutu não permitiu que ele saísse do país. O ditador zairense temia que Foreman nunca retornasse, e provavelmente estava certo. Mobutu deixou claro que Foreman e Ali ficariam no Zaire enquanto necessário; nada iria impedir que a luta acontecesse.

Com Foreman amuado, os repórteres voltaram-se para Don King em busca de divertimento e notícias. King havia passado a usar túnicas locais (*dashikis*) brilhantemente coloridas e parecia ter deixado seu cabelo afro crescer a alturas novas e previamente inexploradas, inspirando Norman Mailer a escrever que King parecia "um homem despencando por um poço de elevador, o cabelo da cabeça *whuuuup!*, todo de pé".[42] King parafraseou Shakespeare ao comentar sobre o adiamento da luta, dizendo: "A adversidade é feia e venenosa como um sapo, mas usa uma joia preciosa na cabeça."[43] O suspense extra em torno da luta transformaria o evento, disse ele, de colossal em supercolossal.

Ali, enquanto isso, fazia uma das coisas que mais gostava de fazer: entretinha as pessoas. Continuava sabendo cada vez mais sobre Veronica. Praticava um conjunto de truques de mágica rudimentares. Aprendeu a arrancar duas ou três músicas de boogie-woogie no piano.[44] Assistia a filmes que a Embaixada dos Estados Unidos mandava para o alojamento. Oferecia coletivas de imprensa e entrevistas informais diárias com jornalistas famintos de notícias que pudessem transmitir, pois quase nada conseguiam extrair de Foreman. Aproveitando o fato de que alguns dos repórteres da África e da Europa ainda não conheciam seus velhos poemas, inventou um novo, uma longa ode chamada "A Bad Morning Shave". Fazia explorações pelo país. E continuava a treinar. Para ter certeza de que ele ou seus *sparrings* não ficariam fracos ou adoeceriam com a comida local durante a longa espera, encomendou carne trazida da Europa por avião.[45]

"ALI BOMA YE!" 481

Uma semana antes do combate, repetiu seu juramento de que seria sua luta final. "Eu planejo me aposentar assim que ganhar",[46] disse numa entrevista coletiva. "Não haverá nenhuma derrota."

Os jornalistas que vinham seguindo Ali durante anos e tinham aprendido a amá-lo maravilhavam-se com sua conduta. Até alguns dos homens de seu *entourage* estavam impressionados. Como ele fazia isso? Como conseguia ser tão luminoso e transmitir essa confiança? Ali não era ingênuo. Sabia que Foreman era jovem e forte, e estava invicto. Sabia que Foreman era um dos maiores nocauteadores que o esporte já vira. Sabia que a bolsa de apostas de Las Vegas havia registrado 3-1 para Foreman.[47] Mesmo que Ali honestamente acreditasse que era o melhor e mais inteligente boxeador, tinha de se preocupar com o risco de que Foreman o machucasse, de que um bom soco poderia dar fim ao seu retorno e encerrar sua carreira. Red Smith, do *New York Times*, escreveu que as chances de Ali ganhar eram "tão remotas como o Zaire".[48] Smith acrescentou: "Há muita falação na máfia das lutas sobre uma armação a favor de Ali, mas, nos próprios termos, isso se configura como um encontro entre um jovem arrebentador em ascensão e um herói folclórico que há muito entrou em declínio." Um jornalista britânico brincou que só havia um jeito de deter Foreman: "Bombardeie-o por três dias e então envie a infantaria."[49]

Mas o estresse escorria sobre Ali como água sobre uma estátua de mármore. Ele só falava de ganhar, de ser campeão de novo, de voltar às boas graças com Elijah Muhammad.

"Eu tenho um sonho", disse, "em que visto meu terno, pego minha pasta, arrumo tudo nela e vou ver o que o Líder dirá sobre minha futura missão. O campeonato fortalece minha reputação como profeta. Já não sou mais a única e solitária voz que clama no deserto. O palco está pronto."[50]

41

Batalha na Selva
(*Rumble in the Jungle*)

Eram 2 da manhã de 30 de outubro, o dia da luta. Muhammad Ali estava de pé ao lado do poderoso rio Zaire, antes conhecido como rio Congo. Grande quantidade de árvores inteiras descia pelo rio como se fossem palitos de fósforo. Uma pálida lua brilhava. O ar estava morno e úmido. Ali, vestido de preto, estava cercado por seus homens de maior confiança. Todos quietos, como soldados se preparando para sair numa missão perigosa.

Uma hora mais tarde, no camarim no estádio de Kinshasa, Ali tentou aliviar a pressão.

"O que há de errado por aqui?",[1] perguntou. "Todo mundo com medo?"

O filme de terror que assistira à tardinha, *Barão sanguinário*, aquilo sim é que fora assustador, disse; lutar contra George Foreman não era. "Isso não é nada além de mais um dia na vida dramática de Muhammad Ali!" E revirou os olhos, simulando medo. Trocou as roupas por um calção de boxe branco com listras pretas e um roupão branco franjado com um desenho africano. Geralmente, Bundini projetava o roupão de Ali, e tinha um nos braços — enfeitado com cores zairenses com um mapa do país sobre o coração. Mas Ali não queria vestir o roupão de Bundini.

"Olha como *este* fica muito melhor",[2] disse Ali, girando na frente de um espelho. "É africano. Olhe no espelho."

Bundini recusou-se a olhar.

Ali deu um tapa nele.

"Olhe quando eu mando! Nunca mais faça uma coisa dessas."

Bundini não olhou.

Ali deu outro tapa nele.

Ainda assim, Bundini não tomou conhecimento do roupão de Ali.

Ali deu de ombros e sentou-se na ponta da mesa de treinamento, sob os ventiladores de teto que giravam lentamente. Em voz baixa, cantarolando, murmurava para si mesmo. Recitou velhas rimas e seus bordões favoritos, como se estivesse fazendo uma revisão de sua carreira de boxe: "flutuar como uma borboleta, picar como uma abelha... você não pode bater naquilo que não vê... estive falido... eu caí... mas não fui nocauteado... deve ficar escuro quando você é nocauteado... é estranho quando você é parado."

E concluiu com: "Agora! Vamos batalhar na selva!"

Saltou da mesa e tentou fazer Bundini se sentir melhor. "Bundini!", gritou. "Nós vamos dançar?" Nenhuma resposta.

"Não vamos dançar, Bundini? Você sabe que não sei dançar sem você."

Bundini ainda estava triste. Finalmente, respondeu: "Ah, diabos, campeão. A noite inteira." "Vamos dançar com ele?"

"A noite inteira!"

Alguém gritou: "Dez minutos."

Dundee enfaixou as mãos de Ali. O treinador fez uma checagem para se certificar de que estava levando tudo de que precisava para a luta: cotonetes no bolso da camisa, um frasco de sais aromáticos preso atrás da orelha, pó coagulante e gaze no bolso esquerdo da calça, coagulantes líquidos e tesoura cirúrgica no bolso direito, e um kit com um saco de gelo, mais gazes, um par de cadarços extra, um protetor bucal extra e doses extras de sais.

Herbert Muhammad conduziu Ali ao toalete — o único lugar onde poderiam ter privacidade — e, juntos, rezaram.

BATALHA NA SELVA (*RUMBLE IN THE JUNGLE*) 485

Ali atravessou calmamente o estádio em direção ao ringue, cercado por seu círculo habitual — Rahaman, Dundee, Herbert, Bundini, Kilroy —, todos eles com expressões adequadas para um velório, e por dezenas de soldados zairenses com capacetes brancos. Um retrato gigante de Mobutu pairava sobre o estádio. Ali sorriu quando passou por Joe Frazier sentado ao lado do ringue, então se esgueirou por entre as cordas e começou a fazer sua dança e a dar socos num adversário invisível. Removeu o roupão, mostrando o corpo negro que brilhava sob as luzes do ringue enquanto um mar de faces negros olhava seus movimentos. Ele dançava e ondulava os braços, e a multidão gritava seu nome como se tivesse ensaiado para aquele momento durante meses. Em certo sentido, ensaiara.

Eram quase 4 horas da madrugada. Milhares de lugares jaziam vazios perto do ringue, aqueles que custavam 250 dólares cada e haviam sido reservados para os norte-americanos e europeus que Don King esperara seduzir. Mas, para além do círculo interno, mais de 40 mil zairenses espraiavam-se por um amplo e baixo oval que se estendia até uma grande distância do ringue. Para aqueles nos assentos mais baratos, Ali e Foreman seriam pequenas manchas escuras, seus rápidos e sutis movimentos impossíveis de discernir. Um telhado de zinco ondulado fora construído sobre o ringue para protegê-lo de um aguaceiro tropical, o que só obstruía ainda mais a visão a partir dos lugares mais distantes. Os espectadores não pareciam se importar que sua visão estivesse parcialmente bloqueada ou que todos ficassem encharcados se chovesse. Estiveram de vigília a noite toda, esperando. Finalmente, chegava o momento da ação. "*Ali boma ye!*", gritavam. Ali ondulou a mão, regendo-os.

Em todo o mundo, pessoas se sentavam para assistir ao combate. Em muitos países, a luta seria exibida ao vivo na televisão das casas, sem nenhum custo. Nos Estados Unidos, na Grã-Bretanha e no Canadá, os fãs foram aos cinemas e pagaram para ver na tela grande. Cerca de 2 mil pessoas eram esperadas para encher o Grand Ballroom do Waldorf-Astoria em Nova York — onde 85 dólares compravam um ingresso para ver o espetáculo, com direito a jantar e uísque ilimitado, e onde a luta começaria aproximadamente às 22 horas.[3] Nos drive-ins na região de Nova York, o preço era de cerca de 80 dólares por carro. No Madison Square Garden, onde os ex-campeões Jack Dempsey, Jimmy

Braddock e Gene Tunney estariam assistindo, o preço dos ingressos chegava a 30 dólares. Mesmo fora de Nova York, os ingressos eram caros: 20 dólares em Milwaukee, por exemplo, e 17 em Salt Lake City. Em determinado ponto, Ali havia se gabado de que 2 bilhões de pessoas ao redor do mundo estariam assistindo. Isso não ia acontecer. Aproximadamente 50 milhões veriam a luta em tempo real, e outros 300 a 500 milhões veriam uma gravação. Ainda assim, 500 milhões já era um número enorme de espectadores,[4] e, para muitos daqueles assistindo, Ali representava mais do que um pugilista azarão, mais do que um norte-americano negro e mais do que um muçulmano; ele era um símbolo de rebeldia.

Em Kinshasa, a ameaça de chuva pairava no ar pesado. Havia também a ameaça de violência. Uma nação inteira esperara meses por aquele momento. Centenas de soldados cercavam o ringue e ocupavam pontos estratégicos em todo o estádio — o suficiente para uma demonstração de força, mas não para controlar 40 mil zairenses se as nuvens se abrissem e a chuva pusesse um fim à luta, ou pior, se Foreman liquidasse Ali com um murro colossal.

Foreman chegou. A banda tocou o hino nacional dos Estados Unidos, seguido pelo do Zaire. Enquanto Dundee enfiava as luvas de 8 onças nas mãos de seu lutador, Ali gritava para o outro lado do ringue, provocando Foreman. Continuou provocando enquanto o árbitro Zack Clayton chamava os dois homens para o centro do ringue para uma revisão das regras da luta. "Pateta!" Ali fustigou Foreman. "Você vai apanhar na frente de todos esses africanos!"[5]

O árbitro disse a Ali para se calar. Ali não obedeceu. "Você ouve que eu sou mau desde que você era uma criancinha com as calças borradas", continuou. "Hoje eu vou espancar você até que chore feito um bebê!"[6]

O gongo soou. Depois de ter repetido infindavelmente, durante meses, que iria dançar — que a maneira de derrotar o lento Foreman era dançar, e depois de repetir, apenas momentos antes, no camarim, que, finalmente, finalmente, havia chegado a hora de dançar —, Ali não dançou. Em vez disso, caminhou com passos firmes para o centro do ringue, como um homem movido pelo desejo de morte, para encontrar George Foreman.

Os repórteres empoleirados em volta do ringue ficaram de pé.

BATALHA NA SELVA (*RUMBLE IN THE JUNGLE*)

"Ah, Cristo, é armação",[7] gritou Plimpton, que mal conseguia se ouvir no meio daquele rugido oceânico. Plimpton pensava que Ali ia ficar parado, levar um soco de Foreman e cair como Sonny Liston caíra em Lewiston, Maine.

Mas Ali tinha outra coisa em mente. Semanas antes da luta, ele havia procurado aconselhamento com o lendário treinador Cus D'Amato.[8] D'Amato lhe dissera que Foreman era um valentão. A melhor maneira de lutar com um valentão, disse ele, é bater primeiro, e bater com força. Mostre que você não está com medo. Foi o que fez Ali. Ele acertou os dois primeiros socos e, por 30 segundos, continuou a lançar *swings*, ocupado demais para pensar em dançar. Quando Foreman assumiu o comando, forçando Ali no canto, os homens no *corner* de Ali gritaram descontroladamente, alertando-o, como se ele fosse um nadador que tivesse acidentalmente se aproximado de um tubarão. Mas, mesmo assim, em vez de dançar, Ali passou do *corner* para as cordas, que, como escreveu Plimpton para a *Sports Illustrated*, eram, "tradicionalmente, uma espécie de meio caminho em direção à lona para o lutador exausto".[9]

Parecia um suicídio pugilístico, exceto que quase todos os socos de Foreman erravam o alvo ou pegavam nos braços de Ali. Logo Ali estava de volta ao centro do ringue, onde atingiu Foreman com um sólido direto de direita na cabeça. Foreman retribuiu com um esquerdo duro na cara de Ali.

Assim rolou o round, dois grandalhões dando e levando socos tremendos, a multidão gritando, Ali surpreendendo a todos com sua vontade de se manter de pé e lutar, Foreman lançando socos grandes, redondos e ineficientes, presumindo que precisava apenas de um realmente bom para encerrar. Foram 3 minutos de ação furiosa e emocionante. Quando tudo acabou, Foreman sentou-se na sua banqueta e sorriu. Esse era o seu tipo de luta. Se Ali quisesse trocar socos, ótimo, Foreman adoraria. Se Ali quisesse ficar contra as cordas e deixar que Foreman lançasse seus melhores golpes, Foreman faria isso também, com mais prazer ainda.

Mais tarde, Ali disse que queria ver se Foreman sabia como lutar para sair da "sala do meio-sonho",[10] o lugar para onde vai um homem quando seus sinais cerebrais ficam nebulosos. Dado que Foreman vencera a maior parte de suas lutas com facilidade, Ali suspeitava de que talvez o adversário

488 MUHAMMAD ALI

não tivesse habilidade para escapar da sala. Mas a estratégia surpreendente de Ali causou pânico no seu *corner*, no final do primeiro round.

"O que você está fazendo?"

"Por que você não dança?"

"Você *tem* que dançar!"

"Fique longe das cordas..."

Ao que Ali respondeu: "Parem de falar. Eu sei o que estou fazendo."

Os rounds dois e três foram iguais, apenas mais lentos. Foreman avançou, mandando Ali para as cordas. Quando Foreman o atacou, Ali ficou inclinado, olhos arregalados, alerta para o perigo. Em vez de escorregar das cordas e dançar ao redor do ringue, usando a velocidade em seu benefício, ficou onde estava, limitando-se a contragolpes curtos e rápidos, acertando um soco para cada dois ou três lançados por Foreman. Em breve, Ali estava balançando a cabeça e gritando para Foreman — "Isso é tudo que você tem? Isso é tudo?" —, exatamente como havia feito em sua primeira luta contra Joe Frazier. Era esse o seu plano? Deixar que Foreman o acertasse? Receber os melhores socos que o adversário poderia lançar e esperar que o homem ficasse sem combustível? O pensamento de que isso estivesse acontecendo horrorizou o staff no *corner* de Ali. Era uma estratégia que falhara contra Frazier e Norton, e parecia ainda mais provável que falhasse contra o poderoso Foreman.

"Dança! Dança!", vinham os gritos dos homens de Ali.

No terceiro round, Ali manteve a mesma abordagem, lutando a partir das cordas, agarrando a cabeça de Foreman para reduzir a velocidade dos golpes e sussurrando palavras de desencorajamento no ouvido dele. Faltando um minuto para terminar o round, Foreman atingiu Ali com seus melhores golpes da noite, três bons direitos, cada um pousando solidamente na cabeça de Ali. Ali agarrou Foreman ao redor do pescoço e falou com ele novamente, sem dúvida depreciando a força dos socos de Foreman antes de responder com uma saraivada de golpes concussivos, ra-tá-tá-tá, nos últimos 10 segundos do round.

Os socos de Ali machucaram Foreman, fazendo-o cambalear algumas vezes. Mas Foreman continuava perigoso, continuava a abrir caminho a socos. Quando Foreman se lançava ao ataque, Ali se apoiava contra as

BATALHA NA SELVA (*RUMBLE IN THE JUNGLE*)

cordas, deixando seu corpo pendurado sobre as máquinas de escrever dos jornalistas num ângulo que era, como escreveu Plimpton, "o de alguém olhando pela janela para ver se há um gato no telhado".

"Isso é o melhor que você pode fazer?", insultava através de seu protetor bucal no quarto round. "Você não consegue dar um soco... Me mostre alguma coisa! Me *devolve* o golpe! É meu! Agora é minha vez!"

Nos últimos 30 segundos do round foi, de fato, a vez de Ali. Ele saiu das cordas e atacou, dando socos muito rápidos que Foreman não conseguia bloquear.

Os olhos de Foreman incharam. Ele se movimentava cada vez mais lentamente, até se assemelhar a um homem que precisava de um cochilo.

Ele não tinha nenhum plano B. Foreman só sabia um jeito de lutar. À medida que os socos de Foreman ficavam mais lentos, Ali permaneceu nas cordas, esperando pacientemente para contra-atacar. Após o quinto round, os homens do *corner* de Foreman, Dick Sadler e Archie Moore, começaram a se queixar de que as cordas do ringue estavam frouxas demais, que Ali estava ficando tão inclinado para trás que os socos de Foreman não podiam alcançá-lo. As queixas foram inúteis. Para observadores casuais, poderia parecer que Ali estivesse deixando Foreman fazer todo o trabalho. Mas não era assim. Na verdade, Ali estava encaixando quase tantos socos quanto Foreman. A grande diferença era que Ali fazia seus golpes valer pontos, enquanto Foreman batia descontroladamente com socos que perdiam o alvo ou meramente atingiam os braços de Ali. A outra grande diferença: Foreman estava lutando durante 3 minutos de cada round, enquanto Ali conservava energia e esperava os últimos 30 segundos para ir com tudo. Ele sabia que Foreman estaria cansado de golpear e perder tantos socos fortes, e que estaria ainda mais cansado nos segundos finais de cada round. Ele sabia que, àquela altura, seus golpes feririam mais. Ele sabia que George teria pouco tempo para contra-atacar. Ele sabia que a avalanche de golpes que reservava para o final impressionaria os juízes. Em determinado momento, depois de sair da horizontal e atingir Foreman com uma explosão particularmente afiada, Ali olhou para Jim Brown, que estava atuando como um dos locutores da luta, e piscou o olho, como se dissesse: *Olha o que eu tenho aqui.*

No sexto round, Ali surpreendeu Foreman indo diretamente para o centro do ringue, acertando-o com três esquerdos secos bem no alvo. Cada vez que ele jabeava, a multidão gritava seu nome como se fosse seu coro pessoal.

Jab.

"Ali!"

Jab.

"Ali!"

Jab.

"Ali!"

Na metade do round, Ali voltou às cordas para descansar. Sentou-se na segunda corda a partir do topo e esperou que Foreman fosse bater nele. Há um ditado no boxe que diz que, se um lutador tentar lutar quinze rounds com um saco pesado, o saco ganhará. Ali era o saco. Mais tarde, ele e outros chamariam aquela defesa passiva de *rope-a-dope*, sugerindo que Ali atraíra o estúpido Foreman para uma armadilha. Na verdade, a *rope-a-dope* não havia sido algo planejado, e dificilmente se qualificaria como um golpe de gênio da parte de Ali. Na verdade, resultava numa luta maçante. Mas foi gerada pela necessidade. Era uma proeza de masoquismo. Ali carecia de velocidade para escapar, e carecia de força e resistência para lutar por mais do que uma fração de cada round. O melhor que ele poderia esperar era durar mais do que Foreman. "Em toda a história do boxe", escreveu Mike Silver no *The Arc of Boxing*, "essa não estratégia funcionou exatamente uma vez."[11] Aquela foi a única vez.

"Isso é tudo que você tem?", perguntou Ali a Foreman.

Aquilo era tudo que Foreman tinha.

No final do round, o maior e mais assustador peso-pesado desde Sonny Liston estava dando socos que mal poderiam derrubar um vaso. Foreman parecia uma múmia produzida por Ali, uma criatura meio morta, e lenta demais para machucar alguém.

Quando o gongo tocou para começar o sétimo round, Ali voltou para as cordas, sentando-se e esperando que Foreman começasse a bater nele. Mais uma vez, ele atacou nos últimos 30 segundos do round. Enquanto os segundos escorriam no relógio, Ali acertou um cruzado de direita que fez a cabeça de Foreman girar quase 180 graus. O suor voou como um halo dos cabelos de Foreman. O lutador ferido cambaleou, mas voltou a se aprumar.

BATALHA NA SELVA (*RUMBLE IN THE JUNGLE*)   491

Ali gritou: "Você ainda tem oito — OITO — longos rounds, seu trouxa!"[12]

"Tenho a sensação de que George não vai conseguir ir adiante",[13] disse Joe Frazier aos telespectadores ao redor do mundo quando o sétimo round chegou ao fim.

Foreman tremia quando se levantou da banqueta para começar o oitavo round. Precisando de um nocaute, lançou socos grandes e selvagens, quase todos perdidos ou com pouco efeito.

Mais uma vez, Ali esperou. Faltando 21 segundos para terminar o round, ele deixou voar uma combinação de esquerda-direita. Os dois murros acertaram. Ali se cobriu, antecipando um contra-ataque, avançou a esquerda, acertou outra direita e depois jogou outra combinação. Uma grande explosão de energia o movia agora. Saiu girando do canto e se postou no centro do ringue, onde soltou um esquerdo, um direito e outro esquerdo. Foreman perdeu o equilíbrio. Suas mãos voaram no ar como um homem enfrentando um ladrão armado, e então veio o quinto soco de Ali, sem resposta.

"Meu Deus!", gritou Bundini. "Ele está possuído!"

O lance seguinte foi um direito na cabeça. Foreman tropeçou algumas vezes no ar e tentou se agarrar no espaço vazio enquanto caía no chão. Ali engatilhou o braço e fez um círculo em torno de seu adversário, mas não era preciso bater de novo. Foreman colapsou na lona.

Ali levantou os braços, e um momento depois a multidão estava em torno dele no ringue.

Anos mais tarde, Foreman alegaria ter sido drogado antes da luta pelo próprio treinador. As décadas que se passaram serviram para fortalecer sua certeza. Ele explicou assim: antes de suas lutas, geralmente evitava tomar água, tentando secar o corpo para que parecesse magro e com músculos ondulados. Esperava até poucos instantes antes do início da luta para tomar um copo de água. No Zaire, Sadler lhe dera água momentos antes do início da luta. Para Foreman, a água tinha gosto de remédio. Mas, quando reclamou disso, Sadler disse que ele estava louco, que era a mesma água que vinha bebendo todos os dias no Zaire. Foreman bebeu o restante. Quando entrou no ringue, o lutador disse que se sentiu grogue. Não era o calor ou a umidade. Era um tipo de lentidão que nunca sentira antes. Após a luta, lembrou-se da água e ficou convencido de que havia sido drogado.

"Eu sei", disse ele numa entrevista, quase quarenta anos mais tarde. "Eu sei o que aconteceu."[14]

Por que o empresário de Foreman iria drogá-lo? Foreman suspeitava que Sadler havia feito um acordo com Herbert Muhammad — deixe Ali ganhar essa, e nós dois vamos ganhar uma grana com a revanche.

Foreman vacilou quando lhe perguntaram se perdera porque foi drogado ou porque Ali lutara melhor, soando como um homem ainda queimando de ressentimento, mas desejando ser magnânimo. "Não é que a água tenha me vencido", disse. "Muhammad me venceu. Com um direto de direita. A mão direita mais rápida com que eu já havia sido atingido na minha vida. Foi isso que me venceu. Mas eles colocaram alguma droga na minha água lá."

Foreman também se queixou de que o árbitro Zack Clayton lhe dera 8 segundos, em vez de 10, para se levantar depois de cair. Replays da luta sugerem que Foreman poderia estar certo. A contagem de Clayton pareceu ser rápida e curta. Quando o árbitro iniciou a contagem, faltavam apenas 8 segundos para terminar o round. O gongo deveria ter terminado o round antes de Clayton contar até 10. Mesmo sem considerar o gongo, Foreman pareceu estar de pé antes de a contagem de Clayton chegar a 10.

No entanto, quando Foreman se colocou de pé, Clayton acenou os braços, declarando Ali o vencedor por nocaute.

Antes da luta, Foreman disse que Sadler havia lhe pedido 25 mil dólares em dinheiro.[15] A quantia, disse Foreman, era para Clayton, para se certificar de que o árbitro não mostraria qualquer favoritismo por Ali. Foreman afirmou ter dado o dinheiro a Sadler, que o repassou para Clayton. Anos mais tarde, no entanto, disse Foreman, ele descobriu que Herbert Muhammad também fizera um pagamento em dinheiro a Clayton com a mesma finalidade ostensiva — para se certificar de que o árbitro não seria tendencioso. O pagamento de Herbert, de acordo com Foreman, havia sido "um pouco mais" de 25 mil dólares.

Quando perguntaram a Gene Kilroy se a história de Foreman era verdadeira, ele gritou enfurecido: "Isso é conversa mole! Nós só pagamos 10 mil!"[16]

BATALHA NA SELVA (*RUMBLE IN THE JUNGLE*)   493

As teorias da conspiração viveriam por décadas, mas não fariam nenhuma diferença. Haviam se passado dez anos e meio desde que Cassius Clay usara um marcador para escrever as palavras "campeão mundial dos pesos-pesados" ao lado de seu nome num colchão em sua casa de Miami, dias antes de sua primeira luta com Sonny Liston. Agora, seu nome havia mudado, mas o título era dele novamente, fazendo-o o segundo peso-pesado na história do boxe a perder o título e recuperá-lo.

Já estava amanhecendo quando Ali deixou a arena. Ele e Belinda entraram na parte de trás de um Citroën prateado. O resto de seu *entourage* embarcou em dois ônibus. Formavam uma caravana liderada por um carro da polícia com uma sirene laranja, cruzando Kinshasa "como uma coluna militar através de um território libertado",[17] conforme Plimpton descreveu. Multidões enchiam a rua, celebrando e cantando "Ali! Ali! Ali!". À medida que a caravana saía da cidade em direção ao campo de treinamento de Ali, outras multidões que tinham ouvido a notícia se postavam ao longo da estrada. Nuvens baixas, carregadas, pairavam sobre as colinas.[18] O céu da manhã ficou esverdeado. Uma chuva pesada começou a cair, rufando no teto dos ônibus e do carro de Ali. Plimpton lembrou que também havia chovido em Miami após a chocante derrota de Sonny Liston por Ali. Naquela época, Ali era considerado um arrivista valente; agora, era um rei, olhando através das janelas raiadas de chuva para outro pedaço de seu reino.

"O céu está despencando!",[19] disse Bundini enquanto a caravana diminuía a marcha por causa da tempestade.

No dia seguinte, Ali riu e levou o crédito por ter segurado a chuva por tempo suficiente para terminar a luta.

Com a vitória sobre o poderoso Foreman, o mito Muhammad Ali cresceu novamente. Ele era o lendário negro John Henry que havia martelado a montanha para abrir um túnel, mas era maior do que Henry, pois vinha martelando, sem parar, durante anos — havia martelado Liston, martelado Patterson, martelado repórteres brancos que lhe diziam para calar a boca e lutar boxe, martelado LBJ, Nixon, a Suprema Corte, Norton, Frazier e, agora, o grande e mau George Foreman.

Fazia uma década e meia que ele vinha dizendo ao mundo: "Eu sou o maior!" Como alguém poderia discordar?

494 MUHAMMAD ALI

Durante todo o tempo, ele permanecera uma figura atraente, o que pode ter sido o seu feito mais surpreendente. A despeito de todas as suas bravatas, Ali sabia rir de si mesmo. Ele reconhecia que era o bobo da corte que se tornaria rei, e não o óbvio herdeiro do trono. Num minuto, ele estava dizendo que talvez ligasse para o presidente Gerald Ford para ver se poderia ser útil ao seu país como diplomata e, de repente, estava fazendo um truque de mágica com três pedaços de cordão de três diferentes comprimentos que, abracadabra, se tornavam todos do mesmo tamanho. Apesar de seu jeito agressivo de falar e da brutalidade fundamental de seu esporte, a maneira despreocupada de Ali o tornava querido por todos, negros e brancos. O racismo ainda permeava a sociedade norte-americana. As feridas do Vietnã permaneciam abertas e sangrando à medida que veteranos voltavam para casa com membros faltando, pensamentos suicidas e uma notável escassez de desfiles de vitória. Os norte-americanos comuns haviam perdido a confiança em seus líderes, ninguém sabia que aspecto teriam o heroísmo e a bravura numa época de crescente cinismo e desespero. E aqui estava Ali — um homem com todo o direito de estar furioso —, ainda exuberante, ainda esperançoso, ainda bonito, ainda vencendo. Ele não era o herói americano ideal, era meramente o herói ideal para o seu tempo.

O que ele faria em seguida?

Ali admitiu que não tinha certeza.

"Mas eu sei", disse, "que derrotar George Foreman e conquistar o mundo com os meus punhos não traz liberdade para o meu povo. Estou bem ciente de que devo ir além de tudo isso e me preparar para algo mais."[20]

"Eu sei", disse, "que estou entrando numa nova arena."

42

Voando alto

Ali voltou para casa e foi recebido como herói. Após o desembarque em Chicago, seguiu numa caravana até a prefeitura, onde o prefeito Richard J. Daley oficializou o 1º de novembro de 1974 como o Dia de Muhammad Ali. Vestido como um dândi, de terno azul, lenço no pescoço e carregando uma bengala ornamentada que recebera de presente do dirigente do Zaire, Ali agradeceu ao prefeito. Posou para fotos. E disse aos repórteres que estava ansioso para ver seus quatro filhos "e meu grande líder, Elijah Muhammad".[1]

Da prefeitura, Ali foi para o Restaurante Sallam, que ficava na zona sul de Chicago e pertencia à Nação do Islã. No dia seguinte, quando foi à casa de Elijah Muhammad, encontrou-o muito diminuído em saúde, intelecto e poder. Durante anos, houve rumores de que a mente do Mensageiro estava se esvaindo.[2] Alguns dos recentes pronunciamentos de Elijah Muhammad diferiam de seus princípios fundamentais. Em 1974, quando falou na assembleia anual no Dia do Salvador, por exemplo, havia incitado os seguidores a parar de condenar o homem branco e de culpar a sociedade norte-americana por seus problemas. "A culpa já não é do senhor de escravos, já que ele falou que você pode ir embora, ser livre, e nós vemos que não está bravo conosco." Ele disse a Leon Forrest, um dos escritores que trabalhavam no *Muhammad Speaks*: "Não vamos mais falar sobre nenhum demônio de olhos azuis."[3] Relatórios do FBI sugeriam que Elijah Muhammad estava considerando seriamente conceder permissão para que seus seguidores votassem.

Ali ainda estava oficialmente afastado da Nação do Islã, mas, nesse meio-tempo, o lutador continuava a se declarar muçulmano com sólidas crenças. Elijah Muhammad e a Nação do Islã também continuavam a se beneficiar financeiramente de sua associação com o pugilista. Após o retorno de Ali da África, Elijah lhe disse mais uma vez: ele deveria se aposentar do boxe e retornar à Nação do Islã como ministro. Elijah Muhammad moldara a vida de Ali mais do que qualquer outro. O Mensageiro lhe dera uma religião nova e um novo nome, pressionara-o para que se divorciasse da primeira esposa, abandonasse seu amigo e mentor Malcolm X e rejeitasse o alistamento militar. "Toda a minha vida é Elijah Muhammad",[4] disse Ali numa entrevista, um mês após seu retorno da África. "Tudo."

Ainda assim, ele não poderia se obrigar a obedecer àquela ordem. Depois de recuperar o campeonato, não estava preparado para se aposentar.

Teria sua fé esmorecido? Teria crescido sua ganância? Foi uma combinação dessas forças?

"Eu sinto culpa de verdade, ganhando tanto dinheiro com tanta facilidade",[5] disse ele numa coletiva de imprensa após a luta na África. "Lutar contra George Foreman foi um jeito fácil de ganhar 5 milhões... Daqui em diante, de todas as minhas lutas de campeonato, não quero nada além do que me custa treinar. Quero que minha parte vá para grupos carentes." Ele mencionou, especificamente, a Nação do Islã e o NAACP, embora os dois grupos tivessem missões conflitantes. Quando alguém perguntou a Ali se poderia vir a se tornar o líder da Nação do Islã, ele disse: "Não, senhor. Não quero ser um líder. Não tenho uma vida limpa o bastante para ser um líder espiritual."

Uma semana depois de Chicago celebrar o Dia de Muhammad Ali, Louisville fez o mesmo. Líderes de torcida e uma banda marcial do Colégio Central saudaram Ali quando ele chegou à sua cidade natal. Odessa Clay também estava lá, vestindo uma estola de mink branca que acabara de

VOANDO ALTO 497

receber de presente do filho.[6] O prefeito anunciou que uma rua no centro da cidade, a Armory Place, seria rebatizada como Muhammad Ali Place, e Ali declarou que, depois de todas as suas viagens pelo mundo, ele ainda considerava Louisville a melhor cidade do mundo — "principalmente porque eu sou daqui".[7] Ele disse aos estudantes do Colégio Central para fazer a lição de casa, de modo a não acabar precisando de tantos advogados como acontecera com ele. Depois de um discurso de 10 minutos no aeroporto, Ali entrou numa limusine Cadillac branca, que dispunha de dois telefones, uma televisão e uma geladeira;[8] levantou-se, enfiou a cabeça pelo teto solar e acenou para a multidão, dando seu adeus.

"Você é *o maior de todos*, cara!",[9] gritou um fã para Ali, que piscou de volta.

A vitória de Ali sobre Foreman havia gerado intensos novos sentimentos de admiração entre seus fãs, de acordo com a revista *Ebony*. A revista perguntava: "Seria exagero dizer que há elementos de religião de algum tipo envolvidos na relação muito especial que as pessoas têm com Muhammad Ali?" *Ebony* citou um dermatologista negro que assistira à Batalha na Selva numa arena apinhada em Washington, DC, junto com 17 mil pessoas. "A maioria era negra",[10] disse o dermatologista, "e, enquanto víamos Ali lutando round após round para recuperar um título que havia perdido por ser um homem negro capaz de se sustentar sobre os próprios pés e sofrer as consequências, bem, algo parecia atravessar a multidão, algo caloroso, um sentimento bom [...] Quando ele ganhou, parecia que todo mundo na arena havia ficado repentinamente limpo de quaisquer pensamentos negativos que tínhamos sobre nossos eus negros e sobre os outros, e saímos cheios de orgulho, de fraternidade e de amor-próprio negro."

Seu efeito sobre os norte-americanos brancos também foi poderoso. Pat Harris tinha 18 anos, era filho de um estivador e crescera em Weehawken, Nova Jersey. Ele odiara Muhammad Ali em 1971, odiara sua recusa de lutar por seu país, odiara sua arrogância, odiara a maneira como ofendera Joe Frazier, e ficara em êxtase com a primeira vitória de Frazier contra Ali. Ele e seus amigos pagaram 20 dólares cada por lugares na última fila do Madison Square Garden para assistir à luta Ali vs. Foreman. Embora estivesse sendo transmitida através de circuito fechado de TV, a energia na arena era incrível. Todos vaiavam quando o rosto de Foreman aparecia na tela, e todo mundo aplaudia Ali. "De repente, eu era um fã de Ali", recordou Harris. Só mais tarde ele percebeu como Ali havia moldado suas opiniões sobre raça. "Quando éramos crianças, não acho que raça nos afetasse tanto", disse, porque quase todos ao seu redor eram brancos. "Os negros, eles eram jogadores, eram lutadores." Harris e seus amigos não estavam autorizados a utilizar a palavra "crioulo" (*nigger*), "mas Ali a usava o tempo todo. Ele havia chamado Joe Frazier de crioulo. Nós nos divertíamos com aquilo. Archie Bunker e Ali eram os únicos que estavam autorizados a dizer aquilo". Harris não teve muita interação com pessoas negras até anos mais tarde, quando se mudou para Nova York e tornou-se um locutor esportivo. Mas, como um adolescente em 1974, ele percebeu que Ali não sentia raiva, pelo menos não da América branca, e isso o tornava atraente. "Se você acompanhasse a carreira de Ali e assistisse à sua progressão, era impossível deixar de amá-lo [...] Acho que ele gostava de fazer as pessoas rirem. Acho que gostava de deixar as pessoas felizes."

Ali sabia de sua importância para pessoas como Harris e, especialmente, para pessoas como o dermatologista negro em Washington. Também sabia que teria de fazer algo especial, que fosse além de sua vitória sobre Foreman. Em Louisville, Ali disse ao jornalista Dave Kindred, do *Courier-Journal*, que queria lutar contra George Foreman e Joe Frazier na mesma noite, como parte da mesma transmissão de TV, por um pagamento de 10 milhões de dólares. E insistiu que estava falando sério. Talvez ele pensasse ser essa sua única maneira de superar a Batalha na Selva. Dois de seus guarda-costas da Nação do Islã interromperam a entrevista para dizer a Ali que era hora de ir para outro compromisso, e ele lhes disse para esperar até que ele e Kindred terminassem.[11] Quando os guarda-costas saíram, Ali sussurrou, dizendo a Kindred que teria deixado a Nação do Islã há muito tempo se não fosse o medo de arriscar sua própria segurança. "Mas você viu o que fizeram com Malcolm X", disse Ali num comentário que Kindred relatou anos depois em um livro. "Não posso deixar os muçulmanos. Eles me matariam também."

Três meses depois, em 25 de fevereiro de 1975, Elijah Muhammad morreu de insuficiência cardíaca, aos 77 anos. Quando ouviu a notícia da morte, Ali saiu do seu campo de treinamento em Deer Lake para o funeral em

Chicago. Publicamente, tinha pouco a dizer sobre a morte de seu mentor. Mas falou detalhadamente durante um serviço fúnebre privado para Elijah Muhammad, com observações que nunca foram relatadas pela imprensa ou por biógrafos anteriores.

"Quando soube da morte do honorável Elijah Muhammad", disse Ali, vestindo um terno marrom e consultando suas anotações, "imediatamente peguei um avião para Chicago para ver Herbert, porque sabia que ele me diria o que estava acontecendo, como eu deveria me sentir, o que dizer, o que fazer."[12]

Ali explicou que Elijah Muhammad lhe dissera, havia muitos anos, que deveria aceitar ordens e conselhos de Herbert Muhammad, como se viessem diretamente do Mensageiro. Elijah Muhammad inspirara a fé de Ali, mas Herbert era a pessoa com quem Ali havia falado praticamente todos os dias durante mais de uma década. Era Herbert que havia sido seu professor. E era Herbert que ouvira do pai que ele devia cuidar de Ali, "nunca sair do seu lado",[13] de acordo com o jornalista Mark Kram, porque Ali era vulnerável, facilmente persuadido e sempre "seguiria a última pessoa a quem desse ouvidos". Agora, disse Ali, era Herbert quem lhe dissera o que deveria fazer em resposta à morte do Mensageiro: ele poderia abraçar mais um dos filhos de Elijah Muhammad, Wallace D. Muhammad, como o novo líder da Nação do Islã. "Se todos os muçulmanos fossem mortos amanhã", disse Ali ao grupo reunido em Chicago, "e eu fosse o único que sobrasse, iria para algum lugar e estabeleceria uma pequena mesquita para continuar, dali em diante, o que o honorável Elijah Muhammad me ensinou." E concluiu: "Faço minha promessa aqui hoje [...] de que serei fiel e leal, e honrarei o honorável Wallace Muhammad. Tenho certeza de que todos aqui hoje que sentem o mesmo ficarão felizes de se levantar agora e deixar o mundo saber que vocês apoiam este homem."[14]

A multidão ficou de pé enquanto Ali se virava e abraçava seu novo líder espiritual.

De volta a Deer Lake, Ali continuou a falar sobre lutar com Foreman e Frazier numa mesma noite. Ninguém o levava a sério. Don King e Herbert Muhammad estavam selecionando os adversários de Ali agora. "Herbert não gostava muito de Don",[15] disse Lloyd Price, que os havia apresentado, "mas eles faziam dinheiro juntos." King e Herbert Muhammad não tinham nenhuma pressa de agendar uma luta com alguém que representasse séria ameaça ao seu protegido. A estratégia melhor e mais segura era alinhar alguns eventos de pequeno a médio porte contra lutadores apenas razoáveis. Para começar, Don King sugeriu que Ali lutasse com Joe Bugner, a quem já havia derrotado uma vez em 1973. King, ansioso para consolidar a sua posição como o mais novo promotor de sucesso no boxe, prometeu a Ali 2 milhões de dólares pela luta.

"Joe Bugner?", perguntou Ali a Gene Kilroy, incrédulo. "Por 2 milhões de dólares? Eu não o contrataria nem como *sparring*."[16]

Embora Ali tivesse dito que pretendia se aposentar depois de enfrentar Foreman, agora dava pouca atenção ao assunto. Como parar quando você está voando alto, quando você é o melhor do mundo no que faz? Como você passa de campeão dos pesos-pesados a... a o quê? Uma celebridade tagarela? Um apresentador de TV? O que ele faria nos próximos quarenta ou cinquenta anos? Não se tratava de voltar a ser o que era antes de começar, quando tinha 12 anos. Ele não ia voltar para a escola. Ele não ia vender seguro de vida. Poderia ter se juntado a Howard Cosell como comentarista na TV, mas estaria Ali realmente pronto para deixar que outros atletas ocupassem o centro das atenções enquanto ele se sentava à margem, usando um casaco esportivo de cores berrantes e gravata? Poderia ter desfrutado o trabalho diplomático, como sugeriu em entrevistas após a luta com Foreman, mas ele não era do tipo que pudesse se encaixar bem, de forma alegre e eficiente, numa máquina burocrática. Numa visita à Casa Branca, em dezembro, havia brincado que poderia concorrer à presidência, mas isso parecia improvável demais, especialmente porque nunca sequer votara alguma vez.

A mera visão de Ali compartilhando uma risada com o presidente Ford era uma evidência do estranho lugar que ele ocupava na cultura norte-americana e das dificuldades que poderia enfrentar se tentasse se tornar algo mais do que um célebre pugilista. Durante muito tempo, sua fama repousara sobre sua rejeição aos valores da América. No entanto, lá estava ele, oficialmente convidado pela mais alta autoridade do país, e lá estava ele, feliz em ser recebido,

VOANDO ALTO   501

sem fazer onda, sem levantar questões políticas ou sociais, apenas sorrindo e brincando com o presidente.

Ali era agora um herói norte-americano, um símbolo da identidade nacional. Havia ganhado essa posição vencendo George Foreman, mas também surfando ondas de boa sorte fora de seu controle. A América havia mudado. Uma comédia chamada *The Jeffersons* estreou na CBS em 1975. Era um show sobre uma família negra em Nova York que estava "subindo na vida, mudando-se para a zona leste, para um apartamento de luxo no céu", e que incentivava os espectadores a refletir sobre os ganhos resultantes do movimento dos direitos civis, a ver uma versão do progresso racial, mesmo que George Jefferson e sua família fossem retratados como estrangeiros na sociedade de classe alta, como observou o historiador Bruce J. Schulman.[17] "Separados, mas iguais", o grito de guerra dos segregacionistas do sul, estava morto agora. Contudo, fora substituído por algo mais complicado do que igualdade. Um novo ideal de diversidade estava tomando forma, com grupos étnicos e raciais lutando para manter suas distinções. George Jefferson estava subindo na vida, mas não buscava se misturar na sociedade branca. Nem ele nem Muhammad Ali. Mas outros estavam. O astro O. J. Simpson, *running-back* do time de futebol americano Buffalo Bills, evitava a política porque, a seu ver, ela poderia danificar sua marca e prejudicar sua renda — e foi recompensado por isso, tornando-se um dos primeiros propagandistas negros para a América corporativa.

Ali adaptava-se às mudanças na cultura popular como qualquer outra pessoa. Mesmo a morte de Elijah Muhammad e a ascensão de seu filho resultaram em vantagem para ele. Wallace D. Muhammad agiu rapidamente para repudiar muitos dos ensinamentos de seu pai e reinventar a Nação do Islã. Wallace levou a organização na direção do Islã ortodoxo. Eliminou os códigos de vestimentas. Numa recepção em honra de Muhammad Ali, Wallace permitiu, pela primeira vez, que as pessoas fumassem e dançassem. Ele abandonou as demandas de um Estado somente negro. Chegou a convidar pessoas brancas para se juntar à organização.[18] Finalmente, cerca de um ano e meio após a morte de Elijah, Wallace Muhammad anunciou que a Nação do Islã deixaria de existir e lançou uma nova organização chamada Comunidade Mundial do Islã no Ocidente, a primeira de muitas mudanças de nome.

502   MUHAMMAD ALI

De repente, Ali se via sem limitações e sem compromissos. Ele era o campeão, imensamente popular, e estava livre das restrições impostas por Elijah Muhammad. Mas quem seria Ali sem a ordem e o sentido de obediência que seu conselheiro espiritual lhe havia imposto durante tanto tempo?

Ali seria uma celebridade por toda a sua vida, assim como Joe Louis, Rocky Marciano e Jack Dempsey haviam continuado a ser celebridades. Disso poderia haver pouca dúvida. Mas suas palavras e ações sugeriam que ele acreditava que sua fama naquele momento de sua carreira derivava quase exclusivamente do boxe, o que tornava difícil saber até que ponto essa fama o levaria quando se aposentasse. Era menos claro ainda o que de fato importava para Ali além do seu esporte. Quase todo atleta profissional enfrentava um desafio semelhante em fim de carreira. Para um atleta, alcançar a grandeza é a segunda coisa mais difícil a se fazer. A mais difícil é achar a hora de parar.

"Ali tornou-se lenda",[19] escreveu Wilfrid Sheed, "e não tem nenhum lugar para ir a não ser para baixo."

Em janeiro, uma semana após o seu trigésimo terceiro aniversário, Ali começou essa caminhada para baixo quando se juntou a Don King e Dick Sadler no Hyatt Regency Hotel de Chicago para anunciar sua próxima luta. Não era uma revanche com Foreman. Não era um terceiro embate com Joe Frazier ou Ken Norton. Não era nem mesmo um combate com o anteriormente anunciado Joe Bugner. Não, Don King e Herbert Muhammad haviam chegado ainda mais baixo na cadeia alimentar e escolhido como adversário de Ali um homem que lutava por dinheiro e vendia bebidas, Chuck Wepner, de Bayonne, Nova Jersey, conhecido como "O Sangrador de Bayonne" pela facilidade com que seu rosto sangrava. Wepner tinha 36 anos e um cartel de 30 vitórias, 9 derrotas, 2 empates e mais de duzentos pontos cirúrgicos.[20]

Era esse o plano de Ali para facilitar a aposentadoria? Faria do boxe um passatempo? Atuaria em programas de entrevistas na TV e tiraria a poeira de suas luvas de boxe a cada três ou quatro meses para socar um marshmallow humano como Chuck Wepner?

Desesperado para promover aquela disputa nada atraente, Don King tentou explorar o racismo, afirmando que Wepner fora escolhido "para dar uma

VOANDO ALTO

chance à raça branca".[21] Não houve reação alguma. Então King declarou que 50 centavos de cada ingresso vendido iriam para o Projeto Sobrevivência, a mesma desconhecida instituição de caridade que mencionara um ano antes para gerar interesse por sua exibição de boxe em Salt Lake City. Nem mesmo Ali conseguia tornar Wepner algo ameaçador. Ele sempre se saía melhor fazendo chacotas sobre adversários negros, talvez porque percebesse os pugilistas negros como verdadeiros rivais na competição para ver quem era o pior homem negro da América. A certa altura, tentando loucamente promover o interesse pela luta, Ali disse que os fãs de boxe deviam comprar ingressos porque Wepner era "um bom homem de família que poderia usar o dinheiro".[22] Falou ainda que prometia tornar a luta mais interessante, concentrando seus golpes na região entre o umbigo e o pomo de Adão de Wepner, evitando os pontos em que o adversário mais provavelmente sangraria. Em conclusão, disse, ele realmente não precisava explicar por que havia escolhido Wepner. "Eu ainda sou", declarou, "o maior lutador de todos os tempos", e os fãs de boxe e as "mocinhas bonitas" pagariam para vê-lo, independentemente de quem fosse o adversário.

A coletiva de imprensa em Chicago levantou outra questão desconfortável: por que Dick Sadler, o empresário de George Foreman, estava ao lado de King? Nos meses seguintes, Sadler e King trabalhariam juntos para promover as lutas de Ali, e Sadler trabalharia em Deer Lake como treinador assistente. Seria essa a recompensa de Sadler por colocar veneno na água de George Foreman? Talvez a resposta nunca venha a ser conhecida. King ainda era um novato no negócio de lutas. É possível que apenas tenha se aproveitado do rompimento entre Sadler e Foreman, aproximando-se de Sadler num ponto baixo de sua carreira e ganhando um novo aliado valioso.

Para se certificar de que não perderia Ali, King fazia pagamentos mensais aos homens que cercavam o campeão e os exortava a falar bem dele para Ali.[23] Tinha o cuidado especial de também pagar os muçulmanos em volta do lutador, incluindo Abdul Rahman, anteriormente conhecido como Capitão Sam Saxon, que recebia 500 dólares por semana, mais despesas,[24] para servir como mentor espiritual de Ali. King também deu uma festa em Chicago para Herbert Muhammad, celebrando o "gênio não reconhecido"[25] que guiara a carreira de Muhammad Ali por tanto

504 MUHAMMAD ALI

tempo. King convidou Howard Cosell, Ken Norton, George Foreman, Redd Foxx, B. B. King, Lola Falana, Horace Silver, Paul Anka, Lou Rawls e Nikki Giovanni, entre outros. Ainda assim, mesmo fazendo o melhor que podia para garantir a lealdade contínua de Herbert Muhammad e Ali, King sabia que precisaria de lutadores adicionais, e Sadler poderia ajudar a encontrá-los.

Para a luta com Wepner, Ali recebeu 1,5 milhão de dólares, mais 200 mil pelos gastos com treinamento; Wepner ganhou 100 mil. O dinheiro não saiu do bolso de Don King. Ele tinha investidores — investidores com supostos laços no submundo. Ao garantir um superpagamento a Ali e espalhar dinheiro entre os membros da confraria do lutador, King solidificou seu controle sobre a maior estrela do boxe. Ninguém acreditava que Wepner tivesse chance de vencer Ali. Em 1970, na última luta antes de sua morte, Sonny Liston usara o rosto de Wepner para pintar de vermelho o ringue em que lutavam. Foram necessários setenta pontos para fechar os cortes na cara de Wepner depois da luta, mas o azarão se recusou a desistir. "O árbitro era Barney Felix",[26] recordou Wepner. "Ele veio até mim antes do nono round. Eu disse: 'Barney, me dê mais um round.'" O árbitro levantou a mão e perguntou a Wepner quantos dedos ele estava vendo. "Eu tenho direito a quantos palpites?", brincou Wepner. Seu empresário deu três toque em suas costas. "Três!", gritou Wepner. Felix permitiu que a luta continuasse. "Mas, no nono assalto, desferi um soco tremendo que atingiu o árbitro no ombro; depois daquilo, eles pararam a luta", recordou-se Wepner.

Apesar da personalidade vencedora de Wepner e do choque do homem negro com o homem branco, do campeão com o homem da rua, a venda de ingressos continuava morna.

Assim também estava o ânimo de Ali. "Estou cansado demais e preparado de menos",[27] admitiu. "É um trabalho esgotante, massacrante. Não há nenhum prazer no ringue para mim [...] Mas eu vou ser legal com esse Wepner." A luta, realizada em 24 de março no Richfield Coliseum em Ohio, iria ser lembrada principalmente por quatro coisas:

1. A incapacidade de Ali de liquidar seu corajoso e ensanguentado adversário até faltarem apenas 19 segundos do décimo quinto e último round.

VOANDO ALTO

2. Ali lançando olhares furtivos para os monitores de TV perto do ringue para ver como estava sua imagem enquanto lutava.[28]
3. A queda de Ali no nono round, que pode ter sido o resultado de um tropeção ou de um escorregão, bem como de um bom golpe de Wepner no peito de Ali.
4. Mesmo perdendo, Wepner inspirou um jovem que assistia à luta a desenvolver um roteiro sobre um boxeador da classe operária que chegava a lutar contra o campeão dos pesos-pesados do boxe. O nome desse jovem era Sylvester Stallone, e seu roteiro se tornou o filme *Rocky: um lutador*, que ganharia o Oscar de melhor filme em 1977.

Depois de derrotar Wepner, Ali lutou novamente sete semanas mais tarde. Num combate televisionado ao vivo pela ABC de Las Vegas, Ron Lyle surpreendentemente deu a Ali muito trabalho. Lyle aprendera boxe enquanto esteve na prisão, pela acusação de assassinato. Agora, depois de estudar as lutas recentes de Ali, Lyle recusou-se a cair na tática *rope-a-dope* do campeão. Em vez disso, esperou pacientemente que Ali fosse encontrá-lo no centro do ringue. No primeiro round, Ali não acertou sequer um soco. Ao longo dos seis primeiros rounds, ele conseguiu acertar apenas dezoito, parecendo-se bastante com um lutador que esperasse ganhar pelo voto popular. No décimo round, Ali mais conversou do que jabeou, inclinando-se para a direita e falando com Lyle enquanto Lyle dava soco após soco, mirando sempre a desagradável equimose roxa que crescia sob o olho direito de Ali. Finalmente, no décimo primeiro round, Ali bombardeou Lyle com uma direita. Um único soco mudou tudo. Lyle cambaleou e deixou-se ficar nas cordas, tentando limpar a mente e encontrar suas pernas. Ali atacou com sua primeira verdadeira explosão de energia da noite. Logo o árbitro interveio e pôs fim à contenda, declarando Ali o vencedor por nocaute técnico.

Seis semanas mais tarde, Ali lutou mais uma vez, agora contra Joe Bugner, em Kuala Lumpur, na Malásia, onde uma multidão de 20 mil pessoas saudou-o no aeroporto. A temperatura no ringue chegou a 38 graus, e os homens prosseguiram por quinze rounds sufocantes. Ali venceu por decisão unânime.

506 MUHAMMAD ALI

Mais uma vez, Ali teve de trabalhar duro em uma luta que seus promotores e treinadores trataram quase como se fosse um show, um cachê supostamente fácil com pouco risco envolvido. É verdade que Ali foi pago generosamente por suas lutas contra Wepner, Lyle e Bugner, mas não eram sem custo. Contra três golpeadores pesados, Ali lutou 41 rounds e levou 483 socos. Houve ainda mais golpes no mesmo período, entre os incontáveis milhares lançados contra ele em sessões de treino e exibições. De fato, durante uma exibição de cinco rounds no Centro de Convenções de Louisville para angariar fundos para a nova Escola de Boxe Ali, em Louisville, ele fora derrubado quatro vezes por Jimmy Ellis. Mais tarde, ele disse que a primeira queda havia sido real, e que fingira as outras para convencer a multidão de que a primeira também havia sido falsa.[29] Quando ele e Ellis terminaram, Ali recebeu no ringue um lutador de 16 anos chamado Greg Page, um futuro campeão peso-pesado. Durante três rounds, Page e Ali trocaram golpes pesados. Ao final, Ali brincou: "Esse garoto me bateu tão forte que abalou até os meus ancestrais na África."

Ele não se importava de ser atingido nos treinos entre as lutas. Na verdade, acreditava que isso o ajudava a se preparar para o combate com os homens que estavam tentando nocauteá-lo a sério. "Eu deixava que meus *sparrings* me golpeassem cerca de 80% do tempo",[30] disse numa entrevista de 1975. "Eu me ponho na defesa e levo umas pancadas na cabeça e no corpo, o que é bom. Você deve condicionar o corpo e o cérebro para levar esses golpes, porque você vai ser duramente atingido algumas vezes em todas as lutas."

Larry Holmes, um dos seus *sparrings* na época, disse que Ali deixava claro para os homens que contratava que deveriam bater duro — e não tentar evitar a cabeça. "Se não batesse em Ali, ele provavelmente despediria você",[31] recordou Holmes. Anos mais tarde, Holmes riria da noção de Ali de que, de alguma forma, levar socos durante os treinos o endureciam para a batalha. Ridicularizou Ali por agir como se ficasse orgulhoso de sua capacidade de levar um soco nos treinos e nas lutas. "O objetivo do jogo de boxe é atingir e não ser atingido", disse ele. "Não seja burro! Você não precisa provar porra nenhuma. Se quer mostrar às pessoas como você é forte, mostre essa força *não* levando aqueles golpes. Mas, você sabe, ele não fazia isso. *Bate em mim! Mostre-me algo!* E eles batiam."

Ali entrara numa fase preocupante da carreira. Depois de dizer, durante a maior parte de 1973, que sua aposentadoria era iminente, continuou lutando ao longo de 1974 num ritmo normalmente reservado a talentos promissores. Aquelas lutas desequilibradas, entre lutadores muito desiguais, não faziam nenhum bem ao boxe. Transformavam o esporte numa coisa ridícula. Minavam a ideia democrática de que lutadores poderiam abrir caminho para disputar o título: lutando com Ali, eles perderiam, e não teriam como entrar na fila dos candidatos ao título. Ele estava mais velho, mais lento e mais pesado agora. Consumia Coca-Cola como se fosse água. Era capaz de esvaziar seis pacotinhos de açúcar numa caneca de café.[32] Gostava de dizer que era tão rápido que podia apagar as luzes e estar na cama antes que o quarto escurecesse, mas também poderia ter dito que era capaz de terminar uma fatia de torta e uma bola de sorvete antes que o prato alcançasse a mesa. Nas lutas com Lyle e Bugner, ele pesava 102 quilos, quase 4 quilos a mais do que quando lutara com George Foreman, e quase 19 quilos a mais do que em sua segunda luta com Sonny Liston. Não levava tão a sério esses combates como fizera com os anteriores. Agora, seus colegas pugilistas podiam ver que ele estava arriscando a saúde.

"Ali vem e luta contra George Foreman",[33] disse Larry Holmes. "George é um homem grande e experiente, e Ali era atingido por aquilo! Aquele filho da puta é um cavalo! Você pode bater num cavalo. Você faz um cavalo correr e correr e correr e correr até acabar o combustível, como Ali fazia, mas você não fica nas cordas durante cinco ou seis rounds levando porrada! Sendo atingido trinta, quarenta vezes por round! Em cada round, você é atingido trinta vezes em cima da cabeça, são golpes demais [...] Você não pode fazer tudo errado o tempo todo e achar que vai sair inteiro."

Ali permaneceu em negação. Ele realmente achava que ia sair inteiro daquilo. Continuou a dizer aos jornalistas que era um lutador científico, que nunca se machucava, que era especial, e que, mesmo que não se desviasse dos socos tão bem como antigamente, e mesmo que não dançasse para longe dos socos tão rapidamente como costumava fazer, ainda assim ele *via* os socos melhor do que ninguém, e ainda conseguia mudar o ângulo da cabeça e do tronco o suficiente, no último instante possível, para que a maioria dos golpes não entrasse com impacto total. Aos 33 anos, ele continuava a acreditar que poderia evitar o dano que quase inevitavelmente se abate sobre os pugilistas.

Mas isso mudaria em breve, porque Ali estava se preparando para mais uma luta com Joe Frazier. Depois de Ali-Frazier III, a crueldade do boxe e seu impacto duradouro sobre a saúde física e mental de um lutador ficariam evidentes para todos, até mesmo para Ali.

43

Impulsos

Belinda ficou sabendo do caso de seu marido com Veronica Porche logo depois que todos haviam voltado do Zaire. Não chegou como um choque. Alguns anos antes, Wilma Rudolph, a companheira olímpica de Ali, fora até a casa deles em Nova Jersey pedindo dinheiro para sustentar uma criança que ela alegou ser de Ali.[1] Ele admitiu o caso com Wilma, mas disse a Belinda não acreditar que fosse pai da criança. Depois de ver o bebê, Belinda achou que seu marido provavelmente estava falando a verdade; a criança não se parecia com Ali.

Houve outras mulheres e outras crianças; de algumas Belinda sabia, outras ela ignorava. De acordo com um ex-guarda-costas de Ali, o pugilista continuou a ver Sonji Roi, sua primeira esposa, durante a década de 1960 e início dos anos 1970.[2] Areatha Swint, ex-namorada do Colégio Central em Louisville, disse que havia mantido um caso com Ali enquanto ele estava casado com Belinda e viajado com ele para algumas de suas lutas.[3] Uma mulher chamada Barbara Mensah disse que dera início a uma longa relação com Ali em 1967, quando tinha 17 anos, e acabou tendo uma filha. Em 1972, Ali e Patricia Harvell tiveram uma filha chamada Miya, uma criança que ele reconheceu como sua. Em 1973, Ali conheceu uma colegial chamada Wanda Bolton,[4] que estava visitando o campo de treinamento de Deer Lake com os pais. Em 1974, Ali tornou-se pai da filha de Wanda e, no ano seguinte ao nascimento da criança, casou-se com ela numa cerimônia islâmica, nunca legalmente reconhecida. Ali e Belinda estavam casados na época. A lei islâmica permitia que um homem tivesse até quatro esposas, embora a grande maioria dos muçulmanos norte-americanos não praticasse a poligamia porque violava a lei do país. Wanda, que se juntara a Ali no Zaire para a luta com Foreman, mais tarde processou Ali e fez um acordo para o sustento da criança. Outra adolescente, Temica Williams, alegou ter iniciado um romance com Ali em 1975, e logo depois teve um filho. Num processo judicial que correu no condado de Cook, Illinois, Temica alegou que o apoio financeiro de Ali para o filho durara apenas quatro anos. Ela o processou por agressão sexual, alegando que tinha apenas 12 anos no início do relacionamento e ainda era menor no momento em que supostamente gerara a criança. O caso dela foi encerrado porque prescreveu. Anos mais tarde, Veronica disse que sabia sobre Temica.[5] Ali admitira o caso, mas disse a Veronica não acreditar que o filho de Temica fosse seu. "Ele teria reconhecido o bebê", disse Veronica, "mas todos no campo de treinamento estavam transando com aquela garota." Além disso, quando Muhammad e Veronica conversaram sobre o assunto, concluíram que a criança provavelmente fora concebida numa época em que Ali estava viajando.

"A fraqueza de Ali eram as xoxotas",[6] disse Leon Muhammad, da mesquita de Filadélfia. "Ele fazia um monte de coisas porque era Ali. As pessoas lhe diriam: 'Ei, seja leal a Belinda.' Mas como você pode dizer alguma coisa a um cara quando ele é o chefe, quando ele está te pagando?"

Anos mais tarde, outras pessoas se perguntaram se alguns dos comportamentos de Ali estariam ligados a alguma lesão cerebral por repetidos golpes na cabeça. Ele se queixava de dificuldade para dormir e compensava isso com frequentes cochilos.[7] Descreveu sua falta de motivação para fazer corridas longas. Envolvia-se em situações de risco, deixando que adversários e *sparrings* o atingissem com *swings*, embora tivesse dito, anos antes, que sabia como sua saúde e seu sucesso no boxe dependiam, a longo prazo, de

IMPULSOS 511

sua capacidade de evitar os golpes. Mas Belinda contou que nunca viu sinais de danos cognitivos no marido. "Ele era estúpido e louco automaticamente",[8] disse, anos mais tarde. "Isso estava em seu DNA."

Ali sabia que sua promiscuidade era um erro.[9] Sabia também que aquilo feria sua esposa. Sabia que minava sua imagem pública. Mas, desde que estivesse se divertindo, disse Belinda, essas coisas não importavam. Parecia totalmente incapaz de controlar seus impulsos. Anos depois, Belinda escutou um sermão muçulmano num CD e ouviu o imame dizer que, quando um homem faz da busca da fama o seu principal objetivo, ele inevitavelmente falha como homem. "Eu disse a mim mesma 'Sim! Isso é verdade'. Porque Ali falhou como homem. Ele era um lutador bem-sucedido, mas falhou como homem. Falhou como pai. E falhou como líder, como modelo."[10]

Belinda tolerava tudo, na maior parte das vezes. Quando eles discutiam, Ali chorava e dizia que estava arrependido, e que não amava as outras mulheres. Dizia que era só sexo, que não significava nada. Que não conseguia se conter. Entre amigos, Ali fazia piadas sobre isso: "*Minha esposa* é casada."[11] Mas ele não aceitava toda a culpa. Às vezes, comentava que Belinda não tinha o direito de reclamar, porque ela o ajudara a se encontrar com outras mulheres.

Às vezes, ele ameaçava tornar pública sua cumplicidade se ela pedisse o divórcio ou contasse a repórteres sua versão da história, culpando Ali. Ela aturava tudo aquilo. "O problema foi quando ele começou a trazê-las para casa",[12] disse. "Certa vez, ele me pediu para ir ao supermercado, mas tive que voltar porque havia esquecido minha carteira, e então vi a mulher na minha cama. Senti como se todo o meu corpo estivesse pegando fogo [...] As crianças estavam no final do corredor. Ele não se importava. Ele é Muhammad Ali. Ele pode fazer o que quiser."

Mulheres negras, mulheres brancas, mulheres jovens, mulheres mais velhas, atrizes de Hollywood, arrumadeiras de quartos em hotéis[13] — Ali não discriminava. Todo mundo em volta do lutador sabia de suas inclinações. Seus amigos riam disso. Membros de seu *entourage* e sócios de negócios o apoiavam. Dentro do círculo mais próximo de Ali, havia certos sinais codificados que eram usados em situações em que houvesse multidões barulhentas.[14] Os homens estalavam a língua. Um estalo queria dizer *onde você está?* Dois estalos poderiam significar *Estou aqui,* ou *Ok, entendido.* Múltiplos estalos significavam *pare o que quer que esteja fazendo, isto é importante,* ou, mais especificamente, *Belinda foi vista e Ali precisa fazer sumir a mulher com quem ele está.*

Bob Arum contou a história de uma viagem com Ali ao México, onde seus anfitriões lhes apresentaram uma sala cheia de mulheres lindas para escolher. Numa entrevista, Arum disse que Ali levou seis mulheres para o quarto, enquanto ele levou uma.[15] Em outra entrevista, que Ali levou três mulheres.[16] Em ambos os casos, a história sempre termina do mesmo jeito: algumas horas mais tarde, Ali enviou um mensageiro ao quarto de Arum dizendo que Muhammad também queria a garota que estava com ele.

Belinda pensava que poderia lidar com aquilo. Na maioria das vezes, ela realmente conseguia. Reservava quartos de hotel para as amantes e, ocasionalmente, as convidava a ir às compras com ela. Mas, ao longo do tempo, conforme os casos iam se acumulando, as aventuras com mulheres como Wanda Bolton e Veronica Porche evoluíam para relacionamentos duradouros, algumas das mulheres tiveram filhos, e as doenças sexualmente transmissíveis circulavam entre toda aquela gente, disse Belinda, "o amor que eu tinha por ele começou a diminuir e foi sumindo, sumindo".[17]

Ela culpava Ali, é claro. Mas também culpava o pai de Ali, Cash Clay, por dar um mau exemplo. Culpava Herbert Muhammad, por sua atitude arrogante em relação às mulheres, e por sugerir que a Nação do Islã sancionava a infidelidade conjugal. Culpava o ambiente do boxe, dominado por homens. Culpava os homens do *entourage* de Ali, particularmente Lloyd Wells, um cafetão que usava um boné branco de iatismo e proporcionava a Ali e a outros no campo de treinamento um fluxo constante de mulheres, muitas delas prostitutas. Ela culpava a cultura de celebridades, que parecia dizer que os homens de poder e riqueza tinham direito a qualquer coisa que quisessem, sempre que quisessem, especialmente quando se tratava de sexo. Ela culpava a sociedade norte-americana da década de 1970, quando o sexo fora do casamento se tornou algo próximo à norma, e as mulheres afirmavam seus desejos de forma mais ousada; quando as taxas de divórcio e de dependência química dispararam; e quando Donna

IMPULSOS 513

Summer gravou o sucesso "Love to Love You Baby", uma canção que incluía 16 minutos de gemidos apaixonados e inspirara rumores de que Donna tinha se masturbado durante a sessão de gravação, que é exatamente o que ela parecia estar fazendo na foto da capa do álbum. Mas, acima de tudo, Belinda culpava Ali.

Os caminhos de Belinda e Veronica já haviam se cruzado, mas elas não se encontraram no Zaire.[18] O primeiro encontro aconteceu em Las Vegas, logo antes da luta com Ron Lyle. No dia seguinte, as duas estavam em um pátio no Tropicana Hotel, debruçadas sobre um parapeito e olhando a Vegas Strip iluminada com neon. Belinda afirmou ter sonhado com Veronica. No sonho, Veronica caía de um parapeito igual àquele em que estavam debruçadas, batendo com o rosto no chão e morrendo. Veronica tomou como um aviso.

Quando voltaram do Zaire, para ficar perto de Ali, Veronica havia se mudado para Chicago. Ele acabara de comprar uma mansão Tudor, com 28 cômodos, no bairro de Hyde Park, no número 4944 S da avenida Woodlawn, em frente à casa onde vivera Elijah Muhammad. A casa era tão grande que, em algum momento, Herbert Muhammad teve um escritório lá.[19] Enquanto a casa estava em reforma, Ali e Belinda mantiveram um apartamento na cobertura de um edifício que era de Ali, mas Veronica tinha a impressão de que Belinda usava o lugar só para ela. Ali raramente ficava com a esposa, disse. As crianças moravam com os pais de Belinda. Ali comprou para Veronica um apartamento num condomínio em Chicago.

Num dia de junho, Ali convidou Belinda e Veronica para se juntar a ele em Boston, onde faria um discurso para os formandos de Harvard. Antes de começar a viagem, as duas mulheres pararam em um restaurante muçulmano para comprar sanduíches de carne e foram ao apartamento de Belinda para lanchar. Belinda desembrulhou os sanduíches na cozinha enquanto Veronica esperava na sala. Logo depois, quando embarcaram no avião que as levaria a Boston, Veronica sentiu-se mal. Passou toda a viagem no banheiro do avião. "Ela não se sentiu mal, só eu",[20] recordou-se Veronica. "Na época, não suspeitei de nada, mas agora eu suspeito."

514 MUHAMMAD ALI

Howard Bingham, um amigo de Muhammad Ali, também fez a viagem para Boston, tirando fotos ao longo do caminho. Uma das imagens, que parecia bastante inocente na época, capturou a complexidade da vida romântica de Ali. Na foto, ele está perto de uma porta de vidro. Veste um terno listrado e gravata listrada. Há três mulheres à sua esquerda. Elas são, da direita para a esquerda, Veronica Porche, usando grandes brincos de argola, uma bolsa branca no ombro, uma mão segurando a outra na frente do estômago; Belinda Ali, toda de branco, segurando uma pasta de papel pardo, sua mão direita estendida para segurar o braço de Ali, os olhos se voltando para a câmera quando o flash dispara; e, ao lado de Belinda, uma jovem de 18 anos de Louisville chamada Lonnie Williams, usando óculos e olhando na direção de Veronica. Lonnie era quinze anos mais jovem que o pugilista, mas recentemente tivera uma epifania: "Eu sabia que ia me casar com Muhammad",[21] disse ela. "Eu era apenas uma colegial e havia coisas que eu precisava fazer, mas eu sabia [...] O pensamento era como uma sombrinha, sempre sobre a minha cabeça."

Sua epifania se provaria exata, contudo, no momento da foto, Belinda ainda era casada com Ali e não tinha intenção de se divorciar. Veronica já se considerava casada com Ali, mas estava esperando que ele conseguisse o divórcio para que pudessem oficializar. Lonnie teria de esperar.

Na foto de Bingham, Ali não trai nenhum indício de desconforto ao lado de sua segunda esposa, de sua terceira esposa e de sua futura quarta esposa. Tem os ombros relaxados. Suas mãos descansam de cada lado do corpo. Sua boca está ligeiramente aberta, como se estivesse falando. Seus olhos estão voltados para a direita, longe das três mulheres. Para que — ou para quem — ele está olhando, ninguém sabe.

Ali disse a Veronica que ele tinha uma boa razão para acolher Lonnie. Belinda não queria conceder o divórcio e, em sua frustração, ela muitas vezes se lançava contra Veronica. Ao introduzir Lonnie na história, Ali esperava que Belinda encontrasse um novo alvo para sua raiva. "Ele disse que Lonnie seria sua terceira esposa e, com isso, eu não teria toda a pressão sobre mim",[22] recorda-se Veronica. Retrospectivamente, disse ela, soa como loucura.

Ela fez uma pausa e riu.

"No entanto", disse Veronica, "funcionou."

IMPULSOS 515

Durante uma palestra em Harvard, um membro da plateia pediu a Ali um poema. Ele pensou por um momento, inclinou-se para o microfone e recitou o que pode ter sido o melhor verso de sua vida, sua autobiografia completa em duas sílabas:

Eu! Uaaau![*][23]

Cerca de duas semanas mais tarde, Ali levou Belinda e Veronica para a Malásia para sua luta contra Bugner. Não fez nenhuma tentativa de esconder o fato de que viajava com as duas mulheres. Os três compartilharam uma suíte com dois quartos em Kuala Lumpur.[24] Ali disse a Belinda: "A cada duas noites, eu tomarei você como minha esposa; você vai ficar comigo por duas noites. Verônica fica no outro quarto. E, passadas as duas noites, você vai para o outro quarto e Veronica ficará comigo duas noites."[25] Quando Ali não quisesse dormir com nenhuma delas, elas compartilhariam o segundo quarto da suíte, que tinha duas camas.

Mais uma vez, Belinda aceitou as condições impostas pelo marido. "Eu ficava rangendo os dentes, me perguntando: 'Será que isso está realmente acontecendo comigo?'"

Ela levou Veronica para fazer compras, tentando ajudá-la a se vestir como uma boa muçulmana. Comprou para ela um amuleto de prata perfumado que custou 400 dólares.[26] Tentava transformar a rival numa aliada. Cerca de uma semana depois, no entanto, quando pessoas na Malásia começaram a tomar Veronica por esposa de Ali, Belinda perdeu a paciência. Disse a Ali que Veronica tinha de ir embora.

Mas Veronica ficou.

Veronica odiava o jeito de Belinda tratá-la, e desejava que Ali a tivesse defendido, desejava que ele tivesse dito a Belinda para dar o fora, ou tivesse rompido inteiramente com Belinda e iniciado o processo de divórcio. Mas ele não faria nenhuma dessas coisas. Ainda assim, ela ficou. "Era uma situação totalmente injusta comigo",[27] disse Veronica anos mais tarde, "mas eu me lembro de ter pensado: 'Bem, é tarde demais. Estou apaixonada. O amor suplanta tudo.' A esse ponto chegava meu idealismo..."

---

* *Me! Wheeeee!* [N. da T.]

516 MUHAMMAD ALI

Antes da luta com Bugner, Ali voltara a falar de aposentadoria. Mas ninguém lhe deu crédito algum. Todo mundo sabia que Don King já havia começado a negociar a terceira luta de Ali com Joe Frazier, talvez no Madison Square Garden, talvez nas Filipinas, onde o líder autoritário Ferdinand Marcos estava tão ansioso como Mobutu estivera no Zaire para melhorar sua imagem pública confraternizando com Muhammad Ali. Nenhum homem no mundo garantia propaganda mais poderosa.

Os filipinos adoravam Ali, mas não havia tanta emoção em torno de Ali-Frazier III, pois sentiam que, depois de Frazier ter sido jogado de um lado para o outro por Foreman, como se fosse uma bola de praia, era o fim para ele.

Ainda assim, Ali era a maior atração no boxe. Não só era o maior no boxe, como também estava no topo da lista de atletas celebridades, uma categoria praticamente inventada por ele. Ele era um superstar, um astro da maior intensidade possível. Sua autobiografia, escrita com Richard Durham, estava nas livrarias, vendendo bem e recebendo ótimos comentários da crítica. Em breve, haveria um filme baseado no livro e estrelado por ninguém menos que Muhammad Ali como Muhammad Ali. "Vai ser o máximo",[28] Ali disse do filme, "como O poderoso chefão e Sete homens e um destino. Eles poderiam fazer dez filmes sobre a minha vida."

A autobiografia de Ali não era apenas o trabalho de seu coautor Richard Durham e da editora Toni Morrison; era também, em grande parte, a criação de Herbert Muhammad, que acabou recebendo uma parcela dos direitos autorais. O livro apresentava Ali como um boxeador, um rebelde e um muçulmano orgulhoso de sua fé, e a Durham foi concedida licença criativa para fazer o trabalho.

Uma de suas histórias fictícias provou-se particularmente atraente. Em algum momento, vários anos depois de seu retorno dos Jogos Olímpicos de Roma em 1960, Ali perdera a medalha de ouro, não sabia como. Um dia estava com ela e, no outro, já não estava. Poderia ter sido roubada ou extraviada, de acordo com seu irmão Rahaman, que disse haver ajudado a procurá-la.[29] Mas Durham usou a medalha perdida para criar uma fábula. Segundo Durham, Ali atirou a medalha de ouro no rio Ohio depois de ser impedido de comer num restaurante só para brancos e de ser perseguido por uma gangue de motoqueiros brancos; isso o deixara muito perturbado.

IMPULSOS 517

De fato, Clay havia sido impedido de comer num restaurante de Louisville e estava realmente irritado por tal coisa poder acontecer até a um herói olímpico. Mas nenhuma gangue de motoqueiros o perseguiu, e não há nenhuma evidência de que ele tenha atirado a medalha no rio. Ele certamente não fez isso em 1960, como sugere a autobiografia, dado que fotografias de 1963 o mostram segurando a medalha.[30]

Após a publicação do livro, Ali admitiu numa coletiva de imprensa que havia perdido a medalha, não a jogado no rio. Também admitiu que não havia lido o trabalho de Durham. No entanto, o mito da medalha atirada em protesto viveria por muitas décadas.

A luta Ali-Frazier III foi definida para 1º de outubro de 1975, em Manila. Ali teria garantidos 4 milhões de dólares, e Frazier ganharia 2 milhões.

Três semanas antes da luta, Pete Bonventre, um repórter da *Newsweek*, recebeu uma atribuição de seu editor: vá para Manila com Ali, deixe de lado as teatralidades dele, vá além dos clichês das páginas de esportes e descubra a verdade sobre o homem.

A maioria dos repórteres que cobriam Ali era de cronistas esportivos. Muitos o vinham cobrindo havia anos. Eles adoravam Ali e estavam familiarizados com suas brincadeiras, bem como com seu elenco de personagens coadjuvantes. Enviando Bonventre, a *Newsweek* esperava conseguir uma perspectiva externa e, talvez, ir além da hagiografia que já cercava Ali.

Bonventre também amava Ali. "Aqui está este cara", disse o repórter, "esta força magnética que provavelmente é o cara mais famoso do mundo, e ele está dizendo aos repórteres: 'Abram seus blocos de anotação, e eu vou preenchê-los.' Quer dizer, como você pode não amar um cara assim?"[31]

Bonventre viajou para Manila antes do bando de cronistas esportivos para conseguir tempo com Ali e seu alegre cortejo de homens. Certo dia, Bonventre presenciou quando um filipino apresentou a Ali um pergaminho impresso com bela caligrafia e decorado em ouro e prata. Ali assinou, enrolou novamente o pergaminho e curvou-se quando o devolveu.

"Obrigado", disse o homem. "Você agora é o padrinho do meu filho."

Ali virou-se para Bonventre com um grande sorriso.

"O que você acha disso!" disse, todo orgulhoso.

Ainda assim, não demorou muito para o repórter perceber que o mundo de Ali havia mudado, e não para melhor. Ali chegou a Manila com 38 "auxiliares", um número que não incluía suas namoradas. Além de Veronica, também viajara para Manila sua antiga namorada de escola, Areatha Swint.[32] "Você não tinha como estar em torno de um homem como aquele sem encontrar também o bando de lobas",[33] Aretha recordou anos mais tarde. "Isso não poderia deixar de incomodar."

Bonventre descreveu a mudança no mundo de Ali nestes termos: "Os solenes guardas muçulmanos deram lugar a prostitutas de rua. Liberais que o estimavam como símbolo de atitudes pró-negros e contra a guerra foram substituídos por indivíduos sarcásticos que só o viam pelo lado do puro exibicionismo teatral. Até as mulheres de Ali, invariavelmente lindas e negras, haviam sido tiradas dos espaços mais discretos de sua vida e agora eram abertamente ostentadas."[34] Embora o texto não fosse nenhuma contundente peça de investigação, estava bem no espírito de Watergate, quando jornalistas se dedicavam a desafiar a autoridade, derrubar ídolos e, para usar um jargão popular na época, dizer as coisas como elas eram.

Bonventre relatou o que outros repórteres também sabiam havia muito tempo: Ali agora parecia "livre das restrições de convenções matrimoniais", e Veronica Porche era conhecida por todos no campo do pugilista como "a outra esposa de Ali." Uma fotografia que acompanhava o artigo mostrava "a babá Veronica" andando de mãos dadas com as três filhas de Ali: May May, Jamillah e Rasheda. O repórter também escreveu sobre o modo cruel, "quase nixoniano", como Ali jogava os homens de seu *entourage* uns contra os outros, chegando a forçar dois de seus seguidores a subir em um ringue de boxe para sua diversão.

Bonventre não era o único repórter que havia decidido que o adultério de Ali já não deveria ser assunto privado. Depois de um encontro entre Ali e Marcos no palácio presidencial em Manila, o caso de Ali com Veronica já não tinha como ser ignorado pelos repórteres.

No palácio, Marcos tinha ao lado sua esposa Imelda. Veronica acompanhava Ali.

"Você tem uma linda esposa",[35] Ali disse a Marcos, sorrindo para Imelda.

"Pelo que parece", disse Marcos, "você não fica muito atrás."

IMPULSOS

Joe Frazier riu com o comentário, e Veronica não tinha certeza se deveria tomar aquilo como um insulto.

Ali não fez nenhum esforço para corrigir Marcos.

Os jornalistas relataram o incidente, dizendo que Ali havia apresentado Veronica a Marcos como sua esposa. Não era exatamente a verdade, mas era perto o suficiente para tornar as coisas desconfortáveis. Dave Anderson, do *New York Times*, perguntou a Ali se ele agora tinha duas esposas.

"Não, não vamos ir contra a lei da terra",[36] disse Ali, fazendo uma referência velada ao fato de que a lei islâmica lhe permitia ter mais de um cônjuge. "Mas ela não é linda?"

Nos Estados Unidos, os jornais traziam fotos de Veronica e Ali no palácio presidencial das Filipinas. Belinda certamente sabia que Veronica estava em Manila. Mas uma coisa era saber sobre o caso e outra era vê-lo transformado em notícia internacional. Belinda tomou um avião, voou para Manila e interrompeu o marido no meio de uma entrevista. O casal retirou-se para o quarto de Ali, onde Belinda gritou, derrubou móveis e ameaçou quebrar o pescoço de Veronica da próxima vez que a visse.

"Não me querem aqui",[37] Belinda disse a repórteres em Manila. "Muhammad Ali não me quer aqui. Ninguém me quer aqui. Não vou me impor. Não gosto que uma impostora entre e assuma minha família depois de oito anos de casamento, destruindo minha vida."

Com isso, Belinda voltou ao aeroporto e voou para casa.

"Você realmente não podia culpá-la",[38] disse Areatha Swint.

Ali disse a Bonventre que não tinha nenhuma intenção de deixar que assuntos domésticos mundanos interferissem em seu trabalho. Ele estava numa missão divina. "Não é nenhum acidente que eu seja o maior homem do mundo neste momento da história",[39] disse. Alá o havia escolhido por uma razão.

"É hora de eu enfrentar outro teste", ele disse a Bonventre. "As coisas têm andado bem demais ultimamente. Alá deve me fazer pagar por toda essa fama e esse poder... Alá está sempre nos testando. Ele não deixa você crescer a troco de nada."

Mais tarde, numa entrevista ao *New York Times*, Ali defendeu seu direito de dormir com tantas mulheres quantas quisesse, e deu a entender que também estava ficando com outras além de Verônica e Areatha. "Eu tenho três ou quatro amigas aqui", disse. "Poderia entender se houvesse alguma controvérsia caso ela fosse branca, mas não é. Mas a única pessoa a quem eu respondo é Belinda Ali, e não me preocupo com ela... Isso está indo longe demais. Eles caíram em cima de mim por causa do recrutamento. Eles caíram em cima de mim por causa da minha religião. Eles caem em cima de mim por todo tipo de coisas. Mas não deveriam cair em cima de mim por eu ter uma namorada... A única pessoa que me preocupa se eu fizer algo errado é Wallace Muhammad. Se minha mulher me pegar beijando dez mulheres numa festa, isso não me incomoda, desde que eu não fique em apuros com Wallace Muhammad."[40]

44

Ali-Frazier III

Dois dias antes da luta, Ali estava esticado no sofá de seu camarim, desfrutando uma boa conversa consigo mesmo. Havia repórteres na sala, mas eles não estavam à sua volta e Ali não parecia se importar se algum deles o estivesse ouvindo. Suas palavras saíam como num fluxo de consciência: "A quem ele já derrotou na disputa do título?",[1] Ali se perguntou, referindo-se a Joe Frazier, é claro. "Buster Mathis e Jimmy Ellis. Ele não é nenhum campeão. Tudo o que ele tem é um gancho de esquerda, não tem nenhuma mão direita, nenhum *jab*, nenhum ritmo. Eu fui o verdadeiro campeão o tempo todo. Ele reinou porque escapei do recrutamento e ele teve esta sorte, mas ele era apenas um campeão de imitação. Ele teve a sorte de conseguir porque sua cabeça podia levar um monte de socos."

Se ele não estava dando uma entrevista, e se não se importava que alguém estivesse escutando, por que Ali se sentia compelido a repassar essa avaliação das evidentemente escassas competências e qualificações de Frazier? Era assim que ele se entretinha? Era esse o seu jeito de aliviar as próprias dúvidas?

Mais uma vez, na fase que antecedia à luta Ali havia sido implacável com Frazier, questionando sua masculinidade, sua inteligência e sua negritude. Ele havia conseguido um pequeno macaco de borracha e chamado Frazier de gorila, fazendo de conta que lutava com um homem que usava uma roupa de gorila. Havia feito rimas infindáveis e nada imaginativas, como *"Thrilla in Manila"*. "Ele não só parece mal! Você pode sentir o cheiro dele em outro país!"[2] Ali tampava o nariz. "O que pensarão as pessoas em Manila? Não podemos ter um gorila como campeão. Elas vão pensar, olhando para ele, que todos os irmãos negros são animais. Ignorantes. Estúpidos. Feios. Se ele for campeão novamente, outras nações vão rir de nós." Ele se curvou, deixou os braços pendentes à altura dos joelhos e saltou pela sala, bufando como um macaco. Em determinado momento, Ali apontou uma pistola descarregada para Frazier e puxou o gatilho quatro ou cinco vezes. Frazier afirmou que era uma arma de verdade — "Eu conheço o bastante sobre armas para saber"[3] —, mas Ali disse que era um brinquedo.

Frazier odiava Ali por tratá-lo daquela forma. As feridas eram profundas, e ele as carregaria pelo resto da vida. "Eu vou comer esse coração de mestiço direto do peito",[4] Joe disse ao seu treinador, Eddie Futch. "Falo sério", disse Joe.

"Isto é o fim dele ou o meu."

Ali não parecia se importar. Ele abordava conflitos da maneira que havia abordado George Foreman na maior luta de sua vida, improvisando, contando com seus bons instintos, sua boa aparência e a boa sorte para lhe abrir caminho. Teria alguma importância se ele enfurecesse Frazier? Talvez. Talvez não. Quem se importa? De qualquer modo, o boxe nunca pretendeu ser uma coisa bem-educada. Ali e Frazier tinham diante deles algo maior do que o campeonato de pesos-pesados. Eles estavam competindo pelo próprio campeonato, para ver, de uma vez por todas, qual deles era o maior lutadór.

O dia da luta, 1º de outubro de 1975, foi mais um dia de sol abrasador, alta umidade e calor insuportável. O Araneta Coliseum de Manila tinha ar condicionado, mas não era suficiente. Mesmo às 10 da manhã, enquanto uma multidão de 28 mil pessoas se espremia na arena, todo mundo sentia

ALI-FRAZIER III 523

o calor feroz. Nos Estados Unidos e no Canadá, a luta foi mostrada ao vivo num circuito fechado de transmissão em 350 arenas e cinemas.[5] A vasta maioria dos fãs de boxe escutava a ação pelo rádio, como acontecia na maior parte das grandes lutas. Mas, para esta luta, uma nova opção estava disponível, embora apenas para os cerca de 100 mil americanos que haviam assinado a HBO-Home Box Office,[6] a incipiente estação de TV a cabo. Na noite da luta, a HBO tornou-se a primeira rede a transmitir nacionalmente via satélite. Para isso funcionar, um transmissor nas Filipinas emitia um sinal através do Oceano Pacífico, via satélite, para uma estação em Jamesburg, na Califórnia.[7] A estação em Jamesburg transmitia o sinal por linhas terrestres da AT&T para um centro repetidor em Manhattan, onde era reencaminhado para os estúdios da HBO na rua 23 e depois retransmitido por satélite para Valley Forge, na Pensilvânia, transmitido para uma estação em Fort Pierce, na Flórida, e entregue por uma conexão de micro-ondas aos provedores de cabo. Quando Ali e Frazier apareceram ao vivo, via satélite, nas casas dos assinantes da HBO, começava uma nova era da televisão. De repente, tornava-se muito mais fácil e muito menos dispendioso para as operadoras de TV a cabo atingir grandes públicos com programação ao vivo e original.

Ali usava calções de cetim branco, os de Frazier eram de jeans azul. Os dois homens estavam em excelente condição. Mesmo assim, o calor era tão opressivo que era impossível saber como cada pugilista iria aguentar se a luta durasse mais do que alguns rounds.

O gongo tocou, e eles se lançaram ao embate pela terceira vez em quatro anos e meio.

Ali moveu-se para o centro do ringue e manteve as mãos na frente do rosto, exibindo a forma perfeita de boxe que lhe havia escapado durante a maior parte de sua carreira, embora a tenha mantido apenas brevemente. Deu cinco golpes de esquerda antes de lançar sua primeira direita. Após cerca de trinta segundos, ele parou de se mover em torno do ringue, baixou as mãos e começou a lançar poderosos ganchos destinados à cabeça de Frazier, um após o outro. Frazier balançou e forçou o caminho, mas Ali afastou-se do perigo. Ele não estava dançando de forma alguma. Mas,

524 MUHAMMAD ALI

ainda assim, definiu o ritmo da luta nos primeiros rounds. Estendeu a mão esquerda, aproveitando sua grande vantagem em termos de alcance, para manter Frazier à distância e então chicoteou com a direita cruzada quando Joe tentou afastar a esquerda. Ali lançou muito mais socos do que Frazier nos dois primeiros rounds, e estava acertando muitos deles — golpes surdos, grandes e sólidos, seu rosto esticado num sorriso de escárnio, os pés solidamente plantados, corpo meio girado para gerar força máxima. Ali queria um nocaute. Ele queria acabar com aquilo antes que Frazier ou o calor pudessem pegá-lo.

Às vezes Frazier vacilava. O suor voava de seu rosto. No final do segundo round, parecia que ia cair. Mas não caiu. Ele grunhiu e cavou o corpo de Ali, esfolando as costelas do homem maior com socos que soavam como grandes marretadas num tambor.

O terceiro round começou e Ali recorreu à sua técnica *rope-a-dope*, encolhendo-se no *corner* e deixando Frazier chegar tão perto que Ali podia sentir o calor da sua respiração. Após cerca de quarenta segundos de marteladas, Ali ficou de pé e foi atrás de Frazier. Lançou diretos com a mão direita que jogaram para trás a cabeça de Frazier. O round terminou com um ataque total dos dois homens, braços voando, cabeças girando, Ali gritando com Frazier, Frazier grunhindo com Ali. Ali ganhou o round, mas não antes de Frazier atingi-lo com um tremendo esquerdo no queixo.

"Continue a ser sórdido com ele, campeão!", alguém gritou do *corner* de Ali.

No quarto e quinto rounds, Ali se recostou no *corner* enquanto Frazier disparava tiros em seus braços e quadris. No sexto, Frazier se encaixou sob o peito de Ali e começou a bater como um homem tentando sair de um baú trancado, com a única diferença de que aquele baú batia de volta de vez em quando. Aparentemente desafiando todas as possibilidades, a temperatura na arena ia aumentando, a fumaça de charutos e cigarros formando uma densa nuvem que se grudava ao teto, com um cheiro pútrido. Ali estava encharcado em seu próprio suor e no de Frazier. Era difícil imaginar estes homens, ou qualquer humano, resistindo quinze rounds naquelas condições e sob aquele tipo de ataque. Dois ganchos de esquerda pareceram estontear Ali, mas ele continuou lutando. Outro gancho de

ALI-FRAZIER III

esquerda sacudiu a cabeça de Ali. Um veterano cronista esportivo disse que foi o soco mais forte que ele já tinha visto, mais forte do que aquele que havia derrubado Ali na lona em 1971.

"Velho Joe Frazier", disse Ali quando os dois saíram de suas banquetas para começar o sétimo round, "Que coisa! pensei que você estivesse acabado".

"Alguém te disse tudo errado, garoto bonitinho",[8] respondeu Joe.

No oitavo, Ali novamente tentou encerrar a luta. Abandonou a defesa, cerrou os dentes e armou o braço para dar os maiores socos que podia. Mas Frazier não caiu, e Ali não conseguiria aguentar por mais um round completo. Quando voltou para as cordas para descansar, Frazier agachou-se e esburacou as costelas do adversário novamente. Ele fez o que sabia fazer melhor. Esmurrou o abdômen de Ali com oito ou nove diretos antes de tentar o gancho de esquerda que poderia acabar com tudo. Ali balançava, mas não caía.

A luta ficou empatada durante o nono e o décimo rounds. Frazier era o mais agressivo dos dois lutadores. Ele aceitou que teria de aguentar os melhores golpes de Ali se quisesse abrir caminho até o adversário. Durante parte de cada round, Ali deixou Frazier castigá-lo. Se boxear é, em última instância, um teste de força, Ali estava apostando que ele seria o homem mais forte ao final, que ele aguentaria para vencer. Durante toda a sua vida, Ali havia feito seu corpo atender aos seus chamados. Quando era menino, lutando com Corky Baker, ele havia dançado e lançado *jabs* e escapado do grande e forte valentão do bairro até obrigá-lo a se afastar, envergonhado. Contra Sonny Liston, quando se esperava que Ali fugisse e se escondesse, ele saíra lançando mísseis que ninguém imaginava que ele tivesse. Contra George Foreman, havia se transformado numa esponja, absorvendo a energia de seu adversário. Ele sempre tivera um grande talento para explorar as fraquezas dos adversários, mas, agora, dependia fortemente de um talento diferente: a simples resistência. Contra Frazier, ele tomou a decisão de que triunfaria sofrendo, aceitando mais dor do que Frazier conseguiria suportar. Ali sempre estivera disposto a sofrer — por seu esporte, por sua religião, por seu prazer —, mas nunca havia sofrido dores físicas como aquelas. "Foi como a morte",[9] ele diria quando acabou. "A coisa mais próxima de morrer que eu conheço."

Ali falava com frequência sobre a morte, como fazem muitos homens e mulheres religiosos. Embora tivesse sido abençoado com um dos corpos mais bonitos e graciosos que alguém já vira, sempre havia aceitado as limitações do corpo, sempre reconhecendo que ninguém vivia para sempre. Como diz a oração muçulmana, "Seguramente pertencemos a Alá, e para Ele retornamos." Naquele momento, ficou claro que Ali estava disposto a pagar um custo fenomenal para continuar lutando, disposto a se esforçar para além de qualquer ponto a que já tivesse chegado.

Entre o décimo e o décimo primeiro rounds, ele despencou em sua banqueta. Parecia vencido, acabado.

"O mundo precisa de você, campeão!",[10] Bundini gritou, lágrimas escorrendo pelo rosto.

Ali levantou-se e olhou vagamente para Frazier no outro lado do ringue. As faces dos dois homens estavam inchadas, arroxeadas ao redor dos olhos e encharcadas de suor e sangue. Em toda a sua volta, homens agitados gritavam por mais.

No décimo primeiro round, Ali, de alguma forma, encontrou um novo estoque de energia. Lançou mais socos, socos mais fortes, socos mais rápidos, 76 socos ao todo, um a cada 2,37 segundos. A maioria deles encontrou o alvo — que era a cabeça de Frazier. Plastas de sangue voavam do rosto deformado de Frazier. Ainda assim, soco após soco, Frazier seguia avançando.

"Piedade, Senhor!",[11] Bundini gritou.

No décimo segundo, Frazier finalmente perdeu velocidade. Ali esticou os braços compridos num movimento amplo e aterrou o seu melhor golpe da noite. Surgiram calombos sobre os calombos já existentes na fronte de Frazier. Parecia que alguém tinha acabado de resgatá-lo de uma trombada na estrada. No décimo terceiro, Ali mandou para a lona o protetor bucal de Frazier, e aquilo pareceu lhe dar mais uma descarga de adrenalina. De pé no centro do ringue, desfechou uma direita que quase nocauteou Frazier. De alguma forma, Frazier permaneceu na vertical. Ele encontrou Ali através de pálpebras quase fechadas, encaixou-o no *corner* e martelou os punhos várias vezes na barriga de Ali. Os olhos de Ali reviraram para os céus, como se perguntando: *Mas como esse homem ainda pode estar me batendo?*

ALI-FRAZIER III

No décimo quarto, Frazier não podia enxergar. Com o olho esquerdo fechado e o direito danificado, não podia apontar seu gancho a menos que estivesse inteiramente ereto e virasse a cabeça para a esquerda. Mas, quando fazia isso, não podia evitar os cruzados de direita que voavam em direção à sua cabeça. Ali o massacrou com nove diretos.

Encorajado, Ali ficou mais forte. Quando se pensava que estaria esgotado... não, quando ele *já estava* para além de esgotado, manteve um ritmo que desafiava não só o calor, mas também a lógica e, talvez, a fisiologia. E Frazier, praticamente cego, os recebeu por inteiro. Plumas de suor, muco e sangue voavam de sua testa a cada tiro. Joe, resistindo desesperadamente, olhou em volta, com um único olho, procurando Ali. Avançou como uma aparição, um fantasma cuja imagem perseguiria Ali o resto da sua vida, não importava quem tivesse vencido aquela luta. Frazier foi atingido e atingido e atingido, indefeso, mas não caiu. Seus pés deslizaram para frente, os braços se debateram. Tentou bater mais um gancho de esquerda, sua única esperança. Mas não conseguiu.

Quando o gongo tocou, caminhou, tremendo, para o seu *corner*. Desabou sobre a banqueta, onde ouviu seu empresário, Eddie Futch, dizer: "Joe, acabou."

"Não, não", Frazier disse, "você não pode fazer isso comigo."

Mas Futch havia sido treinador em quatro lutas nas quais um dos lutadores morrera. Mais tarde, ele disse que estava pensando nos filhos de Frazier quando insistiu em parar a luta faltando apenas um round para o final.[12] Algumas pessoas perto do *corner* de Ali disseram tê-lo ouvido dizer a Dundee que queria desistir. Dundee nunca confirmou esses relatos, mas disse não ter certeza de que Ali teria durado mais um round.[13]

Não importava. Futch, misericordiosamente, dera um fim àquilo.

Ali se levantou lentamente da banqueta. Era o vencedor, ou, pelo menos, o sobrevivente. Ergueu no ar a mão direita. Quando Cash Clay, Rahaman Ali, Don King e Herbert Muhammad subiram ao ringue para celebrar, Ali tombou na lona.

Naquela noite, Imelda Marcos conduziu Ali por uma escadaria coberta com um tapete vermelho para uma festa em sua homenagem no Palácio de Malacañang. Ali sentou-se quieto, lentamente passando algum alimento pelos lábios esfolados e inchados. Frazier estava danificado demais para aparecer na mesma recepção, mas Ali insistiu em manter a imagem do guerreiro triunfante, mesmo se sentindo como um guerreiro ferido.

No dia seguinte, ele estava urinando sangue (e continuaria a fazê-lo por semanas). Seus olhos estavam vermelhos, o rosto deformado, a mão direita inchada e inflamada.

Enquanto olhava pela janela do quarto do hotel um pôr de sol vermelho escuro, virou-se para um repórter e perguntou: "Por que eu faço isso?"[14]

45

Envelhecendo

Ele estava acabado. Terminado. Era exatamente isso o que ele queria dizer. Havia batido todos que valia a pena bater. Havia provado tudo que possivelmente poderia provar. Era hora de parar, ele disse.

Mas algumas poucas semanas se passaram.

"Mudei de ideia",[1] disse a Howard Cosell, "sinto que posso seguir mais alguns anos. Os fãs querem me ver." Disse que tinha planos de negócios internacionais, "e, sendo um campeão ativo, posso fazer mais negócios e outras coisas, e só quero ficar ativo para ter mais poder de fazer coisas que estou fazendo à parte".

Ele parecia um homem lutando por dinheiro. Também parecia, mais do que nunca, um homem que estava sacrificando a saúde e a reputação em busca do próximo salário. Talvez estivesse contemplando a possibilidade de mais um divórcio dispendioso. Talvez tivesse lido a entrevista recente de sua esposa na revista *Ebony*, em que ela dizia: "Não vou romper nosso casamento de forma alguma. Nada pode ficar entre nós. Não me interessa quantas Veronicas entrem em cena; não vou sair... Tenho quatro filhos e tenho que olhar por eles, certo?"[2]

Sentado ao lado de Cosell, Ali falava lentamente, em voz sonolenta. Quando lhe perguntaram por que não havia cumprido a promessa de nocautear Frazier na primeira rodada, ele pareceu precisar de um momento para engrenar antes que as palavras fluíssem. "Bem, sim", disse, "aquilo era guerra, hum, psi... cológica contra o adversário."[3]

Quase cinco meses após o *Thrilla in Manila*, Ali se defrontou com Jean-Pierre Coopman numa luta que não o motivou sequer a inventar alguma rima. O peso-pesado belga era conhecido como o Leão de Flandres, mas Ali descreveu a luta como uma espécie de férias, dizendo que merecia um ou dois adversários fáceis após a guerra com Frazier. Ele estava lento e com excesso de peso, mas poderia ter batido Coopman sentado. Ele conversou com o público durante a luta, provocou risos ao balançar o traseiro enquanto dava voltas no ringue, e pode ou não ter suado. No quinto round, terminou uma noite fácil de trabalho nocauteando Coopman com uma nada notável combinação de socos. Se isso provava algo, era que, aos 34 anos e com sobrepeso, Ali ainda era muito superior a um peso-pesado apenas mediano.

Dois meses depois, Ali lutou novamente, desta vez contra Jimmy Young no Capital Centre em Landover, Maryland. Ali fez 1,6 milhões de dólares com a luta, enquanto Young ficou com cerca de 100 mil. Ali disse que planejava lutar com Young, Ken Norton, George Foreman e então se aposentar.[4] Mas se esqueceu de mencionar que já havia assinado um contrato para lutar contra Richard Dunn na Alemanha em 24 de maio, meros 24 dias depois de enfrentar Young. Isso significava que estaria defendendo seu título três vezes num período de 94 dias, uma agenda espantosa. Ah, e também tinha a intenção de desafiar Antonio Inoki, o peso-pesado japonês campeão de luta livre em 25 de junho, em Tóquio, numa luta que seria um híbrido entre boxe e luta livre e para a qual as regras ainda não haviam sido determinadas. Mas era só isso: Young, Dunn, Norton, Foreman, Inoki e, depois, aposentadoria. Podem contar com isso, disse.

"Eu estou tão avançado em minha própria categoria, que preciso buscar outras coisas",[5] disse, explicando por que lutaria com um *wrestler*, alguém que poderia chutá-lo ou jogá-lo no chão ou torcer seu pescoço. "É nisso que estou envolvido— publicidade, controvérsia, agindo apenas para... atrair multidões. Por que eu sou eu? Porque faço coisas que são ridículas."

ENVELHECENDO

Na luta com Young, o rosto de Ali parecia uma lua; o peito e a barriga balançavam. Estava pesando 104 quilos, o maior peso de sua vida, e uns 18 quilos a mais do que no início da carreira. Young tinha 1,88m, era rápido, mas não muito rápido, e forte, mas não muito forte. Lutava profissionalmente havia quase sete anos e treinava no ginásio de Joe Frazier em Filadélfia.

Naquele ponto de sua carreira, Ali já não acreditava que precisaria estar em forma para vencer a maioria dos adversários. Ele contava com a astúcia e com o fato de que era quase impossível nocauteá-lo. Ele pensava que, desde que permanecesse de pé, encontraria um jeito de vencer a maioria dos adversários.

Suas explicações para a falta de preparo físico faziam pouco sentido. Numa mesma coletiva de imprensa ele disse:

"Eu estou pesado porque preciso de energia."[6]

"Vou lutar apenas o necessário, até que a resistência dele caia."

"Para mim, é só mais um dia com um pouco de diversão."

"A única coisa que pode me derrotar sou eu."

"Se eu chegasse a 97 quilos para este, eu odiaria a academia."

"Eu tenho comido torta demais, sorvete demais."[7]

Ali não só estava fora de forma e excessivamente confiante; ele também não havia conseguido fazer sua lição de casa, não tinha conseguido assistir ao filme das lutas de Jimmy Young. Se tivesse assistido, se tivesse se importado, teria percebido que estava entrando numa fria. Young estava longe de ser o melhor lutador que Ali já havia enfrentado, mas era um dos mais inteligentes. Também tinha ânsia de subir, e estava com um condicionamento fantástico. Desde os momentos iniciais da luta, o desafiante chocou a multidão e o radialista Howard Cosell ao inverter os papéis no ringue, lutando mais como Ali do que Ali era capaz de lutar naquele ponto de sua carreira. Young reconheceu que Ali gostava de contra-atacar. Mas o que aconteceria se não tivesse nenhum ataque para rebater? O que aconteceria se Young esperasse e forçasse Ali a ser o agressor? O que aconteceria se forçasse Ali a lutar quinze rounds completos, sem descansar nas cordas por longos momentos? Young decidiu descobrir.

Ali ficou desconcertado. No round de abertura, tentou apenas cinco socos, sem acertar nenhum. Em toda a luta, aterrou apenas 110 socos, ou cerca de sete por round. Não conseguia encontrar o ritmo. Seus golpes eram

532 MUHAMMAD ALI

suaves e lentos. Quando circulou o ringue e esperou que Young fosse atrás dele, Young também circulou, esperando que Ali o atacasse. No terceiro round, Ali, claramente frustrado, inclinou-se sobre as cordas e sinalizou para que Young fosse buscá-lo.

Era hora de *rope-a-dope*. Young calmamente se afastou, como se dizendo *não, obrigado, já vi esse truque antes*. Em algum lugar, George Foreman deve ter chorado à vista daquilo. Repetidas vezes, Young foi mais Ali do que o próprio Ali, evitando *jabs* com um mero desviar da cabeça, agarrando o adversário pelos braços e ombros para retardar a ação, chegando mesmo a levantar um joelho e enfiar a cabeça entre as cordas algumas vezes para interromper o ritmo do adversário. Ali não tinha nenhuma resposta.

"Vá trabalhar!",[8] Bundini gritou no sexto.

"Você está perdendo", Rahaman gritou no décimo primeiro.

"O cara não pode fazer 34 anos, inflar feito um balão e não treinar... lutando apenas pelo dinheiro", Howard Cosell queixou-se no ar.

Quando acabou, a multidão vaiou Ali. Todo mundo, exceto os juízes, achava que Ali havia perdido. Young havia acertado quase dois golpes contra um do campeão. Mas há uma antiga regra não escrita no boxe: um desafiante *tem* que tomar o título de campeão, vencendo por nocaute ou, pelo menos, por esmagadora violência; os juízes não deveriam fazer o trabalho por ele. Mas, então, para que ter juízes? Ali não fez nada para merecer a decisão contra Young; ele foi premiado com a vitória porque ele era Muhammad Ali. Foi um presente de seus admiradores.

Quando Cosell o encontrou no ringue, Ali afirmou o óbvio: deveria ter levado Young mais a sério.

"Estou ficando velho, Howard", disse. "É por isso que eu estou saindo este ano."

O médico de ringue de Ali, Ferdie Pacheco, disse que não era só a idade e os hábitos de trabalho preguiçosos que estavam retardando os movimentos de Ali. "Ele estava mais do que apenas acima do peso",[9] disse Pacheco. "Aquelas lutas seguidas minavam seu desejo de entrar em forma adequada. Aquele foi seu pior encontro com um adversário... Ele estava ficando cansado muito mais cedo do que o habitual. Seus reflexos eram apenas 25 a 30% do que deveriam ser."

ENVELHECENDO

Angelo Dundee também notou uma diferença em Ali. Durante anos, Dundee contava a Ali como observava velhos lutadores que chegavam à academia e como ele conseguia dizer, mesmo quando eles estavam apenas se aquecendo, apenas pulando corda, que eles vinham perdendo agilidade. "O salto não era o mesmo", ele disse, "a fluidez não era a mesma."[10] Ele chamava aquilo de gagueira, referindo-se não à fala dos lutadores, mas à maneira como seus corpos se moviam.

"Ei, cara", Dundee disse a Ali um dia. "Você está começando a gaguejar."

Mas Ali não deu ouvidos.

"Se você não quer ouvir a mensagem", disse Dundee, "não há nada que eu possa fazer."

Dundee também notou uma mudança perturbadora na voz de Ali e ficou preocupado, "porque eu não conseguia [...] ouvi-lo falar. Eu ficava meio perseguindo Muhammad, dizendo 'não tranque a garganta, fale'".[11]

Um repórter perguntou a Ali se, dado o seu fraco desempenho contra Young, ele consideraria uma pausa antes de lutar com Ken Norton, um encontro que deveria ocorrer em setembro no Yankee Stadium ou no Madison Square Garden. Será que ele pelo menos consideraria cancelar a luta contra o lutador japonês em Tóquio?[12]

Não, disse Ali. Ele não ia cancelar nada.

O repórter perguntou: Por que não?

"Seis milhões de dólares",[13] Ali respondeu.

46

"Talvez eles não me deixem parar"

À altura de 1976, Muhammad Ali estava em toda parte. Um nome que havia soado tão estranho a ponto de ser incompreensível era agora uma marca instantaneamente reconhecível. Havia livros de Muhammad Ali, filmes de Muhammad Ali, brinquedos de Muhammad Ali, cartazes de Muhammad Ali, até mesmo outra incipiente cadeia de hambúrgueres, chamada Ali's Trolley.[1] E, claro, ainda havia combates de boxe de Muhammad Ali. Mas estava claro que a fama do boxe de Ali havia durado mais do que suas habilidades de boxear.

Para ajudar a encher a arena em Munique para sua luta com Richard Dunn, Ali ofereceu ingressos grátis para os militares americanos estacionados na Alemanha. Quando o repórter Mike Katz, do *New York Times*, perguntou se ele via a ironia de um objetor de consciência convidar soldados para vê-lo lutar, Ali respondeu com uma das suas falas favoritas: "Você não é tão burro quanto parece."[2] Então, acrescentou: "Eu era contra a guerra, não contra os soldados".

Ali perdeu 4,5 quilos em três semanas para se preparar para Dunn. E bateu em Dunn pra valer, mas não houve nada de impressionante em seu

536   MUHAMMAD ALI

desempenho. Em cinco rounds, apenas doze *jabs* seus encontraram o alvo. O *jab* sempre havia lhe fornecido ataque e defesa. Ele havia jabeado tão rápido e tão bem que os adversários não tinham tempo de reagir. O *jab* havia lhe permitido controlar a luta, mantendo o adversário a uma distância segura, mas ao alcance de um golpe. Mas Dunn, sendo um lutador canhoto, não era tão vulnerável ao *jab* de Ali. Sem seu melhor soco e sem seu rápido trabalho de pernas, Ali tinha pouca proteção. Quando jogou grandes e amplos ganchos, Dunn fez o mesmo. Pelo menos duas vezes, Dunn fez Ali cambalear. Finalmente, Ali assumiu o controle, derrubando Dunn quatro vezes no quarto round antes de terminar a luta derrubando-o novamente no quinto. Mas ficou claro, até para fãs ocasionais, que Ali era um lutador completamente diferente agora. Mesmo contra pugilistas sem nome, ele já não escapava ileso. Golpes na cabeça eram o preço que pagaria para continuar sua carreira.

Após a luta, numa entrevista para a televisão ainda no ringue, Ali agradeceu a Alá; ao seu líder espiritual, Wallace D. Muhammad; ao presidente Gerald Ford; a Dick Gregory, que estava percorrendo toda a América para chamar a atenção para a fome; e aos mestres de karatê que o estavam preparando para sua luta contra Antonio Inoki. E enviou saudações a "toda a minha família em casa", sem mencionar nomes.

A agenda frenética de lutas de Ali em 1976 refletia a natureza frenética de sua vida. Seu casamento de nove anos tornara-se um eco de um casamento, um vestígio de como havia sido, e estava chegando ao fim.

Belinda havia recentemente mudado seu nome para Khalilah, dizendo que o nome lhe havia sido dado por Wallace D. Muhammad, Ministro Supremo da Nação do Islã. Numa entrevista à revista *People*, Belinda disse: "Não existe nenhum casamento. Deixei isso para trás agora."[3]

Khalilah, Veronica e Muhammad agora mantinham apartamentos separados em Chicago,[4] e Veronica estava grávida do filho de Ali.

Os pais de Ali estavam separados. Odessa ficara em Louisville, abrigada em uma casa nova paga pelo filho, enquanto Cash viajava ao redor do mundo, esbanjando-se nos prazeres que vinham de ser o pai do campeão — prazeres que incluíam um monte de bebidas grátis e a atenção de mulheres

"TALVEZ ELES NÃO ME DEIXEM PARAR" 537

que, normalmente, não olhariam duas vezes para um homem que fosse o dobro da sua idade.

Os assuntos financeiros de Ali também estavam um caos. Gene Kilroy pagava as contas e tentava espantar os abutres. Herbert Muhammad negociava os acordos. Bob Arum e Don King cuidavam de produzir as lutas. Mas, muitas vezes, Herbert, Arum e King acabavam competindo para fazer negócios. Se Ali tivesse servido como executivo principal, definindo a estratégia, definindo objetivos de longo prazo e fazendo um plano para garantir sua saúde financeira a longo prazo, ele poderia estar bem preparado para a aposentadoria. Mas ele não fez nada. Em vez disso, no outono de 1976 ele nomeou Spiros Anthony, um advogado de Fairfax, Virgínia, como seu curador. Anthony abriu um escritório e contratou uma pequena equipe para avaliar as ofertas de negócios que chegavam a Ali. "Ele era, literalmente, a celebridade mais procurada do mundo",[5] disse Anthony. "Você pode imaginar o que as pessoas estavam tentando jogar em cima dele, tentando levá-lo a comprar ou endossar. Relógios, tapetes de oração. Era um inacreditável dilúvio de propostas". Anthony investiu dinheiro de Ali em bens imobiliários — principalmente edifícios de escritórios e condomínios. Mas Ali logo acusou Anthony de desviar o dinheiro e usá-lo para cobrir dívidas de jogo, uma acusação negada por Anthony. Ali o processou. Apesar de Anthony continuar a afirmar sua inocência — e, de fato, alegou que os investimentos imobiliários que fizera haviam rendido a Ali milhões de dólares[6] —, ele concordou com um acordo e pagou 390 mil dólares a Ali.

Anthony fez vários bons investimentos para Ali e trouxe um contador respeitado, na tentativa de reduzir os impostos pagos. Mas, depois de examinar os parcos registros de negócios, o contador, Richard W. Skillman, da Caplin & Drysdale, descobriu que era simplesmente impossível distinguir entre as despesas legítimas de negócios de Ali e sua lista aparentemente interminável de empréstimos e investimentos a amigos. "Acho que ele sabia que estava jogando o dinheiro fora",[7] disse Skillman.

Os problemas de dinheiro continuaram.

"Eu realmente quero parar", ele disse. "Mas, se alguém oferece 10 milhões, não é fácil."[8] Ele disse que queria sair por cima, com saúde, mas também

538   MUHAMMAD ALI

queria sair com 10 milhões de dólares em títulos do Tesouro. "Então, eu teria um cheque de 85 mil dólares, livre de impostos, na minha caixa de correio todos os meses." Se os negócios de Ali tivessem sido gerenciados corretamente desde o início, se ele tivesse se beneficiado de isenções e descontos do imposto de renda e investido sua renda sabiamente, teria recebido um cheque mensal muito maior do que 85 mil dólares por mês na aposentadoria. Mas, agora, enquanto se aproximava do fim de sua carreira, não era o caso. Agora, ele precisava fazer o máximo de dinheiro que pudesse enquanto ainda era capaz de lutar, numa tentativa de compensar o tempo perdido, as más decisões, os casamentos que lhe custavam caro e as oportunidades desperdiçadas. Muitos dos homens em torno dele — incluindo seu pai, o irmão, Bundini e outros — também contavam com que Ali continuasse a ganhar pelo maior tempo possível.

"Talvez eles não me deixem parar até que eu não consiga mais lutar", disse.

A luta com Inoki — se aquilo pudesse ser chamado de luta — foi ideia de Herbert. Promotores no Japão haviam prometido a Ali 6 milhões de dólares para ver o que aconteceria quando um campeão de boxe e um campeão de luta livre se encontrassem no ringue. Mas, à medida que a luta se aproximava, ninguém parecia saber se o combate seria roteirizado, uma exibição leve, ou se seria uma competição de verdade, com um conjunto de regras que fundiam os dois esportes.

Os 14 mil assentos da arena Budokan em Tóquio foram vendidos para a luta de 26 de junho. Nos Estados Unidos, quase 33 mil pessoas pagaram 10 dólares cada para assistir via circuito fechado no Shea Stadium em Nova York. No Shea, os fãs também veriam uma luta ao vivo entre o boxeador Chuck Wepner e André, the Giant, lutador de wrestling profissional. Ali, sempre o mestre da autopromoção, disse a entrevistadores que essa luta atrairia mais espectadores do que as suas anteriores. E prometeu que a ação seria real e, provavelmente, sangrenta.

À medida que a luta se aproximava e ia ficando claro que Inoki queria lutar e vencer legitimamente, a equipe de Ali produziu um conjunto de regras que praticamente impediam o lutador japonês de fazer qualquer coisa que machucasse fisicamente o adversário. Ali usaria luvas leves de quatro onças, e Inoki lutaria com as mãos nuas. Não eram permitidas joelhadas nem golpes

"TALVEZ ELES NÃO ME DEIXEM PARAR" 539

abaixo da cintura. Não haveria golpes quando os lutadores estivessem caídos. Chutes eram permitidos, mas só se o lutador que desse o chute mantivesse um pé no chão. As regras não foram anunciadas ao público antes da luta. Se tivessem sido, seria bastante razoável apostar que ninguém pagaria para ver uma competição que mais parecia um jogo de Twister do que artes marciais.

A luta Ali-Inoki começou com Inoki atravessando o ringue correndo e lançando os pés em direção a Ali, tentando usar as pernas para fazer um *tackle*. Errou, tentou novamente e errou de novo. Em vez de se levantar, porém, Inoki ficou no tatame, se arrastando de lado como um caranguejo, balançando as pernas de vez em quando na direção de Ali, tentando pegá-lo por trás dos joelhos e derrubá-lo. Inoki sabia que Ali tinha apenas uma maneira de lutar: com os punhos. Mas Ali não podia dar um murro enquanto o outro ficasse no chão. Enquanto Inoki se arrastava e chutava, Ali pulava em volta como um homem tentando esmagar uma serpente.

Round após round, Inoki continuou de costas, tentando chutar Ali nas panturrilhas e coxas. No quarto, Ali pulou sobre as cordas para escapar, gritando de horror. No sexto, Ali tentou agarrar a perna de Inoki, mas Inoki levou a melhor, envolvendo sua outra perna em torno da panturrilha de Ali e jogando-o na lona na primeira queda da noite. Inoki subiu rapidamente em cima do peito de Ali e se agachou na cara dele.

Quanta indignidade um homem sofrerá por 6 milhões de dólares? Ali tinha fornecido a sua resposta.

Aquele viria a ser o melhor lance da luta.

Ali zombou de Inoki, dizendo-lhe para se levantar e lutar. "Um soco! Eu quero um soco!", gritou ele. Inoki, preferindo não ser atingido, ficou abaixado. Logo, as pernas de Ali estavam inchadas e sangrando. Angelo Dundee insistiu que Inoki colasse uma fita adesiva nos sapatos para que não continuassem cortando as pernas de Ali.

Uma batalha de travesseiros teria oferecido mais drama. Quando tudo estava acabado, Ali tinha dado seis socos ineficazes. "Um milhão de dólares por soco",[9] gabou-se mais tarde. Na verdade, seu pagamento foi melhor do que isso. Apenas dois dos socos de Ali acertaram o alvo, o que significa que ele recebeu 3 milhões por soco. Ou teria recebido, caso a luta tivesse gerado tanta renda como esperado.

540 MUHAMMAD ALI

Os fãs vaiaram e jogaram lixo no ringue. Os juízes declararam que houve um empate; os clientes pagantes usaram linguagem mais profana.

Para Ali, a luta acabou sendo mais do que uma vergonha. Depois de examinar a perna inchada, Ferdie Pacheco instou o lutador a ficar na cama por alguns dias. Ali, em vez disso, voou no dia seguinte para Seul, Coreia do Sul, onde lutou quatro rounds numa apresentação para militares americanos. Quando voltou para os Estados Unidos, havia desenvolvido coágulos sanguíneos nas pernas e ficou hospitalizado durante várias semanas.[10]

Como se não bastasse, Inoki mais tarde processou Ali, alegando que as alterações de última hora nas regras o deixaram incapaz de lutar e resultaram em perdas na venda de ingressos.[11]

Cerca de um mês após o regresso de Ali do Japão, Veronica Porche deu à luz uma menina chamada Hana. Três semanas depois da chegada do bebê, em 2 de setembro de 1976, Khalilah pediu o divórcio, citando adultério e "extrema e repetida crueldade mental."[12] O caso foi resolvido rapidamente, com Ali concordando em pagar à esposa 670 mil dólares em cinco anos. Ele também lhe deu uma casa em Chicago, um prédio de apartamentos e outros bens. E prometeu colocar 1 milhão de dólares em um fundo fiduciário para seus quatro filhos.

Agora, Ali tinha um novo filho para sustentar e uma nova ex-esposa para receber pensão. Isso significava que ele tinha maior incentivo para continuar no boxe. Ao mesmo tempo, no entanto, sua disciplina estava falhando. Quando se sentia revigorado, ele acordava às 5:30 da manhã e dirigia seu Stutz Blackhawk por quase 2 quilômetros de sua casa na Woodlawn até o Washington Park,[13] onde corria cerca de uma hora. Mas ele não estava se sentindo tão revigorado como costumava, e, em muitas manhãs, simplesmente ignorava o treinamento. Como Veronica não cozinhava com frequência, Ali encomendava do Harold's Chicken Shack frango frito com batatas fritas e molho picante de laranja.[14]

Enquanto se preparava para lutar contra Ken Norton no Yankee Stadium, Ali não falou mais da aposentadoria. E também começou a procurar mais oportunidades de negócios. Assinou um contrato para promover lençóis "Ali African Feelings", com uma foto de Ali em smoking em cada pacote. Numa coletiva de imprensa para anunciar o negócio, Ali declamou: "Temos

"TALVEZ ELES NÃO ME DEIXEM PARAR"

colchas e toalhas, edredons para vender/ Lençóis feitos para negros, para brancos e para você".[15]

Lutar fica mais difícil para um velho decadente
vender lençóis é fácil como cantar no chuveiro
as estampas são bonitas, a ideia é atraente
e você acredita que me pagam em dinheiro?*

Uma empresa chamada Mego International estava fazendo bonecos Muhammad Ali (bem como bonecos assemelhados a Cher, Farrah Fawcett-Majors e The Fonz, do show de TV *Happy Days*). Ali tinha seu próprio desenho animado na TV, chamado *As Aventuras de Muhammad Ali*, em que ele lutava com jacarés, combatia caçadores na selva africana e lutava contra guerreiros do espaço. Havia até uma música sobre Ali chamada *"Black Superman"*, que se tornou um sucesso fora dos Estados Unidos. Em pouco tempo, ele estava promovendo Roupas Esportivas Muhammad Ali, concessionárias Toyota da Arábia Saudita, relógios Bulova, sabonetes Muhammad Ali chamados *soap-on-a-rope*, que vinham com uma cordinha para dependurar, barras crocantes de manteiga de amendoim Muhammad Ali, Quarterpounders Birds Eye (lançado na Inglaterra com Ali dizendo: "É preciso uma boca grande para comer um hambúrguer grande"), Hash Browns Ore-Ida, Pizza Hut e colônia Brut. Ali fez uma parceria com uma empresa da Arábia Saudita que planejava vender refrigerantes, tinta e outros produtos da marca "Mr. Champ"[16] em países subdesenvolvidos. Ele também aprovou uma revista em quadrinhos com Super-Homem versus Muhammad Ali e assinou contrato para fazer anúncios na televisão e em revistas para vender armadilhas e sprays mata-baratas da marca d-CON. Os produtos d-CON viriam com uma foto de Ali em cada caixa.

Seria isso um sinal? Uma prévia de como se desdobraria o próximo capítulo na vida do boxeador? Ali já havia parado de comprar briga sobre raça,

---

* *The fight game gets harder for an old man like me / Selling sheets is easy as drinking iced tea / The patterns are pretty, the idea's a honey / And would you believe, they are paying me money?* [N. da T.]

religião e política. Em breve, também pararia de socar pessoas. Quando isso acontecesse, ele se tornaria o garoto propaganda de produtos, não o produto em si. Mas isso seria tudo? Seria o suficiente? Ali não estava dizendo que sim, e não parecia ter nenhuma pressa em descobrir.

Na primeira luta dos dois, Norton havia quebrado o maxilar de Ali. Na segunda, Ali havia escapado com uma decisão controvertida. Norton não martelava adversários como fazia Frazier e não espancava com a força de Foreman, mas era um lutador forte, inteligente e defensivo, e Ali sabia que precisava estar em sua melhor versão para vencer. A questão permanecia, no entanto: o seu melhor seria bom o suficiente?

Ali treinou para o combate não em Deer Lake, mas no Concord Resort Hotel nas montanhas Catskills, perto de Nova York. Treinou apenas cerca de cem rounds[17] — aproximadamente a metade de sua carga de trabalho habitual para uma luta — e, de modo geral, os repórteres não se impressionaram com sua ética de trabalho. Um deles brincou que "a única coisa que ele faz com a mesma ferocidade do passado é se olhar nos espelhos".[18] Certo dia, entre os treinos, ele foi com Veronica a um campo de golfe. Entrou num carrinho e tentou — basicamente sem sucesso[19] — bater algumas bolas. Noutro dia, recebeu um grupo de sargentos do exército que lhe pediram para posar para fotos que ajudariam a promover o recrutamento para as Forças Armadas,[20] pois já não havia alistamento obrigatório. Ali, vestindo um roupão branco sobre calções de boxe, concordou alegremente. Se ele comentou sobre a ironia de tudo aquilo, os repórteres não mencionaram. Em outro dia, ele dirigiu até Port Jervis para ver uma propriedade que alegou haver adquirido recentemente, mas se perdeu na viagem e não conseguiu encontrar o lugar.

Ele emagreceu para o combate, mas ainda parecia um pouco flácido. O peito carecia de definição, e havia vestígios de gordura na cintura. Ele tinha o físico de um homem que havia trabalhado para perder peso, não de um homem tentando ficar forte. Ainda assim, gabou-se de que era um lutador mais forte do que nunca, que seu novo estilo de luta não requeria nem velocidade nem sutileza. "Estou quase duas vezes melhor do que na primeira luta com Norton",[21] disse. "Frazier e Foreman não fizeram nada para me parar. Como Norton poderia fazer? "

"TALVEZ ELES NÃO ME DEIXEM PARAR"   543

A venda de ingressos estava lenta. A demanda por assentos nos locais de circuito fechado estava longe de ser esmagadora. Ali-Norton prometia ser uma boa luta. Mas faltava a emoção de Ali-Frazier ou Ali-Foreman. Ali nem sequer se deu o trabalho de provocar o adversário. "Quero deixá-lo em paz",[22] disse. "Ele não me excita". Tentou ficar excitado na hora da pesagem, bradando: "Eu quero você, crioulo!"[23] e "Entre na briga, crioulo!" Mas Norton parecia desinteressado.

A luta ocorreu numa noite chuvosa e fria perante uma multidão de cerca de 20 mil pessoas no Yankee Stadium. Um colunista de um dos tabloides da cidade, que adorava trocadilhos, referiu-se ao "Yankee Afraidium" (de *afraid*, com medo), enquanto a *Sports Illustrated* ficou com "Junkie Stadium" (de *junk*, lixo). A cidade de Nova Iorque estava em crise, com taxas de criminalidade crescentes, o governo flertando com a falência. O resto do país estava apenas um pouco melhor. A maior superpotência mundial tornara-se fortemente dependente do petróleo estrangeiro, e agora havia uma desesperada escassez de combustível. Os preços da gasolina e do óleo para aquecimento subiram drasticamente. Muitos americanos trocaram seus Cadillacs e Oldsmobiles beberrões por carros de baixo consumo produzidos no Japão, mas não estavam necessariamente felizes com isso. Parecia uma admissão de fraqueza. Pela primeira vez em décadas, a América parecia um país em declínio. A inflação disparou e a economia era espasmódica. Histórias de medo e frustração enchiam os noticiários noturnos.

O Bronx podia ser perigoso em qualquer noite da semana, mas estava especialmente perigoso na noite da luta, pois policiais de folga, revoltados com novos horários de trabalho e aumentos atrasados, protestavam fora do Yankee Stadium, bloqueando o tráfego,[24] encorajando os jovens sem ingressos a derrubar os portões e se infiltrar no estádio e deixando mais ou menos claro que ninguém seria preso. Limusines foram saqueadas. Pessoas foram assaltadas. Red Smith, do *New York Times*, teve a carteira roubada.[25] Ainda assim, Odessa Clay estava lá. Usava um vestido de noite preto, longo, e sentou-se longe do marido. O dublê de motociclista Evel Knievel estava lá, usando anéis de diamante e botas de caubói feitas com pele de jiboia.[26] Também estavam presentes o pintor LeRoy Neiman, o ator Telly Savalas, o

544   MUHAMMAD ALI

tenista Jimmy Connors, Caroline Kennedy e Joe Louis. A luta teve algum atraso porque até os lutadores tiveram problemas para chegar ao estádio.

Quando a ação finalmente começou, Ali buscou um nocaute rápido. Agora, ele lutava como se fosse Sonny Liston, um golpeador pesado que gostava de terminar o trabalho rapidamente. Mas não tinha o poder de nocaute de Liston, e, quando se plantou no centro do ringue e lançou seus *swings*, Norton bloqueou a maioria dos golpes ou se esquivou. Norton nunca chegou a ficar seriamente ferido enquanto prosseguia a luta. Tampouco Ali, para sermos exatos, mas Norton estava fazendo a maior parte do trabalho. Era o lutador mais ocupado, o lutador mais agressivo, o lutador mais ardiloso. Ali empregou muitos de seus truques agora familiares, balançando o traseiro, girando os braços como se estivesse comprimindo molas antes dos socos e lutando com mais determinação nos segundos finais de vários rounds para deixar boas impressões duradouras na mente dos juízes. Ele fez um trabalho especialmente bom no minuto final da luta, armando e lançando um monte de socos, enquanto Norton lutou o round final como se estivesse confiante da vitória e já não precisasse arriscar.

Os *jabs* de Ali pousavam suavemente. Em momento algum ele sacudiu Norton, não o cortou, não o obrigou a diminuir a velocidade. Ao longo de quinze rounds desinteressantes, Norton acertou 286 golpes contra os 199 acertos de Ali, incluindo 192 socos fortes contra os 128 de Ali. Números não medem a dor. Eles não medem o dano. Mas, neste caso, os números contaram a história muito bem. Norton era o melhor lutador e o mais forte. Ele acertou mais socos, um percentual maior de socos e socos mais fortes.

Quando tocou o gongo final, Norton gritou para Ali: "Eu te venci!".[27]

Ali, não tendo o que responder, virou-se e foi para o seu *corner*, cabeça baixa, ombros caídos. Mas Norton estava errado. Ele não venceu Ali — pelo menos não de acordo com os juízes. Numa das decisões mais controvertidas na história do boxe, Ali foi declarado vencedor.

"Fui roubado",[28] disse Norton, soluçando, quando deixou o ringue.

Mais tarde, em seu camarim, Ali admitiu que provavelmente havia ganhado pontos no quesito estilo. "Os juízes sempre gostam da dança",[29] disse. "Eu mudei o estilo porque a luta não estava indo como eu havia pen-

"TALVEZ ELES NÃO ME DEIXEM PARAR"

sado." Longe de se declarar o Maior, Ali disse que havia triunfado graças a expectativas diminuídas. "Eu te digo, para minha idade e por tudo o que passei... foi um desempenho perfeito esta noite."

Se aquilo era sua ideia do que significava um desempenho perfeito, seus padrões estavam demasiado baixos para o próprio bem. Após a luta, o repórter Paul Zimmerman, do *New York Post*, perguntou a 21 de seus colegas escribas quem eles achavam que havia vencido. Dezessete escolheram Norton. Assim também Joe Frazier: "Você acha que eles vão dar a Ken a decisão", Frazier perguntou, "com o tanto de dinheiro que Ali faz para as pessoas?"[30]

Um repórter negro perguntou a Ali: "Por quanto tempo mais você pode lutar com a boca?"[31]

"Você é um crioulo Pai Tomás para me perguntar uma coisa dessas", Ali disparou de volta.

"Eu estou perguntando", o corajoso repórter repetiu, "por quanto tempo mais você pode lutar com a boca."

"Tempo suficiente para arrebentar o seu rabo preto", Ali respondeu, sem sorrir.

Ele havia lutado quatro vezes em 1976 (não incluindo sua exibição farsesca com Inoki), e, não fosse a generosidade dos juízes, provavelmente teria perdido duas das quatro. Até mesmo seus admiradores na imprensa estavam começando a descrevê-lo como acabado. "Não há nenhuma dúvida agora",[32] escreveu Mark Kram na *Sports Illustrated*, "de que Ali está acabado como lutador. O trabalho duro, a vida e morte em Manila, o desfile de mulheres fornecidas pelos tolos à sua volta, tudo isso acabou com ele."

Alguns dias depois da luta, Ali voou para a Turquia com Wallace Muhammad para se reunir com líderes muçulmanos. Numa entrevista no aeroporto de Istambul, ele disse que provavelmente se aposentaria depois de mais uma luta com George Foreman. Ali e Wallace, juntamente com o vice-primeiro-ministro da Turquia, Necmettin Erbakan, participaram de uma prece de meio-dia pela paz na famosa Mesquita do Sultão Ahmet em Istambul (também conhecida como Mesquita Azul). Quando tudo terminou, Ali fez um grande anúncio: "Por insistência do meu líder, Wallace Muhammad, declaro que estou deixando de lutar a partir deste momento e, de agora em diante, irei me juntar à causa islâmica".

546   MUHAMMAD ALI

"Um sonho de toda a minha vida tem sido ser campeão e me aposentar do ringue para usar minha influência e fama a serviço do Islã e de Alá", disse. "Tenho muitas pessoas aconselhando-me a me aposentar e muitas pessoas aconselhando-me a lutar mais algumas vezes. Não quero perder uma luta, e, se eu continuo lutando, posso perder. Posso ganhar muito dinheiro, mas o amor dos muçulmanos e o coração do meu povo são mais valiosos que o ganho pessoal. Então, eu vou parar enquanto todo mundo está feliz e ainda estou ganhando. Este é o meu líder, disse, gesticulando para Wallace Muhammad, "este é o meu mestre espiritual no Islã, e, de qualquer forma, quero me aposentar. Ele me orientou agora para esta decisão sábia. Não tenho nenhuma confusão em minha mente."[33]

Sob a tutela de Wallace, Ali estava aprendendo mais sobre o Islã ortodoxo. Curvava-se para rezar todos os dias, e muitas vezes convidava amigos não muçulmanos para rezar com ele. Gostava de explicar o que significavam as orações e por que elas importavam. A palavra "Islã" significa submissão ou rendição, disse, e todos os muçulmanos sabiam que era essencial submeter-se humildemente à vontade de Deus se desejassem viver em paz. As orações diárias destinavam-se a ajudar a fortalecer sua ligação com Alá, a lembrá-lo repetidamente de que Deus era onisciente, misericordioso e eterno. Ali nunca tinha sido muito bom em se submeter à vontade de outros, uma característica que o havia ajudado a se tornar grande. Mas uma coisa era questionar a autoridade de um governo, e outra era questionar a autoridade de Deus. Ele encontrava conforto nas palavras do Alcorão. As orações, ele disse a amigos, lhe davam a sensação de que havia ordem no universo.

Mas, mesmo assim, Ali não tinha certeza de que estivesse pronto para desistir do boxe. Quando ele e Wallace Muhammad voltaram da Turquia, ele começou a vacilar. Disse a Wallace que já havia gastado a maior parte do que ganhara na luta contra Norton e sabia que iria enfrentar uma pressão considerável para continuar a lutar, especialmente quando começasse a falar sobre isso com pessoas como Bob Arum, Don King e Herbert Muhammad.

De volta aos Estados Unidos, num discurso para seus seguidores em Chicago, Wallace elogiou a decisão de Ali de se retirar do boxe. Ele disse entender que Ali poderia ter dificuldade em se adaptar à vida sem o boxe e poderia enfrentar pressões financeiras. "Se ele viesse a perder sua fortuna por causa dessa mudança de vida", disse Wallace, "eu lhe daria toda a riqueza que tenho."[34] Mas o instrutor religioso de Ali expressou confiança, dizendo estar orgulhoso de que o pugilista, dali em diante, lutaria por Deus, em vez de por dinheiro.

E disse: "Muhammad Ali, parabéns por ter assumido essa posição, independentemente de mantê-la ou não."

47

"Vocês se lembram de Muhammad Ali?"

Astro de cinema!", gritou Ali. "Eu sou um aaaastro de cineeeema!"[1]
Passado um mês desde sua aposentadoria, ele estava em Miami, filmando a história de sua própria vida e falando sobre seu futuro como um astro de Hollywood.

"Este rosto vale bilhões",[2] disse. "Meus papéis sempre terão de ser o Número Um. Não posso ser aquele rapaz na cozinha. Alguns grandes astros de futebol fazem o papel de garçom no filme, enquanto algum homossexual fica com o papel principal. Eu tenho que ser o herói. Como Charlton Heston; ele tem uma imagem séria, era Moisés. No filme *Voo 502 em perigo*, ele era o capitão, um homem de verdade. Sempre distinto, sempre de alta classe." E não haveria nenhuma cena de sexo. "Kissinger não faria isso", disse, referindo-se ao secretário de Estado, Henry Kissinger, "e eu sou maior do que Kissinger."

Mais lindo também, embora não fosse preciso acrescentar.

Duas semanas mais tarde, durante as filmagens de uma cena em Houston, Ali disse a repórteres que estava pronto para interromper sua aposentadoria do boxe.

"Eu quero Foreman",[3] disse. "Vou destruir Foreman."

Mas ele não tinha pressa de enfrentar Foreman, que claramente era o adversário mais perigoso de todos. Em primeiro lugar, disse, provavelmente lutaria com Duane Bobick ou Earnie Shavers. Depois, pegaria Foreman. Então, o mais provável era que se aposentasse.

Enquanto isso, Ali continuava a desembolsar dinheiro como fazia com suas próprias opiniões, e como se ele sempre fosse dispor de uma provisão infinita. Num dia de inverno em Chicago, ele disse a seu amigo Tim Shanahan que precisava comprar um presente de aniversário para Veronica. Havia acabado de receber o pagamento pela luta com Norton e estava pensando em dar a ela uma Mercedes. Ali e Shanahan entraram num dos Cadillacs de Ali para escolher a Mercedes. No caminho, Shanahan sugeriu que Ali comprasse algo para si também.

Ali gostou da ideia e disse: "Vamos achar um Rolls-Royce!"[4]

Próxima parada: uma concessionária da Rolls-Royce em Lake Forest, onde Ali escolheu um Corniche em dois tons de verde que custava 88 mil dólares, como recordou Shanahan. Em 1976, esse seria o preço médio de uma casa nova na América. Ali saiu com o carro sem pagar nada, dizendo ao vendedor que ligasse para seu advogado e cuidasse da transação financeira. Quando estavam saindo, porém, Shanahan lembrou a Ali que eles deveriam comprar o presente para Veronica.

Ali fez um retorno e voltou para a concessionária.

"Você tem algum carro bonitinho para senhoras?", perguntou.

O vendedor mostrou um Alfa Romeo conversível prata e ofereceu um desconto. Quando Ali chegou em casa e mostrou-lhe o presente, Veronica entrou no carro, olhou para Ali e disse: "Mas eu não consigo dirigir um carro com mudança manual!"

Ele deu o Alfa a Shanahan, voltou à concessionária e comprou uma Mercedes para Veronica.

Ali recebera a promessa de 6 milhões de dólares pela luta com Norton, mas embolsou apenas uma fração disso. Herbert Muhammad recebia entre 30% e 40% do rendimento bruto de Ali — e não apenas de sua renda no boxe. Herbert brincava que, se alguém se aproximasse de Ali na rua e oferecesse 5 dólares para ele urinar em um copo, seria bom que ele se lembrasse de

"VOCÊS SE LEMBRAM DE MUHAMMAD ALI?"   551

pagar a comissão de seu empresário.[5] Dos 6 milhões obtidos com a luta, 2 milhões foram diretamente para Herbert, e 2 milhões foram reservados para a Receita Federal. Ali também teve de alocar fundos para pagar pensão alimentícia, sustento de filhos, impostos imobiliários e salários para motoristas, seguranças e outros.

Nunca é o dinheiro; é sempre o dinheiro. Então, quase oito meses após lutar com Norton e anunciar sua aposentadoria, Ali estava de volta à arena, desta vez contra Alfredo Evangelista, o "Lince de Montevidéu", que nunca havia lutado nos Estados Unidos, com apenas dezesseis lutas profissionais no cartel e que recentemente havia sido derrotado por um desconhecido chamado Lorenzo Zanon. Até veteranos no boxe sabiam pouco sobre Evangelista. "Você sabe qual é a grande história desta luta?",[6] gabava-se Don King. "É que eu consegui 2,7 milhões para Ali lutar com um nome em um livro." Nem mesmo Ali conseguiria inventar uma maneira de promover aquele combate. Depois de assistir ao filme de Evangelista, disse aos repórteres: "Ele não parece que bate muito forte."[7]

Evangelista não batia muito forte. Mas Ali também não. Evangelista durou uma longa e maçante rodada de quinze rounds contra Ali no Capital Centre em Landover, Maryland. Ali ganhou por decisão unânime, mas dificilmente contentou os fãs que haviam pagado até 150 dólares pelo ingresso. Ele dançou um pouco. Fez um pouco de trabalho de pernas. Um pouco de rope-a-dope. Deu alguns socos. Mas, na maior parte do tempo, parecia um homem que sabia exatamente o que se exigia dele para ganhar seu salário, e não queria fazer nada além do exigido. O público na arena vaiou a luta. Após alguns rounds, os repórteres pararam de tomar notas. Para aqueles assistindo de casa, pelo menos os comentários de Howard Cosell ofereciam um pouco de entretenimento. "Está sendo um espetáculo de vaudeville",[8] disse ele, ainda no primeiro round.

"Suponho que isso entretenha a multidão", disse mais tarde. "Não posso dizer que seja tão divertido para mim."

Depois de os pugilistas passarem longos períodos sem trocar golpes, Cosell comentou, comicamente: "Bem, eu sempre pensei que o melhor par de bailarinos que eu conhecia eram os Irmãos Nicholas, e isso já faz muitos anos."

Quando Ali foi para o *corner*, deixou cair as luvas e fez sinal para Evangelista esmurrar seu queixo, Cosell disse: "Não gosto disso e, francamente, lamento que esteja no ar."

No sétimo round, quando Ali não conseguiu acertar um soco, Cosell disse: "Você tem de começar a se perguntar se há algo que Ali ainda consiga fazer, porque, a essa altura de sua vida, como uma questão de autorrespeito, seria de esperar que ele fizesse algo. Vejam isso. Tudo fala por si."

"A gente não gosta de bater num cavalo velho", disse ele no início do décimo primeiro round, "mas isso está sendo terrível."

"Você tem de suspeitar", continuou, "que sobrou pouca coisa, se houver alguma, do grande lutador que conhecemos. Veja como ele perde o golpe. Veja como ele perde! Vocês se lembram de Muhammad Ali?"

Finalmente, Cosell declarou que toda a luta era "um exercício de torpor em que não se pode acreditar".

Quando acabou, numa entrevista a Cosell no centro do ringue, as palavras de Ali saíram numa mistura confusa de suaves consoantes e vogais enquanto ele falava de seu próximo filme, elogiava Wallace Muhammad e tentava agradecer a alguém cujo nome ele não se lembrava.

Mais uma vez, mesmo com um show ruim, mesmo numa luta cuja única justificativa era o dinheiro, Ali havia sido forçado a recorrer à tática de *rope-a-dope*, forçado a lutar quinze rounds e forçado a receber 141 socos de um homem grande, forte e jovem. Ele venceu por decisão unânime, mas perdeu de muitas outras maneiras.

Um mês depois de derrotar Evangelista, em 19 de junho de 1977, Ali se casou com Veronica Porche em uma cerimônia civil no Beverly Wilshire Hotel em Los Angeles. A noiva informou aos repórteres que já havia se tornado muçulmana.[9] Ali usava um fraque branco, luvas brancas, uma camisa branca de babados e sapatos brancos.[10] Verônica usava um vestido branco com uma longa cauda branca. O casal ficou sob um dossel de metal decorado com cravos brancos. Havia duas gaiolas brancas, cada uma contendo duas pombas brancas. A lua de mel foi no Havaí. Mas Ali não era do tipo que ficava sentado numa praia. Ele preferia assinar autógrafos e fingir golpes com estranhos que encontrava nas calçadas e em saguões de hotel, então

"VOCÊS SE LEMBRAM DE MUHAMMAD ALI?"   553

levou Howard Bingham com eles para lhe fazer companhia durante a lua de mel,[11] que durou apenas alguns dias. Depois, retornou à academia e iniciou a preparação para seu próximo adversário: Earnie Shavers.

Shavers já tinha feito 22 anos e trabalhava numa linha de montagem de automóveis em Youngstown, Ohio, quando visitou uma academia de boxe e experimentou um par de luvas pela primeira vez. Ele subiu ao ringue com um jovem que conhecia todos os movimentos, que sabia como se agachar e desviar, como manter as mãos elevadas, lançar *jabs* fluidos e disparar combinações rápidas. Shavers deu um único soco e nocauteou o rapaz.[12]

Entre 1969 e 1977, Shavers ganhou 54 lutas profissionais, e apenas duas não foram por nocaute. "Eu e o George Foreman", disse, anos mais tarde, "fomos talvez os maiores perfuradores de todos os tempos."[13] Eles certamente estavam entre os maiores. Shavers não era um lutador refinado. Ele não tinha combinações afiadas. Seu *jab* inspirava pouco medo. Movia-se sem nenhuma graça especial. Mas não precisava disso, porque batia como uma barra de ferro. Ele batia tão forte que, como disse um adversário, "podia trazer de volta o dia de ontem".[14] Batia com tanta força que George Foreman e Joe Frazier não lutavam com ele.

O que levanta a pergunta óbvia: por que Ali lutaria?

"Deus não fez o queixo para levar socos",[15] disse o treinador Ray Arcel. Ali sabia que seu queixo não havia sido feito para ser socado, mas também sabia que seu queixo *poderia* ser esmurrado e que, muito provavelmente, ele conseguiria manter as pernas sob o corpo, e a cabeça relativamente clara. Aquela confiança o havia conduzido até o momento. Mas Ali estava assumindo um risco terrível ao desafiar Earnie Shavers. E Herbert Muhammad e os outros que incentivaram Ali a levar adiante a luta estavam lhe prestando um grande desserviço. Ferdie Pacheco chamou aquilo de "um ato de negligência criminosa".[16]

Os dois lutadores se encontraram em 29 de setembro de 1977 no Madison Square Garden, com aproximadamente 70 milhões de pessoas assistindo à luta ao vivo pela NBC-TV. Estima-se que 54,4% de todos os televisores na América estivessem sintonizados na luta.[17] Normalmente, Shavers era o tipo de boxeador que esperava ganhar rapidamente. Mas sabia, como todo mundo sabia, que Ali não era um homem fácil de nocautear, então tratou de se condicionar, antecipando uma luta longa. No segundo round, parecia que Shavers não precisaria de resistência. Ali se mantinha num *clinch* com Shavers, sem dançar, sem se abaixar. Se tivesse treinado a sério para aquela luta, ele poderia ter derrotado Shavers da mesma forma que derrotara George Foreman: movendo-se em torno do ringue durante algumas rodadas, deixando o homem se cansar e, então, o nocauteando. Mas Ali não estava na melhor forma e não se movimentava bem; como resultado, acabou por trocar socos com um dos golpeadores mais perigosos de todos os tempos. Shavers desferiu a direita com tanta força, que Ali retrocedeu quase um metro. Ele parecia um pufe de 102 quilos quando seu corpo quicou nas cordas. Seus joelhos se dobraram, mas o corpo foi jogado para a frente e ele recuperou o equilíbrio. Agarrou-se a Shavers para se apoiar e, enquanto estava encostado no adversário, fazia palhaçadas para o público. Abriu muito a boca e os olhos, como se para dizer *Uau, essa doeu!* Claro que, ao fazer palhaçada, ele realmente estava tentando dizer à multidão que não havia doído nada. Após a luta, o *New York Times* comparou-o a uma cantora de ópera que falsifica as notas altas,[18] um homem que avança por destemor enquanto blefa para compensar suas habilidades reduzidas.

Shavers recuou um pouco para avaliar o homem diante de si. "Esse cara está fingindo, ou está realmente machucado?",[19] perguntou-se. Faltando um minuto para terminar o round, Shavers descarregou outra barra de ferro sobre Ali, outra direita. Novamente, Ali balançou para trás, levou uma mão à corda para se equilibrar e então acenou para Shavers, pedindo mais do mesmo.

Seus olhos estavam vidrados. Não poderia haver nenhuma dúvida de que estava ferido. Shavers o agarrou pela cintura. Ali balançou o traseiro, fazendo palhaçada, fingindo que se divertia. Shavers descarregou outro golpe poderoso. Ali recuou, abanou a cabeça e balançou o traseiro mais uma vez.

Ele sobreviveu ao round — mas foi por pouco. Mais tarde, Shavers diria que se arrependeu de sua decisão de não lutar de forma mais agressiva no segundo round. Ainda assim, ele deu crédito ao adversário. "Ali levou um baita soco", disse.

Na verdade, ele levou muitos socos assim. Repetidas vezes, Ali balançou a cabeça para dizer a todos que não estava ferido, e continuou a deixar Shavers

"VOCÊS SE LEMBRAM DE MUHAMMAD ALI?" 555

controlar o ritmo da luta, continuou a deixar que Shavers o martelasse. No décimo terceiro round, Shavers fez os joelhos de Ali se dobrarem novamente, duas vezes, com socos ressonantes que aterraram direto no queixo. Ali se protegeu e inclinou sobre as cordas, até que a cabeça clareasse.

No final do décimo quarto round, Ali tinha os olhos esbugalhados e roxos, o queixo caído, e pareceu precisar de ajuda ao voltar para o seu *corner*. Nos momentos iniciais do último round, ele se encolheu enquanto Shavers distribuía mais socos. Contudo, nos segundos finais, Ali se reorganizou, explodindo com uma última carga de energia. Foi a vez de Shavers cambalear. E foi realmente espantoso ver aqueles homens trocando socos com cada grama de força de que ainda dispunham, para trás e adiante, durante 3 minutos. Nenhum deles abaixou a cabeça para se desviar. Ninguém dançou. Por 3 minutos, Ali e Shavers lançaram bombas um contra o outro. Cabeças giraram. Pernas tremeram. Nenhum deles caiu. O gongo tocou.

Ali voltou ao seu *corner*, parecendo esgotado e talvez derrotado. Shavers desferira mais golpes. Acertara mais socos. Mais socos fortes. Ele havia aterrado uma percentagem maior de socos. Uma percentagem maior de socos fortes. Ferira o adversário mais do que havia sido ferido. Shavers tinha razão para ter esperança de vitória. Porém, mais uma vez, talvez não surpreendentemente, os juízes deram a vitória a Ali.

No camarim, após a luta, Ali colapsou sobre uma mesa.[20] Alguém ajeitou uma toalha sobre seu peito. Cash Clay ficou do lado do filho quando Ali fechou os olhos e colocou a mão direita no topo da cabeça, como se tentasse mantê-la parada ou aliviar uma dor. Mais uma vez, escapara da derrota, mas não dos danos. As mãos doíam,[21] assim como o joelho esquerdo. "Depois de Joe Frazier em Manila, essa foi minha luta mais difícil",[22] disse. "A zona de penumbra, ela está realmente chegando agora. Eu a sinto nos meus ossos."

O boxe estava se tornando mais perigoso do que nunca para o campeão dos pesos-pesados de 35 anos, e algumas das pessoas ao redor de Ali podiam ver isso. Ele estava falando mais devagar, enunciando menos claramente, movendo-se mais suavemente. Depois da luta com Shavers, Teddy Brenner, que organizava as duplas das lutas no Madison Square Garden, disse a repórteres numa coletiva de imprensa que, se Ali insistisse em continuar sua carreira, teria de fazê-lo noutro lugar;[23] o Garden nunca mais lhe ofereceria outra luta. Era uma raridade no boxe: alguém colocando a saúde do atleta à frente do desejo de ganhar dinheiro. E então aconteceu de novo: Ferdie Pacheco renunciou ao cargo de médico de Ali, dizendo que já não participaria da autodestruição do lutador. Ele obteve um relatório do laboratório da Comissão Atlética do estado de Nova York que mostrou que a função renal de Ali vinha falhando, e enviou cópias do relatório para Ali, Veronica e Herbert Muhammad. Não recebeu resposta de nenhum deles. Pacheco também escreveu para a Comissão de Boxe e exortou-os a retirar a licença de boxe de Ali.

Será que ele contou a Ali que estava se arriscando a ter uma lesão cerebral? Pacheco disse que sim,[24] com a voz se elevando de raiva, o corpo saindo da cadeira enquanto falava. "Todo maldito dia eu dizia isso a ele... Ele não via. Não pensou que fosse dano cerebral. Ele não se lembrava das coisas. Estava gaguejando... Não pude detê-lo. Eu tentei."

Cash Clay também tentou.

"Pare, filho, antes que se machuque",[25] disse Cash depois da luta com Shavers.

Ali não conseguia. Ele respondeu ao pai, em voz baixa: "Eu estou na corda bamba."

48

Cambaleante

Ali estava fazendo 36 anos, e celebrou com um bolo e uma sessão de treino no Ginásio da rua 5, em Miami, onde sua carreira profissional mais ou menos começara.

Em dado momento, Ali havia jurado lutar contra o vencedor da luta Ken Norton-Jimmy Young. Norton ganhou, e Ali mudou de ideia, mesmo com Don King prometendo lhe pagar 8 milhões de dólares.[1] Em vez disso, Ali anunciou que lutaria com Leon Spinks, o medalhista olímpico de ouro de 1976. Jornalistas esportivos chamaram a decisão de farsa, dizendo que Spinks, com apenas sete lutas profissionais em seu nome, ainda era quase um amador. Ali estava insultando o esporte, disseram. O campeão, é claro, não viu dessa forma. "Eu sou o salvador, o profeta, aquele que ressuscita",[2] disse. "Eu sou o único que mantém viva essa coisa [o boxe], e ainda sou o maior lutador de todos os tempos." Tradução: Eu vou lutar contra quem eu quiser.

Enquanto Ali encenava uma luta com seu bolo de aniversário, Dundee discutia o peso do lutador.

"Ele está com uns 106, 107 quilos",[3] disse o treinador. "Vai baixar uns cinco. Em breve, aquela gordura da meia-idade se espalhará e ele nunca se livrará dela." O peso extra não era o único problema de Ali. Um dia, o veterano empresário de boxe Moe Fleischer assistiu a um treino de Ali e não podia acreditar no que estava vendo. "Ele deixa seus parceiros socá-lo de todo lado",[4] disse Fleischer ao jornalista esportivo Red Smith. "Eu não entendo isso. Quando eu tinha um cara sob treinamento, ele estava sempre no comando." Com certeza, Ali estava sendo duramente atingido por seu *sparring* durante um round, dois rounds, três, quatro. "Bombardeia!", grunhia Ali, a barriga transbordando sobre o cós da calça de moletom enquanto seu *sparring*, Michael Dokes, disparava rajadas.

O gongo tocou. "Mais um", insistiu Ali.

"Você tem 19, eu tenho tenho 36. Este é o último round. Mostre-me!"

Quando terminou o quinto, Dokes, determinado a lhe mostrar, arrancou o protetor de cabeça e o jogou de lado. Ali fez o mesmo.

Dokes começou a lutar como o jovem Ali, mostrando o queixo ao adversário e depois se afastando cada vez que um soco passava perto.

"Você está se movendo hoje", disse Ali.

Dokes encurralou Ali e socou-o na cabeça.

"Continue martelando!", disse Ali, enquanto Dokes desferia soco após soco.

Ali descarregou uma avalanche de golpes ao toque do gongo, mas, ao terminar, foi direto para o seu camarim. Jeremiah Shabazz anunciou que não haveria nenhuma entrevista, que Ali adotara uma nova política de silêncio para a imprensa.

Aquilo inspirou o título para a coluna de Smith no dia seguinte: "O Inferno Congelou Agora."[5]

Mas o silêncio de Ali não era nenhuma brincadeira. Continuou nas semanas seguintes. "Estou simplesmente cansado da imprensa, e cansado de pessoas",[6] disse.

"Ele está incomodado com alguma coisa",[7] disse Bob Arum, "e acho que porque está sendo um inferno treinar para entrar em forma nessa fase de sua carreira."

Também havia mais problemas de dinheiro.

CAMBALEANTE

O *New York Times*, numa história de primeira página, revelou que Ali havia perdido milhões de dólares[8] com um investimento imobiliário, estava com problemas para levantar dinheiro suficiente para pagar os impostos e, recentemente, havia deixado um rastro de contas a pagar. Para levantar fundos, de acordo com o jornal, tentava vender seu campo de treinamento em Deer Lake e sua casa em Berrien Springs, Michigan. O jornal disse que Ali havia ganhado cerca 50 milhões de dólares ao longo de sua carreira — incluindo 46,4 milhões nos últimos oito anos —, mas ainda não podia se dar o luxo de "viver no estilo ao qual ele e seus amigos haviam se acostumado".

Ali aceitou parte da culpa pelo estado de suas finanças. "Gastei um monte de dinheiro insensatamente",[9] disse ele certa vez, enquanto balançava uma das filhas sobre seu joelho. "Quando crescer, ela vai dizer: 'Papai, para onde foi todo o dinheiro?'"

Don King explicou desta forma: "Ali tem uma personalidade dispendiosa. Acho que não tem nenhuma cobertura fiscal. Não creio que lidaram com ele corretamente."[10]

Ali estava ganhando cerca de 3,5 milhões para lutar com Spinks, mas isso não parecia o suficiente para animá-lo. Ele fazia seu trabalho de casa, sendo acordado todas as manhãs às 5 horas por um telefonema de Kilroy e pegando a estrada para correr 5 ou 6 quilômetros ao redor do campo de golfe do Desert Inn, em Las Vegas,[11] e depois caminhando, sozinho ou com Kilroy, para tomar o café da manhã no hotel. Os repórteres estavam perplexos com seu ânimo sombrio. Ele agora tinha dois filhos com Veronica — Hana, com 19 meses de idade, e Laila, de apenas 6 semanas. No período antes da luta, Verônica e as crianças estavam com Ali em sua suíte no Hilton, em Las Vegas,[12] e talvez ele não estivesse exatamente pouco sociável, mas apenas cansado, como qualquer pai com um novo bebê. Porém, a maioria dos repórteres que cobriam Ali interpretava seu silêncio como sinal de medo — medo de que poderia perder para esse homem mais jovem, mais ávido; medo de que tivesse quebrado o pacto com o próprio corpo; ou por concluir, feitas as contas, que nunca conseguiria lutar o suficiente para escapar do buraco financeiro.

Ainda assim, Ali despontava como franco favorito, 8-1. Ele era um herói, e seus devotos não estavam prontos para deixá-lo desaparecer. Sua cinebiografia de 1977, juntamente com o tema do filme, a canção "The Greatest Love of All", o haviam apresentado a uma nova geração de fãs. "Era a década de 1970, uma eternidade desde que Martin Luther King Jr. e o movimento dos direitos civis haviam morrido", escreveu Kevin Powell, que tinha 11 onze anos na época. "Ali foi um dos últimos símbolos brilhantes de uma época histórica de imenso orgulho negro e conquistas [...] um dos heróis negros que eu tive."[13] Spinks, por outro lado, era um talento bruto, desconhecido, um mero boxeador. A luta parecia tão desequilibrada que pelo menos um repórter se perguntou se teria audiência suficiente para superar a série *As Panteras*, que estaria na TV ABC ao mesmo tempo.

Em 15 de fevereiro de 1978, no Hilton Hotel, em Las Vegas, enquanto Ali subia lentamente os degraus do ringue, Spinks juntou-se ao público aplaudindo o campeão. Os alto-falantes tocavam, em volume máximo, a marcha "Pompa e Circunstância". Ali sorriu delicadamente e caminhou ao redor do ringue antes de dançar uns poucos passos e dar alguns socos no ar. A multidão era um pequeno número de 5.300 pessoas. Embora a arena estivesse com ingressos esgotados e milhões assistissem pela televisão, a cena parecia abaixo dos padrões de Ali, como um filme de baixo orçamento sustentado por um astro solitário em decadência.

Quando a luta começou, Ali foi direto para as cordas, deixando Spinks atingi-lo. E atingi-lo. E atingi-lo. Não havia sequer a pretensão de uma luta. O mais surpreendente, no entanto, não era a inércia de Ali, mas a velocidade e a energia de Spink. O jovem de 24 anos sobrepujou Ali inteiramente. Spinks jabeou para manter Ali fora de equilíbrio e utilizou combinações que deixaram Ali sem tempo ou espaço para responder. E foi assim desde o começo da luta. Ali saiu das cordas em algum momento e dançou um pouco, mas Spinks simplesmente esperou que ele terminasse o seu ato, observou-o voltar para as cordas para mais descanso e recomeçou com os socos.

Se você nunca tivesse visto uma luta de boxe e não soubesse nada sobre o esporte e entrasse para assistir, e se alguém dissesse que Spinks receberia cerca de 300 mil dólares, enquanto Ali ficaria com 3,5 milhões, você poderia razoavelmente concluir que o objetivo da competição era medir qual dos homens podia suportar mais violência. Só por essa medida Ali estava ganhando ou justificando seu enorme pagamento. De forma alguma, Ali parecia o atleta mais talentoso ou um homem tentando provar que era o maior lutador do mundo.

"Eu sei o que estou fazendo!",[14] disse ele quando voltou para o seu *corner* depois de não lutar no primeiro round.

"Sim, você parece bem", disse o sempre encorajador Bundini Brown.

"Eu sei o que estou fazendo", disse ele novamente após o segundo round, talvez tentando se convencer depois de mais uma rodada em que havia acertado poucos golpes.

Ali parecia pensar que a pressão ou seus insultos abalariam Spinks. "Ele estava louco, então tentei atingi-lo",[15] disse Spinks anos mais tarde. "Ele falava merda o tempo todo, então tentei falar mais merda do que ele. Queria bater nele mais do que ele estava me batendo. Eu não estava me divertindo. Estava assustado pra diabo."

Ali começou o terceiro round dançando, mas Spinks apenas esperou o velho parar. Ali logo parou. Spinks não era um grande peso pesado, com 1,85 m e pouco menos de 90 quilos. Mas era jovem, e forte, e lutava como alguém jovem e forte. Não era consistente, mas mantinha a pressão sobre seus adversários com forte energia de ataque. Bons pugilistas não tinham problemas para atingir Spinks, mas maus pugilistas, ou preguiçosos, muitas vezes eram esmagados por sua ofensiva. Quando o campeão foi para as cordas descansar novamente, Spinks se aproximou e disparou 38 socos que ficaram sem resposta. Ali absorveu muitos com os braços, mas não todos, e, mesmo quando bloqueava os golpes com os braços, ainda estava sendo atingido. Seus braços estavam sendo martelados, e suas mãos enluvadas se chocavam contra a própria cabeça.

Durante tudo aquilo, Ali continuou falando, mas não batendo. Os lábios sangravam. Um vergão começou a surgir sobre o olho direito. Seus golpes eram lentos e, muitas vezes, totalmente fora do alvo.

"Coisas que você vê e quer fazer, mas não pode fazer",[16] explicou ele depois da luta.

562   MUHAMMAD ALI

Ali parecia lento, atordoado, como um homem lutando através de uma névoa que lhe enchia a cabeça. Quando não estava descansando nas cordas, estava agarrando Spinks em volta do pescoço, tentando parar o assalto. Nos sete primeiros rounds, Spinks acertou mais de duas centenas de golpes, enquanto Ali acertou aproximadamente um terço disso. Ali fez mais esforço nos rounds intermediários, mas ainda estava perdendo de muito; faltava-lhe energia para revidar. No nono round, Spinks fez Ali cambalear com uma direita colossal. A dor percorreu as costelas de Ali.[17] O lado direito de sua cabeça palpitava.

"Esse round foi meu?",[18] perguntou ele a Bundini quando voltou ao seu *corner* após o nono.

Bundini mentiu e disse que sim.

Spinks era muito jovem e forte. Cada vez que Ali juntava energia para lutar por uns 30 segundos, Spinks respondia com uma carga extra de sua própria energia. No décimo round, Spinks tentou o *rope-a-dope*, deixando Ali socá-lo enquanto ele se cobria. Foi um dos dois únicos rounds em que Ali acertou mais golpes que Spinks. No décimo primeiro, Spinks era o agressor novamente, descarregando uma direita após outra, já não se preocupando em ser atingido. Os homens prosseguiram cabeça a cabeça no décimo primeiro e no décimo segundo rounds, Ali agora ciente de que tinha de compensar os rounds que entregara de graça no início da luta. Spinks não iria cooperar. Ali podia ver os grandes golpes vindo, mas não conseguia sair do caminho. Tudo que ele podia fazer era encolher e receber os golpes.

Spinks fez um arremedo de sorriso e deu vários tapinhas nos quadris de Ali quando estavam a caminho do *corner*. Os ombros de Ali despencaram.

O round final foi brutal. Era como uma briga de playground, socos selvagens voando por toda parte. Nenhum deles se preocupava em se esquivar, escapar ou bloquear. Eram dois pistoleiros que fechavam os olhos e atiravam até que suas armas fossem esvaziadas. Para Ali, era puro desespero. Ele precisava de um nocaute. Para Spinks, era o final, movido à adrenalina, da melhor noite da sua vida de pugilista. Nos segundos finais da luta, Ali, com a cabeça desprotegida sendo martelada repetidamente, parecia prestes a cair. O gongo tocou e o salvou. Quando os juízes anunciaram Spinks o vencedor, o novo campeão jogou os braços no ar, deu um sorriso enorme, desdentado, e flutuou nos braços dos homens do seu *corner*.

Enquanto Ali escapava discretamente do ringue, um locutor da BBC, descrevendo a luta para os telespectadores na Inglaterra, disse: "Obviamente, vimos o seu último ato."[19]

Ali saiu do ringue de cabeça erguida, lágrimas nos olhos.[20]

Embora estivesse cansado e ferido, e apesar do rosto desfigurado, ele disse, quase imediatamente, que pretendia lutar de novo.

"Quero ser o primeiro homem a vencer o campeonato dos pesos-pesados pela terceira vez",[21] afirmou.

49

Príncipe herdeiro

Era uma manhã quente de quarta-feira em agosto de 1978. Ali havia acabado de deixar a filha Hana no jardim de infância e estava dirigindo seu Stutz Blackhawk bege[1] — "ALI78" na placa de Illinois — rumo ao campo de treinamento em Deer Lake. Ele havia prometido a todos que lutaria mais uma vez e então pararia. Derrotaria Spinks na revanche, recuperaria o título de campeão dos pesos-pesados e se aposentaria. Ele garantiu. Um repórter que ia ao seu lado perguntou como se sentia, sabendo que sua carreira logo acabaria e gerações cresceriam sem vê-lo lutar.

"Também nunca viram Jesus", respondeu Ali. "Ou Einstein, ou Franklin Delano Roosevelt. Mas todos já leram sobre eles nos livros de história. Todo mundo vai morrer, todo mundo vai ficar velho. Mesmo depois que você estiver morto e eu estiver morto, esta colina vai continuar aqui."[2]

De qualquer modo, disse, ainda seria famoso quando parasse de boxear. "Vou ser dez vezes maior do que o campeão dos pesos-pesados." E continuou: "Descobri que lutar era só para me apresentar ao mundo. Só agora começo a ser um homem." Não era mera hipérbole, disse. Ele tinha um plano real: lançar uma entidade internacional chamada Organização

Mundial para os Direitos, a Liberdade e a Dignidade (WORLD, na sigla em inglês)[3] para "construir acampamentos para meninos neste país, dar assistência a pessoas atingidas por inundações e outros desastres, construir hospitais ao redor do mundo e trabalhar para melhorar as relações entre países". Viajara recentemente para Moscou e conhecera o líder soviético Leonid Brejnev, que havia deixado Ali inteiramente encantado e prometido que ele poderia usar um escritório no Kremlin. "Vou ser minha própria ONU", disse Ali.

Só mais uma luta, e começaria sua carreira como humanitário e diplomata.

Na mesma época, outro entrevistador perguntou a Ali se ele temia que danos cerebrais causados pelo boxe pudessem inibir seus planos para a próxima fase de sua vida.

Não, disse Ali, as palavras saindo lentamente. "Isso acontece com quem recebe golpes demais."[4]

Mas Ali estava recebendo golpes demais — mais de 1.100 apenas nas últimas quatro lutas.[5] Não existem estatísticas precisas sobre os golpes recebidos por ele em seus primeiros combates, mas o que se sabe é que, em doze de suas primeiras apresentações (Johnson, Miteff, Banks, Moore, Jones, Cooper, Liston, Liston novamente, Patterson, Chuvalo, Cooper novamente e London), ele recebeu menos de 1.100 socos. Naquele tempo, o jovem Cassius Clay realmente era rápido e escorregadio o suficiente para evitar o tipo de dano infligido rotineiramente a outros boxeadores. Mas aqueles tempos já iam longe. Agora, em sessões de treino e em lutas, Ali tinha virado algo como um saco de pancadas com pernas.

Ken Norton era quem deveria lutar com Spinks. Norton era o próximo na fila buscando uma chance no campeonato. Contudo, quando Ali perdeu, insistiu que tinha direito a outra chance com Spinks. Era uma tradição, disse ele, que o campeão caído tivesse outro encontro com o homem que o derrubara do trono.

O boxe tinha duas organizações reguladoras autonomeadas: a Associação Mundial de Boxe (WBA) e o Conselho Mundial de Boxe (WBC). Nenhuma tinha qualquer autoridade legal, mas ambas exerciam poder. Era uma situação que gerava confusão, corrupção e, às vezes, a exploração

PRÍNCIPE HERDEIRO

dos atletas. O Conselho Mundial de Boxe havia despojado Spinks do título e o entregado a Norton, que teria o direito de desafiar Spinks antes que Ali tivesse sua revanche, segundo o WBC. Mas Spinks ainda era o campeão para a WBA, e isso era bom o bastante para Ali.

Em algum momento, Bob Arum anunciou que a revanche Spinks-Ali poderia ser realizada na África do Sul e patrocinada pela cadeia sul-africana de hotéis Southern Sun, mas os planos ruíram quando líderes norte-americanos de direitos civis reclamaram que Ali e Spinks estariam "vendendo suas almas"[6] ao endossar o governo racista do apartheid. Em vez disso, a luta foi marcada para 15 de setembro no Superdome de Nova Orleans.

Ali esperou até agosto para começar a treinar de verdade. Mesmo assim, Gene Kilroy queixou-se de que o lutador se distraía com facilidade. Atendia o próprio telefone e aceitava convites avidamente. Cumprimentava os hóspedes e passava horas regalando-os com histórias e truques de mágica. Ali tinha uma pasta cheia de propostas comerciais em sua cabana em Deer Lake, e parecia gostar de todas.

"Ele simplesmente não pode dizer não",[7] comentou Kilroy com um repórter.

Mas Ali disse não a um pedido.

Um dia, Louis Farrakhan passou pela casa de Ali em Hyde Park, Chicago, em frente à casa que antes pertencera a Elijah Muhammad.

Os homens ficaram de pé na cozinha. Um jogo de futebol americano cintilava na TV.

Farrakhan disse a Ali que planejava reconstruir a Nação do Islã, e restaurar a importância dos ensinamentos do honorável Elijah Muhammad que haviam sido minimizados desde que Wallace Muhammad assumira a posição de liderança do pai e se voltado, junto com Ali, para o Islã ortodoxo. Agora, Farrakhan estava pedindo o apoio de Ali. Estava pedindo ao lutador para se dedicar novamente à sabedoria de seu ex-mentor.

"Perguntei a Ali: 'Você me ajudaria a reconstruir o trabalho de nosso professor?'",[8] lembrou Farrakhan.

Ali fez um gesto para a TV.

"'Farrakhan', disse Ali, 'cada uma das pessoas naquele estádio me conhece.' Não terminou a frase, mas era: '... quase ninguém naquele estádio conhece você.' Assim, em palavras não ditas, ele respondeu: 'Por que eu seguiria você na reconstrução da obra?' [...] Então, ele me rejeitou, e continuou com sua vida, e eu continuei com a minha, para reconstruir o trabalho de nosso professor."

Até o cantor e compositor Billy Joel expressou preocupação com as distrações da vida de Ali, que estavam comprometendo seu desempenho no ringue: ele abriu a canção "Zanzibar" com um aviso para Ali, dizendo que ele não deveria ir ao centro da cidade para evitar que entregasse "outro round de graça". Mas Ali disse estar confiante: entraria em forma para ganhar sua próxima luta. "Eu sei o que estou fazendo",[9] disse ele. "Vou começar o trabalho hoje. Esta manhã eu pesava 102 quilos [...] Tenho mais seis semanas para tentar chegar a 98, 97. Seis semanas é tudo de que eu preciso [...] Já estou em melhor forma do que na última luta."

Mais uma vez, como fazia em quase todas as entrevistas, Ali jurou que seria sua última luta. Joe Frazier já havia anunciado sua primeira aposentadoria aos 32 anos. George Foreman, aos 28 anos, começara a trabalhar como pastor numa igreja em Houston, com a carreira de boxe aparentemente encerrada. Agora, jovens combatentes estavam chegando para tomar o lugar deles. Larry Holmes havia conquistado recentemente alguns resultados impressionantes contra Earnie Shavers e Ken Norton, e disse que estava ansioso para lutar contra Spinks pelo título. Holmes deve ter imaginado que Ali, seu ex-patrão, logo se juntaria a Frazier e Foreman na aposentadoria. Afinal, era isso que Ali continuava dizendo.

"Se lutasse depois disso, eu estaria forçando",[10] disse Ali. "Mentalmente, só tenho o suficiente para treinar para esta luta."

Mas Ali vinha forçando havia muito tempo.

"O que Ali pode fazer, a não ser deteriorar ainda mais sua fama lendária?",[11] perguntou Ferdie Pacheco numa entrevista em 1978. "A cada surra que leva, ele fica menos capaz de levar uma surra. Espero que eu esteja errado, mas, se ele tiver sorte e derrotar Spinks, seria o maior azar da sua vida. Ele passaria a buscar as chamadas lutas fáceis. Mas não há lutas fáceis para esse cara. O corpo não sabe se você ganha ou perde, e o corpo dele está sendo espancado desde a preparação para a luta." Pacheco disse que Ali estava cometendo um grande erro ao deixar que seus *sparrings* batessem nele. "Você não fortalece o cérebro e os rins quando deixa que recebam um monte de golpes. Não é o mesmo que criar calos nas mãos. Esteticamente, ele parece o mesmo, mas seus reflexos não estão presentes. Suas pernas costumavam afastá-lo de problemas, ninguém podia bater nele. Agora, todo mundo pode. E agora ele está enrolando as palavras. Essa é a condição *sine qua non* para identificar lesões cerebrais."

Hunter S. Thompson, num texto publicado naquele ano na revista *Rolling Stone*, também sugeriu que Ali estava assumindo um grande risco ao estender sua carreira. "Muhammad Ali decidiu um dia, há muito tempo, pouco depois de fazer 21 anos, que não só ia ser o Rei do Mundo *no seu próprio território*", escreveu Thompson, "mas o Príncipe Herdeiro sobre *todos os outros territórios...* O que é um pensamento muito, muito elevado — mesmo que você não possa levá-lo adiante. A maioria das pessoas não consegue lidar com essa situação [...] e as poucas que podem geralmente têm mais juízo e não ficam empurrando sua sorte além do limite. Essa sempre foi a diferença entre Muhammad Ali e o resto de nós. Ele veio, viu e, se não conquistou inteiramente, chegou mais perto do que qualquer outro que possamos ver no tempo de vida desta geração condenada."[12]

· · ·

Embora treinasse apenas seis semanas, Ali trabalhou duro, confiando em que poderia vencer Spinks se estivesse em forma. Spinks não abordou a luta com a mesma determinação. A fama havia punido o novo campeão dos pesos-pesados, que havia crescido na pobreza em St. Louis, saído da escola após o décimo ano e se alistado nos fuzileiros navais antes de iniciar a carreira no boxe. Agora, velhos amigos, parentes distantes, jornalistas, produtores de televisão e pretensos agentes haviam se materializado em sua vida, ansiosos para pedir favores ao jovem recém-enriquecido. Ele comia e bebia, e gastava demais. Seu treinamento consistia em correr 2 quilômetros de vez em quando, fumar um baseado, correr outros 2 quilômetros e fumar outro baseado.[13] Foi preso duas vezes em sua cidade natal, uma vez por uma violação no trânsito, outra por posse de maconha e cocaína, e também teve confrontos com a polícia em outras cidades. "Que isso, cara, eu sou Leon",[14] disse ele, cumprimentando o policial que o levava à prisão pela segunda vez em St. Louis. Em Nova Orleans, nos dias que antecederam a luta, Spinks se embebedava todas as noites em bares de bairros em que sabia que seu empresário não o encontraria.[15]

As expectativas eram baixas a respeito dos dois lutadores. Red Smith chamou a luta de "um encontro entre um novato que ainda não aprendeu a lutar e um velho ator passado do ponto que já esqueceu como".[16] O FBI investigou uma denúncia de que funcionários da Top Rank — a empresa de promoção de boxe formada por Bob Arum e Herbert Muhammad — tentara subornar Spinks para que ele perdesse.[17] Documentos nos arquivos do FBI não revelam o resultado da investigação.

Em sua última coletiva de imprensa antes da luta, Ali se despediu do mesmo modo como havia dito alô quatorze anos e meio atrás, quando se preparava para lutar com Sonny Liston. Ele se entusiasmou e bateu no peito, e proclamou-se o mais lindo, o mais espirituoso, o mais corajoso e o homem mais bonito que alguma vez já tirara sangue do nariz de outro. Em vez de fazer sua despedida no camarim, escolheu o ginásio onde havia treinado, para que 1.200 espectadores pudessem ouvir suas palavras a respeito do que chamou de "meu último dia de treino numa academia".[18]

Ele admitiu que sua aparência não tinha estado muito boa nas últimas semanas, e assumiu que provavelmente não poderia continuar lutando por muito tempo, mesmo que quisesse.[19] Seu peso ainda girava em torno de 100 quilos, mais do que ele teria gostado. Ainda assim não estava preocupado. Desde sua vitória contra Foreman, ele se convencera de que era mais esperto do que todos os outros quando se tratava de treino, e de que ele, como nenhum outro, poderia prevalecer nas lutas por se habituar à dor. "Eu não estava treinando para vencer meus parceiros",[20] admitiu. "Às vezes, levava socos nos treinos só para me tornar mais resistente. Sou o melhor peso pesado da história no que se refere a levar um golpe. Eu me condiciono a receber castigo."

PRÍNCIPE HERDEIRO

Em seguida, ele recitou o que disse que seria o último poema pugilístico de sua carreira — realmente um plágio de um de seus poemas da década de 1960, com o nome de Leon Spinks substituindo o de Sonny Liston:

Ali vai ao encontro de Spinks
mas Spinks começa a recuar
Se mais uns centímetros ele se afastar
*Na primeira fila ele vai terminar.**

E foi por aí afora. O público adorou, mesmo que alguns dos repórteres revirassem os olhos ao ouvir os refrãos familiares.

O Superdome transbordou com mais de 63 mil pessoas. Era a maior luta que a cidade de Nova Orleans havia testemunhado desde 1892, quando John L. Sullivan e Jim Corbett se defrontaram no ringue, e era a maior multidão que já assistira a uma luta num espaço fechado. Sylvester Stallone, Liza Minnelli e John Travolta estavam lá.

"Os astros foram ver Ali", escreveu Ishmael Reed, "mas os ajudantes de garçom foram por Spinks."[21] A maioria daqueles jovens era de negros que podiam se identificar com um homem que crescera em conjuntos habitacionais e havia sido algemado por uma violação no trânsito. Eles podiam se identificar com um homem que bebia demais, torrava seu dinheiro e era importunado pela polícia.

O ruído da multidão era quase assustador. Ali chegou dançando. Ficou no centro do ringue. Quando precisava descansar, em vez de vadiar nas cordas, ele agarrava com a mão esquerda o pescoço de Spinks e puxava o adversário para um abraço. O árbitro deixava pra lá. No primeiro round, Ali acertou apenas quatro golpes. No segundo, só acertou nove. Mas Spinks não era melhor. Round após round, o padrão se repetiu. Ali jabeava e abraçava, jabeava e abraçava. Nenhum dos homens foi derrubado ou gravemente ferido. Mas, ao permanecer na ponta dos pés durante quinze

---

* *Ali comes out to meet Spinks / But Spinks starts to retreat / As Spinks goes back an inch farther / He winds up in a ringside seat.* [N. da T.]

rounds, ao combater tão mais energicamente do que havia combatido em suas lutas recentes, ao parecer voltar no tempo pelo menos um ano ou dois, Ali impressionou a multidão, os juízes e até mesmo o locutor, Howard Cosell. No décimo quarto round, Cosell estava tão mobilizado que começou a cantar — ou algo como cantar, recitando a letra de um dos números mais sentimentais de Bob Dylan, "Forever Young" (Jovem para sempre).

Quando os juízes anunciaram Ali como vencedor por decisão unânime, Rahaman tentou levantar o irmão no ar. Ali, mais uma vez campeão, levantou um braço e jogou beijos para a multidão.

Cosell perguntou ao campeão se ele iria anunciar sua aposentadoria.

"Ainda não sei", disse Ali suavemente. "Vou pensar nisso."

50

Velho

Ele era campeão, o Rei do Mundo mais uma vez. Para comemorar a ocasião, encomendou anéis de ouro para os homens de seu *entourage*. Na face de cada anel havia uma coroa de ouro cercada pelas palavras "M. ALI CAMPEÃO DO MUNDO TRÊS VEZES". Ele disse aos jornalistas que não tinha nenhuma pressa de formalizar a aposentadoria. Antes de se afastar, preferia viver a posição de campeão por seis ou sete meses, saboreando, disse, deleitando-se em sua glória um pouco mais antes de abrir mão de tudo.

Em novembro, o campeão participou de uma festa de black-tie para angariar fundos para Joe Louis, que estava com 64 anos e precisou ser conduzido ao estrado numa cadeira de rodas.

"Estou cansado das pessoas me dizendo que é uma vergonha a situação de Joe Louis",[1] disse Ali, talvez se referindo à condição financeira de Joe, mais do que à sua condição física, devida, em grande parte, a um acidente vascular cerebral. "Estou cansado das pessoas me dizendo que não devo ser como Joe Louis. Por que é uma vergonha? Joe Louis é um grande amigo de todos."

Em dezembro, Ali apareceu em *Esta É a Sua Vida*, um programa da televisão inglesa que recompôs sua biografia e o surpreendeu ao levar a

574 MUHAMMAD ALI

Londres algumas das pessoas mais importantes da sua vida, apresentando-as no estúdio uma por uma. Ali, vestindo um terno preto com gravata prata e cinza, sentou-se ao lado de Veronica e assistiu a sua vida rolar diante de seus olhos. Lá estavam: os pais; seu irmão; um dos seus professores no colégio; seus primeiros treinadores, Joe Martin e Fred Stoner; o amigo e *ex-sparring* Jimmy Ellis; Howard Bingham; Angelo Dundee; Henry Cooper; Joe Frazier.

Ao longo dos anos, mesmo quando brincava com Howard Cosell ou implicava com Bundini Brown, Ali parecia estar atuando, sempre consciente da imagem que desejava transmitir aos telespectadores. No programa, era diferente. Ali parecia surpreso e sinceramente tomado pela emoção — a principal emoção sendo a alegria. Não se preocupou com sua imagem. Não se vangloriou. Foram alguns dos momentos mais genuínos da carreira de televisão de Ali (não incluindo suas lutas, claro). Ele gritou e cobriu o rosto e riu tanto que quase caiu da cadeira. "Ele ainda ria de morrer quando as pessoas faziam um grande estardalhaço a seu respeito",[2] lembrou Veronica, anos mais tarde. "Ele era como uma criança diante de surpresas."

Quando o show acabou e Hana e Laila entraram no estúdio, Ali sorriu, deu risada e se inclinou para pegar as duas garotas ao mesmo tempo. As câmeras capturaram a imagem de um dos grandes vencedores da vida, um homem que havia alcançado tudo o que decidira alcançar e ganhado o direito de celebrar.

Mas a imagem de satisfação não durou. Seis meses depois, em julho de 1979, Ali se sentou para outra entrevista a Cosell. Cosell estava em Nova York, Ali em Los Angeles. Seus rostos apareciam lado a lado numa tela dividida. Não havia nenhum brilho nos olhos de Ali desta vez, nenhum riso em sua voz. O rosto era mais redondo. A voz era um mero sopro, baixa em volume e cheia de ar, como se ele não tivesse dormido nos últimos dias. Ele declarou a Cosell que estava oficializando sua aposentadoria agora.

"Todo mundo fica velho", disse.

Cosell perguntou se eram verdadeiros os relatos de que Bob Arum havia pagado a Ali 300 mil dólares para declarar formalmente sua aposentadoria, de modo que Arum pudesse agendar uma luta para determinar o novo campeão. "Se isso é verdade", disse Ali, "não estou sabendo de nada."

VELHO   575

"Você está feliz que tenha acabado?", perguntou Cosell.

"Sim, senhor, Howard", disse Ali. "Tão feliz de que esteja tudo acabado! Estou feliz por ainda ter inteligência suficiente para falar. Estou feliz por ser tricampeão. Estou feliz por ter conhecido você."

"Você é o maior, não é?", perguntou Cosell.

Ali conseguiu um pequeno sorriso.

"Eu tento ser", disse.

Ali não havia feito nenhum planejamento para a aposentadoria. Embora tivesse falado vagamente sobre um novo projeto global de caridade, não tomara qualquer providência para iniciá-lo. Nem havia economizado o suficiente para viver confortavelmente sem renda. Embora Herbert Muhammad continuasse como seu confidente e gerente de negócios, às vezes Ali queixava-se aos amigos: Herbert havia forrado os bolsos à sua custa, e, se tivesse sido um bom gestor, ele, Ali, estaria com a vida arranjada. Um dia, quando reclamava sobre o estado de suas finanças com o amigo Tim Shanahan, Ali disse que estava pensando em trazer um novo empresário para endireitar as coisas. "Quero que seja um advogado judeu!",[3] disse, meio de brincadeira.

Ali não encontrou um advogado judeu, mas conseguiu ajuda após sua segunda luta com Spinks. Robert Abboud, presidente do First National Bank of Chicago, leu uma história no *New York Times* sobre o frágil estado das finanças de Ali e solicitou uma reunião com o pugilista. Na reunião, Abboud ofereceu-se para montar um time de primeira linha de contadores, advogados e agentes de talentos para gerenciar a carreira pós-boxe de Ali — tudo praticamente sem custo para Ali. Todo mundo iria trabalhar pelo privilégio de ajudar o grande Ali — e, claro, pela oportunidade de pendurar fotos emolduradas nas paredes e se gabar perante amigos e clientes de que conhecia o campeão. "Eu simplesmente pensei que ele era um tesouro nacional",[4] recordou Abboud, soando muito como os membros do Grupo de Patrocinadores de Louisville criado em 1960 com a intenção de impulsionar a carreira de um jovem atleta promissor e talvez fazer algum dinheiro ao longo do caminho. Ficou claro para Abboud que Ali só havia prestado atenção ao seu dinheiro quando chegava a hora de gastá-lo.

576   MUHAMMAD ALI

Abboud atribuiu a um funcionário do banco chamado Robert Richley a tarefa de auditar as finanças de Ali e elaborar um plano. Richley resumiu o estado dos problemas de Ali:[5] Herbert Muhammad estava recebendo uma parcela excessiva da renda de Ali, as despesas eram muito altas e ele havia sido, e continuava sendo, vítima de muitos negócios insensatos. A boa notícia: ele ainda era jovem e famoso, o que significava que ainda tinha tempo para "monetizar sua posição e securitizar seu futuro", disse Richley.

Abboud e Richley tentaram "construir uma cerca"[6] em volta de Ali, como disse Abboud. Disseram-lhe que ele já não tinha permissão para assinar qualquer contrato ou aceitar qualquer acordo sem a assinatura de um de seus novos conselheiros financeiros. Os executivos do banco estabeleceram uma equipe para lidar com todos os aspectos dos negócios de Ali. Marge Thomas cuidaria da contabilidade e das necessidades financeiras do dia a dia. Barry Frank, do International Management Group, trataria de endossos e acordos de licenciamento. Michael Phenner, da Hopkins & Sutter, serviria como advogado de Ali. Até então, Ali havia dependido de Charles Lomax para a maioria de seus assuntos legais. Dado que Lomax também representava Herbert Muhammad e Don King, havia óbvios conflitos de interesse. Quando Phenner se envolveu, organizou uma reunião com Herbert e Lomax, reviu todos os contratos que Ali havia assinado, certificando-se de que Ali receberia o que lhe fora prometido e insistiu para que fosse informado de todos os futuros acordos de Ali antes que fossem fechados. Phenner também insistiu que Herbert reduzisse sua parcela dos ganhos de Ali. "Herbert estava levando de 30% a 40%", disse Phenner, "e isso era apenas uma parte do que foram capazes de tirar dele, porque ele era muito generoso." Anos mais tarde, Phenner afirmou não se lembrar dos números exatos, mas, depois de longas e difíceis negociações, disse ele, Herbert concordou em aceitar um grande corte no pagamento.[7]

"Michael Phenner nos salvou",[8] disse Veronica Porche. "Eu estava muito feliz de ter alguém que não era um bandido cuidando das coisas."

Foram criados fundos fiduciários. Compraram um seguro de saúde. Até então, Ali havia pagado contas médicas de seu bolso para si mesmo, a esposa, os filhos e os empregados.[9]

Barry Frank conseguiu bons negócios para Ali. Produtores de batata de Idaho concordaram em pagar ao boxeador 250 mil dólares pela recomendação de seu produto. Ali ganhou 1 milhão de dólares para desempenhar o papel principal no filme para a televisão *Freedom Road*,[10] coestrelado por Kris Kristofferson. Frank também organizou um show de despedida na televisão que pagou 800 mil dólares a Ali, bem como uma turnê de despedida por dez cidades europeias que prometia pagar milhões adicionais. Enquanto isso, Ali e Veronica mudaram-se para Los Angeles e compraram uma casa na Fremont Place na vizinhança de Hancock Park, perto de Lou Rawls, amigo de Ali. Acumularam uma montanha de novas despesas para mobiliar a casa.

Robert Abboud disse que via, com decepção, como sua "cerca de proteção" era quebrada — principalmente porque Ali deixava que amigos e conhecidos passassem por cima dela. Um exemplo: em vez de vender a mansão de Chicago, onde havia gastado uma fortuna com reformas, Ali foi convencido por Herbert Muhammad a doar a casa.[11] Phenner disse que a doação foi arranjada de tal forma que Ali não poderia deduzir a doação dos impostos a pagar.[12] Ele simplesmente não conseguia dizer não para as pessoas. Um amigo telefonava e dizia que conhecia um cara que pagaria 3 mil dólares em dinheiro para Ali aparecer durante 1 hora em sua concessionária ou loja de aparelhos elétricos. Ali iria? Sim, ele iria — e passaria 3 horas, não uma, porque a fila de autógrafos era invariavelmente mais longa do que os organizadores haviam esperado. Em certo momento, Barry Frank negociou um contrato lucrativo para Ali endossar a Orangina,[13] um refrigerante cítrico. Mas o negócio desmoronou quando um advogado descobriu que Ali já havia recebido 10 mil dólares em dinheiro para endossar a Champ Cola e assinado um contrato dizendo que nunca endossaria outro refrigerante.

"Ele era extremamente ingênuo",[14] disse Frank. "Muito mais do que a gente consegue acreditar." Quando um empresário procurou Ali e sugeriu que fizessem uma parceria para fabricar seus próprios automóveis, ele adorou a ideia. Pense só quantas pessoas compravam carros, maravilhou-se. Milhões! Certamente, haveria centenas de milhares de pessoas, ou mais, que gostariam de comprar carros feitos por Muhammad Ali. Mas Ali não entendeu, ou não sabia, que o contrato exigia que ele investisse 1 milhão de dólares seus para o desenvolvimento do produto, e também não entendeu quão complicado seria o negócio de projetar, fabricar e vender carros. "Ele era estranhamente ignorante do que estava acontecendo no mundo", disse Frank. "Ali nunca entendeu. Pensava que Don King era apenas mais um negro tentando ganhar a vida, como ele próprio. Ficava excessivamente impressionado com uma mala cheia de notas de 100 dólares, mas não suficientemente impressionado com um cheque. Com notas de 100 dólares ele sabia o que poderia fazer. Mas não entendia completamente um cheque. Entendia o que era, mas, emocionalmente, visceralmente, um cheque não tinha o significado de uma mala cheia de notas de dólar."

Às vezes, Veronica também ficava frustrada. Os motoristas entravam na casa para buscar a bagagem do casal e roubavam joias de sua cômoda ou da mesa de cabeceira, mas Ali não os demitia. Ali tinha "o mais generoso, o mais puro coração entre todos que eu conheço",[15] disse ela. Ele não se importava com quanto dinheiro tinha no banco. Para ele, tanto fazia ficar num Ritz-Carlton ou num Holiday Inn. Não se importava se o seu relógio era um Rolex ou um Timex. Porém, tinha uma peculiaridade quando se tratava de compras — ele julgava objetos como móveis e eletrodomésticos por seu peso: quanto mais pesados, melhor,[16] e andava pela própria casa exortando os hóspedes a pegar objetos e sentir o peso impressionante. Fora isso, disse Veronica, ele mostrava poucos sinais de materialismo.

Uma vez, Ali ligou para Michael Phenner quando estava em uma concessionária de carros em Beverly Hills e pediu dinheiro para comprar outro Rolls-Royce. Phenner aconselhou Ali a sair do showroom. O advogado disse ter certeza de que poderia negociar um preço melhor assim que Ali saísse.

"Mike, quanto você acha que eu vou economizar?",[17] perguntou Ali.

Phenner respondeu que provavelmente poderia economizar 10 mil dólares, talvez mais.

"Mike, eu tenho o dinheiro?", perguntou Ali.

Phenner respondeu que sim. Ali entrou no carro novo e saiu dirigindo.

Em dado momento, Phenner e Abboud consideraram contratar um segurança que, durante 24 horas, estaria ao lado de Ali para intervir quando ele fosse abordado com ofertas de negócios. A ideia revelou-se impraticável.

Em 1979, um homem chamado Harold Smith (nome verdadeiro: Eugene Ross Fields) decidiu que se tornaria o novo Don King, o maior promotor de boxe, e espalhou dinheiro suficiente para fazer com que aquilo

VELHO

acontecesse. Smith persuadiu Ali a emprestar seu nome a uma operação chamada Muhammad Ali Amateur Sports, que patrocinava competições de revezamento e torneios de boxe, bem como para a Muhammad Ali Profissional Sports, que promovia lutas de boxe profissional. Com o aval de Ali e uma oferta aparentemente ilimitada de dinheiro, Smith assinou contrato com alguns dos maiores talentos do boxe, incluindo Thomas Hearns, Ken Norton, Gerry Cooney, Michael Spinks, Matthew Saad Muhammad e Eddie Mustafa Muhammad. O FBI acabou descobrindo que Smith havia desviado mais de 21 milhões de dólares do Wells Fargo Bank na Califórnia, pois tinha acesso a informações privilegiadas, tornando-o um dos maiores casos de fraude bancária da história norte-americana naquela época. Embora Ali nunca tenha sido acusado de conspirar com Smith, o pugilista recebeu pelo menos 500 mil dólares do dinheiro do Wells Fargo.[18] Quando a notícia do golpe chegou à imprensa, Ali convocou uma coletiva para explicar que não sabia nada sobre o crime. Ele brincou, dizendo: "Um cara usou meu nome para desviar 21 milhões. Não há muitos nomes que possam roubar tanto."[19]

Além dos maus negócios, também havia processos sobre paternidade e ameaças de processos sobre paternidade. Eram tantos que Phenner e seus colegas se divertiam dizendo que acabariam defendendo Ali numa ação coletiva de todos os seus casos extraconjugais. Phenner adorava Ali. Era impossível resistir, disse ele. Contudo, não importava o quanto ele tentasse, não conseguia proteger o lutador porque Ali não queria ou não podia proteger a si mesmo. Um repórter do *New York Times* testemunhou uma cena muito típica. Ali estava estendido numa cama na suíte no Meadowlands Hilton em Nova Jersey — ele muitas vezes dava entrevistas e fazia reuniões de negócios enquanto estava deitado na cama, vestido ou sem roupa — enquanto uma mulher lhe mostrava um vidro marrom cheio de vitaminas Muhammad Ali. "E elas estarão nas lojas tão logo você assine este contrato",[20] disse a mulher. Sem se levantar, Ali assinou o contrato. A mulher colocou o documento na pasta e saiu. Logo depois, um homem deu a Ali um panfleto. Explicou que era uma propaganda de uma nova escola, o Instituto Muhammad Ali de Tecnologia e Artes Cênicas.[21] "Sim, senhor", disse Ali. "Obrigado, cara." E continuou na cama.

580   MUHAMMAD ALI

"Em determinado ponto, sentimos que estávamos correndo risco como escritório de advocacia",[22] disse Phenner, "já que um dia alguém perguntaria: por que a Sutter & Hopkins não parou com isso?" Phenner e Frank disseram a Ali que ele provavelmente faria uns 8 milhões de dólares com a turnê de despedida,[23] mas, antes do início, eles encontraram uma razão para se preocupar. Ali estava convidando todos que ele conhecia para participar da turnê e se oferecendo para pagar as despesas. Phenner e Frank insistiram que Ali reduzisse a lista de viajantes, e ele concordou, estabelecendo que iriam apenas Veronica, Howard Bingham e alguns outros. Mas, quando Ali chegou ao aeroporto para começar a jornada, encontrou um convidado inesperado: Bundini Brown, arrastando um enorme baú cheio de bugigangas da "grife" Muhammad Ali: camisetas, charutos e outros produtos relacionados a Ali que ele esperava vender na turnê. Bundini não tinha uma passagem de avião, mas ele implorou, e Ali concordou em lhe comprar uma de ida e volta — a um custo de cerca de 1.500 dólares cada perna.

A turnê foi um sucesso. Ali treinava com Jimmy Ellis. Saía para longas caminhadas pelas novas cidades. Assinou milhares de autógrafos. Comeu incontáveis fatias de torta e bolo (e orgulhosamente exibia sua barriga que crescia, brincando que as pessoas estavam começando a se perguntar se ele estava grávido de gêmeos). Sentava-se com entrevistadores de televisão e dava longas entrevistas, recordando suas primeiras lutas e seus poemas favoritos. Seu cabelo estava começado a ficar grisalho. A voz era mais lenta e mais suave — um fato que se tornava mais evidente quando entrevistadores de TV mostravam antigas imagens de aparições de Ali na televisão e depois cortavam para o estúdio com Ali ao vivo —, mas sua memória permanecia afiada como sempre. Ele lembrava, com vívidos detalhes, não só lutas específicas, mas até mesmo rounds específicos e socos específicos. Ele disse que estava recebendo 75 mil dólares por exibições de boxe, e pensava que poderia conseguir 1 milhão por alguns rounds com Teofilo Stevenson, o peso pesado cubano que ganhara as últimas duas medalhas olímpicas de ouro no boxe. Em julho, Ali fez uma exibição lutando contra Lyle Alzado, um ponta defensivo da equipe de futebol do Denver Broncos e ex-boxeador do Golden Gloves. Ali recebeu 250 mil dólares pela luta, programada para ter oito rounds. Mas, quando se tornou claro que Alzado estava levando a luta a sério e às vezes machucando

Ali, os lutadores concordaram em saltar o sétimo round. Ali estava com 106 quilos,[24] e admitiu não haver corrido nem 1 quilômetro nem passado um único dia na academia nos seis meses desde que derrotara Spinks.[25]

Para ele, era fácil se imaginar seguindo daquele jeito durante anos, percorrendo o mundo, recolhendo cheques para fazer discursos ou endossar produtos, dando entrevistas, vestindo os calções e fingindo boxear alguns rounds, contando piadas. (Uma de suas favoritas na época: "O que Abraham Lincoln disse quando acordou depois de uma bebedeira de três dias? Ele disse: 'Eu libertei *queeem*?!'"[26]) Desde que estivesse fazendo as pessoas felizes, Ali parecia feliz. Durante uma entrevista na Nova Zelândia,[27] um dos locutores teve de pedir desculpas ao público porque o resto das notícias regulares teria de ser adiado, pois Ali havia se estendido mais do que o esperado revendo sua vida inteira, toda a sua carreira, durante mais de 80 minutos.

"Eu parei com o boxe",[28] prometeu ele. "Você nunca mais me verá no ringue." Mas disse que continuaria a fazer exibições por dez anos ainda para se certificar de que os jovens sempre saberiam o seu nome,[29] e saberiam, como disse a um entrevistador na turnê, que ele era "o maior lutador de todos os tempos, o mais falado lutador de todos os tempos, o mais controverso, o mais rápido e o mais lindo, um mestre da dança, o maior pugilista na história de todo o mundo".[30] Então fez uma pausa para se admirar no monitor da televisão, riu e pediu ao cinegrafista para se aproximar para um close. Disse que esperava ansiosamente para seguir com sua vida: "Olha como me sinto bem em seu programa. Como eu posso me gabar, e como eu posso falar. Ao longo de toda a minha vida eu tenho feito isso, porque saio como vencedor. Se você sai perdedor, isso preocupa [...] Quero sair como campeão, quero me aposentar como tricampeão [...] Estou simplesmente feliz por ser capaz de sair por cima."

Quando retornou da chamada turnê de despedida, Ali anunciou mais uma vez, caso houvesse alguma dúvida, que estava formal e oficialmente aposentado. O título de campeão dos pesos-pesados pertencia ao *ex-sparring* de Ali, Larry Holmes, que vinha destruindo todos os oponentes que enfrentava, mostrando traços do ótimo trabalho de pernas de Ali e um *jab* que talvez fosse até superior ao de seu mentor.

Alguns repórteres saudaram a mais recente aposentadoria de Ali com ceticismo, mas Red Smith, que sempre havia sido um de seus mais duros críticos, fez uma despedida afetuosa, escrevendo: "O fato é que Ali era um atleta notável, quase certamente o mais rápido com os pés, mais do que qualquer outro peso-pesado de qualquer época. Ele era um showman imaginativo e inventivo, um artista incansável. Fazia pose, palhaçadas, e fingia, e sua velocidade compensava seus pecados como boxeador. Ele era um golpeador justo, e poderia suportar mais punição do que qualquer um de sua época poderia infligir. Um excelente lutador, e foi grande na luta contra Joe Frazier, que fez aflorar nele o campeão [...] Defendeu o título mais vezes do que qualquer outro peso-pesado e contra o maior número de vagabundos, a começar por Liston. O que quer que tenha acontecido no primeiro encontro dos dois, Liston se deu mal no segundo, em Lewiston. Quanto a isso, não há nenhuma dúvida, nenhuma possível ou provável sombra de dúvida, nenhuma. Ali não tem feito nenhuma luta realmente boa desde Manila, embora o chamassem de vencedor após oito delas. É hora de dizer adeus. Passou da hora, mas tudo bem. Ele era um ornamento de destaque no cenário esportivo. Se ficou tempo demais, isso foi, em parte, porque nós odiávamos vê-lo partir."[31]

51

Humpty Dumpty

Num dia do outono de 1979, Ali se espremeu numa cadeira de plástico azul e dirigiu-se a uma sala cheia de alunos da New School for Social Research em Nova York.[1] Os alunos estavam matriculados num curso projetado para explorar o assunto favorito de Muhammad Ali: Muhammad Ali.

Naquele dia, na reunião final do curso de sete semanas, os alunos ouviriam o próprio homem.

"O que eu sei, de verdade", disse ele, sorrindo, enquanto vinha a rima, "é que vocês podem aprender mais de mim do que de qualquer faculdade."[2]

Ali ofereceu mais poemas aos alunos. Contou piadas. Também falou longamente sobre a crise que estava ocorrendo no Irã. Um mês antes, Jimmy Carter permitira que o xá do Irã, Reza Pahlavi, entrasse nos Estados Unidos para tratamentos de câncer. Em resposta, alguns dos opositores políticos do xá invadiram a Embaixada dos EUA em Teerã e fizeram 52 reféns norte-americanos. O líder do Irã, o aiatolá Ruhollah Khomeini, havia rotulado a América de "o grande Satã" e se recusou a negociar a libertação dos reféns. O ataque à Embaixada atingiu duramente os norte-americanos. Apenas poucos anos depois da desmoralizante retirada do Vietnã, e com a economia sofrendo cada vez mais pela escassez de petróleo, aquilo parecia mais um exemplo de fraqueza. Ali expressou sua ânsia de ajudar. Ele se ofereceu para ir ao Irã e negociar sua troca pelos reféns. Em dado momento, ele fez vibrar uma corda patriótica, dizendo: "Nenhum país é tão grande como a América. Até nossa menor cidade é maior que qualquer país do mundo." Em outro momento, afirmou que a América merecia muitos dos seus problemas. "Este é um país baseado em mentiras", disse.

Apesar das contradições em seu discurso, Ali estava convencido de que poderia ser um diplomata eficaz — o "Henry Kissinger negro", como dizia. De fato, logo depois que os norte-americanos foram tomados como reféns, o presidente Jimmy Carter havia considerado usar Ali como intermediário,[3] talvez porque ele fosse o muçulmano mais conhecido da América e talvez porque fosse tão extraordinariamente benquisto. Isso nunca aconteceu. Mas Carter realmente enviou Ali em outra missão diplomática. Quando a União Soviética invadiu o Afeganistão, em dezembro de 1979, os Estados Unidos, em protesto, anunciaram um boicote dos Jogos Olímpicos de verão que ocorreriam em Moscou, em 1980. Na ocasião, Ali estava na Índia, numa missão de caridade. Carter entrou em contato com ele e perguntou se poderia viajar para a África com uma equipe do Departamento de Estado para explicar aos africanos por que os Estados Unidos não participariam da Olimpíada e ver se poderia convencer outras nações a aderir ao boicote.

Havia uma ironia na situação, é claro. O mesmo governo que processara Ali por se recusar a lutar na invasão norte-americana ao Vietnã estava agora buscando sua ajuda para tentar pressionar a União Soviética a se retirar do Afeganistão. Ainda assim, o trabalho parecia bastante simples. Funcionários do Departamento de Estado instruíram Ali: tudo que ele precisava fazer era lembrar aos africanos que a América era a terra das pessoas livres, que a América não ficaria apenas observando em silêncio e deixando que a União Soviética invadisse o Afeganistão. Ali era amplamente admirado na África, não só por seu triunfo sobre George Foreman no Zaire, mas também por sua visita ao continente, em 1964, depois de derrotar Sonny Liston. Se ele tivesse simplesmente chegado e não pronunciado uma única palavra, se tivesse apenas acenado para multidões, lançado socos no ar e deixado que os funcionários do Departamento de Estado cuidassem das conversas, sua missão poderia ter sido um sucesso. Mas Ali era altamente impressionável,

HUMPTY DUMPTY

e esse traço de caráter minou sua diplomacia. Ele chegou num avião do Departamento de Estado a Dar es Salaam, na Tanzânia, a primeira parada numa turnê de cinco países, e logo criou uma situação embaraçosa. Um repórter local perguntou por que os africanos deveriam apoiar um boicote aos jogos de Moscou, dado que a Rússia oferecia ajuda a diversos movimentos populares de libertação em países da África negra. Ali reagiu com surpresa. Disse que não lhe haviam falado do apoio da União Soviética aos negros africanos que lutavam pela liberdade. "Talvez eu esteja sendo usado para fazer algo que não está certo"[4], respondeu ele. "Se eu descobrir que estou errado, vou voltar para a América e cancelar a viagem inteira." Ao mesmo tempo, o presidente da Tanzânia, Julius Nyerere, recusou-se a receber Ali, dizendo que fora insultado pela decisão do presidente Carter de enviar um pugilista.

Próxima parada: Quênia, onde Ali avançou mais um passo para minar a causa de Carter, argumentando que atletas africanos deveriam sentir-se livres para decidir por eles mesmos se competiriam ou não nos jogos de Moscou. "Não estou aqui para impingir nada a ninguém"[5], disse ele. Mais tarde, alguém lhe perguntou por que os Estados Unidos não haviam apoiado um boicote africano à Olimpíada de Montreal, em 1976 — um protesto desencadeado pela presença da Nova Zelândia, que mandara uma equipe de rúgbi à África do Sul. Ali respondeu que ninguém lhe falara sobre o boicote de 1976 e que, se estivesse ciente disso, nunca teria se envolvido na campanha africana.[6] A revista *Time* rotulou a campanha de "a mais bizarra missão diplomática na história dos Estados Unidos".[7]

Menos de um mês depois de seu regresso da África, Ali declarou que desejava lutar novamente. Ele disse ao promotor Bob Arum que queria lutar com John Tate,[8] dententor da coroa dos pesos-pesados da Associação Mundial de Boxe. Larry Holmes, *ex-sparring* de Ali, era o campeão aos olhos do Conselho Mundial de Boxe — enquanto as duas entidades que governavam o boxe competiam pela supremacia, o título fora dividido.

A notícia do possível retorno de Ali animou alguns membros de seu *entourage* e consternou outros. Certamente incomodou os empresários que, fazia pouco, haviam vendido a uma rede de televisão uma homenagem de despedida a Ali e uma série de apresentações de despedida em cidades nos Estados Unidos e na Europa. A ideia de um retorno ao boxe também perturbou aqueles que estavam preocupados com a saúde de Ali. Ele havia engordado 9 kg durante a aposentadoria. Angelo Dundee avisou que perder peso e ficar em condição de lutar seria mais difícil do que nunca. "Ainda não acho que ele vá voltar, espero que não", disse o treinador, "mas, se Ali me quiser, vou trabalhar com ele novamente."[9]

Ali estava com 38 anos. Seu peso quase chegava aos 110 quilos. Havia dezoito meses que não lutava. No ano anterior, só lutara duas vezes. Havia quase quatro anos que nocauteara um adversário, e quatro anos e meio desde sua última vitória verdadeiramente impressionante, aquela devastadora batalha com Frazier em Manila. Desde sua derrota para Leon Spinks, não estava claro se Ali havia trabalhado até suar, muito menos se se esforçara para ficar em forma. Não havia nenhuma razão, além da nostalgia, para se acreditar que Ali pertencia ao mesmo ringue que John Tate ou Larry Holmes. "Ali não pode mais lutar",[10] disse Freddie Brown, um treinador de 73 anos que trabalhara com Rocky Marciano, Rocky Graziano e muitos outros Rockys dos quais ninguém ouvira falar. "Ele não pode aguentar dois rounds seguidos [...] É uma pena que tenha insistido por tanto tempo. Se tivesse parado depois de Manila, então eu diria que ele foi o melhor peso pesado que já tivemos."

E, ainda assim, Don King, Bob Arum, Herbert Muhammad e outros prometeram ajudar se Ali decidisse lutar novamente. Arum disse que tentou dissuadi-lo, mas falhou. Mas e se Arum e os demais tivessem se recusado a cooperar? E se tivessem dito a Ali que nenhuma quantidade de dinheiro os faria mudar de ideia? E se tivessem dito que a saúde de Ali era a principal preocupação deles? Ali teria mudado de ideia?

Veronica Ali afirmou que se opusera ao retorno do marido ao boxe.[11]

"As últimas três lutas, mais ou menos",[12] disse ela, "ele lutou porque tinha de lutar, porque estaria falido se não lutasse." Veronica culpou Herbert Muhammad e outros que haviam feito grandes fortunas e nunca se importaram o bastante para ajudar o boxeador a investir corretamente e proteger sua renda. "Pessoas como Herbert estavam felizes em mantê-lo numa situação em que ele precisava continuar trabalhando", disse ela.

Verônica notara, já havia vários anos, que Ali estava enrolando as palavras, mas não deu muita atenção. Ela também percebera que o polegar esquerdo de Ali "estava um pouco retorcido",[13] embora, numa entrevista anos depois, ela não tenha conseguido se lembrar exatamente quando aquilo havia começado. Seu marido, disse ela, quase nunca reclamava de dificuldades físicas. O maior problema físico de Ali naquela época era a dificuldade de dormir. A situação ficou tão ruim que ele consentiu em ir ao médico. Muitos pacientes com danos na cabeça sofrem de distúrbios do sono, mas o médico que viu Ali aparentemente não fez essa conexão. Ele disse ao boxeador que sua dificuldade para dormir provavelmente estava ligada a suas frequentes viagens.

Odessa e Cash Clay expressaram preocupação com o filho e lhe pediram que não lutasse novamente. "Eu achei que ele não estava caminhando direito",[14] disse Cash. "Pensei que talvez seu quadril estivesse incomodando. Eu também não tinha certeza sobre sua fala, mas, a meu ver, aquele rapaz vinha lutando desde os 12 anos de idade. Há um limite para o número de golpes que um homem pode levar na cabeça. Com o cérebro, você sabe, um único golpe pode ser demais. O jeito como ele fala, eu notei algumas vezes, não é muito claro. Eu lhe disse para se aposentar, para não continuar voltando constantemente. Você não precisa de mais golpes na cabeça. Mas ele me disse que queria continuar lutando."

Rahaman também incitou o irmão a parar. "Ele é feito apenas de carne e sangue. Eu disse isso a ele. Mas ele não se importou."[15]

Rodrigo Sanchez, presidente da WBA, advertiu que as autoridades do boxe não permitiriam que Ali lutasse pelo campeonato a menos que provasse seu preparo com uma luta de aquecimento. Mas esse aviso provou-se inútil. Como Ali e homens como Arum e King certamente sabiam, a tentação de uma boa grana superaria a reticência de Sanchez. Também superaria as advertências de Ferdie Pacheco, que disse a um jornalista: "Ali não deve tentar voltar, absolutamente não. Na sua idade, com o desgaste que teve como lutador, mesmo quando está tentando voltar à forma, todos os órgãos que foram abusados terão de trabalhar mais duro — coração, pulmões, rins, fígado. Sempre tive muita ansiedade a respeito de qualquer boxeador que continuasse para além do seu tempo [...] mas, no caso de alguém que havia lutado com perfuradores brutais como Joe Frazier e George Foreman, seria impossível escapar do desgaste a que seu corpo foi submetido."[16]

588 MUHAMMAD ALI

Quando ficou claro que o adversário de Ali em um retorno provavelmente seria Larry Holmes, o próprio Holmes também o advertiu a reconsiderar: "Vai ser um dia triste para o boxe",[17] disse, "porque ele vai se machucar."

Em 8 de março de 1980, Ali voltou a trabalhar no ginásio da rua Cinco em Miami. Em vez de trabalhar com os sacos e saltar corda para entrar em forma, preparando-se para o enervante negócio de dar socos e levar socos, Ali começou a treinar no ringue imediatamente.

Em três rounds com um jovem e banal lutador argentino chamado Luis Acosta, Ali parecia fantástico.[18] No entanto, imediatamente depois de terminar o trabalho com Acosta, ele passou oito rounds com um lutador melhor, um peso pesado invicto chamado Jeff Sims, que atacou o ex-campeão com esquerdas e direitas na cabeça até que o sangue começou a jorrar da boca de Ali. Ele precisou de dez pontos.[19] A seriedade do ferimento foi suficiente para mantê-lo fora do ringue por algum tempo, e alguns pensaram que aquilo poderia derrubar seus planos de retorno. Mas isso não aconteceu.

Logo após a lesão, numa entrevista a Michael Morris, um jornalista de 14 anos de idade[20] do colégio secundário Booker T. Washington, em Nova York, Ali admitiu que havia perdido "um pouco da minha velocidade, um pouco da minha determinação, um pouco da minha resistência". E embora confessasse que seus reflexos estavam mais lentos, ele disse que, ainda assim, estava confiante de que era mais rápido e mais hábil do que "a média dos homens mais jovens". Morris poderia ter perguntado se Larry Holmes se qualificava como um homem mais jovem médio, mas, em vez disso, fez uma pergunta ainda mais desafiadora, coisa que adultos, por deferência, quase nunca fizeram a Ali: "Como se sente quando os médicos dizem que você tem lesões cerebrais?"

"Lesões cerebrais?", disse Ali "Eu acho que alguém na Inglaterra disse isso, ou algum médico em Londres que me ouviu falar e viu os meus movimentos e o jeito como ando, e disse que eu tenho lesão cerebral. Sentado aqui, pareço ter lesões cerebrais?"

"Não", disse Morris.

"Acho que pareço mais inteligente do que qualquer um que estivesse respondendo às suas perguntas, independentemente de quem fosse, pugilista, político, presidente, prefeito, governador, não acho que alguém na Terra poderia responder melhor e mais precisamente que eu."

O jovem jornalista perguntou a Ali como ele se sentiria se perdesse, se acabasse como todos os outros campeões que "permaneceram lutando por muito tempo e perderam o título".

"Eu me sentiria terrivelmente mal", respondeu Ali. "Ah, cara, eu me sentiria terrivelmente mal. Voltar a lutar e perder, depois de haver ganhado, e para eles dizerem que eu sou como todos os outros lutadores negros, que fiquei tempo demais e saí perdendo, isso iria me assombrar pelo resto da minha vida."

Ali, porém, insistiu que não havia possibilidade de perder. Se achasse que haveria até mesmo a mínima chance de isso acontecer, não lutaria. Como disse a outro repórter: "Você acha que eu voltaria agora para sair como um perdedor? Você acha que eu seria tão estúpido assim?"[21]

Larry Holmes era um dos doze filhos de um meeiro da Geórgia que havia se mudado com a família para Easton, Pensilvânia, em busca de trabalho. Logo após a mudança, o pai de Holmes abandonou a família, deixando a mãe de Larry para criar os filhos numa casa precária subsidiada pelo governo. Aos 13 anos, Holmes largou a escola e foi trabalhar em um lava-jato e, depois, numa fábrica de tinta. Ele ainda estava empregado na fábrica quando se tornou *sparring* de Ali em Deer Lake. Jovem e entusiasmado, estava vibrando por poder estar no campo de Ali, onde muitas vezes lembrava aos homens mais velhos que, se precisassem de tinta, ele conseguiria um desconto.[22] Todos gostavam dele.[23]

Quando se tornou campeão dos pesos-pesados, Holmes não foi atrás de roupas espalhafatosas ou carros caros. Até mesmo seu apelido, "The Easton Assassin", dificilmente pareceria glamoroso. Ele permaneceu casado com a mesma mulher durante toda a sua vida adulta e continuava morando em Easton, onde usou suas riquezas do boxe para construir uma casa de 500 mil dólares.[24] Gabava-se de ter 3 milhões aplicados na poupança, mais do que suficiente para pagar um lugar chique em Nova York ou Los Angeles, se quisesse. Mas preferia Easton, disse, porque sabia que seus amigos o manteriam humilde e a polícia daria uma folga se ele dirigisse rápido demais ou bebesse além da conta.[25] Seu objetivo, quando se aposentasse do boxe, disse, era ter dinheiro suficiente para abrir um restaurante em Easton e fazer doações generosas para a NAACP e o Boy's Club de Easton.

Ao longo de quatro anos, Holmes foi *sparring* de Muhammad Ali, ganhando 500 dólares por semana. Ele aprendeu a boxear. Mas isso não foi tudo. Também aprendeu que campeões atraem muitos "aproveitadores de merda",[26] como ele dizia. Aprendeu que as mulheres poderiam ser uma terrível distração para um homem que não consegue controlar suas compulsões sexuais. Porém, talvez mais do que tudo, ele aprendeu que boxeadores não deveriam receber muitos socos, não em sessões de treino, nem em lutas. Não há nada de heroico em ser atingido na cabeça, disse Holmes, nem mesmo numa vitória.

Holmes fazia tudo que sabia para evitar golpes. Ele só imitava os melhores hábitos de Ali no ringue. Movia-se bem, e, embora não tivesse um nocaute devastador, exauria outros lutadores com seus *jabs* até que estivessem prestes a cair ou completamente incapazes de lutar. Holmes tinha um *jab* que parecia um desfibrilador. Era rápido, preciso, e atingia com mais potência do que os ganchos de muitos lutadores. A maioria dos lutadores usava o *jab* para armar combinações, mas Holmes não precisava disso. Seu *jab*, sozinho, venceu lutas. Ali tinha um grande *jab* — um dos melhores de todos os tempos —, mas o de Holmes era ainda melhor.

Holmes não queria lutar com Ali, mas Don King o convenceu. King, que, como disse um jornalista, "tiraria Joe Louis de sua cadeira de rodas e o entregaria para ser devorado por Roberto Duran se o dinheiro estivesse garantido",[27] convenceu Holmes de que ele nunca se livraria da sombra de Ali se não aceitasse lutar com ele.

Em pouco tempo, Holmes soava como um homem que acreditava naquilo. "Não me importo se ele se machucar",[28] disse, referindo-se a Ali. "Ele tem me negado meus justos direitos todo esse tempo [...] Não terei nenhuma misericórdia com ele. Ou ele será nocauteado, ou se machucará."

A luta foi marcada para 2 de outubro. Don King havia pensado em Cairo, Taiwan ou no Rio de Janeiro. Em vez disso, decidiu que seria numa arena temporária, construída no estacionamento do Caesars Palace, em Las

HUMPTY DUMPTY   591

Vegas. Ali ganharia 8 milhões de dólares, e Holmes, o campeão, ficaria com aproximadamente a metade disso.

Para garantir que estariam seguros quando pusessem um homem de 38 anos no ringue com um adversário mais jovem, mais apto, a Comissão Atlética de Nevada anunciou que Ali teria de se submeter, antes da luta, a um exame físico completo e severo, incluindo uma tomografia do cérebro.[29]

Enquanto Ali se preparava para lutar com Holmes, a preocupação com a saúde do boxeador mais velho crescia. Um médico britânico dissera a repórteres, pouco tempo antes da data marcada para a luta, que temia que Ali já tivesse sofrido danos cerebrais por causa dos muitos golpes na cabeça. Ali fez pouco caso: "Só Alá sabe sobre o meu cérebro",[30] disse, "então eu não presto atenção a tudo isso."

Outros, no entanto, levaram o relatório a sério. Ferdie Pacheco disse que Ali "costumava ser um orador eletrizante. Agora, ele tem problemas. Diz que está cansado. Sim, ele está cansado. Ele sofre de cansaço do cérebro."[31]

Bob Arum concordou. "Quase todo mundo em volta de Ali tem comentado como ele vem enrolando as palavras e falando mais devagar",[32] disse Arum em junho de 1980. "Acabei de falar com ele por telefone na segunda-feira, e minha impressão é de que já não é tão articulado como costumava ser. E também não pronuncia bem as palavras. Pode muito bem ser o resultado de estar no ringue tempo demais. Afinal, o cara vem lutando há 26 anos, e tomou alguns bons golpes de Norton, Shavers e Spinks em suas lutas mais recentes. Ele deveria se submeter a um exame minucioso antes da próxima luta."

Em julho, Ali de fato se submeteu a um exame minucioso, durante três dias, na clínica Mayo.

A clínica produziu dois relatórios,[33] um do dr. John Mitchell, do departamento de nefrologia e medicina interna, que dizia: "Exames preliminares indicariam que o paciente está em excelente condição de saúde geral, sem evidência de deficiência renal ou doença crônica ou aguda." O outro veio do dr. Frank Howard, do departamento de neurologia, que escreveu que havia perguntado a Ali a respeito de sua fala arrastada. O lutador respondeu, de acordo com o memorando do dr. Howard,[34] que sua fala lenta era resultado de fadiga "e que ele apresentara alguma leve lentidão em sua fala nos últimos dez ou doze anos". O relatório continuou: "Afirmou que estava cansado no dia do exame, e que havia dormido pouco. Negou qualquer problema de coordenação relacionado a correr, treinar no ringue ou pular corda. Também alegou que sua memória é excelente e que pode fazer cinco palestras de 45 minutos sem usar anotações [...] Além de ocasionais formigamentos das mãos de manhã, quando acorda, e que passam prontamente quando se movimenta, ele negou qualquer outro sintoma neurológico. No exame neurológico, parece ter uma leve disartria atáxica (dificuldade para falar). O restante do exame é normal, exceto que ele não pula com a agilidade que se poderia antecipar, e no teste de levar o dedo ao nariz há uma leve perda do alvo. Ambos os testes poderiam ser significativamente influenciados pela fadiga."

O memorando continua: "Foi realizada a tomografia computadorizada da cabeça, que mostrou apenas uma variação congênita, na forma de um pequeno *cavum septum pellucidum*. O restante do exame foi normal, e a estrutura acima mencionada é uma anomalia congênita não relacionada, de nenhuma forma, a nenhum traumatismo craniano. Extensos testes psicométricos mostraram uma diminuição mínima da memória, que ficou mais pronunciada quando ele estava cansado, mas todas as outras funções intelectuais pareciam estar intactas."

"Em resumo", completou o dr. Howard, "não há nenhuma descoberta específica que o proibisse de se engajar em outras lutas. Existem evidências mínimas de alguma dificuldade com a fala e a memória e, talvez, num grau muito leve, com sua coordenação. Tudo isso é mais perceptível quando ele está cansado."

O relatório da Mayo levantou dúvidas. Quanta perda de memória e da fala um boxeador teria de sofrer antes que sua condição o proibisse de se engajar em outras lutas? Quanta perda de coordenação seria considerada excessiva? E como os médicos sabiam que alterações no *cavum septum pellucidum* de Ali — um espaço cheio de líquido no cérebro — não haviam sido causadas por um trauma cerebral? Esta última pergunta era a mais desconcertante, dado que os cientistas vinham dizendo, havia décadas, que o *cavum septum pellucidum* frequentemente ocorria entre pugilistas estupidificados (*punch-drunk*) pelo excesso de golpes na cabeça.

HUMPTY DUMPTY

Apesar das perguntas, a Comissão Atlética de Nevada concedeu a Ali uma licença para lutar.

Faltando um mês para a luta, Ali disse aos jornalistas que estava pesando "mais ou menos 102 quilos", após haver chegado a 113. Mesmo assim, parecia flácido. Deixara crescer um denso bigode — talvez para disfarçar um corte sofrido numa sessão de treino — e começara a tingir o cinza do cabelo.[35] Continuou treinando, muitas vezes com grandes multidões de fãs que iam vê-lo. No entanto, para Ali, o treino no ringue consistia, principalmente, em se inclinar para trás e receber os golpes dos *sparrings*. Ele trabalhava com lutadores mais jovens, menores, mais rápidos. Trabalhava com perfuradores maiores, mais fortes. Mas sua abordagem raramente variava. Ele deixava que o acertassem.

Tim Witherspoon, um sólido perfurador com boa técnica de boxe, tinha 22 anos quando Ali o contratou como *sparring* antes da luta com Holmes. Witherspoon estava empolgado com a perspectiva de entrar no ringue com seu ídolo.[36] Na primeira vez em que lutaram, no entanto, Witherspoon ficou chocado. "Notei que ele não era tão forte", disse. "Seus movimentos não eram como eu costumava ver na televisão." Amigos de longa data de Ali tranquilizaram Witherspoon: dê-lhe mais uma semana ou duas, você vai ver. Não é à toa que o chamam de o Maior. Observe! Witherspoon observou, mas não viu avanços.

Para ele, era como se um dilapidado impostor tivesse tomado o lugar de seu herói. Na verdade, foi pior do que isso. Foi assustador. "Quando estávamos no ringue, ele ficava me dizendo o tempo todo para dar socos na sua cabeça. Eu estava dando socos na cabeça, mas era demasiado fácil, e notei que ele não estava melhorando, então eu não batia com o punho todo. Eu batia como se fosse um tapa. Mas ele ficava puto comigo se eu não batesse na cabeça. E assim continuou. Era cada vez mais fácil acertá-lo. E ele não estava ficando mais forte [...] Senti que havia algo errado com ele."[37]

Witherspoon não foi o único a perceber.

No verão de 1980, os jornais exibiam manchetes como esta do *Capital Times*, de Madison, Wisconsin: "Ali Mostra Alguns Sinais de Danos Cerebrais."[38]

594 MUHAMMAD ALI

"Ele é apenas uma casca",[39] disse Billy Prezant, um treinador veterano, depois de ver o treino de Ali.

"Já não dá para juntar novamente os pedaços de Humpty Dumpty",* disse Teddy Brenner, do Madison Square Garden.

"Ele está sendo atingido demais", disse Bundini Brown.

"Você não deveria ser atingido tanto assim por alguém", disse Dundee.

"Ele estava solitário", disse Veronica. "Ele precisava de um desafio."

Um *sparring* abriu um corte na ponte do nariz de Ali. Depois de rounds em que não havia feito nada além de ficar parado e levar socos, Ali tinha de se esforçar para respirar. Não estava movendo a cabeça. Não estava usando combinações. Não estava dançando. Ele apenas ficanva parado levando socos. A situação ficou tão ruim que Dundee começou a trapacear, gritando "tempo!" antes que os rounds da sessão de treino tivessem terminado.

Ali vinha perdendo peso, mas talvez não o suficiente. Cerca de três semanas antes da luta, enquanto treinava em Las Vegas, ele foi visitado pelo dr. Charles Williams, que fora o médico pessoal de Elijah Muhammad e se mantivera como médico de Herbert Muhammad. Williams havia examinado Ali uma vez antes — quando ele estava se preparando para a segunda luta contra Leon Spinks — e concluído que se sentia lento em consequência do hipotireoidismo, de acordo com uma entrevista de Williams ao escritor Thomas Hauser. "Eu corrigi o problema",[40] disse. "Não vou dizer como. Eu só tinha um ou dois dias para corrigi-lo. Vamos apenas dizer que eu corrigi o problema, e Ali derrotou Leon Spinks." Desta vez, enquanto Ali se preparava para lutar com Holmes, o dr. Williams lhe deu um medicamento para a tireoide e outro para a perda de peso.[41] A droga para perda de peso, Didrex, semelhante a uma anfetamina, era muitas vezes prescrita para obesidade. Ali começou a tomá-la como se fossem balinhas, feliz porque os comprimidos pareciam derreter a gordura e aumentar a sua energia.

Na manhã de 15 de setembro, o jornalista Pete Dexter estava no quarto de hotel de Las Vegas com Ali, que fez uma pausa na fita Betamax com

---

* Humpty Dumpty, personagem de uma cantiga infantil, é um ovo antropomórfico, com rosto, braços e pernas. Após se sentar em um muro, ele cai, não sendo possível recompô--lo. [*N. da T.*]

uma luta de Holmes e foi até o armário, onde mantinha uma balança e uma bandeja com trinta tipos diferentes de comprimidos.[42]

Ali pegou uns nove ou dez para tomar no café da manhã e, em seguida, espreitou pela janela a multidão, que estava à espera para ver um jovem chamado Gary Wells tentar saltar sobre a fonte do Caesars numa motocicleta, o mesmo salto que quase matara o piloto dublê Evel Knievel. Ali se afastou.

"Não quero ver ninguém ter a cabeça arrancada", disse. "Eles o encorajam, mas eu sei o que as pessoas querem ver quando assistem a algo assim."

Ali se olhou no espelho. Deitou-se na cama e seu massagista, Luis Sarria, fechou as cortinas.

"Tão certo quanto você ouve a minha voz", disse ele, não se sabia para quem, "você e eu morreremos."[43]

Uma hora depois, o jovem na motocicleta perdeu a rampa de aterrissagem e quase se matou ao colidir com uma parede de tijolos a quase 140 quilômetros por hora.[44]

Na semana da luta, Ali havia perdido a barriga. Mas também perdera muita massa muscular nas coxas, nos ombros e nos braços. No entanto, com o cabelo tingido de preto e já sem bigode, ele dava a impressão de ser um homem mais jovem. De fato, parecia tão bem que alguns dos céticos da imprensa perguntaram se haviam errado ao fazer pouco dele, como se já estivesse acabado. "Ele voltou aos 29",[45] celebrou Pat Putnam na *Sports Illustrated*, como se Ali, em sua sexagésima luta profissional, e depois de dois anos de inércia, pudesse realmente ter mais um truque para os fãs, uma última fórmula para chocar o mundo.

"Agora que perdi peso e estou em forma, sei que posso fazer isso",[46] disse Ali. "Cara, eu ganhei confiança."

Mas qualquer um que assistisse aos treinos de Ali saberia que a perda de peso era uma ilusão. Ele tinha de se esforçar até para bater no saco de pancada. Os *sparrings* se lançavam em direção a ele como se não houvesse ninguém para impedi-los.

"Ele não podia correr",[47] disse Gene Dibble, amigo de longa data de Ali. "Diabos, ele mal conseguia ficar acordado."

Por volta de um mês antes da luta, Veronica Ali estava confiante de que o marido derrotaria Holmes.[48] Ficara impressionada com seu condiciona-

596 MUHAMMAD ALI

mento, com seu físico, com sua atitude. Porém, depois dos medicamentos dados pelo dr. Williams, disse Veronica, Ali perdeu muito peso, e muito rapidamente. "Bingham e eu pensamos que aquilo fora de propósito", disse, anos mais tarde. "Talvez alguém tenha apostado contra ele e quisesse ter certeza de que perderia [...] Nós achamos que alguém sabotou aquela luta."

Dois dias antes do combate, Ali saiu para uma corrida matinal. Naquela semana, em Las Vegas, a temperatura nas madrugadas estava por volta de 21 graus Celsius — não era um tempo ideal para correr, mas também não tão terrível. Ainda assim, Ali se exauria rapidamente, incapaz de correr 1,5 km.[49] Dois dias antes da luta, após uma daquelas corridas, ele teve um desmaio na beira da estrada.[50] Foi levado para um hospital e recebeu tratamento para desidratação, de acordo com Larry Kolb, seu amigo e conselheiro.

Quando Kolb perguntou a Hebert Muhammad o que havia acontecido, Herbert disse: "Esse crioulo estúpido triplicou as doses."[51] Ainda assim, insistiu que Ali tinha de lutar contra Holmes; havia dinheiro demais em jogo, a luta não poderia ser cancelada.

No dia da luta, Tim Witherspoon disse ter ouvido os empresários de Ali discutindo se seria seguro deixá-lo entrar no ringue. Ele os ouviu usar as palavras "desidratação" e "tireoide".[52] Witherspoon tinha a própria forte opinião. Havia treinado com Ali durante meses. Testemunhara a condição de Ali passar de mal a um pouco melhor e, depois, a pior do que nunca. Tinha certeza de que Ali perderia. Mas não estava preocupado com a derrota; sua preocupação era que Ali morresse.

Momentos antes da luta, já com os calções, sapatos atados e as mãos enfaixadas, os membros do *entourage* aguardando nervosamente, Ali se esticou numa espreguiçadeira vermelha e cochilou. Logo em seguida, levantou-se e partiu para o ringue. A arena improvisada estava quente, lotada e embaçada pela fumaça dos cigarros. Ali arrastava os pés enquanto caminhava, ombros caídos. Não era a linguagem corporal geralmente associada a um desafiante em busca da coroa do boxe. Certamente não era a linguagem corporal de um homem preparado para se envolver num embate violento corpo a corpo. Uma vez no ringue, sob as luzes brilhantes, Ali se animou ligeiramente, incitando os fãs a vaiar seu adversário, fingindo que queria começar a batalha naquele

HUMPTY DUMPTY

exato momento, antes do gongo. Mas a representação não foi convincente. Na verdade, ele parecia embriagado.

"Eu sou o seu mestre!", gritou Ali para Holmes.

Holmes permaneceu rígido como uma estátua, olhar fixo.

Mais ou menos durante os dois primeiros minutos da luta, Holmes se aproximou cautelosamente, como se esperando para ver o plano de jogo de Ali. No entanto, Ali não revelou nenhum, nem tentou infligir dano, e Holmes atacou com aquele *jab* resoluto. Holmes jabeou e jabeou, e Ali não deu nenhuma resposta. Parecia não conseguir ficar fora do caminho, não conseguia revidar. Se seu cérebro estivesse dizendo ao corpo para fazer qualquer dessas coisas, o corpo não estava respondendo.

Após o primeiro round, ele despencou na banqueta, já esgotado.

"Ah, meu Deus", pensou consigo mesmo, como contaria mais tarde, "ainda faltam quatorze rounds."[53]

No segundo round, Ali acertou um soco. Um soco fraco. Ainda assim, ele era uma lenda, então a multidão o encorajou. "Ali! Ali!", gritavam. Ali respondeu, bloqueando mais golpes contra sua cara. Incapaz de lutar, tentou se exibir, apontando para o queixo e dizendo a Holmes para acertá-lo novamente. Holmes fez isso. De novo, e de novo.

A arena estava tão úmida que até os repórteres e fãs transpiravam, molhando as camisas. Enquanto o corpo de Holmes brilhava, nenhum suor brilhava no corpo de Ali. Tinha os olhos vidrados de um homem em estupor. Ele piscava, como se tentasse clarear a mente.

Após três rounds numa luta para a disputa do título de campeão, Ali parecia estar perdendo por omissão. Acertara somente cinco socos. Enquanto isso, Holmes continuava encaixando aqueles *jabs* desagradáveis. Toda vez que era atingido, Ali parecia surpreso, como se perguntasse de onde surgira aquele punho e por que não tentara sair do caminho.

Ainda assim, os fãs de Ali, bem como os jornalistas, esperavam. Tinham visto Ali começar lentamente em outras lutas. Tinham visto os truques que ele usava contra os adversários. Eles se agarravam à esperança.

No quinto round, finalmente, Ali saiu dançando, andando em círculos em torno do ringue. Mas não lançou nenhum soco enquanto dançava, e, quando a dança parou, não havia nada para fazer, a não ser receber mais socos.

598 MUHAMMAD ALI

Os olhos ficavam cada vez mais inchados e vermelhos conforme novos *jabs* encontravam seu rosto. Nos segundos finais do round, Holmes lançou uma série de esquerdas que feriram Ali seriamente. A contagem de socos após cinco rounds era chocante: 141 golpes acertados para Holmes, 12 para Ali.

"Ou você começa a golpear agora, ou eu vou parar a luta",[54] gritou Dundee para seu lutador.

"Não, não, não, não, não, não, não!", disse Ali.

A multidão começou a vaiar. Ali fora vaiado muitas vezes antes — insultado por sua personalidade abrasiva, por sua política, sua religião, suas palhaçadas —, mas nunca, em mais de um quarto de século de boxe competitivo, desdenharam dele por pura falta de habilidade. Ali não teve resposta — não para a multidão, nem para Holmes. Inclinou-se contra um tensor e latiu para Holmes, sua boca era a única coisa que funcionava: "Bate! Bate! Bate!"

No sétimo, Ali tentou novamente. Dançou um pouco. Tentou o *jab*, seu soco mais eficaz, mas descobriu que a luva já não viajava com a rapidez necessária para alcançar o alvo. Depois de 1 minuto e 15 segundos de dança e socos no ar, ele se exauriu. Foi o mais perto que chegaria, naquela noite, de ser um boxeador, mas não perto o suficiente. Era como se estivesse fazendo para audiências em todo o mundo uma demonstração dos efeitos do envelhecimento — ou, pior, dos danos cerebrais relacionados ao boxe.

Após o oitavo round, Ali sentou-se na banqueta, rosto inchado, ambos os olhos enegrecidos com hematomas. Bundini Brown inclinou-se, batendo no ombro de Ali, tentando fazer o seu melhor de sempre, chamando a atenção de Ali, enfurecendo-o, provocando-o, encontrando palavras para inspirá-lo. Ali continuou olhando para a frente, olhos parados, em silêncio, respirando com dificuldade através da boca aberta. Não deu nenhuma resposta. No outro *corner*, Holmes pediu conselhos ao seu treinador, mas não do tipo que os lutadores geralmente buscam no caos da batalha. Ele estava atingindo Ali à vontade. Era fácil demais. Receava machucar seriamente seu adversário. Agora ele perguntava ao seu staff se deveria recuar.

O treinador disse para ele lutar com mais força, para lutar com tanta força que o árbitro não tivesse escolha a não ser terminar a luta.

Quando começou o nono round, Ali parecia completamente indefeso.

HUMPTY DUMPTY

Holmes lançou um golpe de direita que amassou a mandíbula de Ali, seguido por um *uppercut*. O *uppercut* foi seguido por algo quase inédito no boxe, algo que chocou até os comentaristas grisalhos que haviam presenciado inúmeras centenas de homens atingidos por incontáveis milhares de golpes. Mas lá estava: um grito. O grande Muhammad Ali gritou — se de dor, medo ou choque, ninguém sabe. Mas ele gritou. Ele gritou, e tentou enrolar seu corpo como um punho fechado, encolhendo-se para se esconder de Holmes, parecendo uma indefesa vítima de assalto a quem só restava se cobrir e esperar que o agressor levasse tudo o que quisesse e o deixasse só. Muito tempo depois da luta, o grito foi o que os homens no seu *corner* e os homens na cabine da imprensa lembrariam.

Enquanto isso, Holmes continuava socando.

Após o nono round, Angelo Dundee ameaçou mais uma vez parar a luta. Ali não expressou nenhum protesto, mas se ergueu ao toque do gongo e foi ao encontro de Holmes. Holmes caiu sobre ele, rápido e duro: *jab, jab, jab, jab*, direita, *jab, jab*, um gancho nos rins, uma combinação, e então uma enxurrada de socos que pareciam se emendar, sem começo e sem fim, deixando Ali impotente, mas ainda de pé.

Durante a maior parte da luta, Herbert Muhammad ficara sentado ao lado do ringue com a cabeça baixa, incapaz de assistir, mas, ainda assim, não querendo parar aquilo, enquanto Holmes acertava 340 socos contra os 42 de Ali.[55] Após o décimo assalto, finalmente, Herbert olhou para cima, fez contato visual com Dundee e assentiu com a cabeça. Dundee disse ao árbitro que estava encerrando.

Não mais.

Ali sentou-se na banqueta, olhos fechados, boca aberta, ombros caídos. Não falou nem se moveu.

Holmes estava chorando quando chegou ao *corner* de Ali. "Eu amo você",[56] disse ao lutador derrotado. "Eu realmente respeito você. Espero que sempre sejamos amigos."

Ali voltou para seu quarto no hotel, onde Gene Kilroy lhe perguntou se queria despir-se e tomar um banho.

"Não", disse Ali. "Só quero deitar e descansar um pouco."

Meia hora mais tarde, Holmes e seu irmão Jake bateram na porta de Ali.

"Você está bem, campeão?", perguntou Holmes. "Não queria ferir você."

"Então por que me feriu?", perguntou Ali, com um riso suave.

"Agora eu quero que me prometa uma coisa", disse Holmes. "Você nunca mais lutará."

Ali começou a cantar: "Eu quero o Holmes. Eu quero o Holmes. Eu quero o Holmes."

"Meu Deus", disse Holmes, rindo.

Algumas horas mais tarde, Ali retornou à arena vazia onde lutara na noite anterior e sentou-se para uma entrevista ao vivo.

Seu rosto era uma máscara cheia de calombos. Tinha olhos negros, mas usava óculos escuros para escondê-los. Abaixou a cabeça e suavemente esfregou a testa.

Perguntaram a ele, é claro, se pretendia lutar novamente.

"Pode ser que eu volte",[57] disse. "Quero pensar sobre isso, mas podemos voltar e tentar de novo [...] Esperar cerca de um mês, voltar ao ginásio, ver como me sinto."

52

O último hurra

Duas semanas após a luta, a Comissão Atlética de Nevada relatou que Ali havia falhado no exame antidoping após o combate. Uma amostra de urina revelou codeína e fenotiazinas — analgésicos e antidepressivos — no corpo de Ali.[1]

O boxeador alegou que havia tomado as drogas imediatamente depois de ser derrotado por Larry Holmes, para acelerar a recuperação. Mesmo que fosse verdade, no entanto, teria sido uma violação das regras da comissão, como Ali e sua equipe sem dúvida sabiam.

Em 29 de dezembro de 1980, a Comissão de Nevada começou uma audiência sobre a possibilidade de cassar a licença de Ali. Ele compareceu, mas, antes que a audiência começasse, voluntariamente entregou sua licença. Ao fazê-lo, seus advogados argumentaram, Ali não estava mais sujeito às regras de Nevada e não poderia ser punido.[2] Ele prometeu nunca mais pedir uma licença em Nevada, e a comissão, em troca, prometeu encerrar a audiência e não fazer perguntas adicionais sobre o uso de drogas para a tireoide antes da luta, o que Ali já havia admitido.

602 MUHAMMAD ALI

Se Nevada o tivesse forçado a se aposentar, outras comissões estaduais também poderiam ter retirado sua licença. "Teria sido um péssimo precedente",[3] disse o advogado Michael Phenner aos jornalistas.

Em retrospectiva, Ali nunca deveria ter tido permissão para lutar com Holmes, disse Sig Rogich, presidente da Comissão Atlética de Nevada na época da luta. "Nós fomos apressados demais",[4] disse Rogich anos mais tarde, numa entrevista. "Era um evento tão grande [...] As vendas eram tão imensas. Sempre tentei ser objetivo. Pensava que parte do nosso trabalho era promover nossa cidade, e queríamos mostrar que éramos a cidade perfeita para esses eventos."

As redes de televisão não cobriram a notícia de que Ali não havia passado no teste. A maior parte dos jornais publicou pequenas histórias, quase escondidas em suas seções de esportes. Ainda assim, foi humilhante para Ali. E as humilhações continuavam chegando. Como os socos de Larry Holmes, Ali podia vê-las, mas não podia detê-las.

O contrato de Ali estabelecia que ele tinha direito a 8 milhões de dólares pela luta com Holmes, mas Don King pagou apenas 6,83 milhões,[5] insistindo que Ali concordara, numa conversa antes da luta, em alterar o acordo. Na verdade, King havia pedido a Ali para alterar o contrato formalmente, mas Michael Phenner se recusara. King insistiu, no entanto, que Ali dera sua palavra.

Phenner ajuizou uma ação contra King, exigindo que ele pagasse a Ali o que faltava do montante, 1,2 milhão. King já ganhara milhões com uma luta que nunca deveria ter acontecido, uma luta em que Ali arriscara sua vida. Embora King deva ter sabido que perderia se o caso de Phenner chegasse ao tribunal, ele não estava preparado para desistir. "O dinheiro é rei, e King é dinheiro", como ele sempre dissera. Com isso em mente, o promotor colocou 50 mil dólares numa maleta e instruiu Jeremiah Shabazz a entregá-la a Ali. King disse a Shabazz para entregar o dinheiro a Ali somente depois de ele assinar uma carta liberando King "de todo e qualquer valor devido a mim, ou ao qual eu possa ter tido direito sob tal Acordo de Luta".[6]

Shabazz levou consigo um tabelião quando foi ver Ali em Los Angeles. O tabelião leu para Ali a carta de King e perguntou se ele havia en-

O ÚLTIMO HURRA

tendido o que estava assinando. Ali disse que sim. Pegou o dinheiro e assinou a carta, que não só permitia que King mantivesse os quase 1,2 milhão de dólares aos quais não tinha direito, mas também dava a ele a prerrogativa de promover o próximo combate de Ali, caso ele decidisse lutar novamente.

Quando Ali ligou para Phenner e contou o que havia acontecido, Phenner chorou.[7]

Era assim que as coisas acabariam para Muhammad Ali?

Alguns escritores compararam suas atribulações às de Joe Louis, um grande campeão que havia lutado por tempo demais, que acabou falido e parecendo uma ou duas décadas mais velho do que sua idade real. Mas o desempenho de Ali contra Holmes havia sido muito mais fraco do que qualquer coisa que Louis tivesse feito no ringue. Após a luta, jornais e revistas ao redor do mundo estamparam fotos de Ali na sua banqueta, cabeça rodando, olhos enegrecidos e meio fechados, rosto inchado, braços em volta das cordas. Mas, mesmo quando se aproximava de seu trigésimo nono aniversário, ele não conseguia se forçar a dizer que estava tudo acabado. Inventava desculpas. Todos aqueles comprimidos haviam minado sua força, disse. Seu velho amigo, o espelho, o decepcionara, pois lhe dissera que ele estava em boa forma. O espelho lhe dissera que ele era jovem e forte novamente. Da próxima vez, prometeu, não se deixaria enganar. Da próxima vez, ele se preocuparia mais com sua força e sua resistência, e não tanto com o peso. Da próxima vez...

"Em dois ou três anos", advertiu Ferdie Pacheco, "nós vamos ver o que a luta com Holmes fez ao seu cérebro e aos seus rins. Então, será a hora em que todo o tecido cicatrizado no cérebro continuará a corroer sua fala e seu equilíbrio [...] Ele já era um lutador danificado antes da luta, e agora estará ainda mais danificado [...] Ele se levantou numa coletiva de imprensa, no dia seguinte à luta, e disse que poderia vir a lutar com Weaver, isso é loucura. Não é publicidade, é parte da doença. Simplesmente não consegue pensar direito. As pessoas à sua volta precisam fazê-lo pensar direito. É aí que reside a responsabilidade."[8]

604 MUHAMMAD ALI

Mas a maioria das pessoas ao redor de Ali vacilava. Herbert Muhammad disse esperar que Ali nunca mais lutasse, mas prometeu apoiar o amigo se ele lutasse. Don King disse basicamente a mesma coisa. Enquanto houvesse dinheiro a ganhar, esses homens e outros não o rejeitariam.

Em 19 de janeiro de 1981, Ali estava em casa, em Los Angeles, quando Howard Bingham ligou e disse que havia um homem de pé sobre o parapeito da janela do nono andar de um prédio de escritórios, na Miracle Mile, ameaçando pular. Minutos mais tarde, Ali chegou em seu Rolls-Royce em dois tons de marrom, dirigindo na contramão. Lançou-se para dentro do prédio, inclinou-se para fora de uma janela e gritou para o homem: "Você é meu irmão! Eu te amo, e eu não poderia mentir para você!"[9] Numa foto tirada naquele momento, parece que o homem está prestes a cair quando tenta enxergar Ali, mas, depois de cerca de 30 minutos, Ali o convenceu a descer da janela. No dia seguinte, Ali visitou o homem no hospital e prometeu lhe comprar roupas e ajudá-lo a encontrar um emprego.

Três meses mais tarde, em 12 de abril, Joe Louis morreu de um ataque cardíaco em sua casa, em Las Vegas. Tinha 66 anos. Em seu obituário, o *New York Times* disse que Louis havia "mantido o título de campeão mundial dos pesos-pesados durante quase doze anos e o carinho do público norte-americano durante a maior parte de sua vida adulta".[10] Mas Louis havia sido mais do que um boxeador e mais do que um homem querido. Ele havia sido um dos homens negros mais influentes da história norte-americana. O mesmo poderia ser dito de Jack Johnson e Muhammad Ali. Eram três homens que haviam corrido riscos e absorvido dor, três homens sem medo de se mostrar de peito nu e deixar o público ver suas limitações e sua força, mostrando ao mundo que, num campo de violência e sofrimento, também existe a possibilidade de estilo e beleza.

Em 1967, Joe Louis e um ghostwriter haviam publicado um artigo na revista *The Ring* descrevendo como Louis teria lutado com Muhammad Ali, ou Cassius Clay, como Louis o chamava na época. Louis disse que ele teria forçado Ali para as cordas e descarregado golpes fortes. O campeão mais velho estava confiante na sua superioridade. Ainda assim, Louis expressou

O ÚLTIMO HURRA

admiração pelo homem que herdara sua coroa, e contou uma história encantadora sobre o jovem boxeador:

"Certa vez, aconteceu de eu estar andando na rua quando vi Clay gritando 'Eu sou o Maior!' para algumas pessoas na porta do Hotel Theresa, no Harlem. Quando me viu, Clay veio em minha direção e gritou para a multidão: 'Este é o Joe Louis. *NÓS* somos os maiores!'

"Aquilo foi legal. Cassius Clay é um bom rapaz e um lutador inteligente. Mas tenho certeza de que Joe Louis poderia ter derrotado ele pra valer."[11]

No outono de 1981, Ali anunciou que lutaria com Trevor Berbick em dezembro. "O Drama nas Bahamas", como ele chamou a luta que se realizaria em Nassau, nas Bahamas. Na verdade, havia pouco drama no embate entre Ali e o relativamente desconhecido e nada talentoso Berbick. O público estava cansado das encenações de Ali. Agora, porém, estava claro até mesmo para seus fãs mais leais que ele não pertencia mais ao ringue, e que se tornava cada vez mais doloroso ver Ali levando tantos golpes na cabeça. Sem dúvida, os fãs teriam gostado de ver um último vestígio de brilho nele. Mas valeria a pena? Seria mesmo possível? O que isso provaria?

Havia um turbilhão de perguntas em torno da saúde de Ali e de seu fracasso no teste antidoping. No início, não estava claro se receberia uma licença para lutar o que os promotores estavam chamando de "o último hurra". Mesmo depois de os contratos terem sido assinados, as redes de TV nos Estados Unidos hesitavam em transmitir o evento. Três semanas antes do combate, os ingressos ainda não estavam à venda.

Ali, que chegou às Bahamas pesando 113 quilos,[12] insistiu que não estava competindo pelo dinheiro nem pela atenção. Mesmo que isso fosse verdade, a sua motivação declarada dificilmente inspirava admiração. O objetivo, disse ele, era ser o primeiro homem a vencer quatro vezes o campeonato dos pesos-pesados. "Ninguém jamais fará isso cinco vezes, porque todos sabem tão bem quanto eu que as pessoas envelhecem muito rapidamente. Eu costumava correr 10 quilômetros por dia, e agora tenho de fazer um esforço para correr dois [...]. Nem mesmo Muhammad Ali poderia conquistar o título cinco vezes [...]. As pessoas me dizem para não lutar, mas elas enxergam apenas uma parte, enquanto eu enxergo o todo. Meu horizonte é maior que

606   MUHAMMAD ALI

o delas. Por que as pessoas vão à lua? Por que Martin Luther King disse que tinha um sonho? As pessoas precisam de desafios."[13]

Ciente das preocupações com sua saúde, Ali com frequência perguntava aos repórteres se pensavam que ele tinha uma lesão cerebral ou se estava enrolando as palavras. Ele também tomou a iniciativa incomum de liberar o relatório médico de um exame feito logo após sua luta contra Larry Holmes. O relatório de um endocrinologista no Centro Médico da UCLA dizia que Ali chegara ao hospital em 6 de outubro de 1980, quatro dias depois da derrota para Holmes, queixando-se de "letargia, fraqueza e falta de ar".[14] O relatório cobria quatro visitas ao hospital e dizia: "O paciente tendia a falar suavemente e a quase balbuciar as palavras, às vezes; mas, quando questionado sobre isso, era capaz de falar adequadamente, sem qualquer evidência de distúrbio da fala. Ele foi avaliado por um neurocirurgião e um neurologista, que acharam seu padrão de fala não patológico." Os médicos da UCLA disseram haver detectado apenas um outro problema em Ali: ele havia perdido o olfato,[15] um problema que pode ser resultado de danos aos bulbos olfatórios resultantes do boxe; os bulbos se situam abaixo dos lobos frontais do cérebro e transmitem informações do nariz para o cérebro.

Em Nassau, no início de uma manhã, Ali saiu para uma corrida. Eram 5 horas. Os galos cantavam. O sol apenas insinuava sua chegada sobre o Caribe. Ali correu mais ou menos 3 quilômetros, parou para caminhar um pouco e depois uma limusine o levou ao hotel. Suas sessões de treino eram igualmente nada inspiradoras, de acordo com repórteres presentes. Nos dias antes da luta, Ali recusou-se a subir numa balança;[16] não queria que ninguém soubesse quanto pesava.

Embora claramente não estivesse em ótimas condições, Ali permanecia confiante de que venceria Berbick, que tinha 27 anos, um cartel de 19 vitórias, 2 derrotas e 2 empates, incluindo uma derrota para Larry Holmes ao final de 15 rounds. Ali tinha certeza de que sua derrota para Holmes fora uma anomalia, o resultado de uma má combinação de drogas. Desta vez, ele prometeu "ferver e dançar"[17] a noite toda, ficar fora do alcance de Berbick, acumular pontos round a round e vencer por uma margem fácil. Estava tão confiante, de fato, que já começava a discutir seu próximo adversário.

"Berbick", disse ele a Red Smith, duas semanas antes da luta, "eu vou lidar com ele tão facilmente! Eu vou boxear melhor do que ele, vou desclassificá-lo e falar com ele. Dizem que tenho um dano cerebral, que não consigo mais falar. Como eu lhe pareço agora?"[18] Smith admitiu que ele se parecia com Muhammad Ali. "Meu próximo adversário será Mike Weaver. Ele desafiou o vencedor." E, depois de Weaver, disse, lutaria com Larry Holmes novamente. Depois de Holmes, disse ele a outro repórter, "vou defender o meu título algumas vezes, então vou me aposentar, ir pregar pelo mundo inteiro. O que há de errado se eu tentar isso? Alguma vez na vida você já viu tanta gente preocupada com um cara negro?".

Ele piscou um olho e perguntou ao repórter mais uma vez: "Eu pareço ter danos cerebrais?"[19]

Quatro dias antes da luta, Don King foi agredido em seu quarto de hotel,[20] ficando com o nariz e alguns dentes quebrados e um lábio rachado. King alegou que a agressão havia sido obra de um homem misterioso que estava promovendo a luta, Cornelius Jace, que também atendia pelos nomes de James Cornelius, Cornelium James e Jace Cornelius.[21] Ninguém sabia de onde saíra aquele Jace, embora em se tratando de Ali não fosse surpresa que sócios aparecessem e desaparecessem sem explicação.

Somente após a luta a mídia descobriu que Jace era um criminoso condenado que havia se declarado culpado, em 1975, de cinco acusações de roubo a uma revendedora de carros usados.[22] "Ele é um promotor",[23] disse Herbert Muhammad quando perguntaram sobre os antecedentes de Jace. "Ele promove alguma coisa, não sei o quê."

Jace estava emitindo notas de crédito, em vez de cheques, para as pessoas que ele havia prometido pagar. Os ânimos estavam esquentando. Ninguém havia tomado providências para que Trevor Berbick chegasse às Bahamas para a luta. A venda de ingressos era escassa, apesar de grandes reduções nos preços. A arena improvisada — um emaranhado de arquibancadas e cadeiras raquíticas arrumadas num estádio de beisebol — ainda estava em construção. Alguns dos lutadores menos conhecidos estavam ameaçando ir embora porque não haviam sido pagos. Até Ali parecia ter dúvida sobre se seu pagamento havia sido feito.[24] Dois dias

608   MUHAMMAD ALI

antes da luta, quando soube que um dos cheques de Jace fora recusado pelo banco, ele fez as malas e disse que estava indo embora. Só concordou em ficar, de acordo com Larry Kolb, depois que um grupo de empresários e funcionários do governo das Bahamas entregou a ele uma mala com 1 milhão de dólares em dinheiro vivo.[25]

A luta começou com atraso porque os organizadores não conseguiam encontrar as chaves para abrir os portões que cercavam o campo de beisebol onde a arena havia sido construída. Ali entrou no ringue com passos lentos e graves. Levantou os braços para receber os aplausos da pequena multidão enquanto aguardava a chegada de Berbick.

Jace havia esquecido de comprar luvas de boxe para o evento, o que significava que todos os lutadores no *card* naquela noite teriam de compartilhar os mesmos dois pares. Quando chegou a hora do evento principal, as luvas estavam pesadas de suor. Cornelius também não havia providenciado um gongo adequado para o ringue, obrigando o cronometrista a usar um cincerro e um martelo para sinalizar o início da luta final de Muhammad Ali.

Ali caminhou até o centro do ringue. Estava pesando 107 quilos, 9 a mais do que na luta contra Holmes. Havia prometido dançar durante dez rounds, mas imediatamente abandonou a ideia e não mostrou nenhum vestígio do lutador que antes havia eletrizado o esporte — nenhum rebuscado trabalho de pernas, nenhum *jab* língua-de-cobra, nem mesmo zombarias lançadas ao adversário. Ali simplesmente ficou no centro do ringue e tentou trocar socos com Berbick.

Berbick não era nenhum grande lutador, mas era mais forte, mais rápido e mais jovem que Ali, e mostrava isso. Os *jabs* de Ali não produziam nenhum som. Suas combinações eram demasiado lentas, sem eficácia. Ele lutou duro por alguns segundos e, em seguida, retirou-se para as cordas, onde Berbick bateu nele sem medo de retaliação, como uma unidade militar bombardeando uma posição abandonada pelo inimigo.

No final do terceiro round, um assalto em que fora atingido, mas não de forma terrivelmente dura, Ali pareceu perder o equilíbrio enquanto buscava a banqueta. No quarto round, Berbick bombardeou Ali com difíceis socos no queixo. Ali balançou, mas não caiu. Ele se recuperou e

O ÚLTIMO HURRA   609

conseguiu uma boa combinação; Berbick cobrou com outro sólido direito na mandíbula. Round após round, Ali se levantava lentamente da banqueta e voltava à luta. Round após round, ele estremecia com os golpes de Berbick em seu corpo. Por volta do sétimo, parecia completamente fatigado, incapaz de lutar por mais de alguns segundos de cada vez. Para iniciar o oitavo, ele saiu na ponta dos pés pela primeira vez, emocionando a multidão, provocando gritos de "Ali! Ali!". Mas o coro terminou quando ele parou de dançar e Berbick avançou novamente para atacar. No final do nono round, Ali fez uma pausa antes de ir para o seu *corner*. Apertou os olhos vidrados, como num esforço para enxergar Berbick e avaliar o tamanho e a força do adversário, comparando o corpo rijo do homem jovem com o seu próprio, não gostando da comparação.

No último round da última luta de sua carreira, Ali tentou invocar a magia da sua juventude. Ele saiu dançando. Foi uma dança pesada, lenta, mas era o melhor que podia fazer, e foi o suficiente para produzir um último grito de entusiasmo da multidão. "Ali! Ali!", gritavam eles, seus gritos significando encorajamento, ou pensamento mágico, ou reminiscência, ou despedida, ou todas essas coisas. Ali dançou e jabeou por cerca de 10 segundos. Depois disso, a multidão cessou o canto e Berbick retomou o ataque.

Agora, Berbick foi com tudo em cima de Ali, sufocando, espancando, batendo enquanto o empurrava de corda em corda. Ainda faltando 45 segundos para terminar a luta, Ali tentou um gancho de esquerda que parecia estar se movendo através da água, tamanha a lentidão da inofensiva viagem. Berbick o bloqueou facilmente e disparou um murro retumbante na cabeça de Ali.

Trinta segundos ainda, e Ali tenta roubar o round com uma saraivada final de golpes, como fizera tantas vezes contra seus maiores rivais: Joe Frazier, Ken Norton e George Foreman. Mas, desta vez, ele estava à beira de perder para um adversário inferior, um homem que todos supunham ser um alvo fácil, e ele precisava de uma última fração da sua magia ou de um último nocaute para evitar a derrota. Ali convocou seus braços à ação e armou um golpe. Ele tentou. Mas os socos nunca voaram. Ele não podia mais lutar, nada. Berbick se aproximou e lançou uma esquerda no queixo de

610 MUHAMMAD ALI

Ali, fazendo sua cabeça girar. Antes que pudesse se recuperar, uma direita esmagou o outro lado de seu rosto. Ali se retirou para as cordas, envolveu os braços em volta do pescoço de Berbick e escapou. Berbick o perseguiu, acertando outros fortes socos na cabeça. Agora, Ali estava indefeso. Inclinou-se mais uma vez contra as cordas, onde terminou sua carreira de boxe, com punhos voando em sua cara até que um chocalho de boi soasse para dizer que, finalmente, estava tudo acabado.

A decisão foi unânime. Ali perdeu.

No ringue, após a luta, Ali falou com um locutor de televisão, usando frases curtas, como se fosse muito esforço proferir mais do que poucas palavras de cada vez. Sua voz era tão suave e tão lenta que mal dava para entender.

"Foi por pouco, foi por pouco",[26] disse. "Eu tenho que me submeter aos juízes. Ele era forte. Ele era bom. Acho que ele ganhou... Eu via os golpes, mas não podia contê-los. Fui pego pelo tempo."

Perguntaram se sua carreira estava finalmente encerrada. Essa foi, de fato, sua última luta?

"A partir de agora", respondeu, "estou aposentado. Não creio que vá mudar de ideia."

No camarim, ele desabou sobre uma cadeira. Exceto por um pequeno hematoma sobre o olho esquerdo, não trazia nenhuma marca.

"Você não pode vencer o Pai Tempo",[27] disse, sua voz apenas um sussurro.

"Esta foi sua última luta?", um repórter perguntou novamente.

"Sim", disse ele, "minha última luta. Eu sei que é. Nunca mais lutarei."

E acrescentou: "Pelo menos não fui derrubado [...] Nenhuma foto minha no chão, nenhuma foto minha caído entre as cordas, nenhum dente quebrado, nenhum sangue. As pessoas do mundo me amarão mais agora, verão que eu sou como elas. Nós todos perdemos de vez em quando. Nós todos envelhecemos. Nós todos morremos."[28]

Quando se tornou claro que Ali estava realmente encerrando, membros de seu *entourage* quiseram fazer uma homenagem, pelo tempo que haviam passado juntos. Decidiram contribuir com dinheiro para uma placa que

O ÚLTIMO HURRA

ficaria na parte de fora do ginásio de madeira em Deer Lake, onde haviam compartilhado tantos bons momentos e tinham se juntado para formar a própria família, estranha e bela, tendo Ali como seu glorioso e refulgente líder.

Fizeram uma lista com os nomes em ordem alfabética: Howard Bingham, Bundini Brown, Angelo Dundee, Jimmy Ellis, Gene Kilroy...

O trabalho de comprar a placa foi atribuído a Bundini.

Ele encomendou uma lápide.

53

Excesso de murros

Num dia de novembro de 1982, um africano idoso e um garoto tocaram a campainha da grande casa branca de Ali em Hancock Park.

Larry Kolb, amigo de Ali, foi atender.

"Estamos aqui", disse o homem idoso, "porque, antes de eu morrer, gostaria de apresentar meu neto ao grande Muhammad Ali."[1]

Ali disse a Kolb para deixá-los entrar. O rapaz carregava um Big Mac num saco de papel: era para Ali. Muhammad abraçou o menino e fez um truque de mágica para ele. E comeu o Big Mac.

O idoso disse que tinham viajado desde a Tanzânia, indo primeiro a Chicago, em busca de Ali. Estavam em Los Angeles havia três dias.

"Hoje, encontramos você", disse ele, de acordo com Kolb. "Amanhã, podemos voltar para casa." Ali os alimentou e, em seguida, os conduziu em seu Rolls-Royce ao hotel barato em que estavam hospedados, perto do aeroporto. Ele os abraçou, os beijou e disse para irem com Deus.

Na volta para casa, Ali disse a Kolb que acreditava que cada pessoa na Terra tinha um anjo a vigiando o tempo todo. Ele o chamava de Anjo Registrador,[2] porque fazia um registro num livro toda vez que alguém fazia algo bom ou ruim. "Quando morremos", disse Ali, "se tivermos mais marcas

614   MUHAMMAD ALI

boas do que más, vamos para o paraíso. Se tivermos mais marcas ruins, vamos para o inferno." O inferno, disse, era como esmagar sua mão sobre uma frigideira quente e ficar ali, a carne fritando, por toda a eternidade.

"Fiz um monte de coisas ruins", disse a Kolb. "Tenho que continuar fazendo coisas boas agora. Quero ir para o paraíso."

Mais tarde, no mesmo mês, Ali sentou-se no vestiário do Centro Juvenil de Allen Park,[3] na parte norte de Miami, a uma curta distância do local onde derrotara Sonny Liston em 1964. Ele se espremeu num calção de boxe, e calçou e amarrou os sapatos, preparando-se para um treino, tentando entrar em forma para uma série de exibições pagas de boxe planejadas para os Emirados Árabes Unidos. O dinheiro arrecadado durante a viagem iria para a construção de uma mesquita em Chicago, disse. Um repórter perguntou quando estaria de volta. Ele balbuciou as palavras "se embolando como fazem as teias de aranha cheias de poeira",[4] como escreveu o jornalista.

"Estarei fora por seis semanas", disse, contando com os dedos. "Volto no dia 10 de novembro."

"Você quer dizer 10 de dezembro, não é?", perguntou o repórter.

"Sim", disse ele, levantando os olhos. "Dez de dezembro."

"Então, você vai ficar fora cerca de três semanas, não seis."

"Isso", disse ele, lentamente. "Vou estar fora três semanas."

Fazia um ano que Ali perdera para Trevor Berbick. Desde então, ele havia apenas brincado a respeito de um retorno. "Eu vou voltar...", gostava de dizer, fazendo uma pausa antes de acrescentar "... para minha casa, em Los Angeles."

Agora, disse, estava contente por poder viajar e arrecadar dinheiro para promover sua religião. Tinha vindo para a academia em North Miami para entrar em forma, perder alguns quilos, não com qualquer interesse em competir novamente, apenas para que ficasse razoavelmente bem quando fosse boxear em exibições.

"Minha vida só começou aos 40",[5] disse. "Todo o boxe que eu fiz era um treinamento para isso. Não estou aqui treinando para lutar. Vou a esses países em busca de doações. Quando chegar lá, vou parar toda a cidade. Você não ouve nada sobre Frazier, Foreman ou Norton, ou Holmes ou Cooney. Mas,

EXCESSO DE MURROS

quando eu chegar a essas cidades, haverá 3 milhões de pessoas no aeroporto. Eles estarão nos lados da estrada que vai para a cidade."

Com isso, ele desceu para o ginásio e subiu lentamente os pequenos degraus de madeira que levavam ao ringue. O gongo tocou. Ali se moveu em direção ao seu *sparring* e os socos desabaram sobre seu protetor de cabeça.[6]

Dois dias antes da entrevista de Ali no ginásio, um boxeador sul-coreano chamado Duk Koo Kim havia sido nocauteado e entrado em coma depois de uma luta longa e brutal com Ray "Boom Boom" Mancini. Logo depois, Kim morreu de edema cerebral (inchaço do cérebro). A morte levou comissões legislativas nos Estados Unidos a examinar a segurança do boxe. No final, pouco mudou. "O que a categoria do boxe pensa sobre a controvérsia?",[7] perguntou James J. Florio, um deputado federal de Nova Jersey. "Bem, a resposta é: não há uma categoria. Não é um sistema, é um não sistema, e está ficando pior."

Em 1983, alguns editoriais o *Journal of the American Medical Association* pediam a abolição do boxe. Em outros esportes, conforme um dos editoriais, o ferimento era um subproduto indesejado. Mas "o principal objetivo de uma luta de boxe é que um adversário deixe o outro ferido, indefeso, incapacitado, inconsciente".[8] Muhammad Ali, entrevistado na TV nacional, foi convidado a responder ao editorial. Ele parecia cansado e sem foco, sentado diante da lareira de sua casa em Los Angeles. Sua voz era suave e opaca. Quando alguém perguntou se era possível que ele tivesse sofrido danos cerebrais durante as lutas de boxe, ele respondeu fracamente: "É possível."[9]

Em 11 de abril de 1983, a *Sports Illustrated* publicou um relatório especial sobre lesões cerebrais no boxe, salientando que mortes no ringue sempre haviam motivado pedidos de reforma, mas pouca atenção fora dada às lesões crônicas do cérebro causadas por milhares de golpes recebidos ao longo de uma carreira. A revista apontou Ali como um caso exemplar, dizendo que o ex-campeão estava não só enrolando as palavras, mas também "mostrando-se deprimido ultimamente".[10]

Para alguns observadores, Ali parecia entediado e emocionalmente distante. Para se divertir, ele pegava seu caderno de telefone e discava para amigos famosos. Às vezes, contudo, ele fazia uma pausa no meio da conversa, pois se esquecera com quem estava falando.[11] A *Sports Illustrated* relatou que "muitos observadores" acreditavam que Ali já estivesse com *punch-drunk*, expressão usada para descrever um lutador com sintomas de lesões traumáticas crônicas.

A revista perguntou a Ali se ele concordaria em se submeter a uma série de testes neurológicos, incluindo uma tomografia axial computadorizada, uma ferramenta relativamente nova para os médicos na época, que era capaz de revelar atrofia cerebral. Ali se recusou a se submeter ao teste. Mas a revista obteve imagens do cérebro de Ali feitas durante um exame no Centro Médico da New York University, em julho de 1981, e as mostrou a médicos especialistas. O relatório do radiologista feito em 1981 havia considerado normal o cérebro de Ali, mas os médicos que reviram as imagens a pedido da revista estavam mais familiarizados com lesões cerebrais relacionadas ao boxe do que a maioria dos radiologistas, e discordaram da conclusão anterior. Eles viram sinais de significativa atrofia cerebral — e, especificamente, ventrículos aumentados e uma cavidade no septo pelúcido (*cavum septum pellucidum*) que não deveria estar lá.

"Eles interpretaram isto como algo normal?",[12] perguntou o dr. Ira Casson, um neurologista do Long Island Jewish Medical Center. "Eu não consideraria isto normal. Não vejo como se pode dizer que, num homem de 39 anos, estes ventrículos não são muito grandes. Seu terceiro ventrículo é grande. Os ventrículos laterais são grandes. Ele tem um *cavum* do septo pelúcido."

A Clínica Mayo vira algumas daquelas coisas, mas havia considerado que não estavam relacionadas ao boxe. Numa entrevista décadas mais tarde, o dr. Casson discordou fortemente daquela conclusão: "As imagens mostravam total consistência com danos cerebrais causados pelo boxe",[13] disse.

Embora estivesse acabado como lutador, Ali continuou viajando com muita frequência. Nunca se cansava de conhecer novas pessoas e ver novos lugares. Certa noite, no Japão, quando retornava ao quarto após jantar com seu amigo Larry Kolb, Ali parou diante da porta de Larry e observou o longo corredor. Naquele hotel, era costume que os hóspedes trocassem seus sapatos por chinelos ao entrar no quarto e deixassem os sapatos no corredor. Àquela

EXCESSO DE MURROS   617

hora, com a maioria dos hóspedes dormindo, havia sapatos na frente de cada
porta. Um olhar travesso cruzou o rosto de Ali.[14] Ele fez um sinal para Kolb.
Sem dizer uma palavra, os dois homens foram de porta em porta misturando
os sapatos. Quando terminaram, riram e se retiraram para seus quartos.

Em maio de 1983, Ali estava em Las Vegas, onde Don King lhe pagava
1.200 dólares para trocar ideias com fãs antes de uma luta de Larry Holmes.[15]
King sabia que Ali confraternizaria com os fãs o dia todo, até mesmo por
meros 1.200 dólares, pois fazia isso, sem nenhum pagamento, toda vez que
saía de casa. O ex-campeão deu autógrafos, executou truques de mágica
e encontrou Dave Kindred, um dos repórteres que vinham cobrindo sua
carreira desde os primeiros dias como lutador profissional. "Ele já era um
velho aos 41 anos",[16] escreveu Kindred.

Ali admitiu que estava preocupado com sua condição. Seus amigos e a
família também estavam preocupados. Vivia sonolento o tempo todo. Cam-
baleava quando andava e murmurava quando falava. Seu polegar esquerdo
tremia. Às vezes, ele babava.[17] De repente, sentiu-se como um velho, e queria
saber o que estava acontecendo.

Em outubro de 1983, Ali retornou à UCLA para novos testes. Desta vez,
era impossível ignorar os sinais de danos. Uma tomografia revelou um terceiro ventrículo aumentado, atrofia do tronco cerebral e um pronunciado
cavum do septo pelúcido. Testes neuropsicológicos indicaram que tinha
problemas para aprender coisas novas. Quando foi tratado com Sinemet,
uma droga para pacientes com doença de Parkinson, houve uma melhora
imediata de sua condição.

Em entrevistas, Ali insistia que não havia nada muito errado. "Levei cerca
de 175 mil socos pesados",[18] disse. "Acho que qualquer pessoa ficaria um
pouco afetada. Mas isso não me leva a ter danos cerebrais." Mesmo assim,
disse que queria descobrir por que seu corpo parecia que o estava traindo.[19]
Desde a luta contra Joe Frazier, em Manila, disse, vinha se sentindo "danificado", e estava ficando pior pouco a pouco.

Em setembro de 1984, Ali se internou no Columbia-Presbyterian Medical
Center de Nova York, onde passou vários dias fazendo testes. Ele foi recebido por um dos principais neurologistas do país, o dr. Stanley Fahn, que
disse que Ali exibia uma variedade de sintomas,[20] incluindo fala arrastada,

618 MUHAMMAD ALI

rigidez do pescoço e movimentos faciais lentos. "Ele estava um pouco lento em sua resposta às perguntas",[21] disse o dr. Fahn ao escritor Thomas Hauser, "mas não havia nenhum dado concreto para sugerir que sua inteligência estivesse em declínio."

Ali teve alta após cinco dias porque precisava viajar para a Alemanha. Quando voltou e foi readmitido, a notícia de sua internação se espalhou por todo o mundo. Floyd Patterson fez uma visita,[22] e o reverendo Jesse Jackson, que recentemente desistira de concorrer à presidência dos Estados Unidos, o visitou duas vezes. Ali dera seu endosso a Jackson nas primárias democratas, mas, nas eleições gerais, apoiou o candidato republicano, Ronald Reagan. Em 1970, quando era governador da Califórnia, Reagan havia impedido que Ali conseguisse uma licença de boxe, dizendo: "Esquece. Aquele desertor nunca lutará no meu estado." Quando Larry Kolb lembrou a Ali a declaração de Reagan, Ali respondeu prontamente: "Pelo menos ele não me chamou de *crioulo* desertor."[23] Ali pode ter achado que era um comentário divertido, mas Jesse Jackson e outros não acharam. "Ele não está pensando muito rápido atualmente",[24] disse Jackson depois que Ali endossou Reagan. "Ele está um pouco *punch-drunk*". O prefeito de Atlanta, Andrew Young, estava tão contrariado que providenciou um encontro com Ali, tentando, em vão, fazer com que mudasse de ideia a respeito do endosso a Reagan.

Kolb, amigo e empresário de Ali, ficou num quarto do hospital ao lado do de Ali para lhe fazer companhia e cuidar dos telefonemas. Veronica chegou logo depois. Todos os dias, Ali olhava pela janela do quarto, no sétimo andar,[25] e via os repórteres e fãs reunidos na calçada, até que resolveu se aventurar a sair para cumprimentar a multidão.

"Eu vi tantas pessoas esperando e pensando que eu estava morrendo",[26] disse ele aos repórteres, "então me vesti para ficar bonito e mostrar que não estou morrendo." Levantou o queixo e gritou: "Eu ainda sou o maior... de tooodos... os teeeeeempos!"

Durante a realização dos exames, o dr. Fahn falou aos repórteres numa coletiva de imprensa que os testes praticamente descartavam a doença de Parkinson como a causa dos sintomas de Ali. Em vez disso, Ali provavelmente sofria de síndrome de Parkinson — um conjunto de sintomas semelhantes aos encontrados em pessoas com a doença de Parkinson. O médico disse que

EXCESSO DE MURROS

Ali seria tratado com as drogas geralmente prescritas para pacientes com Parkinson: Sinemet e Symmetrel. A condição de Ali, acrescentou, "muito provavelmente"[27] se devia a golpes na cabeça durante sua carreira no boxe.

Só uma necropsia poderia dizer com certeza se o boxe havia danificado o cérebro de Ali, de acordo com o dr. Fahn. Uma pesquisa britânica sobre mais de duzentos pugilistas,[28] publicada antes do diagnóstico de Ali, havia constatado que cerca de 10% de todos os ex-lutadores haviam sofrido sintomas semelhantes aos dele. Em livros de neurologia, doença de Parkinson é listada como um mal degenerativo do cérebro. As células nervosas começam a morrer. À medida que morrem, o cérebro não produz dopamina suficiente, e a perda de dopamina leva a um passo encurtado, instável, à fala arrastada, à perda da expressão facial e a mãos trêmulas. Esses eram os mesmos sintomas que compunham a descrição do termo *punch-drunk* meio século antes, e os mesmos descritos pela *Sports Illustrated* no ano anterior em seu relatório especial sobre boxe e lesão cerebral.

Numa entrevista anos depois, o dr. Fahn disse que era possível que Ali estivesse afligido por esses sintomas já em 1975,[29] quando lutou com Joe Frazier em Manila, embora certamente o dano não tivesse sido causado por uma única luta. Ferdie Pacheco, tendo visto Ali lutar durante muitos anos, expressou basicamente a mesma opinião. Registros das atividades de boxe de Ali também ofereciam evidências para apoiar a teoria de Fahn. Nos primeiros anos de sua carreira, antes do período de três anos em que esteve proibido de lutar, Ali havia recebido uma média de 11,9 socos por round, de acordo com a análise da CompuBox. Em suas dez lutas finais, havia sido atingido, em média, 18,6 vezes por round. Os números não provam que Ali tenha sofrido dano cerebral, mas dão fortes indícios de que ele estava perdendo velocidade e reflexos, e que a causa pode ter sido algo além da idade.

"Minha suposição", disse Fahn, "é que sua condição física era o resultado de golpes repetidos na cabeça ao longo do tempo. Alguém poderia argumentar que a doença de Parkinson poderia e deveria ter sido reconhecida anteriormente, diante das mudanças em sua fala. Isso é especulativo. Se tivesse sido o caso, isso o teria mantido fora de suas últimas lutas e o livrado de danos posteriores. Já era bastante ruim ter algum dano, mas ser atingido na cabeça naqueles últimos anos pode ter piorado as lesões. Além

620 MUHAMMAD ALI

disso, como a doença de Parkinson causa, entre outras coisas, a lentidão de movimentos, podemos nos perguntar se as surras que Muhammad levou nas suas últimas lutas deveram-se ao fato de que estava sofrendo da doença de Parkinson e não podia se mover tão rapidamente no ringue como antes, ficando, assim, mais suscetível a ser atingido."[30]

A boa notícia, disse Fahn, era que Ali parecia tão esperto e inteligente como sempre.[31] Sua vida não estava ameaçada. E a medicação melhoraria alguns dos sintomas.

Os remédios de Ali mantiveram seus sintomas em xeque, mas ele nem sempre tomava as doses diárias.

"Eu sou preguiçoso e esqueço",[32] disse. Na verdade, as pílulas deixavam Ali tão nauseado que ele muitas vezes preferia suportar os sintomas.

Muhammad Ali continuou viajando, continuou a boxear em exibições ao redor do mundo, às vezes sem saber para onde iria no dia seguinte, mas confiando em Herbert Muhammad para guiá-lo. Seu ego, pelo menos, estava intacto. "Eu sou mais comemorado, tenho mais fãs, e acredito ser mais amado do que todos os superastros que esta nação produziu",[33] disse. "Nós temos um ditado: 'Aquele que Alá eleva ninguém pode rebaixar.' Eu acredito que fui elevado por Deus."

Mesmo com suas extensas viagens, agora Ali passava mais tempo em casa do que nunca, mas não se ajustava facilmente à vida doméstica. O *entourage* masculino havia sido sua família durante a maior parte de sua vida adulta, e ele parecia despreparado para a vida e as tarefas da paternidade, e talvez até desinteressado. Em vez de se acomodar com Veronica e as duas meninas — Hana, de 8 oito, e Laila, de 6 —, Ali entretinha um fluxo interminável de convidados em sua casa e aceitava cada convite de viagem como uma oportunidade para fugir do tédio. Laila disse que odiava entrar no estúdio do pai porque sempre havia gente demais — "conselheiros, amigos, fãs, parasitas".[34] Depois de anos vendo-o na TV, ela ansiava pela companhia do pai e não queria partilhá-lo com os estranhos à sua volta. Ali era como uma criança grande, e suas filhas o amavam. Ele as levava para o Big Boy e as deixava pedir "um jantar inteiro só de sobremesas". Escondia-se atrás das portas quando elas entravam e as perseguia pela casa usando máscaras assustadoras. Engolia todas as vitaminas

EXCESSO DE MURROS

infantis, para poupar as garotas. Gravava conversas com as filhas, dizendo-
-lhes que ficariam felizes um dia por ter um registro do tempo que haviam
passado com ele. Era imensamente divertido, mas, como Laila contou, não
fornecia o tipo de ambiente cálido, seguro e amoroso pelo qual ela ansiava.

"Nunca ouvi meus pais brigarem", ela escreveu nas suas memórias, "mas
seus quartos separados diziam tudo."[35]

No livro, ela se refere à sua casa de infância em Los Angeles como "a
mansão" e "a mansão do meu pai". Com exceção do Dia de Ação de Graças, não havia jantares em família. Empregadas domésticas e cozinheiras
mantinham as crianças vestidas e alimentadas. Laila não se impressionava
quando celebridades como Michael Jackson e John Travolta apareciam na
sala de estar. "Em vez disso, eu era atraída por outra família negra que morava na nossa rua",[36] escreveu ela. "Eles comiam juntos todas as noites [...]
Os pais definiam regras para as crianças e se certificavam de que fossem
obedecidas. Tudo isso me dava inveja. Eu ansiava por uma família assim."

Os filhos do primeiro casamento de Ali viam o pai duas ou três vezes
por ano. Jamillah, numa entrevista recente, disse que ela e suas irmãs,
Rasheda e May May, se davam bem com as meias-irmãs Hana e Laila. Ali
fez um bom trabalho para garantir que os filhos de Khalilah conhecessem
as filhas de Veronica. Quando Veronica e Muhammad estavam casados, as
crianças muitas vezes passavam os verões juntas na casa de Los Angeles.
Não era difícil compartilhar o pai com as meias-irmãs, disse Jamillah. "De
qualquer modo, tínhamos que partilhá-lo. Nós tivemos que compartilhá-lo
com o mundo."[37]

Os filhos ilegítimos de Ali desfrutavam menos tempo ainda com o pai.
Miya, filha de Ali com Patricia Harvell, disse que ele telefonava regularmente
e a convidava para ir a Los Angeles de vez em quando. Certa vez, disse ela,
quando as crianças na escola a estavam provocando porque não acreditavam
que ele fosse seu pai, Ali tomou um avião, levou-a à escola e falou para uma
assembleia de alunos, apresentando-se como pai de Miya e conversando
individualmente com algumas das crianças que duvidaram de sua filha.
"Nenhuma palavra pode explicar o que aquilo significou para mim",[38] disse.

Veronica também tinha de compartilhar Ali. Muitas vezes, permanecia
em seu quarto sentindo-se uma prisioneira na própria casa.[39] Ela não se

622 MUHAMMAD ALI

sentia à vontade para entrar na cozinha ou na sala de visitas, a menos que estivesse totalmente vestida, porque nunca sabia quem poderia estar lá. As pessoas achavam que sua timidez na verdade era frieza.

"Tornei-me insensível",[40] disse ela numa entrevista, anos depois. "Sim, fui muito ferida. Ferida demais."

Ali traiu Veronica durante todo o casamento. "Ele exibia uma mulher bem na minha cara",[41] recordou, "e mais tarde eu descobria que ele estava se enroscando com ela." Mesmo quando soube que Ali mantinha um relacionamento constante com Lonnie Williams, Veronica aceitou porque achava que o marido não estava realmente apaixonado pela outra mulher.

A segunda esposa de Ali, Khalilah (anteriormente conhecida como Belinda), também se mudou para Los Angeles no fim da década de 1970, o que complicou ainda mais as questões. Em 1979, Khalilah conseguiu um papel no filme *Síndrome da China*, estrelado por Jane Fonda e Jack Lemmon. Depois disso, no entanto, sua carreira de atriz naufragou, e ela torrou a maior parte do dinheiro que recebera no divórcio. Na década de 1980, ela estava trabalhando como faxineira no mesmo bairro de Los Angeles no qual viviam o ex-marido e sua nova família, e havia chegado ao ponto de vender seu plasma por 90 dólares por semana.[42]

Lonnie chegou a Los Angeles em meados da década de 1980. Era quinze anos mais jovem que Ali. Ela o conhecera em 1963, quando sua família se mudou para uma casa na Verona Way, em Louisville, diante da casa que Ali havia comprado para seus pais. Na época, Lonnie tinha 6 anos e usava trancinhas de cada lado da cabeça. Sua mãe, Marguerite Williams, tornou-se uma das mais queridas amigas de Odessa Clay. Ao longo dos anos, Ali levou cada uma de suas esposas a Louisville, e cada uma delas, Sonji, Khalilah e Veronica, jantou na mesa dos Williams.[43] Lonnie as via ir e vir. Em 1982, numa visita a Louisville, Ali convidou Lonnie para almoçar. Durante o almoço, ela ficou perturbada com a condição emocional e física de Ali. "Ele estava desalentado",[44] disse ela a Thomas Hauser. "Não era o Muhammad que eu conhecia." Em breve, ela e Veronica elaboraram um plano, de mútuo acordo: Lonnie se mudaria para Los Angeles para ajudar a cuidar de Ali. Em troca, Ali pagaria todas as suas despesas, incluindo a taxa de matrícula para fazer uma pós-graduação na UCLA.

EXCESSO DE MURROS 623

Ali não fez qualquer esforço para esconder o seu novo relacionamento da esposa e dos filhos. Na verdade, escreveu Laila, "às vezes ele nos levava quando ia visitar o apartamento dela em Westwood [...] Na época, eu não sabia de nada errado. Levei anos para perceber a inadequação de um homem casado apresentando os filhos a uma amiga especial como Lonnie".[45]

No verão de 1985, Veronica e Muhammad decidiram se divorciar. Ali disse aos advogados que ignorassem o acordo pré-nupcial, pois não queria ser mesquinho. Alguns dos amigos de Ali achavam que Veronica estava se divorciando porque ele estava doente, mas ela negou enfaticamente, dizendo acreditar que a condição do marido era estável e que ele iria desfrutar uma vida longa e ativa. Disse que ainda amava Ali, mas o deixava porque havia sido magoada vezes demais pelos casos com outras mulheres. "Ninguém pode fazer isso e esperar o amor da outra pessoa",[46] ela disse.

Em 19 de novembro de 1986, Ali se casou com Lonnie diante de um pequeno grupo de amigos e parentes em Louisville.[47] Os pais de Lonnie estavam lá, bem como Cash, Odessa e Rahaman.

Lonnie tinha 29 anos; Ali, 44. Ele estava recomeçando — não só no casamento, mas também em seu corpo. Durante toda a vida, seu corpo fizera tudo o que ele pedira. Havia sido bonito e forte quase além da medida. Como um jovem lutador, dançara e se desviara dos perigos, atingindo os adversários com tanta rapidez e contundência que parecia nunca correr riscos. Após o afastamento compulsório por três anos, perdera parte da velocidade, mas compensou isso com astúcia e força, fazendo George Foreman de bobo. Na fase final de sua carreira como boxeador, perdera o jogo de pernas, seus reflexos, as mãos rápidas, perdera tudo — exceto sua malícia e sua disposição de sofrer e suportar.

Agora, sendo abandonado pelo corpo, com a voz reduzida a um sussurro, os pés vacilantes, ele teria de se reinventar mais uma vez.

54

"Ele é humano, como nós"

As mãos de Ali tremiam. O rosto mascarava suas emoções. Sua voz era um sussurro nebuloso. Ele assentia com a cabeça em momentos inconvenientes. Não era um homem velho, mas às vezes parecia ser. Como havia feito no ringue nas últimas fases de sua carreira, Ali se adaptou; transformou fraquezas em vantagem.

Quando ficava entediado com uma entrevista ou uma reunião, fingia adormecer. Quando a pessoa que o havia entediado saía da sala, ele saltava da cadeira e cantava um verso da música dos The Platters: *Yes, I'm the great pretender!* (Sim, eu sou o grande fingidor.)

Também fingia dormir durante entrevistas. Com as câmeras filmando, ele agia como se estivesse sonhando com uma de suas lutas e começava a dar murros — lentamente, no início, depois mais rápido, e com mais força. Lonnie ou Howard Bingham entrava na brincadeira, dizendo ao estranho na sala para não acordar Ali do seu sonho. Então, Ali dava um soco que parava a poucos centímetros da face do entrevistador, abria os olhos e deixava claro que havia sido um show. Era uma maneira inteligente de entreter sem ter de falar e disfarçar a sua fadiga genuína, dando a impressão de que ele estava no controle — um tipo de *rope-a-dope* para os cansados e de meia-idade.

626 MUHAMMAD ALI

Apesar dos desafios físicos, Ali adorava viajar. O *entourage* já não existia, mas ele ainda tinha Lonnie, Bingham, Larry Kolb, Herbert Muhammad, um assistente de empresário chamado Abuwi Mahdi e outros que o acompanhavam. Participava de infames jantares para levantamento de fundos, comendo frangos borrachudos e sem nunca reclamar quando não conseguia dar duas garfadas consecutivas sem parar para um autógrafo ou posar para uma foto. Contava piadas e histórias antigas como se fossem novas. Promovia produtos. Levantava dinheiro para obras de caridade. Deixava que repórteres entrassem em sua casa e sentava-se com eles durante horas, vendo replays de suas antigas lutas, insistindo que se sentia bem e não tinha nenhum remorso. Ele recebia aplausos de pé apenas por entrar ou sair de um restaurante. Não importava aonde fosse, ele era a pessoa mais famosa na sala, e, mesmo em sua condição diminuída, fazia pulsos dispararem e deixava impressões duradouras.

Kolb lembrou-se de um momento em especial. Ali estava num jantar de gala beneficente em Nova York, sentado ao lado de Jersey Joe Walcott, o ex--campeão. Walcott estava com uns 70 anos na época, encarquilhado, minúsculo em comparação com Ali, e sem ser notado. Uma longa fila serpenteava até a cadeira de Ali, passando diante de Walcott, com dezenas de homens e mulheres esperando o autógrafo. Ali fez um sinal para Kolb e sussurrou em seu ouvido: "Larry, levante-se e vá dizer a cada uma dessas pessoas na fila que o homem sentado ao meu lado também foi um grande pugilista. O nome dele é Jersey Joe Walcott, e ele era o campeão mundial dos pesos-pesados. Diga às pessoas que, se quiserem meu autógrafo, têm de pedir primeiro o de Jersey Joe."[1]

Em 1985, Ali foi a Beirute com Kolb, Herbert Muhammad e outros, incluindo Robert Sensi, um agente da CIA apresentado a eles pelo então vice-presidente George W. H. Bush, de acordo com Kolb.[2] Eles estavam tentando obter a liberação de mais de quarenta reféns, incluindo quatro norte-americanos, mantidos no Líbano por extremistas muçulmanos. As notícias da época descreveram a missão como um fiasco, mas a viagem era mais complicada do que sabiam os jornalistas que cobriam a história. Liderados por Sensi, Ali e seu grupo voaram primeiro para Londres, onde Ali se encontrou com iranianos que se diziam próximos do líder supremo do Irã, o aiatolá Khomeini — que a Casa Branca

"ELE É HUMANO, COMO NÓS" 627

acreditava ser a mão oculta que controlava os sequestradores no Líbano. De Londres, disse Kolb, Ali falou por telefone com Khomeini — ou com alguém que disse ser Khomeini. Logo depois, foi libertado um refém norte-americano. Porém, quando Ali disse a um repórter que sua conversa com Khomeini havia resultado na liberação do refém, a missão norte-americana se viu num aperto. Assessores de Khomeini disseram a Ali que o Irã não tinha nada a ver com os reféns no Líbano, e sugeriram que ele fosse para o Líbano se realmente quisesse libertar mais cativos.[3]

Em Beirute, os norte-americanos foram levados, no meio da noite, para um esconderijo do Hezbollah, onde se encontraram com figuras sombrias que apresentaram as condições para liberar mais reféns.[4] Nenhum outro prisioneiro foi libertado. Da sua suíte no Hotel Summerland à beira-mar, e das mesquitas e escolas que visitou, Ali ouvia os disparos diários de foguetes, as balas voando e as explosões. No papel timbrado da Middle East Airlines ele escreveu uma carta a seu velho amigo Gene Kilroy, que havia deixado o trabalho como facilitador de Ali e virado anfitrião de um cassino de Las Vegas, dando aos convidados VIPs o mesmo cuidado que dera a Ali durante muito tempo. A carta estava datada de 20 de fevereiro de 1985, e dizia:

Querido Gene

Estou acabando de sair do Líbano para Zurique, e queria te deixar uma nota.

Quando a gente ouve bombas explodindo ao nosso redor, isso nos faz pensar no quanto a gente gosta de estar com as pessoas que são importantes para nós.

Espero ver você em breve, mas, enquanto isso, quero que saiba que aprecio a sua lealdade ao longo dos anos.

Com amor
Muhammad Ali
Seu "Boy"[5]

Ele desenhou uma carinha sorridente ao lado da palavra "Boy".

628   MUHAMMAD ALI

• • •

Mesmo enquanto Ali continuava a viajar, sua condição piorava. As mãos ficaram mais trêmulas, a voz mais fraca, o caminhar mais desajeitado. Antes, ele sempre havia sido muito rápido, muito inteligente; agora, escândalos e tristezas o afetavam.

No início de década de 1980, ele começou a trabalhar com um advogado chamado Richard M. Hirschfeld. Ali não sabia onde ou quando havia conhecido o homem,[6] ou que tipo de advocacia ele praticava, mas não importava, porque Hirschfeld sempre parecia ter muita grana e um monte de ideias para fazer dinheiro. Em parceria com Herbert Muhammad e Ali, Hirschfeld lançou a Champion Sports Management, com planos de treinar e promover pugilistas no campo de treinamento de Ali em Deer Lake, bem como em outro local na Virgínia. Mas isso não era tudo. Através de outras empresas, os homens planejavam investir num hotel de luxo, numa empresa automotiva brasileira, numa refinaria de petróleo sudanesa e numa vacina contra herpes produzida na Alemanha Ocidental. Hirschfeld prometeu que os tornaria ricos.

Se Ali ou Herbert Muhammad tivesse verificado os antecedentes de Hirschfeld, poderia ter mantido distância. Ele já havia sido acusado uma vez de fraude no mercado de ações. Em 1984, logo após entrar na parceria com Ali, Hirschfeld mais uma vez tornou-se alvo da Securities and Exchange Commission, que o obrigou a fechar a Champion Sports Management. Gene Kilroy advertiu que Hirschfeld era "um cara mau",[7] um dos piores por aí, mas Ali continuou a fazer negócios com ele.

O ex-boxeador alugou um escritório no Wilshire Boulevard. A única mobília do lugar era um telefone. Sem mesa. Sem cadeiras. Sem fotos. Nada. Ali dirigia seu Rolls-Royce até o escritório, olhava pela janela, deitava-se no chão e, às vezes, dormia. Disse a um de seus amigos que ficava imaginando se o mundo saberia onde ele estava.[8]

Ali pagava o miserável quarto de hotel no centro de Los Angeles onde Drew Bundini Brown havia se hospedado para beber até morrer. No outono de 1987, aos 57 anos de idade, Bundini caiu e sofreu graves lesões na cabeça e no pescoço. Ali o visitou um dia no hospital.

"ELE É HUMANO, COMO NÓS" 629

"Eu... lamento... tanto... campeão", disse Bundini, olhando de sua cama.

"Silêncio, Drew",[9] disse Ali.

Os homens se deram as mãos.

Ali pegou uma toalha.

"Minha vez de enxugar seu suor", disse.

Ali disse a Bundini que em breve estaria no céu com Deus, ou o Baixinho, como Bundini chamava o Todo-poderoso. "E, um dia, eu também", disse ele.

Bundini não deu nenhuma resposta.

"Ei, Bundini", Ali tentou novamente. "Flutuar como uma borboleta, picar como uma abelha! Agite, jovem, agite!"

Ele disse isso suavemente, não como costumavam fazer quando eram jovens e desafiadores, mas com um sentimento de nostalgia, com amor. Ali concluiu com um longo "Aaaahhhh", suavemente.

Bundini sorriu.

Ali o beijou na testa.

Passada uma semana, Bundini se foi.

No outono de 1987, após a morte de Bundini, Ali fez uma visita de cortesia ao Paquistão, onde visitou mesquitas, santuários, escolas, hospitais, orfanatos e escritórios do governo. Ele acreditava que essas visitas eram uma parte importante da sua observância religiosa, que os atos de caridade eram um meio de purificar a alma e ficar cada vez mais perto de Alá.

Durante a década de 1980, até o início dos anos 1990, ele viajou centenas de milhares de quilômetros todos os anos. Em suas viagens, distribuiu incontáveis panfletos religiosos autografados. Carregava-os em enormes pastas, uma em cada braço, às vezes durante horas por dia. Isso o mantinha forte, dizia. Mas o exercício era apenas um benefício colateral. Ele sentia ter o dever de explicar o Islã aos norte-americanos, bem como de explicar a América aos muçulmanos.

Ele vencera o medo de voar, o suficiente para que às vezes não se preocupasse em usar o cinto de segurança. Certa vez, quando uma comissária de bordo pediu que afivelasse o cinto, Ali respondeu: "O Super-Homem não precisa de cinto de segurança." Ao que a comissária respondeu: "O Super-Homem não precisa de *avião*!"[10] Ali adorou que ela zombasse dele, e muitas vezes repetia o diálogo quando viajava com amigos.

630 MUHAMMAD ALI

Ali disse que gostava da aposentadoria mais do que havia gostado da vida como pugilista. Já não precisava acordar às 5 da manhã para se exercitar. Já não precisava receber golpes de homens grandes e fortes. Agora, tudo que tinha a fazer era saborear o amor de seus fãs. Aonde quer que fosse, as pessoas gritavam seu nome — "Muhammad Ali Clay", chamavam-no no Oriente, para diferenciá-lo dos muitos Muhammad Ali que viviam em países muçulmanos. As pessoas jogavam flores quando seu carro passava e colocavam guirlandas em torno de seu pescoço. Dignitários o presenteavam com mimos caros, que Ali com frequência deixava para trás, para as equipes de limpeza do hotel. Tarde da noite, quando não conseguia dormir, ia bater à porta de um dos seus companheiros de viagem e passava horas falando sobre seus temas favoritos: religião, poder, dinheiro e sexo. "Se eu ganhasse um dólar de cada um que me ama",[11] dizia ele algumas vezes, "eu seria um bilionário." Ele raramente falava sobre boxe e, surpreendentemente, quase não se gabava de nada. "Era um tipo obstinadamente ensolarado", disse Kolb. "Ele fazia você se sentir seguro... No fundo, ele era um dos caras mais humildes que já conheci."

No Paquistão, enquanto sua Mercedes com motorista passava por aldeia após aldeia, Ali não conseguia ficar em seu lugar, tal como não havia conseguido permanecer sentado em seu carrinho de bebê e como não havia conseguido tolerar a viagem no ônibus da escola junto com as outras crianças do Colégio Central em Louisville. Embora mantivesse a janela aberta e acenasse para os passantes, a maioria das pessoas em caminhões e ônibus não podia vê-lo, então ele se enfiava pela janela, sentava-se na beira da porta do carro, com grande parte do corpo do lado de fora,[12] para que quase todo mundo tivesse um vislumbre de sua imagem quando ele passasse.

Um dia, uma banda militar, toda vestida de branco, homenageou Ali com uma versão instrumental de "*Super-Homem Negro*".[13] Ele ouvia a música em todos os lugares a que ia no mundo árabe.[14] Em Khyber Pass, na fronteira entre Paquistão e Afeganistão, Ali felicitou os afegãos por lutarem contra a intervenção soviética em seu país e prometeu seu apoio ao povo.[15] Naquela noite, depois de uma viagem de uma hora por uma estrada entre montanhas, ele falou novamente, desta vez em um auditório decrépito em Peshawar. Sua voz estava arrastada, mas era facilmente compreensível. "Muitas pessoas na

"ELE É HUMANO, COMO NÓS" 631

América não sabem nada sobre os muçulmanos", disse. "Muitas pessoas na América não sabem nada sobre o profeta Maomé. A América é um país grande. A América é um país lindo. Todos os povos, todas as raças e religiões estão na América, mas a estrutura de poder e a mídia apresentam uma imagem ruim dos muçulmanos. Sempre que muçulmanos são mencionados, as pessoas pensam em guerrilhas palestinas, sempre que muçulmanos são mencionados, pensam em Khomeini, pensam no coronel Kadhafi e no que ele possa fazer que elas considerem atos rebeldes. Minha luta no ringue de boxe era apenas para me tornar popular. Eu nunca gostei de boxe. Eu nunca gostei de ferir pessoas, derrubar pessoas. Mas este mundo só reconhece poder, riqueza e fama — de acordo com suas ações. E, depois de eu ouvir a poderosa mensagem do Islã e de ver a bela unidade dos muçulmanos, depois de ver como as crianças são educadas, depois de ver os rituais de oração, depois de ver o modo como comemos, como nos vestimos, toda a atitude do Islã, tudo tão belo —, achei que isso era algo que mais pessoas precisavam conhecer, algo que mais pessoas aceitariam e adotariam se realmente entendessem. Seja alguém negro ou branco, vermelho, amarelo ou marrom, cristão, judeu, hindu, budista ou ateu, se ele ouvir o Islã, ler o Alcorão, ouvir a verdade sobre Maomé, terá de ser afetado, de uma forma ou de outra."[16]

Larry Kolb havia encomendado um vídeo cobrindo a visita de uma semana de Ali ao Paquistão. No vídeo, durante o discurso que ele fez em Peshawar, sentado em meio a um mar de homens vestindo roupas tradicionais afegãs e paquistanesas, um homem magro, com uma longa barba, se destaca.[17] Ele está usando um *thobe* árabe com um *ghutra* branco na cabeça. Está sentado na penúltima fila no fundo do auditório, ouvindo Ali falar. Parece ser Osama bin Laden, que vivia em Peshawar na época. Depois que bin Laden se tornou o principal suspeito dos ataques terroristas de 11 de setembro de 2001 contra os Estados Unidos, Kolb disse que forneceu a fita de vídeo a especialistas da comunidade de inteligência norte-americana, e lhe disseram que, muito provavelmente, o homem era de fato bin Laden.[18]

Por volta do final da década de 1980, Lonnie e Muhammad se mudaram de Los Angeles para a fazenda de Ali em Berrien Springs, Michigan, um lugar que havia pertencido a Al Capone, de acordo com a lenda local. Ali celebrou seus 46 anos com uma festa em Nova York que teve a presença de dezenas de celebridades, incluindo Don King e Donald Trump.[19] Ali ainda amava rever seus velhos amigos, adorava falar dos velhos tempos. Não era das lutas que ele gostava de lembrar; era das memórias periféricas das lutas, as amizades que havia feito. Seus olhos se iluminavam e ele ria como um menino falando com seu irmão ou Jimmy Ellis sobre as viagens de uma noite inteira entre Louisville e Miami, recordando como haviam lutado com o rádio do carro para encontrar sua estação favorita de Atlanta e cantar os sucessos do Motown da década de 1960. Ele não se gabava como antes, mas sua felicidade nunca foi posta em dúvida.

"Eu tenho síndrome de Parkinson",[20] disse ele ao jornalista Peter Tauber. "Não sinto nenhuma dor. Uma ligeira dificuldade na minha fala, um pequeno tremor. Nada grave. Se estivesse em perfeita saúde — se tivesse vencido meus dois últimos combates —, se eu não tivesse nenhum problema, as pessoas teriam medo de mim. Agora, sentem pena. Elas pensavam que eu era o Super-Homem. Agora podem dizer: 'Ele é humano, como nós. Ele tem problemas.'" Se pudesse escolher, disse, faria tudo de novo.

Ele continuava a ser notícia, mas nem sempre boas; era o tipo de notícia feita por seres humanos. Em 1988, Dave Kindred, que agora era repórter do *Atlanta Journal-Constitution*, escreveu uma história que teria parecido absurda caso envolvesse qualquer um que não fosse Ali. Alguém cuja voz era muito parecida com a do ex-campeão vinha telefonando para políticos, jornalistas e funcionários do Congresso falando sobre política e fazendo lobby para a aprovação de leis. Quando Kindred recebeu uma dessas ligações, soube, imediatamente, que havia algo errado. A voz parecia a de Ali, mas Kindred suspeitou de uma imitação. Depois de escrever sobre ele durante 21 anos, Kindred sabia que Ali geralmente falava o tempo todo, raramente escutando o que os repórteres tinham a dizer. Mas o Ali que ligou para ele em 1988 manteve um "diálogo agradável"[21] e usou palavras como "falacioso" e "despossuídos", que normalmente não faziam parte do vocabulário de Ali. Não apenas isso, mas a fala arrastada havia desaparecido. Ele parecia afiado como sempre.

Não demorou muito para Kindred resolver o mistério. Ali começara a visitar senadores em seus escritórios em Washington, cinco ao todo. Todas

"ELE É HUMANO, COMO NÓS" 633

as vezes, o ex-boxeador ficou em silêncio, enquanto o advogado dele, Richard Hirschfeld, falava. Em 1971, quando a Suprema Corte reverteu a condenação por evasão, Ali foi consultado sobre se pretendia processar o governo por danos. Respondera que não, que o Ministério Público havia apenas feito o que pensava estar certo. Mas, em nome de Ali, Hirschfeld entrou com uma ação contra o governo federal em 1984, demandando 50 milhões de dólares em danos resultantes de seus ganhos perdidos. Quando o caso foi encerrado por haver expirado o prazo, Hirschfeld começou a fazer lobby no Congresso para conseguir uma legislação que desse a Ali uma segunda chance.

Kindred suspeitou de que era Hirschfeld imitando Ali ao telefone. O repórter perguntou a Ali se ele havia ligado para os senadores.

"Eu não telefonei para ninguém",[22] disse Ali. "Por que um muçulmano negro se meteria com políticos? Não me importo."

"Quem fez as chamadas?", perguntou Kindred.

Ali disse que não sabia.

Era Hirschfeld? Ele e Ali haviam sido praticamente inseparáveis. Estiveram envolvidos em uma longa lista de assuntos empresariais. E Hirschfeld divertira amigos durante anos com sua imitação de Ali.[23]

"Não posso imaginar Richie fazendo isso."

"Por que você foi ao Capitólio com ele?"

"Por causa dos senadores; Richie disse que queriam me ver."

Em determinado ponto, enquanto Kindred insistia em fazer perguntas, Ali o advertiu: "Você vai acabar sendo processado."

Kindred disse: "Só quero esclarecer a história."

Ali disse: "Aquele advogadozinho judeu vai processar você."[24]

As histórias que Kindred contou no *Journal-Constitution* descreviam uma fraude grosseira perpetrada por Hirschfeld na tentativa de extrair dinheiro do governo norte-americano. Mas Hirschfeld negou ter imitado Ali em chamadas telefônicas, insistindo que apenas treinou Ali sobre o que falar. Ali não foi acusado de qualquer crime, mas era difícil acreditar, lendo os artigos de Kindred e outra cobertura do escândalo, que fosse totalmente inocente. Larry Kolb, que era um dos empresários de Ali na época, disse que Ali e Herbert Muhammad sabiam exatamente o que Hirschfeld estava fazendo.[25] "Tenho certeza de que Muhammad estava por dentro daquilo",

634 MUHAMMAD ALI

disse Kolb. "Também sei que Muhammad não achava que estivesse fazendo alguma coisa errada." A seu ver, Ali acreditava que era apropriado deixar que o advogado falasse em seu nome. Ele nunca foi acusado de delito, e sua imagem pública sofreu apenas um ligeiro arranhão. Em dado momento, Hirschfeld acabou condenado por evasão fiscal e fraude com seguros. Passou oito anos como fugitivo do governo federal. Depois de sua captura, morreu na prisão, aparentemente por suicídio.

Alguns anos mais tarde, em 1989, Lonnie e Muhammad foram a Meca para a peregrinação do *hajj*. A experiência o tocou tão profundamente quanto havia tocado Malcolm X em 1964 e, em grande parte, como tocara incontáveis muçulmanos ao longo da história. "Foi uma jornada espiritual para nós dois",[26] lembrou Lonnie. "Ele estava feliz porque o *hajj* é um dos pilares do Islã que todo muçulmano deve fazer, se puder. Ficou espantado de ver milhares de muçulmanos que vinham de todo o mundo para fazer o *hajj* [...] Ele se maravilhava com o fato de que muçulmanos de todas as cores, de todo o mundo, estivessem reunidos em Meca. Encontrou e conheceu muitos homens, xeiques e outros, de imensa riqueza, que estavam vestidos com as mesmas roupas e suportando os mesmos desafios físicos do *hajj* como todos os outros. A riqueza não tinha nenhuma influência. Ele também ficou impressionado com o número de crianças que estavam fazendo *hajj* com os pais, algumas sendo levadas sobre os ombros. Muhammad usou o tempo para aprender mais sobre o significado do *hajj*, a vida do profeta Maomé e o Islã. Havia longas conversas à noite com aqueles que foram fazer o *hajj* conosco ou com quem Muhammad fizera amizade naquele dia. As pessoas ficavam muito felizes em ver Muhammad, mas permaneciam focadas na razão de estarem ali. Em outras palavras, elas não permitiam que sua afeição ou a proximidade física com Muhammad as distraísse de seus deveres religiosos. Muhammad continuou a falar sobre o *hajj* durante muitas semanas depois de voltar para casa. Estava muito feliz e aliviado por ter conseguido cumprir aquela obrigação antes de morrer."

A religião preenchia na vida de Ali uma grande parte do espaço que antes fora ocupado pelo boxe. "Quando Muhammad começou a ficar doente e

"ELE É HUMANO, COMO NÓS" 635

percebeu que já não era invulnerável", disse o escritor Thomas Hauser numa entrevista, anos mais tarde, "começou a ficar com medo. Isso fez com que ele passasse a levar sua religião mais a sério."[27]

Um dia, Ali foi contratado para se sentar a uma mesa e assinar autógrafos a fim de promover uma nova empresa de televisão — Classic Sports Network — durante uma convenção de TV a cabo em Nova Orleans. Seu salário era de 5 mil dólares por 4 horas.[28] Ali fez mais que assinar autógrafos. Posou para fotos e fez truques de mágica, e, como gastava muito tempo com cada um de seus fãs, a fila para conhecê-lo foi crescendo a perder de vista. Às 15h50, quando o tempo de Ali estava quase terminando, o homem que o havia contratado, Brian Bedol, começou a pedir desculpas às pessoas na fila, dizendo-lhes que o campeão teria de sair em 10 minutos. Bedol ouviu uma voz por trás dele. "Ei, chefe, o que você está fazendo?" Era Ali. "Essas pessoas estão aqui para *me* ver!"

E ficou mais 2 horas, até que todo mundo tivesse um autógrafo ou uma foto. Quando terminou, ele se juntou a Bedol e à sua equipe para o jantar — e insistiu em pagar a conta de 2 mil dólares.[29] Depois do jantar, convidou Bedol e os outros para ir a sua suíte no hotel, onde fez circular uma Bíblia e discutiu as contradições contidas nos textos. Havia 30 mil contradições na Bíblia, disse ele, e passou a oferecer exemplos. À medida que a noite se alongava, Bedol teve a impressão de que Ali ia mencionar cada uma, mas isso não aconteceu. O que ele estava tentando demonstrar era que o judaísmo, o cristianismo e o islamismo surgiram de um mesmo conjunto de crenças. Os muçulmanos, explicou, acreditavam que os livros sagrados judeus e cristãos eram divinamente revelados, mas tinham perdido sua integridade com as inúmeras revisões sofridas ao longo dos anos, e somente o Alcorão oferecia um relato perfeito e completo das palavras de Deus, como reveladas ao profeta Maomé. Depois da meia-noite, Ali parou de falar, empurrou para trás a cadeira, levantou-se e caminhou para o quarto. Passados 10 minutos, como ele não retornasse, Bedol e seus colegas olharam uns para os outros e saíram silenciosamente da suíte.

Numa entrevista após a aposentadoria, perguntaram a Ali de quem ele havia recebido mais ajuda em sua carreira. "Na minha carreira, em tudo..."[30] Então fez uma pausa e sorriu. "Alá. Todo o meu sucesso, toda a minha

636   MUHAMMAD ALI

proteção, toda a minha ousadia, todas as minhas vitórias, toda a minha coragem: tudo veio de Alá."

Em 8 de fevereiro de 1990, Cassius Marcellus Clay Sr. sofreu um ataque cardíaco no estacionamento de uma loja de departamentos de Louisville e morreu. Estava com 77 anos. A relação de Ali com o pai sempre havia sido complicada. Durante anos, Cash havia bebido demais e maltratado a esposa e os filhos. Mas, ao mesmo tempo, fora uma constante na vida de Ali — nunca longe de casa, sempre presente nas lutas ou frequentando o campo de treinamento de Ali e viajando o mundo como parte das aventuras do filho. Ele não havia sido um pai ideal, e anos mais tarde as funções de pai e filho às vezes pareciam estar invertidas, com Ali aproveitando oportunidades para mostrar ao pai quem estava realmente no comando. Após a notícia da morte, Ali disse aos repórteres: "Ele era um pai, um amigo, meu treinador e meu melhor companheiro."[31]

Em novembro de 1990, Ali viajou para o Iraque para se encontrar com o presidente Saddam Hussein na tentativa de conseguir a libertação de centenas de reféns norte-americanos. Ali ficou em silêncio durante a maior parte da reunião, mas, quando tudo acabou, Hussein libertou quinze norte--americanos e permitiu que voltassem para casa junto com o pugilista.

No ano seguinte, Ali fez uma turnê para promover sua nova biografia, escrita por Thomas Hauser com sua colaboração. O livro recolocou Ali no centro das atenções e começou o processo de inserir suas realizações no contexto histórico. Incluindo entrevistas com médicos a quem Ali dera permissão para falar abertamente, Hauser também chamava atenção para os danos que o boxe causara ao herói da sua história. Contudo, mesmo enquanto promovia o livro, Ali expressava ambivalência sobre sua biografia autorizada.

"Livros me fazem parecer um tolo",[32] disse a Robert Lipsyte, do *New York Times.*

Ao ser perguntado por Lipsyte se leria o livro, Ali lhe sussurrou ao ouvido: "Não deveria dizer isso. Nunca li um livro na minha vida."

E o Alcorão?, perguntou Lipsyte.

"Não do princípio ao fim. Algumas páginas eu li quarenta vezes."

"ELE É HUMANO, COMO NÓS" 637

Ali embalava um bebê enquanto falava com Lipsyte. Ele e Lonnie haviam acabado de adotar um menino, Asaad.

Enquanto falava com Lipsyte e segurava Asaad, Ali assistia a uma gravação de sua recente apresentação no *Today Show*, que havia feito para ajudar a vender o livro.

"Eu não devia ter feito isso",[33] disse, olhando as mãos trêmulas e o rosto rígido na tela. "Se eu fosse um fã, ficaria chocado."

Às vezes, Lonnie ficava triste com a relutância de Ali em aparecer na televisão por causa da frustração com sua aparência.[34] Ela sabia o quanto ele adorava a atenção do público. Agora, ela lhe garantia: "Você sabe que eu digo a verdade. Aquele homem está tremendo, mas ele pode ser compreendido."

"Aquele homem parece que está morrendo", disse Ali. O homem que sempre havia se chamado de lindo já não gostava do que via.

"Você estava bem", disse Lipsyte. "Você inspira outras pessoas que têm problemas."

Em Nova York, naquela mesma semana, Ali encontrou Chuck Wepner num evento de caridade. Wepner, que lutara bravamente contra Ali em 1975, ainda jurava que o derrubara com um golpe legítimo, enquanto Ali insistia que só caíra porque Wepner havia pisado em seu pé. A questão continuava um ponto sensível para Ali. Quando os homens se encontraram novamente, dezesseis anos mais tarde, Lipsyte e outros olhavam ansiosamente para ver como Ali reagiria. Reconheceria Wepner? Diria alguma coisa?

As preocupações de Lipsyte rapidamente se desfizeram. Ali e Wepner caminharam um em direção ao outro. Ali se aproximou de Wepner, inclinou--se e pisou no pé do ex-rival.[35]

55

Uma tocha

Eram 10h15 de uma manhã de sábado na primavera de 1994. Muhammad Ali e seu irmão Rahaman estavam tomando café na casa da mãe em Louisville quando a campainha tocou.[1] Odessa Clay, com um vestido caseiro florido e enfeitado com rendas, atendeu.

Na varanda estava um homem branco alto, forte, chamado Frank Sadlo. Odessa não via Frank havia anos, mas o reconheceu. Ele era o filho de Henry Sadlo, o primeiro advogado da família Clay. Na década de 1960, Odessa chamava Henry Sadlo quando o marido bebia demais e era jogado na cadeia. Henry fora o homem que ajudara o adolescente Cassius Jr. a recuperar sua carteira de motorista após muitas multas por excesso de velocidade. Fora o advogado que fez a revisão do primeiro contrato profissional de Cassius Jr. depois que o jovem boxeador retornou da Olimpíada de Roma com uma medalha de ouro. Logo depois, a família Clay substituiu Henry Sadlo por advogados de mais alto pedigree. Mas os Clay, ainda assim, sempre o haviam admirado e respeitado; fora um dos poucos homens brancos a demonstrar gentileza e respeito antes que a família fosse

640   MUHAMMAD ALI

tocada pela fama. Quando Frank tinha 5 anos, às vezes acompanhava o pai nas visitas à casa dos Clay. Cassius e Rudy levantavam os punhos e fingiam lutar com o garoto, mas, em vez de dizer "Eu vou *pegar* vocês!" o pequeno Frank gritava "Eu vou *pescar* vocês!".

Agora, Odessa olhava para Frank Sadlo, um homem adulto, tão grande quanto seus dois filhos, e a memória aflorou.

"Eu vou pescar você!", disse ela, com uma risada.

Frank inclinou-se para abraçar a sra. Clay.

Rahaman chegou à porta. Também abraçou Frank. Odessa convidou-o a entrar.

Frank seguiu Rahaman e Odessa até a cozinha, onde Muhammad estava sentado à mesa comendo uma tigela de cereais, a mão direita tremendo enquanto segurava a colher. Àquela altura, a vida de Ali havia perdido velocidade, tal como seu corpo. Já não lhe importava como os outros percebiam sua aparência e sua voz. Alguns amigos achavam que ele estava deprimido.

Odessa lembrou a Muhammad que Frank era filho de Henry Sadlo. Frank explicou que seu pai estava no Norton Hospital, no centro de Louisville, preparando-se para se submeter a uma cirurgia de coração — uma ponte de safena tripla e substituição de válvula. A probabilidade de sobrevivência era de 50%.

Antes mesmo de Frank fazer a pergunta — Muhammad estaria disposto a visitá-lo? —, Ali pousou a colher, apoiou-se com ambos os punhos sobre a mesa e conseguiu erguer-se da cadeira.

"Vamos",[2] disse.

No hospital, Ali e Henry Sadlo conversaram durante 45 minutos. Quando os médicos disseram que o paciente precisava descansar, Ali deixou a cabeceira de Henry, mas não saiu do hospital. Médicos e pessoas que visitavam os entes queridos foram em busca de Ali, como se ele fosse um médico ou um padre, perguntando se ele daria assistência a outros pacientes. Falaram-lhe de um homem em coma que estava se esvaindo rapidamente. Ali postou-se ao lado da cama do paciente na UTI e sussurrou em seu ouvido, e Frank Sadlo jurou que o homem em coma abriu os olhos. Durante a hora seguinte, Ali fez sua ronda, segurando as mãos de pacientes, fingindo lutar com

UMA TOCHA

enfermeiros nos corredores, flertando com as enfermeiras, fazendo truques de mágica para crianças.

Quando tudo estava acabado, quando Henry Sadlo havia se recuperado da cirurgia cardíaca e Ali saiu de Louisville, Frank começou a pensar: "Eu queria fazer algo legal para Muhammad",[3] disse. "O que ele fez, levantar-se do seu café da manhã, correr para o hospital para ver alguém... poucas pessoas fariam isso. E comecei a pensar: o que posso fazer por Muhammad?"

Logo após a visita de Sadlo à casa da família Clay, Odessa sofreu um derrame. Ali a visitou no hospital todos os dias, durante semanas. Muitas noites, dormia ao lado dela. Quando Odessa estava na UTI e doente demais para falar ou abrir os olhos, Ali esfregava suavemente o nariz dela e murmurava um monólogo.[4] "Eu te amo, Bird", disse ele. "Você está sentindo dor, Bird? Você vai se levantar?"

Ela morreu em 20 de agosto de 1994. Não muito tempo depois do funeral, Frank Sadlo ajudou Muhammad a esvaziar a casa da mãe. No porão, encontraram caixas cheias de lembranças da carreira de Ali. Sadlo e Ali sentaram-se juntos no chão e foram separando tudo. Ali ria quando contava histórias e decidia quais lembranças manter e de quais se desfazer. Sadlo escutava, ouvindo todo o traçado da vida de Ali: o filho de Odessa e Cash havia perdido sua bicicleta, havia começado a lutar boxe, ganhou uma medalha de ouro olímpica e seguiu adiante para encantar o mundo inteiro com seus dons atléticos, com o talento que herdara do pai e a delicadeza que viera de sua mãe. Enquanto Sadlo pensava sobre isso, uma parte da biografia de Ali se destacou: sua vitória nos Jogos Olímpicos de 1960. Ganhar a medalha de ouro em Roma havia sido uma virada decisiva em sua vida. Foi então que ele sentiu, pela primeira vez, o sabor da fama em alto grau e percebeu o potencial de uma vida amplamente vivida.

Para Sadlo, uma ideia começou a ganhar forma.

Os Jogos Olímpicos seriam realizados em Atlanta em 1996. Sadlo se perguntou se Muhammad poderia ser homenageado de alguma forma. Será que o Comitê Olímpico poderia oferecer a Ali uma nova medalha para substituir a que havia perdido? Será que o deixariam acender a tocha

642 MUHAMMAD ALI

que sinalizava o início dos jogos? Quanto mais Sadlo pensava sobre isso, mais animado ficava. Ali era um medalhista de ouro olímpico, um herói internacional, o maior atleta do século XX. Ele era um muçulmano neto de escravos, a personificação da diversidade. Ele era a América — grande, bonito, rápido, ruidoso, romântico, louco, impulsivo. Quem melhor para representar o seu país perante o mundo?

Contando com apenas selos de correio, telefone e o Oldsmobile Cutlass Supreme já com nove anos de uso, Sadlo começou a trabalhar. Ele tinha dois empregos: como assistente social e como garçom no Applebee. Mas não tinha esposa nem filhos, o que significava que dispunha de bastante tempo para dedicar ao projeto. Sadlo escreveu cartas ao Comitê Olímpico[5] e telefonou para o escritório do prefeito de Atlanta, Andrew Young. Um burocrata no Comitê dos Jogos Olímpicos de Atlanta, enfim, concordou com uma reunião, e Sadlo dirigiu até a Geórgia. Tinha receio de que os funcionários em Atlanta pensassem que era um maluco, "alguém que tinha um parafuso a menos",[6] então levou fotos dele com Muhammad para provar a sua conexão com o lendário atleta. Ele sabia que as chances eram mínimas, mas tentou, de qualquer modo. Fez dezenas de telefonemas, possivelmente centenas, e enviou dezenas de cartas. Numa noite de janeiro de 1995, ele convidou Ali para jantar e contou a ele sobre sua campanha. Ali sorriu e agradeceu.

Aquilo fez bem a Sadle. No mínimo, Ali saberia que ele havia tentado.

Uma semana antes do início dos Jogos Olímpicos, Sadlo tirou o assunto da cabeça. Seu trabalho havia sido feito. Nunca recebera uma resposta direta a qualquer uma de suas cartas ou chamadas. Nos dias anteriores ao início dos jogos, comentaristas de TV e jornalistas especulavam sobre quem poderia receber a honra de acender a tocha. A maioria das apostas ia para dois cidadãos de Atlanta: Hank Aaron, uma lenda do beisebol, e o pugilista Evander Holyfield. A escolha deveria ser um segredo mantido a sete chaves. Sadlo assumiu que nada havia resultado de seus esforços.

Então, por volta de 00h30 da madrugada de 16 de julho, três dias antes da cerimônia de abertura, Sadlo recebeu um telefonema estranho.[7] Era Howard Bingham, chamando de Los Angeles, para dizer que Muhammad e Lonnie queriam lhe agradecer pelo que ele havia feito. Foi só isso.

UMA TOCHA

Bingham não disse *o quê* Sadlo havia feito, só que Lonnie e Muhammad estavam gratos.

Na noite de sexta-feira, 19 de junho, Sadlo estava servindo mesas no Applebee em Clarksville, Indiana, e mantendo um olho nas televisões do restaurante quando a cerimônia de abertura dos Jogos Olímpicos encheu as telas. Oitenta mil pessoas entupiam um estádio em Atlanta. Em todo o mundo, centenas de milhões assistiam na televisão. Evander Holyfield carregou a tocha até o estádio e a entregou para Janet Evans, a nadadora medalhista de ouro, que a conduziu por uma longa rampa. Janet deveria entregar a tocha ao seu portador final, que acenderia a pira olímpica e sinalizaria o início oficial dos jogos.

Não havia ninguém à vista.

Então, vinda das sombras, surgiu uma figura grande, lenta, uma aparição toda vestida de branco.

Um grito estrondoso encheu o estádio. Começou com um "Uoooaaaa!" e se transformou em uma saudação emocionada, gutural, estrondosa. Todos gritavam "Ali! Ali!".

Sua mão direita segurava uma tocha apagada. A mão esquerda sacudia incontrolavelmente, uma cena chocante para aqueles que não o tinham visto nos últimos anos. Seu rosto não revelava nenhuma emoção. Quando Evans tocou com sua tocha a de Ali, a tocha de Ali pegou fogo. Ele ficou ereto e a ergueu. Câmeras e flashes espocaram. A multidão continuou a gritar. O braço esquerdo de Ali continuava a tremer, mas ele segurou firmemente a tocha com a mão direita.

Então ele a segurou com ambas as mãos, e o tremor parou. Seu rosto se crispou, concentrado, quando ele se abaixou para acender a mecha que iria ser levada por uma polia até o topo do estádio. Mas o pavio não pegou fogo, e a chama da tocha lambeu as mãos de Ali. Por um momento, parecia que Ali precisaria de ajuda, que ele poderia deixar a tocha cair ou, pior, incendiar as próprias roupas. A arena silenciou, como se 80 mil respirações tivessem sido contidas. Então, finalmente, o pavio pegou. A pira estava acesa. A multidão gritou novamente, em novo estrondo.

Eles o saudavam porque viam Ali como um rebelde novamente. Viam um homem que não tinha medo de mostrar sua fraqueza, um homem cujas

644 MUHAMMAD ALI

mãos trêmulas lembravam a todos o que ele dissera inúmeras vezes quando era jovem e cheio de vida, e aparentemente imortal: que não tinha medo da morte.

Para Frank Sadlo, a cena era pura alegria. Ele sabia o quanto Ali adorava ser o centro das atenções e o quanto sentia falta daquilo desde sua aposentadoria do boxe. Sadlo não se importava se seus esforços tinham alguma coisa a ver com a escolha do Comitê Olímpico. Ele sabia que era perfeitamente possível que seus telefonemas e suas cartas não tivessem nada a ver com isso, que alguma autoridade olímpica ou um executivo da televisão tivesse tido a ideia por conta própria. Isso não importava. O desejo de Sadlo se tornara realidade. E, enquanto estava ali, no Applebee, olhando para a TV, lutando contra as lágrimas,[8] ele expressou novamente um desejo — desejou que Ali desfrutasse aquele momento e toda a atenção que se seguiria.

Dois meses depois da cerimônia olímpica, Muhammad e Lonnie deram uma entrevista a um jornalista do *USA Today* na casa do casal em Michigan.

"Quando Ali acendeu a chama olímpica", disse a história resultante, "provocou o renascimento de um dos heróis atléticos mais mágicos e amados do planeta, e um homem que está sendo indicado por alguns para o Prêmio Nobel da Paz em reconhecimento aos seus esforços humanitários."[9]

"Desde os Jogos Olímpicos de Atlanta, o três vezes campeão dos pesos-pesados, agora com 54 anos, está sendo visto menos como uma vítima do boxe e da doença de Parkinson, e mais como uma inspiração para milhões de pessoas com dificuldades."

"Depois de anos fugindo da mídia porque sua doença neurológica o tornou autoconsciente, Ali reemergiu."

"Ele não só acendeu uma chama, como iluminou o caminho para outros — e, talvez, para si mesmo."

• • •

De repente, Ali era mais do que uma lenda esportiva que estava envelhecendo.

"Ele é meio real, meio lenda",[10] disse Seth Abraham, presidente da Time Warner Sports na época. "Sei que Paul Bunyan e o Boi Azul são figuras do folclore, não existem, mas são uma parte tão grande do que significa a América. Ele é quase Paul Bunyan [...] Muhammad Ali: terá existido realmente tal personagem?"

56

O longo Cadillac preto

Ali não tinha mais ninguém com quem lutar.

Durante a maior parte de sua vida adulta, ele estivera em guerra — com seus adversários no ringue, com repórteres que tentavam lhe dizer como se comportar, com o sistema político e econômico norte-americano, que relegava os norte-americanos negros ao mais baixo estrato social e econômico. Entre os pugilistas, Jack Johnson dera os primeiros golpes contra as noções norte-americanas de superioridade branca; Joe Louis viera em seguida, lançando golpes que demandavam integração e aceitação; e Muhammad Ali, durante um período de turbulência nacional, havia jabeado, dançado e arremetido, sem se preocupar se irritaria o homem branco, insistindo que a glória da América havia sido construída por costas negras espancadas, com a destruição de famílias negras e com o sufocamento de vozes negras, e que os norte-americanos negros nunca seriam verdadeiramente livres até que derrotassem inteiramente todo aquele sistema podre.

Agora, com a voz reduzida a não mais que um sussurro e sem ninguém a quem antagonizar, Ali estava quieto. Ele continuou a viajar, continuou a aceitar prêmios, continuou a executar determinadas rotinas simples, com

648   MUHAMMAD ALI

a participação de Lonnie e Howard Bingham. Fazia caretas quando Bingham o apresentava como Joe Frazier. Fazia um lenço desaparecer. Parecia levitar. Sentava-se ao piano com Bingham e tocavam "Heart and Soul".

As rotinas eram, em sua maioria, sem palavras. Mas, quanto menos Ali falava, mais doce e mais sagrado ele se tornava — pelo menos aos olhos da América branca. Agora, os empresários e as mulheres à sua volta eram pessoas respeitáveis. Ele vivia com Lonnie numa fazenda em Berrien Springs, Michigan, longe da mídia, longe das lutas de seu povo, longe do *entourage*, dos bajuladores, dos vigaristas, das mulheres, longe de tudo. Quando repórteres chegavam, ficavam impressionados por ele não ter vergonha de deixar o mundo ver suas mãos trêmulas e o caminhar desajeitado. Eles o descreviam como um homem em paz. Com sua voz suave e truques simples de mágica, Ali parecia encantador, especialmente em comparação com alguns dos grosseiros atletas profissionais que povoavam o mundo dos esportes na década de 1990.

Lonnie, que tinha um mestrado em Administração de Negócios, livrou-se de alguns dos empresários suspeitos que haviam grudado em seu marido. Ela encontrou advogados e executivos de marketing com novas ideias e negociou melhores acordos. Em 1999, uma imagem do jovem Ali apareceu na frente da caixa do cereal Wheaties, onde atletas de grandes realizações e bom caráter haviam sido homenageados durante gerações.

Ali, com a ajuda de Thomas Hauser, produziu um livro inspirador chamado *Cura: um diário de tolerância e compreensão*. O livro continha citações de figuras famosas, bem como espaços em branco para os leitores escreverem as próprias mensagens inspiradoras, refletindo sobre "tolerância, fraternidade e compreensão". Lonnie e sua equipe trabalharam para estabilizar as finanças de Ali e lustrar sua imagem. Ao longo do caminho, o golpeador revolucionário tornou-se um místico trôpego de rosto suave, benevolente e sábio.

Às vezes, a veneração tinha um tom espiritual.

"Cada vez mais, ele é como uma alma ambulante",[1] escreveu Frank Deford.

Hana, filha de Ali, escreveu um livro no qual chamava o pai de "um profeta, um mensageiro de Deus, um anjo".[2]

O LONGO CADILLAC PRETO   **649**

Escrevendo para a revista masculina *GQ*, Peter Richmond observou Ali enfiar na boca uma fatia de bolo de café com calda de framboesa, e proferiu: "Enquanto eu o via comer, não tive a menor dúvida de que estava vendo um homem no mais perfeito estado de contentamento interior. Superado, talvez, quando ele comeu o segundo pedaço."[3]

O mesmo jornalista compôs uma parábola sobre Ali:

"Durante décadas",[4] dizia, "Alá havia feito Muhammad Ali fazer o trabalho de Alá. Ali era o mais notável jovem negro que o país já vira, sem medo de enfrentar as mais poderosas instituições do homem branco, falando em nome do homem negro, sim, porém, mais ainda, em nome de Alá, de uma forma que Malcolm X e Elijah Muhammad nunca poderiam ter feito."

"Mas, quanto mais velho ficava o discípulo, mais ele começava a perder lutas para pessoas como Trevor Berbick. E, quanto mais perdia lutas, maior o risco de que caísse dentro do buraco negro no qual vivem todos os grandes atletas que tentaram aguentar tempo demais. Alá sabia que quanto mais Muhammad Ali se aproximasse da decadência final trazida pela doença, menos útil ele seria como um emissário de Alá na terra... Então, Alá concebeu um plano. A voz de Ali, que antes movera montanhas, seria golpeada por Alá e quedaria emudecida. Os punhos rápidos de Ali, que haviam se abatido sobre os adversários com precisão cirúrgica, seriam golpeados por Alá e se tornariam terrivelmente trêmulos, com tremores que o obrigariam a um grande esforço para segurar um pedaço de bolo..."

"E foi assim que Alá se certificou de que Muhammad Ali faria seu trabalho novamente. E multiplicado por dez. Pois, na enfermidade, Ali passou a significar muito mais do que fora antes."

Era uma noção questionável — que o Ali silencioso e em sofrimento significava mais para o mundo do que o jovem irado que havia desafiado as hierarquias racistas norte-americanas e incendiado imaginações —, mas soava bem.

Ali continuou a dar entrevistas nos anos seguintes após acender a tocha olímpica, mas raramente discutia raça ou política. Em 1991, quando quatro policiais de Los Angeles foram filmados espancando violentamente um homem negro chamado Rodney King, um ato que deflagrou violentas

650 MUHAMMAD ALI

manifestações de rua, Ali não disse nada. Três anos mais tarde, quando O. J. Simpson foi preso pelo assassinato de duas pessoas brancas, uma delas sua ex-mulher, e quando o julgamento se tornou um referendo sobre o racismo da polícia, Ali não fez nenhum comentário público.

Ele ainda preferia falar de si mesmo.

Em 2001, numa entrevista ao *New York Times*, ele se desculpou por chamar Joe Frazier de Pai Tomás e dizer que Frazier era muito burro e feio para ser campeão. "No calor do momento, eu disse um monte de coisas que não deveria ter dito",[5] observou. "Xinguei-o de nomes que eu não deveria ter xingado. Peço desculpas por isso. Sinto muito. Era tudo para promover a luta."

O pedido de desculpas parecia genuíno, como se Ali estivesse pensando sobre o Anjo Registrador. Além do pedido de desculpas a Frazier, ele ajudava inúmeras organizações de caridade e humanitárias, incluindo as Nações Unidas, a Fundação Nacional de Parkinson e a Fundação Make-a-Wish. Ele e Lonnie ajudaram a lançar o Centro de Parkinson Muhammad Ali e a Clínica de Transtorno do Movimento no Barrow Neurological Institute, em Phoenix. "Deus será o juiz de nossas ações, de como tratamos as pessoas, de como ajudamos instituições de caridade",[6] disse. "Não posso curar ninguém, então tudo o que posso fazer é ajudar as pessoas a levantar dinheiro."

Em 11 de setembro de 2001, terroristas árabes sequestraram quatro aviões comerciais e os lançaram contra o World Trade Center, em Nova York, contra o Pentágono, em Washington, e sobre um campo na Pensilvânia, matando cerca de 3 mil pessoas e ferindo milhares de outras. Depois dos ataques, uma grande onda de reação antimuçulmana explodiu na América. Muçulmanos inocentes foram detidos. Grafites apareceram em mesquitas e nas portas de empresas pertencentes a árabes. Ali lançou uma declaração: "Eu sou muçulmano", dizia. "Eu sou americano... Quem quer que tenha realizado os ataques terroristas nos Estados Unidos da América, ou esteja por trás deles, não representa o Islã. Deus não está por trás de assassinos."[7]

Em 20 de setembro, Ali viajou para Nova York.

"Conte-me de novo o que aconteceu",[8] pediu durante o voo.

Quando lhe explicaram mais uma vez como havia sido o ataque terrorista, virou-se para sua esposa e disse: "Eles não estão com raiva de mim não, estão?"

O dia estava cinza e nublado. Ali cumprimentou os bombeiros que estiveram no local do ataque. Ele fechou as mãos, levantou os punhos e fingiu lançar socos enquanto posava para fotos com eles. O que os bombeiros queriam dizer a Ali, mais que qualquer outra coisa, era onde eles estavam quando ele lutou com Joe Frazier da primeira vez, ou do que se lembravam mais claramente sobre a Batalha na Selva.[9] Mas Ali, usando um boné de beisebol do Corpo de Bombeiros de Nova York, aproveitou a ocasião para discutir religião. "O Islã não é uma religião assassina",[10] disse. "Islã significa paz. Eu simplesmente não poderia ficar sentado em casa vendo na televisão as pessoas atribuindo aos muçulmanos a culpa por esses ataques."

Após o 11 de setembro, o presidente George W. Bush enviou tropas norte-americanas para combater no Afeganistão e no Iraque com o objetivo de desbaratar terroristas islâmicos e derrubar o presidente iraquiano Saddam Hussein. Na época, os jornais anunciaram que Ali havia concordado em aparecer numa campanha publicitária produzida por Hollywood[11] que explicaria a audiências no Oriente Médio que a América respeitava os muçulmanos e que pretendia tratá-los com respeito, mesmo enquanto suas tropas atacavam terroristas. O *Final Call*, o jornal publicado pela Nação do Islã sob a liderança de Louis Farrakhan, instou Ali a rejeitar a campanha de propaganda do governo.[12] Em vez disso, disse o *Final Call*, Ali deveria usar seu poder para chamar atenção para os problemas que afetavam os norte-americanos negros no século XXI, tais como a epidemia de aids e o rápido crescimento da população prisional negra.

Ali não tratou mais dessas questões, deixando os observadores a se perguntar: teria ele alguma desavença com os afegãos ou os iraquianos? Teria ele alguma desavença com o presidente Bush e sua corrida bélica?

"Eu me esquivo dessas perguntas",[13] disse a David Frost, entrevistador de uma emissora de TV inglesa. "Tenho pessoas que me amam. Abri empresas em todo o país, vendendo produtos, e não quero dizer nada que possa estar errado, sem saber o que estou fazendo, sem ser um entendido, não quero dizer a coisa errada e prejudicar meus negócios e coisas que eu estou fazendo, danificando a minha imagem."

Quando Frost perguntou especificamente sobre a invasão norte-americana ao Iraque, Ali respondeu: "É uma daquelas perguntas que podem

MUHAMMAD ALI

me meter em apuros. Eu vou me esquivar." E pôs a mão sobre a boca, para dar ênfase.

As arestas que haviam feito de Ali uma figura controversa e importante estavam sendo lentamente aparadas. Em 2001, com um grande orçamento, Will Smith estrelou o filme *Ali*, que cobria dez anos da vida do boxeador, de 1964 a 1974, de Liston a Foreman e de Sonji a Veronica, de Malcolm X aos últimos anos de Elijah Muhammad.

Em 2005, Ali recebeu a Medalha Presidencial da Liberdade, a mais alta honraria civil da nação. Ao apresentar o prêmio, o presidente Bush chamou Ali de "um lutador feroz e um homem de paz", mas não fez nenhuma menção à decisão do ex-campeão de não servir no Exército dos Estados Unidos em 1967. Ali, por sua vez, não fez nenhuma menção à decisão de Bush de enviar tropas para o Afeganistão e o Iraque. Contudo, Ali ainda tinha em si um pouco do criador de problemas. Quando o presidente virou-se e levantou os punhos, como se estivesse se preparando para lutar, Ali recusou a brincadeira. Em vez de levantar os punhos, levou um dedo à cabeça e o girou, num gesto sugerindo que Bush estava louco. A plateia caiu na risada.

No mesmo ano, um museu dedicado ao campeão foi aberto nas margens do rio Ohio, localizado no centro de Louisville. Lonnie e Muhammad comandaram o esforço para criar o Centro Muhammad Ali, um empreendimento de 80 milhões de dólares numa área de 93 mil metros quadrados, com apoio da General Electric, da Ford Motor Company e da Yum! Brands. A cidade também renomeou a Walnut Street, uma das suas principais vias, como Boulevard Muhammad Ali.

Com a ajuda de Lonnie e do advogado Ron DiNicola, Ali finalmente cortou seus laços com Herbert Muhammad. Em 2006, Lonnie e Muhammad fecharam um acordo com a empresa de marketing de entretenimento, a CKX, vendendo 80% dos direitos de comercialização do nome e da imagem de Ali por 50 milhões de dólares. Lonnie concordou em trabalhar com a empresa na definição de uma estratégia para construir a marca do marido.

Ao longo dos anos de vigência do acordo com a CKX, Ali foi se tornando uma mercadoria. Recomendava empresas e produtos que, em outros tempos, nada teriam a ver com ele — IBM, Porsche, Gillette e Louis Vuitton, entre muitas outras. Alguns de seus antigos fãs e jornalistas que cobriram sua

O LONGO CADILLAC PRETO

653

carreira na década de 1960 se queixavam de que o novo Ali era a favor de tudo — paz, amor, unidade, igualdade, justiça e artigos de couro caros —, e, ao ser a favor de tudo, arriscava-se a ser a favor de nada. A certa altura, ele ganhava 750 dólares por um autógrafo, e assinava mais de 7 mil por ano.[14] Apresentou-se em muitos eventos de instituições de caridade sem cobrar nada, mas, para outros eventos públicos, chegava a receber valores de seis dígitos. Quando não estava viajando ou dando autógrafos, passava horas por dia ao telefone, falando com os filhos e netos, e se distraindo com velhos amigos. Seu filho Asaad jogava no time de beisebol da Universidade de Louisville, e Muhammad e Lonnie muitas vezes iam aos seus jogos. "Ele era um homem que nunca se queixava",[15] disse Asaad. "Você não saberia dizer quais foram os dias ruins com a doença de Parkinson e quais os dias bons. Porque ele era esse tipo de pessoa. Ele era durão, era forte."

Em 2009, Ali participou da posse do primeiro presidente negro da América, Barack Obama. Em 2016, quando o candidato presidencial Donald J. Trump propôs a proibição da imigração muçulmana para os Estados Unidos, uma declaração emitida em nome de Ali fez os fãs se lembrarem do estilo combativo do pugilista, mas ficou aquém do vigor dos dias anteriores. Dizia, em parte: "Falando como alguém que nunca foi acusado de ser politicamente correto, acredito que nossos líderes políticos devem usar sua posição para trazer a compreensão sobre a religião do Islã."[16]

Ano após ano, ele ficava mais fraco, mais silencioso.

Seus filhos se casaram e tiveram filhos. Seus amigos e entes queridos morreram: Howard Cosell em 1995, Archie Moore em 1998, Sonji Roi em 2005, Floyd Patterson em 2006, Herbert Muhammad em 2008, Joe Frazier em 2011, Angelo Dundee em 2012, Ken Norton em 2013. As pessoas que visitavam Ali naqueles anos achavam que seu estado variava dependendo da hora do dia e de quão bem ele tivesse dormido. Às vezes, ele sorria e dava risadas, e evocava lembranças com voz clara; às vezes, o esforço era muito grande e ele ficava sentado, quieto.

Muhammad e Lonnie passavam menos tempo em Michigan e mais em Paradise Valley, Arizona, numa casa térrea num condomínio fechado. A irmã de Lonnie, Marilyn, compartilhava a casa e ajudava a cuidar de Ali. Inúmeros retratos de Ali, incluindo uma grande série de pinturas de Andy

654   MUHAMMAD ALI

Warhol, decoravam a sala de estar. Ali gostava de se sentar perto da cozinha, numa cadeira reclinável de couro que tinha um massageador interno para suas costas e pernas. Dali ele podia ver TV ou vídeos na internet. Ele ainda gostava de filmes de faroeste e de terror, mas o que preferia era ver a si mesmo — lutas antigas, antigas entrevistas, antigos clipes de notícias sobre ele. Às vezes, os hóspedes sentavam-se ao seu lado enquanto ele assistia ao seu jovem eu em ação, observando o peso-pesado mais bonito de todos os tempos enquanto flutuava em torno do ringue, esquivando-se de socos, desfechando golpes, rindo, gritando, regozijando-se, provocando. Aquele era o verdadeiro Ali. Era assim que ele deveria ser. Aquela era a ordem natural das coisas. Ele era tão elegante, tão desafiador, tão forte, tão completamente no controle, tão livre. Quem não desejaria ver aquilo?

Numa entrevista à *AARP Bulletin*, a revista publicada pelo grupo anteriormente conhecido como Associação Americana de Pessoas Aposentadas, Lonnie falou sobre os desafios enfrentados por um cônjuge que se torna um cuidador. "A relação muda ao longo do tempo com a doença",[17] disse. "Fisicamente, [os pacientes] não têm tanta mobilidade; já não são capazes de fazer coisas com você, como antigamente. Os medicamentos podem afetar a capacidade cognitiva. Eles podem não falar tão bem." Mas Lonnie disse que ela teve sorte, porque o marido mantinha uma atitude de vencedor, nunca reclamando, nunca ficando deprimido. Muhammad e Lonnie aparecem na capa da revista — ele com os olhos fechados e a cabeça pendente, ela com lábios pressionando a têmpora do marido e uma mão acariciando o queixo. "Tudo agora é sobre protegê-lo e certificar-se de que esteja saudável", disse ela.

Lonnie tornou-se guardiã e também cuidadora, o que levou a reclamações de alguns dos filhos e amigos de Ali, que disseram que não podiam vê-lo tão frequentemente como eles teriam gostado e não conseguiam falar com ele por telefone. Jornais relataram que Muhammad Jr. — filho de Ali de seu casamento com Belinda — vivia na pobreza, no lado sul de Chicago, e dependia de caridade para alimentar e vestir a família. Khalilah, a segunda esposa de Ali, vivia num apartamento muito modesto, subsidiado pelo governo, em Deerfield Beach, Flórida. No espaço mal-iluminado, com apenas um quarto, restava apenas um lembrete visível de sua vida pregressa: um ímã de geladeira com a imagem de Muhammad Ali.[18]

O LONGO CADILLAC PRETO

Em 1º de outubro de 2015 — no quadragésimo aniversário da luta brutal de Ali contra Frazier em Manila —, Lonnie e Muhammad apareceram no Ali Center, em Louisville, para um evento privado patrocinado pela *Sports Illustrated* e pela Under Armour, uma empresa de vestuários esportivos. George Foreman e Larry Holmes estavam lá, falando a jornalistas, exaltando a grandeza de Ali, explicando que não tinham nenhum ressentimento — embora não pudessem resistir a dar umas espetadas no ex-rival, que serviam como um lembrete de que esses homens eram guerreiros que haviam construído suas identidades na base da força e do orgulho.

Durante toda a vida, Ali havia lutado para provar sua superioridade. Lutou contra o pai, lutou contra a imprensa do boxe, lutou contra o governo, lutou contra Sonny Liston, Ken Norton, Joe Frazier, George Foreman e Larry Holmes. Ele havia se mantido ativo durante muito mais tempo do que deveria — assim como Foreman e Holmes estavam na ativa até então, ainda buscando chances de descarregar alguns *jabs*. Foreman, pelo menos privadamente, continuava a insistir que havia sido drogado antes de entrar no ringue com Ali no Zaire. Holmes, numa entrevista antes do banquete, admitiu que havia se cansado de ver as pessoas se comportando como se Ali fosse o Dalai Lama, cansado de pessoas que continuavam a ver Ali como um super-herói e todos os outros campeões dos pesos-pesados como meros mortais. Ali era um bom homem e um grande lutador, disse Holmes, mas havia sido um tolo por levar tantos socos. "Ele não era nenhum herói."[19]

Rahaman, irmão de Ali, também estava lá. Certa vez, Ali havia prometido que ele não teria mais que boxear, que seu irmão mais velho sempre cuidaria para que ele vivesse confortavelmente. Agora, no entanto, Rahaman e sua esposa se esforçavam para pagar as contas. Viviam num conjunto habitacional do governo, num apartamento decorado para se parecer com um modesto Museu Muhammad Ali. Havia recortes de jornais pregados na parede. Um retrato de Odessa Clay, pintado por seu marido Cash, ficava sobre o sofá. Rahaman, que herdara algum talento artístico de seu pai, pintara alguns retratos de Ali. Essas pinturas estavam no chão, encostadas a uma parede. Anos antes, Rahaman tivera um desentendimento com Lonnie. Como resultado, ele não via o irmão havia meses. Alguns VIPs foram convidados a posar para fotos com o campeão antes do início da cerimônia no Ali Center, mas Rahaman foi excluído.

656   MUHAMMAD ALI

Quando se abriram as portas para o salão de baile e os convidados foram chamados a encontrar seus lugares, todos os olhos se voltaram para Ali. Ele estava sentado na mesa principal, vestindo um terno preto, camisa branca e uma gravata vermelha, com Lonnie à sua direita e a cunhada, Marilyn, à esquerda.

O salão de baile logo se encheu de convidados, muitos deles indo diretamente à mesa de Ali. Vic Bender foi o primeiro a chegar lá. Ele e Ali haviam sido colegas no Colégio Central. No início daquela tarde, Bender levara um escritor numa turnê pela Louisville de Ali,[20] começando pela casa da família Clay, na Grand Avenue, e prosseguindo ao longo da rota que Cassius e Rudy faziam para ir à escola, lado a lado com o ônibus da cidade, parando a cada vez que o ônibus parava, tão interessados em divertir os amigos quanto em se exercitar. Agora, era Bender que corria pelo salão — da melhor maneira possível, para um homem grande em seus 70 anos — para chegar ao lado de Ali antes de todos os outros. Ele disse olá a Lonnie e então se inclinou para abraçar Ali.

Ali não se moveu. Não falou. Não olhou para cima. Seu corpo parecia pequeno e frágil, mas seu rosto era liso e sem rugas. O cabelo havia raleado, mas não mostrava nenhum sinal de cinza. Ainda lindo.

Quando a cerimônia começou, vídeos brilharam nos telões e longos discursos foram feitos. Os destaques de sua carreira foram relembrados, mas Ali, de óculos escuros, não reagiu. Um executivo da *Sports Illustrated* presenteou o ex-boxeador com uma placa de prata; câmeras piscaram e convidados levantaram-se para aplaudir — mas Ali continuou imóvel, não sorriu, nem estendeu a mão para receber o prêmio. Poderia estar dormindo. Quando a cerimônia acabou, foi rapidamente levado para fora da sala numa cadeira de rodas.

Quando o salão esvaziou e os garçons retiraram os pratos, Rahaman e sua esposa, Caroline, ficaram para trás. Foram de mesa em mesa recolhendo as pequenas fotografias de Ali que haviam sido usadas como decoração, guardando-as numa sacola de compras.

"Não foi uma noite linda?",[21] perguntou Rahaman.

Menos de oito meses mais tarde, Ali foi hospitalizado em Phoenix com uma infecção respiratória. Ele já havia sido hospitalizado anteriormente com infecções, mas sempre se pusera de pé de novo. No entanto, desta vez, depois

O LONGO CADILLAC PRETO
657

de alguns dias de tratamento, sua condição piorou. Lonnie ligou para os filhos e lhes disse que fossem para lá imediatamente. Eles foram. Às 20h30 do dia 3 de junho, com a família à sua volta no quarto 263 do Scottsdale Osborn Medical Center, Ali foi desconectado da máquina que o mantinha vivo. Ele lutou para respirar.

Um imame chamado Zaid Shakir estava ao lado de Ali e observou como o pulso no pescoço começou a se esvair lentamente. Shakir inclinou-se até sua boca estar ao lado da orelha direita de Ali e começou a cantar o chamado à oração, uma canção geralmente cantada para recém-nascidos quando estão chegando ao mundo.[22] "Não há nenhum Deus além de Alá, e Maomé é seu mensageiro", cantou, com uma voz forte e bonita. Um dos netos de Ali ofereceu contas de oração. Shakir pressionou as contas na mão de Ali e disse: "Muhammad Ali, isto é o que significa. Deus é único. Repita isso, repita, você foi inspiração para tantos, o paraíso está esperando."

Quando o imame terminou a oração, Ali havia partido.

Às 21h10, Muhammad Ali, de 74 anos de idade, foi declarado morto por choque séptico.

• • •

O corpo de Ali foi transportado de avião para Louisville para o funeral. Durante anos, Muhammad e Lonnie haviam conversado sobre como seria a cerimônia, quem carregaria o caixão e quem faria as elegias. Haviam enchido um fichário preto com planos elaborados. Ali imaginava uma despedida magnífica.

Ele foi lembrado na imprensa, na televisão e na internet como um homem de coragem e princípios. Foi saudado como uma das grandes figuras do século XX. No *New York Times*, seu obituário ocupou mais de duas páginas inteiras, seguidas, menos de uma semana depois, por um caderno especial de dezesseis páginas. Da Casa Branca, o presidente Obama emitiu uma declaração que dizia, em parte: "'Eu sou a América',[23] declarou ele certa vez. 'Eu sou a parte que vocês não reconhecem. Mas se acostumem comigo — negro, confiante, arrogante; meu nome, não o seu; minha religião, não a sua; meus objetivos, os meus próprios. Se acostumem comigo.' Este é o Ali que vim a conhecer quando crescia —

não apenas um hábil poeta ao microfone, um lutador no ringue, mas um homem que lutou pelo que era certo. Um homem que lutou por nós. Ele esteve ao lado de King e Mandela; manteve sua posição nos momentos mais difíceis; pronunciou-se quando outros se calaram. Sua luta fora dos ringues lhe custaria seu título e sua posição pública. Por causa de suas posições, ganharia inimigos à esquerda e à direita, seria insultado e quase mandado para a cadeia. Mas Ali se manteve firme. E sua vitória nos ajudou a nos acostumar com a América que reconhecemos hoje [...] Muhammad Ali sacudiu o mundo. E o mundo está melhor por isso. Nós todos estamos melhor por isso."

Alguns escritores disseram que Ali havia "transcendido" a questão da raça. Foi uma tentativa de branquear o seu legado, uma atitude tremendamente errada. Raça foi o tema da vida de Ali. Ele insistia que a América tinha de aprender a lidar com um homem negro que não temia falar, que se recusava a ser o que os outros esperavam que ele fosse. Ele não *superou* a questão da raça. Ele não *superou* o racismo. Ele o denunciou em voz alta. Ele o enfrentou. Ele o refutou. Ele insistiu que o racismo era o que gerava e moldava nossas noções de raça, nunca o contrário.

Nascido na época de Jim Crow, Ali viveu para ver um negro ser eleito presidente. Igualmente notável foi o arco da sua vida: filho de um pintor de letreiros com pouca educação, tornou-se o homem mais famoso do mundo; o maior lutador profissional de seu tempo tornou-se o mais importante opositor ao recrutamento em seu país. Embora sempre tivesse sido ambicioso e ansiado por riqueza, de alguma forma ele permaneceu um homem caloroso e genuíno, um homem sagaz e de sentimentos sinceros. A amargura e o cinismo nunca o tocaram — talvez porque reconhecesse essa lição na própria vida: a sociedade norte-americana, apesar de todas as suas falhas, produzia homens incomuns de origens comuns. Ele próprio, sem nenhuma dúvida, era um deles.

A procissão do enterro de Ali começou numa manhã quente de sexta-feira, 10 de junho. Milhares e milhares de pessoas se alinharam nas ruas de Louisville. Pessoas que nunca o haviam encontrado tiraram

O LONGO CADILLAC PRETO

folga do trabalho e viajaram centenas de quilômetros para estar lá. De pé, sob um sol escaldante, elas se esticavam para ter um vislumbre do carro funerário. Muitas usavam camisetas com "Eu sou Ali" e "Eu sou o maior" e carregavam cartazes que diziam "Obrigado" e "Nós te amamos". Meninos e homens adultos davam socos no ar quando viam o carro de Ali. Mulheres atiravam flores. "Ali! Ali!", cantavam as multidões, como sempre fizeram.

O carro fúnebre de Ali era um Cadillac, naturalmente; parte de uma procissão de dezessete Cadillacs.

À medida que o cortejo se movia desde sua casa de infância na Grand Avenue em direção ao centro da cidade, não seguia precisamente a rota que o jovem Ali havia feito em seu caminho para a escola na década de 1950, mas chegou perto. O carro fúnebre seguiu ao longo da Broadway, onde Ali uma vez sonhara em voar, passando pela rua 4, onde sua bicicleta havia sido roubada e onde conhecera o seu primeiro treinador de boxe. Na rua 6, os espectadores começaram a cantar "Ali boma ye"[24] — "Ali, mata ele" em lingala —, o mesmo que o povo do Zaire havia cantado 42 anos antes, quando Ali derrotou Foreman. O cortejo passou pelos apartamentos de Beecher Terrace, onde o adolescente Ali havia beijado uma garota bonita, desmaiado e caído da escada. Passou pelo Colégio Central, onde recebera um diploma, apesar das notas ruins, porque o diretor detectara algo extraordinário naquele aluno. Passou pelo local onde existira o antigo Broadway Roller Rink, onde Ali havia recebido sua primeira cópia do jornal *Muhammad Speaks* e começado a aprender sobre Elijah Muhammad e a Nação do Islã. Passou pelo Muhammad Ali Center, no centro da cidade, onde as realizações do pugilista estavam imortalizadas de uma forma normalmente reservada aos presidentes norte-americanos; e, finalmente, chegou ao Cave Hill Cemetery, onde o corpo de Ali repousaria.

O enterro foi uma cerimônia privada da qual só participou a família próxima de Ali.

Depois, houve um serviço público na maior arena no centro da cidade, onde mais de 20 mil pessoas se reuniram para ouvir os discursos de líderes religiosos, bem como elegias do ex-presidente Bill Clinton, de Bryant

Gumbel, o locutor de televisão, do ator Billy Crystal, de Lonnie Ali e de duas filhas de Ali, Maryum e Rasheda. As ex-esposas de Ali, Khalilah e Veronica, estavam lá, assim como Louis Farrakhan, Jesse Jackson, Gene Kilroy, Will Smith, Don King, Bob Arum, Mike Tyson, George Foreman e Larry Holmes. O serviço, transmitido ao vivo por uma rede de televisão e visto em todo o mundo, durou mais de 3 horas.

"Muhammad se apaixonou pelas massas",[25] disse Lonnie Ali em sua elegia ao marido, "e as massas se apaixonaram por ele. Na diversidade dos homens e de suas crenças, Muhammad viu a presença de Deus." Mesmo tendo ele nascido numa sociedade que tratava os negros como inferiores, continuou ela, Ali teve "um pai e uma mãe que o nutriram e o encorajaram. Ele foi colocado no caminho de seus sonhos por um policial branco, e teve professores que compreendiam seus sonhos e queriam que ele tivesse sucesso. A medalha de ouro olímpica chegou, e o mundo começou a tomar conhecimento de quem ele era. Um grupo de empresários bem-sucedidos de Louisville, o Grupo de Patrocínio de Louisville, viu o seu potencial e ajudou-o a construir uma rampa de lançamento para sua carreira. Sua afinação com o seu tempo foi impecável, pois ele explodiu no cenário nacional exatamente quando a televisão buscava, ansiosamente, uma estrela que pudesse mudar a cara dos esportes. Vocês sabem que, se Muhammad não gostasse das regras, ele as reescrevia. Sua religião, seu nome, suas crenças, cabia a ele mudar como quisesse, não importavam os custos."

Era perceptível a ausência da voz de Ali na cerimônia, mas o imame Zaid Shakir fez todo o possível para canalizá-lo. Ele subiu ao púlpito e ofereceu um poema:

> *Ele flutuou como uma borboleta... e picou como uma abelha*
> *O maior lutador que o mundo já viu...*
> *No coração de cada vida que tocou, deixou uma marca indelével,*
> *e ele será sempre lembrado como o Campeão do Povo.**[26]

---

* *He floated like a butterfly and stung like a bee / The greatest fighter this world has yet to see... / On the heart of every life he touched he left an indelible stamp, / And he will always be known as the People's Champ.* [N. da T.]

Muito tempo antes, Ali havia falado sobre o significado de sua vida.

"Deus está me vendo",[27] disse uma vez. "Deus não me elogia porque venci Joe Frazier... Ele quer saber como tratamos uns aos outros, como ajudamos uns aos outros."

Numa de suas últimas entrevistas, ele avaliou as próprias realizações: "Eu precisava provar que poderia ser um novo tipo de homem negro",[28] disse. "Eu tinha de mostrar isso para o mundo."

EPÍLOGO

Cinco meses depois da morte de Muhammad Ali, uma ativista política da década de 1960 sentou-se num café na zona sul de Chicago e contou esta história:[1]

No verão de 1966, Martin Luther King Jr. viera a Chicago planejando colocar a cidade no centro de sua revolução não violenta, já em andamento. Ele chamou a iniciativa de Chicago Freedom Movement, e seu foco principal era um ataque à segregação residencial.

King liderou marchas em bairros só de brancos, onde enfrentou ataques ferozes de grupos enfurecidos. Também organizou uma greve de aluguéis, exortando os que viviam em edifícios desocupados e invadidos a que depositassem os aluguéis mensais num fundo especial, em vez de pagá-los aos proprietários, e prometendo que o dinheiro seria usado para consertos de extrema necessidade.

Um dia, uma das voluntárias do movimento ficou sabendo que uma família que participava da greve estava sendo despejada de um apartamento na vizinhança de Garfield Park. A jovem, que estudava Direito na Universidade de Chicago, correu para o local. Ao chegar, funcionários do xerife do condado de Cook estavam esvaziando o apartamento, entupindo a calçada com mobílias, roupas, livros e fotos de família. Era um dia quente e úmido. Centenas de pessoas estavam postadas na rua, vendo o despejo em andamento.

Enquanto a jovem assistia àquilo, impotente, sentiu a mão de alguém em seu ombro. Ela se virou e olhou para cima. Era Ali. Até então, ela o tinha visto apenas na TV. Ele estava usando um lindo casaco de fustão azul, e era deslumbrante. Tirou o casaco e pediu à jovem que o segurasse.

Na época, Ali estava sendo acusado de desobediência civil por recusar o alistamento, mas ainda não havia sido impedido de lutar. Na verdade, ele estava no auge de sua vida atlética: 24 anos, demasiado rápido para ser atingido, forte demais para encontrar resistência, o mais perfeito boxeador que o mundo já vira.

Embora tivesse passado grande parte do verão em Chicago, não havia marchado com King durante o Chicago Freedom Movement nem comentado publicamente sobre o protesto. Como ele ficara sabendo do despejo? Por que ele estava lá? Estava passando na rua por acaso? Alguém o havia chamado?

Nenhum repórter estava presente para fazer essas perguntas, e nenhuma câmera para capturar o que aconteceu a seguir.

Sem dizer uma palavra, Ali caminhou até onde os pertences da família haviam sido jogados na calçada, pegou uma cadeira de cozinha e a levou de volta para o apartamento. Os assistentes do xerife não fizeram nenhum movimento para detê-lo. Dentro de segundos, dezenas de pessoas seguiram o gesto de Ali. Em pouco tempo, o apartamento estava cheio de novo.

Ali pegou o casaco de volta, entrou no carro e partiu.

AGRADECIMENTOS

Você está com uma grande responsabilidade aqui, disse-me Gene Kilroy. Não a ponha a perder. Ele repetiu isso pelo menos uma centena de vezes ao longo de quatro anos, caso eu esquecesse. Nunca esqueci. Eu certamente não poderia ter escrito este livro sem a ajuda e a confiança de Kilroy e de muitos outros que amavam Ali. Eu gostaria de começar agradecendo a Lonnie Ali, Veronica Porche, Khalilah Camacho-Ali, Rahaman Ali, Caroline Sue Ali, Kilroy, Frank Sadlo, Vic e Brenda Bender, Larry Kolb, Bernie Yuman, Ron DiNicola, Howard Bingham, Michael Phenner, Mike Joyce, Elijah Muhammad III, Lowell K. Riley, Abdul Rahman, Louis Farrakhan, David Jones, Tim Shanahan, Keith Winstead, Seth Abraham e Hank Schwartz.

Também gostaria de agradecer a amigos, escritores e jornalistas que me ajudaram de tantos modos: Ron Jackson, Charlie Newton, Heidi Trilling, Richard Babcock, Robert Kurson, Joseph Epstein, Bryan Gruley, Kevin Helliker, Robert Kazel, Bob Spitz, David Garrow, Steve Hannah, Jamie Hannah, Dan Cattau, Tony Petrucci, Patrick Harris, Don Terry, Myron and Karen Uhlberg, T. J. Stiles, Richard Milstein, Rabí Michael Siegel, Linda Ginzel, Boaz Keysar, Jeremy Gershfeld, Elizabeth Miller-Gershfeld, Stephen Fried, Joel Berg, Marshall Kaplan, Jeff Pearlman, Jeff Ruby, Tim Anderson, Ken Burns, Sarah Burns, David McMahon, Stephanie Jenkins, Jeremy Schaap, Willie Weinbaum, Douglas Alden, Ashley Logan, Steve Reiss, Caspar Gonzalez, Craig Sieben, Dan Shine, Tony Fitzpatrick, Solomon Lieberman, Jim Sigmon, Richard Cahan, Ethan Michaeli, Dan Cattau, Jay

Lazar, Andy Kalish, Mike Williams, Louis Sahadi, Joe Favorito, Stefan Fatsis, Baron Wolman, A. J. Baime, Robin Monsky, Dan Kay, Audrey Wells, Stacey Rubin Silver, Ted Fishman, Kevin Merida, Lisa Pollak, Kwame Brathwaite, Richard Sandomir, Pat Byrnes, Mark Caro, James Finn Garner, Jim Powers, Lou Carlozo, Michael Hassan, Rich Kaletsky, Marci Bailey, Amy Merrick e Tom Tsatas.

Ajudas na pesquisa vieram de Lori Azim (que também fez um maravilhoso trabalho checando fatos), Shirley Harmon, Tom Owen, Howard Breckenridge, Mark Plotkin, Britt Vogel, Maranda Bodas, Jack Cassidy, Shane Zimmer, Jake Milner, Eric Houghton, Madeline Lee, J. R. Reed, Bethel Habte, Meredith Wilson, Mary Hinds, Alison Martin, Liz Peterson, Jeff Noble, Steven Porter, Olivia Angeloff, Gabriella Moran, Jennifer-Leigh Oprihory, Michelle Martinelli e Ally Pruitt.

Pelo competente trabalho na checagem de fatos, agradeço a Mike Silver, Bob Canobbio e Lee Groves. Agradeço a Robert Becker e ao congressista Mike Quigley por me ajudarem a apressar alguns dos meus pedidos sob o Freedom of Information Act.

Agradeço a Canobbio and CompuBox, Inc. por desenvolverem admiráveis novas estatísticas sobre a carreira de Ali. Grato a Visar Berisha e Julie Liss por trabalharem comigo para estudar o efeito do boxe sobre a velocidade da fala de Ali. Agradeço a Jimmy Walker e a todo mundo no Celebrity Fight Night. Grato a David Zindel e Graymalkin Media pela permissão de citar o diálogo entre Joe Frazier-Muhammad Ali contido em *The Greatest: My Own Story*. Agradeço ao dr. Stanley Fahn por me ajudar a entender a saúde de Ali. Agradeço a Ikenna Ezeh e a todo mundo na ABG. Grato a Abdur-Rahman Muhammad, Leon Muhammad e Harlan Werner. Grato a tantos escritores, jornalistas e fotógrafos que partilharam seu conhecimento de Ali e, em alguns casos, partilharam seus materiais de pesquisa, incluindo David Remnick, George Sullivan, Karl Evanzz, Andy Quinn, Tom Junod, J. Michael Lennon, Michael Long, Stephen Brunt, Davis Miller, David Maraniss, Gordon Marino, Art Shay, David Turnley, Peter Angelo Simon, Michael Gaffney, Maureen Smith, Thomas Hauser, Mark Kram Jr., Michael Ezra, Dave Kindred, Robert Lipsyte, Neil Leifer, Edwin Pope, John Schulian, Richard Hoffer, Stan Hochman, Jerry Izenberg, Richard Feldstein, Ed Feldstein, Randy Roberts e Johnny Smith.

AGRADECIMENTOS   667

Agradeço ao meu amigo e agente, David Black, e a todos na Black, Inc., especialmente a Sarah Smith, Susan Raihofer e Jennifer Herrera. Grato a Lucy Stille, minha agente na APA. Na Houghton Mifflin Harcourt, sou grato a minha brilhante editora Susan Canavan e a sua equipe, incluindo Jenny Xu, Megan Wilson e Hannah Harlow. Por seu maravilhoso trabalho de edição do texto, agradeço a Margaret Hogan.

Agradeço a minha família por estar comigo no meu *corner*: Phyllis Eig, David Eig, Matt Eig, Lewis Eig, Judy Eig, Penny Eig, Jake Eig, Ben Eig, Hayden Eig, Martin Karns, Don Tescher, SuAnn Tescher, Gail Tescher, Jonathan Tescher e Leslie Silverman. Agradecimentos e amor aos meus filhos: Jeffery Schams, Lillian Eig e Lola Eig. Este livro é dedicado a Lola, que tinha 5 anos quando escreveu uma carta a Muhammad Ali, que dizia: "Querido Muhammad, Jonathan realmente te ama. Você ama ele?" Aquela carta nos propiciou um telefonema de Lonnie Ali. Propiciou a Lola uma mensagem de aniversário de Lonnie e Muhammad. E propiciou a nós um convite para visitar Lonnie e Muhammad em sua casa em Phoenix.

Finalmente, e mais que tudo, agradeço a minha admirável esposa, Jennifer Tescher — a melhor de tooodos os teeempos!

NOTAS

Este livro é resultado de mais de seiscentas entrevistas com mais de duzentas pessoas. Realizei, pessoalmente, todas as entrevistas, por telefone ou presencialmente. As notas que se seguem fornecem uma lista detalhada de fontes, incluindo milhares de páginas de documentos do FBI, centenas de livros e milhares de histórias de jornais e revistas. Algumas poucas fontes podem requerer uma explicação adicional.

Para descrever cenas de lutas, baseei-me extensamente em vídeos do YouTube. Optei por não listar as URLs completas para cada um dos vídeos. A maior parte das estatísticas e dos dados sobre lutas vem do site Boxing's Official Record Keeper (www.boxrec.com).

Tive muita sorte de chegar depois que tantos escritores brilhantes já haviam coberto Ali. Seus nomes aparecem espalhados em todo o livro e nas notas que se seguem. Alguns deles se encontraram comigo ou atenderam aos meus telefonemas e responderam às minhas perguntas. Esses incluem Jerry Izenberg, Thomas Hauser, David Remnick, Edwin Pope, Stan Hochman, Robert Lipsyte, J. Michael Lennon, Stephen Brunt, Dave Kindred, Johnny Smith, Karl Evanzz e David Garrow. Outros, incluindo Richard Durham, Tom Wolfe, Manning Marable e Nick Thimmesch, permitiram que eu explorasse seus arquivos. Um arquivo que merece menção especial é o do jornalista Jack Olsen, da *Sports Illustrated*, que passou semanas com Ali e manteve seu gravador ligado durante longas e gloriosas horas. Essas gravações, hoje mantidas pela Universidade de Oregon, foram como máquinas de viagem no tempo, colocando-me o mais próximo que eu jamais poderia ter imaginado na mesma sala que o jovem Cassius Clay, sua mãe, seu pai e muitos outros. Algumas delas nunca tinham sido ouvidas desde que Olsen as ouviu.

Daqui a anos, quando vier outro biógrafo de Ali e ouvir as gravações de minhas entrevistas com Ferdie Pacheco, Gene Kilroy, Rahaman Ali, Khalilah Camacho-Ali, Don King, Veronica Porche, George Foreman e muitos outros, espero que sinta algo da mesma emoção que senti ouvindo as fitas de Jack Olsen.

Também tive a boa sorte de ganhar acesso aos arquivos do FBI e do Departamento de Justiça sobre Ali, muitos dos quais nunca haviam sido vistos antes. Por isso eu sou grato aos arquivistas e funcionários do Freedom of Information que cuidaram dos meus pedidos, e especialmente a Robert Becker, no escritório do congressista Mike Quigley, por ajudar a apressar meus pedidos ao FOIA.

Para descrever a relação de Ali com o Grupo de Patrocínio de Louisville, eu me baseei extensamente em entrevistas com o advogado do grupo, Gordon Davidson, bem como em memorandos, cartas e registros de negócios arquivados na Filson Historical Society em Louisville.

Detalhes sobre a condenação do avô de Ali por assassinato — nunca antes relatados e, quase certamente, desconhecidos por Ali — vêm de recortes de jornais e transcrições de julgamentos mantidos no Departamento de Bibliotecas e Arquivos de Kentucky.

Lonnie Ali me ajudou a localizar a certidão de casamento de Cassius e Odessa Clay. O documento sugere, fortemente, que Odessa já estava grávida na época do casamento — outro fato nunca relatado antes e que, provavelmente, Ali também desconhecia.

Finalmente, este livro contém dois corpos de pesquisa completamente novos. A meu pedido, perquisadores da CompuBox, Inc. assistiram a cada uma das lutas gravadas de Ali e contaram os golpes. Como resultado, podemos descrever agora, pela primeira vez, e com alto grau de exatidão, quantas vezes Ali foi atingido, bem como seus oponentes, round por round, luta por luta, e ao longo de toda a sua carreira. Também pedi a cientistas da fala na Universidade do Estado do Arizona para rever as aparições de Ali na

NOTAS

televisão e avaliar mudanças na velocidade de sua fala. O estudo, dirigido por Visar Berisha e Julie Liss, lança importantes novas luzes sobre como o boxe afetou as habilidades cognitivas de Ali.

PREFÁCIO: MIAMI, 1964

1. "Clay's Act Plays Liston's Camp and Sonny Is a Kindly Critic", *New York Times,* 20 de fevereiro de 1964.
2. BBC News footage, s.d., www.youtube.com.
3. Ibid.
4. "Clay's Act Plays Liston's Camp."
5. Ibid.
6. John Cottrell, *Muhammad Ali, Who Once Was Cassius Clay* (Nova York: Funk and Wagnalls, 1967), 127.
7. Nick Tosches, *The Devil and Sonny Liston* (Nova York: Little, Brown, 2000), 201.
8. BBC News footage, s.d., www.youtube.com.
9. "Clay's Act Plays Liston's Camp."
10. "Malcolm Little (Malcolm X) HQ File", memorando do FBI, 5 de fevereiro de 1964, *Federal Bureau of Investigation*, https://vault.fbi.gov/malcolm-littlemalcolm-x (FBI Vault, a partir daqui), seção 10.
11. "Malcolm X Scores U.S. and Kennedy", *New York Times,* 2 de dezembro de 1963.
12. Malcolm X, arquivo do FBI, 5 de fevereiro de 1964, seção 10.
13. Malcolm X, arquivo do FBI, 21 de janeiro de 1964, seção 9.
14. BBC film footage, s.d., www.youtube.com.
15. Murray Kempton, "The Champ and the Chump: The Meaning of Liston-Clay I", *New Republic,* 7 de março de 1964, http://thestacks.deadspin.com/the-champ--and-the-chump-the-meaning-of-clay-liston-i-1440585986.
16. William Nack, *My Turf: Horses, Boxers, Blood Money and the Sporting Life* (Cambridge, MA: Da Capo Press, 2003), 123.
17. George Plimpton, "Autor Notebook: Cassius Clay and Malcolm X", em George Kimball e John Schulian, orgs., *At the Fights: American Writers on Boxing* (Nova York: Library of America, 2012), 190.
18. David Remnick, *King of the World* (Nova York: Random House, 1998), xii.
19. Norman Mailer, *King of the Hill: Norman Mailer on the Fight of the Century* (Nova York: Signet, 1971), 11.

674   MUHAMMAD ALI

20. A pedido do autor, a CompuBox, Inc. contou cada golpe das lutas de Muhammad Ali. Filmagens completas estavam disponíveis para 47 dos 61 embates profissionais de Ali. A revisão da CompuBox dessas 47 lutas mostrou que Ali absorveu 14,8 golpes por round (ligeiramente menos do que a média entre os pesos-pesados, que é 15,2) ao longo de sua carreira profissional. A estimativa de 200 mil golpes durante sua vida baseia-se não apenas nos dados da CompuBox, mas também nas entrevistas feitas pelo autor com promotores, treinadores, *sparrings* e adversários. Ali lutou 548 rounds como profissional, cerca de 260 como amador, estimados 12 mil rounds como *sparring*, parte de seu regime de treinamento, e pelo menos 500 rounds em exibições.

Ele provavelmente levou menos de 14,8 golpes por round como amador e em exibições, mas provavelmente absorveu muito mais de 14,8 golpes por round durante sessões de treinamento. Dadas essas premissas, os seguintes cálculos são, provavelmente, conservadores: 13.308 rounds multiplicados por 14,8 golpes por round resultam em 196.958 golpes.

1. CASSIUS MARCELLUS CLAY

1. "Shot through the Heart", *Louisville Courier-Journal*, 5 de novembro de 1900; transcrição do julgamento, 12 de novembro de 1900, *Commonwealth vs. Herman Clay*, Kentucky Department for Libraries and Archives, Frankfort.
2. Rahaman Ali, Khalilah Camacho-Ali (ex-Belinda Ali), Gordon Davidson e Coretta Bather, entrevistas pelo autor, 10 de novembro de 2014; 28 de março de 2016; 18 de março de 2014; 28 de março de 2014.
3. Jack Olsen, *Black Is Best: The Riddle of Cassius Clay* (Nova York: Dell, 1967), 49.
4. Foto de John Henry Clay, cortesia de Keith Winstead, primo de Muhammad Ali.
5. "The Day Henry Clay Refused to Compromise", Smithsonian.com, 6 de dezembro de 2012, http://www.smithsonianmag.com/history/the-day-henry-clayrefused-to-
-compromise-153589853/.
6. U.S. Census.
7. Keith Winstead, entrevista ao autor, 16 de junho de 2016.
8. Ralph Ellison, *The Collected Essays of Ralph Ellison*, org. John F. Callahan (Nova York: Modern Library, 1995), 192.
9. Henry Clay Jr. a Henry Clay, 1º de janeiro de 1847, Henry Clay Memorial Foundation Papers, University of Kentucky Special Collections, Lexington.
10. *1940*, U.S. Census, www.ancestry.com.

NOTAS   675

11. Coretta Bather, entrevista ao autor, 28 de março de 2014.
12. *"Slave Inhabitants in District No. 2"*, *Fayett County, Kentucky, 1850,* U.S. Census, www.ancestry.com.
13. Transcrição do julgamento, 12 de novembro de 1900, *Commonwealth vs. Herman Clay.*
14. Ibid.
15. *1900,* U.S. Census, www.ancestry.com.
16. Transcrição do julgamento, 12 de novembro de 1900, *Commonwealth vs. Herman Clay.*
17. "Shot through the Heart."
18. "Nine Divorces Granted", *Louisville Courier-Journal,* 10 de novembro de 1901.
19. "Penitentiary Labor", *Louisville Courier-Journal,* 2 de maio de 1906.
20. Kentucky Marriage Records, www.ancestry.com.
21. Certidão de óbito, Kentucky Death Records, www.ancestry.com.
22. Remnick, *King of the World,* 83.

2. A CRIANÇA MAIS BARULHENTA

1. Keith Winstead, entrevista ao autor, 17 de junho de 2016.
2. "Black Is Best: Mr. and Mrs. Cassius Clay, Sr., Interview", por Jack Olsen, s.d., gravação de voz, Jack Olsen Papers, Special Collections and University Archives, University of Oregon Libraries, Eugene.
3. Ibid.
4. Dave Kindred, *Sound and Fury: Two Powerful Lives, One Fateful Friendship* (Nova York: Free Press, 2007), 30.
5. Rahaman Ali, entrevista ao autor, 10 de novembro de 2014.
6. "Muhammad Ali's Father, Cassius M. Clay Sr., Dies", *Louisville Courier-Journal,* 10 de fevereiro de 1990.
7. Olsen, *Black Is Best,* 49.
8. Ibid.
9. Rahaman Ali, entrevista ao autor, 10 de novembro de 2014.
10. Certidão de casamento, Cassius Clay e Odessa Grady, 25 de junho de 1941, St. Louis, Missouri, City Recorder of Deeds, St. Louis.
11. Muhammad Ali e Richard Durham, *The Greatest: My Own Story* (Nova York: Random House, 1975), 33.
12. Kindred, *Sound and Fury,* 30.

676 MUHAMMAD ALI

13. Olsen, *Black Is Best*, 42.
14. Certidão de nascimento de Cassius Marcellus Clay Jr., 17 de janeiro de 1942, Kentucky Cabinet for Health and Family Services, Department for Public Health, Office of Vital Statistics, Frankfort.
15. Population Schedule, *1940*, U.S. Census, www.ancestry.com.
16. Ali e Durham, *The Greatest*, 33.
17. Rahaman Ali, entrevista ao autor, 10 de novembro de 2014.
18. Rahaman Ali, entrevista ao autor, 19 de outubro de 2016.
19. Medido pelo autor, 19 de outubro de 2016.
20. Ali e Durham, *The Greatest*, 39.
21. Coretta Bather, entrevista ao autor, 28 de março de 2014.
22. Rahaman Ali, entrevista ao autor, 10 de novembro de 2014.
23. Georgia Powers, entrevista ao autor, 6 de agosto de 2014.
24. Alice Kean Houston, entrevista ao autor, 18 de abril de 2014.
25. Odessa Clay, biografia sem título de Cassius Clay, s.d., Jack Olsen Papers.
26. Rahaman Ali, entrevista ao autor, 10 de novembro de 2014.
27. Olsen, *Black Is Best*, 43.
28. Rahaman Ali, entrevista ao autor, 19 de outubro de 2016.
29. Rahaman Ali, entrevista ao autor, 10 de novembro de 2014.
30. Mary Turner, entrevista a Jack Olsen, transcrição, s.d., Jack Olsen Papers.
31. Larry Kolb, entrevista ao autor, 2 de janeiro de 2017.
32. Owen Sitgraves, entrevista ao autor, 23 de abril de 2015.
33. "Black Is Best: Mr. and Mrs. Cassius Clay, Sr., Entrevista."
34. Owen Sitgraves, entrevista ao autor, 23 de abril de 2015.
35. Olsen, *Black Is Best*, 45.
36. Ibid.
37. Tom Owen, entrevista ao autor, 11 de novembro de 2014.
38. Tracy E. K'Myer, *Civil Rights in the Gateway to the South: Louisville, Kentucky, 1945-1980*. (Lexington: University Press of Kentucky, 2009), 10.
39. Ali e Durham, *The Greatest*, 34.
40. U.S. Bureau of the Census, *United States Census of Population, 1950, vol. 2, Table 87*. (Washington, DC: Government Printing Office, 1952), www.census.gov.
41. George C. Wright, *Life behind a Veil: Blacks in Louisville, Kentucky, 1865--1930*. (Baton Rouge: Louisiana State University Press, 1985), 276.
42. Rahaman Ali, entrevista ao autor, 10 de novembro de 2014.
43. Ali e Durham, *The Greatest*, 34.
44. Ibid., 37.

NOTAS 677

45. W. Ralph Eubanks, "A Martyr for Civil Rights", *Wall Street Journal*, 6 de novembro de 2015.

46. Nick Thimmesch, "The Dream", *Time*, 22 de março de 1963, 78.

3. A BICICLETA

1. Rahaman Ali, entrevista ao autor, 8 de agosto de 2014.
2. Anúncio, *Louisville Defender, 7 de outubro de 1954.*
3. Ali e Durham, *The Greatest*, 45.
4. Ibid.
5. Rahaman Ali, entrevista ao autor, 30 de agosto de 2014.
6. Ali e Durham, *The Greatest,* 45.
7. Joe Martin, entrevista a Jack Olsen, notas datilografadas, s.d., Jack Olsen Papers.
8. Ibid.
9. Ibid.
10. Ibid.
11. "Black Is Best: Mr. and Mrs. Cassius Clay, Sr., Interview."
12. Olsen, *Black Is Best*, 46.
13. Ibid., 52.
14. "'Who Made Me — Is Me!'", *Sports Illustrated,* 25 de setembro de 1961, 19.
15. Rahaman Ali, entrevista ao autor, 8 de agosto de 2014.
16. Muhammad Ali, entrevista na televisão, *Good Morning America,* ABC, 13 de janeiro de 1977.
17. James Baldwin, *The Fire Next Time* (Nova York: Vintage International, 1993), 21.
18. Ali e Durham, *The Greatest,* 38-39.
19. Owen Sitgraves, entrevista ao autor, 30 de março de 2016.
20. Ibid.
21. Vic Bender, entrevista ao autor, 1º de outubro de 2015.
22. Rahaman Ali, entrevista ao autor, 8 de agosto de 2014.
23. Thomas Hauser, com Muhammad Ali, *Muhammad Ali: His Life and Times* (Nova York: Simon and Schuster, 1991), 19.
24. Claude Lewis, *Cassius Clay: A No-Holds-Barred Biography of Boxing's Most Controversial Champion* (Nova York: Macfadden-Bartell, 1965), 23.
25. Geoffrey C. Ward, *Unforgivable Blackness* (Nova York: Knopf, 2004), 17.
26. Ibid., 14.
27. Remnick, *King of the World*, 224.

4. "TODOS OS DIAS ERAM UM PARAÍSO"

1. Charles Kalbfleisch, entrevista a Jack Olsen, s.d., Jack Olsen Papers.
2. Ibid.
3. Howard Breckenridge, entrevista ao autor, 20 de novembro de 2014.
4. Kindred, *Sound and Fury*, 36.
5. Notas, 13 de março de 1963, artigo na revista *Time*, Nick Thimmesch Papers, University of Iowa Libraries, Iowa City.
6. Rahaman Ali, entrevista ao autor, 8 de agosto de 2014.
7. Ibid.
8. Cottrell, *Muhammad Ali, Who Once Was Cassius Clay,* 11.
9. *Centralian,* 1959, Jefferson County Public School Archives, Louisville.
10. "Playboy Entrevista: Muhammad Ali", *Playboy,* novembro de 1975.
11. Victor Bender, entrevista ao autor, 19 de outubro de 2016.
12. Olsen, *Black Is Best,* 64.
13. Lewis, *Cassius Clay,* 19.
14. Omer Carmichael e Weldon James, *The Louisville Story* (Nova York: Simon and Schuster, 1957), 14.
15. "Louisville Quiet as Its Schools End Segregation." *New York Times,* 11 de setembro de 1956.
16. Ibid.
17. C. Vann Woodward, *The Strange Career of Jim Crow* (Nova York: Oxford University Press, 1966), 154.
18. Thelma Cayne Tilford-Weathers, *A History of Louisville Central High School, 1882-1982.* (Louisville: [s.n.], 1982), 18.
19. Ibid., 19.
20. Marjorie Mimmes, entrevista ao autor, 8 de agosto de 2014.
21. Owen Sitgraves, entrevista ao autor, 23 de abril de 2015.
22. "Ali Delights Pupils Here at a Tribute to Dr. King", *New York Times,* 14 de janeiro de 1973.
23. Hauser, com Ali, *Muhammad Ali,* 22.
24. Lonnie Ali, entrevista ao autor, 31 de janeiro de 2016.
25. Olsen, *Black Is Best,* 64.
26. Marjorie Mimmes, entrevista ao autor, 30 de agosto de 2014.
27. Nack, *My Turf,* 178.
28. Vic Bender, entrevista ao autor, 19 de outubro de 2016.
29. "The Advantage of Dyslexia", *Scientific American,* 19 de agosto de 2014, www.scientificamerican.com.

NOTAS

30. Howard Breckenridge, entrevista ao autor, 20 de novembro de 2014.
31. Ibid.
32. "The Legend That Became Muhammad Ali", *Louisville Courier-Journal*, 28 de janeiro de 2011.
33. Ibid.
34. Ali e Durham, *The Greatest*, 43.
35. Ibid.
36. Ibid., 51.
37. Bob Yalen, entrevista ao autor, 6 de agosto de 2016.
38. Cottrell, *Muhammad Ali, Who Once Was Cassius Clay*, 19.
39. Vic Bender, entrevista ao autor, 9 de junho de 2014.
40. Rahaman Ali, entrevista ao autor, 30 de agosto de 2014.
41. Ali e Durham, *The Greatest*, 51.
42. Remnick, *King of the World*, 93.
43. José Torres, *Sting Like a Bee* (Nova York: Abelard-Schuman, 1971), 83.
44. Cottrell, *Muhammad Ali, Who Once Was Cassius Clay*, 21.
45. Remnick, *King of the World*, 96.
46. Nack, *My Turf*, 181.
47. Angelo Dundee e Mike Winters, *I Only Talk Winning* (Worthing, UK: Littlehampton, 1985), 17.
48. "Legendary Cowpoke", *St. Petersburg Times*, 1º de outubro de 1980.
49. "T. J. Jones of Chinook Reaches Quarterfinals in Golden Gloves", *Billings Gazette*, 26 de fevereiro de 1958.
50. "Rocky Erickson: Boxer Francis Turley", *Rocky Erickson: Montana Sports Stories, vol. 1*, www.youtube.com.
51. Ali e Durham, *The Greatest*, 90.
52. Ibid., 93.
53. Olsen, *Black Is Best*, 53.
54. Jeffrey T. Sammons, *Beyond the Ring* (Urbana: University of Illinois Press, 1990), 149.
55. Ibid., 149.
56. "Louisville Youth Steal Spotlight in Golden Gloves", *Lawton Constitution*, 26 de março de 1959.

5. O PROFETA

1. Lewis, *Cassius Clay*, 25.
2. Larry Kolb, entrevista ao autor, 7 de dezembro de 2016.

680 MUHAMMAD ALI

3. Hauser, com Ali, *Muhammad Ali*, 25.
4. Gunnar Myrdal, *An American Dilemma* (New Brunswick, NJ: Transaction Publishers, 2009), 2:1010.
5. C. Eric Lincoln, *The Black Muslims in America* (Trenton, NJ: Africa World Press, 1994), 12.
6. Ibid., 11.
7. Ibid., 47-48.
8. Ibid., 16.
9. Relatório do FBI, 28 de junho de 1955, FBI Vault.
10. Louis Lomax, *When the Word Is Given* (Chicago: Signet, 1963), 10-11.
11. Gravado por Louis X, www.youtube.com.
12. Olsen, *Black Is Best*, 134.
13. Ibid., 53.
14. Cottrell, *Muhammad Ali, Who Once Was Cassius Clay*, 20.
15. Rahaman Ali, entrevista ao autor, 30 de agosto de 2014.
16. "A Split Image of Cassius Clay", *Louisville Courier-Journal*, 25 de novembro de 1962.
17. Rahaman Ali, entrevista ao autor, 30 de agosto de 2014.
18. "Jones, Clay Top Gloves Final Night", *Chicago Defender*, 9 de março de 1960.
19. Memo, s.d., Hank Kaplan Boxing Archive, Archives and Special Collections, Brooklyn College Library, Brooklyn, New York.
20. Cottrell, *Muhammad Ali, Who Once Was Cassius Clay*, 22.

6. "SOU APENAS JOVEM, E NÃO DOU A MÍNIMA"

1. "Clay Making Great Mileage in Publicity and Contacts", *Louisville Times*, 28 de fevereiro de 1961.
2. Jamillah Muhammad (ex-Areatha Swint), entrevista ao autor, 9 de dezembro de 2014.
3. Olsen, *Black Is Best*, 54.
4. Ibid., 54-55.
5. "Should an Athlete Be Forced to Fly? Clay May Miss Olympics", *Louisville Times*, 2 de maio de 1960.
6. "The Legend That Became Muhammad Ali."
7. Cottrell, *Muhammad Ali, Who Once Was Cassius Clay*, 25.

NOTAS
681

8. "10. Finals in Olympic Ring Show Tonight", *Daily Independent Sun* (San Rafael, CA), 20 de maio de 1960.
9. Tommy Gallagher, entrevista ao autor, 17 de julho de 2015.
10. Ibid.
11. "Black History Month: The Army Boxer Who Knocked Down Muhammad Ali (1960)", The CBZ Newswire, http://www.cyberboxingzone.com/blog/?p=19447.
12. Joe Martin, entrevista a Jack Olsen, Jack Olsen, notas datilografadas, s.d., Jack Olsen Papers.
13. "The Legend That Became Muhammad Ali."

7. HERÓI DA AMÉRICA

1. Remnick, *King of the World*, 101.
2. Baldwin, *The Fire Next Time*, 48.
3. Dick Schaap, entrevista, *ESPN Classic,* transcrição de entrevista transmitida em 25 de agosto de 2000.
4. Baldwin, *The Fire Next Time,* 51.
5. Dick Schaap, entrevista, *ESPN Classic.*
6. Ibid.
7. "Playboy Entrevista: Muhammad Ali", *Playboy,* novembro de 1975.
8. "Clay, McClure Most Colorful Pugilists", *Laredo Times,* 4 de setembro de 1960.
9. "Patterson Clay's Goal", *Louisville Times,* 6 de setembro de 1960.
10. Cottrell, *Muhammad Ali, Who Once Was Cassius Clay,* 27.
11. "The Press Box: Have to Make Good", *Louisville Times,* 24 de agosto de 1960.
12. "U.S. Negroes Play Big Role at Olympics", *Winnipeg Free Press,* 30 de agosto de 1960.
13. Ibid.
14. "U.S. Boxers Unimpressive", *El Paso Herald Post,* 18 de agosto de 1960.
15. "Cassius Clay vs. Yvon Becot (Roma, Olimpíadas de 1960)", www.youtube.com.
16. Entrevista de Tony Madigan, s.d., www.youtube.com.
17. "Cassius II", *Warren* (PA) *Observer,* 26 de agosto de 1960.
18. "Fleischer Talked Harmonica Boy Clay out of Jeopardy at Olympic Games in Rome", *Ring,* agosto de 1967.
19. "Muhammad Ali (Cassius Clay) vs. Zigzy Pietrzykowski HQ", www.youtube.com.
20. Contagem de golpes tabulada para o autor pela CompuBox, Inc.
21. "Muhammad Ali (Cassius Clay) vs. Zigzy Pietrzykowski HQ".

682 MUHAMMAD ALI

8. SONHADOR

1. "The Happiest Heavyweight", *Saturday Evening Post,* 25 de março de 1961.
2. Budd Schulberg, *Loser and Still Champion: Muhammad Ali* (Garden City, NY: Doubleday, 1972), 33.
3. Cottrell, *Muhammad Ali, Who Once Was Cassius Clay,* 30.
4. Ibid., 31.
5. Thimmesch, "The Dream", 79.
6. "Cass Clay to Turn Pro", *Phoenix Arizona Republic,* 12 de setembro de 1960.
7. Cottrell, *Muhammad Ali, Who Once Was Cassius Clay,* 32.
8. Remnick, *King of the World,* 104.
9. Ibid.
10. "The Happiest Heavyweight."
11. Ibid.
12. Ibid.
13. Remnick, *King of the World,* 106.
14. Lyman Johnson, declaração ao FBI, 6 de junho de 1966, Archives and Special Collections, University of Louisville, Louisville, Kentucky.
15. Cottrell, *Muhammad Ali, Who Once Was Cassius Clay,* 32.
16. Gordon B. Davidson, entrevista ao autor, 18 de abril de 2014.
17. Ibid.
18. Notas datilografadas, s.d., Jack Olsen Papers.
19. Dora Jean Malachi, entrevista ao autor, 26 de julho de 2015.
20. Joe Martin, entrevista a Jack Olsen, notas datilografadas, s.d. (c. 1963), Jack Olsen Papers.
21. "The Eleven Men behind Cassius Clay", *Sports Illustrated,* 11 de março de 1963.
22. Gordon B. Davidson, entrevista ao autor, 18 de abril de 2014.
23. Cottrell, *Muhammad Ali, Who Once Was Cassius Clay,* 33.
24. Ibid.
25. Memorando ao Grupo de Patrocínio de Louisville, 19 de dezembro de 1960, George Barry Bingham Papers, Filson Historical Society, Louisville, Kentucky.
26. "'I Don't Want to Be a Joe Louis,' Says Louisville's Cassius Clay, — 'Not with Income Tax Problems'", *Louisville Courier-Journal,* 2 de novembro de 1960.
27. Ibid.
28. Ibid.
29. "The Passion of Muhammad Ali", *Esquire,* abril de 1968.
30. Registro de lutas de Muhammad Ali, www.boxrec.com.

NOTAS

31. "Young Cassius Clay Can Be the Champ", *Charleston Daily Mail*, 5 de novembro de 1960.
32. A. J. Liebling, "Poet and Pedagogue", *The New Yorker*, 3 de março de 1962.
33. Orçamento, Grupo de Patrocínio de Louisville, 19 de dezembro de 1960, George Barry Bingham Papers.
34. Remnick, *King of the World*, 112.
35. Orçamento, Grupo de Patrocínio de Louisville, 19 de dezembro de 1960, George Barry Bingham Papers.
36. Cottrell, *Muhammad Ali, Who Once Was Cassius Clay*, 49.
37. Ibid., 50.
38. Angelo Dundee, *My View from the Corner* (Nova York: Mc-Graw Hill, 2009), 17-20.
39. Ferdie Pacheco, *Tales from the Fifth Street Gym* (Gainesville: University Press of Florida, 2010), 13.
40. Ibid., 14.
41. Hank Kaplan, notas, s.d., arquivo biográfico, caixa 1, pasta 1, Hank Kaplan Boxing Archive.
42. Ibid.
43. "Clay Making Great Mileage in Publicity and Contacts."
44. "Champ 23: A Man-Child Taken in by the Muslims", *Life*, 6 de março de 1964.
45. "Clay Making Great Mileage in Publicity and Contacts."
46. Notas datilografadas, s.d., Jack Olsen Papers.
47. "Classification Questionnaire", Selective Service System, 1º de março de 1961, National Archives and Records Administration, College Park, Maryland.
48. "'Man, It's Great to Be Great'", *New York Times*, 9 de dezembro de 1962.
49. Angelo Dundee, entrevista, *ESPN Classic*, transcrição de entrevista transmitida em 3 de janeiro de 2003.
50. Hank Kaplan, Nota, s.d., Hank Kaplan Boxing Archive.
51. Ibid.
52. "Perfumed, Coiffed and Grappling with Demons", *New York Times*, 18 de setembro de 2008.
53. Torres, *Sting Like a Bee*, 104.
54. Alonzo Johnson, entrevista ao autor, 3 de junho de 2015.
55. "'Who Made Me — Is Me!'"
56. Ibid.
57. Cottrell, *Muhammad Ali, Who Once Was Cassius Clay*, 58.
58. Cottrell, *Muhammad Ali, Who Once Was Cassius Clay*, 60.

684 MUHAMMAD ALI

9. "EXUBERÂNCIA DO SÉCULO XX"

1. Muhammad Ali a Khalilah Camacho-Ali, s.d., coleção pessoal do autor.
2. Ibid.
3. Ibid.
4. Rahaman Ali, entrevista ao autor, 30 de agosto de 2014.
5. "What Is Un-American?" *Muhammad Speaks,* 1º de dezembro de 1961.
6. Taylor Branch, *Pillar of Fire: America in the King Years, 1963-65.* (Nova York: Simon and Schuster, 1998), 3-4.
7. John Milton, *Paradise Lost* (Indianapolis: Hackett Publishing, 1997), livro 1, página 13, linhas 254-55.
8. Bennett Johnson, entrevista ao autor, 22 de janeiro de 2014.
9. Abdul Rahman (antes Sam Saxon), entrevista ao autor, 21 de março de 2014.
10. Abdul Rahman, entrevista ao autor, 19 de agosto de 2016.
11. Ibid.
12. Ibid.
13. Alex Haley, "Playboy Entrevista: Cassius Clay", *Playboy,* outubro de 1964.
14. Remnick, *King of the World,* 135.
15. "Clay Expects to Enliven Boxing as Well as Win World Crown", *New York Times,* 7 de fevereiro de 1962.
16. A. J. Liebling, "Ahab and Nemesis", *The New Yorker,* 8 de outubro de 1955.
17. Ibid.
18. Cottrell, *Muhammad Ali, Who Once Was Cassius Clay,* 83.
19. Einar Thulin, "Coffee with Cassius", 30 de dezembro de 1962, Hank Kaplan Boxing Archive.
20. Cottrell, *Muhammad Ali, Who Once Was Cassius Clay,* 82.
21. Jim Murray, "Cassius on Clay", *Los Angeles Times,* 20 de abril de 1962.
22. Cottrell, *Muhammad Ali, Who Once Was Cassius Clay,* 87.

10. "É PURO SHOW BUSINESS"

1. "Clay Didn't 'Eat Crow' but Will Devour Powell", *Chicago Defender,* 21 de janeiro de 1963.
2. Thimmesch, "The Dream", 80.
3. "Headline Writing Pays Off", *Winnipeg Free Press,* 30 de janeiro de 1963.
4. Cottrell, *Muhammad Ali, Who Once Was Cassius Clay,* 92.

NOTAS

685

5. "Liston's Edge: A Lethal Left", *Sports Illustrated*, 24 de fevereiro de 1964.

6. Notas, 13 de março de 1963, artigo da revista *Time*, Nick Thimmesch Papers.

7. Ibid.

8. "A Split Image of Cassius Clay."

9. William Faversham, entrevista a Jack Olsen, s.d., Jack Olsen Papers.

10. Ibid.

11. Memorando de James Ross Todd, tesoureiro, ao Grupo de Patrocínio de Louisville, 30 de janeiro de 1963, George Barry Bingham Papers.

12. "Minutes of the meeting of the Louisville Sponsoring Group", 21 de dezembro de 1962, George Barry Bingham Papers.

13. Thimmesch, "The Dream".

14. Tom Wolfe, "The Marvelous Mouth", em *The Muhammad Ali Reader, org.* Gerald Early (Nova York: Ecco, 1998), 20.

15. *Conversations with Tom Wolfe, org.* Dorothy Scura (Oxford: University of Mississippi Press, 1990), 11.

16. Wolfe, "The Marvelous Mouth", 20.

17. James Baldwin, "Letter from a Region in My Mind", *The New Yorker*, 17 de novembro de 1962.

18. "Cassius the Quiet Wins License Bout with State", *Louisville Courier-Journal*, 30 de março de 1963.

19. "Clay Wary of Pictures with White Girl", *Chicago Defender*, 18 de março de 1963.

20. Scott Sherman, "The Long Good-Bye", *VanityFair*, 30 de novembro de 2012, http://www.vanityfair.com/unchanged/2012/11/1963-newspaper-strike-bertram-powers.

21. "A Comeuppance for the Cocksure Cassius", *Sports Illustrated*, 25 de março de 1963.

22. Cottrell, *Muhammad Ali, Who Once Was Cassius Clay*, 96-97.

23. Lewis, *Cassius Clay*, 62.

24. Cottrell, *Muhammad Ali, Who Once Was Cassius Clay*, 96.

25. Ibid.

26. Lewis, *Cassius Clay*, 63.

27. Ibid.

28. Contagem de pontos tabulada para o autor pela CompuBox, Inc.

29. "1963-3-13. Cassius Clay vs. Doug Jones (FOTY)", www.youtube.com.

30. Cottrell, *Muhammad Ali, Who Once Was Cassius Clay*, 100.

31. Notas, 14 de março de 1963, artigo da revista *Time*, Nick Thimmesch Papers.

32. Cottrell, *Muhammad Ali, Who Once Was Cassius Clay*, 101.

33. *Al Monroe*, "Reporters Missed Boat in Not Quoting Liston", *Chicago Defender*, 2 de outubro de 1962.

686   MUHAMMAD ALI

34. Al Monroe, "What about 'The Lip' as Heavyweight King?" *Chicago Defender*, 30 de julho de 1963.
35. Woodward, *The Strange Career of Jim Crow*, 175.
36. Cecil Brathwaite, "Ode to Cassius", *Chicago Defender*, 1º de abril de 1963.
37. Notas, 14 de março de 1963, artigo da revista *Time*, Nick Thimmesch Papers.
38. Notas, 15 de março de 1963, artigo da revista *Time*, Nick Thimmesch Papers.
39. Ibid.
40. Contrato de Compra e Venda, 9 de maio de 1963, Louisville, Kentucky, Jefferson County Clerk's Office, Louisville.
41. Notas, 15 de março de 1963, artigo na revista *Time*, Nick Thimmesch Papers.
42. Ibid.
43. Ibid.

11. FLUTUE COMO UMA BORBOLETA, PIQUE COMO UMA ABELHA

1. Hank Kaplan, "Boxing — From the South" (inédito, s.d.), Hank Kaplan Boxing Archive.
2. Bob Arum, entrevista ao autor, 17 de novembro de 2015; Gene Kilroy, entrevista ao autor, 17 de novembro de 2015.
3. Ferdie Pacheco, entrevista ao autor, 30 de dezembro de 2013.
4. Drew Brown, entrevista ao autor, 7 de março de 2016.
5. Gordon B. Davidson, entrevista ao autor, 18 de abril de 2014.
6. Liebling, "Poet and Pedagogue".
7. Ta-Nehisi Coates, *Between the World and Me* (Nova York: Spiegel and Grau, 2015), 36.
8. Malcolm X, como dito a Alex Haley, *The Autobiography of Malcolm X* (Nova York: Ballantine, 1965), 350.
9. Attallah Shabazz, entrevista ao autor, 1º de outubro de 2015.
10. Malcolm X, como dito a Alex Haley, *The Autobiography of Malcolm X*, 350.
11. Claude Andrew Clegg III, *An Original Man: The Life and Times of Elijah Muhammad* (Nova York: St. Martin's Press, 1997), 185.
12. Ibid.
13. Fotografia sem título, *Muhammad Speaks*, 20 de dezembro de 1963.
14. "Muslims Great, Says Cassius Clay, in Interview on Right of Way", *Chicago Sun-Times*, 3 de julho de 1963.

NOTAS   687

15. Ibid.
16. Gordon Davidson a William Faversham, 23 de julho de 1963, George Barry Bingham Papers.
17. Ibid.
18. William Faversham ao Grupo de Patrocínio de Louisville, 26 de abril de 1963, George Barry Bingham Papers.
19. Gordon B. Davidson, entrevista ao autor, 18 de abril de 2014.
20. Randy Roberts e Johnny Smith, *Blood Brothers* (Nova York: Basic Books, 2016), 121.
21. Ibid., 119.
22. Dundee, *My View from the Corner*, 80.
23. "'E Said 'E Would and 'E Did", *Sports Illustrated,* 1º de julho de 1963.
24. Ibid.
25. Jack Wood, "Henry Cooper vs. Cassius Clay", *DailyMail,* 3 de maio de 2011, http://www.dailymail.co.uk/sport/othersports/article-1382819/Henry-Cooper-v-Cassius-Clay-The-punch-changed-world.html.
26. "'E Said 'E Would and 'E Did."
27. "Cassius Clay vs. Henry Cooper 18.6.1963", www.youtube.com.
28. Ibid.
29. Contagem de golpes tabulada para o autor pela CompuBox, Inc.
30. "'E Said 'E Would and 'E Did."
31. Dundee, *My View from the Corner*, 83.
32. "'E Said 'E Would and 'E Did."
33. "Prince Edward Negroes to Get Schools after 4. Years without Them", *New York Times,* 15 de agosto de 1963.
34. "Minister Malcolm Exposes 'Farce' of D.C. 'March'", *Muhammad Speaks,* 25 de outubro de 1963.
35. "Clay Here — 'Ugly Bear to Fall'", *Oakland Tribune,* 28 de setembro de 1963.
36. Roberts e Smith, *Blood Brothers,* 134.
37. "Muhammad on Self-Defense — Defend Truth at All Costs", *Muhammad Speaks,* 25 de outubro de 1963.
38. "Angry Cassius Clay Snubs Newsmen at Black Muslim Rally", *Philadelphia Tribune,* 1º de outubro de 1963.
39. "Far-from-Wealthy Clay Stays Solvent Because Louisvillians Twist His Arm", *Louisville Courier-Journal,* 9 de fevereiro de 1964.
40. *Jack Paar Show,* www.youtube.com.
41. Canhoto de ticket, Worth Bingham, 8 de agosto de 1963, George Barry Bingham Papers.

MUHAMMAD ALI

42. Cassius Clay, "I Am the Greatest!", *The Knockout* (Columbia Records, 1963), lado 2, faixa 4.
43. "Final Backward Look", *New York Times,* 25 de julho de 1963.
44. Alex Poinsett, "A Look at Cassius Clay: The Biggest Mouth in Boxing", *Ebony,* março de 1963.

12. O URSO FEIO

1. Cottrell, *Muhammad Ali, Who Once Was Cassius Clay,* 113.
2. Hauser, com Ali, *Muhammad Ali,* 59.
3. Tom Wolfe, *The Kandy-Kolored Tangerine-Flake Streamline Baby* (Nova York: Picador, 2009), 108.
4. Remnick, *King of the World,* 75.
5. Cottrell, *Muhammad Ali, Who Once Was Cassius Clay,* 116.
6. Houston Horn, "A Rueful Dream Come True", *Sports Illustrated,* 18 de novembro de 1963.
7. "Clay — It's the Mouth That Does It", 12 de março de 1963, Hank Kaplan Boxing Archive.
8. "Draft, Not Liston Worries Clay", *Chicago Defender,* 30 dezembro de 1963.
9. Horn, "A Rueful Dream Come True".
10. "Once More, Sonny, with Feeling", *Pacific Stars and Stripes,* 7 de novembro de 1963.
11. "Police Dogs Route Clay from Home of Liston", *Greeley* (CO) *Daily Tribune,* 5 de novembro de 1963.
12. Horn, "A Rueful Dream Come True".
13. Ibid.
14. "Draft Board Could KO Clay", *Middlesboro* (KY) *Daily News,* 9 de novembro de 1963.
15. Ibid.

13. "ENTÃO, O QUE HÁ DE ERRADO COM OS MUÇULMANOS?"

1. Jesse Jackson, entrevista ao autor, 6 de julho de 2016.
2. "I'm a Little Special", *Sports Illustrated,* 24 de fevereiro de 1964.

NOTAS

689

3. "Cassius Clay: The Man and the Challenge", *Sport,* março de 1964.

4. "I'm a Little Special", *Sports Illustrated,* 24 de fevereiro de 1964.

5. "Liston's Edge: A Lethal Left."

6. Arthur Daley, "An Unhappy Choice", *New York Times,* 14 de janeiro de 1966.

7. Remnick, *King of the World,* 151.

8. David Remnick, "American Hunger", *New Yorker,* 12 de outubro de 1998.

9. Ibid.

10. Harry Benson, entrevista ao autor, 12 de setembro de 2016.

11. James Booker, notas, 14 de março de 1963, artigo da revista *Time,* Nick Thimmesch Papers.

12. Alex Haley, entrevista a Blackside, Inc., 24 de outubro de 1988, para *Eyes on the Prize II: America at the Racial Crossroads 1965 to 1985,* Henry Hampton Collection, Film and Media Archive, Washington University Libraries, St. Louis, http://digital. wustl.edu/cgi/t/text/text-idx?c=eop;cc=eop;q1=malcolm%20x;rgn=div2;view=tex t;idno=hal5427.0088.062;node=hal5427.0088.062%3A1.7.

13. James Booker, notas, 14 de março de 1963, artigo na revista *Time,* Nick Thimmesch Papers.

14. George Plimpton, *Shadow Box* (Nova York: G. P. Putnam's Sons, 1977), 97.

15. Roberts e Smith, *Blood Brothers,* 164.

16. Malcolm X, como dito a Haley, *The Autobiography of Malcolm X,* 354.

17. "Liston's Edge: A Lethal Edge."

18. Memorando do FBI, arquivos Muhammad Ali, 13 de fevereiro de 1964, FBI Archives, National Archives and Records Administration, Washington, DC.

19. George Plimpton, "Miami Notebook: Cassius Clay and Malcolm X", em Kimball e Schulian, orgs., *At The Fights,* 195; Wolfe, "The Marvelous Mouth", 20.

20. Plimpton, *Shadow Box,* 107.

21. Larry Kolb, entrevista ao autor, 28 de maio de 2016.

22. Hank Kaplan, "Liston vs. Clay, from This Vantage Point" (inédito, s.d.), Hank Kaplan Boxing Archive.

23. Hank Kaplan, "Clay-Liston, in Retrospect" (inédito, s.d.), Hank Kaplan Boxing Archive.

24. "Cassius Is Elated over Victory, but Is Angry Being Long-Odds Underdog", *New York Times,* 26 de fevereiro de 1964.

25. "Nothing Left to Say — Nothing Left to Write About" (coluna não publicada, 1º de dezembro de 1963), Hank Kaplan Boxing Archive.

26. Mapa de assentos, Hank Kaplan Boxing Archive.

27. Harold Conrad, *Dear Muffo* (Nova York: Stein and Day, 1982), 169.

28. Remnick, *King of the World*, 178.
29. Cottrell, *Muhammad Ali, Who Once Was Cassius Clay*, 151.
30. Remnick, *King of the World*, 181.
31. "Boxing 'Experts' Get Ears Boxed", *New York Times*, 26 de fevereiro de 1964.
32. Hank Kaplan, "Countdown to the Fight" (nota manuscrita, s.d.), Hank Kaplan Boxing Archive.
33. Hank Kaplan "Brief Recall of the Day Cassius Clay Shook up the World" (inédito, s.d.), Hank Kaplan Boxing Archive.
34. "Louisville Glovers Dance for Cassius", *New York Times*, 26 de fevereiro de 1964.
35. "Record $3,200,000. Likely to Be Topped for Bout TV", *New York Times*, 26 de fevereiro de 1964.
36. Michael Ezra, *Muhammad Ali: The Making of an Icon* (Filadélfia: Temple University Press, 2009), 82.
37. Ibid., 83.
38. "Clay Is Exultant", *New York Times*, 26 de fevereiro de 1964.
39. Remnick, *King of the World*, 186.
40. Clay vs. Liston, www.youtube.com.
41. Drew Brown, entrevista ao autor, 7 de março de 2016.
42. "Cassius Is Elated over Victory."
43. "Felix Discloses 5th-Round Drama", *New York Times*, 26 de fevereiro de 1964.
44. Clay vs. Liston, www.youtube.com.
45. Harry Benson, entrevista ao autor, 12 de setembro de 2016.
46. "Clay Liston Round 7. with Radio Broadcast", 25 de fevereiro de 1964, www.youtube.com.
47. "Sonny Liston vs. Cassius Clay — 25 de fevereiro de 1964. — Round 6. & Interviews", www.youtube.com.

14. TORNANDO-SE MUHAMMAD ALI

1. "Champ 23."
2. Peter Guralnick, *Dream Boogie: The Triumph of Sam Cooke* (Nova York: Little, Brown, 2005), 532.
3. Jim Brown, entrevista ao autor, 25 de junho de 2014.
4. Hauser, com Ali, *Muhammad Ali*, 106.
5. "Clay Discusses His Future, Liston and Black Muslims", *New York Times*, 27 de fevereiro de 1964.

NOTAS   691

6. Ibid.

7. "Clay Says He Has Adopted Islam Religion and Regards It as Way to Peace", *New York Times*, 28 de fevereiro de 1964.

8. Ibid.

9. *Muhammad Ali: The Whole Story*, dirigido por Joseph Consentino e Sandra Consentino (1996, filme para TV; Burbank, CA: Warner Home Video, 2001).

10. "Muhammad Ali Shaped My Life", *New York Times*, 5 de junho de 2016.

11. John Ali, entrevista ao autor, 4 de abril de 2015.

12. "Champ Offers $20,000 to Anyone Changing His Muslim Beliefs", *Jet*, 26 de março de 1964, 50-58.

13. Cottrell, *Muhammad Ali, Who Once Was Cassius Clay*, 175.

14. "Report Clay, Malcolm X Plan New Organization", *Chicago Defender*, 2 de março de 1964.

15. Memorando, 12 de março de 1964, Malcolm X, arquivo do FBI, seção 10.

16. "Clay, on 2-Hour Tour of U.N., Tells of Plans to Visit Mecca", *New York Times*, 5 de março de 1964.

17. Clay Puts Black Muslim X in His Name", *New York Times*, 7 de março de 1964.

18. Manning Marable, *Malcolm X: A Life of Reinvention* (Nova York: Penguin Books, 2011), 292.

19. Olsen, *Black Is Best*, 133.

20. Fita de áudio, Ax 322, fitas 1-34, Jack Olsen Papers.

21. Olsen, *Black Is Best*, 139.

22. "Negro Leaders Criticize Clay for Supporting Black Muslims", *New York Times*, 29 de fevereiro de 1964.

23. "Clay Criticized", *Louisville Courier-Journal*, 20 de março de 1964.

24. Jesse Jackson, entrevista ao autor, 6 de julho de 2016.

25. Olsen, *Black Is Best*, 103.

26. "Champ 23."

27. Remnick, *King of the World*, 209-10.

28. Eldridge Cleaver, *Soul on Ice* (Nova York: Dell, 1992), 117.

29. "Advertising: 'Greatest' — but Can He Sell?", *New York Times*, 27 de fevereiro de 1964.

30. Ata de reunião, 8 de março de 1964, Louisville Sponsoring Group Papers, Filson Historical Society.

31. "Fight Agreement to Be Scrutinized", *New York Times*, 28 de fevereiro de 1964.

32. Cottrell, *Muhammad Ali, Who Once Was Cassius Clay*, 154.

33. "Greene Opposes 2d Bout between Clay and Liston", *New York Times*, 27 de abril de 1964.

692   MUHAMMAD ALI

34. Lewis, *Cassius Clay*, 101.

35. "Clay Calmly Accepts Decision That Will Keep Him from Military Service", *New York Times*, 21 de março de 1964.

36. "Clay Admits Army's Test Baffled Him", *New York Times*, 6 de março de 1964.

15. ESCOLHA

1. Dick Gregory, entrevista ao autor, 17 de junho de 2015.

2. Karl Evanzz, *The Messenger: The Rise and Fall of Elijah Muhammad* (Nova York: Pantheon, 1999), 291.

3. Louis Farrakhan, entrevista ao autor, 8 de agosto de 2015.

4. Memorando, 12 de março de 1964, Malcolm X, arquivo do FBI, seção 10.

5. Memorando, 23 de março de 1964, Malcolm X, arquivo do FBI, seção 10.

6. Memorando, 13 de março de 1964, Malcolm X, arquivo do FBI, seção 10.

7. Marable, *Malcolm X*, 298.

8. Ibid., 365.

9. "Clay Makes Malcolm Ex-Friend", *New York Times*, 18 de maio de 1964.

10. Ibid.

11. "Clay Is an Enigma to Egyptians", *New York Times*, 15 de junho de 1964.

12. "Short Cuts", *London Review of Books*, 19 de maio de 2016.

13. "Nigerian Tour Wins Cheers, but Leaves a Bad Taste", *New York Times*, 4 de junho de 1964.

14. "Clay Says He Would Answer an Egyptian Call to Arms", *New York Times*, 11 de junho de 1964.

15. "Clay Makes Malcolm Ex-Friend", *New York Times*, 18 de maio de 1964.

16. Marable, *Malcolm X*, 365.

17. "Day with Clay: TV, Song, Muslims", *New York Times*, 27 de junho de 1964.

16. "GAROTA, QUER SE CASAR COMIGO?"

1. Memorando ao director do FBI, 6 de outubro de 1965, Herbert Muhammad File, Malcolm X Manning Marable Collection, Columbia University Libraries, Nova York.

2. Lowell Riley, entrevista ao autor, 8 de julho de 2014.

NOTAS

3. Ali e Durham, *The Greatest*, 184.

4. Ibid., 187.

5. Hauser, com Ali, *Muhammad Ali*, 115.

6. Charlotte Waddell, entrevista ao autor, 2 de outubro de 2015.

7. Safiyya Mohammed-Rahmah, entrevista ao autor, 6 de agosto de 2015.

8. Lowell Riley, entrevista ao autor, 8 de julho de 2014.

9. "Clay Honeymoon May Be in Egypt", *Louisville Courier-Journal*, 15 de agosto de 1964.

10. Ibid.

11. Olsen, *Black Is Best*, 151.

12. Ali e Durham, *The Greatest*, 188.

13. Rahaman Ali, entrevista ao autor, 30 de agosto de 2014.

14. Olsen, *Black Is Best,* 161.

15. Ibid., 166-67.

16. Fita de áudio, Ax 322, fitas 1-34, Jack Olsen Papers.

17. Olsen, *Black Is Best*, 153.

18. "Work, Play, Talk and All-Star Cast Fill Clay's Camp", *Louisville Times*, 12 de novembro de 1964.

19. "Clay Undergoes Successful Surgery for Hernia", *New York Times*, 14 de novembro de 1964.

20. "Still Hurt and Lost", *Sports Illustrated*, 16 de novembro de 1964.

21. Ibid.

22. *Arthur Daley*, "Sports of the Times", *New York Times*,15 de novembro de 1964.

23. "Still Hurt and Lost", *Sports Illustrated,* 16 de novembro de 1964.

24. "Clay Shows No Worry over Folley or Draft", *Louisville Times*, 21 de março de 1967.

25. "Work, Play, Talk and All-Star Cast Fill Clay's Camp."

26. Ferdie Pacheco, entrevista a Jack Olsen, notas datilografadas, s.d., Jack Olsen Papers.

27. Remnick, *King of the World*, 246.

28. Ferdie Pacheco, entrevista a Jack Olsen, notas datilografadas, s.d., Jack Olsen Papers.

29. "Clay Undergoes Successful Surgery for Hernia."

30. "Clay Undergoes Surgery; Fight Off", *Louisville Courier-Journal*, 14 de novembro de 1964.

31. Louis Farrakhan, entrevista ao autor, 8 de agosto de 2015.

32. Gordon Davidson, entrevista ao autor, 18 de abril de 2014.

33. Remnick, *King of the World*, 239.

694 MUHAMMAD ALI

17. ASSASSINATO

1. Marable, *Malcolm X*, 398.
2. *Muhammad Ali: Made In Miami*, produzido por Gaspar Gonzalez e Alan Tomlinson (PBS, 2008).
3. Muhammad Ali, entrevista a Irv Kupcinet, WRKB-TV, 15 de março de 1965; arquivo Malcolm X FBI, FBI Vault, parte 27.
4. Hauser, com Ali, *Muhammad Ali*, 110.
5. Marable, *Malcolm X*, 436.
6. Ali e Durham, *The Greatest*, 192.
7. Ibid., 191.
8. Memorando sem título, 19 de janeiro de 1965, Arquivos do FBI.
9. Memorando sem título confidencial, ditado em 16 de fevereiro de 1965, Arquivos do FBI.
10. "Cassius Clay Says He's Unafraid; Walks Streets Daily — No Guards", *Montreal Gazette,* 25 de fevereiro de 1965.
11. John Ali, entrevista ao autor, 4 de abril de 2015.
12. Abdul Rahman, entrevista ao autor, 19 de agosto de 2016.
13. Ali e Durham, *The Greatest*, 191.
14. Ibid., 192.
15. Ibid., 193.
16. Ibid., 194.
17. Ibid., 195.
18. "Earmuffs Help on Clay's Bus", *Boston Globe,* 1º de maio de 1965.
19. "Should a King Tote His Own Water?", *Miami Herald,* 1º de abril de 1965.
20. Kindred, *Sound and Fury*, 88.
21. Edwin Pope, entrevista ao autor, 20 de março de 2014.
22. "Should a King Tote His Own Water?"
23. Edwin Pope, entrevista ao autor, 20 de março de 2014.
24. Drew Brown, entrevista ao autor, 7 de março de 2016.
25. "Champ, Press Marooned in N.C. as Axle Burns", *Boston Globe,* 2 de maio de 1965.
26. Plimpton, *Shadow Box*, 118.
27. "Ugliness in Yulee", *Miami Herald,* 2 de abril de 1965.

18. GOLPE FANTASMA

1. "So Hard to Be Righteous", *Miami Herald,* 4 de abril de 1965.
2. "A Birthday for Sonny Liston", ThisWeekScience.com, http://www.thesweetscience. com/news/articles-frontpage/15175-a-birthday-for-sonny-liston.

NOTAS 695

3. "Still Hurt and Lost".
4. Geraldine Liston, entrevista, *ESPN Classic*, transcrição de entrevista radiofônica, 2 de maio de 2001.
5. Remnick, *King of the World*, 254.
6. Ibid.
7. "Cassius to Win a Thriller", *Sports Illustrated*, 24 de maio de 1965.
8. Remnick, *King of the World*, 261.
9. "A Quick, Hard Right and a Needless Storm of Protest", *Sports Illustrated*, 7 de junho de 1965.
10. "Eyes Have It, Says Doctor", *Louisville Courier-Journal*, 28 de maio de 1965.
11. "A Quick, Hard Right and a Needless Storm of Protest", *Sports Illustrated*, 7 de junho de 1965.
12. "No Fix", *Louisville Courier-Journal*, 28 de maio de 1965.
13. Memorando do FBI, 30 de julho de 1965, FBI Vault.
14. Geraldine Liston, entrevista, *ESPN Classic*.

19. AMOR VERDADEIRO

1. Ali e Durham, *The Greatest*, 200.
2. Jerry Izenberg, entrevista ao autor, 20 de janeiro de 2015.
3. Olsen, *Black Is Best*, 155.
4. "Muslim Dispute with Wife May Lead to Clay Divorce", *Fort Pierce (FL) News Tribune*, 24 de junho de 1965.
5. Safiyya Mohammed-Rahmah, entrevista ao autor, 6 de agosto de 2015.
6. Abdul Rahman, entrevista ao autor, 19 de agosto de 2016.
7. Relatório do FBI, 6 de fevereiro de 1968, Herbert Muhammad File, Malcolm X Manning Marable Collection.
8. Rahaman Ali, entrevista ao autor, 29 de agosto de 2014.
9. Rose Jennings, entrevista ao autor, 10 de março de 2014.
10. "Muslim Dispute with Wife May Lead to Clay Divorce."
11. "Clay's Wife Gets $350 Partial Aid", *Fort Pierce (FL) News Tribune*, 1º de julho de 1965.
12. Olsen, *Black Is Best*, 155.
13. Ibid., 149.
14. Ibid., 156.
15. Rahaman Ali, entrevista ao autor, 29 de agosto de 2014.
16. Mark Kram, *Great Men Die Twice* (Nova York: St.Martin Griffin's, 2015), 76.
17. Odessa Clay, entrevista a Jack Olsen, s.d., Jack Olsen Papers.

696   MUHAMMAD ALI

18. Ibid.

19. "Woman Beaten, Nab Son of Muhammad", *Chicago Defender,* 13 de outubro de 1962.

20. Relatório do FBI, 14 de janeiro de 1966, Herbert Muhammad File, Malcolm X Manning Marable Collection.

21. Relatório do FBI, 16 de janeiro de 1967, Herbert Muhammad File, Malcolm X Manning Marable Collection.

22. Bob Arum, entrevista ao autor, 17 de novembro de 2015.

23. Rose Jennings, entrevista ao autor, 10 de março de 2014.

24. Safiyya Mohammed-Rahmah, entrevista ao autor, 6 de agosto de 2015.

25. Bob Arum, entrevista ao autor, 17 de novembro de 2015.

26. Gordon Davidson a Muhammad Ali, 6 de janeiro de 1965, Louisville Sponsoring Group Papers.

27. Memorando: "Detail of Advances to Clay during 1964", 17 de março de 1965, Louisville Sponsoring Group Papers.

28. Gordon Davidson a Chauncey Eskridge, 9 de março de 1965, Louisville Sponsoring Group Papers.

29. Hank Kaplan, entrevista com Muhammad Ali, s.d., Hank Kaplan Boxing Archive.

30. Gordon Davidson a Joseph Thomas, 8 de fevereiro de 1965, Louisville Sponsoring Group Papers.

31. Gordon Davidson a Archibald Foster, 9 de dezembro de 1964, Louisville Sponsoring Group Papers.

32. Worth Bingham, memorando, s.d. (1965), Louisville Sponsoring Group Papers.

33. Arthur Grafton, memorando ao Grupo de Patrocínio de Louisville, 5 de agosto de 1965, Louisville Sponsoring Group Papers.

34. Archibald Foster a Arthur Grafton, 9 de agosto de 1965, Louisville Sponsoring Group Papers.

35. Ibid.

36. Ibid.

37. Ibid.

20. UMA GUERRA SANTA

1. Muhammad Ali, entrevista a Hank Kaplan, s.d., Hank Kaplan Boxing Archive.

2. Ibid.

3. "Playboy Entrevista: Cassius Clay", *Playboy,* outubro de 1964.

4. Cottrell, *Muhammad Ali, Who Once Was Cassius Clay,* 240.

5. "'I Want to Destroy Clay'", *Sports Illustrated,* 19 de outubro de 1964.

NOTAS

6. Floyd Patterson, "Cassius Clay Must Be Beaten", *Sports Illustrated*, 11 de outubro de 1965.
7. Cottrell, *Muhammad Ali, Who Once Was Cassius Clay*, 243.
8. Floyd Patterson e Gay Talese, "In Defense of Cassius Clay", *Esquire*, agosto de 1966.
9. "Rabbit Hunt in Las Vegas", *Sports Illustrated*, 22 de novembro de 1965.
10. Olsen, *Black Is Best*, 166.
11. Ibid., 167.
12. Ali e Durham, *The Greatest*, 188.
13. "Memo to the Executive Committee of the Louisville Sponsoring Group", 11 de janeiro de 1966, Gordon B. Davidson Papers, Filson Historical Society.
14. Ezra, *Muhammad Ali*, 93.
15. Memorando do FBI, 14 de junho de 1967, FBI Vault.
16. *Arthur Grafton*, "Memo to the Members of the Louisville Sponsoring Group", Louisville Sponsoring Group Papers.
17. "Memo to the Executive Committee of the Louisville Sponsoring Group", 11 de janeiro de 1966, Gordon B. Davidson Papers.
18. Ezra, *Muhammad Ali*, 93.
19. Bob Arum, entrevista ao autor, 17 de novembro de 2015.
20. Bob Arum, entrevista ao autor, 22 de junho de 2016.
21. John Ali, entrevista ao autor, 4 de abril de 2015.
22. Relatório do FBI, 6 de fevereiro de 1968, Herbert Muhammad File, Malcolm X Manning Marable Collection.
23. Relatório do FBI, 16 de janeiro de 1967, Herbert Muhammad File, Malcolm X Manning Marable Collection.
24. Bob Arum, entrevista ao autor, 17 de novembro de 2015.
25. John Ali, entrevista ao autor, 4 de abril de 2015.
26. Ibid.
27. Archibald Foster ao Grupo de Patrocínio de Louisville, 8 de fevereiro de 1966, Louisville Sponsoring Group Papers.
28. Arthur Grafton, "Memo to the Members of the Louisville Sponsoring Group", Louisville Sponsoring Group Papers.

21. NENHUMA DESAVENÇA

1. "Fighter Charges Board with Bias", *New York Times*, 18 de fevereiro de 1966.
2. "Statistical Information about Casualties of the Vietnam War", 29 de abril de 2008, National Archives, http://www.archives.gov/research/military/vietnam-war/casualty-statistics.html#date.

3. Robert Lipsyte, *An Accidental Sportswriter* (Nova York: Ecco, 2012), 73.
4. "Fighter Charges Board with Bias."
5. Bob Halloran e Bob Arum, entrevista ao autor, 17 de novembro de 2015.
6. Muhammad Ali entrevista, s.d., gravação de áudio, Jack Olsen Papers.
7. *Ibid.*
8. "Clay Wants KO in 'Flight of Century'", *Tucson Daily Citizen*, 28 de março de 1966.
9. *Stefan Fatsis*, "No Viet Cong Ever Called Me Nigger", *Slate*, 8 de junho de 2016, http://www.slate.com/articles/sports/sports_nut/2016/06/did_muhammad_ali_ever_say_no_viet_cong_ever_called_me_nigger.html.
10. "Selective Service System, Special Form for Conscientious Objector", 28 de fevereiro de 1966, National Archives and Records Administration.
11. Ibid.
12. "Jim Murray", *New Journal* (Mansfield, OH), 23 de fevereiro de 1966.
13. "Clay Not on March of Draft List", *Kokomo* (IN) *Morning Times*, 22 de fevereiro de 1966.
14. Relatório do FBI, 16 de janeiro de 1967, Herbert Muhammad File, Malcolm X Manning Marable Collection.
15. Bob Arum, entrevista ao autor, 17 de novembro de 2015.
16. Cleaver, *Soul on Ice*, 118.
17. "The *Black Scholar* Interviews: Muhammad Ali", em Early, org., *The Muhammad Ali Reader*, 89.
18. "Clay Says He Is a Jet Plane and All the Rest Are Prop Jobs", *New York Times*, 25 de março de 1966.
19. Gordon B. Davidson, entrevista ao autor, 18 de abril de 2014.
20. Bob Arum, entrevista ao autor, 17 de novembro de 2015.
21. "Showdown with a Punching Bag", *Sports Illustrated*, 28 de março de 1966.
22. "Clay Knocked Down by Sparring Partner", *New York Times*, 20 de março de 1966.
23. "Historicist: The Heavyweight Showdown", *Torontoist*, 23 de março de 2013, http://torontoist.com/2013/03/historicist-the-heavyweight-showdown/.
24. "The Battle of Toronto", *New York Times*, 30 de março de 1966.
25. Contagem de golpes tabulada para o autor pela CompuBox, Inc.
26. Eddie Futch, entrevista a Ron Fried, s.d., cortesia de Ron Fried.
27. "Champion Hails His Rugged Rival", *New York Times*, 30 de março de 1966.
28. George Chuvalo, *Chuvalo* (Toronto: HarperCollins, 2013), 176.

NOTAS   699

22. "QUAL É O MEU NOME?"

1. "Champ in the Jug?", *Sports Illustrated*, 10 de abril de 1967.
2. "Intimate Look at the Champ", *Ebony*, novembro de 1966.
3. Contagem de golpes tabulada para o autor pela CompuBox, Inc.
4. Memorando da Capital Accounts, Worth Bingham Papers, Louisville Sponsoring Group, 20 de outubro de 1966, Filson Historical Society.
5. Extrato de banco, Citizens Fidelity Bank and Trust Company, Worth Bingham Papers, 15 de maio de 1966, Filson Historical Society.
6. "Cassius and His Angels Are Parting Friends", *Louisville Courier-Journal*, 16 de outubro de 1966.
7. Ezra, *Muhammad Ali*, 115.
8. "The Massacre", *Sports Illustrated*, 21 de novembro de 1966.
9. Ibid.
10. Joe Louis, "How I Would Have Clobbered Cassius Clay", *The Ring*, fevereiro de 1967.
11. Howard Cosell entrevista com Muhammad Ali e Ernie Terrell, 28 de dezembro de 1966, *ESPN Classic*, www.youtube.com.
12. "The Left That Was", *Sports Illustrated*, 6 de fevereiro de 1967.
13. "Cruel Ali with All the Skills", *Sports Illustrated*, 13 de fevereiro de 1967.
14. "Muhammad Ali vs. Ernie Terrell [Luta Completa]", www.youtube.com.
15. Hauser, com Ali, *Muhammad Ali*, 165.

23. "CONTRA AS FÚRIAS"

1. "Learning Elijah's Advanced Lesson in Hate", *Sports Illustrated*, 2 de maio de 1966.
2. "My Friend Cassius", *Louisville Courier-Journal Magazine*, 31 de julho de 1966.
3. Hauser, *Muhammad Ali*, 280.
4. "The Black Scholar Entrevistas: Muhammad Ali", *Black Scholar*, junho de 1970.
5. "The Sex Symbol", *Inside Sports*, 30 de novembro de 1980.
6. Andrew Young Jr., entrevista ao autor, 11 de agosto de 2014.
7. Ibid.
8. "Cassius vs. Army", *New York Times*, 30 de abril de 1967.
9. Tom Wicker, "In The Nation: Muhammad Ali and Dissent", *New York Times*, 2 de maio de 1967.
10. "Clay May Cause Draft Law Change", *San Antonio Express*, 26 de agosto de 1966.

700   MUHAMMAD ALI

11. "Congressman Takes Swing at Clay's Draft Status", *San Antonio Express,* 22 de fevereiro de 1967.
12. Memorando do FBI, 23 de fevereiro de 1967, FBI Vault.
13. Allen J. Rhorer a Ramsey Clark, 9 de maio de 1967, Muhammad Ali Collection, National Archives and Records Administration.
14. Memorando do FBI, bureau de Chicago ao diretor, 17 de março de 1966, FBI Vault.
15. Ibid.
16. Hayden C. Covington to Muhammad Ali, 2 de setembro de 1966, coleção pessoal do autor.
17. Ibid.
18. "Muhammad Ali vs. Zora Folley — 22 de março de 1967. — Luta completa — Rounds 1-7. & Entrevistas", www.youtube.com.
19. "Zora Folley Ranks Muhammad Ali as No. 1", *Sports Illustrated,* 10 de abril de 1967.
20. "Taps for the Champ", *Sports Illustrated,* 8 de maio de 1967.

24. BANIMENTO

1. Memorando do FBI, 6 de fevereiro de 1968, arquivo Herbert Muhammad, Malcolm X Manning Marable Collection.
2. "Clay, Dr. King Call Talk 'Renewal of Fellowship'", *Louisville Courier-Journal,* 30 de março de 1967.
3. "As Preacher, Cassius Is Forced to Settle for a Split Decision", *Louisville Times,* 30 de março de 1967.
4. "Clay, Dr. King Call Talk 'Renewal of Fellowship.'"
5. "As Preacher, Cassius Is Forced to Settle for a Split Decision."
6. *"Beyond Vietnam",* 4 de abril de 1967, Martin Luther King Jr. Research and Education Institute, Stanford University, http://kingencyclopedia.stanford.edu/encyclopedia/documentsentry/doc_beyond_vietnam/.
7. David Garrow, *The FBI and Martin Luther King, Jr.* (Nova York: Penguin Books, 1981), 182.
8. "High Court Delivers Blow to Clay", *Abiline Reporter News,* 18 de abril de 1967.
9. Howard L. Bingham e Max Wallace, *Muhammad Ali's Greatest Fight* (Lanham, MD: Rowman and Littlefield, 2000), 145.
10. "Taps for the Champ."
11. "Cassius Joked, Danced Right up to Refusal", *Louisville Courier-Journal,* 29 de abril de 1967.

NOTAS

12. "Clay Refuses Induction, to Lose Boxing Crown", *Louisville Courier-Journal*, 29 de abril de 1967.
13. "Taps for the Champ."

25. FÉ

1. Memorando do FBI, 14 de junho de 1967, FBI Vault.
2. Khalilah Camacho-Ali, memórias inéditas, s.d., cortesia de Khalilah Camacho-Ali.
3. Safiyya Mohammed-Rahmah, entrevista ao autor, 6 de agosto de 2015.
4. Ibid.
5. Khalilah Camacho-Ali, entrevista ao autor, 28 de março de 2016.
6. Khalilah Camacho-Ali, memórias inéditas.
7. Khalilah Camacho-Ali, entrevista ao autor, 21 de novembro de 2014.
8. Khalilah Camacho-Ali, memórias inéditas.
9. Khalilah Camacho-Ali, entrevista ao autor, 1º de março de 2016.
10. Safiyya Mohammed-Rahmah, entrevista ao autor, 6 de agosto de 2015.
11. "Muhammad and Belinda's Wedding Cloaked in Secret Maneuvering", *Chicago Defender*, 23 de agosto de 1967.
12. "Cassius Takes Bride in Chicago Ceremony", *Atlanta Constitution*, 19 de agosto de 1967.
13. "Nuptials for Muhammad Ali", *Chicago Defender*, 21 de agosto de 1967.
14. Khalilah Camacho-Ali, entrevista ao autor, 27 de março de 2016.
15. Ibid.
16. Bob Arum, entrevista ao autor, 22 de junho de 2016.
17. Bob Arum, entrevista ao autor, 17 de novembro de 2015.
18. Ibid.
19. Jim Brown, entrevista ao autor, 25 de junho de 2014.
20. Willie Davis, entrevista ao autor, 19 de novembro de 2015.
21. "I'm Not Worried about Ali", *Sports Illustrated*, 19 de junho de 1967.
22. John Wooten, entrevista ao autor, 19 de novembro de 2015.
23. Curtis McClinton, entrevista ao autor, 19 de novembro de 2015.
24. "I'm Not Worried about Ali."
25. Jim Brown, entrevista ao autor, 25 de junho de 2014.
26. "Clay Won't Reconsider", *Kokomo (IN) Morning Times*, 5 de junho de 1967.
27. Ibid.
28. "I'm Not Worried about Ali."

702   MUHAMMAD ALI

29. "Clay Guilty in Draft Case; Gets Five Years in Prison", *New York Times,* 21 de junho de 1967.
30. Bingham e Wallace, *Muhammad Ali's Greatest Fight,* 162.
31. Ibid., 179.
32. Charlotte Waddell, entrevista ao autor, 2 de outubro de 2015.
33. Dave Zirin, *What's My Name, Fool? Sports and Resistance in the United States* (Chicago: Haymarket Books, 2005), 67.
34. Mike Marqusee, *Redemption Song* (Londres: Verso, 1999), 165
35. "Boycott of Sports by Negroes Asked", *New York Times,* 24 de julho de 1967.
36. "Muhammad Ali — The Measure of a Man", *Freedomways,* primavera de 1967.
37. *"Backlash Blues",* interpretada por Nina Simone, www.youtube.com.

26. MÁRTIR

1. "Judge Orders Back Alimony Paid to Clay's Former Wife", *New York Times,* 21 de outubro de 1967.
2. "Lawyer Sues Cassius Clay for $284,615. Legal Fees", *New York Times,* 17 de outubro de 1967.
3. Charlotte Waddell, entrevista ao autor, 2 de outubro de 2015.
4. Khalilah Camacho-Ali, entrevista ao autor, 21 de novembro de 2014.
5. Khalilah Camacho-Ali, transcrição de entrevista sem data, coleção pessoal de Khalilah Camacho-Ali.
6. Rahaman Ali, entrevista ao autor, 10 de novembro de 2014.
7. Khalilah Camacho-Ali, entrevista ao autor, 21 de novembro de 2014.
8. "Clay's Father Suffers Stab Wound in Chest; Woman Is Charged", *Louisville Courier-Journal,* 9 de maio de 1967.
9. Relatório do FBI, 6 de fevereiro de 1968, Herbert Muhammad Files, Malcolm X Manning Marable Collection; Khalilah Camacho-Ali, memórias inéditas.
10. "The Passion of Muhammad Ali."
11. Ibid.
12. Tim Shanahan, entrevista ao autor, 15 de julho de 2014.
13. George Lois, entrevista ao autor, 30 de junho de 2015.
14. Ibid.
15. Ibid.
16. "Ali Mourns King's Death in Solitude", *Chicago Defender,* 11 de abril de 1968.

NOTAS

17. "'Cassius Le Grand' Is Too Big to 'Float,' but Still Has Sting", *Louisville Times,* 15 de fevereiro de 1969.

18. "Robert F. Kennedy's Martin Luther King Jr. Assassination Speech", 4 de abril de 1968, www.youtube.com.

19. "The Separate World of Muhammad Ali", *Boston Globe,* 22 de abril de 1968.

20. "Clay Loses Appeal of Conviction", *Chicago Tribune,* 7 de maio de 1968.

21. "Champ in the Jug?"

22. "Ali Faces His Precarious Future Unafraid", *Chicago Defender,* 22 de fevereiro de 1968.

23. "Return of Muhammad Ali, a/k/a Cassius Marcellus Clay Jr.", *New York Times,* 30 de novembro de 1969.

24. "Ali at 70: The Greatest's Greatness", *Los Angeles Times,* 18 de janeiro de 2012.

25. "No Integration, Cassius Clay Says", *Bucks County Courier Times,* 11 de novembro de 1967.

26. Artigo sem título, *Watauga (NC) Democrat,* 25 de setembro de 1969, http://www.wataugademocrat.com/community/remembering-alis-visit-to-app-state/article_27044be6-90b8-58ef-bbe0-c3fa660e6d9e.html.

27. "Muhammad Ali Urges Black 'Separatism'", *Los Angeles Sentinel,* 8 de fevereiro de 1968.

28. "The Old Cass-Mu", *Chicago Defender,* 24 de abril de 1968.

29. "Clay in 'Holy War'", *Lowell (MA) Sun,* 6 de setembro de 1967.

30. "'Finished With Ring' — Cassius", *Atlanta Constitution,* 9 de fevereiro de 1968.

31. Khalilah Camacho-Ali, transcrição de entrevista sem data, coleção pessoal de Khalilah Camacho-Ali.

32. "Muhammad Ali", *Ebony,* abril de 1969.

33. Ibid.

34. "Going to Jail for Beliefs Appeals to Cassius, Deposed Champ", *Louisville Courier-Journal,* 24 de agosto de 1969.

35. Advertisement, *Miami Times,* 12 de setembro de 1969.

36. "Ali Enters Miami Jail", *Fort Pierce* (FL) *News Tribune,* 17 de dezembro de 1968.

37. "Clay Begins His 10-Day Term", *Register* (Danville, VA), 17 de dezembro de 1968.

38. Hauser, com Ali, *Muhammad Ali,* 197.

39. "Return of Muhammad Ali, a/k/a Cassius Marcellus Clay Jr."

40. Dick Schaap, "Muhammad Ali Then and Now", em Kimball e Schulian, orgs., *At the Fights,* 216.

41. Carta ao Departamento de Justiça, Muhammad Ali Collection, 13 de fevereiro de 1969, National Archives and Records Administration.

704   MUHAMMAD ALI

42. Bill Barwick ao presidente Lyndon B. Johnson, Muhammad Ali Collection, 24 de junho de 1967, National Archives and Records Administration.

43. "Muhammad Ali", *Ebony,* abril de 1969.

27. CANTAR, DANÇAR E ORAR

1. Khalilah Camacho-Ali, entrevista ao autor, 29 de abril de 2016.
2. Ibid.
3. Ibid.
4. Baldwin, *The Fire Next Time,* 64.
5. Khalilah Camacho-Ali, entrevista ao autor, 29 de abril de 2016.
6. "Muhammad Ali Loses His Title to the Muslims", *New York Times,* 20 de abril de 1969.
7. Louis Farrakhan, entrevista ao autor, 8 de agosto de 2015.
8. Ibid.
9. Elijah Muhammad, *Message to the Blackman in America* (Phoenix: Secretarius MEMPS Publications, 1973), 246, http://www.finalcall.com/columns/hem/sport_play.html.
10. Maureen Smith, "*Muhammad Speaks* and Muhammad Ali: Intersection of the Nation of Islam and Sport in the 1960s", em *With God on Their Side: Sport in the Service of Religion, org.* Timothy Chandler e Tara Magdalinski (Londres: Routledge, 2002), 177-96.
11. Ibid.
12. Muhammad Ali, nota manuscrita, s.d., cortesia de Khalilah Camacho-Ali.
13. "The Art of Ali", *Sports Illustrated,* 5 de maio de 1969.
14. Ibid.
15. "'I See No Prestige in Show Business'", *New York Times,* 23 de novembro de 1969.
16. "Cassius Clay Musical Stopping the Count at 7", *New York Times,* 5 de dezembro de 1969.
17. Robert Lipsyte, *Free to Be Muhammad Ali* (Nova York: HarperCollins, 1977), 90.
18. "Cassius Marcellus Clay Jr.", Memorando do FBI, 8 de dezembro de 1969, Muhammad Ali Collection, National Archives and Records Administration.
19. "Black Mafia", Memorando do FBI, 30 de novembro de 1973, FBI Vault.
20. Leon Muhammad, entrevista ao autor, 13 de junho de 2016.
21. Jamillah Muhammad, entrevista ao autor, 9 de dezembro de 2014.
22. Khalilah Camacho-Ali, entrevista ao autor, 21 de novembro de 2014.

NOTAS 705

23. Ibid.
24. Khalilah Camacho-Ali, Veronica Porche, Jamillah Muhammad, entrevistas múltiplas pelo autor, várias datas, 2014-17.
25. Khalilah Camacho-Ali, entrevista ao autor, 21 de novembro de 2014.
26. Ibid.

28. O MAIOR LIVRO DE TODOS OS TEMPOS

1. "Book Buzz", *Washington Post*, 29 de março de 1970.
2. Ibid.
3. Khalilah Camacho-Ali, entrevista ao autor, 21 de novembro de 2014.
4. Ishmael Reed, *The Complete Muhammad Ali* (Montreal: Baraka Books, 2015), 151.
5. Jesse Jackson, entrevista ao autor, 6 de julho de 2016.
6. Ibid.
7. Ibid.; Gene Kilroy, entrevista ao autor, 1º de julho de 2016.
8. "Clay 'Grants' World Title, *Washington Post*, 27 de maio de 1970.

29. FIQUE DO MEU LADO

1. Todas as citações, os gestos e os detalhes contidos neste capítulo vêm de Ali e Durham, *The Greatest*. O manuscrito original de Durham está na Carter G. Woodson Regional Library em Chicago, mas não as fitas gravadas. A esposa de Durham, Clarice, numa entrevista ao autor, disse acreditar que seu marido fez citações exatas das conversas gravadas. A biógrafa de Durham, Sonja D. Williams, escreveu em seu relato sobre a vida de Durham que Durham e Ali, vencendo as objeções de Herbert Muhammad, insistiram em que os diálogos no livro deveriam ser autênticos e sem censura. Algumas das frases de Durham entre parênteses foram editadas por essa razão, e alguns de seus diálogos foram resumidos, mas nenhuma palavra e nenhum gesto foram acrescentados ou alterados.

30. RETORNO

1. "Cherry Hill Played a Big Role in Muhammad Ali's Life", *Courier-Post* (Cherry Hill, NJ), 13 de setembro de 2012.

706   MUHAMMAD ALI

2. "Clay KO'd by Black Militants", *Indiana Evening Gazette,* 30 de janeiro de 1970.

3. Gene Kilroy, entrevista ao autor, 4 de maio de 2016.

4. Marc Satalof, entrevista ao autor, 15 de abril de 2015.

5. Reggie Barrett, entrevista ao autor, 22 de março de 2016.

6. "A Strange Case of Friendship", *Inside Sports,* 31 de julho de 1981.

7. Gene Kilroy, entrevista ao autor, 22 de agosto de 2016.

8. Leroy Johnson, entrevista ao autor, 1º de junho de 2016.

9. "Welcome Back, Ali!", *Sports Illustrated,* 14 de setembro de 1970.

10. Sam Massell, entrevista ao autor, 10 de maio de 2016.

11. Leroy Johnson, entrevista ao autor, 1º de junho de 2016.

12. Ibid.

13. "Welcome Back, Ali!", *Sports Illustrated,* 14 de setembro de 1970.

14. "Ali Despite Millions Won, Faces Toughest Fight, Balancing Budget", *New York Times,* 25 de março de 1978.

15. "Welcome Back, Ali!", *Sports Illustrated,* 14 de setembro de 1970.

16. Ibid.

17. "Clay Doesn't Feel D'Amato's Definition of Pressure", *Louisville Times,* 26 de outubro de 1970.

18. "Jerry Quarry, 53, Boxer Battered by Years in the Ring, Dies", *New York Times,* 5 de janeiro de 1999.

19. "3-Year Ring Ban Declared Unfair", *New York Times,* 15 de setembro de 1970.

20. "He Moves Like Silk, Hits Like a Ton", *Sports Illustrated,* 26 de outubro de 1970.

21. Jesse Jackson, entrevista ao autor, 6 de julho de 2016.

22. "Knockout", *Atlanta,* outubro de 2005.

23. Ibid.

24. Schulberg, *Loser and Still Champion,* 78.

25. "Ringside Crowd Forms Dazzling Backdrop", *New York Times,* 27 de outubro de 1970.

26. "Sport and Sociology at the Auditorium", *Atlanta Constitution,* 28 de outubro de 1970.

27. "Ringside Crowd Forms Dazzling Backdrop."

28. Sam Massell, entrevista ao autor, 10 de maio de 2016.

29. "Ali on Peachtree", *Harper's Magazine,* janeiro de 1971.

30. Plimpton, *Shadow Box,* 157.

31. Ibid., 163.

32. Schulberg, *Loser and Still Champion,* 74.

33. Jerry Izenberg, entrevista ao autor, 22 de junho de 2016.

NOTAS

34. Dundee, *My View from the Corner,* 139.
35. "Muhammad Ali — Jerry Quarry. 1970. 10. 26. I", www.youtube.com.
36. Ali e Durham, *The Greatest,* 326.
37. Gene Kilroy, entrevista ao autor, 4 de maio de 2016.
38. "$200,000. Robbery — 'Bare Minimum'", *Atlanta Constitution,* 1º de novembro de 1970.

31. "O MUNDO ESTÁ TE OLHANDO"

1. "It's Gonna Be the Champ and the Tramp", *Sports Illustrated,* 1º de fevereiro de 1971.
2. Kindred, *Sound and Fury,* 137.
3. "Ali vs. Bonavena", transmissão da ESPN, www.youtube.com.

32. UM LUTADOR DIFERENTE

1. "Diana Ross Sums It Up: Clay Looked Great", *Louisville Times,* 27 de outubro de 1970.
2. Dundee, *My View from the Corner,* 143.
3. Contagem de golpes tabulada para o autor pela CompuBox, Inc.
4. Estatísticas compiladas para o autor pela CompuBox, Inc.
5. Gene Kilroy, entrevista ao autor, 16 de setembro de 2016.
6. Hauser, com Ali, *Muhammad Ali,* 213.
7. Ferdie Pacheco, entrevista ao autor, 30 de dezembro de 2013.
8. Schulberg, *Loser and Still Champion,* 96.
9. Ibid.
10. "Talk with Mr. Hemingway", *New York Times,* 17 de setembro de 1950.
11. Mark Kram Jr., entrevista ao autor, 13 de agosto de 2016.
12. Joe Hand Sr., entrevista ao autor, 21 de março de 2014.
13. Mailer, *King of the Hill,* 67.
14. "Bull vs. Butterfly: A Clash of Champions", *Time,* 8 de março de 1971.
15. "In This Corner [...] The Official Heavyweight Champ", *New York Times,* 15 de novembro de 1970.
16. "Bull vs. Butterfly: A Clash of Champions."
17. "In This Corner [...] The Official Heavyweight Champ."
18. Ibid.

708 MUHAMMAD ALI

19. Mark Kram, *Ghosts of Manila* (Nova York: Harper Perennial, 2002), 28.
20. Ibid., 29.

33. A LUTA DE 5 MILHÕES DE DÓLARES

1. *Time*, 8 de março de 1971.
2. "Muhammad Ali vs. Joe Frazier (I) 1971-03-08", www.youtube.com.
3. "It's Gonna Be the Champ and the Tramp."
4. Ibid.
5. Jim Dundee, entrevista ao autor, 11 de junho de 2015.
6. "Frazier-Ali Bout Income Near $20-Million Mark", *New York Times,* 9 de maio de 1971.
7. "Sport's $5. Million Payday", *Sports Illustrated,* 25 de janeiro de 1971.
8. Schulberg, *Loser and Still Champion,* 128.
9. "The Athlete as Peacock", *Time,* 4 de janeiro de 1971.
10. Kindred, *Sound and Fury,* 165.
11. "At the Bell...", *Sports Illustrated,* 8 de março de 1971.
12. Marvis Frazier, entrevista ao autor, 8 de março de 2014.
13. "I Got a Surprise for Clay", *Sports Illustrated,* 22 de fevereiro de 1971.
14. "Patterson, Ali Mourn Liston", *Chicago Defender,* 7 de janeiro de 1971.
15. "'Mellow' Ali Predicts Win", *Los Angeles Times,* 16 de janeiro de 1971.
16. Ibid.
17. Ibid.
18. "Explains Boasting", *Oakland Post,* 4 de fevereiro de 1971.
19. "'Mellow' Ali Predicts Win", *Los Angeles Times,* 16 de janeiro de 1971.
20. Ibid.

34. ALI VS. FRAZIER

1. Mailer, *King of the Hill,* 62.
2. Connie Bruck, *When Hollywood Had a King* (Nova York, Random House, 2004), 309.
3. Khalilah Camacho-Ali, entrevista ao autor, 23 de dezembro de 2014.
4. Ibid.
5. "Where Were You on March 8, 1971", ESPN.com, http://espn.go.com/classic/s/silver_ali_frazier.html.

NOTAS

6. "The Telecast of the Century", *New York Times,* 21 de agosto de 1972.
7. Mailer, *King of the Hill,* 76.
8. Kram, *Ghosts of Manila,* 144.
9. Joe Frazier, entrevista, *ESPN Classic,* transcrição de entrevista transmitida, 17 de janeiro de 2001, cortesia de ESPN.
10. Torres, *Sting Like a Bee,* 208.
11. Ali e Durham, *The Greatest,* 405.
12. "'Everyone Will Remember What Happened'", *Sports Illustrated,* 15 de março de 1971.
13. Mailer, *King of the Hill,* 17.
14. "'I Ain't No Champ,' Says Muhammad Ali", *Charleston Daily Mail,* 9 de março de 1971.
15. "Frazier Earns the Crown", *New York Times,* 8 de março de 1971.

35. LIBERDADE

1. "Muhammad Ali's Philadelphia Story", *Philadelphia Citizen,* 6 de junho de 2016.
2. Plimpton, *Shadow Box,* 200.
3. Ibid., 201.
4. Ibid., 203.
5. Ibid., 204.
6. Ibid., 206.
7. "Classification Questionnaire", Selective Service System, 13 de março de 1961, National Archives and Records Administration.
8. Marty Lederman, "The Story of *Cassius Clay vs. United States*", ScotusBlog.com, 8 de junho de 2016, http://www.scotusblog.com/2016/06/muhammad-ali-conscientious-objection-and-the-supreme-courtsstruggle-to-understand-jihad-and-holy-war-the-story-of-cassius-clay-v-unitedstates/.
9. Ibid.
10. Muhammad, *Message to the Blackman in America,* 322.
11. "A Day for Victory Outside Ring", *New York Times,* 29 de junho de 1971.
12. Ibid.
13. "Judges' Decision Today: 5-3-1, Favor Ali?", *New York Times,* 28 de junho de 1971.
14. "A Day for Victory Outside Ring."
15. "Ali's Remark Ended Wilt's Ring Career", *Los Angeles Times,* 15 de janeiro de 1989.
16. "Ali Will Quit after Fighting Joe", *Lompoc (CA) Record,* 23 de junho de 1971.

710   MUHAMMAD ALI

17. "A Day for Victory Outside Ring."
18. Ibid.
19. Donald Reeves, "The Black Prince", *New York Times*, 17 de maio de 1971.
20. "Muhammad Ali: World's Greatest Fighter", *Sacramento Observer*, 25 de fevereiro de 1971.
21. "Tired Ali Unimpressive in Dayton Exhibition, Hints at Retirement", *Xenia (OH) Daily Gazette*, 26 de junho de 1971.
22. Ibid.
23. "Ali Gets Down to Serious Work", *New York Times*, 24 de julho de 1971.
24. "The Lip Hits Deck", *Pacific Stars and Stripes*, 24 de julho de 1971.
25. Ibid.
26. "Ali Stops Ellis in Closing Minute of 12th Round", *New York Times*, 27 de julho de 1971.
27. Ferdie Pacheco, entrevista ao autor, 30 de dezembro de 2013.
28. Ibid.
29. Bob Goodman, entrevista ao autor, 4 de dezembro de 2014.
30. Bob Foster, entrevista ao autor, 12 de junho de 2014.
31. Angelo Dundee, entrevista, *ESPN Classic*.
32. Bob Foster, entrevista ao autor, 12 de junho de 2014.

36. ENGANAÇÃO

1. Bob Arum, entrevista ao autor, 17 de novembro de 2015.
2. "An Abrupt End to the Frazier Reign", *New York Times*, 23 de janeiro de 1973.
3. "At 30, a Man Learns, Even Muhammad Ali", *New York Times*, 4 de setembro de 1972.
4. Gene Kilroy, entrevista ao autor, 13 de dezembro de 2014.
5. "At 30, a Man Learns, Even Muhammad Ali."
6. Jamillah Ali, entrevista ao autor, 25 de julho de 2015.
7. Muhammad Ali, entrevista a Nikki Giovanni, 1971, www.youtube.com.
8. *Thomas* Hauser, *Muhammad Ali Memories* (Nova York: Rizzoli, 1992), página sem número.
9. "At 30, a Man Learns, Even Muhammad Ali", *New York Times*, 14 de setembro de 1972.
10. "Ali Deflects Quick Jab after Fight", *New York Times*, 21 de setembro de 1972.
11. "Playboy Entrevista: Don King", *Playboy*, maio de 1988.

NOTAS

12. Jack Newfield, *Only in America* (Nova York: William Morrow, 1995), 3-4.
13. "The Fight's Lone Arranger", *Sports Illustrated,* 2 de setembro de 1974.
14. Newfield, *Only in America,* 3.
15. Ibid.
16. Lloyd Price, entrevista ao autor, 30 de julho de 2015.
17. Ibid.
18. Newfield, *Only in America,* 37.
19. Ibid., 30.
20. "Playboy Entrevista: Don King", *Playboy,* maio de 1988.
21. Reggie Barrett, entrevista ao autor, 4 de março de 2016.
22. Don King, entrevista ao autor, 13 de dezembro de 2015.
23. Don King, videoentrevista pelo jornalista independente Andy Quinn, 14 de dezembro de 2014, cortesia de Andy Quinn.
24. Don King, entrevista ao autor, 13 de dezembro de 2015.
25. Don King, videoentrevista por Andy Quinn, 14 de dezembro de 2014.
26. Don King, entrevista ao autor, 13 de dezembro de 2015.
27. Kram, *Ghosts of Manila,* 149.
28. "Set for a Wood Chopper's Brawl", *Sports Illustrated,* 15 de janeiro de 1973.
29. Ibid.
30. "People in Sports: Same Old Ali", *New York Times,* 13 de fevereiro de 1973.
31. "Playboy Entrevista: Don King", *Playboy,* maio de 1988.
32. Newfield, *Only in America,* 47.
33. "People in Sports: Same Old Ali."
34. Joyce Carol Oates, *On Boxing* (Nova York: Harper Perennial, 2006), 30.
35. "The Bugle Call Champion", *Sports Illustrated,* 12 de junho de 1978.
36. "Ali-Frazier Match Goes Way of Devalued Dollar", *New York Times,* 2 de abril de 1973.
37. Bryan Burrough, *Days of Rage* (Nova York: Penguin, 2016), 5.
38. Ibid.
39. Gene Kilroy, entrevista ao autor, 19 de julho de 2016.
40. Reggie Barrett, entrevista ao autor, 4 de março de 2016; Khalilah Camacho-Ali, entrevista ao autor, 4 de março de 2016.
41. Reggie Barrett, entrevista ao autor, 4 de março de 2016.
42. Stephen Brunt, *Facing Ali* (Guilford, CT: Lyons Press, 2002), 175.
43. Ibid., 170.
44. ABC, transmissão de programa, 31 de março de 1973, www.youtube.com.
45. Ibid.

712   MUHAMMAD ALI

46. "The Mouth That Nearly Roared", *Sports Illustrated,* 23 de abril de 1973.
47. Ibid.
48. Khalilah Camacho-Ali, entrevista ao autor, 4 de março de 2016. Nessa entrevista, Khalilah disse que seu ataque foi causado, em parte, pela perda e por sua descoberta de que o marido estivera com prostitutas antes da luta, mas também por um terceiro fator que ela não quis discutir.
49. Ibid.
50. "Norton Stuns Ali, Wants Foreman", *Hayward (CA) Daily Review,* 1º de abril de 1973.
51. Ferdie Pacheco, entrevista ao autor, 30 de dezembro de 2013.
52. "Ali's Stock Plummets, Jaw Aches Too", *Winnipeg Free Press,* 2 de abril de 1973.
53. Lee Winfrey, "Fall of Muhammad: Is It Tragedy or Merely Time?", *Chicago Tribune,* 15 de abril de 1973.

37. UMA LUTA DE MORTE

1. "New Act, Same Ali", *Ames (IA) Daily Tribune,* 4 de maio de 1973.
2. Ibid.
3. "Wired Jaw Fails to Silence a Humble Ali", *New York Times,* 4 de maio de 1973.
4. Ibid.
5. Richard Hoffer, *Bouts of Mania* (Boston: Da Capo Press, 2014), 118.
6. Bob Goodman, entrevista ao autor, 4 de dezembro de 2014.
7. Angelo Dundee, transcrição de entrevista com ESPN SportsCentury, s.d., cortesia de ESPN.
8. "Ali, of Course, Favors Louisville Bout, But . . .", *Louisville Courier-Journal,* 25 de março de 1975.
9. Khalilah Camacho-Ali, entrevista ao autor, 21 de novembro de 2014.
10. "Ali and His Entourage", *Sports Illustrated,* 25 de abril de 1988.
11. Ibid.
12. Lowell Riley, entrevista ao autor, 14 de março de 2014.
13. Angelo Dundee, transcrição de entrevista com ESPN SportsCentury.
14. Ibid.
15. "Sights and Sounds from Muhammad Ali", *New York Times,* 6 de setembro de 1973.
16. "Ali Is 'Dancing' on His Mountaintop", *New York Times,* 26. agosto de 1973.
17. Ali vs. Norton, www.youtube.com.

NOTAS

18. *Muhammad Ali, Joe Frazier Scuffle in TV Studio"*, ABC-TV, de 24 de janeiro de 1974, http://abcnews.go.com/WNT/video/muhammad-ali-joe-frazier-scuffle-tv--studio-14906366.

19. "Once More, from Memory This Time", *New York Times,* 29 de janeiro de 1974.

20. "Muhammad Ali vs. Joe Frazier 2", Luta completa, www.youtube.com.

21. Daniel Okrent, org., *American Pastimes: The Very Best of Red Smith* (Nova York: Literary Classics of the United States, 2013), 418.

22. "Ali Says 'No Bad Feeling between Us,' and Talks of Super Fight III", *New York Times,* 29 de janeiro de 1974.

23. "Playboy Entrevista: Muhammad Ali", *Playboy,* novembro de 1975.

38. *CORAÇÃO DAS TREVAS*

1. Hank Schwartz, entrevista ao autor, 27 de julho de 2016.

2. Newfield, *Only in America,* 52.

3. George Foreman, *By George: The Autobiography* (Nova York: Villard Books, 1995), 99-100.

4. Ibid., 99.

5. Hank Schwartz, entrevista ao autor, 27 de julho de 2016.

6. "The Fight's Lone Arranger", *Sports Illustrated,* 2 de setembro de 1974.

7. Ibid.

8. Hank Schwartz, entrevista ao autor, 27 de julho de 2016.

9. "The Fight's Lone Arranger", *Sports Illustrated,* 2 de setembro de 1974.

10. Hank Schwartz, entrevista ao autor, 27 de julho de 2016.

11. Ibid.

12. Hank Schwartz, *From the Corners of the Ring to the Corners of the Earth* (Valley Stream, NY: CIVCOM, 2009-10), 155.

13. Victor Bockris, *Muhammad Ali in Fighter's Heaven* (Nova York: Cooper Square Press, 2000), 125-26.

14. Gene Kilroy, entrevista ao autor, 16 de maio de 2014.

15. "Black Muslim Group in Trouble from Financial Problems and Some Crime", *New York Times,* 6 de dezembro de 1973.

16. Ali e Durham, *The Greatest,* 209.

17. Kram, *Ghosts of Manila,* 9.

18. Hauser, com Ali, *Muhammad Ali,* 201.

19. Jim Brown, entrevista ao autor, 25 de junho de 2014.

714 MUHAMMAD ALI

20. Memorando do FBI, 11 de março de 1975, Herbert Muhammad File, Malcolm X Manning Marable Collection.
21. Hank Schwartz, entrevista ao autor, 27 de julho de 2016.
22. "The Man Who Stole a Country", *Mail and Guardian (Johannesburgo)*, 12 de setembro de 1997.
23. Ibid.
24. "Zaire Prepares with Pride to Become Battleground for Foreman Ali Fight", *New York Times*, 2 de julho de 1974.

39. CÉU DO LUTADOR

1. "Ali Wants Foreman as Finale", *New York Times*, 5 de março de 1974.
2. "What They Are Saying", *New York Times*, 31 de março de 1974.
3. Gene Kilroy, entrevista ao autor, 10 de junho de 2016.
4. "Foreman Trains at Pleasanton", *Argus* (Fremont, CA), 30 de julho de 1974.
5. "Foreman Makes Ali Bout 'Official'", *Long Beach (CA) Press Telegram*, 30 de julho de 1974.
6. Ibid.
7. Rose Jennings, entrevista ao autor, 10 de março de 2014.
8. Ibid.
9. "Package Deal Expensive", *Glens Falls (NY) Post-Star*, 14 de agosto de 1974.
10. "Zaire: The Toughest Fight Is Just Getting There", *New York Times*, 13 de agosto de 1974.
11. "Press Corps Finally Arrives in Zaire", *Chicago Tribune*, 18 de setembro de 1974.
12. Bill Caplan, entrevista ao autor, 9 de agosto de 2016.
13. Bill Caplan, entrevista ao autor, 2 de fevereiro de 2015.
14. "Zaire Prepares with Pride to Become Battleground for Foreman Ali Fight."
15. Rose Jennings, entrevista ao autor, 10 de março de 2014.
16. *Tom Borstelmann, The 1970s: A New Global History from Civil Rights to Economic Inequality* (Princeton, NJ: Princeton University Press, 2012), 12.
17. Dave Kindred, "Getting Inside Ali", *Midwest Magazine*, 1º de setembro de 1974.
18. Ibid.
19. "Playboy Entrevista: Muhammad Ali", *Playboy*, novembro de 1975.
20. "The Voice in the Wilderness", *New York Times*, 17 de agosto de 1974.
21. Plimpton, *Shadow Box*, 226.
22. Kindred, *Sound and Fury*, 198.

NOTAS 715

23. Ibid., 199.

24. Khalilah Camacho-Ali, entrevista ao autor, 23 de dezembro de 2014.

25. Ibid.

26. *Maury Z. Levy,* "Poor Butterfly", *Philadelphia Magazine,* s.d. (c.1975), https:// mauryzlevy.wordpress.com/2012/06/15/poor-butterfly/.

27. Muhammad Ali, coletiva de imprensa, New York City, setembro de 1974, em *When We Were Kings,* Universal Studios, 2005.

28. "Does Ali Have a Chance against Foreman?", *Sport,* setembro de 1974.

29. "Penthouse Entrevista: Muhammad Ali", *Penthouse,* junho de 1974.

30. "Sports News Briefs", *New York Times,* 5 de setembro de 1974.

31. Veronica Porche, entrevista ao autor, 25 de maio de 2016.

32. Gene Kilroy, entrevista ao autor, 21 de junho de 2016.

33. Veronica Porche, entrevista ao autor, 25 de maio de 2016.

40. "ALI BOMA YE!"

1. "Mirror, Mirror on the Wall, Who Is...?", *New York Times,* 10 de setembro de 1974.

2. Entrevista com Muhammad Ali em *When We Were Kings.*

3. "Getting Inside Ali."

4. Muhammad Ali, entrevista a David Frost, BBC, s.d., www.youtube.com.

5. Ibid.

6. "Broken Glasses at the Waldorf", *New York Times,* 24 de junho de 1974.

7. O *New York Times* usou "palavrão excluído", em vez de "rabo" (*ass*), mas outras agências de notícias usaram "rabo", o que sugere fortemente que a palavra excluída era "rabo". Ibid.

8. Dave Anderson, "Broken Glasses at the Waldorf", *New York Times,* 24 de junho de 1974.

9. "Muhammad Ali's 'Rumble in the Jungle'", *Louisville Courier-Journal,* 15 de setembro de 1974.

10. George Foreman, entrevista ao autor, 28 de setembro de 2015.

11. Foreman, *By George,* 106.

12. "The Darker Side of Muhammad Ali", *Salon,* http://www.salon.com/2001/06/06/ ali_2/.

13. Gene Kilroy, entrevista ao autor, 16 de maio de 2014.

14. Ibid.

15. Ibid.; Jerry Izenberg, entrevista ao autor, 23 de maio de 2016.

16. "Chant of the Holy War: 'Ali, Bomaye'", *New York Times,* 28 de outubro de 1974.

17. "Cut'n Run versus the Big Gun", *Sports Illustrated,* 28 de outubro de 1974.

18. *Ali vs. Foreman,* www.youtube.com.

19. Norman Mailer, *The Fight* (Nova York: Vintage Books, 1997), 44.

20. Ibid., 45.

21. Oates, *On Boxing,* 185.

22. Ibid., 391.

23. Stokely Carmichael, *Ready for Revolution: The Life and Struggles of Stokely Carmichael* (Nova York: Scribner, 2003), 707.

24. "A Lot of Fans Will See Fight — But Not in Zaire", *New York Times,* 27 de outubro de 1974.

25. "Zaire's $10. Million Bet", *New York Times,* 27 de outubro de 1974.

26. Ibid.

27. Veronica Porche, entrevista ao autor, 20 de dezembro de 2016.

28. Ibid.

29. Veronica Porche, entrevista ao autor, 25 de maio de 2016.

30. Rose Jennings, entrevista ao autor, 10 de março de 2014.

31. Kram, *Ghosts of Manila,* 165.

32. Veronica Porche, entrevista ao autor, 25 de maio de 2016.

33. "Foreman's Eye Is Cut while Sparring, Delaying Title Bout a Week to 30 Days", *New York Times,* 17 de setembro de 1974.

34. Veronica Porche, entrevista ao autor, 25 de maio de 2016.

35. Rose Jennings, entrevista ao autor, 10 de março de 2014.

36. Khalilah Camacho-Ali, entrevista ao autor, 21 de novembro de 2014. Veronica Porche, entrevista ao autor, 25 de maio de 2016; Gene Kilroy, entrevista ao autor, 22 de outubro de 2016.

37. Khalilah Camacho-Ali, entrevista ao autor, 21 de novembro de 2014.

38. Veronica Porche, entrevista ao autor, 20 de dezembro de 2016.

39. Kram, *Ghosts of Manila,* 165.

40. Veronica Porche, entrevista ao autor, 25 de maio de 2016.

41. "The Farther They Are, the Harder They Fall", *Sports Illustrated,* 2 de setembro de 1974.

42. Mailer, *The Fight,* 116.

43. Plimpton, *Shadow Box,* 228.

44. Veronica Porche, entrevista ao autor, 25 de maio de 2016.

45. Rose Jennings, entrevista ao autor, 10 de março de 2014.

46. "Ali Says It Will Be Last Fight", *New York Times,* 22 de outubro de 22, 1974.

NOTAS

47. "Odds on Foreman to Retain Title Rise to 3-1", *New York Times,* 27 de outubro de 1974.
48. Red Smith, "Kinshasa Could Be Shelby South", *New York Times,* 23 de outubro de 1974.
49. "Ali's Unique Fame — How It All Began", *Chicago Tribune,* 3 de novembro de 1974.
50. Plimpton, *Shadow Box,* 299.

41. BATALHA NA SELVA (*RUMBLE IN THE JUNGLE*)

1. George Plimpton, "Breaking a Date for the Dance", *Sports Illustrated,* 11 de novembro de 1974.
2. Ibid.
3. "A Lot of Fans Will See Fight — But Not in Zaire."
4. "Foreman 3-1 over Ali in Zaire Tonight", *New York Times,* 29 de outubro de 1974.
5. Dundee, *My View from the Corner,* 184.
6. Ali e Durham, *The Greatest,* 403.
7. Plimpton, *Shadow Box,* 324.
8. Gene Kilroy, entrevista ao autor, 22 de maio de 2016.
9. Plimpton, "Breaking a Date for the Dance."
10. Ali e Durham, *The Greatest,* 405.
11. Mike Silver, *The Arc of Boxing* (Jefferson, NC: Mc-Farland, 2008), 123.
12. Ali e Durham, *The Greatest,* 411.
13. Ali vs. Foreman, www.youtube.com.
14. George Foreman, entrevista ao autor, 28 de setembro de 2015.
15. Ibid.
16. Gene Kilroy, entrevista ao autor, 22 de maio de 2016.
17. Plimpton, *Shadow Box,* 329.
18. Plimpton, "Breaking a Date for the Dance".
19. Plimpton, *Shadow Box,* 332.
20. Mailer, *The Fight,* 222.

42. VOANDO ALTO

1. "Champion's Greeting for Ali in Chicago", *New York Times,* 2 de novembro de 1974.
2. Evanzz, *The Messenger,* 419.

3. Ibid., 421.
4. "Muhammad Ali — Larger Than Life", *Montana Standard,* 23 de fevereiro de 1975.
5. "Ali to Give Away Profits", *Billings Gazette,* 11 de fevereiro de 1975.
6. "Ali Challenges Black Men", *Ebony,* de janeiro de 1975.
7. "Ali Welcomed by Crowd of Supporters in Hometown, 'Greatest City in World'", *Middlesboro (KY) Daily News,* 7 de novembro de 1974.
8. "Ali Challenges Black Men."
9. Ibid.
10. Ibid.
11. Kindred, *Sound and Fury,* 204.
12. Muhammad Ali, elegia para Elijah Muhammad, serviço fúnebre, 25 de fevereiro de 1975, DVD, cortesia de Elijah Muhammad III.
13. Kram, *Ghosts of Manila,* 113.
14. Muhammad Ali, elegia para Elijah Muhammad.
15. Lloyd Price, entrevista ao autor, 30 de julho de 2015.
16. Gene Kilroy, entrevista ao autor, 17 de maio de 2014.
17. Bruce J. Schulman, *The Seventies* (Nova York: The Free Press, 2001), 53.
18. Evanzz, *The Messenger,* 425.
19. Wilfrid Sheed, *Muhammad Ali: A Portrait in Words and Photographs* (Nova York: Signet, 1975), 161.
20. "Chuck Wepner: Boxing's Everyman", *Long Beach (CA) Independent,* 27 de janeiro de 1975.
21. Newfield, *Only in America,* 90.
22. "Ali-Wepner Fight Part of Twinbill", *Cumberland (NJ) News,* 25 de janeiro de 1975.
23. Gene Kilroy, entrevista ao autor, 26 de agosto de 2016.
24. Abdul Rahman, entrevista ao autor, 19 de agosto de 2016.
25. "Nation of Islam Plans Event", *Chicago Defender,* 30 de agosto de 1975.
26. Chuck Wepner, entrevista ao autor, 26 de fevereiro de 2014.
27. "Ali Says He's Overweight, Unenthused", *Chicago Defender,* 15 de março de 1975.
28. "Tired Ali Scores Knockout in 15th to Retain Crown", *Louisville Courier-Journal,* 25 de março de 1975.
29. "Ali Staggers and 'Fluffs Pillows' for Good Cause", *Louisville Courier-Journal,* 30 de maio de 1975.
30. "Playboy Entrevista: Muhammad Ali", *Playboy,* novembro de 1975.
31. Larry Holmes, entrevista ao autor, 1º de outubro de 2015.
32. "King of All Kings", *New York Times,* de junho de 29, 1975.
33. Larry Holmes, entrevista ao autor, 1º de outubro de 2015.

NOTAS

43. IMPULSOS

1. Khalilah Camacho-Ali, entrevista ao autor, 1º de março de 2016.
2. Leon Muhammad, entrevista ao autor, 6 de junho de 2016.
3. Jamillah Muhammad, entrevista ao autor, 9 de dezembro de 2014.
4. "Suit Is Filed against Ali for Restoration of Child Support", *Los Angeles Times,* 18 de janeiro de 1985.
5. Veronica Porche, entrevista ao autor, 20 de dezembro de 2016.
6. Leon Muhammad, entrevista ao autor, 6 de junho de 2016.
7. Tim Shanahan, entrevista ao autor, 12 de janeiro de 2014.
8. Khalilah Camacho-Ali, entrevista ao autor, 3 de dezembro de 2014.
9. Khalilah Camacho-Ali, entrevista ao autor, 1º de março de 2016.
10. Khalilah Camacho-Ali, entrevista ao autor, 21 de novembro de 2014.
11. Michael Phenner, entrevista ao autor, 7 de janeiro de 2014.
12. Khalilah Camacho-Ali, entrevista ao autor, 1º de março de 2016.
13. Ibid.
14. Larry Kolb, entrevista ao autor, 28 de maio de 2016; Lowell Riley, entrevista ao autor, 12 de março de 2016.
15. "Arum, One of Boxing's Most Powerful Promoters, Still Hustling", *Sports Illustrated,* 5 de dezembro de 2012.
16. Bob Arum, entrevista ao autor, 17 de novembro de 2015.
17. Khalilah Camacho-Ali, entrevista ao autor, 1º de março de 2016.
18. Veronica Porche, entrevista ao autor, 26 de maio de 2016.
19. Jamillah Ali, entrevista ao autor, 25 de julho de 2015.
20. Veronica Porche, entrevista ao autor, 20 de dezembro de 2016.
21. "Greatest Expectations", *New York Times,* 8 de abril de 2012.
22. Veronica Porche, entrevista ao autor, 20 de dezembro de 2016.
23. "Knockout."
24. Veronica Porche, entrevista ao autor, 26 de maio de 2016; Khalilah Camacho-Ali, entrevista ao autor, 1º de março de 2016.
25. Khalilah Camacho-Ali, entrevista ao autor, 1º de março de 1, 2016.
26. Veronica Porche, entrevista ao autor, 26 de maio de 2016.
27. Ibid.
28. "King of All Kings."
29. Rahaman Ali, entrevista ao autor, 10 de novembro de 2014.
30. Curt Gunther, fotógrafo, MPTV Images, 1963. Publicada em Azadeh Ansari, "Previously Unseen Photos Show Young Muhammad Ali at Home", CNN.com,

720 MUHAMMAD ALI

http://www.cnn.com/2016/06/05/us/cnnphotos-muhammad-ali-rare-pictures/ index.html?sr=twcnni060616cnnphotos-muhammad-alirare-pictures0226AMV ODtopLink&linkId=25239242.

31. Peter Bonventre, entrevista ao autor, 2 de junho de 2016.
32. Jamillah Muhammad, entrevista ao autor, 9 de dezembro de 2014.
33. Ibid.
34. Peter Bonventre, "The Ali Mystique", *Newsweek,* 29 de setembro de 1975.
35. Veronica Porche, entrevista ao autor, 20 de dezembro de 2016.
36. Dave Anderson, "Magellan to MacArthur to Muhammad", *New York Times,* 23 de setembro de 1975.
37. "Mrs. Ali Leaves Manila, Indicating '3. Is a Crowd'", *New York Times,* 27 de setembro de 1975.
38. Jamillah Muhammad, entrevista ao autor, 9 de dezembro de 2014.
39. "The Ali Mystique."
40. "Ali Tells Public of His Private Life", *New York Times,* 24 de setembro de 1975.

44. ALI-FRAZIER III

1. "It Takes Two to Make a Fight", *New York Times,* 2 de outubro de 1975.
2. Kram, *Ghosts of Manila,* 169.
3. "Ali Tells Public of His Private Life."
4. Kram, *Ghosts of Manila,* 171.
5. "Ali-Frazier Gross Likely to Set Mark", *New York Times,* 2 de outubro de 1975.
6. Bill Mesce Jr., *Inside the Rise of HBO* (Jefferson, NC: McFarland, 2015), 79.
7. "TV Notes: Who Jockeyed ABC into First Place?" *New York Times,* 2 de novembro de 1975.
8. "Lawdy, Lawdy He's Great", *Sports Illustrated,* 13 de outubro de 1975.
9. Ibid.
10. Ibid.
11. Ibid.
12. "You Could Trust the Trainer Eddie Futch", *New York Times,* 14 de outubro de 2001.
13. Dundee, *My View from the Corner,* 199.
14. Kram, *Ghosts of Manila,* 189.

NOTAS

45. ENVELHECENDO

1. Muhammad Ali, entrevista a Howard Cosell, ABC-TV, "Thrilla in Manila with Ali Feedback", s.d. (c. 1975), www.youtube.com.
2. "Muhammad and Belinda Ali: Is Their Marriage on the Rocks, *Ebony*, dezembro de 1975.
3. Muhammad Ali, entrevista a Howard Cosell.
4. "Press conference, 1976. Model", *New York Times*, 22 de fevereiro de 1976.
5. "Wrestler's Chin Withstands Ali's Lip", *New York Times*, 26 de março de 1976.
6. "Ali at 230 for Young Tonight", *New York Times*, 30 de abril de 1976.
7. "Young 'Ducks' Away from Title", *Deseret News (Salt Lake City, UT)*, 1º de maio de 1976.
8. "Muhammad Ali vs. Jimmy Young", ABC-TV, 30 de abril de 1976, www.youtube.com.
9. "The Most Subjective Sport", *New York Times*, 2 de maio de 1976.
10. Angelo Dundee, entrevista da ESPN Sports Century.
11. Ibid.
12. "The Most Subjective Sport."
13. Ibid.

46. "TALVEZ ELES NÃO ME DEIXEM PARAR"

1. Foto e legenda, *Jet*, 8 de janeiro de 1976.
2. Mike Katz, entrevista ao autor, 17 de maio de 2014.
3. "The Ali-Belinda Split Is Made Official — and Mysterious Veronica Turns up Pregnant", *People*, 19 de abril de 1976.
4. Ibid.
5. Spiros Anthony, entrevista ao autor, 9 de março de 2016.
6. Ibid.
7. Richard W. Skillman, entrevista ao autor, 12 de dezembro de 2016.
8. "Ali Admits Decline, but 'They Won't Let Me Quit'", *New York Times*, 26 de maio de 1976.
9. "Ali Punches More for Army", *New York Times*, 28 de junho de 1976.
10. "Ali Hospitalized", *New York Times*, 2 de julho de 1976.
11. "Ali Confident in Bout with Norton Tonight", *New York Times*, 28 de setembro de 1976.

722   MUHAMMAD ALI

12. "Notes on People", *New York Times*, 5 de outubro de 1976.
13. Tim Shanahan, entrevista ao autor, 15 de julho de 2014.
14. Tim Shanahan, *Running with the Champ* (Nova York: Simon and Schuster, 2016), 98.
15. "Ali Extends Reach to Sheets", *New York Times*, 4 de agosto de 1976.
16. "Ali's New Drink: 'Mr. Champs' Soda", *New York Times*, 9 de maio de 1978.
17. "Ken Spars 225. Rounds; Ali 100", *New York Daily News*, 26 de setembro de 1976.
18. "Ali Now Talking Comeback on Title Merry-Go-Round", *New York Daily News*, 23 de setembro de 1976.
19. "Ali Is up to Par", *New York Post*, 23 de setembro de 1976.
20. "Busy, Like a Bee", *New York Post*, 25 de setembro de 1976.
21. "How Ali, Dundee United", *New York Post*, 22 de setembro de 1976.
22. "Ali Set to Slam in the Rubber Match", *Sports Illustrated*, 27 de setembro de 1976.
23. "The Champ's Show", *New York Post*, 24 de setembro de 1976.
24. "Police Flout Writ by Blocking Traffic at Ali-Norton Fight", *New York Times*, 29 de setembro de 1976.
25. Mike Katz, entrevista ao autor, 17 de maio de 2014.
26. "The Fight Crowd Finery", *New York Post*, 29 de setembro de 1976.
27. "This Was for Auld Lang Syne", *New York Times*, 29 de setembro de 1976.
28. "'I Was Robbed'", *New York Post*, 29 de setembro de 1976.
29. "Ali Finds Non-Believers in His Dressing Room", *New York Times*, 29 de setembro de 1976.
30. "What's Ali Got Left? Not Much", *New York Post*, 29 de setembro de 1976.
31. Ibid.
32. Mark Kram, "Not the Greatest Way to Go", *Sports Illustrated*, 11 de outubro de 1976.
33. "Ali Declares He Is Retiring to Assist 'the Islamic Cause'", *New York Times*, 2 de outubro de 1976.
34. "Raise New Doubt over Ali's Future", *Manchester (CT) Journal Inquirer*, 4 de outubro de 1976.

47. "VOCÊS SE LEMBRAM DE MUHAMMAD ALI?"

1. "Muhammad Ali Tries for a Knockout as a Movie Star", *New York Times*, 7 de novembro de 1976.
2. Ibid.

NOTAS 723

3. "Ali Sees a Foreman (and Bobick) in Future and Changes His Retirement Plans Again", *New York Times*, 23 de novembro de 1976.
4. Tim Shanahan, entrevista ao autor, 12 de janeiro de 2014.
5. Lowell Riley, entrevista ao autor, 8 de julho de 2014.
6. "Spaniard Opposing Ali Is Hardly a Fearsome Name", *New York Times*, 15 de maio de 1977.
7. Ibid.
8. Ali vs. Evangelista, www.youtube.com.
9. "Ali's New Family", *Jet*, 5 de maio de 1977.
10. "White Tie and Tails for Ali's Third Marriage", *Los Angeles Times*, 21 de junho de 1977.
11. Hauser, com Ali, *Muhammad Ali*, 343.
12. Earnie Shavers, entrevista ao autor, 28 de novembro de 2014.
13. Ibid.
14. "The 15 Greatest Composite Punchers of All Time", Boxing.com, http://www.boxing.com/the_15_greatest_composite_punchers_of_all_time.html.
15. "'I Am Still a Pistol'", *Sports Illustrated*, 7 de novembro de 1983.
16. Ferdie Pacheco, "The Thrilla in Manila", em *The Mammoth Book of Muhammad Ali*, ed. David West (Philadelphia: Running Press, 2012), 359.
17. "Ali Pondering Retirement, but de maio debe Not Right Now", *New York Times*, 1º de outubro de 1977.
18. Ibid.
19. Earnie Shavers, entrevista ao autor, 28 de novembro de 2014.
20. Michael Gaffney, *The Champ: My Year with Muhammad Ali* (Nova York: Diversion Books, 2012), 49.
21. "Ali Pondering Retirement, but Maybe Not Right Now."
22. Ibid.
23. Teddy Brenner, *Only the Ring Was Square* (Englewood Cliffs, NJ: Prentice-Hall, 1981), 144.
24. Ferdie Pacheco, entrevista ao autor, 30 de dezembro de 2013.
25. Gaffney, *The Champ*, 49.

48. CAMBALEANTE

1. "Ali's Not Really 'Bigger Than Boxing'", *New York Times*, 7 de novembro de 1977.
2. Red Smith, "Spinks Gets Match with Ali Feb. 15", *New York Times*, 20 de novembro de 1977.

MUHAMMAD ALI

3. Ibid.

4. Ibid.

5. Red Smith, "Hell Has Now Frozen Over", *New York Times,* 18 de janeiro de 1978.

6. "Superman a Patsy for Ali, but Spinks Silences Him", *New York Times,* 1º de fevereiro de 1978.

7. Ibid.

8. "Ali, Despite Millions Won, Faces Toughest Test, Balancing Budget."

9. "The Rich Man — Poor Man", *Inside Sports,* 30 de novembro de 1980.

10. "Ali, Despite Millions Won, Faces Toughest Test, Balancing Budget."

11. "He's the Greatest, I'm the Best", *Sports Illustrated,* 27 de fevereiro de 1978.

12. Ibid.

13. Kevin Powell, "Ali: Hero to a Young Black Boy", *The Undefeated,* 8 de junho de 2016, https://theundefeated.com.

14. "Muhammad Ali vs. Leon Spinks. 1978. 02. 15. I", www.youtube.com.

15. Leon Spinks, entrevista ao autor, 17 de agosto de 2015.

16. Muhammad Ali, entrevista a Dick Cavett, s.d., www.youtube.com.

17. "He's the Greatest, I'm the Best."

18. "Muhammad Ali vs. Leon Spinks. 1978. 02. 15. I".

19. Ibid.

20. "Spinks Defeats Ali to Capture Title", *New York Times,* 16 de fevereiro de 1978.

21. Ibid.

49. PRÍNCIPE HERDEIRO

1. "Ali, at 36, Still Talks the Good Fight", *New York Times,* 4 de agosto de 1978.

2. Ibid.

3. Ibid.

4. Muhammad Ali, entrevistado por Dick Cavett.

5. Estatísticas de boxe compiladas pela CompuBox, Inc.

6. "Spinks Picks Ali as Next Foe; Blacks Oppose South Africa Site", *New York Times,* 9 de março de 1978.

7. "Ali, at 36, Still Talks the Good Fight."

8. Louis Farrakhan, entrevista ao autor, 8 de agosto de 2015.

9. "Ali, at 36, Still Talks the Good Fight."

10. Ibid.

NOTAS

725

11. "Ali, Spinks, and the Battle of New Orleans", *New York Magazine,* 2 de outubro de 1978.
12. Hunter S. Thompson, "Last Tango in Vegas", em Early, org., *The Muhammad Ali Reader,* 194-95.
13. Larry Kolb, entrevista ao autor, 23 de dezembro de 2016.
14. "Spinks Free on Bond in Drug Case", *New York Times,* 22 de abril de 1978.
15. "One More Time to the Top", *Sports Illustrated,* 25 de setembro de 1978.
16. Red Smith, "The Fist Is Courage", *New York Times,* 7 de agosto de 1978.
17. Memorando do FBI, 6 de setembro de 1978, FBI Vault.
18. "Ali Winds up Training with a Poem about Spinks", *Syracuse (NY) Post Standard,* 14 de setembro de 1978.
19. "The Champ Goes to Muhammad Tonight", *Syracuse Post Standard,* 15 de setembro de 1978.
20. "Ali Winds up Training with a Poem about Spinks."
21. Ishmael Reed, "The Fourth Ali", em Early, org., *The Muhammad Ali Reader,* 203.

50. VELHO

1. "Boxing's 'Brown Bomber' Honored", *Altoona (PA) Mirror,* 10 de novembro de 1978.
2. Veronica Porche, entrevista ao autor, 20 de dezembro de 2016.
3. Tim Shanahan, entrevista ao autor, 12 de janeiro de 2014.
4. Robert Abboud, entrevista ao autor, 17 de dezembro de 2014.
5. Robert Richley, entrevista ao autor, 8 de dezembro de 2014.
6. Robert Abboud, entrevista ao autor, 17 de dezembro de 2014.
7. Michael Phenner, entrevista ao autor, 3 de janeiro de 2017.
8. Veronica Porche, entrevista ao autor, 20 de dezembro de 2016.
9. Michael Phenner, entrevista ao autor, 7 de janeiro de 2014.
10. "Ali in Fast's 'Freedom Road'", *New York Times,* 29 de outubro de 1979.
11. Veronica Porche, entrevista ao autor, 26 de maio de 2016.
12. Michael Phenner, entrevista ao autor, 3 de janeiro de 2017.
13. Michael Phenner, entrevista ao autor, 7 de janeiro de 2014.
14. Barry Frank, entrevista ao autor, 11 de novembro de 2015.
15. Veronica Porche, entrevista ao autor, 26 de maio de 2016.
16. Ibid.
17. Michael Phenner, entrevista ao autor, 7 de janeiro de 2014.
18. "The Big Boxing Con", *Sports Illustrated,* 18 de fevereiro de 1985.

726   MUHAMMAD ALI

19. Hauser, com Ali, *Muhammad Ali*, 424.
20. "The Once and Always Champ", *New York Times,* 1º de julho de 1979.
21. Ibid.
22. Michael Phenner, entrevista ao autor, 7 de janeiro de 2014.
23. Ibid.
24. "Alzado Finds a Tarkenton in Ali", *New York Times,* 15 de julho de 1979.
25. "Ali Is the Same until He Enters Ring", *New York Times,* 13 de março de 1979.
26. "Ali Didn't Really Need the Mike", *New York Times,* 9 de março de 1979; Larry Kolb, entrevista ao autor, 19 de dezembro de 2016.
27. Muhammad Ali, entrevista a Bob Jones e Pete Montgomery, s.d., www.youtube.com.
28. Ibid.
29. "Ali Is the Same until He Enters Ring."
30. Muhammad Ali, entrevista a Bob Jones e Pete Montgomery.
31. Red Smith, "This Time Ali Means It, Maybe", *New York Times,* 8 de agosto de 1979.

51. HUMPTY DUMPTY

1. "A Lecture by Muhammad Ali: The Topic Is the Greatest", *New York Times,* 22 de novembro de 1979.
2. Ibid.
3. Hauser, com Ali, *Muhammad Ali*, 396.
4. "Ali Re-evaluating Stance on Boycotting Olympics", *Boston Globe,* 4 de fevereiro de 1980.
5. "Ali Shifts Gears on Tour to Urge Olympic Boycott", *Boston Globe,* 4 de fevereiro de 1980.
6. "Muhammad Ali Says African Trip Was a Success", *New York Times,* 11 de fevereiro de 1980.
7. "Diplomacy: Ali's Whipping", *Time,* 18 de fevereiro de 1980.
8. "Ali, in 'Retirement,' Wants to Fight Tate", *New York Times,* 1º de março de 1980.
9. "Ali's Retirement", *New York Times,* 2 de março de 1980.
10. "Holmes, Ali and a Trainer", *New York Times,* 7 de julho de 1980.
11. "Ali Injured by Sparring Partner", *New York Times,* 9 de março de 1980.
12. Veronica Porche, entrevista ao autor, 20 de dezembro de 2016.
13. Veronica Porche, entrevista ao autor, 26 de maio de 2016.
14. "Too Many Punches, Too Little Concern", *Sports Illustrated,* 11 de abril de 1983.
15. Rahaman Ali, entrevista ao autor, 19 de outubro de 2016.

NOTAS

16. "Ali's Comeback", *New York Times,* 2 de março de 1980.
17. "Man Here Wants a $7. Million Payday", *New York Times,* 7 de março de 1980.
18. "Ali Injured by Sparring Partner."
19. "Ali to Fight LeDoux May 30. in Minnesota", *New York Times,* 6 de maio de 1980.
20. "14-Year-Old Interviwer Successfully Takes on Ali, 38", *New York Times,* 29 de junho de 1980.
21. "A Miracle in Las Vegas", *New York Times,* 22 de agosto de 1980.
22. "Holmes Goal: Punch away Ali's Shadow", *New York Times,* 28 de setembro de 1980.
23. Gene Kilroy, entrevista ao autor, 30 de setembro de 2015.
24. "Holmes Goal: Punch Away Ali's Shadow."
25. Larry Holmes, entrevista ao autor, 13 de dezembro de 2015.
26. Ibid.
27. "The Impression", *Inside Sports,* 30 de novembro de 1980.
28. Ibid.
29. "Ali-Holmes Now Set for Las Vegas", *New York Times,* 18 de julho de 1980.
30. "Ali: Brain Damage Report Is 'Crazy'", *Reno Gazette-Journal,* 3 de junho de 1980.
31. "Ali Showing Some Signs of Brain Damage", *Capital Times* (Madison, WI), 4 de junho de 1980.
32. Ibid.
33. Hauser, com Ali, *Muhammad Ali,* 404-5.
34. Ibid., 405.
35. "Ali: Ready, Willing, but Is He Able", *New York Times,* 29 de setembro de 1980.
36. Tim Witherspoon, entrevista ao autor, 10 de agosto de 2015.
37. Ibid.
38. "Ali Showing Some Signs of Brain Damage."
39. "Ali: Ready, Willing, but Is He Able."
40. Hauser, com Ali, *Muhammad Ali,* 414.
41. Ibid., 489.
42. Pete Dexter, "The Impression", *Inside Sports,* 30 de novembro de 1980.
43. Ibid.
44. "Gary Wells Attempts Caesars Palace Fountain Jump", 15 de setembro de 1980, www.youtube.com.
45. "Better Not Sell the Old Man Short", *Sports Illustrated,* 29 de setembro de 1980.
46. Ibid.
47. Hauser, com Ali, *Muhammad Ali,* 410.
48. Veronica Ali, entrevista ao autor, 26 de maio de 2016.

728 MUHAMMAD ALI

49. "Muhammad Ali Still Doesn't Know He's 38. Years Old", *NewYork Times,* 4 de outubro de 1980.
50. Larry Kolb, entrevista ao autor, 20 de novembro de 2015.
51. Larry Kolb, entrevista ao autor, 10 de dezembro de 2016.
52. Tim Witherspoon, entrevista ao autor, 10 de agosto de 2015.
53. "Doom in the Desert", *Sports Illustrated,* 13 de outubro de 1980.
54. "The Event", *Inside Sports,* 30 de novembro de 1980.
55. Estatística computada pela CompuBox, Inc.
56. "The Event."
57. "Muhammad Ali Still Doesn't Know He's 38. Years Old."

52. O ÚLTIMO HURRA

1. Relatório de toxicologia, Southern Nevada Memorial Hospital Pathology Department, 10 de outubro de 1980, Nevada State Athlete Commission.
2. "Ali Retires, but Only in Nevada", *New York Times,* 30 de dezembro de 1980.
3. Ibid.
4. Sig Rogich, entrevista ao autor, 9 de dezembro de 2015.
5. Michael Phenner, entrevista ao autor, 7 de janeiro de 2014.
6. Newfield, *Only in America,* 166.
7. Michael Phenner, entrevista ao autor, 7 de janeiro de 2014.
8. "Ali's Manager: 'I Don't Think He Should Fight'", *Santa Fe New Mexican,* 7 de outubro de 1980.
9. "Muhammad Ali Talks Man Out of Jumping", *Los Angeles Times,* 20 de janeiro de 1981.
10. "Joe Louis, 66, Heavyweight King Who Reigned 12. Years, Is Dead", *New York Times,* 13 de abril de1981.
11. Louis, "How I Would Have Clobbered Clay."
12. "Not with a Bang but a Whisper", *Sports Illustrated,* 21 de dezembro de 1981.
13. "At 39, Ali Has More Points to Prove", *New York Times,* 29 de novembro de 1981.
14. Ibid.
15. "Too Many Punches, Too Little Concern."
16. Larry Kolb, entrevista ao autor, 23 de dezembro de 2016.
17. "Not with a Bang but a Whisper."
18. "The Greatest Gives Thanks", *New York Times,* 27 de novembro de 1981.
19. Ibid.

NOTAS

20. "Dark Clouds over Nassau", *New York Times*, 9 de dezembro de 1981.
21. "Berbick First Has a Price to Fight Ali", *New York Times*, 10 de dezembro de 1981.
22. "More on Cornelius", *New York Times*, 15 de janeiro de 1982.
23. "Ali's Mystery Promoter", *New York Times*, 11 de dezembro de 1981.
24. Ibid.
25. Larry Kolb, entrevista ao autor, 23 de dezembro de 2016.
26. "Muhammad Ali vs. Trevor Berbick. 1981. 12. 11", www.youtube.com.
27. "Muhammad Ali's Moment of Truth", *New York Times*, 12 de dezembro de 1981.
28. "Ali Quits the Ring Again", *New York Times*, 13 de dezembro de 1981.

53. EXCESSO DE MURROS

1. Larry Kolb, entrevista ao autor, 31 de dezembro de 2016.
2. Ibid.
3. "Cobwebs in the Gym", *New York Times*, 15 de novembro de 1982.
4. Ibid.
5. Ibid.
6. Ibid.
7. "Boxing and the Brain", *New York Times*, 12 de junho de 1983.
8. "Boxing Should Be Banned in Civilized Countries", *Journal of the American Medical Association*, 14 de janeiro de 1983.
9. "Too Many Punches, Too Little Concern."
10. Ibid.
11. Hauser, com Ali, *Muhammad Ali*, 430.
12. "Too Many Punches, Too Little Concern."
13. Dr. Ira Casson, entrevista ao autor, 23 de novembro de 2016.
14. Larry Kolb, entrevista ao autor, 22 de dezembro de 2016.
15. Kindred, *Sound and Fury*, 269.
16. Ibid., 270.
17. Hauser, com Ali, *Muhammad Ali*, 489.
18. "Muhammad Ali Says He Is Tired of Rumors That He Is Brain Damaged", *Jet*, 30 de abril de 1984.
19. Hauser, com Ali, *Muhammad Ali*, 489.
20. Dr. Stanley Fahn, entrevista ao autor, 1º de junho de 2015.
21. Hauser, com Ali, *Muhammad Ali*, 491.
22. Larry Kolb, entrevista ao autor, 9 de dezembro de 2016.

730 MUHAMMAD ALI

23. Ibid.

24. "Pendleton Is Right", *Victoria Advocate,* 26 de novembro de 1984.

25. Larry Kolb, entrevista ao autor, 9 de dezembro de 2016.

26. "Hospitalized Ali: 'I'm Not Hurting'", *Los Angeles Times,* 21 de setembro de 1984.

27. "Ali's Improvement Is Called Impressive", *New York Times,* 21 de setembro de 1984.

28. "Boxing and the Brain", *British Medical Journal,* 14 de janeiro de 1989.

29. Dr. Stanley Fahn, entrevista ao autor, 1º de junho de 2015.

30. Hauser, com Ali, *Muhammad Ali,* 492.

31. Dr. Stanley Fahn, entrevista ao autor, 1º de junho de 2015.

32. "Playful Ali Goes the Distance with Reporters", *New York Times,* 20 de novembro de 1984.

33. Ibid.

34. Laila Ali, com David Ritz, *Reach!* (Nova York: Hyperion, 2002), 20.

35. Ibid., 12.

36. Ibid., 19-20.

37. Jamillah Ali, entrevista ao autor, 25 de julho de 2015.

38. "His Gentle Soul", *ESPN Magazine,* 27 de junho de 2016.

39. Veronica Ali, entrevista ao autor, 26 de maio de 2016.

40. Ibid.

41. Veronica Ali, entrevista ao autor, 20 de dezembro de 2016.

42. Khalilah Camacho-Ali, entrevista ao autor, 12 de janeiro de 2015.

43. "Muhammad Ali Was Her First, and Greatest, Love", *New York Times,* 9 de junho de 2016.

44. Hauser, com Ali, *Muhammad Ali,* 469.

45. Ali, with Ritz, *Reach!* 20.

46. Veronica Ali, entrevista ao autor, 26 de maio de 2016.

47. "Muhammad Ali Takes Ring Again — Weds 4th Time", *Louisville Courier-Journal,* 20 de novembro de 1968.

54. "ELE É HUMANO, COMO NÓS"

1. Larry Kolb, entrevista ao autor, 14 de outubro de 2015.

2. Larry Kolb, *Overworld* (Nova York: Riverhead Books, 2004), 205

3. Ibid., 212.

4. Ibid., 207-229.

NOTAS

731

5. Muhammad Ali a Gene Kilroy, 20 de fevereiro de 1985, coleção pessoal de Gene Kilroy.
6. Kindred, *Sound and Fury*, 272.
7. Gene Kilroy, entrevista ao autor, 3 de abril de 2017.
8. Ibid.
9. Ibid., 278.
10. Larry Kolb, entrevista ao autor, 31 de dezembro de 2016.
11. Ibid.
12. Vídeo de 1987, cortesia de Larry Kolb.
13. Ibid.
14. Larry Kolb, entrevista ao autor, 31 de dezembro de 2016.
15. Larry Kolb, entrevista ao autor, 22 de dezembro de 2016.
16. Vídeo de 1987, cortesia de Larry Kolb.
17. Ibid.
18. Larry Kolb, entrevista ao autor, 22 de dezembro de 2016.
19. Peter Tauber, "Ali: Still Magic", *New York Times,* 17 de julho de 1988.
20. Ibid.
21. Kindred, *Sound and Fury*, 288.
22. Ibid., 290.
23. "Were Senators Duped by an Ali Impersonator", *St. Petersburg Times,* 14 de dezembro de 1988.
24. Kindred, *Sound and Fury*, 290.
25. Larry Kolb, entrevista ao autor, 10 de janeiro de 2016.
26. Lonnie Ali, mensagem escrita ao autor, 3 de janeiro de 2017.
27. Thomas Hauser, entrevista ao autor, 5 de janeiro de 2017.
28. Brian Bedol, entrevista ao autor, 7 de abril de 2014.
29. Ibid.
30. Muhammad Ali entrevista com David Frost, s.d., www.youtube.com.
31. *"Father of Muhammad Ali Dies"*, UPI Archives, http://www.upi.com/Archives/1990/02/09/Father-of-Muhammad-Ali-dies/4127634539600/.
32. Robert Lipsyte, "Ali Is Still a Comfort to Many Aging Fans", *New York Times,* 7 de junho de 1991.
33. Ibid.
34. Thomas Hauser, *The Lost Legacy of Muhammad Ali* (Toronto: Sport Classic Books, 2005), 182.
35. Ibid.

732   MUHAMMAD ALI

55. UMA TOCHA

1. Frank Sadlo, entrevista ao autor, 5 de novembro de 2016.
2. Frank Sadlo, entrevista ao autor, 5 de junho de 2014.
3. Ibid.
4. Brenda Bender, entrevista ao autor, 19 de outubro de 2016.
5. Cópias de cartas, várias datas, da coleção pessoal de Frank Sadlo.
6. Frank Sadlo, entrevista ao autor, 5 de junho de 2014.
7. Ibid.
8. Frank Sadlo, entrevista ao autor, 6 de outubro de 2016.
9. "Ali's Return Not Met with Pity, but with Affection", *USA Today*, 11-13 de outubro de 1996.
10. Seth Abraham, entrevista ao autor, 15 de junho de 2015.

56. O LONGO CADILLAC PRETO

1. Frank Deford, "You Don't Know Muhammad Ali until You Know His Best Friend", *Sports Illustrated*, 13 de julho de 1998.
2. Ezra, *Muhammad Ali*, 183.
3. Peter Richmond, "Muhammad Ali in Excelsis", *GQ*, abril de 1998.
4. Ibid.
5. "No Floating, No Stinging: Ali Extends Hand to Frazier", *New York Times*, 15 de março de 2001.
6. Ibid.
7. "Calm Needed during Time of Anger", *New York Times*, 19 de setembro de 2001.
8. George Franklin, entrevista ao autor, 20 de janeiro de 2015.
9. Ibid.
10. Muhammad Ali, entrevista com David Frost, transmissão da HBO, 25 de junho de 2002, www.youtube.com.
11. "Government Hounded Ali", *Syracuse (NY) Post Standard*, 16 de janeiro de 2002.
12. "Ali, Just Say No", *Final Call*, 8 de janeiro de 2002, http://www.finalcall.com/columns/akbar/ali01-08-2002.htm.
13. Muhammad Ali, entrevista com David Frost, HBO, 25 de junho de 2002.
14. Mike Frost, entrevista ao autor, 23 de dezembro de 2014.
15. Asaad Ali, entrevista no *Today Show*, NBC, de 10 de junho de 2016, http://www.today.com/news/muhammad-ali-s-son-opensabout-his-dad-today-he-t97571.

NOTAS

16. "Muhammad Ali Defends Islam after Trump's Proposal to Bar Foreign Muslims", *New York Times,* 10 de dezembro de 2015.
17. "Caring for the Greatest", *AARP Bulletin,* junho de 2014.
18. Khalilah Camacho-Ali, entrevista ao autor, 24 de dezembro de 2014.
19. Larry Holmes, entrevista ao autor, 1º de outubro de 2015.
20. Vic Bender, entrevista ao autor, 1º de outubro de 2015.
21. Rahaman Ali, entrevista ao autor, 1º de outubro de 2015.
22. Tom Junod, "The Greatest, At Rest", *ESPN The Magazine,* 12 de junho de 2017.
23. "President Obama's Statement on Muhammad Ali", *New York Times,* 4 de junho de 2016.
24. "In Death, Ali Still Larger than Life", *Louisville Courier-Journal,* 11 de junho de 2016.
25. Elegia por Lonnie Ali, gravação pelo autor, 10 de junho de 2016.
26. Elegia pelo Imam Zaid Shakir, gravada pelo autor, 10 de junho de 2016.
27. "Muhammad Ali Talks about His Death", www.youtube.com.
28. Remnick, *King of the World,* xiii.

EPÍLOGO

1. Bernardine Dorhn, entrevista ao autor, 9 de novembro de 2016.

APÊNDICE

Registro da carreira

DATA	ADVERSÁRIO	LOCAL	RESULTADO	DECISÃO
29/10/1960	Tunney Hunsaker	Freedom Hall, Louisville, Kentucky, EUA	W	UD
27/12/1960	Herb Siler	Auditorium, Miami Beach, Flórida, EUA	W	TKO
17/1/1961	Tony Esperti	Auditorium, Miami Beach, Flórida, EUA	W	TKO
7/2/1961	Jimmy Robinson	Convention Center, Miami Beach, Flórida, EUA	W	KO
21/2/1961	Donnie Fleeman	Auditorium, Miami Beach, Flórida, EUA	W	RTD
19/4/1961	LaMar Clark	Freedom Hall, Louisville, Kentucky, EUA	W	KO
26/6/1961	Duke Sabedong	Convention Center, Las Vegas, Nevada, EUA	W	UD

MUHAMMAD ALI

22/7/1961	Alonzo Johnson	Freedom Hall, Louisville, Kentucky, EUA	W	UD
7/10/1961	Alex Miteff	Freedom Hall, Louisville, Kentucky, EUA	W	TKO
29/11/1961	Willi Besmanoff	Freedom Hall, Louisville, Kentucky, EUA	W	TKO
10/2/1962	Sonny Banks	Madison Square Garden, Nova York, Nova York, EUA	W	TKO
28/2/1962	Don Warner	Convention Center, Miami Beach, Flórida, EUA	W	TKO
23/4/1962	George Logan	Sports Arena, Los Angeles, Califórnia, EUA	W	TKO
19/5/1962	Billy Daniels	St. Nicholas Arena, Nova York, Nova York, EUA	W	TKO
20/7/1962	Alejandro Lavorante	Sports Arena, Los Angeles, Califórnia, EUA	W	KO
15/11/1962	Archie Moore	Sports Arena, Los Angeles, Califórnia, EUA	W	TKO

APÊNDICE

24/1/1963	Charlie Powell	Civic Arena, Pittsburgh, Pensilvânia, EUA	W	KO
13/3/1963	Doug Jones	Madison Square Garden, Nova York, Nova York, EUA	W	UD
18/6/1963	Henry Cooper	Wembley Stadium, Wembley, Londres, Reino Unido	W	TKO
25/2/1964	Sonny Liston	Convention Center, Miami Beach, Flórida, EUA	W	RTD
25/5/1965	Sonny Liston	Central Maine Civic Center, Lewiston, Maine, EUA	W	KO
22/11/1965	Floyd Patterson	Convention Center, Las Vegas, Nevada, EUA	W	TKO
29/3/1966	George Chuvalo	Maple Leaf Gardens, Toronto, Ontário, Canadá	W	UD
21/5/1966	Henry Cooper	Arsenal Football Stadium, Highbury, Londres, Reino Unido	W	TKO
6/8/1966	Brian London	Earls Court Arena, Kensington, Londres, Reino Unido	W	KO

10/9/1966	Karl Mildenberger	Waldstadion/ Radrennbahn, Frankfurt, Hessen, Alemanha	W	TKO
14/11/1966	Cleveland Williams	Astrodome, Houston, Texas, EUA	W	TKO
6/2/1967	Ernie Terrell	Astrodome, Houston, Texas, EUA	W	UD
22/3/1967	Zora Folley	Madison Square Garden, Nova York, Nova York, EUA	W	KO
26/10/1970	Jerry Quarry	City Auditorium, Atlanta, Geórgia, EUA	W	RTD
7/12/1970	Oscar Bonavena	Madison Square Garden, Nova York, Nova York, EUA	W	TKO
8/3/1971	Joe Frazier	Madison Square Garden, Nova York, Nova York, EUA	L	UD
26/7/1971	Jimmy Ellis	Astrodome, Houston, Texas, EUA	W	TKO
17/11/1971	Buster Mathis	Astrodome, Houston, Texas, EUA	W	UD

APÊNDICE

26/12/1971	Juergen Blin	Hallenstadion, Zurique, Suíça	W	KO
1/4/1972	Mac Foster	Nippon Budokan, Tóquio, Japão	W	UD
1/5/1972	George Chuvalo	Pacific Coliseum, Vancouver, Colúmbia Britânica, Canadá	W	UD
27/6/1972	Jerry Quarry	Convention Center, Las Vegas, Nevada, EUA	W	TKO
19/7/1972	Alvin Blue	Lewis Croke Park, Dublin, Irlanda	W	TKO
20/9/1972	Floyd Patterson	Madison Square Garden, Nova York, Nova York, EUA	W	RTD
21/11/1972	Bob Foster	Sahara-Tahoe Hotel, Stateline, Nevada, EUA	W	KO
14/2/1973	Joe Bugner	Convention Center, Las Vegas, Nevada, EUA	W	UD
31/3/1973	Ken Norton	Sports Arena, San Diego, Califórnia, EUA	L	SD
10/9/1973	Ken Norton	Forum, Inglewood, Califórnia, EUA	W	SD

20/10/1973	Rudi Lubbers	Bung Karno Stadium, Jakarta, Indonésia	W	UD
28/1/1974	Joe Frazier	Madison Square Garden, Nova York, Nova York, EUA	W	UD
30/10/1974	George Foreman	Stade du 20 Mai, Kinshasa, Rep. Democrática do Congo	W	KO
24/3/1975	Chuck Wepner	Richfield Coliseum, Richfield, Ohio, EUA	W	TKO
16/5/1975	Ron Lyle	Convention Center, Las Vegas, Nevada, EUA	W	TKO
30/6/1975	Joe Bugner	Merdeka Stadium, Kuala Lumpur, Malásia	W	UD
1/10/1975	Joe Frazier	Araneta Coliseum, Barangay Cubao, Quezon City, Manila, Filipinas	W	RTD
20/2/1976	Jean-Pierre Coopman	Coliseo Roberto Clemente, San Juan, Porto Rico	W	KO
30/4/1976	Jimmy Young	Capital Centre, Landover, Maryland, EUA	W	UD

APÊNDICE

Data	Adversário	Local		Resultado
24/5/1976	Richard Dunn	Olympiahalle, Munique, Bayern, Alemanha	W	TKO
28/9/1976	Ken Norton	Yankee Stadium, Bronx, Nova York, EUA	W	UD
16/5/1977	Alfredo Evangelista	Capital Centre, Landover, Maryland, EUA	W	UD
29/9/1977	Earnie Shavers	Madison Square Garden, Nova York, Nova York, EUA	W	UD
15/2/1978	Leon Spinks	Hilton Hotel, Las Vegas, Nevada, EUA	L	SD
15/9/1978	Leon Spinks	Superdome, Nova Orleans, Louisiana, EUA	W	UD
2/10/1980	Larry Holmes	Caesars Palace, Las Vegas, Nevada, EUA	L	RTD
11/12/1981	Trevor Berbick	Queen Elizabeth Sports Centre, Nassau, Bahamas	L	UD

CHAVE

RTD: Retirou-se Entre Rounds **UD:** Decisão Unânime **MD:** Decisão Majoritária **TKO:** Nocaute Técnico **KO:** Nocaute **W:** Vencedor **L:** Derrotado
Fonte: Boxrec.com

ÍNDICE

A

Aaron, Hank, 363, 381, 642
AARP Bulletin, 654
Abboud, Robert, 575-577
Abernathy, Ralph, 345
Abraham, Seth, 645
Acosta, Luis, 588
África do Sul e eventos esportivos, 417,
567, 585
Alberti, Jules, 209
Alcindor, Lew (Kareem Abdul-Jabbar),
309, 312
Ali Center, celebração em Louisville, 655-
659
Ali, Asaad, 637, 653
Ali, Belinda. *Ver* Boyd, Belinda
Ali, Hana, 540, 559, 565, 574, 620, 621, 648
Ali, Jamillah, 346, 416, 417, 518, 621
Ali, John
empreendimentos esportivos/dinhei-
ro e, 265, 335, 359
Gabão/prisão e, 459
Malcolm X/assassinato e, 231-233

Nação do Islã/Elijah Muhammad e,
204, 226, 229, 232, 233, 265, 335, 451
Ali, Laila, 559, 574, 620, 621, 623
Ali, Lonnie. *Ver* Williams, Lonnie
Ali, Maryum ("May May"), 328, 416, 464,
518, 621, 660
Ali, Muhammad
acende a tocha/Olimpíadas de 1996,
641-643
adultério/filhos e, 339-342, 344, 390-
392, 413, 427, 428, 438-439, 465, 477,
478, 509-515, 516-520, 529, 579, 622
África/Oriente Médio, viagens (meados dos anos 1960), 216-219
biografia (1990) e, 636
carreira, lembranças e, 641-642
como boxeador vs. outros caminhos,
94
como motorista, problemas/estacio-
namento e, 305, 320-321, 328-329
demonstração de golfe/distensão, 426
descrições, 11, 83, 177-179, 203-204,
208, 219, 228, 356-357, 387-388, 413,
450, 460-461, 477, 480-481, 493-494,

496, 497, 576, 577, 581, 502-503, 630, 654, 657-658

entrevistas/fingindo dormir (na aposentadoria), 625

esforços caritativos/humanitários (na aposentadoria), 604, 613, 626, 628-629, 636, 640, 650-651, 653, 660

exibições de boxe/preparações (na aposentadoria), 580, 581, 614, 619-620

falando sobre morte/vida depois da morte, 526, 610-611, 613-614, 660

finanças/tentativa de especialistas de administrar (na aposentadoria), 575-580

funeral/cortejo fúnebre, 657-661

honras/reconhecimento (na aposentadoria), 652

hospitalização/morte, 656-657

impopularidade/críticas a, 16, 272-274, 279, 283-287, 290-291

Islã/Alá (resumo), 545-546, 635

Líbano/reféns norte-americanos, 626-627

medalha de ouro, perda, 517

palestras/compromissos de apresentações, 319-322, 325-330, 355-356, 362, 583-584

peso (na aposentadoria), 580, 586, 594-595, 605

planos de retorno/reações dos associados (final dos 1970/1980), 585-596, 602-603

política (na aposentadoria), 649-652

popularidade/como herói, 16, 213-214, 218, 219, 273, 345, 383-384, 389, 406, 449-451, 496-502, 516, 517, 560, 568, 569, 584, 625-631, 634, 641-645

propaganda/vendendo produtos (na aposentadoria), 651-652

relutância em aparecer na televisão (na aposentadoria), 636, 644

show de despedida (show de televisão/tour), 577, 580-581

sobre aposentadoria, 630

tour diplomático africano/Olimpíadas de 1980, 584-585

última luta, 597-598

viagens/religião (na aposentadoria), 584-585, 614, 616-617, 618, 620-621, 626-627, 629-631, 634-635, 636, 647

vida/resumo da popularidade (1974), 33, 449-451

vida/rotina (na aposentadoria), 625-626, 647-648, 649-650, 653-654

voto e, 426, 500

Ver também boxe; Clay, Cassius Marcellus, Jr.

Ali, Muhammad, Jr., 416, 654

Ali, Noble Drew (Timothy Drew), 75

Ali, Rahaman. *Ver* Clay, Rudolph Arnett

Ali, Rasheda, 346, 416, 518, 621, 660

Ali, Veronica. *Ver* Porche, Veronica

Allen, Woody, 391

Alzado, Lyle, 580

Ameer, Leon 4X (Leon Lionel Phillips Jr.), 233

Amin, Idi, 451

Anderson, Dave, 471, 519

André, the Giant, 538

Anka, Paul, 504

Anthony, Spiros, 537

Apolo 14, astronautas, 391

Arcel, Ray, 553

Armstrong, Louis, 49

ÍNDICE

Arum, Bob
  background/descrição, 252, 264
  decisões de negócios/lutas de Ali e,
  264, 265, 273, 274-275, 309-310, 357-
  358, 415, 417, 536, 559, 566, 569-570,
  585-586, 588
  funeral de Ali, 658-661
  Herbert Muhammad e, 251, 252, 359
  serviço militar de Ali e, 274-275
Associação Metropolitana de Repórteres
  de Boxe, almoço (1962), 128
ataques terroristas, 11 de setembro de
  2001, 631, 650-651
Atkins, C. B., 438, 464, 476
Atlanta Journal-Constitution, 632, 633
Autobiografia de Ali
  Ali sobre, 343, 347, 349, 517
  descrição/história da medalha de
  ouro, 516-517
  escritor/editor e, 343, 516
  questões/contradições e, 343-344
  viagem a Nova York de Ali/Frazier
  e, 349-354
autobiografia de Malcolm X, A, 402

B

Bacall, Lauren, 143
Bacharach, Burt, 391
Baez, Joan, 142
bairros de Louisville, descrições, 28-30
Baker, Corky, 60, 525
Baldwin, James, 46, 90, 141, 333
Banks, Sonny, 127-128
Banzé no oeste (filme), 464-465
Barrett, Reggie, 357-358, 420, 427
Barwick, Bill, 331
Beach, Walter, 309

Beatles, 179-181, 187, 369
Becot, Yvon, 95
Bedol, Brian, 635
Belkin, Gary, 169, 175
Belli, Melvin, 359
Bender, Vic, 55, 59, 62, 103, 656
Benny, Jack, 160
Benson, Harry, 180
Benton, Barbi, 391
Berbick, Trevor, 605-610, 614, 649
Berra, Yogi, 190
Berrigan, Daniel/Philip, 324
Besmanoff, Willie, 119
Bethea, Wayne, 131
bin Laden, Osama, 631
Bingham, Howard, 154, 174, 199, 236, 253,
  255, 438, 514, 553, 574, 580, 604, 611,
  625, 642, 648
Bingham, Ross Worth, 106, 255, 256
Bitter End, 142
Black Power, 258, 312, 315, 324, 326, 327,
  338, 345-346
Black Scholar, 274
Blin, Juergen, 412, 415
Board of Education, Brown vs. (1954),
  38, 56
Bolton, Wanda
  cerimônia de casamento islâmica,
  510-512
  filha/processo para sustento da crian-
  ça, 510-511
Bonavena, Oscar
  background/descrição, 308, 369-370,
  408
  luta de Ali e, 369-370, 376
Bond, Julian, 314, 345, 363
Bongo, Omar, 459

MUHAMMAD ALI

boxe
abolição do, 615
análises estatísticas de pugilistas/ CompuBox, 373-375
canhotos e, 96
cláusulas de revanche e, 210
cortes/cortes acima do olho e, 163
declínio na década de 1950, 68
desafiante/campeão e título, 532
homens do *corner*/lidando com pugilistas em estupor, 164
importância da cobertura por jornais, 141
importância de Clay/Ali para, 134-135, 172
máfia/gângster e, 112, 134, 173, 241, 246
mortes e, 527, 615
problemas financeiros dos lutadores e, 118
raça e, 45-50
status cultural (1954), 48
World Boxing Association, resumo do papel, 566-567
World Boxing Council, resumo do papel, 566-567
Ver também dano cerebral/boxe; *indivíduos específicos*
boxe e Clay/Ali (início na infância)
AAU, campeonato (1959), 78
álcool/dieta e, 47
antes da luta com Madigan (1959), 71-72
bater nas portas dos vizinhos, 48
celebridade/aspirações de dinheiro e, 45-46, 72
Chicago e, 65-69, 71-72

confiança/previsões e, 47, 63-65, 69
corrida/correndo com o ônibus, 46-47
descrições de lutas (1954 a 1960), 43-44, 60-69, 71-72, 78-80
desejo de se tornar profissional, 80, 84
primeira luta, 43
roubo da bicicleta e, 41-42, 43, 56
talentos, 44, 60, 61-62
Ver também Olimpíads e Clay
boxe e Clay/Ali (processo de se tornar profissional)
Cash Clay e, 104-105, 108-109
dinheiro de Clay/Cadillac rosa e, 107
realeza do boxe se oferece para administrar carreira, 104
Reynolds/amigos oferecem e, 101-102, 104
Ver também Grupo de Patrocínio de Louisville e Clay/Ali
boxe e Clay/Ali (profissional)
análise/análise estatística de, 373-375
aposentadoria termina/lutas (1976), 549, 550-552
aposentadoria, conversa sobre e, 200, 204-205, 282, 382, 387, 405, 407-408, 430, 457, 458, 466, 481, 500, 529, 538, 565-566, 574
aposentadoria, promessa de/Wallace Muhammad, 545-546
aposentadoria, sonhos de, 565-566, 574-575
bazófia/exibicionismo, 137
campeonato dos pesos-pesados (depois da luta com Foreman), 492
campo de treinamento, Pensilvânia, 416, 438-440, 458, 469, 476, 493, 498, 510, 512, 559, 565, 628, 636
celebração depois da luta com Foreman (1974), 607, 608

cronistas esportivos/pessoas sobre Ali estar acabado, 544-545, 551

cronistas esportivos/repórteres sobre primeiras lutas, 108, 113, 116, 117

danos/pessoas o pressionando para parar, 532, 553-556

decisões controvertidas de lutas e, 374, 444-445, 532, 544

despojado do título de campeão, 283-284, 302-303, 449

dieta/álcool e, 124, 153, 154

efeitos da recusa de se alistar, 272-275, 279-280, 284-287, 290-291, 302-303, 308, 313, 345, 361, 450

entourage, 153-155, 185, 238, 511, 512, 573

entourage/papéis no campo de treinamento, Pensilvânia, 438-410, 503

estilo, 62-63, 89, 96, 108, 113, 155, 185, 283, 287, 296, 427, 430

exibição em Salt Lake City, 467-468

falha no exame antidoping/Comissão Atlética de Nevada e, 601-602

finanças/lidar com dinheiro e, 137-138, 175, 177-178, 190, 200, 217-218, 253, 262-266, 279, 281,414, 415-416, 438, 537, 549-550, 559

grito de Ali, 599-600

luta ao retornar (1970), 358

luta com Holmes/depois de se aposentar (1980) e, 586-587

lutador diferente/danos (começando em 1970), 373, 375

lutando para retornar do banimento (resumo), 363, 449-450

lutas (1962), 128-131

lutas ao retornar (1980/1981) e, 585-600, 605-611

lutas em outros países (banimento do boxe nos EUA), 274-282

lutas/planos (1974), 497-498, 499-506

lutas/planos (1975), 529-532

Madison Square Garden não ofereceria outra luta a Ali, 555-556

maxilar quebrado/cura, 429, 430, 436

na Inglaterra/luta (1963), 161-164

preocupações com o peso (1970s/1980s), 507, 530-531, 557-558, 568, 570, 605, 608

primeira luta (1960), 107-108

primeira luta no Madison Square Garden (1962), 127-128

primeiras lutas, 107-108, 112-114, 117

programa de treino/lutas depois da decisão da Suprema Corte, 407-409, 411-413

promoção de marcas/produtos e, 114, 136-137, 328, 329, 535, 541

rope-a-dope, tática, 375, 490, 505, 524, 532, 551, 562, 625

"sala do meio-sonho", 394, 487

sentimentos/comportamento antes de lutas, 16, 71, 85, 475

silêncio de Ali, 558

zombar de adversários/críticas por, 85, 140, 146, 161-162, 171-174, 442-443, 452, 498

Ver também dano cerebral/Ali; *eventos específicos*; *indivíduos/grupos específicos*; Guerra do Vietnã e Clay/Ali

Boyd, Belinda

Ali/namoro e, 305-307

background/descrição, 305-307

Nação do Islã/mudança de nome e, 305-308, 536

trabalho/situação depois do divórcio, 622, 654

Boyd, Belinda—Ali casamento

Ali acusando Belinda/batendo nela, 478

Ali banido da Nação do Islã e, 334

Ali como marido/pai, 318-321, 328, 339-341, 344, 390-391, 413, 416-417, 478

Banzé no oeste/filmes de faroeste e, 318, 464-465

Belinda como esposa/mãe, 317-318, 320-321, 328, 416-417, 430

Belinda depois da luta Ali-Norton, 430

Belinda e camiseta Foreman, 464

Belinda faz papel de cafetina de Ali/cumplicidade e, 341, 511

campo de treinamento, Pensilvânia e, 436, 438, 463

casamento/lua de mel, 307

divórcio/pagamentos de Ali e, 540

gravidezes/filhos, 318, 328, 342, 346

luta/treino para Foreman e, 463-465, 469, 473, 478, 492

outras mulheres e filhos de Ali e, 339-342, 344, 390-391, 413, 427, 428, 438, 466, 477, 478, 509-519, 529

recém-casados/sexo, 317-318

Veronica e, 512-515

Boyd, Raymond/Aminah, 306

Braddock, Jimmy, 486

Bragg, Don, 145

Brando, Marlon, 435, 438

Brathwaite, Cecil, 147

Breckenridge, Howard, 54, 60

Brejnev, Leonid, 566

Brennan, William, 401

Brenner, Teddy, 555, 594

Brooks, Eddie, 407-408

Brooks, Mel, 464

Brown vs. Board of Education (1954), 38, 56-58

Brown, Drew, Jr./"Bundini"

background/descrição, 154-155, 238-239

Belinda Boyd Ali e, 430

Clay/Ali e, 154-155, 188-189, 194, 197, 228, 235, 238-239, 245, 336, 360, 364-367, 370, 382, 394-395, 397, 413, 428, 439-442, 444, 483-484, 491, 493, 526, 531, 537-538, 561, 573-574, 580, 593-594, 598, 610-611, 628-629

morte, 628-629

Nação do Islã/Elijah Muhammad e, 238

Brown, Freddie, 586

Brown, James, 116, 460, 478

Brown, Jim, 145, 190, 199, 201, 265, 309, 312, 451, 489

Brown, Oscar, Jr., 338

Brown, William Lee Lyons, 106

Buck White, peça, 338

Bufman, Zev, 338

Bugner, Joe, 408, 413, 415, 500, 502, 505-507, 515-516

Bunche, Ralph, 143

Bundini. *Ver* Brown, Drew, Jr./"Bundini"

Burns, Tommy, 50

Burrough, Bryan, 426

Burton, Richard, 162

Bush, George H. W., 626

Bush, George W., 651-652

ÍNDICE 753

C

Cabot, Sebastian, 135
Cadillacs e Clay/Ali
    Cadillac rosa, 107, 108, 330
    Cadillac vermelho-tomate, 140, 142, 144, 148, 150-152
    carro fúnebre/cortejo fúnebre e, 659
    em meados dos anos 1960, 177, 228
Calhoun, Patrick, Jr., 106
Calloway, Cab, 112
"Campanella, Roy" impostor, 439-440
campeão que ninguém queria, O (Liston), 134
Cannon, Jimmy, 161, 178-179, 208-209, 264, 287
Caplan, Bill, 460
Carlos, John, 324
Carmichael, Stokely, 475
Carpenter, Harry, 162-63
carreira como ator/cantor, 160, 337-338, 413-414, 549, 577
Carson, Johnny, 141
Carter, Jimmy, 583-585
Cassius Marsellus Clay Jr. vs. United States (1971), 401-404
Casson, Ira, 616
"céu do homem branco é o inferno do homem negro, O" (canção), 77-78, 122, 125-126
Chaliapin, Boris, 139
Chamberlain, Wilt, 405
Champion Sports Management/planos, 628
Charles, Ezzard, 49
Cherry, Garland, 210
Chicago Defender, 145-146, 145-146, 308
Chicago's American, 264, 272

Chuvalo, George
    background/descrição, 246, 275-276, 284, 366, 413
    luta com Ali, 274-277, 336
Clarence X (Clarence Gill), 229
Clark, LaMar, 115-116
Clark, Ramsey, 294
Clark, William, 273
Clay, Cassius (primo de Henry Clay Sr.), 23
Clay, Cassius (tio de Ali), 24
Clay, Cassius Marcellus, Jr.
    ancestrais, quadro geral, 21-24
    ausência de manifestações sobre raça e, 139-141, 146-148
    carteira de motorista e, 107, 139, 141, 150
    celebração dos 21 anos, 133, 134-135
    experiências de segregação (resumo), 202-203, 204-205
    fobia de voar, 83-84, 87
    nome de escravo e, 21
    sobre a infância, 54
    sonhos/sonhos de voar, 100-101
    Ver também Ali, Muhammad; *boxe*
Clay, Cassius Marcellus, Jr. Infância
    biografia escrita pela mãe, 30-31
    brinquedos/animais domésticos, 29, 32
    casas/vizinhança, 27, 29, 30
    confiança/atenção e, 43, 46-47, 59
    corte de faca pelo pai, 21, 53, 54
    descrições, 28-29, 30-31, 33, 64, 81, 82, 85
    desmaio, 83
    dislexia e, 58-60
    escola/desempenho acadêmico e, 44, 55, 58-59, 64, 87-88, 137-138, 637
    esportes e, 32, 55

754 MUHAMMAD ALI

formatura no segundo grau/discussão entre professores sobre, 87-88

lanche da escola e, 31

nascimento/nome recebido, 28

patinete, 43, 59

popularidade na escola, 59, 79, 82

primeiro murro/efeitos, 31

punição, 33, 54

racismo e, 35-38, 39

roubo da bicicleta, 42-43

trabalho/empregos, 64

Ver também boxe e Clay/Ali (início na infância)

Clay, Cassius Marcellus, Sr. ("Cash")

assassinato de Till/racismo e, 39, 123, 124

boates e, 225

boxe de Ali/dinheiro e, 104, 105-106, 108, 295, 296, 382-383, 527-528, 537, 556

comportamento depois das Olimpíadas, 104-105

descrições/bebida e, 21, 25, 26, 47, 53-54, 83-84, 104-105, 115, 214

esfaqueado por mulher, 319

estilo de vida, 25, 26, 104, 115, 536-537

luta com Quarry/roubo depois da, 365, 367, 368

Martin e, 104, 105, 109

morte/Ali sobre, 636

mulherengo/influência sobre Ali, 54, 214, 318, 510, 512, 536

nomes/escravidão e, 23-24

pede a Ali para parar o boxe, 556

trabalho, 25-29, 44

Ver também Grady, Odessa Lee ("Bird")

Clay, Cassius Marcellus, Sr. ("Cash") e Odessa

assistindo às lutas dos filhos, 62, 190-191, 243, 543

Belinda Boyd e, 318

campo de treinamento de Ali e, 436-438

casa que Cassius Jr. comprou para, 150

casamento/nascimento do primeiro filho, 27-28

casas/vizinhança, 27-29

como opostos, 28

depois das Olimpíadas, 103

encontro, 26

Esta É a Sua Vida e, 573

luta Ali-Foreman e, 469

Nação do Islã/filhos e, 207, 224

querendo que Ali deixe o boxe, 556, 586

separação, 536

sobre Herbert Muhammad, 251

viagem à Alemanha com Ali, 280

violência doméstica e, 53-54, 115, 214

Clay, Everett, 23

Clay, Henry, Jr., 22

Clay, Henry, Sr., 22

Clay, Herman Heaton

background/descrição, 21, 22, 24, 37, 38-39

racismo e, 25, 36-37

Clay, John Henry, 21-23

Clay, Odessa ("Bird")

derrame/morte, 641

Marguerite Williams e, 622

opinião de Ali sobre alistamento e, 302, 303

sobre Cassius/biografia, 28-31
Ver também Clay, Cassius Marcellus, Sr. ("Cash") e Odessa; Grady, Odessa Lee ("Bird")
Clay, Rudolph Arnett
boxe e, 61, 65, 79, 108, 191, 392, 439
casamento, 280, 655
descrições, 31, 32
Nação do Islã e, 123, 156-159, 204, 207, 218, 223
nascimento/infância, 28-33, 36-37, 41-42
novo nome/apelido, 224
relação com o irmão, 32, 41, 42, 65, 79, 150, 152, 153, 164, 191-192, 198, 218, 228, 229, 236, 245-246, 295, 318-319, 382-383, 437, 438, 443, 444, 464, 484, 527, 531, 537, 572, 587, 639
sobre a infância, 54
sobre o irmão, 47, 123, 251
últimos anos, 251, 655, 656
violência doméstica do pai e, 115
Clay, Sonji. *Ver* Roi, Sonji/casamento com Ali
Clayton, Zack, 486, 492
Cleaver, Eldridge, 209, 273
Coates, Ta-Nehisi, 156
Cole, Nat King, 112
Colégio Central, Louisville, 55, 57-58, 87-88, 103, 496-497, 656
Coleman, J. D. Stetson, 106
Comitê Não Violento de Coordenação Estudantil (SNCC), 81, 216, 270, 475
CompuBox análise estatística, 373-374, 672n
Comunidade Mundial do Islã no Ocidente, 501

Conn, Billy, 195
Connors, Jimmy, 544
Conrad, Harold, 179, 180, 188, 358, 361
Conrad, Joseph, 453, 455
Conselhos de Cidadãos Brancos, 38, 57
Convenção Nacional Democrata, Chicago (1968), 324
Cooke, Jack Kent, 386
Cooke, Sam, 16, 190, 199, 201, 205
Cooney, Gerry, 579
Cooper, Henry
background/descrição, 161, 574
Clay/Ali lutas (1963/1966), 162-165, 280
Coopman, Jean-Pierre, 529-531
Coração das trevas (Conrad), 453, 455
Corbett, Jim, 571
Cosby, Bill, 364, 367
Cosell, Howard
Ali-Frazier e, 442-444
background/descrição, 197-198, 428
Clay/Ali e, 197-198, 284-285, 286, 338, 371, 379-380, 387, 412, 425, 429, 463, 499-500, 503-504, 529, 531, 533, 551-552, 571-572, 573,574
entrevista com Ali/banido por Elijah Muhammad, 334, 336
morte, 653
nome de Ali e, 284-285
Covington, Hayden C., 294
Coxson, Major Benjamin
Ali e, 355, 356, 383
assassinato de Coxson/esposa, 439
descrição/background, 355
Cronkite, Walter, 269
Crosby, Bing, 91-92, 391
Crouch, Stanley, 345

Cruz, Celia, 478
Crystal, Billy, 660
CTE (encefalopatia traumática crônica), 410
Cultura
  fracassos dos anos 1960, 452, 461
  mudanças (desde o tempo das Olimpíadas de 1960), 92-93
  mudanças no final dos anos 1960 para os anos 1970, 345
  mudanças nos anos 1960, 100, 181
  nos anos 1950, 81
  nos anos 1970, 461, 500-501
  Ver também aspectos específicos
Cura: Um diário de tolerância e compreensão (Ali e Hauser), 648
Cutchins, William Sol, 106, 149, 150, 151, 255

D

D'Amato, Cus, 104, 361, 487
Da próxima vez, o fogo (*The Fire Next Time*) (Baldwin), 46
Daley, Arthur, 178, 228, 256, 287
Daley, Richard J., 495
Dana, Charles A., 50
Daniel, Dan, 94
Daniels, Billy ("The Barber"), 129
dano cerebral/Ali
  Ali sobre riscos do boxe, 149-150, 412
  Ali sobre, 507-508, 588-589, 591-592, 606, 607, 615, 617-618, 632
  depois da luta com Young (1975) e, 533
  descrições, 360, 361, 408, 409
  estratégia de treino/golpes e, 33, 185-186, 361, 373-374, 407-408, 409, 414,

506, 510-511, 558, 568-569, 570, 590, 593, 614, 619, 672n
  exames antes/depois da luta com Holmes (1980), 591-592, 606, 615-616
  exames/hospitalizações (1983), 617-619
  fala arrastada (início em 1971), 411-412, 552, 569, 580, 591, 606, 614, 615
  luta com Holmes/preparação (1980) e, 586-593, 597-600
  médicos ingleses sobre, 587-591
  olfato, perda, 606
  outros sintomas, 510, 614-617
  Pacheco e, 375, 409, 429, 532, 540, 553-556, 568, 587, 591, 603, 619
  síndrome de Parkinson/medicamentos, 17, 411, 617-620, 632, 644
dano cerebral/boxe
  abolição do boxe/reforma e, 615
  conhecimento (1959), 78-79
  descrições, 14-15, 396, 618-619
  fala/linguagem e, 411-412
  punch-drunk/CTE, 410
  vs. outros esportes, 410-411
Davidson, Gordon
  Clay/Ali e, 104, 105, 149, 160, 229, 274, 281
  contratos e, 104, 105, 149
  sobre Bundini Brown, 154
Davis, James, 63
Davis, Mel, 26
Davis, Miles, 100, 169, 260, 391
Davis, Sammy, Jr., 112, 391
Davis, Willie, 309, 310
Dawson, Len, 135
Deford, Frank, 648
DeJohn, Mike, 178

ÍNDICE

Dempsey, Jack, 100, 135, 143, 296, 486, 502

Dexter, Pete, 594

Dia de Muhammad Ali, Chicago, 495

Dibble, Gene, 595

Dickey, Charles, 23

DiMaggio, Joe, 116, 190,

DiNicola, Ron, 652

direitos civis, movimento dos
  "sit-ins", 81, 123, 141
  boicotes e, 57, 315
  Chicago Freedom Movement, 663-664
  eventos/mídia (meados dos anos 1960), 213-214, 216
  militância e, 216, 258
  movimento contra a guerra e, 292-293, 301, 313-316
  mulheres/direitos iguais (1968), 324
  status em 1973, 450
  Ver também indivíduos específicos

dislexia
  Clay/Ali e, 58-60, 325
  vantagens e, 59-60

Dokes, Michael, 558

doping, escândalo nas Olimpíadas de 1960, 93

Douglas, William, 403

Drew, Timothy (Noble Drew Ali), 75

Dundee, Angelo
  abertura na luva e, 164
  Ali afirma ser ministro e, 294
  Ali pregando peças em, 413
  como treinador de Clay/Ali, 65, 110, 112, 114, 116, 118, 131, 144, 164, 174, 182, 184, 188, 194-195, 230, 244, 255, 339, 360, 365-366, 367, 383, 396, 397, 418, 427-428, 428-429, 438, 439, 440,
  484-485, 486, 527, 557-558, 574, 586, 598, 599
  descrição/background, 65, 110-111
  Ellis-Ali luta e, 408-409
  Ginásio da Rua 5, Miami, 111, 154, 557, 588
  morte, 653
  sobre Clay/Ali, 208, 373, 375, 437-438, 585, 593

Dundee, Chris, 111-112, 154, 184

Dundee, Joe, 111

Dundee, Johnny, 111

Dunn, Richard, 530, 535-536

Durham, Richard, 234-235, 343, 349, 516-517

Durham, Yancey ("Yank"), 377, 383

Dylan, Bob, 116, 142, 267, 384, 452, 572

E

Ebony, revista, 137, 169, 497, 529

Ed Sullivan Show, 179

Eisenhower, Dwight, 31

Ellis, Jimmy
  boxe e, 242, 275, 308, 347, 366, 378-379, 580
  Esta É a Sua Vida e, 573-574
  luta com Ali, 63, 339, 405, 407, 408-409, 506

Ellis, Steve, 193, 196

Ellison, Ralph, 22

encefalopatia traumática crônica (CTE), 410

escravidão
  enviar escravos de volta para a África, 22
  racismo continuando após (resumo), 24

758   MUHAMMAD ALI

nomes e, 22, 23-24, 121, 126, 156

Ver também Clay, John Henry

Eskridge, Chauncey, 357, 401

Esperti, Tony, 113

Esquire, 140, 319, 322-323

   capa com Ali e, 322-323, 324

Esta É a Sua Vida e Ali, 573-574

Eu sou o maior! (álbum), 167-168

Evangelista, Alfredo, 551-552

Evans, Janet, 643

Evanzz, Karl, 215, 346

Evers, Medgar, 165

F

Fahn, Stanley, 617-618, 619, 620

Falana, Lola, 504

Falk, Peter, 390

Fard, W. D.

   Nação do Islã/crenças e, 74-75

   outros nomes, 74, 206

Farrakhan, Louis, ministro

   Ali e, 229, 308, 335, 567, 651, 660

   background/nomes anteriores, 77, 121, 215, 335

   canção e, 77, 122

   "céu do homem branco é o inferno do homem negro, O", canção e, 77-78, 122

   Malcolm X e, 231, 232

   Nação do Islã e, 203-204, 229, 232, 337, 567, 651

Fatsis, Stefan, 270

Faversham, William, Jr.

   background/descrição, 105

   Clay/Ali e, 105, 110, 137, 163, 188, 230, 254

   Ver também Grupo de Patrocínio de Louisville e Clay/Ali

FBI

   Ali e, 183, 184, 205, 225, 233, 246, 249, 264, 290, 294, 299, 301, 339, 570

   bombas nos EUA, 426

   Coxson e, 355

   Elijah Muhammad e, 157-158, 181-182, 205, 215, 496

   Harold Smith, desvio de dinheiro, 578

   Herbert Muhammad e, 221, 249, 251, 265

   Liston-Ali luta (maio 1965) e, 246

   Malcolm X e, 30, 181-182, 205, 215, 232

   Nação do Islã e, 76, 182, 183-184, 215, 221-222, 233, 246, 314, 339

   Top Rank/suborno e, 570

Felix, Barney, 192, 195, 504

Ferrara, Chickie, 164

Fetchit, Stepin, 228-229, 246

Fields, Eugene Ross (Harold Smith) desvio de dinheiro, 578-579

Final Call jornal (Nação do Islã), 651

Finkel, Ben ("Evil Eye"), 112

Fischer, Carl, 322

Fitzgerald, Ella, 112

Fleeman, Donnie, 113, 114

Fleischer, Moe, 558

Fleischer, Nat, 245

Florio, James J., 615

"Flutue como uma borboleta, pique como uma abelha!", slogan, 155

fobia de voar/medo de Clay, 83-84, 87, 116, 150, 161, 241

Folley, Zora, 129, 295-296

Fonda, Jane, 622

Ford, Gerald, 494, 500, 536

Foreman, George

ÍNDICE

Ali quer lutar com, 425-426
aposentadoria e, 568, 655
boxe/estilo e, 423-424, 447, 457-458
descrição/background, 423-424, 447, 458, 474
festa de Don King e, 503-504
funeral/cremação de Ali e, 660
Olimpíadas e, 423-424, 471
situação em 1974 e, 447-448
Foreman, George—Ali/luta (outubro 1974) "*rumble in the jungle*", 458-459
acomodação dos boxeadores/tempo no Zaire antes da luta, 474
Ali depois da, 493
Ali insultando Foreman/racismo e, 457-458, 470-473, 486
Ali viaja para/volta da, 469-470, 472-473, 492-493
descrição da luta, 486-491, 524-525
espectadores e, 485-486
ferimento de Foreman/adiamento da luta e, 477-478, 480, 481
festival de música e, 461, 478
finanças e, 448-449, 452-453, 454, 456, 466, 475-476, 496
liberdade/justiça e, 448, 449
manhã antes da luta, 483-484
Mobutu e, 453, 454, 457-458, 459-460, 469, 475-476, 478, 480, 485, 516
previsões de Ali/comentários sobre, 461-462, 465, 466-467
repórteres/problemas, 479-480
teorias da conspiração e, 491-493, 655
Zaire/problemas e, 453-454, 459, 479-480
Ver também King, Don
Forrest, Leon, 496
Foster, Archibald McGhee, 106, 255, 265

Foster, Bob, 413
Foster, George, 413
Foxx, Redd, 112, 504
Frank, Barry, 576, 577, 578
Franklin, Aretha, 399
Frazier, Joe
Ali e, 349-354, 378-380, 472, 485, 491, 545, 574, 650
Ali/viagem a Nova York, 349-354
Ali pede desculpas, 650
análise estatística do boxe, 374
aposentadoria e, 568
background, 377
boxe e, 296, 308, 347, 374, 377-378, 423-425, 457, 497
descrição/apelidos, 347, 378
morte, 653
Olimpíadas (1964), 291, 377
Frazier, Joe—Ali/luta (1975)
Ali zombando de Frazier/resposta de Frazier, 522
Bonventre sobre Ali/*entourage*, 517-518, 519
condições/audiência e, 522-523, 524
danos a Ali e, 508, 527
descrição da luta, 523-527
Manila e, 516, 517
planejamento/finanças, 516, 517
Frazier, Joe—Ali/luta (janeiro 1974)
descrição, 444-445
insultos por Ali, 442, 443
replay na televisão da primeira luta/conflito, 443
Frazier, Joe-Ali/luta (março 1971)
Ali faz previsões, 384, 393
Ali recusa assistência médica, 397
Ali sobre ser atingido, 446

Ali/dia da luta, 390
Ali/discussão depois, 399-400
Ali/treino e *entourage*, 383, 386-387, 388
descrição da luta, 391-397
fala sobre aposentadoria e, 382, 387
fala sobre, 60-61, 347, 350-353, 359, 361, 369, 298-299
festas antes, 389-399
finanças, 381-382, 383, 387
preço do ingresso/público, 383-384, 389, 391
público muda opinião sobre Ali/popularidade e, 384, 389
Frazier, Joe-Ali/revanche
agenda de treinamento/lutas de Ali e, 407-408, 409, 412-413, 414
Ali deseja, 397, 409, 416, 425
Frazier, Marvis, 386
Freedom Rides/Riders, 82, 123, 141
Freedom Road (filme de televisão), 577
Freedomways revista, 315
Friedman, Bruce Jay, 383
Frost, David, 471, 651-652
Futch, Eddie, 276, 392, 427-428, 522, 527

G

Gaddafi, Muammar al-, 364
Gallagher, Tommy, 85
Garrett, Sam, 418
Garvey, Marcus, 75
Gibson, Althea, 143
Gilbert, Doug, 264
Gill, Clarence (Clarence X), 229
Ginário da Rua 5, Miami, 111-112, 154, 557, 588
Giovanni, Nikki, 504
Gleason, Jackie, 243

Godfrey, Arthur, 190
Goodman, Bob, 412-413, 438
Gorgeous George, 116-117, 119, 128
Grady, Abe, 27
Grady, Odessa Lee ("Bird")
descrição/background, 27-28
Ver também Clay, Cassius Marcellus, Sr. ("Cash") e Odessa; Clay, Odessa ("Bird")
Grafton, Arthur, 254, 262, 264, 266
Graziano, Rocky, 143, 586
Greathouse, Edith, 23
Green, Kent, 66, 67, 68
Green, Lorne, 390
Greensboro, "sit-in" na Carolina do Norte (1959), 81
Gregory, Dick
Ali e, 213-214, 536
background/ativismo, 159, 169, 214, 315, 536
greve de jornais (Nova York/1962), 141
Griswold, Erwin, 401
Gross, Milton, 259
Grupo de Patrocínio de Louisville e Clay/Ali
Clay como *entertainer* e, 139, 149-150, 160, 166-169
Clay/conexões com a Nação do Islã e, 160, 167, 209, 265-266
discussões sobre novo contrato e, 253-254
fim do relacionamento, 254-256, 281
finanças (ao final de 1962), 138
lutas com Liston e, 173, 191, 211, 226
membros, 106
planos para o futuro e, 138
relacionamento e, 106, 254, 575, 660
serviço militar e, 274, 309

ÍNDICE   761

tornando-se profissional/acordo, 105-107, 108-109

Guerra Civil, 34

Guerra do Vietnã

divisão a respeito da/número de americanos mortos e, 267, 269-270

evasão do serviço militar e, 345

fim, 450

protestos contra a guerra/movimento dos direitos civis e, 270, 314-316, 324, 344-345, 426

Guerra do Vietnã e Clay/Ali

exame psicotécnico pré-alistamento e, 211-212, 267, 268

Junta de recrutamento do Exército/exame físico pré-alistamento e, 175

Nação do Islã e, 268, 270, 272-273, 294

registro no Sistema de Serviço Seletivo (1961) e, 115

sobre ser reclassificado/mídia e, 268

Guerra do Vietnã e Clay/Ali se recusa se alistar

afirma ser ministro, 294, 320, 324-325, 337, 344

Ali sobre/opiniões, 294, 301, 302, 462-463

alistamento programado e, 302-303

como exemplo/influência e, 291-292, 293-294, 314, 314-315, 344-345, 462

crítica/consequências, 272-275, 279-280, 284, 287, 291, 303-304, 313, 330-331, 345, 361-362, 449-450

culpado de deserção/sentença, 313

decisão da Quinta Corte de Apelação, 324-325

decisão da Suprema Corte/consequências, 401-407

NAACP, Fundo de Defesa Legal/caso de Nova York, 361-362

processo como objetor de consciência e, 294-295

processo de indenização/danos à carreira e, 406-407, 632-633

público muda de ideia sobre/popularidade, 345, 406-407

reunião de atletas com Ali e, 309-312

Guinness, Gloria, 190

Gulatt, Willie, 113

Gumbel, Bryant, 659-660

H

Haley, Alex, 127, 258

Halloran, Bob, 268

Hamill, Pete, 389

Hampton, John, 63

Harlan, John M., 402, 403-404

Harris, Gypsy Joe, 379

Harris, Pat, 497

Harvell, Patricia/Miya, 509, 621

Hauser, Thomas, 594, 618, 622, 635-636, 648

HBO e luta Frazier-Ali (1975), 523

Hearns, Thomas, 579

Hefner, Hugh, 391

Hemingway, Ernest, 377

Hicks, James, 313

Hirschfield, Richard M.

Ali e, 628, 632-633

background/fraude e, 628, 632-633

Hitler, 93, 209, 259

Hoblitzell, Bruce, 103

Hodge, Terry, 63

Hoffman, Dustin, 391

Holmes, Jake, 599

762   MUHAMMAD ALI

Holmes, Larry
  Ali e, 461, 506-507, 568, 589-590, 597-
    598, 655, 660
  Ali luta com (1980), 588, 595-600
  aprendendo com Ali, 590
  boxe/background, 568, 581, 589-590
Holyfield, Evander, 642
Hoover, J. Edgar, 13, 221, 251, 301, 314
Hope, Bob, 467
Horn, Huston, 173-174
Houston, Alice Kean, 30
Howard, Frank, 591
Hudson, Allen ("Junebug"), 85-86
Hughes, Langston, 316
Humphrey, Hubert, 391
Hunsaker, Tunney, 108, 185

I

Ingraham, Joe, 313-49
Inoki, Antonio
  Ali luta e, 530, 533, 536, 538-540
  regras/Inoki processa, 540
integração das escolas
  Brown vs. Board of Education (1954)
    e, 38, 56-57
  problemas com, 38, 56-57, 146, 165
Inter-Continental Promotions, 173, 210,
  226
Irã, crise dos reféns, 583-584
Izenberg, Jerry, 248, 367

J

Jace, Cornelius (também James Cornelius,
  Cornelius James), 607-608
Jack Paar Show, 167
Jackson, Edward W., 271
Jackson, Jesse

Ali e, 177, 346, 363-364, 365, 366,
  367, 618, 660
  descrição, 618
  eleições presidenciais/Ali e, 618
  sobre segregação, 207-208
Jackson, Michael, 621
Jawish, Gary, 80
Jeffersons (televisão), 501
Jennings, Rose, 249, 252, 460, 477
Jessel, George, 190
Jet revista, 39, 137, 204
João XXIII, papa, 92
Joel, Billy, 568
Johansson, Ingemar, 114, 126
Johnson, Alonzo, 117
Johnson, Amos, 78, 95-96
Johnson, Bennett, 125
Johnson, Bettie, 87
Johnson, Booker, 438
Johnson, Chip, 191
Johnson, Jack
  boxe, 49-51, 110, 246, 604
  imagem/raça e, 49-51, 134, 141
Johnson, Leroy, 359-360
Johnson, Lyman, 57, 207
Johnson, Lyndon B., 268, 292, 309
Jones, Alberta, 104
Jones, Cody, 336
Jones, Doug, 137, 139, 141-145, 161, 284
Journal of the American Medical As-
  sociation, 615

K

Kalbfleisch, Charles, 53
Kaplan, Hank, 80, 258
Kareem Abdul-Jabbar (Alcindor, Lew),
  309, 312

ÍNDICE

Kassel, Bob, 359

Katz, Mike, 535

Kazan, Elia, 390

Keaton, Diane, 391

Kefauver, Estes, 173

Kempton, Murray, 189

Kennedy, Caroline, 544

Kennedy, Ethel, 391

Kennedy, John F.
  assassinato e, 13, 175, 181, 257
  como candidato à presidência, 101, 113, 146, 165, 169
  Malcolm X sobre, 13, 181, 455

Kennedy, Robert F., 323-324

Kennedy, Ted, 391, 438

Khalilah. *Ver* Boyd, Belinda

Khayat, Ed, 359

Khomeini, Ruhollah, aiatolá, 583, 627

Kilroy, Gene
  Ali/como gerente de negócios de Ali e, 356, 358-359, 375, 416, 438, 445, 467, 492, 500, 537, 559, 567, 599-600, 627, 628
  background, 356
  depois de trabalhar com Ali, 627, 660
  sobre Ali, 375, 450-451, 479

Kim, Duk Koo, 615

Kindred, Dave, 461-462, 498, 617, 632, 633

King, B. B., 460, 478, 504

King, Coretta Scott, 363

King, Don
  agressão a, 607
  assassina um homem/prisão e, 418-419, 422
  background, 418-419
  boxe e, 425
  descrições/caráter, 418-420, 454, 480, 502-503, 503, 587, 590, 602-603, 604
  FBI e, 453
  relação com pugilistas negros, 421-422

King, Don e Ali
  ações de King para manter Ali, 503-504
  Ali depois do boxe e, 617, 632
  Ali sobre, 578
  conflito de interesses, 576
  dinheiro vivo e, 420-422
  Elijah Muhammad e, 422-423
  encontro, 419
  exibição de boxe para hospital, 419-420
  Festival in Zaire, Inc./promoção e, 459, 467, 475, 476
  funeral/enterro de Ali, 660
  Herbert Muhammad e, 419, 420, 499-500, 503
  julgamento de King e, 419
  luta com Foreman/*Rumble in the Jungle* e, 447-449, 452-454, 458-459, 466, 475, 479-481
  lutas/King fazendo dinheiro e, 428, 516, 527, 537, 550, 586, 591, 601, 604
  processo de Phenner contra King, 602
  sobre Ali, 558-560

King, George, 64

King, Martin Luther, Jr.
  Ali e, 225, 229, 323
  assassinato, 323-324, 560
  ativismo, 74, 123, 146, 165, 207-208, 214, 292-293, 299, 301, 314, 366, 633
  crítica de, 141, 165
  FBI e, 225, 229, 301, 314

764   MUHAMMAD ALI

Guerra do Vietnã e, 292-293, 300, 301, 314

Marcha Sobre Washington (1963), 146, 165

Nação do Islã e, 141, 166, 207-208

King, Rodney, 649

Kirkland, Richard ("Pee Wee"), 364

Knievel, Evel, 543, 595

Kolb, Larry

    Ali e, 596, 607, 613-614, 616-619, 626, 630, 631, 633

    vídeo do Paquistão/bin Laden e, 631

Kram, Mark, 418, 499, 545

Krattenmaker, Thomas, 401-404

Krim, Arthur, 309

Kristofferson, Kris, 577

Ku Klux Klan, 38

Kupcinet, Irv, 231

Kwame Nkrumah, 218

L

LaMotta, Jake, 186

Lancaster, Burt, 383

Langford, Sam, 128

Lavorante, Alejandro, 129

Lee, Spike, 472

Leifer, Neil, 417

Lemmon, Jack, 622

Lennon, John, 180

Leopoldo II, Rei, 455

Lewis, Alvin Blue, 413

Lewis, Jerry, 167

Lewis, Joe E., 190

Liberace, 167

Liebling, A. J., 108, 128, 155

Lindsay, John, 391

Lipsyte, Robert, 339, 636 .

Liston, Geraldine, 242, 245-246, 386

Liston, Sonny

    Beatles e, 179

    problemas com negócios, 173

    Clay/Ali zombarias/respostas, 14-15, 140, 147-148, 161-162, 169, 171-172, 174-175, 187-190, 442

    Clay/Ali deseja lutar, 12, 131, 133, 140, 145, 149, 160, 161

    confrontos com Clay/Ali, 171-172, 174-175

    morte, 386

    background no boxe/descrições, 12, 14-15, 131, 134, 145-146, 161, 162, 172, 176, 241, 245-246, 308, 504, 525

Liston, Sonny-Ali/ luta (maio 1965)

    Ali/*entourage* viaja para, 236-240

    descrição da luta, 16, 18, 243-246, 276-277, 486

    FBI e, 246

    mudança de local, 241-242

    preço do ingresso/público e, 242-243

    preparação/antes da luta, 14-15, 236

    rumores/questões sobre, 243, 245-246

Liston, Sonny-Ali/luta planejada (novembro 1964)

    doença de Ali/luta cancelada, 229-230

    finanças e, 226-227

    treinamento dos boxeadores/preparação, 227-228

Liston, Sonny-Clay/luta (fevereiro 1964)

    cláusula de revanche e, 210

    Clay depois da vitória, 197-198, 473

    Clay/finanças e, 173

    Clay/problema nos olhos e, 194-195, 198

ÍNDICE 765

descrição da luta, 192-197, 276-277

Malcolm X sobre, 183-184

Nação do Islã/Clay e, 187

planos para, 164-165, 172-173, 176

preço de ingressos/público, 187, 190-191

preparações por ambos, 187

previsões sobre, 179, 186, 187, 190, 195

rumores/questões sobre, 197, 210-211

Little Africa, bairro de Louisville, 29, 54

Little Red, ônibus, 174, 236-237, 241

Little Rock, Os Nove de, 56

Little, Earl/esposa, 156

Little, Malcolm. *Ver* Malcolm X

Logan, George, 129, 154

Lois, George, 322-323

Lomax, Charles, 576

Los Angeles Times, 130, 272

Louis X. *Ver* Farrakhan, Louis, ministro

Louis, Joe

    Ali e, 456, 605

    Ali, comparações e, 603-605

    Beatles e, 179-180

    boxe/celebridade e, 16, 48-49, 110, 194, 197, 274, 279, 308, 430, 436, 467, 502, 544

    Clay/Ali e Nação do Islã, 207

    crítica de Ali, 283

    imagem e, 49

    morte/legado, 604-605

    problemas de saúde, 573, 603

Louisville Courier-Journal, 23, 35, 64, 106, 319

Louisville Defender, 41, 207, 313

Louisville Times, 106, 113, 159

Lumumba, Patrice, 455

luta livre e boxe

    Wepner/André, the Giant, 538

Ver também Inoki, Antonio

Lyle, Ron, 505, 513

M

MacDonald, William B., 187-188

Machen, Eddie, 366

Maddox, Lester, 360

Madigan, Tony, 68-69, 78, 95

Mailer, Norman, 378, 383, 389, 392, 397, 454, 474, 480

Main Bout, Inc., 263-265, 272, 309, 310

Makeba, Miriam, 478

Malachi, Dora Jean, 105

Malcolm X

    admiradores/popularidade, 199, 213, 214-215

    background/descrições, 155-156, 181

    Clay/Ali relacionamento após rompimento, 215-219, 213-234, 248

    Clay/Ali relacionamento e, 13, 16, 143, 156-157, 181-182, 187, 190, 199-200, 201, 202, 205-207

    deixando a Nação do Islã/seguindo ativismo, 205, 214-217

    FBI e, 14, 182, 205, 215, 232

    férias em Miami com família e, 181-182

    mudanças de nome, 155-156, 216

    Nação do Islã/Elijah Muhammad e, 13-14, 155-158, 165, 181-183, 199-200, 203-204, 206-207, 215-216, 455, 469

    rumores de assassinato/assassinato, 13, 215-216, 231-234, 498

    viagens ao Oriente Médio/África e mudança de crenças, 215-216

Malitz, Mike, 265

Mancini, Ray ("Boom Boom"), 615

766 MUHAMMAD ALI

Mandela, Nelson, 418

Marcha Sobre Washington (1963), 146, 165

    background, 48

    boxe/celebridade e, 48, 430, 436, 501, 585

    Clay/Ali e, 104, 191, 329-330, 436

    filme com luta falsa/Ali e, 329-330

Marciano, Rocky

Marcos, Ferdinand, 516, 518-519

Marcos, Imelda, 518-519, 527

Marshall, Thurgood, 402

Martin, Joe Elsby

    acordo de Reynolds com Clay e, 101-102, 104

    background/descrição, 42

    boxe e, 42-45, 54, 61, 64, 67, 78, 80

    Cash Clay e, 104, 105, 109

    Christine (esposa) e, 64

    encontra Clay depois das Olimpíadas, 100

    início da carreira de Clay e, 43-45, 54, 61, 63-64, 67, 78, 80, 449, 573

    preparatórias para as Olimpíadas/Clay e, 83-84, 87

Martin, Leotis, 308

Massell, Sam, 359, 365

Mastroianni, Marcello, 391

Mathis, Buster, 412

Mayfield, Curtis, 363

Mays, Willie, 281

Mayweather, Floyd, Jr., 374

McAlinden, Danny, 392

McClinton, Curtis, 309, 311-312

McClure, Wilbert ("Skeeter"), 71-72

Medalha Presidencial da Liberdade, 652

Menendez, Julius ("Julie"), 85

Mensah, Barbara/filha, 509

Menssagem ao homem negro na América (Elijah Muhammad), 325, 335, 403

Mercante, Arthur, 395

Mesquita Muçulmana, Inc., 215, 216

Miami Herald, 111, 237

Michel, Robert H., 293

Mildenberger, Karl, 280-281, 308

Mimmes, Marjorie, 58

Minnelli, Liza, 571

Mitchell, Bobby, 309

Mitchell, John, 591

Miteff, Alex, 118

Mobutu, Joseph

    adiamento da luta/ações, 477, 480

    background/corrupção, 453-456

    luta Foreman-Ali e, 453, 454, 457-461, 469, 475-477, 479, 484, 516

Mohammed-Rahmah, Safiyya, 249, 306, 308

Monroe, Al, 145-146

Moore, Archie

    background/descrição, 109-110, 129

    Clay luta e, 129-131, 243

    Foreman e, 488-489

    morte, 653

    treinando Clay e, 104, 110, 113

Moran, Willy, 78

Morehead, Tom, 27

Morris, Michael, 588-589

Morrison, Toni, 343, 516

Mosley, Walter, 203

Mr. Ed (televisão), 160

Muhammad Speaks, jornal

    Clay/Ali e, 121-122, 183, 306, 334-335, 407, 439

    crescimento e, 337

    Malcolm X/assassinato e, 231

ÍNDICE

mensagem de Elijah Muhammad e, 122, 123-127

pessoal e, 224, 233, 249, 252, 343, 495

Muhammad, Clara, 252, 305, 333

Muhammad, Eddie Mustafa, 579

Muhammad, Elijah

adultério/estilo de vida, 157, 181

atenção/popularidade, 213

background/como Elijah Poole, 74

boas-vindas a Clay/razões, 204

Clay/Ali e, 87, 119, 203-204, 238, 294, 295, 300, 302, 319, 325, 333-337, 495-496, 499, 501, 633

crítica a, 123, 154-155, 157-158, 181, 310

declínio em popularidade/perda de membros, 345

descrições, 214, 251

Don King e, 422-423

esportes/jogos, visão sobre, 204, 333-337, 405

expulsa Ali e, 333-337, 346

FBI e, 158, 182, 205, 215, 496

Main Bout, Inc. e, 264-265

morte/funeral, 499, 501

Nação do Islã/crenças e, 73-77, 90, 122, 123-127, 156, 166, 204, 205, 207-208, 215, 403-404, 426, 436, 469-470

política e, 205

prisão e, 270, 302

questões de saúde, 451, 495

retira o nome muçulmano de Ali e, 334, 344

trabalho de Clay para o colégio sobre, 87

Ver também Malcolm X; Nação do Islã

Muhammad, Herbert

Ali pós-boxe/cortando laços com, 620, 628, 652

Ali/Sonji casamento e, 249-251

background/descrições, 217, 223, 249-252, 357-358, 383, 461, 466, 491, 492, 527, 536, 537, 550, 554-556, 570, 574-577, 599, 607

Clay/Ali e, 217, 218, 221, 222, 234, 302, 305, 308, 319, 370, 382, 387, 416, 419, 420, 439, 457, 487, 510, 512, 516, 594, 620

como gerente de negócios de Ali/dinheiro e, 252-256, 257-258, 264, 265, 279, 335, 339

controle sobre Ali, 249-251, 257-258, 498, 620

corrupção/caráter e, 221, 251-252, 340, 341, 510, 512, 574-577, 587, 590, 596, 604

Don King e, 418-420, 500, 503

FBI e, 221, 249, 251, 265

Main Bout, Inc./Top Rank e, 264, 265, 309-310, 570

morte, 653

mulheres/fotografias e, 221, 252, 340, 341, 510, 512

Sonji Roi e, 221-224

Muhammad, Jamillah. Ver Swint, Areatha

Muhammad, Leon, 510

Muhammad, Matthew Saud, 579

Muhammad, Wali (Walter Youngblood/Blood"), 438

Muhammad, Wallace D.

Ali e, 498-500, 520, 535, 546-547

banido pelo pai, 334

como líder da Nação do Islã, 498-501, 536

Nação do Islã, mudanças, 501
Murray, Jim, 130, 272
My View from the Corner (Angelo Dundee, livro), 164
Myrdal, Gunnar, 72

N

NAACP, 57, 362, 496
Nação do Islã
 "céu do homem branco é o inferno do homem negro, O", canção e, 77-78, 122
 apelo aos negros, 90, 12-127
 assassinato de Malcolm X /rumores de assassinato e, 13, 215, 231-234, 498
 bombas na mesquita, 233
 Chicago e, 72-73
 crescimento/razões, 76, 122
 cultura dentro, 158
 declínio (começando nos anos 1970), 346, 451
 descrição/objetivos, 73-76, 338, 408
 escolha entre Elijah Muhammad/Malcolm X, 214-215
 FBI e, 76, 182, 183, 184, 215, 221, 233-234, 246, 314, 339-340
 filosofia/primeiros indivíduos e, 75
 Martin Luther King, Jr. e, 141, 146, 165, 207-208
 membros mortos pela polícia (1962), 140
 Mesquita No. 12, Filadélfia, 339
 ódio que o ódio produziu, O (documentário/Mike Wallace), 203
 oradores de caixote de sabão, 89-90
 regras e, 223, 346, 423, 471
 violência/crime e, 13, 216, 231-234, 237, 242, 246, 339-340, 451, 498

Ver também Muhammad Speaks jornal; *indivíduos específicos*
Nação do Islã e Clay/Ali
 "céu do homem branco é o inferno do homem negro, O", canção e, 77-78, 126
 afirma ser ministro da, 294
 assassinato de Malcolm X e, 231-234
 banimento/retira nome muçulmano e, 333-338, 344, 346, 382, 495
 comentários (novembro 1965), 257-258
 complicações na carreira e, 160-161, 182
 compromisso com, 121-127, 156-160, 166-167, 183, 200-203, 205, 207, 436, 449-451, 469-470
 conversão/perspectivas, 200-203, 205, 207
 crítica/controvérsia, 207-211, 451
 dinheiro/usando Ali e, 233, 254-255, 335-337, 451, 457, 495-496
 escolha entre Elijah Muhammad/Malcolm X, 213-216
 FBI e, 183, 184
 Guerra do Vietnã e, 267-274, 294
 Mesquita No. 12, Filadélfia, 339
 novo nome, 206-207
 oradores de caixote de sabão em Nova York, 89-90, 121
 pais e, 207, 224-225
 poder sobre, 225, 247, 257-259, 269-275, 322
 resposta de negros norte-americanos, 199-200, 202-204
 segregação/integração, opiniões sobre, 183, 200-203, 207-208, 290, 326-328, 355-356, 408, 451, 469

ÍNDICE

sobre razões para não deixar, 498

Sonji questiona, 226, 233-236, 247-251

viagens à África/Oriente Médio para levantar dinheiro, 451, 457

visita às Nações Unidas/planos, 205-206

Nather, Priscilla, 23

Neiman, LeRoy, 367, 543

Nelson, Jill, 292

New York Times, 56, 116, 169, 178, 213, 217, 285, 293, 294, 330, 406, 416, 445, 451, 458, 459, 472, 481, 519, 535, 543, 554, 559, 575, 579, 604, 636, 650, 657

New Yorker, The, 141, 155

Newcombe, Don, 387

Newfield, Jack, 418

Newsweek revista, 89, 517

Newton, Huey, 273, 346

Nilon, Bob, 173-174, 176, 185, 210, 211, 226, 256

Nilon, Jack

Clay/Ali e, 256

Liston, problemas com negócios e, 173

Liston-Clay/Ali luta e, 165, 172, 173, 185, 209-211, 226

Nixon, Richard M., 324, 344, 390, 399, 426, 467

Norton, George Washington, IV, 106

Norton, Ken

Ali luta (setembro 1973), 439-441

Ali/conferência de imprensa conjunta depois da luta, 435-436

background/descrição, 425, 426, 503

boxe e, 440-441, 447, 457, 566, 568, 579

morte, 653

Norton, Ken-Ali luta (1976)

finanças, 550-551

luta/decisão controvertida, 544

planejamento/preparação, 530, 532-533, 540

situação/crimes do lado de fora, 543

Norton, Ken-Ali luta (março 1973)

descrição/interesse, 425-429

ferimentos de Ali antes, 426

maxilar quebrado de Ali/cirurgia, 430, 431

Nova York, cidade e crise, 543

Nyerere, Julius, 585

O

O'Brien, Hugh, 317-318

O'Keefe, Ronnie, 44

Oates, Joyce Carol, 474

Obama, Barack, 653, 657

ódio que o ódio produziu, O (documentário/Mike Wallace), 203

Olimpíadas (1936), 93, 259

Olimpíadas (1952), 91, 94-95

Olimpíadas (1956), 95

Olimpíadas (1960/Roma) e Clay

competição/ganha medalha de ouro, 95-97

comportamento/atitude, 91-94, 96

em Nova York antes/depois, 89-90, 99-101

previsões escritas sobre, 93-95

usando medalha de ouro depois, 99, 100

Olimpíadas (1960/Roma), 91-97

Olimpíadas (1964), 296

Olimpíadas (1976), 557, 585

770 MUHAMMAD ALI

Olimpíadas (1980/Moscou), 584-585

Olimpíadas (1996/Atlanta) e Ali acende tocha, 642-644

Olimpíadas, Cidade do México (1968)
    Black Power, 324, 346
    Foreman e, 423-424, 470

Olsen, Jack, 33, 115, 225, 262, 289

Orgulho Negro, 147, 203

Owen, Tom, 34

Owens, Jesse, 93, 259

P

Pacheco, Ferdie
    background/Ginásio da Rua 5 e, 154
    problemas de saúde e ferimentos de Ali e, 375, 409, 532-533, 539, 553-556, 568-569, 587, 591, 603, 618-619
    renuncia como médico do ringue de Ali, 556
    sobre a personalidade de Ali, 208, 228

Page, Greg, 506

Pahlavi, Reza, xá do Irã, 583

Panteras Negras, 209, 274, 328, 337, 346, 426

Parks, Rosa, 39

Pastrano, Willie, 65, 108

Patterson, Floyd
    Ali luta (novembro 1965), 257-261, 285
    boxe e, 84, 92, 94-95, 104, 114, 131, 171, 172, 183, 186, 245-246, 308, 408, 413
    Clay/Ali quer lutar/comentários, 92, 126, 133, 443
    morte, 653
    visita Ali no hospital, 617-618

Patterson, Pat, 438

Perenchio, Jerry, 384, 453

Perez, Tony, 444

Phenner, Michael, 476-580, 602

Phillips Jr., Lionel (Leon 4X Ameer), 233

Phillips, Dora Jean, 105

Pietrzykowski, Zbiegniew, 95-97

Plimpton, George, 179, 182, 239, 365, 389, 399, 400, 487, 493

poemas por Clay/Ali, 64-65, 103, 142-143, 168-169, 352, 376, 387, 515, 541, 571

Poinsett, Alex, 169

Poitier, Sidney, 363, 367

Poole, Elijah. *Ver* Muhammad, Elijah

Pope, Edwin, 111, 237

Porche, Veronica
    background/descrição, 467
    Belinda Boyd e, 512-516
    depois do divórcio, 574, 660-661

Porche, Veronica/Ali
    ajuda financeira e, 576-578
    Ali como pai/marido, 620-623
    casamento (EUA) e lua de mel, 552-553
    casamento (Zaire), 479
    caso com, 476-481, 511, 516-520
    casos de Ali e, 510, 622
    compra de carro/presente de aniversário, 550
    danos do boxe em Ali e, 555-556, 586-587
    divórcio, 623
    Foreman-Ali, luta e, 467
    gravidez/filhos, 536, 540, 559
    luta de retorno de Ali/saúde e, 586-587, 594, 596, 619

Povich, Shirley, 256

Powell, Art, 135

ÍNDICE

Powell, Charlie, 133-136
Powell, John, 61
Powell, Kevin, 560
Powers, Georgia, 29
preparatórias para as Olimpíadas, boxe (1960), 83-87
Presley, Elvis, 428
Prezant, Billy, 594
Price, Lloyd, 419, 500
prostitutas e Clay (1958), 66-67, 72
Putnam, Pat, 595

Q

Quarry, Jerry
  background no boxe, 308, 366, 408, 413
  background/descrição, 361, 366
  festa/roubo após a luta (1970), 367-368
  luta com Ali (1970), 361-367
  sobre Ali, 463
questões raciais
  1973 e, 426
  Chicago e, 72
  Clay/Ali sobre segregação/integração, 165-166, 183, 200-203, 207-208, 290, 326, 327, 355-356, 408, 451, 469
  economia/trabalho e, 36, 45
  eventos em 1963, 165-166
  infância de Clay e, 33-40
  Louisville e, 34-37
  Malcom X/família e, 156
  Mississippi e, 38
  motins/manifestações/tumultos raciais, 146, 216, 292, 326, 649-650
  mudanças (final dos anos 1960 aos anos 1970), 344-346
  o norte e, 73

palestras de Ali e, 326-327
professores negros e, 57
questões de saúde e, 37
questões habitacionais/Ali, 300, 663-664
restaurantes e, 64
segregação (status em 1964), 202
vida de Ali e (resumo), 657-658
violência doméstica e, 53
Ver também direitos civis, movimento; integração das escolas; escravidão; *eventos específicos*; *indivíduos/organizações específicos*

R

Rademacher, Pete, 104
Rahman, Abdul. *Ver* Saxon, Sam
Rawls, Lou, 504, 577
Ray, Joseph, 29
Reagan, Ronald, 358, 618
Reddish, Willie, 186
Reed, Ishmael, 571
Reeves, Donald, 406
"Reivindicação à Fama" discurso (Wilson/Colégio Central), 87-88
República Democrática do Congo, 455
  Ver também Zaire
Reynolds, William
  background/riqueza, 99
  Clay e, 99-105
Rhorer, Allen J., 293
Richley, Robert, 576
Richmond, Peter, 649
Riley, Lowell, 222, 223, 438
Ring, The, revista, 245, 283, 291, 604
Rivers, Mendel, 293
Robinson, Archie, 153

772   MUHAMMAD ALI

Robinson, Jackie, 24, 143

Robinson, Jimmy, 113

Robinson, Sugar Ray
   Clay/Ali e, 16, 89, 90, 143, 145, 154, 188
   como boxeador/celebridade, 89, 90, 110, 153, 186, 235, 466
   descrições, 89, 90
   entourage, 153

Rocky (filme), 505

Rogich, Sig, 602

Roi, Sonji
   background/pais, 221-225
   descrição/ideias, 221-225, 234, 306
   encontro com Ali, 222
   Herbert Muhammad e, 221-224
   morte, 653
   sobre Ali, 222

Roi, Sonji após divórcio
   caso com Ali, 339, 509
   festa da vitória de Ali e, 261

Roi, Sonji/Ali casamento
   casamento, 224
   descrições/ideias, 234, 247-251
   discussões/religião e, 226, 234-236, 247-251, 271, 325, 337
   divórcio e, 234, 250
   doença de Ali e, 230
   encontra pais de Ali, 222, 224
   incêndio no apartamento/suspeitas, 233
   mudança de nome, 243

Rolling Stone, 479, 569

Roosevelt, Franklin Delano, 130

rope-a-dope, tática, 375, 490, 505, 524, 532, 551, 625

Ross, Barney, 143

Ross, Diana, 363, 391, 397

Rudolph, Wilma
   Clay/Ali e, 92, 108, 509
   Clay/Ali, caso e filho, 509
   corrida com Clay, 108
   Olimpíadas (1960) e, 92

Russell, Bill, 309, 312

Ruth, Babe, 130

S

Sabedong, Duke, 116

Saddam Hussein, 636, 651

Sadler, Dick
   Ali e, 502, 503
   Foreman/teoria da conspiração sobre, 474, 480, 489, 491, 492, 503

Sadlo, Frank
   Ali/tocha olímpica e, 641-644
   background/família Clay e, 639-640
   pai/Ali e, 640

Sadlo, Henry
   família Clay e, 53, 639
   no hospital/visita de Ali, 640

Sanchez, Rodrigo, 587

Sanders, Harland, 391

Saroyan, William, 391

Sarria, Luis, 112, 229, 438, 595

Satalof, Marc, 356

Savalas, Telly, 543

Saxon, Sam
   Clay/Ali e, 126, 153, 229, 248, 270
   King e, 503
   Nação do Islã e, 126, 154, 233, 248, 249
   Sonji/Ali, casamento, e, 248, 249

Sayers, Gale, 367

Schaap, Dick, 89-90, 100-101, 330

Schmeling, Max, 208

ÍNDICE

Schulberg, Budd, 364, 385

Schulman, Bruce J., 501

Schwartz, Hank, 447-449, 452-454, 459, 475

Schwartz, Rolly, 407

SCLC (Conferência da Liderança Cristã do Sul; Souther Christian Leadership Conference), 292-294

Seale, Bobby, 426

Seaver, Tom, 330

Sensi, Robert, 626

Sentinela, revista da escola/repórteres, 400

Shabazz, Betty, 232

Shabazz, Jeremiah, 355, 558, 602

Shabazz, Lana, 438

Shakir, Zaid, imame, 657, 660

Shanahan, Tim, 550, 575

Sharnik, Mort, 243-244

Shatkov, Gennadiy, 95

Shavers, Earnie, 553-556, 568

Shecter, Leonard, 320-321

Sheed, Wilfrid, 502

Shelton, Joe ("Shotgun"), 242

Shor, Toots, 143

Shorter, Jim, 309

Shriver, Sargent, 391

Siegel, Bugsy, 180

Siler, Herb, 112

Silver, Horace, 490

Simpson, O. J., 501, 650

Sims, Jeff, 588

Sinatra, Frank, 153, 243, 390, 391

Síndrome da China, (filme), 622

Sitgraves, Owen, 32, 47, 58

"sit-in" no balão da lanchonete do Woolworth (1959), 81

"sit-ins", 81, 123, 141

Skillman, Richard W., 537

Smith, Harold (Eugene Ross Fields), fraude bancária, 578-579

Smith, Red
Ali/críticas a Ali e, 96, 256, 445, 481, 558, 570, 582, 607
sobre a carreira de Ali/aposentadoria, 582

Smith, Tommie, 324

Smith, Vernter DeGarmo, 106

Smith, Will, 652, 660

Smoketown, descrição de bairro de Louisville, 30

SNCC (Comitê Não Violento de Coordenação Estudantil), 81, 216, 270, 475

Sobel, Sam, 112

Soul on Ice (Cleaver), 273

Southern Christian Leadership Conference (SCLC), 292-293

Spencer, Thad, 308

Spinks, Leon
background, 557, 560, 569-570, 579
depois de se tornar campeão dos pesos-pesados, 577
planejando/luta com Ali (1978), 557, 560-561
revanche com Ali (1978), 566-567, 571-572

Spinners, 478

Sports Illustrated, 33, 106, 115, 162, 172, 173, 225, 227, 243, 283, 289, 302, 312, 360, 399, 417, 418, 487, 545, 595, 615, 655, 656

Stallone, Sylvester, 505, 571

Starr, Ringo, 180

Stevenson, Teofilo, 580

Stewart, Potter, 404

Stokes, Carl, 309

MUHAMMAD ALI

Stoner, Fred, 109, 123, 574

Streisand, Barbra, 391

Sugar, Bert, 364

Sullivan, Ed, 179, 190

Sullivan, John L., 50, 571

Summer, Donna, 512-513

Supremes, 367

Sutcliffe, Elbert Gary, 106

Swint, Areatha
Alan (filho) e, 82, 83
    caso com Ali e, 339-340, 509, 518, 519
    Clay/desmaio e, 83

T

Talese, Gay, 261

Tate, John, 585

Tauber, Peter, 632

Taylor, Elizabeth, 162

Temptations, 337, 367

Terrell, Ernie
    Ali desumaniza, 442
    background, 284-285, 308
    cancelamento da luta com Ali (Chicago, 1966), 272-273
    conversa sobre luta com Ali e, 266, 269, 272
    luta com Ali, 284-287

Thimmesch, Nick, 139, 151

Thompson, Hunter S., 479, 569

Thornton, Ralph, 438

Tiger, Dick, 143

Till, Emmett
    assassinato/funeral e, 38-39
    legado, 39-40, 61, 76-77

Time (revista), 137, 139, 149, 151, 378, 381, 385, 585

Today Show, 637

Todd, James Ross, 106

Tomorrow's Champions, 43, 44, 106

Tonight Show (televisão), 141

Torres, José, 373, 375, 394

Travolta, John, 571, 621

Traynor, Pie, 135

Trump, Donald, 632, 653

truques de mágica e Ali, 480, 494, 567, 613, 617, 635, 641, 648

Tunney, Gene, 143, 486

Tuotti, Joseph Dolan, 338

Turley, Francis, 66

Turner, Mary Clay, 32, 225

Tynes, Morris H., 308

Tyson, Mike, 660

U

United States, Cassius Marsellus Clay Jr. vs. (1971), 401-404

W

Waddell, Charlotte, 223, 314, 317

Walcott, Joe, 49, 243, 245, 626

Walcott, Louis Eugene, 77
    Ver também Farrakhan, Louis, ministro

Wallace, George, 165, 324, 327, 451

Wallace, Mike, 203

Warhol, Andy, 450

Warner, Don, 129

Washington, Booker T., 75

Washington, Martha, 106

Waters, John, 116

Weaver, Mike, 603, 607

Wells, Gary, 595

Wells, Lloyd, 438, 512

ÍNDICE

Wepner, Chuck
    Ali encontra (1990) e, 637
    Ali luta, 502, 503, 504
    André, the Giant, luta, 538
    background, 502, 503-504
West End, descrição de bairro de Louis-
    ville, 28-29, 30
White, Charley, 377
Wicker, Tom, 239, 294
Wiley, Harry, 128
Williams, Charles, 594, 596
Williams, Cleveland ("Big Cat"), 282-284
Williams, Gordon ("Chicken Man"), 367
Williams, Lonnie
    background/descrição, 514, 622, 648
    Marilyn (irmã) e, 653, 656
Williams, Lonnie-Ali
    Ali acende a tocha olímpica e, 642-643
    Asaad (filho adotado), 637, 653
    casamento, 623, 625, 626
    elegia por Lonnie, 660
    Lonnie administra negócios/finanças
    de Ali, 648, 652
    Lonnie cuida de Ali, 622, 647-648,
    652, 653, 654
    moradias de, 631-632, 631-632, 648
    peregrinação do hajj, 634
    relacionamento/caso, 514-515, 622-
    623

    sobre dislexia, 58
Williams, Marguerite, 622
Williams, Temica, 510
Wilson, Atwood, 87-88, 103
Wilson, Mary, 363
Wilson, Orlando W., 159
Wilson, Peter, 161
Winfrey, Lee, 431
Withers, Bill, 478
Witherspoon, Tim, 593, 596
Wolfe, Tom, 140
Woodward, C. Vann, 146
Wooten, John, 311

Y

Young, Andrew, Jr., 293, 363, 618, 642
Young, Jimmy, 530, 531-532
Youngblood, Walter ("Blood"/Wali
    Muhammad), 438

Z

Zaire
    descrição/história, 453, 454, 455-456
    luta Foreman-Ali e, 452-454, 456, 477
Zimmerman, Paul, 545
Zirin, Dave, 314

Este livro foi composto na tipografia
Minion Pro, em corpo 11/15, e impresso em
papel off-white na Gráfica Cruzado.